씨뮬이 제안하는 가장 효율적인 학습법!

온·오프 블렌디드 러닝 (on/off Blended Learning)

1 STEP ONE OFF-LINE

기출은 수능 대비의 기본!
기본에 가장 충실한 씨뮬로 실전연습하자

- 다양한 구성의 기출문제집으로 목표에 맞는 학습 가능
- 씨뮬 교재를 풀면 온라인에서 자동채점 & 성적분석 가능

2 STEP TWO ON-LINE

스터디센스 ⑤ STUDY SENSE

QR 찍고 회원가입 → 씨뮬 문제 풀기 → 자동채점 → 성적분석

- 내 등급컷과 취약 유형까지 완벽 분석
- AI 문제 추천으로 취약 유형을 한 번 더 학습
- 오답노트로 복습 또 복습해서 틀린 문제 정복하기

3 STEP THREE OFF-LINE

모의고사 맞춤제작 OneUP

'원하는 문제만 골라서 맞춤 교재'를 만들고 싶다면? OneUP

- 원하는 제본 형태로 제작 가능
- 학평, 모평, 수능, 종로 사설 모의고사 맞춤 제작

CONTENTS

고 3 ▶ 국어 — 독서

※ 6월, 9월 모평과 수능은 시험지 표기 명칭과 실시 연도가 다릅니다. 예를 들면, 2023학년도 시험은 2022년에 실시되었습니다.

구 성 ＋ 특 징

01

내신 대비 서브 노트

다양한 분야의 글을 읽는 방법에 대해 체계적으로 정리한 학습 자료입니다. 독서 문제를 풀기 위한 배경지식을 쌓는 데 도움이 되며, 중간·기말고사를 대비할 수 있습니다. 서브 노트를 활용하여 시험 직전에 빠르게 개념을 익혀 봅시다.

02

24일의 기적! 유형도 실전처럼

최신순으로 엄선한 약 5년간의 기출 문제를 24일 동안 공부할 수 있습니다. 하루 2~3지문 분량으로 압축적이고 효율적인 학습이 가능합니다. 각 지문마다 표시된 난이도와 소요 시간을 참고하여 문제를 풀고, 체크 박스로 간단한 채점까지 완벽하게 마무리할 수 있습니다.

03

출제 트렌드와 1등급 꿀팁

인문, 사회, 과학, 기술, 예술 및 복합 분야의 최신 출제 경향과 문제를 푸는 팁을 제공합니다. 또한 각 제재별 대표 기출 문제를 통해 출제의 핵심을 파악하고 빈출 문제 유형을 익힐 수 있습니다.

04

미니 Test

마지막 24일은 간단하게 미니 테스트를 할 수 있습니다. 23일간 독서 지문을
마스터한 후 화법과 작문, 문법, 문학까지 빈틈없이 학습하여 모의고사에 대한
감을 잃지 않도록 합시다.

05

알차고 상세한 해설

출제 의도와 문항에 대한 자세한 분석을 통해 문제 해결의 핵심 내용을
정확하게 제시했습니다. 쉬운 문항은 명료하게 풀이하고, 어려운 문항은 '왜
많이 틀렸을까?' 코너를 통해 오답을 고르는 이유와 이를 대비하는 방법에 대해
상세하게 설명했습니다.

06

Big Event 1+3

교재를 구입하신 분들께 고1, 2, 3 한국사 · 사회탐구 · 과학탐구 과목 중에서
학년에 상관없이 원하는 세 과목의 최신 모의고사(과목별 4~12회 구성) PDF
파일을 메일로 보내 드립니다. 교재 표지 안쪽에 있는 'Big Event' 페이지의
설문지를 작성하여 골드교육 홈페이지에 올려 주세요.

비판적 독해

글을 읽을 때는 제시된 내용이 적절한지, 자료가 글의 주제와 관련이 있는지 판단해야 한다. 그리고 글에 제시된 자료의 출처가 분명하고 사실에 부합하는 내용인지 파악해야 한다. 또한 글쓴이의 주장이나 의견을 비판적으로 수용하며 자신의 의견과 비교하면서 글을 읽어야 한다. 비판적 독해의 네 가지 원칙은 다음과 같다.

내용의 타당성	글에 제시된 정보나 글쓴이의 주장이 잘못된 정보가 아닌지 판단해야 함.
내용의 공정성	글쓴이가 화제를 다룰 때 한쪽으로 치우치지 않고 균형 있게 다루었는지 판단해야 함.
자료의 적절성	글에 제시된 자료가 글의 주제나 내용에 부합하고, 적합한 형태인지 판단해야 함.
자료의 정확성	글에 제시된 자료가 객관적이고 출처가 분명한지 판단해야 함.

추론적 독해

글에서 생략된 정보를 추측하고 글에 드러난 단서를 바탕으로 글쓴이의 의도나 글을 쓴 목적, 글에 드러나지 않은 주제 등을 논리적으로 추론하는 것을 말한다. 글에서 생략된 내용이나 숨겨진 내용을 추론하려면 글에 제시된 정보나 글의 구조 및 언어적 표지를 파악해야 한다. 그리고 글의 구성 요소와 사회·문화적 맥락 등을 이해하고 이를 종합해야 한다. 또한 독서의 목적과 상황을 토대로 의미를 구성해야 한다. 추론적 독해의 다섯 가지 원칙은 다음과 같다.

- 표지와 문맥, 배경지식과 경험을 토대로 생략된 내용을 추론한다.
- 글쓴이의 의도, 글을 쓴 목적, 숨겨진 주제를 추론한다.
- 글의 내용을 다양한 관점에서 분석하고 종합한다.
- 글에 서술된 내용을 토대로 인물이나 사건의 특징을 파악한다.
- 글에 묘사된 내용을 토대로 장면과 분위기를 상상한다.

감상적 독해

독자는 글을 읽는 과정에서 자신의 심리 상태가 내용의 이해에 영향을 미치기도 하고, 글의 내용으로 인해 자신의 감정에 변화가 나타나기도 한다. 그리고 이러한 작용을 중심으로 글을 읽는 것을 감상적 독해라고 한다. 독자는 감상적 독해를 통해 정서적인 변화를 경험할 수 있으며 글에서 전달하는 정보와 생각, 가치나 교훈 등을 내면화할 수 있다. 감상적 독해의 방법은 다음과 같다.

- 등장인물 중 자신과 동일시할 수 있는 인물이나 공감할 수 있는 사건을 찾는다.
- 자신과 등장인물을 동일시하는 이유, 사건에 공감하는 이유를 파악한다.
- 글쓴이의 집필 상황이나 개인적·사회적 배경을 이해한다.

인문 분야의 글 읽기

역사	인간과 사회의 변화와 흥망성쇠의 과정에 대해 기록한 글
종교	인간의 다양한 종교와 종교의 본질에 대해 기록한 글
철학	인간과 세계의 근본 원리, 이해와 탐구에 대해 기록한 글

- 글에 제시된 전체적인 내용과 글쓴이의 관점을 파악한다.
- 독자의 배경지식과 경험, 가치관 등에 따라 글에 대한 해석이 달라질 수 있다는 것을 이해한다.

사회 분야의 글 읽기

사회학	사회 현상이나 사회의 근본 원리에 대해 탐구하는 글
경제학	사회에서 나타나는 경제적 현상에 대해 탐구한 글
정치학	정치 현상이나 정치의 근본 원리에 대해 탐구한 글
여성학	여성의 입장에서 사회 현상에 대해 탐구한 글
언론학	사회적 현안이나 매체를 통해 보도되는 내용을 탐구한 글

- 글에 드러난 사회 현상을 이해하고 문제점을 파악한다.
- 글쓴이의 입장이나 관점을 파악하고 제시된 해결 방안이 적절한지 판단한다.
- 동일한 사회 현상에 대한 다양한 관점을 비교·분석하며 읽는다.

과학 분야의 글 읽기

수학	수학의 원리나 법칙, 공간의 성질 등에 대해 탐구한 글
물리학	물질의 물리적 성질이나 현상, 법칙 등에 대해 탐구한 글
생물학	생명 현상, 생물의 기능이나 구조 등에 대해 탐구한 글
화학	물질의 구조나 성질, 변화나 형성 원리 등에 대해 탐구한 글
지구 과학	지구와 천체, 우주의 현상이나 작용 원리 등에 대해 탐구한 글

- 과학적 개념을 바탕으로 대상의 구조와 원리를 파악하며 읽는다.
- 글에 제시된 정보나 주장의 근거가 과학적으로 타당한지 고려하며 읽는다.

★ 과학 분야 글 읽기의 효용

다양한 과학 현상에 대한 이해의 폭을 넓힐 수 있고 우리의 생활 속에서 경험할 수 있는 자연 현상이나 물리 현상에 대해 파악할 수 있다.

기술 분야의 글 읽기

재료학	전기나 원자력 등의 재료 및 에너지의 기술적 원리를 탐구한 글
정보 기술	컴퓨터나 컴퓨터 장치의 원리 및 구조, 인터넷 기술 전반에 대해 탐구한 글
전자 공학	전자 공학 기술을 바탕으로 한 제품들의 원리를 탐구한 글
환경 기술	환경오염을 방지하거나 환경을 보호하기 위해 필요한 기술의 원리에 대해 탐구한 글

- 글에서 제시한 기술과 관련된 개념 및 용어를 정확하게 이해한다.
- 글에서 제시한 기술이 적용되는 과정을 단계별로 파악한다.

★ 기술 분야 글 읽기의 효용

다양한 기술들이 실생활에 적용되는 원리를 이해할 수 있고 각 기술의 장단점을 비교하고 판단할 수 있다.

예술 분야의 글 읽기

미술	그림, 조각, 서예, 공예 등에 대해 다룬 글
음악	동/서양 음악, 전통 음악, 음악의 형식 및 박자, 악기, 가락 등을 다룬 글
건축	건축물의 원리, 구조, 건축의 역사와 변화 과정 등을 다룬 글
공연	연극이나 뮤지컬, 영화 등에 대해 다룬 글
예술 일반	다양한 예술 이론 및 경향 등에 대해 다룬 글

- 다양한 예술 장르에 대한 배경지식을 활용하여 글의 내용을 이해한다.
- 예술 이론을 이해하고 이를 실제 작품을 분석하는 데 적용한다.

★ 예술 분야 글 읽기의 효용

예술 분야에 대한 교양의 폭을 넓힐 수 있고 예술적 감수성을 길러 작품 감상 능력을 높일 수 있다. 또한 예술과 우리 삶의 연관성을 파악하고 예술이 주는 의미를 이해할 수 있다.

글의 서술 방식

정의	대상이나 용어, 사물 등의 개념을 규정하는 서술 방식	(예) 인간은 사회적 동물이다.
비교	둘 이상의 대상이나 사물의 공통점을 드러내는 서술 방식	(예) 시조와 가사는 운율이 드러난다는 특징이 있다.
대조	둘 이상의 대상이나 사물의 차이점을 드러내는 서술 방식	(예) 영화는 스크린에서 상영되지만, 연극은 무대 위에서 상연된다.
예시	어떤 사실이나 현상에 대해 구체적인 예를 드는 서술 방식	(예) 예를 들어 아이에게 매일 칭찬을 하면 아이는 긍정적 태도를 보인다.
분석	어떤 대상이나 사물을 구성 요소로 나누는 서술 방식	(예) 자전거는 체인과 바퀴, 핸들과 안장으로 나뉜다.
분류	어떤 대상을 일정한 기준에 따라 구분하여 설명하는 서술 방식	(예) 학교는 초등학교, 중학교, 고등학교, 대학교로 나뉜다.
유추	같은 종류의 것 또는 비슷한 것에 기초하여 다른 개념을 미루어 추측하는 서술 방식	(예) 우리말을 제대로 세우지 않고 영어를 들여오는 일은 우리 개구리들을 돌보지 않은 채 황소개구리를 들여온 우를 또다시 범하는 것이다.
서사	대상의 변화나 사건의 전개, 인물의 행동 등을 시간의 흐름에 따라 진술하는 서술 방식	(예) 나는 아침에 일찍 일어났다. 그래서 천천히 밥을 먹고 집을 나섰다. 학교에 도착하였더니 아직도 이른 시간이었다.
묘사	어떤 대상을 그림을 그리듯이 재현하는 서술 방식	(예) 원목 위에 양각된 우아한 넝쿨무늬, 은은한 광택의 금속 페달, 건반 위에 깔린 레드 카펫은 또 얼마나 선정적인 빛깔이던지.
인과	대상의 원인과 결과를 밝혀 진술하는 서술 방식	(예) 그는 아침에 늦잠을 자서 회사에 지각을 했다.

DAY 01 》》》
1 ④	2 ⑤	3 ③	4 ②	5 ⑤
6 ②	7 ②	8 ⑤	9 ⑤	10 ④
11 ②	12 ②	13 ②	14 ④	15 ③
16 ①				

DAY 02 》》》
1 ①	2 ③	3 ④	4 ①	5 ②
6 ③	7 ②	8 ①	9 ③	10 ⑤
11 ③	12 ④	13 ②	14 ②	15 ②
16 ③				

DAY 03 》》》
1 ①	2 ③	3 ④	4 ③	5 ②
6 ③	7 ①	8 ①	9 ②	10 ②
11 ①	12 ④	13 ④	14 ⑤	15 ④

DAY 04 》》》
1 ③	2 ④	3 ④	4 ②	5 ②
6 ①	7 ①	8 ④	9 ⑤	10 ③
11 ④	12 ③	13 ②	14 ④	15 ⑤
16 ⑤				

DAY 05 》》》
1 ①	2 ④	3 ②	4 ④	5 ⑤
6 ④	7 ②	8 ②	9 ④	10 ⑤
11 ②	12 ①	13 ②	14 ④	15 ④

DAY 06 》》》
1 ④	2 ⑤	3 ②	4 ⑤	5 ②
6 ④	7 ②	8 ④	9 ⑤	10 ②
11 ③	12 ③			

DAY 07 》》》
1 ①	2 ⑤	3 ④	4 ②	5 ③
6 ④	7 ②	8 ②	9 ③	10 ⑤
11 ②	12 ⑤	13 ①	14 ⑤	

DAY 08 》》》
1 ②	2 ⑤	3 ⑤	4 ④	5 ②
6 ③	7 ②	8 ①	9 ③	10 ⑤
11 ②	12 ③	13 ⑤	14 ②	15 ⑤
16 ①				

DAY 09 》》》
1 ③	2 ⑤	3 ④	4 ②	5 ③
6 ③	7 ②	8 ②	9 ⑤	10 ③
11 ①	12 ②	13 ⑤	14 ③	15 ⑤
16 ④				

DAY 10 》》》
1 ⑤	2 ③	3 ①	4 ④	5 ②
6 ⑤	7 ①	8 ⑤	9 ④	10 ③
11 ③	12 ④	13 ⑤	14 ①	15 ①

DAY 11 》》》
1 ③	2 ④	3 ④	4 ①	5 ①
6 ②	7 ④	8 ③	9 ④	10 ①
11 ⑤	12 ③			

DAY 12 》》》
1 ①	2 ②	3 ④	4 ②	5 ①
6 ②	7 ④	8 ④	9 ③	10 ①
11 ②	12 ②	13 ③		

DAY 13 》》》
1 ④	2 ⑤	3 ④	4 ①	5 ②
6 ⑤	7 ①	8 ④	9 ①	10 ②
11 ⑤	12 ①	13 ③	14 ①	

DAY 14 》》》
1 ③	2 ④	3 ⑤	4 ②	5 ①
6 ④	7 ②	8 ⑤	9 ④	10 ⑤
11 ②	12 ②			

DAY 15 》》》
1 ④	2 ④	3 ①	4 ①	5 ②
6 ⑤	7 ⑤	8 ①	9 ③	10 ②
11 ④	12 ④			

DAY 16 》》》
1 ②	2 ③	3 ①	4 ③	5 ④
6 ②	7 ④	8 ①	9 ⑤	10 ③
11 ①	12 ①			

DAY 17 》》》
1 ⑤	2 ④	3 ②	4 ②	5 ③
6 ①	7 ⑤	8 ④	9 ⑤	10 ①
11 ④				

DAY 18 》》》
1 ③	2 ⑤	3 ④	4 ④	5 ②
6 ④	7 ④	8 ⑤	9 ①	10 ②
11 ②	12 ②	13 ④	14 ④	

DAY 19 》》》
1 ⑤	2 ②	3 ③	4 ①	5 ②
6 ①	7 ④	8 ④	9 ①	10 ①
11 ②	12 ②	13 ②		

DAY 20 》》》
1 ③	2 ①	3 ⑤	4 ⑤	5 ③
6 ①	7 ⑤	8 ①	9 ②	10 ③
11 ⑤	12 ①			

DAY 21 》》》
1 ①	2 ②	3 ④	4 ①	5 ①
6 ②	7 ④	8 ①	9 ①	10 ②
11 ③	12 ①			

DAY 22 》》》
1 ③	2 ①	3 ②	4 ②	5 ②
6 ②	7 ④	8 ①	9 ①	10 ④
11 ②	12 ④			

DAY 23 》》》
1 ②	2 ①	3 ①	4 ②	5 ①
6 ③	7 ①	8 ②	9 ③	10 ③
11 ②				

DAY 24 》》》
1 ①	2 ④	3 ②	4 ③	5 ⑤
6 ⑤	7 ②	8 ③	9 ③	10 ①
11 ⑤	12 ③			

I

인 문

• 고3 국어 독서 •

Ⅰ 인문

출제 트렌드

인문은 철학, 윤리, 사상, 역사, 심리학, 논리 등을 다루는 분야입니다. 그러므로 인간이 가지고 있는 다양한 사상과 가치관, 세상을 보는 관점 등을 비교하고 심층적으로 이해할 수 있어야 합니다. 인간의 존재와 삶은 과학이나 기술과는 달리 추상적이고 사변적인 성격을 띠기 때문에 분석적인 접근보다는 추론 능력이 필요합니다. 인문 분야에서는 동·서양 철학자들의 입장과 주장을 비교하는 지문이 많이 출제되고 진리, 명제 등의 한 이론이 성립하는 과정 혹은 보편적 원리를 파악하는 지문도 종종 출제됩니다. 최근 평가원 시험에서는 2023학년도 6월 모의평가가 다소 어렵게 출제되었으며, 나머지는 비교적 평이했습니다. 인문 분야는 한 지문당 문제 수가 많은 편이지만, 다른 분야에 비해 매우 고난도의 지문이 출제되는 경향은 적습니다. 철학자(학파)들의 견해나 주장을 공통점과 차이점을 중심으로 이해하고, 한 관점에 입각해서 다른 관점을 비판할 수 있다면 인문 분야의 문제는 어렵지 않게 풀 수 있을 것입니다.

시행	출제 지문	문제 수	난이도
2023학년도 수능	유서의 특성과 조선 후기의 유서	6문제 출제	★★☆
2023학년도 6월 모평	『신어』와 『치평요람』에 담긴 사상	6문제 출제	★★★
2022학년도 수능	변증법을 바탕으로 한 헤겔의 미학	6문제 출제	★★☆
2022학년도 9월 모평	반자유의지 논증	4문제 출제	★☆☆

1등급 꿀팁

하나 _ 역사 지문은 시간의 흐름에 따른 변화 과정에 주목하자.
두울 _ 철학과 윤리 지문은 다양한 사상가들의 견해 차이에 초점을 맞추자.
세엣 _ 그래서, 따라서, 그러나 등의 접속사 표지를 놓치지 말자.
네엣 _ 어떤 학자나 학파의 주장은 반드시 근거와 함께 파악하자.
다섯 _ 한 관점을 특정 사례에 적용하는 연습을 하자.
여섯 _ 추상적인 단어나 용어가 많이 등장하므로 맥락을 통해 뜻을 유추하자.
일곱 _ 지문에 숨은 이면적 내용을 추론해서 주제를 이해하자.

다음 글을 읽고 물음에 답하시오.

(나)

　예수회 선교사들이 중국에 소개한 서양의 학문, 곧 서학은 조선 후기 유서(類書)의 지적 자원 중 하나로 활용되었다. 조선 후기 실학자들 가운데 이수광, 이익, 이규경 등이 편찬한 백과 전서식 유서는 주자학의 지적 영역 내에서 서학의 지식을 어떻게 수용하였는지를 보여 주는 대표적인 사례이다.

　17세기의 이수광은 주자학뿐 아니라 다른 학문에 대해서도 열린 태도를 가지고 있었다. 주자학에 기초하여 도덕에 관한 학문과 경전에 관한 학문 등이 주류였던 당시 상황에서, 그는 『지봉유설』을 통해 당대 조선의 지식을 망라하여 항목화하고 자신의 견해를 덧붙였을 뿐 아니라 사신의 일원으로 중국에서 접한 서양 관련 지식을 객관적으로 소개했다. 이에 대해 심성 수양에 절실하지 않을뿐더러 주자학이 아닌 것이 ⓓ뒤섞여 순수 하지 않다는 ㉯일부 주자학자의 비판이 있었지만, 그가 소개한 서양 관련 지식은 중국과 큰 시간 차이 없이 주변에 알려졌다.

　18세기의 이익은 서학 지식 자체를 ㉠『성호사설』의 표제어로 삼았고, 기존의 학설을 정당화하거나 배제하는 근거로 서학을 수용하는 등 서학을 지적 자원으로 활용하였다. 특히 그는 서학의 세부 내용을 다른 분야로 확대하며 상호 참조하는 방식 으로 지식을 심화하고 확장하여 소개하였다. 서학의 해부학과 생리학을 그 자체로 수용하지 않고 주자학 심성론의 하위 이론 으로 재분류하는 등 지식의 범주를 ⓔ바꾸어 수용하였다. 또한 서학의 수학을 주자학의 지식 영역 안에서 재구성하기도 하였다.

　19세기의 이규경도 ㉡『오주연문장전산고』를 편찬하면서 서학을 적극 활용하였다. 그는 『성호사설』의 분류 체계를 적용 하였고 이익과 마찬가지로 서학의 천문학, 우주론 등의 내용을 수록하였다. 그가 주로 유서의 지적 자원으로 활용한 중국의 서학 연구서들은 서학을 소화하여 중국의 학문과 절충한 것이 었고, 서학이 가지는 진보성의 토대가 중국이라는 서학 중국 원류설을 반영한 것이었다. 이에 따라 이규경은 이 책들에 담긴 중국화한 서학 지식과 서학 중국 원류설을 받아들였고, 문명의 척도로 여겨진 기존의 중화 관념에서 탈피하지 않으면 서도 서학 수용의 이질감과 부담감에서 자유로울 수 있었다. 이렇듯 이규경은 중국의 서학 연구서들을 활용해 매개적 방식 으로 서학을 수용하였다.

7. ㉯를 반박하기 위한 '이수광'의 말로 가장 적절한 것은?

① 학문에서 의리를 앞세우고 이익을 뒤로하는 것보다 중한 것이 없으니, 심성을 수양하는 것은 그다음의 일이다.

② 주자학에 매몰되어 세상의 여러 이치를 연구하지 않는 것은 널리 배우고 익히는 앎의 바른 방법이 아닐 것이다.

③ 주자의 가르침이 쇠퇴하게 되면 주자학이 아닌 학문이 날로 번성하게 되니, 주자의 도가 분명히 밝혀져야 한다.

④ 유학 경전에서 쓰이지 않은 글자를 한 글자라도 더하는 일을 용납하는 것은 바른 학문을 해치는 길이 될 것이다.

⑤ 참되게 알고 참되게 행하는 것이 어려우니, 우리 학문의 여러 경전으로부터 널리 배우고 면밀히 익혀야 할 것이다.

12분 | 2023학년도 수능 4~9번 | ★★☆ | 정답 002쪽

[1~6] 다음 글을 읽고 물음에 답하시오.

(가)

[A]

중국에서 비롯된 유서(類書)는 고금의 서적에서 자료를 수집하고 항목별로 분류, 정리하여 이용에 편리하도록 편찬한 서적이다. 일반적으로 유서는 기존 서적에서 필요한 부분을 뽑아 배열할 뿐 상호 비교하거나 편찬자의 해석을 가하지 않았다. 유서는 모든 주제를 망라한 일반 유서와 특정 주제를 다룬 전문 유서로 나눌 수 있으며, 편찬 방식은 책에 따라 다른 경우가 많았다. 중국에서는 대체로 왕조 초기에 많은 학자를 동원하여 국가 주도로 대규모 유서를 편찬하여 간행하였다. 이를 통해 이전까지의 지식을 집성하고 왕조의 위엄을 과시할 수 있었다.

고려 때 중국 유서를 수용한 이후, 조선에서는 중국 유서를 활용하는 한편, 중국 유서의 편찬 방식에 ⓐ따라 필요에 맞게 유서를 편찬하였다. 조선의 유서는 대체로 국가보다 개인이 소규모로 편찬하는 경우가 많았고, 목적에 따른 특정 주제의 전문 유서가 집중적으로 편찬되었다. 전문 유서 가운데 편찬자가 미상인 유서가 많은데, 대체로 간행을 염두에 두지 않고 기존 서적에서 필요한 부분을 발췌, 기록하여 시문 창작, 과거 시험 등 개인적 목적으로 유서를 활용하고자 하였기 때문이었다.

이 같은 유서 편찬 경향이 지속되는 가운데 17세기부터 실학의 학풍이 하나의 조류를 형성하면서 유서 편찬에 변화가 나타났다. ㉮실학자들의 유서는 현실 개혁의 뜻을 담았고, 편찬 의도를 지식의 제공과 확산에 두었다. 또한 단순 정리를 넘어 지식을 재분류하여 범주화하고 평가를 더하는 등 저술의 성격을 드러냈다. 독서와 견문을 통해 주자학에서 중시되지 않았던 지식을 집적했고, 증거를 세워 이론적으로 밝히는 고증과 이에 대한 의견 등 '안설'을 덧붙이는 경우가 많았다. 주자학의 지식을 ⓑ이어받는 한편, 주자학이 아닌 새로운 지식을 수용하는 유연성과 개방성을 보였다. 광범위하게 정리한 지식을 식자층이 ⓒ쉽게 접할 수 있어야 한다고 생각했고, 객관적 사실 탐구를 중시하여 박물학과 자연 과학에 관심을 기울였다.

조선 후기 실학자들이 편찬한 유서가 주자학의 관념적 사유에 국한되지 않고 새로운 지식의 축적과 확산을 촉진한 것은 지식의 역사에서 적지 않은 의미를 지닌다.

(나)

예수회 선교사들이 중국에 소개한 서양의 학문, 곧 서학은 조선 후기 유서(類書)의 지적 자원 중 하나로 활용되었다. 조선 후기 실학자들 가운데 이수광, 이익, 이규경 등이 편찬한 백과전서식 유서는 주자학의 지적 영역 내에서 서학의 지식을 어떻게 수용하였는지를 보여 주는 대표적인 사례이다.

17세기의 이수광은 주자학뿐 아니라 다른 학문에 대해서도 열린 태도를 가지고 있었다. 주자학에 기초하여 도덕에 관한 학문과 경전에 관한 학문 등이 주류였던 당시 상황에서, 그는 『지봉유설』을 통해 당대 조선의 지식을 망라하여 항목화하고 자신의 견해를 덧붙였을 뿐 아니라 사신의 일원으로 중국에서 접한 서양 관련 지식을 객관적으로 소개했다. 이에 대해 심성 수양에 절실하지 않을뿐더러 주자학이 아닌 것이 ⓓ뒤섞여 순수하지 않다는 ㉯일부 주자학자의 비판이 있었지만, 그가 소개한 서양 관련 지식은 중국과 큰 시간 차이 없이 주변에 알려졌다.

18세기의 이익은 서학 지식 자체를 ㉠『성호사설』의 표제어로 삼았고, 기존의 학설을 정당화하거나 배제하는 근거로 서학을 수용하는 등 서학을 지적 자원으로 활용하였다. 특히 그는 서학의 세부 내용을 다른 분야로 확대하며 상호 참조하는 방식으로 지식을 심화하고 확장하여 소개하였다. 서학의 해부학과 생리학을 그 자체로 수용하지 않고 주자학 심성론의 하위 이론으로 재분류하는 등 지식의 범주를 ⓔ바꾸어 수용하였다. 또한 서학의 수학을 주자학의 지식 영역 안에서 재구성하기도 하였다.

19세기의 이규경도 ㉡『오주연문장전산고』를 편찬하면서 서학을 적극 활용하였다. 그는 『성호사설』의 분류 체계를 적용하였고 이익과 마찬가지로 서학의 천문학, 우주론 등의 내용을 수록하였다. 그가 주로 유서의 지적 자원으로 활용한 중국의 서학 연구서들은 서학을 소화하여 중국의 학문과 절충한 것이었고, 서학이 가지는 진보성의 토대가 중국이라는 서학 중국 원류설을 반영한 것이었다. 이에 따라 이규경은 이 책들에 담긴 중국화한 서학 지식과 서학 중국 원류설을 받아들였고, 문명의 척도로 여겨진 기존의 중화 관념에서 탈피하지 않으면서도 서학 수용의 이질감과 부담감에서 자유로울 수 있었다. 이렇듯 이규경은 중국의 서학 연구서들을 활용해 매개적 방식으로 서학을 수용하였다.

1. (가)와 (나)에 대한 설명으로 가장 적절한 것은?

① (가)는 유서의 유형을 분류하였고, (나)는 유서의 분류 기준과 적절성 여부를 평가하였다.

② (가)는 유서의 개념과 유용성을 소개하였고, (나)는 국가별 유서의 변천 과정을 설명하였다.

③ (가)는 유서의 기원에 대한 다양한 학설을 검토하였고, (나)는 유서 편찬자들 간의 견해 차이를 분석하였다.

④ (가)는 유서의 특성과 의의를 설명하였고, (나)는 유서 편찬에서 특정 학문의 수용 양상을 시기별로 소개하였다.

⑤ (가)는 유서에 대한 평가가 시대별로 달라진 원인을 분석하였고, (나)는 역사적으로 대표적인 유서의 특징을 제시하였다.

2. [A]에 대한 이해로 적절하지 <u>않은</u> 것은?

① 조선에서 편찬자가 미상인 유서가 많았던 것은 편찬자의 개인적 목적으로 유서를 활용하려 했기 때문이다.

② 조선에서는 시문 창작, 과거 시험 등에 필요한 내용을 담은 유서가 편찬되는 경우가 적지 않았다.

③ 조선에서는 중국의 편찬 방식을 따르면서도 대체로 국가보다는 개인에 의해 유서가 편찬되었다.

④ 중국에서는 많은 학자를 동원하여 대규모로 편찬한 유서를 통해 왕조의 위엄을 드러내었다.

⑤ 중국에서는 주로 서적에서 발췌한 내용을 비교하고 해석을 덧붙여 유서를 편찬하였다.

3. ㉮에 대한 이해를 바탕으로 ㉠, ㉡에 대해 파악한 내용으로 적절하지 <u>않은</u> 것은?

① 지식의 제공이라는 ㉮의 편찬 의도는, ㉠에서 지식을 심화하고 확장하여 소개한 것에서 나타난다.

② 지식을 재분류하여 범주화한 ㉮의 방식은, ㉠에서 해부학과 생리학을 주자학 심성론의 하위 이론으로 수용한 것에서 나타난다.

③ 평가를 더하는 저술로서 ㉮의 성격은, ㉡에서 중국 학문의 진보성을 확인하고자 서학을 활용한 것에서 나타난다.

④ 사실 탐구를 중시하며 자연 과학에 대해 드러낸 ㉮의 관심은, ㉡에서 천문학과 우주론의 내용을 수록한 것에서 나타난다.

⑤ 새로운 지식을 수용하는 ㉮의 유연성과 개방성은, ㉠과 ㉡에서 서학을 지적 자원으로 받아들인 것에서 나타난다.

4. ㉯를 반박하기 위한 '이수광'의 말로 가장 적절한 것은?

① 학문에서 의리를 앞세우고 이익을 뒤로하는 것보다 중한 것이 없으니, 심성을 수양하는 것은 그다음의 일이다.

② 주자학에 매몰되어 세상의 여러 이치를 연구하지 않는 것은 널리 배우고 익히는 앎의 바른 방법이 아닐 것이다.

③ 주자의 가르침이 쇠퇴하게 되면 주자학이 아닌 학문이 날로 번성하게 되니, 주자의 도가 분명히 밝혀져야 한다.

④ 유학 경전에서 쓰이지 않은 글자를 한 글자라도 더하는 일을 용납하는 것은 바른 학문을 해치는 길이 될 것이다.

⑤ 참되게 알고 참되게 행하는 것이 어려우니, 우리 학문의 여러 경전으로부터 널리 배우고 면밀히 익혀야 할 것이다.

5. (가), (나)를 읽은 학생이 <보기>의 『임원경제지』에 대해 보인 반응으로 적절하지 <u>않은</u> 것은? [3점]

<보 기>

서유구의 『임원경제지』는 19세기까지의 조선과 중국 서적들에서 향촌 관련 부분을 발췌, 분류하고 고증한 유서이다. 국가를 위한다는 목적의식을 명시한 이 유서에는 향촌 사대부의 이상적인 삶을 제시하는 과정에서 향촌 구성원 전체의 삶의 조건을 개선할 수 있는 방안이 실렸고, 향촌 실생활에서 활용할 수 있는 내용이 집성되었다. 주자학을 기반으로 실증과 실용의 자세를 견지했던 서유구의 입장, 서학 중국 원류설, 중국과 비교한 조선의 현실 등이 반영되었다. 안설을 부기했으며, 제한적으로 색인을 넣어 검색이 가능하도록 하였다.

① 현실 개혁의 뜻을 담았던 (가)의 실학자들의 유서와 마찬가지로 현실의 문제를 개선하려는 목적의식이 확인되겠군.

② 증거를 제시하여 이론적으로 밝히거나 의견을 제시하는 경우가 많았던 (가)의 실학자들의 유서와 마찬가지로 편찬자의 고증과 의견이 반영된 것이 확인되겠군.

③ 당대 지식을 망라하고 서양 관련 지식을 소개하고자 한 (나)의 『지봉유설』에 비해 특정한 주제를 중심으로 편찬되는 전문 유서의 성격이 두드러지게 드러나겠군.

④ 기존 학설의 정당화 내지 배제에 관심을 두었던 (나)의 『성호사설』에 비해 향촌 사회 구성원의 삶에 필요한 실용적인 지식의 활용에 대한 관심이 드러나겠군.

⑤ 중국을 문명의 척도로 받아들였던 (나)의 『오주연문장전산고』와 달리 중화 관념에 구애되지 않고 중국의 현실과 조선의 현실을 비교한 내용이 확인되겠군.

6. 문맥상 ⓐ~ⓔ와 바꾸어 쓰기에 적절하지 <u>않은</u> 것은?

① ⓐ: 의거(依據)하여

② ⓑ: 계몽(啓蒙)하는

③ ⓒ: 용이(容易)하게

④ ⓓ: 혼재(混在)되어

⑤ ⓔ: 변경(變更)하여

[7~10] 다음 글을 읽고 물음에 답하시오.

논리 실증주의에서는 어떠한 언명이 기존 이론의 영향을 받지 않고 오로지 객관적 관찰을 통해 참과 거짓으로 확실히 결정될 수 있으면 과학적으로 유의미하다고 보았다. 그리고 보편 언명이 단칭 언명의 누적을 통해 성립된다고 주장했다. 단칭 언명은 ⓐ특정 시공간에서 발생한 특정 사건을 언급한 것이고, 보편 언명은 단칭 언명들을 일반화한 것으로 과학 이론으로 성립될 수 있는 것을 말한다. 예컨대 '이 리트머스 시험지가 산에 담기면 붉어진다.'라는 단칭 언명이 예외 없이 관찰된다면 '모든 리트머스 시험지는 산에 담기면 붉어진다.'라는 보편 언명이 과학 이론으로 성립될 수 있다고 보았다.

그런데 ⓑ이러한 생각은 어떤 과학 이론이 지금까지 누적된 단칭 언명들을 통해 참으로 보장될지라도, 앞으로 보편 언명으로서 확실히 참이 될 수는 없다는 비판에 직면했다. 예컨대 지금까지 리트머스 시험지가 산에 담겼을 때 항상 붉어졌다는 관찰이, 앞으로 어떤 리트머스 시험지가 산에 담기면 붉어질 것임을 보장하지 않기 때문이다. 이 난점을 극복하기 위해 일부의 논리 실증주의자들은 단칭 언명이 누적될수록 과학 이론이 참으로 결정될 가능성이 점차 증가할 것이라는 ⓒ완화된 입장으로 바뀌었다. 하지만 지금까지의 단칭 언명들로 일반화된 언명이 ⓓ계속 참으로 남을 것인지는 알 수 없다는 문제를 해결할 수 없었다.

비판적 합리주의 는 논리 실증주의와 달리 단칭 언명이 기존 과학 이론과의 연관 속에서 형성된다고 보고, 현상을 있는 그대로 관찰하는 것은 거의 불가능하다고 주장했다. 그리고 참인 단칭 언명을 통해 가설이나 과학 이론이 참임을 확실히 알 수는 없지만 참인 단칭 언명을 통해 그것이 거짓임을 밝히는 것은 가능하다고 했다. 예컨대 '어떤 리트머스 시험지가 산에 담기면 그 시험지가 붉어지지 않는다.'라는 단칭 언명으로부터 '모든 리트머스 시험지는 산에 담기면 붉어진다.'라는 보편 언명이 거짓임을 확실히 알 수 있다. 이를 바탕으로 비판적 합리주의에서는 과학과 과학이 아닌 것을 구분하는 기준으로 반증 가능성을 제시하고, 관찰에 의해 반증될 수 있는 언명만을 과학적으로 의미 있는 언명으로 인정해야 한다고 보았다.

비판적 합리주의는 기존 과학 이론으로 설명할 수 없는 사실의 관찰로부터 새로운 과학 이론이 비롯된다고 보았다. 이때 기존 과학 이론은 즉시 버려지고 기존 과학 이론을 수정하여 쓸 수는 없다. 과학자들은 기존 과학 이론으로 설명할 수 없는 사실이 발견된 문제 상황을 해결하기 위한 가설을 새로 수립하고, 가설을 ⓔ시험할 수 있는 사례를 떠올린다. 만약 그러한 사례가 관찰되지 않는다면 그 가설은 잠정적 과학 이론의 지위를 부여받는다. 비판적 합리주의는 과학이 참된 진리에 도달할 수는 없으나 점진적으로 다가갈 수 있다고 주장했다. 모든 과학 이론은 잠정적이라는 것이다. 과학 이론은 거듭된 반증의 시도로부터 꾸준히 살아남을 수 있으나 언제라도 반증될 수 있기 때문이다. 하지만 실제 과학 현실에서는 그러한 사례가 발견되어 기존 과학 이론이 폐기되어야 함에도 기존 과학 이론을 폐기하지 않고 보완하려는 시도가 빈번하다는 점에서, ㉠비판적 합리주의는 실제 과학 현실을 정확하게 설명하고 있지 못하다는 문제가 있다.

7. 윗글을 통해 해결할 수 있는 의문이 <u>아닌</u> 것은?

① 비판적 합리주의에서는 과학과 과학이 아닌 것을 구분하는 기준을 무엇으로 보았는가?

② 논리 실증주의에서는 비판적 합리주의가 가지고 있는 문제점을 무엇으로 보았는가?

③ 비판적 합리주의에서는 과학이 어떻게 참된 진리에 다가갈 수 있다고 보았는가?

④ 비판적 합리주의에서는 새로운 과학 이론이 무엇으로부터 출발한다고 보았는가?

⑤ 논리 실증주의에서는 과학적으로 유의미한 언명의 조건을 무엇으로 보았는가?

8. 윗글의 비판적 합리주의 의 입장에서 <보기>를 이해한 내용으로 가장 적절한 것은? [3점]

─── < 보 기 > ───

물질의 존재와 무관하게 공간은 항상 같은 상태라는 과학 이론이 그 지위를 확고히 하고 있던 시기에 아인슈타인은 이 과학 이론으로 설명할 수 없는 현상을 새로운 가설로 설명하고자 했다. 그래서 아인슈타인은 태양처럼 질량이 큰 물체는 주변의 공간을 왜곡한다는 가설을 세웠다. 이후 에딩턴은 일식이 진행되는 동안 어떤 별의 사진을 찍었다. 이 사진들을 분석한 결과, 일식 때의 별빛 위치가 일식이 아닐 때의 별빛 위치와 다르다는 것을 알게 되었다. 이를 토대로 에딩턴은 이 별빛은 태양에 의해 왜곡된 공간을 따라 휘며 진행한 것이라고 보았다.

① 아인슈타인의 가설은 거듭된 반증의 시도로부터 꾸준히 살아남는다면 참된 진리에 도달하겠군.

② 태양처럼 질량이 큰 물체에 의해 공간이 왜곡된다는 아인슈타인의 가설이 제시되자마자 기존 과학 이론은 즉시 버려졌겠군.

③ 일식 때 별빛이 휘지 않고 진행함을 보여 주는 현상이 또 발견되어야 아인슈타인의 가설은 잠정적 과학 이론의 지위를 부여받겠군.

④ 물질의 존재와 무관하게 공간은 항상 같은 상태라는 과학 이론은 에딩턴에 의해 확실히 반증되었기에 과학적으로 유의미한 이론이라고 할 수 없겠군.

⑤ 에딩턴의 사진 분석은 아인슈타인의 가설이 참된 진리에 도달했음을 알 수 있는 것은 아니지만 기존 과학 이론이 성립하지 않는다는 것을 확실히 알 수 있게 하겠군.

9. ⓐ ~ ⓔ에 대한 설명으로 적절하지 <u>않은</u> 것은?

① ⓐ : 객관적 관찰을 통해 참과 거짓을 결정할 수 있는 사건을 언급한 것이다.

② ⓑ : 단칭 언명들을 일반화한 보편 언명이 과학 이론으로 성립될 수 있다는 생각이다.

③ ⓒ : 참인 단칭 언명이 누적될수록 보편 언명이 참이 될 확률이 커진다는 입장이다.

④ ⓓ : 지금의 과학 이론이 미래의 관찰에도 그대로 적용될 수 있을지는 알 수 없다는 문제이다.

⑤ ⓔ : 문제 상황을 해결하기 위해 세운 가설을 지지하는 사례이다.

10. ㉠에 대한 이해로 가장 적절한 것은?

① 과학자들은 정확한 관찰이 선행되지 않더라도 새로운 가설을 과학 이론으로 인정하려 한다.

② 과학자들은 어떤 가설이 새로운 과학 이론으로 제시되면 해당 가설의 옳고 그름을 하나하나 점검하려 한다.

③ 과학자들은 기존 과학 이론에 기대어 가설을 세우기보다는 직접 관찰한 사실을 바탕으로 가설을 세우려 한다.

④ 과학자들은 기존 과학 이론으로 풀이될 수 없는 현상이 관찰되더라도 기존 이론을 폐기하지 않고 수정하려 한다.

⑤ 과학자들은 어떤 가설이 새로운 과학 이론의 지위를 부여받았을지라도 그것은 잠정적인 것이기 때문에 언제든 대체될 수 있다고 본다.

【11~16】 다음 글을 읽고 물음에 답하시오.

(가)

　철학에서는 상상력을 무엇으로 여기며, 그 역할을 어떻게 규정하고 있을까? 상상력을 철학에서 핵심적인 주제로 생각한 흄은 상상력을 신체적이며 선천적인 기능으로 바라본 기존의 관점과 달리 정신적이며 후천적인 기능으로 규정한 최초의 철학자로 평가된다. 흄은 인간의 정신적 활동인 '지각'을 '인상'과 '관념'으로 구분한다. 인상은 감각과 같이 대상에 대한 경험의 직접적인 재료이고, 관념은 인상을 마음속에 떠올리며 생겨나는 이미지이다. 여기서 흄은 인상을 통해 이미지를 재생시키는 능력을 '상상력'이라 보았다. 상상력은 관념을 토대로 대상을 이해하고 생각하는 우리에게 가장 기초적인 능력인 것이다.

　흄은 인상을 관념의 형태로 재생시키는 능력으로 상상력과 함께 '기억'을 제시한다. 기억과 상상력의 차이는 인상과 관념의 차이와 마찬가지로 생생함의 정도에서 비롯되는데, 기억이 상상력보다 인상을 더욱 생생하게 재생한다. 그래서 기억에 의해 재생된 관념은 상상력에 의해 재생된 관념보다 훨씬 생생하고, 강렬하다. 또한 기억이 최초 인상들을 받아들일 때와 동일한 순서로 재생이 이루어지는 것과 달리 상상력은 순서와 상관없이 자유롭게 재생이 이루어진다. 기억에 의해 재생된 관념은 특정한 시간과 장소에서 받아들인 특정한 인상에 대한 관념이지만, 상상력에 의해 재생된 관념은 각각의 인상들이 생긴 시간의 순서나 각 인상들의 공간적 배열까지도 원래 받아들일 때의 그것과는 다르게 재생된 관념인 것이다. 즉, 상상력은 기억과 달리 관념들을 결합하거나 분리할 수 있다. 상상력이 인상을 만들어 낼 수는 없지만, 인상들로부터 만들어진 관념들을 자율적으로 재정리할 수 있는 것이다.

　그러나 흄은 이러한 상상력의 자율성에 일정한 제약이 따른다고 본다. '관념 연합의 원리', 즉 선천적인 것이 아니라 경험에서 습득된 유사성, 인접성, 인과성을 제시하면서, 상상력은 이러한 연합의 원리에 의해 관념들을 결합시키는 것이라 설명한다. 상상력이 관념들을 결합시킬 때 임의로 이루어지는 것이 아니라 유사한 관념들끼리, 시공간적으로 인접해 있거나 인과 관계에 있는 관념들끼리 결합이 이루어진다는 것이다. 흄에게 임의로 결합된 관념은 무의미한 환상에 불과하다.

　또한 흄은 상상력이 가지고 있는 항상성이라는 특성으로 인해 대상에 대한 인상들 간의 단절을 넘어 동일성을 확보할 수 있다고 말한다. 하나의 대상이 지속적으로 존재한다는 것은 그 대상이 동일성을 유지한다는 것을 의미하는데, 이러한 동일성이 상상력에 의하여 확보된다는 것이다. 아침에 일어나 보는 하늘이 밤사이에 소멸했다가 새로 창조된 것이 아니라고 생각하는 것은 항상성에 의한 것으로 이해할 수 있다.

(나)

　칸트는 흄과 달리 상상력을 선험적인 차원에서 탐구하였다. 칸트에 의하면 인간의 인식 능력은 감성, 상상력, 지성, 이성이라는 4가지로 구분된다. '감성'은 대상에 의해 우리에게 감각적으로 주어진 것을 오감(五感)을 통해 받아들이는 능력이다. '지성'은 개념을 형성하고, 그 개념에 근거하여 주어진 상황에 대해 판단을 ⓐ내리는 능력을 말한다. '상상력'은 서로 이질적인 능력인 감성과 지성을 연결하는 능력으로, 감성의 내용을 지성에, 지성의 내용을 감성에 전달한다. 상상력이 감성의 내용을 지성으로 전달할 때 결합이 이루어지는 반면, 상상력에 의해 지성의 내용이 감성으로 전달될 때 도식화가 일어난다. '이성'은 추론하는 능력으로, 다양한 분야에서 감성, 상상력, 지성에 의해 축적된 수많은 지식들을 영혼이나 우주 또는 신이라는 이념으로 수렴하여 체계화한다. 이처럼 칸트는 인간의 인식 능력을 감성, 상상력, 지성, 이성으로 구분하고 각각의 기능들이 어떻게 작동하고 이어지는지 그 원리를 분석하면서 감성과 지성의 매개자인 상상력의 역할을 강조하였다. 상상력이 없다면 인식이 성립할 수 없다고 본 것이다.

칸트는 상상력을 결합과 도식화의 측면에서 ㉠'재생적 상상력'과 ㉡'생산적 상상력'으로 구분한다. 재생적 상상력은 오감을 통해 느껴지는 다양한 감각들을 재생하여 결합하는 능력으로, 먼저 무질서하고 다양한 감각들을 훑어본 다음 훑어본 것을 재생하여 결합하는 과정으로 이루어진다. 이를 '종합'이라고도 하는데, 서로 다른 시간들에서 경험한 것을 하나의 통일된 것으로 결합하게 한다. 가령 내가 사과를 보았을 때 오감으로 느껴지는 다양한 감각들을 훑어보고 모아서 그 사과를 하나의 상(像)으로 결합해 내는 경우는 재생적 상상력에 의해서 종합이 일어난 것이다.

생산적 상상력은 도식(Schema)을 능동적으로 만드는 능력이다. 도식은 감각에 영향을 받지 않으며, 경험 이전에 있으면서 그 경험을 인식하게 하는 선험적 형식을 말한다. 이러한 도식은 추상적인 개념을 구체적인 감각과 연결하여 이해할 수 있게 해 준다. 나아가 생산적 상상력은 도식을 창조할 수 있는데, 이를 통해 개념을 정확하게 이해할 수 있을 뿐만 아니라 자유롭게 응용할 수도 있게 된다. 이처럼 칸트는 흄이 경험적인 차원에서 연구하였던 상상력을 선험적인 차원에서 탐구함으로써 흄의 한계를 넘어선 것이다.

11. (가)와 (나)에 대한 설명으로 가장 적절한 것은?

① (가)와 (나)는 모두 특정 개념에 대한 여러 학자의 견해를 병렬적으로 소개하고 있다.
② (가)와 (나)는 모두 특정 개념을 기존과 다르게 바라보았던 학자의 견해를 설명하고 있다.
③ (가)와 달리 (나)는 특정 개념을 다른 개념과 비교하면서 두 개념의 장단점을 분석하고 있다.
④ (가)와 달리 (나)는 특정 개념을 정의한 뒤 구체적인 사례와 관련지어 그 개념의 의의와 한계를 제시하고 있다.
⑤ (나)와 달리 (가)는 특정 개념을 바라보는 철학적 관점의 형성 배경과 긍정적 영향에 주목하여 서술하고 있다.

12. (가)에서 알 수 있는 흄의 견해로 적절하지 <u>않은</u> 것은?

① 대상에 대한 인상들 간의 단절을 넘어 동일성을 확보할 수 있는 것은 상상력이 지닌 항상성 때문이다.
② 상상력이 만들어 낸 인상과 관념들은 자율적인 결합과 분리가 가능하다.
③ 연합의 원리에서 벗어나 마음대로 결합된 관념은 무의미하다.
④ 상상력보다 기억에 의해 재생된 관념이 더욱 생생하다.
⑤ 상상력은 인상을 통해 이미지를 재생시키는 능력이다.

13. (나)에 따라 감성, 상상력, 지성, 이성의 개념을 적용하여 이해한 것으로 적절하지 <u>않은</u> 것은?

① 아이스크림을 한입 먹었을 때 차갑다고 느끼는 것은 감성을 통해 이루어지겠군.
② 물리학, 천문학 분야의 수많은 지식들을 우주라는 이념으로 수렴하여 체계화하는 것은 이성을 통해 이루어지겠군.
③ 어느 날 밤 갑자기 지붕을 내려치는 듯한 빗소리가 들렸을 때, 태풍이 가까이 와서 폭우가 내리기 시작했다고 판단하는 것은 지성을 통해 이루어지겠군.
④ 귤, 감, 포도를 바라보며 받아들인 다양한 감각들을 지성으로 전달하는 것은 상상력을 통해, 그 후 과일이라는 개념을 형성하는 것은 지성을 통해 이루어지겠군.
⑤ 장미꽃을 바라보면서 색, 크기, 모양 등의 다양한 감각들을 느끼는 것은 감성을 통해, 그 장미꽃이 빨간색이라는 지식을 축적하는 것은 이성을 통해 이루어지겠군.

14. ㉠과 ㉡에 대한 설명으로 가장 적절한 것은?

① ㉠과 ㉡은 모두 감각과 별개로 작용하는 능력이다.
② ㉠과 ㉡은 모두 경험의 수용과 인식 과정에서 수동적으로 이루어진다.
③ ㉠과 달리 ㉡은 감성과 이성을 이어 주는 매개적 기능을 한다.
④ ㉡과 달리 ㉠은 다양한 감각들을 결합하기 전에 훑어보는 과정이 필요하다.
⑤ ㉡과 달리 ㉠은 추상적인 개념을 이해할 수 있는 선험적 형식을 만드는 능력이다.

15. <보기>는 윗글과 관련된 철학자들의 견해를 재구성한 것이다. 윗글을 읽은 학생이 <보기>에 대해 보인 반응으로 적절하지 <u>않은</u> 것은? [3점]

─────<보 기>─────

㉮ 이미지 없이는 아무것도 이해할 수 없기에 이미지를 재생해서 보존하는 상상력은 매우 중요하다.

㉯ 상상력은 인간의 정신 능력에서 놀라운 창조성을 지닌 능력으로, 인간이 이룩한 문화는 모두 상상력의 산물이다.

㉰ 상상력은 사물의 닮은 이미지를 만들어 내기 때문에 감각에 포함된 능력이다. 감각은 사물의 그림자를 만들어 내는 능력이기 때문이다.

㉱ 인간의 모든 경험은 감각이 대상과 접촉함으로써 획득되고, 상상력은 인간의 모든 사고의 연계를 가능하게 하는 기능을 수행한다. 상상력의 기능을 배제한 인간의 인식 과정은 있을 수 없다.

① 흄은 상상력에 의해 재생된 이미지를 통해 대상을 이해한다는 ㉮의 견해에 동의하겠군.

② 칸트는 상상력이 무언가를 창조할 수 있는 능력이라고 파악한 ㉯의 견해에 동의하겠군.

③ 칸트는 상상력을 감각에 포함된 능력이라 판단한 ㉰의 견해에 동의하겠군.

④ 흄은 감각을 통해 경험을 얻게 된다는 ㉱의 견해에 동의하겠군.

⑤ 흄과 칸트는 모두 인간의 인식 과정에서 상상력의 역할을 필수적이라고 파악한 ㉱의 견해에 동의하겠군.

16. ⓐ와 문맥상 의미가 가장 가까운 것은?

① 오랜 토론 끝에 결론을 <u>내리다</u>.

② 요즘은 물가가 조금씩 <u>내리고</u> 있다.

③ 게시판에서 욕설이 들어 있는 글을 <u>내렸다</u>.

④ 차에서 <u>내린</u> 사람들은 곧장 지하철역으로 걸어갔다.

⑤ 동치미 국물을 마시자 체증이 <u>내리는</u> 것처럼 느껴졌다.

I

총 문항					문항	맞은 문항				문항
개별 문항	1	2	3	4	5	6	7	8	9	10
채점										
개별 문항	11	12	13	14	15	16	17	18	19	20
채점										

13분 | 2023학년도 6월 모평 4~9번 | ★★★ | 정답 005쪽

【1~6】 다음 글을 읽고 물음에 답하시오.

(가)

전국 시대의 혼란을 종식한 진(秦)은 분서갱유를 단행하며 사상 통제를 ⓐ기도했다. 당시 권력자였던 이사(李斯)에게 역사 지식은 전통만 따지는 허언이었고, 학문은 법과 제도에 대해 논란을 일으키는 원인에 불과했다. 이에 따라 전국 시대의 『순자』처럼 다른 사상을 비판적으로 ⓑ흡수하여 통합 학문의 틀을 보여 준 분위기는 일시적으로 약화되었다. 이에 한(漢) 초기 사상가들의 과제는 진의 멸망 원인을 분석하고 이에 기초한 안정적 통치 방안을 제시하며, 힘의 지배를 ⓒ숭상하던 당시 지배 세력의 태도를 극복하는 것이었다. 이러한 과제에 부응한 대표적 사상가는 육가(陸賈)였다.

순자의 학문을 계승한 그는 한 고조의 치국 계책 요구에 부응해 『신어』를 저술하였다. 이 책을 통해 그는 진의 단명 원인을 가혹한 형벌의 남용, 법률에만 의거한 통치, 군주의 교만과 사치, 그리고 현명하지 못한 인재 등용 등으로 지적하고, 진의 사상 통제가 낳은 폐해를 거론하며 한 고조에게 지식과 학문이 중요함을 설득하고자 하였다. 그에게 지식의 핵심은 현실 정치에 도움을 주는 역사 지식이었다. 그는 역사를 관통하는 자연의 이치에 따라 천문·지리·인사 등 천하의 모든 일을 포괄한다는 ㉠통물(統物)과, 역사 변화 과정에 대한 통찰로서 상황에 맞는 조치를 취하고 기존 규정을 고수하지 않는다는 ㉡통변(通變)을 제시하였다. 통물과 통변이 정치의 세계에 드러나는 것이 ㉢인의(仁義)라고 파악한 그는 힘에 의한 권력 창출을 긍정하면서도 권력의 유지와 확장을 위한 왕도 정치를 제안하며 인의의 실현을 위해 유교 이념과 현실 정치의 결합을 시도하였다.

인의가 실현되는 정치를 위해 육가는 유교의 범위를 벗어나지 않는 한에서 타 사상을 수용하였다. 예와 질서를 중시하며 교화의 정치를 강조하는 유교를 중심으로 도가의 무위와 법가의 권세를 끌어들였다. 그에게 무위는 형벌을 가벼이 하고 군주의 수양을 강조하는 것으로 평온한 통치의 결과를 의미했고, 권세도 현명한 신하의 임용을 통해 정치권력의 안정을 도모하는 방향성을 가진 것이었기에 원래의 그것과는 차별된 것이었다.

육가의 사상은 과도한 융통성으로 사상적 정체성이 문제가 되기도 했지만, 군주의 정치 행위에 따라 천명이 결정됨을 지적하고 인의의 실현을 강조한 통합의 사상이었다. 그의 사상은 한 무제 이후 유교 독존의 시대를 여는 데 기여하였다.

(나)

조선 초기에 진행된 고려 관련 역사서 편찬은 고려 멸망의 필연성과 조선 건국의 정당성을 드러내는 작업이었다. 편찬자들은 다양한 방식으로 고려와 조선의 차별성을 부각하고, 고려보다 조선이 뛰어남을 설득하고자 하였다.

태조의 명으로 고려 말에 찬술되었던 자료들을 모아 고려에 관한 역사서가 편찬되었지만, 왕실이 아닌 편찬자의 주관이 ⓓ개입되었다는 비판이 제기되는 등 여러 문제점이 지적되었다. 이에 태종은 고려의 역사서를 다시 만들라는 명을 내렸다. 이후 고려의 용어들을 그대로 싣자는 주장과 유교적 사대주의에 따른 명분에 맞추어 고쳐 쓰자는 주장이 맞서는 등 세종 대까지도 논란이 ⓔ계속되었지만, 문종 대에 이르러 『고려사』 편찬이 완성되었다. 이 과정에서 역사 연구에 관심을 기울인 세종은 경서(經書)가 학문의 근본이라면 역사서는 학문을 현실에서 구현하는 것으로 파악하고, 집현전 학자들과의 경연을 통해 경서와 역사서에 대한 이해를 쌓아 갔다.

이런 분위기에서 세종은 중국과 우리나라의 흥망성쇠를 담은 『치평요람』의 편찬을 명하였고, 집현전 학자들은 원(元)까지의 중국 역사와 고려까지의 우리 역사를 정리하였다. 정리 과정에서 주자학적 역사관이 담긴 『자치통감강목』에 따라 역대 국가를 정통과 비정통으로 구분했지만, 편찬 형식 측면에서는 강목체를 따르지 않았다. 또한 올바른 정치의 여부에 따라 국가의 운명이 다하고 천명이 옮겨 간다는 내용을 드러내고자 기존 역사서와 달리 국가 간 전쟁과 외교 문제, 국가 말기의 혼란과 새 국가 초기의 혼란 수습 등을 부각하였다.

이러한 편찬 방식은 국가의 흥망성쇠를 거울삼아 국가를 잘 운영하겠다는 목적 이외에 새 국가의 토대를 마련하려는 의도가 전제된 것이었다. 이런 의도가 집중적으로 반영된 곳은 『치평요람』의 「국조(國朝)」 부분이었다. 이 부분의 편찬자들은 유교적 시각에서 고려 정치를 바라보며 불교 사상의 폐단을 비롯한 문제점들을 다각도로 드러냈고, 이를 통해 유교적 사회로의 변화를 주장하였다. 이성계의 능력과 업적을 담기는 했지만 이것이 조선 건국을 정당화하기에는 불충분했기에 세종은 역사적 사실을 배경으로 조선 왕조의 우수성을 부각한 『용비어천가』의 편찬을 지시했다. 이는 왕조의 우수성과 정통성을 경전과 역사의 다양한 근거를 통해 보여 주고자 한 것이었다.

1. (가)와 (나)의 차이점을 중심으로 두 글을 비교하며 읽는 방법으로 가장 적절한 것은?

① (가)는 한(漢)에서, (나)는 조선에서 쓰인 책을 설명하고 있으니, 시대 상황과 사상이 책에 반영된 양상을 비교하며 읽는다.

② (가)는 피지배 계층을, (나)는 지배 계층을 대상으로 한 책을 설명하고 있으니, 예상 독자의 반응 양상을 비교하며 읽는다.

③ (가)는 동일한 시대에, (나)는 서로 다른 시대에 쓰인 책들을 설명하고 있으니, 시대에 따른 창작 환경을 비교하며 읽는다.

④ (가)는 학문적 성격의, (나)는 실용적 성격의 책을 설명하고 있으니, 다양한 분야의 책에 담긴 보편성을 확인하며 읽는다.

⑤ (가)는 국가 주도로, (나)는 개인 주도로 편찬된 책들을 설명하고 있으니, 각 주체별 관심 분야의 차이를 확인하며 읽는다.

2. (가), (나)의 내용과 일치하지 <u>않는</u> 것은?

① 진의 권력자인 이사는 역사 지식과 학문을 부정적인 것으로 인식하였다.

② 전국 시대에는 『순자』처럼 여러 사상을 통합하려는 학문 경향이 있었다.

③ 『치평요람』은 『자치통감강목』의 편찬 형식에 따라 역대 국가를 정통과 비정통으로 구분하여 정리하였다.

④ 『치평요람』의 「국조」는 고려의 문제점들을 보임으로써 사회의 변화를 이끌어야 한다는 주장을 드러내었다.

⑤ 『용비어천가』에는 조선 왕조의 우수성을 드러내고 건국의 정당성을 확보하려는 목적이 담겨 있다.

3. ㉠~㉢에 대한 이해로 가장 적절한 것은?

① ㉠은 역사 속에서 각광을 받았던 학문 분야들의 개별적 특징을 이해한 것이다.

② ㉡은 도가나 법가 사상을 중심 이념으로 삼아 정치 상황의 변화에 대응하려는 것이다.

③ ㉢은 현명한 신하의 임용과 엄한 형벌의 집행을 전제로 한 평온한 정치의 결과를 의미한다.

④ ㉢은 군주가 부단한 수양과 안정된 권력을 바탕으로 교화의 정치를 펼쳐야 실현되는 것이다.

⑤ ㉠과 ㉡은 역사 지식과 현실 정치를 긴밀히 연결하여 힘으로 권력을 창출하는 것을 의미한다.

4. 윗글에서 '육가'와 '집현전 학자들'이 공통적으로 드러내고자 한 내용에 해당하는 것만을 <보기>에서 있는 대로 고른 것은?

─────────〈보 기〉─────────
ㄱ. 옛 국가의 역사를 거울삼아 새 국가를 안정적으로 통치하도록 한다.

ㄴ. 옛 국가의 멸망 원인은 잘못된 정치 운영에 있지 않고 새 국가로 천명이 옮겨 온 것에 있다.

ㄷ. 옛 국가에서 드러난 사상적 공백을 채우기 위해 새 국가의 군주는 유교에 따라 통치하도록 한다.
─────────────────────────

① ㄱ   ② ㄴ   ③ ㄱ, ㄴ

④ ㄱ, ㄷ   ⑤ ㄴ, ㄷ

5. <보기>는 동양 역사가들의 견해이다. <보기>를 바탕으로 (가), (나)를 이해한 내용으로 적절하지 <u>않은</u> 것은? [3점]

─────────〈보 기〉─────────
ㄱ. 대부분 옛일의 성패를 논하기 좋아하고 그 일의 진위를 자세히 살피지 않는다. 하지만 진위를 분명히 한 후에야 성패가 어긋나지 않을 수 있다. 이는 역사 서술의 근원인 자료를 바로잡고 깨끗이 한다는 뜻이다.

ㄴ. 고금의 흥망은 현실의 객관적 형세인 시세의 흐름에 따르는 것이며, 사림(士林)의 재주와 덕행으로 말미암은 것은 아니었다. 그러므로 천하의 일은 시세가 제일 중요하고, 행복과 불행이 다음이며, 옳고 그름의 구분은 마지막이라고 하는 것이다.

ㄷ. 도(道)의 본체는 경서에 있지만 그것의 큰 쓰임은 역사서에 담겨 있다. 역사란 선을 높이고 악을 낮추며 선을 권면하고 악을 징계하는 것이다.
─────────────────────────

① ㄱ의 관점에 따르면, 『신어』에 제시된 진의 멸망 원인에 대한 지적은 관련 내용의 진위에 대한 명확한 판별 이후에 이루어져야 하는 것이겠군.

② ㄱ의 관점에 따르면, 『고려사』 편찬 과정에서 고려의 용어를 고쳐 쓰자고 한 의견은 역사 서술의 근원인 자료를 바로잡고 깨끗이 하자는 것이라고 볼 수 있겠군.

③ ㄴ의 관점에 따르면, 『치평요람』에 서술된 국가의 흥망은 그 원인이 인물들의 능력보다는 객관적 형세인 시세의 흐름에 있다고 보아야겠군.

④ ㄷ의 관점에 따르면, 『신어』에 제시된 진에 대한 비판은 악을 낮추고 징계하는 것으로 볼 수 있겠군.

⑤ ㄷ의 관점에 따르면, 『치평요람』 편찬과 관련한 세종의 생각에서 학문의 근본은 도의 본체에, 현실에서 학문의 구현은 도의 큰 쓰임에 대응하겠군.

6. 문맥상 ⓐ~ⓔ와 바꿔 쓰기에 적절하지 <u>않은</u> 것은?

① ⓐ : 꾀했다

② ⓑ : 받아들여

③ ⓒ : 믿던

④ ⓓ : 끼어들었다는

⑤ ⓔ : 이어졌지만

[7~12] 다음 글을 읽고 물음에 답하시오.

(가)

　도덕적 규범을 구체적인 현실에 적용하여 실천할 때, 보편성과 특수성 사이에서 선택의 문제에 부딪히게 된다. 유학에서는 이런 문제를 '상도(常道)'와 '권도(權道)'로 설명하고 있다. 상도는 일반 상황에서의 원칙론으로서 지속적으로 지켜야 하는 보편적 규범이고, 권도는 특수한 상황에서의 상황론으로서 그 상황에 일시적으로 ⓐ대응하는 개별적 규범이다.

　도(道)는 인간 존재의 형이상학적 원리와 인간이 생활 속에서 따라야 하는 행위 규범을 동시에 담는 개념이다. 상도는 도를 인간의 도덕적 원리로 연결한 인(仁), 의(義), 예(禮)와 같은 기본적이고 보편적인 도덕규범이다. 상도를 근거로 상황 변화에 알맞게 대응할 때 도가 올바르게 구현될 수 있는데, 이때 권도가 필요할 수 있다.

　맹자는 권도를 일종의 도덕적 딜레마 상황에서 ⓑ해법으로 제시한다. 맹자는 "남녀 간에 주고받기를 직접 하지 않음은 예(禮)이고, 형제의 부인이 물에 빠지면 손으로 구하는 것은 권(權)이다."라고 하였다. 남녀 간에 손을 잡지 않는 것은 상도에, 형제의 부인을 손으로 구하는 것은 권도에 해당하는데, 여기서 권도는 특수한 상황에서 부득이 한 번만 사용하는 것으로, 높은 경지의 상황 판단력을 요한다. 상황의 위급한 정도 등을 고려하여 가능한 모든 방안 중 스스로 선택한 것이 생명을 살릴 수 있는 유일한 방법이라고 판단될 때에만 권도가 합당성을 인정받을 수 있기 때문이다. 이런 의미에서 권도의 합당성은 실행의 동기와 사건의 결과를 바탕으로 평가할 수 있는 것이다.

　위의 맹자의 말에서는 권도에 해당하는 규범이 상도인 '예'의 내용과 반대되는 것으로 표현되어 있어, 권도가 상도에 반하거나 또는 예가 아니라는 오해가 있을 수 있다. 그러나 맹자의 관점에서 상도와 권도는 상황에 대처하는 방법은 달라도 결국 모두 도이다. 권도는 도를 굽힌 것이 아니라 도를 구현하는 과정에서의 방법의 차이일 뿐이다. 위의 상황에서 남녀 간에 손을 잡는 행위 자체는 상도에 맞지 않는 것이지만, 그 행위는 결국 생명을 구하여 도를 실천한 올바른 결정이라는 것이다.

　맹자는 현실 상황에 맞는 행위로서 권도를 강조하지만 동시에 상도를 권도의 기반으로 보며 매우 중시했다. 왜냐하면 인간이 자신의 본질인 상도를 따르면 옳고 그름이 분명해지기 때문이다. 그래서 맹자는 상도의 토대 위에서 권도를 활용하도록 하였다.

(나)

　병자호란 당시 청이 조선에 제시한 강화 조건은 조선이 ⓒ고수해 왔던 명에 대한 의리, 곧 대명의리를 부정하는 내용으로 채워져 있었다. 이에 ㉠척화론자들은 대명의리를 지켜야 하므로 청과의 화친은 불가하다고 하였다. 당대인들은 조선과 명을 군신(君臣)이자 부자(父子)의 의리가 있는 관계로 보았고, 특히 임진왜란 때 명의 지원을 받은 후 대명의리는 누구도 부정할 수 없는 보편적 규범으로 인식되었다. 척화론자들은 불의로 보존된 나라는 없느니만 못하다고까지 하면서 척화론을 고수하였다. 이때 이들이 우려한 것은 명의 ⓓ문책이라기보다는 대명의리라는 보편적 규범의 포기에 따르는 도덕 윤리의 붕괴였다고 할 수 있다. 척화론은 실리의 문제를 초월한 의리의 차원에서 당시뿐 아니라 후대에도 광범위한 지지를 받았다.

　반면 ㉡최명길 등의 주화론자들은 나라를 보전하기 위해 청의 강화 조건을 받아들여야 한다고 주장하였다. 최명길도 대명의리가 정론(正論)임을 인정하였고, 강화가 성립된 후에도 대명의리를 계속 강조하였다. 그럼에도 그는 여러 논거를 들어 청과의 화친이 합당한 판단임을 주장했다. 우선 그는 척화론자들의 '나라의 존망을 헤아리지 않는 의리'를 비판하였다. 중국 후진의 고조는 제위에 오를 때, 이민족 거란이 세운 요나라의 힘을 빌리며 신하가 되기를 자처했다. 그런데 다음 황제 때에 신하 경연광이 요의 신하라고 칭하는 것을 그만두자는 강경론을 주도하였고, 결국 이로 인해 요가 침입해 후진은 멸망하였다. 이에 대해 유학자 호안국은 천하 인심이 오랑캐에게 굽힌 것을 불평하고 있었으니 한번 후련히 설욕하고자 한 심정은 이해할 만하지만 정치적 대처 면에서 나라를 망하게 한 죄는 ⓔ속죄될 수 없다고 경연광을 비판했다. 최명길은 이 호안국의 주장을 인용하며 신하가 나라를 망하게 하면 그 일이 바르다 해도 죄를 피할 수 없다고 하였다. 그리고 최명길은 조선이 명으로부터 중국 내의 토지를 받은 직접적인 신하가 아니라 해외에서 조공을 바치는 신하일 뿐이기 때문에 명을 위해 멸망까지 당할 의리는 없으며 조선의 임금은 백성과 사직을 보전할 책임도 있다고 주장하였다. 또한 『춘추』에 따르면 신하는 먼저 자기 자신의 임금을 위해야 하므로, 조선의 신하가 명을 위하여 조선을 망하게 하면 안 되는 것이 마땅한 의리라고 하였다.

7. (가)와 (나)에 대한 설명으로 가장 적절한 것은?
① (가)는 특정한 철학적 개념이 형성된 과정을, (나)는 특정한 대외 정책이 실현된 과정을 제시하고 있다.
② (가)는 특정한 철학적 개념의 역사적 한계를, (나)는 특정한 대외 정책의 이론상 한계를 제시하고 있다.
③ (가)는 특정한 철학적 개념을 반박하는 주장들을, (나)는 특정한 대외 정책을 반박하는 주장들을 제시하고 있다.
④ (가)는 특정한 철학적 개념에 대한 사상가의 견해를, (나)는 특정한 대외 정책에 대한 정치가의 견해를 제시하고 있다.
⑤ (가)는 특정한 철학적 개념이 역사적 현실에 적용된 사례를, (나)는 특정한 대외 정책이 학문적 논의의 주제가 된 사례를 제시하고 있다.

8. (가)의 내용에 대한 이해로 적절하지 <u>않은</u> 것은?
① 맹자는 도를 올바르게 구현하기 위해 도를 굽히는 것이 권도라고 보았다.
② 유학에서는 도를 형이상학적 원리와 행위 규범을 동시에 담는 개념으로 보았다.
③ 유학에서는 기본적이고 보편적인 도덕규범으로 인, 의, 예와 같은 것이 있다고 보았다.
④ 맹자는 인간이 옳고 그름을 분명히 하기 위해서는 상도를 따를 필요가 있다고 보았다.
⑤ 맹자는 상도와 권도가 상황에 대처하는 방법에 있어서는 서로 다르지만 공통된 속성이 있다고 보았다.

9. (가)의 맹자와 <보기>의 칸트에 대해 이해한 것으로 가장 적절한 것은?

─────〈 보 기 〉─────
칸트는 언제나 지켜져야 하는 보편적이고 객관적인 실천 기준으로서의 도덕규범을 제시하였다. 가령 칸트는 '거짓말을 하지 않아야 한다.'라는 도덕규범이 양심을 통해 모든 사람에게 객관적이고 보편타당한 것으로 받아들여질 수 있으므로 거짓말을 하면 안 된다고 주장하였다. 그에 따르면 선의의 거짓말도 옳지 않은데, 진실을 말해야 할 의무는 결과에 상관없이 항상 존재하기 때문이다.

① 맹자는 칸트와 달리, 도덕규범을 통해 어떤 행위를 판단할 때 결과를 고려해선 안 된다고 보았다.
② 칸트는 맹자와 달리, 상황에 따라 어떤 도덕규범을 지켜야 할지를 판단하는 능력이 중요하다고 보았다.
③ 칸트는 맹자와 달리, 어떤 특수한 상황에서도 보편적인 도덕규범에서 벗어난 행위를 해서는 안 된다고 보았다.
④ 맹자와 칸트는 모두, 보편적인 도덕규범보다 현실 상황에 맞는 행위가 더 중요하다고 보았다.
⑤ 맹자와 칸트는 모두, 생활 속에서 도덕규범을 어김으로써 결과적으로 더 본질적인 가치를 얻게 될 때도 있다고 보았다.

10. 호안국의 주장을 다음과 같이 정리할 때, ㉮에 들어갈 내용으로 가장 적절한 것은?

┌─────────────────────────────┐
│ __㉮__ 결과적으로 나라를 망하게 한다면 비판을 받아 마땅하다. │
└─────────────────────────────┘

① 이민족이 세운 나라의 힘에 의존함으로써
② 이민족의 나라에 자존심 없이 신하를 자처함으로써
③ 이민족의 침입에 대해 설욕할 생각을 하지 않음으로써
④ 이민족의 침입을 막을 수 있는 국력을 갖추지 못함으로써
⑤ 이민족의 나라라고 해서 현실적인 고려 없이 적대함으로써

11. (가)를 바탕으로 (나)의 ㉠, ㉡에 대해 보인 반응으로 적절하지 <u>않은</u> 것은? [3점]
① ㉠이 불의한 방법으로 나라를 보존하는 것에 반대한다고 한 것은 도덕규범에 있어 상황론보다 원칙론을 강조한 것으로 볼 수 있어.
② ㉠이 포기할 수 없는 것으로 여긴 대명의리는 당대인들에게 일반 상황에서 지속적으로 지켜야 할 보편적인 규범으로 받아들여졌다고 볼 수 있어.
③ ㉡이 『춘추』의 내용을 언급하며 신하가 지켜야 할 의리를 논한 것은 실행 동기를 따지지 않고 도덕규범을 현실에 적용한 논의로 볼 수 있어.
④ ㉡이 대명의리가 정론임을 인정하면서도 청과 화친하는 것이 합당하다고 한 것은 상도의 토대 위에서 권도를 활용하고자 한 것으로 볼 수 있어.
⑤ ㉡이 나라의 보전을 위해 청의 강화 조건을 받아들여야 한다고 주장한 것은 그 방법이 유일하다고 판단되는 위급한 상황에서 권도를 사용하고자 한 것으로 볼 수 있어.

12. ⓐ ~ ⓔ의 사전적 의미로 적절하지 <u>않은</u> 것은?
① ⓐ: 어떤 일이나 사태에 맞추어 태도나 행동을 취함.
② ⓑ: 해내기 어렵거나 곤란한 일을 푸는 방법.
③ ⓒ: 차지한 물건이나 형세 따위를 굳게 지킴.
④ ⓓ: 자신의 잘못에 대하여 스스로 깊이 뉘우치고 자신을 책망함.
⑤ ⓔ: 지은 죄를 물건이나 다른 공로 따위로 비겨 없앰.

【13~16】 다음 글을 읽고 물음에 답하시오.

　㉠멈춰 있는 흰 공에 빨간 공이 부딪쳐 흰 공이 움직였다고 하자. 흄은 빨간 공이 흰 공에 부딪친 사건과 흰 공이 움직인 사건 사이에 인과 관계가 성립하기 위한 세 가지 요건을 제시했다. 원인이 결과보다 시간적으로 앞서 있어야 하고, 원인과 결과가 시공간적으로 이어서 나타나야 하며, 원인과 결과 사이에 '항상적 결합'이 있어야 한다는 것이다. 항상적 결합이란 비슷한 상황에서 같은 방식으로 공이 움직여 부딪친다면, 같은 식으로 공들의 움직임이 나타나는 것을 의미한다. 그러나 리드는 위 사례와 같이 흄이 말하는 세 가지 조건이 성립하는 경우에도 인과 관계가 성립하지 않는다고 보았다. 그는 오직 자유 의지를 가진 행위자만이 원인이 될 수 있다고 보았다.

　행위자 인과 이론에서 리드는 원인을 '양면적 능력'을 지녔으며 그 변화에 대한 책임이 있는 존재로 규정하였다. 양면적 능력은 변화를 산출하거나 산출하지 않을 수 있는 능동적인 능력이다. 그리고 행위자는 결과를 산출할 능력을 소유하여 그 능력을 발휘할 수 있고, 그 변화에 대해 책임을 질 수 있는 주체이다. 리드는 진정한 원인은 행위자라고 주장한다. 이에 따르면 빨간 공이 흰 공에 부딪쳤을 때 흰 공은 움직일 수만 있을 뿐 움직이지 않을 수는 없기 때문에 빨간 공은 행위자일 수 없다.

　경험론자인 리드의 관점에서 보면 관찰의 범위 내에서 행위자는 오직 인간뿐이다. 만일 어떤 사람이 흰 공을 움직이게 하기 위해 빨간 공을 굴렸고 흰 공이 움직였다면 그 사람은 행위자이고 흰 공이 움직인 것은 결과에 해당한다. 리드는 이와 같이 결과가 발생하기 위해서는 행위자가 양면적 능력을 발휘해야 하며, 행위자의 의욕이 항상적으로 결합해야 한다고 보았다. 리드는 의욕이 정신에서 일어나는 하나의 사건이라고 보았다. 이와 관련해 결과를 발생시킨 양면적 능력의 발휘에 결합한 의욕이 또 다른 양면적 능력의 발휘로 나타난 것이며 그것은 또 다른 의욕을 필요로 한다는 주장이 있을 수 있다. 이러한 주장과 관련해 리드는, 의욕과 같은 정신의 내재적 활동은 행위자의 양면적 능력의 발휘인 '의욕을 일으킴'과 그것의 결과인 의욕 자체를 구별할 수 없는 것이라고 보았다. 이는 의욕을 일으킴의 경우에는 행위자의 능력 발휘 자체가 의욕이므로 또 다른 의욕이 필요치 않음을 나타낸다. 그런데 의욕과 사건이 항상적으로 결합한다고 보는 리드의 견해에 대해서는 사건의 원인이 행위자가 아니라 의욕이라는 반론이 가능할 수 있다. 이에 대해 리드는 항상적 결합만으로는 인과의 필연성을 정당화하지 못한다는 논리로 자신의 이론을 뒷받침했다.

　리드는 ⓐ'기회 원인'의 문제도 해결해야 했다. 당시에는 중세 철학의 영향으로 어떤 철학자들은 인간의 행동을 비롯한 사건들의 진정한 원인은 오직 신뿐이며, 행위자는 기회 원인에 불과하다고 생각했다. 기회 원인은 일상적으로는 마치 원인인 듯 보이지만 실제로는 진정한 원인이 아닌 것이다. 리드는 이러한 입장을 경험주의 관점에서 배격했다. 그는 우리가 경험할 수 있는 것은 행위자의 의욕과 행위뿐이며 행위에 신이 개입하는 것은 경험할 수 없는 것이기 때문에 신이 사건의 진정한 원인이 될 수 없다고 주장했다. 리드는 궁극적으로 결정을 내리는 것이 행위자에게 달려 있다고 주장함으로써 인간의 주체적 결단이 갖는 의미를 강조했다.

13. 윗글에 나타난 리드의 견해로 적절하지 <u>않은</u> 것은?

① 인간은 자유 의지를 지닌 존재로 행위자가 될 수 있다.

② 변화를 산출하는 능력을 가진 모든 존재는 행위자이다.

③ 인간의 의욕은 정신에서 일어나는 하나의 사건이라고 할 수 있다.

④ 항상적 결합이 존재하더라도 행위자가 존재하지 않는 경우에서는 원인을 발견할 수 없다.

⑤ 흄이 제시한 세 가지 조건이 모두 충족되는 경우라도 인과 관계가 성립하지 않을 수 있다.

14. 윗글을 바탕으로 ㉠을 이해한 내용으로 적절하지 <u>않은</u> 것은?

① 리드는 빨간 공과 흰 공에는 양면적 능력이 존재하지 않는다고 보겠군.

② 리드는 빨간 공과 흰 공의 움직임에는 시공간이 이어지지 않는다고 보겠군.

③ 리드는 빨간 공이 흰 공에 부딪친 사건은 다른 사건의 원인이 될 수 없다고 보겠군.

④ 흄은 빨간 공과 흰 공의 움직임에서 항상적 결합을 발견할 수 있다고 보겠군.

⑤ 흄은 빨간 공과 흰 공이 부딪친 사건이 흰 공이 움직인 사건의 원인이라면 두 사건은 동시에 일어난 것일 수 없다고 보겠군.

15. ⓐ에 대한 이해로 가장 적절한 것은?

① ⓐ를 제기한 철학자들은 리드의 행위자 개념을 긍정했다고 볼 수 있다.

② ⓐ와 관련한 리드의 대응은 행위자인 인간의 주체성을 부각했다고 볼 수 있다.

③ ⓐ의 해결을 위해 리드는 행위자가 기회 원인이 될 수 있음을 입증했다고 볼 수 있다.

④ ⓐ를 제기한 철학자들은 인간의 행동을 일으키는 진정한 원인을 인간 자신에게서 찾았다고 볼 수 있다.

⑤ ⓐ를 제기한 철학자들은 인간 행위의 원인을 일상에서 경험할 수 있는 사건으로 한정지었다고 볼 수 있다.

16. <보기>는 철학자들이 나누는 가상의 대화의 일부이다. 윗글을 바탕으로 ㉮에 들어갈 내용을 추론했을 때, 가장 적절한 것은?

[3점]

┌─────────── < 보 기 > ───────────┐

A: 리드에 따르면 의욕은 행위자의 양면적 능력의 발휘에 결합하는 것입니다. 그렇다면 그 능력의 발휘는 또 다른 의욕을 필요로 할 것입니다. 이 연쇄는 끝없이 이어질 수 있고, 의욕에 선행하는 의욕이 무한히 필요해집니다. 그렇다면 행위자는 어떤 의욕도 일으킬 수 없어 어떤 행동도 할 수 없어야 합니다.

B: '의욕의 무한 후퇴 문제'를 제기한 것이군요. 리드는 ⎡ ㉮ ⎤고 보았습니다. 이러한 입장에 따르면 그 문제는 해소될 수 있습니다.

└──────────────────────────────┘

① 의욕과 무관하게 정신적 사건이 결과가 될 수 있다

② 양면적 능력의 발휘에는 의욕이 항상적으로 결합한다

③ 양면적 능력의 발휘와 그 결과로서의 의욕은 구별될 수 없다

④ 의욕에 또 다른 의욕이 선행하는 연쇄는 관찰의 범위 내에 있다

⑤ 의욕을 일으키는 양면적 능력은 변화를 산출하지 않을 수도 있다

총 문항				문항	맞은 문항				문항
개별 문항	1	2	3	4	5	6	7	8	9	10
채점										
개별 문항	11	12	13	14	15	16	17	18	19	20
채점										

| 12분 | 2022학년도 수능 4~9번 | ★★☆ | 정답 009쪽 |

【1~6】 다음 글을 읽고 물음에 답하시오.

(가)

㉠정립-반정립-종합. 변증법의 논리적 구조를 일컫는 말이다. 변증법에 따라 철학적 논증을 수행한 인물로는 단연 헤겔이 거명된다. 변증법은 대등한 위상을 지니는 세 범주의 병렬이 아니라, 대립적인 두 범주가 조화로운 통일을 이루어 가는 수렴적 상향성을 구조적 특징으로 한다. 헤겔에서 변증법은 논증의 방식임을 넘어, 논증 대상 자체의 존재 방식이기도 하다. 즉 세계의 근원적 질서인 '이념'의 내적 구조도, 이념이 시·공간적 현실로서 드러나는 방식도 변증법적이기에, 이념과 현실은 하나의 체계를 이루며, 이 두 차원의 원리를 밝히는 철학적 논증도 변증법적 체계성을 ⓐ지녀야 한다.

헤겔은 미학도 철저히 변증법적으로 구성된 체계 안에서 다루고자 한다. 그에게서 미학의 대상인 예술은 종교, 철학과 마찬가지로 '절대정신'의 한 형태이다. 절대정신은 절대적 진리인 '이념'을 인식하는 인간 정신의 영역을 ⓑ가리킨다. 예술·종교·철학은 절대적 진리를 동일한 내용으로 하며, 다만 인식 형식의 차이에 따라 구분된다. 절대정신의 세 형태에 각각 대응하는 형식은 직관·표상·사유이다. '직관'은 주어진 물질적 대상을 감각적으로 지각하는 지성이고, '표상'은 물질적 대상의 유무와 무관하게 내면에서 심상을 떠올리는 지성이며, '사유'는 대상을 개념을 통해 파악하는 순수한 논리적 지성이다. 이에 세 형태는 각각 '직관하는 절대정신', '표상하는 절대정신', '사유하는 절대정신'으로 규정된다. 헤겔에 따르면 직관의 외면성과 표상의 내면성은 사유에서 종합되고, 이에 맞춰 예술의 객관성과 종교의 주관성은 철학에서 종합된다.

형식 간의 차이로 인해 내용의 인식 수준에는 중대한 차이가 발생한다. 헤겔에게서 절대정신의 내용인 절대적 진리는 본질적으로 논리적이고 이성적인 것이다. 이러한 내용을 예술은 직관하고 종교는 표상하며 철학은 사유하기에, 이 세 형태 간에는 단계적 등급이 매겨진다. 즉 예술은 초보 단계의, 종교는 성장 단계의, 철학은 완숙 단계의 절대정신이다. 이에 따라 ㉡예술-종교-철학 순의 진행에서 명실상부한 절대정신은 최고의 지성에 의거하는 것, 즉 철학뿐이며, 예술이 절대정신으로 기능할 수 있는 것은 인류의 보편적 지성이 미발달된 머나먼 과거로 한정된다.

(나)

변증법의 매력은 '종합'에 있다. 종합의 범주는 두 대립적 범주 중 하나의 일방적 승리로 ⓒ끝나도 안 되고, 두 범주의 고유한 본질적 규정이 소멸되는 중화 상태로 나타나도 안 된다. 종합은 양자의 본질적 규정이 유기적 조화를 이루어 질적으로 고양된 최상의 범주가 생성됨으로써 성립하는 것이다.

헤겔이 강조한 변증법의 탁월성도 바로 이것이다. 그러기에 변증법의 원칙에 최적화된 엄밀하고도 정합적인 학문 체계를 조탁하는 것이 바로 그의 철학적 기획이 아니었던가. 그런데 그가 내놓은 성과물들은 과연 그 기획을 어떤 흠결도 없이 완수한 것으로 평가될 수 있을까? 미학에 관한 한 '그렇다'는 답변은 쉽지 않을 것이다. 지성의 형식을 직관-표상-사유 순으로 구성하고 이에 맞춰 절대정신을 예술-종교-철학 순으로 편성한 전략은 외관상으로는 변증법 모델에 따른 전형적 구성으로 보인다. 그러나 실질적 내용을 ⓓ보면 직관으로부터 사유에 이르는 과정에서는 외면성이 점차 지워지고 내면성이 점증적으로 강화·완성되고 있음이, 예술로부터 철학에 이르는 과정에서는 객관성이 점차 지워지고 주관성이 점증적으로 강화·완성되고 있음이 확연히 드러날 뿐, 진정한 변증법적 종합은 ⓔ이루어지지 않는다. 직관의 외면성 및 예술의 객관성의 본질은 무엇보다도 감각적 지각성인데, 이러한 핵심 요소가 그가 말하는 종합의 단계에서는 완전히 소거되고 만다.

변증법에 충실하려면 헤겔은 철학에서 성취된 완전한 주관성이 재객관화되는 단계의 절대정신을 추가했어야 할 것이다. 예술은 '철학 이후'의 자리를 차지할 수 있는 유력한 후보이다. 실제로 많은 예술 작품은 '사유'를 매개로 해서만 설명되지 않는가. 게다가 이는 누구보다도 풍부한 예술적 체험을 한 헤겔 스스로가 잘 알고 있지 않은가. 이 때문에 방법과 철학 체계 간의 이러한 불일치는 더욱 아쉬움을 준다.

1. (가)와 (나)에 대한 설명으로 가장 적절한 것은?

① (가)와 (나)는 모두 특정한 철학적 방법에 기반한 체계를 바탕으로 예술의 상대적 위상을 제시하고 있다.

② (가)와 (나)는 모두 특정한 철학적 방법에 대한 상반된 평가를 바탕으로 더 설득력 있는 미학 이론을 모색하고 있다.

③ (가)와 달리 (나)는 특정한 철학적 방법의 시대적 한계를 지적하고 이에 맞서는 혁신적 방법을 제안하고 있다.

④ (가)와 달리 (나)는 특정한 철학적 방법에서 파생된 미학 이론을 바탕으로 예술 장르를 범주적으로 유형화하고 있다.

⑤ (나)와 달리 (가)는 특정한 철학적 방법의 통시적인 변화 과정을 적용하여 철학사를 단계적으로 설명하고 있다.

2. (가)에서 알 수 있는 헤겔의 생각으로 적절하지 <u>않은</u> 것은?

① 예술·종교·철학 간에는 인식 내용의 동일성과 인식 형식의 상이성이 존재한다.
② 세계의 근원적 질서와 시·공간적 현실은 하나의 변증법적 체계를 이룬다.
③ 절대정신의 세 가지 형태는 지성의 세 가지 형식이 인식하는 대상이다.
④ 변증법은 철학적 논증의 방법이자 논증 대상의 존재 방식이다.
⑤ 절대정신의 내용은 본질적으로 논리적이고 이성적인 것이다.

3. (가)에 따라 직관·표상·사유 의 개념을 적용한 것으로 적절하지 <u>않은</u> 것은?

① 먼 타향에서 밤하늘의 별들을 바라보는 것은 직관을 통해, 같은 곳에서 고향의 하늘을 상기하는 것은 표상을 통해 이루어지겠군.
② 타임머신을 타고 미래로 가는 자신의 모습을 상상하는 것과, 그 후 판타지 영화의 장면을 떠올려 보는 것은 모두 표상을 통해 이루어지겠군.
③ 초현실적 세계가 묘사된 그림을 보는 것은 직관을 통해, 그 작품을 상상력 개념에 의거한 이론에 따라 분석하는 것은 사유를 통해 이루어지겠군.
④ 예술의 새로운 개념을 설정하는 것은 사유를 통해, 이를 바탕으로 새로운 감각을 일깨우는 작품의 창작을 기획하는 것은 직관을 통해 이루어지겠군.
⑤ 도덕적 배려의 대상을 생물학적 상이성 개념에 따라 규정하는 것과, 이에 맞서 감수성 소유 여부를 새로운 기준으로 제시하는 것은 모두 사유를 통해 이루어지겠군.

4. (나)의 글쓴이의 관점에서 ㉠과 ㉡에 대한 헤겔의 이론을 분석한 것으로 적절하지 <u>않은</u> 것은?

① ㉠과 ㉡ 모두에서 첫 번째와 두 번째의 범주는 서로 대립한다.
② ㉠과 ㉡ 모두에서 두 번째와 세 번째 범주 간에는 수준상의 차이가 존재한다.
③ ㉠과 달리 ㉡에서는 범주 간 이행에서 첫 번째 범주의 특성이 갈수록 강해진다.
④ ㉡과 달리 ㉠에서는 세 번째 범주에서 첫 번째와 두 번째 범주의 조화로운 통일이 이루어진다.
⑤ ㉡과 달리 ㉠에서는 범주 간 이행에서 수렴적 상향성이 드러난다.

5. <보기>는 헤겔과 (나)의 글쓴이가 나누는 가상의 대화의 일부이다. ㉮에 들어갈 내용으로 가장 적절한 것은? [3점]

<보 기>

헤겔 : 괴테와 실러의 문학 작품을 읽을 때 놓치지 않아야 할 점이 있네. 이 두 천재도 인생의 완숙기에 이르러서야 비로소 최고의 지성적 통찰을 진정한 예술미로 승화시킬 수 있었네. 그에 비해 초기의 작품들은 미적으로 세련되지 못해 결코 수준급이라 할 수 없었는데, 이는 그들이 아직 지적으로 미성숙했기 때문이었네.

(나)의 글쓴이 : 방금 그 말씀과 선생님의 기본 논증 방법을 연결하면 ㉮ 는 말이 됩니다.

① 이론에서는 대립적 범주들의 종합을 이루어야 하는 세 번째 단계가 현실에서는 그 범주들을 중화한다
② 이론에서는 외면성에 대응하는 예술이 현실에서는 내면성을 바탕으로 하는 절대정신일 수 있다
③ 이론에서는 반정립 단계에 위치하는 예술이 현실에서는 정립 단계에 있는 것으로 나타난다
④ 이론에서는 객관성을 본질로 하는 예술이 현실에서는 객관성이 사라진 주관성을 지닌다
⑤ 이론에서는 절대정신으로 규정되는 예술이 현실에서는 진리의 인식을 수행할 수 없다

6. 문맥상 ⓐ~ⓔ와 바꾸어 쓰기에 가장 적절한 것은?

① ⓐ: 소지(所持)하여야
② ⓑ: 포착(捕捉)한다
③ ⓒ: 귀결(歸結)되어도
④ ⓓ: 간주(看做)하면
⑤ ⓔ: 결성(結成)되지

【7~11】다음 글을 읽고 물음에 답하시오.

　사물의 속성을 구체화하기 위하여 수치를 부여하는 절차를 측정이라고 한다. 가시적 속성의 경우 직접 측정이 가능하지만 인지적 영역과 같은 잠재적 속성은 직접 측정이 불가능하기 때문에 검사라는 도구를 사용하여 간접 측정을 한다. 이때 검사의 질은 각 문항의 특성에 의해 결정되는데, 문항의 특성은 문항의 난이도와 변별도 등으로 파악해 볼 수 있다.

　1920년대 개발되어 현재까지 사용되고 있는 고전 검사 이론 은 검사의 질을 분석하는 대표적인 검사 이론이다. 고전 검사 이론에서 피험자의 능력은 답을 맞힌 문항에 부여된 점수의 총점으로 결정한다. 또 문항의 어려움과 쉬움의 정도를 나타내는 난이도는 응답자 중 그 문항의 답을 맞힌 응답자의 수가 많을수록 낮다고 나타낸다. 그리고 어떤 문항이 피험자의 능력에 따라 피험자를 변별하는 정도를 나타내는 변별도는 해당 문항의 답을 맞혔는지의 여부와 총점의 관계를 의미하는 지수로 나타낸다. 만약 특정 문항에 대해 총점이 높은 피험자는 답을 맞히고, 총점이 낮은 피험자는 답을 틀렸다면 이 문항은 변별도가 높은 문항이라 분석한다. 고전 검사 이론을 활용하면 피험자의 능력과 문항의 특성에 대한 분석이 비교적 간단하지만, 문항의 특성이 피험자 집단에 따라 달라지거나 피험자의 능력이 검사의 특성에 따라 다르게 나타나는 한계가 있다.

　이와 달리 문항 반응 이론에서는 피험자의 능력은 고유하며, 문항의 난이도나 변별도 역시 변하지 않는다고 간주한다. 문항 반응 이론에서는 피험자의 능력과 문항의 특성을 분석하기 위해 피험자의 응답에 기반하여 확률적으로 접근하는데, 이때 문항 특성 곡선이 활용된다. 문항 특성 곡선은 피험자의 능력(θ)에 따라 어떤 문항의 답을 맞힐 확률을 나타내는 S자 형태의 곡선이다.

[A]
　i라는 문항이 제시되었을 때 능력이 낮은 피험자라 하더라도 일부는 문항의 답을 맞힐 수도 있을 것이며 능력이 높은 피험자라 하더라도 모두가 반드시 답을 맞힐 수 있는 것은 아니다. 따라서 i 문항에 응답하는 경향(Γ_i)은 θ에 따라 정규 분포로 그려지게 될 것이고, 문항의 난이도가 γ_i일 때 Γ_i가 이보다 높으면 문항의 답을 맞히게 될 것이다. 즉 <그림 1>과 같이 θ가 -1.3, 0, 1.5일 때 각각의 정규 분포가 그려진다면 γ_i보다 위에 있는 면적이 문항의 답을 맞힐 확률이 되어, θ가 -1.3인 집단의 답을 맞힐 확률은 0.2, θ가 0인 집단의 답을 맞힐 확률은 0.5, θ가 1.5인 집단의 답을 맞힐 확률은 0.92로 얻어진다. 이런 방식으로 각 능력에서 문항의 답을 맞힐 확률인 $P(\theta)$를 구하고, 이를 연결하는 곡선을 그리면 <그림 2>와 같은 문항 특성 곡선이 나타난다.

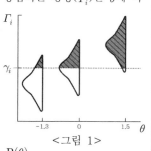

<그림 1>

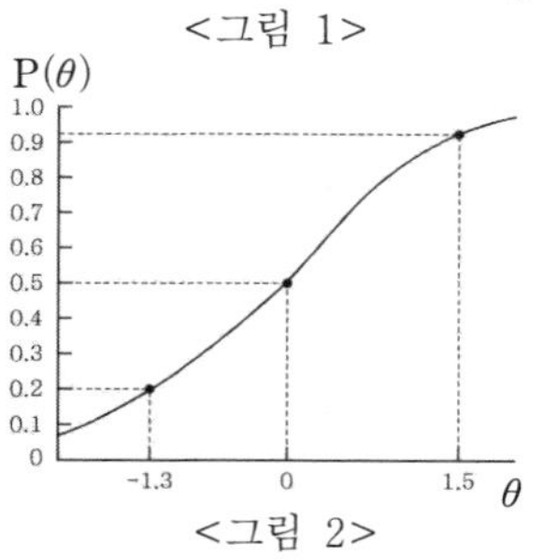

<그림 2>

　문항 특성 곡선은 능력이 낮은 집단의 $P(\theta)$는 낮고, 능력이 높은 집단의 $P(\theta)$는 높음을 나타내는 증가함수이다.

　문항 특성 곡선에서 문항의 난이도는 위치 모수로 나타난다. 위치 모수는 문항의 $P(\theta)$가 0.5일 때 그에 대응하는 θ 지점을 의미한다. 위치 모수는 오른쪽에 있을수록 어려운 문항으로 추정된다. 반면 문항의 변별도는 척도 모수로 나타난다. 척도 모수는 문항 특성 곡선의 기울기가 가파를수록 높다고 추정된다.

　문항 반응 이론에서 θ는 검사를 구성하는 각 문항의 문항 특성 곡선으로부터 도출된 정보를 종합적으로 고려하여 추정할 수 있다. 예를 들어 어떤 피험자가 n개의 문항에 응답했다면 각 문항의 문항 특성 곡선에서 θ를 임의의 값으로 설정하여 $P_1(\theta)$, $P_2(\theta)$, …, $P_n(\theta)$를 구한다. 이렇게 구한 각각의 값은 ㉮피험자의 실제 응답과 차이가 있다. 그래서 θ의 수치를 바꾸어 가면서 그 차이가 무시해도 될 정도로 매우 작아지는 θ의 수치를 구해 이를 피험자의 능력으로 추정한다.

7. 윗글을 이해한 내용으로 적절하지 <u>않은</u> 것은?

① 고전 검사 이론의 경우 문항의 변별도는 피험자의 수와 피험자의 총점의 관계를 나타낸다.
② 고전 검사 이론의 경우 동일한 피험자라도 문항의 난이도에 따라 피험자의 능력이 다르게 분석될 수 있다.
③ 문항 반응 이론의 경우 피험자의 능력에 따라 문항의 특성이 달라지지 않는다고 간주한다.
④ 고전 검사 이론과 문항 반응 이론 모두 피험자의 응답을 기반으로 문항의 특성을 분석한다.
⑤ 고전 검사 이론과 문항 반응 이론 모두 피험자의 잠재적 속성을 측정하는 검사의 질을 분석하는 데 쓰인다.

8. 고전 검사 이론 을 바탕으로 <보기 1>에 대해 <보기 2>와 같이 추론하였을 때, ㉠, ㉡에 들어갈 말로 적절한 것은?

─── < 보기 1 > ───

4명의 피험자가 4문항으로 구성된 검사를 실시하여 다음과 같은 응답 결과를 얻었다.

문항 피험자	1번	2번	3번	4번	총점
A	1	1	1	1	4
B	1	1	0	1	3
C	0	0	0	1	1
D	1	0	1	1	3

※ 응답한 문항의 답을 맞힌 경우 1점, 틀린 경우 0점.

─── < 보기 2 > ───

○ 피험자 B와 피험자 D는 　㉠　 때문에 능력이 같다고 할 수 있다.

○ 1번 문항이 3번 문항보다 　㉡　 할 수 있다.

	㉠	㉡
①	총점이 동일하기	난이도가 낮다고
②	총점이 동일하기	난이도가 높다고
③	응답한 문항 수가 동일하기	변별도가 낮다고
④	응답한 문항 수가 동일하기	변별도가 높다고
⑤	응답한 문항 수가 동일하기	난이도가 낮다고

9. 윗글을 바탕으로 <보기>를 분석한 내용에 대한 판단으로 적절하지 <u>않은</u> 것은? [3점]

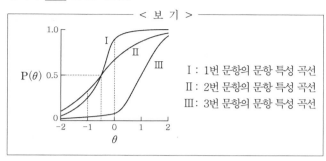

< 보 기 >

Ⅰ : 1번 문항의 문항 특성 곡선
Ⅱ : 2번 문항의 문항 특성 곡선
Ⅲ : 3번 문항의 문항 특성 곡선

분석한 내용	판단
위치 모수가 가장 오른쪽에 있는 3번 문항이 가장 어렵겠군.	적절함.‥ ①
능력이 0보다 높은 피험자들을 변별하는 데는 3번 문항보다 1번 문항이 적합하겠군.	적절함.‥ ②
능력이 −2인 피험자가 2번 문항을 맞힐 확률은 3번 문항을 맞힐 확률보다 낮겠군.	적절하지 않음. ‥‥‥ ③
$P(\theta)$가 0.5일 때 1번 문항과 2번 문항의 θ는 동일하기 때문에 1번 문항이 2번 문항보다 어렵겠군.	적절하지 않음. ‥‥‥ ④
$-1 < \theta < 0$ 구간에서 2번 문항은 3번 문항에 비해 피험자의 능력에 따라 피험자를 변별하는 정도가 크겠군.	적절함.‥ ⑤

10. [A]를 이해한 내용으로 적절하지 <u>않은</u> 것은?

① i 문항보다 쉬운 문항이 제시된다면 피험자의 능력이 −1.3인 집단과 피험자의 능력이 0인 집단의 답을 맞힐 확률은 모두 높아지겠군.
② i 문항에 대해 피험자의 능력이 −1인 집단의 응답 경향을 나타내는 정규 분포에서 γ_i보다 위에 있는 면적은 0.2보다 작겠군.
③ i 문항에 대해 피험자의 능력이 1인 집단의 답을 맞힐 확률은 피험자의 능력이 0인 집단의 답을 맞힐 확률보다 높겠군.
④ i 문항보다 쉬운 문항이 제시된다면 피험자의 능력이 1.5인 집단의 답을 맞힐 확률은 0.92보다 높겠군.
⑤ i 문항보다 어려운 문항이 제시된다면 피험자의 능력이 0인 집단의 답을 맞힐 확률은 0.5보다 낮겠군.

11. ㉮의 이유로 가장 적절한 것은?

① 문항 특성 곡선을 활용하여 피험자의 고유한 능력을 확률적으로 추정했기 때문에
② 문항 특성 곡선이 문항의 위치 모수와 척도 모수를 반영하고 있지 못하기 때문에
③ 각 문항의 문항 특성 곡선에 따라 피험자의 능력이 변질될 수 있기 때문에
④ 피험자가 문항을 맞힐 확률이 문항의 변별도에 의해 결정되기 때문에
⑤ 피험자 집단의 특성에 따라 피험자의 능력이 좌우되기 때문에

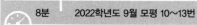
【12~15】 다음 글을 읽고 물음에 답하시오.

인간의 본성에 관한 서로 다른 두 관점이 있다. 종교적 인간관에 따르면, 인간에게는 물리적 실체인 몸 이외에 비물리적 실체인 영혼이 있다. 영혼은 물리적 몸과 완전히 구별되며 인간의 결정의 원천이다. 반면 유물론적 인간관에 따르면, 인간은 물리적 몸에 지나지 않는다. 물리적 몸 이외에 영혼은 존재하지 않는다. 따라서 인간의 결정은 단지 뇌에서 일어나는 신경 사건이다. 이러한 두 관점 중 유물론적 인간관을 가정할 때, 인간은 자유롭게 선택할 수 있을까? 즉 인간에게 자유의지가 있을까? 가령 갑이 냉장고 문을 여니 딸기 우유와 초코 우유만 있다고 해 보자. 갑은 이것들 중 하나를 자유의지로 선택할 수 있을까?

이러한 질문과 관련하여 반자유의지 논증은 갑에게 자유의지가 없다고 결론 내린다. 우선 임의의 선택은 이전 사건들에 의해 선결정되거나 무작위로 일어난다. 여기서 무작위로 일어난다는 것은 선결정되지 않는다는 것을 의미한다. 이러한 전제하에 반자유의지 논증은 선결정 가정과 무작위 가정을 모두 고려한다. 첫 번째로 임의의 선택이 그 이전 사건들에 의해 선결정된다고 가정해 보자. 반자유의지 논증에서는 이 경우 우리에게 자유의지가 없다고 결론 내린다. 가령 갑의 딸기 우유 선택이 심지어 갑이 태어나기도 전에 선결정된 것이라면 갑이 자유의지로 그것을 선택한 것이라고 보기 어려울 것이다. 두 번째로 임의의 선택이 무작위로 일어난 것이라 가정해 보자. 반자유의지 논증에서는 이 경우에도 우리에게 자유의지가 없다고 결론 내린다. 가령 갑의 딸기 우유 선택이 단지 갑의 뇌에서 무작위로 일어난 신경 사건이라고 한다면, 그것은 자유의지의 산물이라고 보기 어려울 것이다.

그러나 이 논증에 관한 다양한 비판이 가능하다. <u>㉠ 반자유의지 논증을 비판하는 한 입장</u>에 따르면 반자유의지 논증의 선결정 가정을 고려할 때의 결론은 받아들여야 하지만, 무작위 가정을 고려할 때의 결론은 받아들일 필요가 없다. 따라서 반자유의지 논증의 결론도 받아들일 필요가 없다고 주장한다. 그 이유는 아래와 같다.

임의의 선택이 나의 자유의지의 산물이 되기 위해서는 다음 두 가지 조건을 모두 충족해야 한다. 첫째, 내가 그 선택의 주체여야 한다. 둘째, 나의 선택은 그 이전 사건들에 의해 선결정되지 않아야 한다. 그런데 어떤 선택이 그 이전 사건들에 의해 선결정되어 있다면, 이것은 자유의지를 위한 둘째 조건과 충돌한다. 따라서 반자유의지 논증의 선결정 가정을 고려할 때의 결론인 우리에게 자유의지가 없다는 점을 받아들여야 한다. 물론 이러한 자유의지와 다른 의미를 지닌 자유의지가 있을 수 있다. 만약 '내가 자유롭게 선택했다'는 말이 단지 '내가 하고자 원했던 것을 했다'는 <u>ⓐ 욕구 충족적 자유의지</u>를 의미한다면, 나의 선택이 그 이전 사건들에 의해 선결정되어 있든 그렇지 않든 그것은 내 자유의지의 산물일 수 있다. 그러나 이러한 자유의지는 <u>ⓑ 여기서 염두에 두는 두 가지 조건을 모두 충족하는 자유의지</u>와 다르다.

다음으로, 어떤 선택이 무작위로 일어난 것이라고 하더라도 그 선택의 주체는 나일 수 있다. 유물론적 인간관에 따르면 '갑이 딸기 우유를 선택했다'는 것은 '선택 시점에 갑의 뇌에서

신경 사건이 발생했다'는 것을 의미한다. 갑의 이러한 신경 사건이 이전 사건들에 의해 선결정되지 않은 것으로 가정해 보자. 이러한 가정 아래에서도 갑은 그 선택의 주체일 수 있다. 왜냐하면 이 가정은 선택 시점에 발생한 뇌의 신경 사건으로서 '갑이 딸기 우유를 선택했다'는 사실을 바꾸지 않기 때문이다. 결국 ⓒ반자유의지 논증의 무작위 가정을 고려할 때의 결론은 받아들일 필요가 없다.

12. 윗글에 대한 설명으로 적절하지 <u>않은</u> 것은?

① 유물론적 인간관은 영혼의 존재를 인정하지 않는다.
② 유물론적 인간관은 인간의 선택을 물리적 사건으로 본다.
③ 종교적 인간관은 인간이 물리적 실체로만 구성된다고 보지 않는다.
④ 종교적 인간관은 인간의 선택에서 비물리적 실체가 하는 역할을 인정한다.
⑤ 반자유의지 논증은 임의의 선택이 선결정되지 않을 가능성을 고려하지 않는다.

13. ⓐ, ⓑ를 이해한 내용으로 적절한 것은?

① 어떤 선택을 원해서 한다면 그 선택을 한 사람에게 ⓐ가 있을 수 없다.
② 어떤 선택을 원해서 한다면 그 선택을 한 사람에게 ⓑ가 있을 수 없다.
③ 어떤 선택이 선결정되어 있다면 그 선택을 한 사람에게 ⓐ가 있을 수 없다.
④ 어떤 선택이 선결정되어 있다면 그 선택을 한 사람에게 ⓑ가 있을 수 없다.
⑤ 어떤 선택을 원해서 하고 그 선택이 선결정되어 있지 않다면 그 선택을 한 사람에게 ⓐ와 ⓑ 중 어느 것도 있을 수 없다.

14. ⓒ의 이유로 가장 적절한 것은?

① 비물리적 실체인 영혼은 존재하지 않기 때문이다.
② 어떤 선택은 무작위로 일어난 것이 아니기 때문이다.
③ 어떤 선택은 선결정되어 있지만 욕구 충족적 자유의지의 산물이기 때문이다.
④ 반자유의지 논증의 선결정 가정을 고려할 때의 결론이 받아들여져야 하기 때문이다.
⑤ 어떤 선택은 자유의지의 산물이 되기 위한 두 가지 조건을 모두 충족할 수 있기 때문이다.

15. 윗글의 ㉠에 입각하여 학생이 <보기>와 같은 탐구 활동을 한다고 할 때, [A]에 들어갈 내용으로 적절한 것은? [3점]

<보 기>

자유의지와 관련된 H의 가설과 실험을 보고, 반자유의지 논증에 대해 논의해 보자.

• H의 가설
인간이 결정을 내릴 때 발생하는 신경 사건이 있기 전에 그가 어떤 선택을 할지 알게 해 주는 다른 신경 사건이 그의 뇌에서 매번 발생한다.

• H의 실험
피실험자의 왼손과 오른손에 각각 버튼 하나가 주어진다. 피실험자는 두 버튼 중 어떤 버튼을 누를지 특정 시점에 결정한다. 그 결정의 시점과 그 이전에 발생하는 뇌의 신경 사건을 동일한 피실험자에게서 100차례 관측한다.

○ 논의 : [A]

① H의 가설이 실험 결과에 의해 입증된다면, 선결정 가정을 고려할 때의 결론을 거부해야 한다.
② H의 가설이 실험 결과에 의해 입증된다면, 무작위 가정은 참일 수밖에 없다.
③ H의 가설이 실험 결과에 의해 입증되지 않는다면, 선결정 가정은 참일 수밖에 없다.
④ H의 가설이 실험 결과에 의해 입증되지 않는다면, 무작위 가정을 고려할 때의 결론을 받아들여야 하는 것은 아니다.
⑤ H의 가설의 실험 결과에 의한 입증 여부와 상관없이, 반자유의지 논증의 결론을 받아들여야 한다.

총 문항					문항		맞은 문항			문항
개별 문항	1	2	3	4	5	6	7	8	9	10
채점										
개별 문항	11	12	13	14	15	16	17	18	19	20
채점										

12분 | 2022학년도 6월 모평 4~9번 | ★★☆ | 정답 012쪽

【1~6】 다음 글을 읽고 물음에 답하시오.

(가)

근대 이후 서양의 철학자들은 과학적 세계관이 대두하면서 이전과는 달리 인과를 물리적 작용 사이의 관계로 국한하려는 경향을 보였다. 문제는 흄이 지적했듯이 인과 관계 그 자체는 직접 관찰할 수 없다는 것이다. 원인과 결과에 해당하는 사건만을 관찰할 수 있을 뿐이다. 가령 "추위 때문에 강물이 얼었다."는 직접 관찰한 물리적 사실을 진술한 것이 아니다. 그래서 인과가 과학적 개념인지에 대한 의심이 철학자들 사이에 제기되었다. 이에 인과를 과학적 세계관에 입각하여 이해하려는 시도가 새먼의 과정 이론이다.

야구공을 던지면 땅 위의 공 그림자도 따라 움직인다. 공이 움직여서 그림자가 움직인 것이지 그림자 자체가 움직여서 그림자의 위치가 변한 것은 아니다. 과정 이론은 이 차이를 다음과 같이 설명한다. 과정은 대상의 시공간적 궤적이다. 날아가는 야구공은 물론이고 땅에 멈추어 있는 공도 시간은 흘러가고 있기에 시공간적 궤적을 그리고 있다. 공이 멈추어 있는 상태도 과정인 것이다. 그런데 모든 과정이 인과적 과정은 아니다. 어떤 과정은 다른 과정과 한 시공간적 지점에서 만난다. 즉, 두 과정이 교차한다. 만약 교차에서 표지, 즉 대상의 변화된 물리적 속성이 도입되면 이후의 모든 지점에서 그 표지를 전달할 수 있는 과정이 인과적 과정이다.

[A]
가령 바나나가 a 지점에서 b 지점까지 이동하는 과정을 과정 1이라고 하자. a와 b의 중간 지점에서 바나나를 한 입 베어 내는 과정 2가 과정 1과 교차했다. 이 교차로 표지가 과정 1에 도입되었고 이 표지는 b까지 전달될 수 있다. 즉, 바나나는 베어 낸 만큼이 없어진 채로 줄곧 b까지 이동할 수 있다. 따라서 과정 1은 인과적 과정이다. 바나나가 이동한 것이 바나나가 b에 위치한 결과의 원인인 것이다. 한편, 바나나의 그림자가 스크린에 생긴다고 하자. 바나나의 그림자가 스크린상의 a′ 지점에서 b′ 지점까지 움직이는 과정을 과정 3이라 하자. 과정 1과 과정 2의 교차 이후 스크린상의 그림자 역시 변한다. 그런데 a′과 b′ 사이의 스크린 표면의 한 지점에 울퉁불퉁한 스티로폼이 부착되는 과정 4가 과정 3과 교차했다고 하자. 그림자가 그 지점과 겹치면서 일그러짐이라는 표지가 과정 3에 도입되지만, 그 지점을 지나가면 그림자는 다시 원래대로 돌아오고 스티로폼은 그대로이다. 이처럼 과정 3은 다른 과정과의 교차로 도입된 표지를 전달할 수 없다.

과정 이론은 규범이나 마음과 같은, 물리적 세계 바깥의 측면을 해명하기 어렵다는 한계를 지닌다. 예컨대 내가 사회 규범을 어긴 것과 내가 벌을 받아야 하는 것 사이에는 인과 관계가 있지만 과정 이론은 이를 잘 다루지 못한다.

(나)

자연 현상과 인간사를 인과 관계로 설명하는 동아시아의 대표적 논의는 재이론(災異論)이다. 한대(漢代)의 동중서는 하늘이 덕을 잃은 군주에게 재이를 내려 견책한다는 천견설과, 인간과 하늘에 공통된 음양의 기(氣)를 통해 하늘과 인간이 서로 감응한다는 천인감응론을 결합하여 재이론을 체계화하였다. 그에 따르면, 군주가 실정(失政)을 저지르면 그로 말미암아 변화된 음양의 기를 통해 감응한 하늘이 가뭄과 홍수, 일식과 월식 등 재이를 통해 경고를 내린다. 이때 재이는 군주권이 하늘로부터 비롯된 것임을 입증하는 것이자 군주의 실정에 대한 경고였다.

양면적 성격의 재이론은 신하가 정치적 논의에 참여할 수 있는 명분을 제공하였고, 재이가 발생하면 군주가 직언을 구하고 신하가 이에 응하는 전통으로 구체화되었다. 하지만 동중서 이후, 원인으로서의 인간사와 결과로서의 재이를 일대일로 대응시켜 설명하는 개별적 대응 방식은 억지가 심하다는 평가를 받았다. 이 방식은 오히려 ㉠ 예언화 경향으로 이어져 재이를 인간사의 징조로, 인간사를 재이의 결과로 대응시키는 풍조를 낳기도 하였고, 요망한 말로 백성을 미혹시켰다는 이유로 군주가 직언을 하는 신하를 탄압하는 빌미가 되기도 하였다.

이후 재이에 대한 예언적 해석은 비판의 대상이 되었고, 천인감응론 또한 부정되기도 하였다. 하지만 재이론은 여전히 정치 현장에서 사라지지 않았다. 송대(宋代)에 이르러, 주희는 천문학의 발달로 예측 가능하게 된 일월식을 재이로 간주하지 않는 경향을 수용하였고, 재이를 근본적으로 이치에 의해 설명되기 어려운 자연 현상으로 간주하였다. 하지만 당시까지도 재이에 대해 군주의 적극적인 대응을 유도하며 안전한 언론 활동의 기회를 제공했던 재이론이 폐기되는 것은, 신하의 입장에서 유용한 정치적 기제를 잃는 것이었다. 이 때문에 그는 군주를 경계하는 적절한 방법을 ⓐ찾고자 재이론을 고수하였다. 그는 재이에 대한 개별적 대응 대신 군주에게 허물과 잘못이 쌓이면 이에 하늘이 감응하여 변칙적인 자연 현상이 일어날 것이라는 ㉡ 전반적 대응설을 제시하고, 재이를 군주의 심성 수양 문제로 귀결시키며 재이론의 역사적 수명을 연장하였다.

1. 다음은 (가)와 (나)를 읽은 학생이 작성한 학습 활동지의 일부이다. ㄱ~ㅁ에 들어갈 내용으로 적절하지 <u>않은</u> 것은?

학습 항목	학습 내용	
	(가)	(나)
도입 문단의 내용 제시 방식 파악하기	ㄱ	ㄴ
⋮	⋮	⋮
글의 내용 전개 방식 이해하기	ㄷ	ㄹ
특정 개념과 관련하여 두 글을 통합적으로 이해하기	ㅁ	

① ㄱ : '인과'에 대한 특정 이론이 등장하게 된 배경을 철학자들의 인식 변화와 관련지어 제시하였음.

② ㄴ : '인과'와 연관된 특정 이론의 배경 사상과 중심 내용을 제시하였음.

③ ㄷ : '인과'에 대한 특정 이론을 정의한 뒤 구체적인 사례와 관련지어 그 이론의 한계와 전망을 제시하였음.

④ ㄹ : '인과'와 연관된 특정 이론을 제시하고 그 이론이 변용되는 양상을 시대의 흐름에 따라 제시하였음.

⑤ ㅁ : '인과'와 관련하여 동서양의 특정 이론들에 나타나는 관점을 비교해 보도록 하였음.

2. 윗글에 대한 이해로 적절하지 <u>않은</u> 것은?

① 과정 이론은 물리적 세계의 테두리 안에서 인과를 해명하는 이론이다.

② 사회 규범 위반과 처벌 당위성 사이의 인과 관계는 표지의 전달로 설명되기 어렵다.

③ 인과가 과학적 세계관과 부합하지 않는다고 생각하는 철학자가 근대 이후 서양에 나타났다.

④ 한대의 재이론에서 전제된 하늘은 음양의 변화에 반응하지 않지만 경고를 하는 의지를 가진 존재였다.

⑤ 천문학의 발달에 따라 일월식이 예측 가능해지면서 송대에는 이를 설명 가능한 자연 현상으로 보는 경향이 있었다.

3. [A]에 대한 이해로 적절하지 <u>않은</u> 것은?

① 바나나와 그 그림자는 서로 다른 시공간적 궤적을 그린다.

② 과정 1이 과정 2와 교차하기 이전과 이후에서, 바나나가 지닌 물리적 속성은 다르다.

③ 과정 1과 달리 과정 3은 인과적 과정이 아니다.

④ 바나나의 일부를 베어 냄으로써 변화된 바나나 그림자의 모양은 과정 3이 과정 2와 교차함으로써 도입된 표지이다.

⑤ 과정 3과 과정 4의 교차로 도입된 표지는 과정 3으로도 과정 4로도 전달되지 않는다.

4. ㉠, ㉡에 대한 설명으로 가장 적절한 것은?

① ㉠은 군주의 과거 실정에 대한 경고로서 재이의 의미가 강조되어 신하의 직언을 활성화하는 방향으로 활용되었다.

② ㉠은 이전과 달리 인간사와 재이의 인과 관계를 역전시켜 재이를 인간사의 미래를 알려 주는 징조로 삼는 데 활용되었다.

③ ㉡은 개별적인 재이 현상을 물리적 작용이라 보고 정치와 무관하게 재이를 이해하는 기초로 활용되었다.

④ ㉡은 누적된 실정과 특정한 재이 현상을 연결 짓는 방식으로 이어져 군주의 권력을 강화하는 데 활용되었다.

⑤ ㉡은 과학적 인식을 기반으로 군주의 지배력과 변칙적인 자연 현상이 무관하다는 인식을 강화하는 기초로 활용되었다.

5. <보기>는 윗글의 주제와 관련한 동서양 학자들의 견해이다. 윗글을 읽은 학생이 <보기>에 대해 보인 반응으로 적절하지 <u>않은</u> 것은? [3점]

─────< 보 기 >─────

㉮ 만약 인과 관계가 직접 관찰될 수 없다면, 물리적 속성의 변화와 전달과 같은 관찰 가능한 현상을 탐구하는 것이 인과 개념을 과학적으로 규명하는 올바른 경로이다.

㉯ 인과 관계란 서로 다른 대상들이 물리적 성질들을 서로 주고받는 관계일 수밖에 없다. 그러한 두 대상은 시공간적으로 연결되어 있어야만 한다.

㉰ 덕이 잘 닦인 치세에서는 재이를 찾아볼 수 없었고, 세상의 변고는 모두 난세의 때에 출현했으니, 하늘과 인간이 서로 통하는 관계임을 알 수 있다.

㉱ 홍수가 자주 발생하는 강 하류 지방의 지방관은 반드시 실정을 한 것이고, 홍수가 발생하지 않는 산악 지방의 지방관은 반드시 청렴한가? 실제로는 그렇지 않다.

① 흄의 문제 제기와 ㉮로부터, 과정 이론이 인과 개념을 과학적으로 규명하려는 시도의 하나임을 이끌어낼 수 있겠군.

② 인과 관계를 대상 간의 물리적 상호 작용으로 국한하는 ㉯의 입장은 대상 간의 감응을 기반으로 한 동중서의 재이론이 보여 준 입장과 부합하겠군.

③ 치세와 난세의 차이를 재이의 출현 여부로 설명하는 ㉰에 대해 동중서와 주희는 모두 재이론에 입각하여 수용 가능한 견해라는 입장을 취하겠군.

④ 덕이 물리적 세계 바깥의 현상에 해당한다면, 덕과 세상의 변화 사이에 인과 관계가 있다고 본 ㉰는 새먼의 이론에 입각하여 설명되기 어렵겠군.

⑤ 지방관의 실정에서 도입된 표지가 홍수로 이어지는 과정으로 전달될 수 없다면, 새먼은 실정이 홍수의 원인이 아니라는 점에서 ㉱에 동의하겠군.

6. ⓐ와 문맥상 의미가 가장 가까운 것은?

① 모두가 만족하는 대책을 <u>찾으려</u> 머리를 맞대었다.

② 모르는 단어가 나오면 국어사전을 <u>찾아서</u> 확인해라.

③ 건강을 위해 친환경 농산물을 <u>찾는</u> 사람이 많아졌다.

④ 아직 완전하지는 않지만 서서히 건강을 <u>찾는</u> 중이다.

⑤ 선생은 독립을 다시 <u>찾는</u> 것을 일생의 사명으로 여겼다.

[7~12] 다음 글을 읽고 물음에 답하시오.

(가)

18세기 북학파들은 청에 다녀온 경험을 연행록으로 기록하여 청의 문물제도를 수용하자는 북학론을 구체화하였다. 이들은 개인적인 학문 성향과 관심에 따라 주목한 영역이 서로 달랐기 때문에 이들의 북학론도 차이를 보였다. 이들에게는 동아시아에서 문명의 척도로 여겨진 중화 관념이 청의 현실에 대한 인식에 각각 다르게 반영된 것이다. 1778년 함께 연행길에 올라 동일한 일정을 소화했던 박제가와 이덕무의 연행록에서도 이러한 차이가 확인된다.

[A] ┌ 북학이라는 목적의식이 강했던 박제가가 인식한 청의 현실은 단순한 현실이 아니라 조선이 지향할 가치 기준이었다. 그가 쓴 『북학의』에 묘사된 청의 현실은 특정 관점에 따라 선택 및 추상화된 것이었으며, 그런 청의 현실은 그에게 중화가 손상 없이 ⓐ보존된 것이자 조선의 발전 방향이기도 하였다. 중화 관념의 절대성을 인정하였기 때문에 당시 조선은 나름의 독자성을 유지하기보다 중화와 합치되는 방향으로 나아가야 한다는 생각이 그의 북학론의 밑바탕이 되었다. 명에 대한 의리를 중시하는 당시 주류의 견해에 대해 그는 의리 문제는 청이 천하를 차지한 지 백여 년이 지나며 자연스럽게 소멸된 것으로 여기고, 청 문물제도의 수용이 가져다주는 이익을 논하며 북학론의 당위성을 설파하였다. 대체로 이익 추구에 대해 부정적이었던 주자학자들과 달리, 이익 추구를 인간의 자연스러운 욕망으로 긍정하고 양반도 이익을 추구하자는 └ 등 실용적인 입장을 보였다.

이덕무는 「입연기」를 저술하면서 청의 현실을 객관적 태도로 기록하고자 하였다. 잘 정비된 마을의 모습을 기술하며 그는 황제의 행차에 대비하여 이루어진 일련의 조치가 민생과 무관하다고 지적하였다. 하지만 청 문물의 효용을 ⓑ도외시하지 않고 박제가와 마찬가지로 물질적 삶을 중시하는 이용후생에 관심을 보였다. 스스로 평등견 이라 불렀던 인식 태도를 바탕으로 그는 당시 청에 대한 찬반의 이분법에서 벗어나 청과 조선의 현실적 차이뿐만 아니라 양쪽 모두의 가치를 인정하였다. 이런 시각에서 그는 청과 조선은 구분되지만 서로 배타적이지 않다고 보았다. 즉 청을 배우는 것과 조선 사람이 조선 풍토에 맞게 살아가는 것은 서로 모순되지 않는다는 것이다. 하지만 그는 중국인들의 외양이 만주족처럼 변화된 것을 보고 비통한 감정을 토로하며 중화의 중심이라 여겼던 명에 대한 의리를 중시하는 등 자신이 제시한 인식 태도에서 벗어나는 모습을 보이기도 하였다.

(나)

18세기 후반의 중국은 명대 이래의 경제 발전이 정점에 달해 있었다. 대부분의 주민들이 접근할 수 있는 향촌의 정기 시장부터 인구 100만의 대도시의 시장에 이르는 여러 단계의 시장들이 그물처럼 연결되어 국내 교역이 활발하게 이루어지고 있었다. 장거리 교역의 상품이 사치품에 ⓒ한정되지 않고 일상적 물건으로까지 확대되었다. 상인 조직의 발전과 신용 기관의 확대는 교역의 질과 양이 급변하고 있었음을 보여 준다. 대외 무역의 발전과 은의 유입은 중국의 경제적 번영에 영향을 미친 외부적 요인이었다. 은의 유입, 그리고 이를 통해 가능해진 은을 매개로 한 과세는 상품 경제의 발전을 ⓓ자극하였다. 은과 상품의 세계적 순환으로 중국 경제가 세계 경제와 긴밀하게 연결되었다.

그러나 청의 번영은 지속되지 않았고, 19세기에 접어들 무렵부터는 심각한 내외의 위기에 직면해 급속한 하락의 시대를 겪게 된다. 북학파들이 연행을 했던 18세기 후반에도 이미 위기의 징후들이 나타나고 있었다. 급격한 인구 증가로 인한 여러 문제는 새로운 작물 재배, 개간, 이주, 농경 집약화 등 민간의 노력에도 불구하고 해결되지 않았다. 인구 증가로 이주 및 도시화가 진행되는 가운데 전통적인 사회적 유대가 약화되거나 단절된 사람들이 상호 부조 관계를 맺는 결사 조직이 ⓔ성행하였다. 이런 결사 조직은 불법적인 활동으로 연결되곤 했고 위기 상황에서는 반란의 조직적 기반이 되었다. 인맥에 기초한 관료 사회의 부정부패가 심화된 것 역시 인구 증가와 무관하지 않았다. 교육받은 지식인들이 늘어났지만 이들을 흡수할 수 있는 관료 조직의 규모는 정체되어 있었고, 경쟁의 심화가 종종 불법적인 행위로 연결되었다. 이와 같이 18세기 후반 청의 화려한 번영의 그늘에는 ㉠심각한 위기의 씨앗들이 뿌려지고 있었다.

통치자들도 번영 속에서 불안을 느끼고 있었다. 조정에는 외국과의 접촉으로부터 백성들을 차단하려는 경향이 있었으며, 서양 선교사들의 선교 활동 확대로 인해 이런 경향이 강화되기도 하였다. 이 때문에 18세기 후반에 청 조정은 서양에 대한 무역 개방을 축소하는 모습을 보였다. 그러나 그때까지는 위기가 본격화되지는 않았고, 소수의 지식인들만이 사회 변화의 부정적 측면을 염려하거나 개혁 방안을 모색하였다.

7. (가), (나)에 대한 설명으로 가장 적절한 것은?

① (가)는 18세기 중국에 대한 학자들의 견해를 제시하면서 그러한 견해의 형성 배경 및 견해 간의 차이를 설명하고 있다.

② (가)는 18세기 중국을 바라보는 사상적 관점을 제시하면서 각 관점이 지닌 역사적 의의와 한계를 서로 비교하고 있다.

③ (나)는 18세기 중국의 사회상을 제시하면서 다양한 사회상을 시대별 기준에 따라 분류하여 서술하고 있다.

④ (나)는 18세기 중국의 사상적 변화를 제시하면서 그러한 변화가 지니는 긍정적 측면과 부정적 측면을 분석하고 있다.

⑤ (가)와 (나)는 모두 18세기 중국의 현실을 제시하면서 그러한 현실이 다른 나라에 미친 영향을 예를 들어 설명하고 있다.

8. (가)의 '박제가'와 '이덕무'에 대한 이해로 적절하지 <u>않은</u> 것은?

① 박제가는 청의 문물을 도입하는 것이 중화를 이루는 방도라고 간주하였다.

② 박제가는 자신이 파악한 청의 현실을 조선을 평가하는 기준이라고 생각하였다.

③ 이덕무는 청의 현실을 관찰하면서 이면에 있는 민생의 문제를 간과하지 않았다.

④ 이덕무는 청 문물의 효용성을 긍정하면서 청이 중화를 보존하고 있음을 인정하였다.

⑤ 박제가와 이덕무는 모두 중화 관념 자체에 대해서는 긍정적인 태도를 견지하였다.

9. 평등견 에 대한 이해로 가장 적절한 것은?

① 조선의 풍토를 기준으로 삼아 청의 제도를 개선하자는 인식 태도이다.

② 조선의 고유한 삶의 방식을 청의 방식에 따라 개혁해야 한다는 인식 태도이다.

③ 청과 조선의 가치를 평등하게 인정하고 풍토로 인한 차이를 해소하려는 인식 태도이다.

④ 중국인의 외양이 변화된 모습을 명에 대한 의리 문제와 관련지어 파악하려는 인식 태도이다.

⑤ 청에 대한 배타적 태도를 지양하고 청과 구분되는 조선의 독자성을 유지하자는 인식 태도이다.

10. 문맥을 고려할 때 ㉠의 의미를 파악한 내용으로 가장 적절한 것은?

① 새로운 작물의 보급 증가가 경제적 번영으로 이어지는 상황을 가리키는 것이군.

② 신용 기관이 확대되고 교역의 질과 양이 급변하고 있는 상황을 가리키는 것이군.

③ 반란의 위험성 증가 등 인구 증가로 인한 문제점들이 나타나는 상황을 가리키는 것이군.

④ 이주나 농경 집약화 등 조정에서 추진한 정책들이 실패한 상황을 가리키는 것이군.

⑤ 사회적 유대의 약화로 인하여 관료 사회의 부정부패가 심화되는 상황을 가리키는 것이군.

11. <보기>는 (가)에 제시된 『북학의』의 일부이다. [A]와 (나)를 참고하여 <보기>에 대해 비판적 읽기를 수행한 학생의 반응으로 적절하지 <u>않은</u> 것은? [3점]

<보 기>

우리나라에서는 자기가 사는 지역에서 많이 나는 산물을 다른 데서 산출되는 필요한 물건과 교환하여 풍족하게 살려는 백성이 많으나 힘이 미치지 못한다. … 중국 사람은 가난하면 장사를 한다. 그렇더라도 정말 사람만 현명하면 원래 가진 풍류와 명망은 그대로다. 그래서 유생이 거리낌 없이 서점을 출입하고, 재상조차도 직접 융복사 앞 시장에 가서 골동품을 산다. … 우리나라는 해마다 은 수만 냥을 연경에 실어 보내 약재와 비단을 사 오는 반면, 우리나라 물건을 팔아 저들의 은으로 바꿔 오는 일은 없다. 은이란 천년이 지나도 없어지지 않는 물건이지만, 약은 사람에게 먹여 반나절이면 사라져 버리고 비단은 시신을 감싸서 묻으면 반년 만에 썩어 없어진다.

① <보기>에 제시된 중국인들의 상업에 대한 인식은 [A]에서 제시한 실용적인 입장에 부합하는 것이라 볼 수 있어.

② <보기>에 제시된 조선의 산물 유통에 대한 서술은 [A]에서 제시한 북학론의 당위성을 뒷받침하는 근거라 볼 수 있어.

③ <보기>에 제시된 중국인들의 상행위에 대한 서술은 (나)에 제시된 중국 국내 교역의 양상과 상충되지 않는다고 볼 수 있어.

④ <보기>에 제시된 은에 대한 평가는 (나)에 제시된 중국의 경제적 번영에 기여한 요소를 참고할 때, 은의 효용적 측면을 간과한 평가라 볼 수 있어.

⑤ <보기>에 제시된 중국의 관료에 대한 묘사는 (나)에 제시된 관료 사회의 모습을 참고할 때, 지배층의 전체 면모가 드러나지 않는 진술이라 볼 수 있어.

12. 문맥상 ⓐ~ⓔ와 바꿔 쓰기에 가장 적절한 것은?

① ⓐ : 드러난

② ⓑ : 생각하지

③ ⓒ : 그치지

④ ⓓ : 따라갔다

⑤ ⓔ : 일어났다

[고3 국어 독서]

【13~16】 다음 글을 읽고 물음에 답하시오.

고대 그리스 시대의 사람들은 신에 의해 우주가 운행된다고 믿는 결정론적 세계관 속에서 신에 대한 두려움이나, 신이 야기한다고 생각되는 자연재해나 천체 현상 등에 대한 두려움을 떨치지 못했다. 에피쿠로스는 당대의 사람들이 이러한 잘못된 믿음에서 벗어나도록 하는 것이 중요하다고 보았고, 이를 위해 인간이 행복에 이를 수 있도록 자연학을 바탕으로 자신의 사상을 전개하였다.

에피쿠로스는 신의 존재는 인정하나 신의 존재 방식이 인간이 생각하는 것과는 다르다고 보고, 신은 우주들 사이의 중간 세계에 살며 인간사에 개입하지 않는다는 ㉠이신론(理神論)적 관점을 주장한다. 그는 불사하는 존재인 신은 최고로 행복한 상태이며, 다른 어떤 것에게도 고통을 주지 않고, 모든 고통은 물론 분노와 호의와 같은 것으로부터 자유롭다고 말한다. 따라서 에피쿠로스는 인간의 세계가 신에 의해 결정되지 않으며, 인간의 행복도 자율적 존재인 인간 자신에 의해 완성된다고 본다.

한편 에피쿠로스는 인간의 영혼도 육체와 마찬가지로 미세한 입자로 구성된다고 본다. 영혼은 육체와 함께 생겨나고 육체와 상호작용하며 육체가 상처를 입으면 영혼도 고통을 받는다. 더 나아가 육체가 소멸하면 영혼도 함께 소멸하게 되어 인간은 사후(死後)에 신의 심판을 받지 않으므로, 살아 있는 동안 인간은 사후에 심판이 있다고 생각하여 두려워할 필요가 없게 된다. 이러한 생각은 인간으로 하여금 죽음에 대한 모든 두려움에서 벗어나게 하는 근거가 된다.

이러한 에피쿠로스의 ㉡자연학은 우주와 인간의 세계에 대한 비결정론적인 이해를 가능하게 한다. 이는 원자의 운동에 관한 에피쿠로스의 설명에서도 명확히 드러난다. 그는 원자들이 수직 낙하 운동이라는 법칙에서 벗어나기도 하여 비스듬히 떨어지고 충돌해서 튕겨 나가는 우연적인 운동을 한다고 본다. 그리고 우주는 이러한 원자들에 의해 이루어졌으므로, 우주 역시 우연의 산물이라고 본다. 따라서 우주와 인간의 세계에 신의 관여는 없으며, 인간의 삶에서도 신의 섭리는 찾을 수 없다고 한다. 에피쿠로스는 이러한 생각을 인간이 필연성에 얽매이지 않고 자신의 삶을 주체적으로 살아갈 수 있게 하는 자유 의지의 단초로 삼는다.

에피쿠로스는 이를 토대로 자유로운 삶의 근본을 규명하고 인생의 궁극적 목표인 행복으로 이끄는 ㉢윤리학을 펼쳐 나간다. 결국 그는 인간이 신의 개입과 우주의 필연성, 사후 세계에 대한 두려움에서 벗어날 수 있도록 함으로써, 자신의 삶을 자율적이고 주체적으로 살 수 있는 길을 열어 주었다. 그리고 쾌락주의적 윤리학을 바탕으로 영혼이 안정된 상태에서 행복 실현을 추구할 수 있는 방안을 제시하였다.

13. 윗글의 표제와 부제로 가장 적절한 것은?

① 에피쿠로스 사상의 성립 배경
  – 인간과 자연의 관계를 중심으로
② 에피쿠로스 사상의 목적과 의의
  – 신, 인간, 우주에 대한 이해를 중심으로
③ 에피쿠로스 사상에 대한 비판과 옹호
  – 사상의 한계와 발전적 계승을 중심으로
④ 에피쿠로스 사상을 둘러싼 논쟁과 이견
  – 당대 세계관과의 비교를 중심으로
⑤ 에피쿠로스 사상의 현대적 수용과 효용성
  – 행복과 쾌락의 상관성을 중심으로

14. ㉠~㉢에 대한 이해로 가장 적절한 것은?

① ㉠은 인간이 두려움을 갖는 이유를, ㉡과 ㉢은 신에 대한 의존에서 벗어나게 하는 방법을 제시한다.
② ㉠은 우주가 신에 의해 운행된다고 믿는 근거를, ㉡과 ㉢은 인간의 사후에 대해 탐구하는 방법을 제시한다.
③ ㉠과 ㉡은 인간이 영혼과 육체의 관계를 탐구하는 이유를, ㉢은 모든 두려움에서 벗어나는 방법을 제시한다.
④ ㉠과 ㉡은 인간이 잘못된 믿음에서 벗어날 수 있는 근거를, ㉢은 행복에 이르도록 하는 방법을 제시한다.
⑤ ㉠과 ㉡은 인간의 존재 이유와 존재 위치에 대한 탐색의 결과를, ㉢은 인간이 우주의 근원을 연구하는 방법을 제시한다.

15. 윗글을 읽은 학생이 '에피쿠로스'에 대해 비판한다고 할 때, 비판 내용으로 적절한 것만을 <보기>에서 있는 대로 고른 것은?

─────<보 기>─────

ㄱ. 신이 분노와 호의로부터 자유로운 상태라면 인간의 세계에 개입을 하지 않는다는 뜻일 텐데, 왜 신의 섭리에 따라 인간의 삶을 이해하려고 하는가?

ㄴ. 원자가 법칙에서 벗어나 우연적인 운동을 한다는 것은 인과 관계 없이 뜻하지 않게 움직인다는 뜻일 텐데, 그것이 자유 의지의 단초가 될 수 있는가?

ㄷ. 인간이 죽음에 대해 두려움을 느낀다면 죽음에 이르는 고통 때문일 수도 있을 텐데, 사후에 대한 두려움을 떨쳐 버리는 것만으로 그것이 해소될 수 있는가?

ㄹ. 인간이 자연재해를 무서워한다면 자연재해 그 자체 때문 일 수도 있을 텐데, 신이 일으키지 않았다고 해서 자연 재해에 대한 두려움에서 벗어날 수 있는가?

① ㄱ, ㄴ   ② ㄱ, ㄹ   ③ ㄷ, ㄹ
④ ㄱ, ㄴ, ㄷ   ⑤ ㄴ, ㄷ, ㄹ

16. 윗글의 '에피쿠로스'의 사상과 <보기>에 나타난 생각을 비교한 내용으로 적절하지 <u>않은</u> 것은? [3점]

─────<보 기>─────

신은 인간의 세계에 속해 있지는 않으나, 모든 일의 목적인 존재라네. 하늘과 땅 그리고 바다에 있는 모든 것들의 원인 이며, 일체의 훌륭함에 있어서도 탁월한 존재이지. 언제나 신은 필연성을 따르는 지성을 조력자로 삼아 성장과 쇠퇴, 분리와 결합에 있어 모든 것들을 바르고 행복한 상태에 이르 도록 이끈다네.

① 신을 '모든 것들의 원인'으로 보는 <보기>의 생각은, 신이 '인간사에 개입'한다는 것을 부정하는 에피쿠로스의 사상과 차이점이 있군.

② 신이 '지성'을 조력자로 삼아 모든 것들을 이끈다고 보는 <보기>의 생각은, 우주를 '우연의 산물'로 보는 에피쿠로스의 사상과 차이점이 있군.

③ 신을 '모든 일의 목적인 존재'로 보는 <보기>의 생각과 신이 '불사하는 존재'라고 보는 에피쿠로스의 사상은 신의 존재를 인정한다는 공통점이 있군.

④ 신이 '모든 것들'을 '바르고 행복한 상태'에 도달하게 한다는 <보기>의 생각은, 행복이 '인간 자신에 의해 완성'된다고 본 에피쿠로스의 사상과 차이점이 있군.

⑤ 신이 '인간의 세계'에 속해 있지 않다고 보는 <보기>의 생각과 신이 '중간 세계'에 있다고 본 에피쿠로스의 사상은 신의 영향 력이 인간 세계의 외부에서 온다고 보는 공통점이 있군.

총 문항					문항	맞은 문항				문항
개별 문항	1	2	3	4	5	6	7	8	9	10
채점										
개별 문항	11	12	13	14	15	16	17	18	19	20
채점										

12분   2021학년도 6월 모평 16~21번   ★★☆   정답 016쪽

【1~6】 다음 글을 읽고 물음에 답하시오.

(가)

한국, 중국 등 동아시아 사회에서 오랫동안 유지되었던 과거제는 세습적 권리와 무관하게 능력주의적인 시험을 통해 관료를 선발하는 제도라는 점에서 합리성을 갖추고 있었다. 정부의 관직을 ⓐ두고 정기적으로 시행되는 공개 시험인 과거제가 도입되어, 높은 지위를 얻기 위해서는 신분이나 추천보다 시험 성적이 더욱 중요해졌다.

명확하고 합리적인 기준에 따른 관료 선발 제도라는 공정성을 바탕으로 과거제는 보다 많은 사람들에게 사회적 지위 획득의 기회를 줌으로써 개방성을 제고하여 사회적 유동성 역시 증대시켰다. 응시 자격에 일부 제한이 있었다 하더라도, 비교적 공정한 제도였음은 부정하기 어렵다. 시험 과정에서 ⊙익명성의 확보를 위한 여러 가지 장치를 도입한 것도 공정성 강화를 위한 노력을 보여 준다.

과거제는 여러 가지 사회적 효과를 가져왔는데, 특히 학습에 강력한 동기를 제공함으로써 교육의 확대와 지식의 보급에 크게 기여했다. 그 결과 통치에 참여할 능력을 갖춘 지식인 집단이 폭넓게 형성되었다. 시험에 필요한 고전과 유교 경전이 주가 되는 학습의 내용은 도덕적인 가치 기준에 대한 광범위한 공유를 이끌어 냈다. 또한 최종 단계까지 통과하지 못한 사람들에게도 국가가 여러 특권을 부여하고 그들이 지방 사회에 기여하도록 하여 경쟁적 선발 제도가 가져올 수 있는 부작용을 완화하고자 노력했다.

동아시아에서 과거제가 천 년이 넘게 시행된 것은 과거제의 합리성이 사회적 안정에 기여했음을 보여 준다. 과거제는 왕조의 교체와 같은 변화에도 불구하고 동질적인 엘리트층의 연속성을 가져왔다. 그리고 이러한 연속성은 관료 선발 과정뿐 아니라 관료제에 기초한 통치의 안정성에도 기여했다.

과거제를 장기간 유지한 것은 세계적으로 드문 현상이었다. 과거제에 대한 정보는 선교사들을 통해 유럽에 전해져 많은 관심을 불러일으켰다. 일군의 유럽 계몽사상가들은 학자의 지식이 귀족의 세습적 지위보다 우위에 있는 체제를 정치적인 합리성을 갖춘 것으로 보았다. 이러한 관심은 사상적 동향뿐 아니라 실질적인 사회 제도에까지 영향을 미쳐서, 관료 선발에 시험을 통한 경쟁이 도입되기도 했다.

(나)

조선 후기의 대표적인 관료 선발 제도 개혁론인 유형원의 공거제 구상은 능력주의적, 결과주의적 인재 선발의 약점을 극복하려는 의도와 함께 신분적 세습의 문제점도 의식한 것이었다. 중국에서는 17세기 무렵 관료 선발에서 세습과 같은 봉건적인 요소를 부분적으로 재도입하려는 개혁론이 등장했다. 고염무는 관료제의 상층에는 능력주의적 제도를 유지하되, ㉮지방관인 지현들은

어느 정도의 검증 기간을 거친 이후 그 지위를 평생 유지시켜 주고 세습의 길까지 열어 놓는 방안을 제안했다. 황종희는 지방의 관료가 자체적으로 관리를 초빙해서 시험한 후에 추천하는 '벽소'와 같은 옛 제도를 ⓑ되살리는 방법으로 과거제를 보완하자고 주장했다.

이러한 개혁론은 갑작스럽게 등장한 것이 아니었다. 과거제를 시행했던 국가들에서는 수백 년에 ⓒ걸쳐 과거제를 개선하라는 압력이 있었다. 시험 방식이 가져오는 부작용들은 과거제의 중요한 문제였다. 치열한 경쟁은 학문에 대한 깊이 있는 학습이 아니라 합격만을 목적으로 하는 형식적 학습을 하게 만들었고, 많은 인재들이 수험 생활에 장기간 ⓓ매달리면서 재능을 낭비하는 현상도 낳았다. 또한 학습 능력 이외의 인성이나 실무 능력을 평가할 수 없다는 이유로 시험의 ⓛ익명성에 대한 회의도 있었다.

과거제의 부작용에 대한 인식은 과거제를 통해 임용된 관리들의 활동에 대한 비판적 시각으로 연결되었다. 능력주의적 태도는 시험뿐 아니라 관리의 업무에 대한 평가에도 적용되었다. 세습적이지 않으면서 몇 년의 임기마다 다른 지역으로 이동하는 관리들은 승진을 위해서 빨리 성과를 낼 필요가 있었기에, 지역 사회를 위해 장기적인 전망을 가지고 정책을 추진하기보다 가시적이고 단기적인 결과만을 중시하는 부작용을 가져왔다. 개인적 동기가 공공성과 상충되는 현상이 나타났던 것이다. 공동체 의식의 약화 역시 과거제의 부정적 결과로 인식되었다. 과거제 출신의 관리들이 공동체에 대한 소속감이 낮고 출세 지향적이기 때문에 세습 엘리트나 지역에서 천거된 관리에 비해 공동체에 대한 충성심이 약했던 것이다.

과거제가 지속되는 시기 내내 과거제 이전에 대한 향수가 존재했던 것은 그 외의 정치 체제를 상상하기 ⓔ어려웠던 상황에서, 사적이고 정서적인 관계에서 볼 수 있는 소속감과 충성심을 과거제로 확보하기 어렵다는 판단 때문이었다. 봉건적 요소를 도입하여 과거제를 보완하자는 주장은 단순히 복고적인 것이 아니었다. 합리적인 제도가 가져온 역설적 상황을 역사적 경험과 주어진 사상적 자원을 활용하여 보완하고자 하는 시도였다.

1. (가)와 (나)의 서술 방식으로 가장 적절한 것은?

① (가)와 (나) 모두 특정 제도가 사회에 미친 영향을 인과적으로 서술하고 있다.

② (가)와 (나) 모두 특정 제도를 분석하는 두 가지 이론을 구분하여 소개하고 있다.

③ (가)는 (나)와 달리 구체적 사상가들의 견해를 언급하며 특정 제도에 대한 관점을 드러내고 있다.

④ (나)는 (가)와 달리 특정 제도에 대한 선호와 비판의 근거들을 비교하면서 특정 제도의 특징을 제시하고 있다.

⑤ (가)는 특정 제도의 발전을 통시적으로, (나)는 특정 제도에 대한 학자들의 상반된 입장을 공시적으로 언급하고 있다.

2. (가)의 내용과 일치하지 <u>않는</u> 것은?

① 시험을 통한 관료 선발 제도는 동아시아뿐만 아니라 유럽에서도 실시되었다.

② 과거제는 폭넓은 지식인 집단을 형성하여 관료제에 기초한 통치에 기여했다.

③ 과거 시험의 최종 단계까지 통과하지 못한 사람도 국가로부터 혜택을 받을 수 있었다.

④ 경쟁을 바탕으로 한 과거제는 더 많은 사람들이 지방의 관료에 의해 초빙될 기회를 주었다.

⑤ 귀족의 지위보다 학자의 지식이 우위에 있는 체제가 합리적이라고 여긴 계몽사상가들이 있었다.

3. (나)를 참고할 때, ㉮와 같은 제안이 등장하게 된 배경을 추론한 내용으로 적절하지 <u>않은</u> 것은?

① 과거제로 등용된 관리들이 근무지를 자주 바꾸게 되어 근무지에 대한 소속감이 약했기 때문이었을 것이다.

② 과거제로 등용된 관리들의 봉건적 요소에 대한 지향이 공공성과 상충되는 세태로 나타났기 때문이었을 것이다.

③ 과거제로 선발한 관료들은 세습 엘리트에 비해 개인적 동기가 강해서 공동체 의식이 높지 않았기 때문이었을 것이다.

④ 과거제를 통해 배출된 관료들이 출세 지향적이어서 장기적 안목보다는 근시안적인 결과에 치중했기 때문이었을 것이다.

⑤ 과거제가 낳은 능력주의적 태도로 인해 관리들이 승진을 위해 가시적인 성과만을 내려는 경향이 강해졌기 때문이었을 것이다.

4. (가)와 (나)를 참고하여 ㉠과 ㉡을 이해한 내용으로 가장 적절한 것은?

① ㉠은 모든 사람에게 응시 기회를 보장했지만, ㉡은 결과주의의 지나친 확산에서 비롯되었다.

② ㉠은 정치적 변화에도 사회적 안정을 보장했지만, ㉡은 대대로 관직을 물려받는 문제에서 비롯되었다.

③ ㉠은 지역 공동체의 전체 이익을 증진시켰지만, ㉡은 지나친 경쟁이 유발한 국가 전체의 비효율성에서 비롯되었다.

④ ㉠은 사회적 지위 획득의 기회를 확대하는 데 기여했지만, ㉡은 관리 선발 시 됨됨이 검증의 곤란함에서 비롯되었다.

⑤ ㉠은 관료들이 지닌 도덕적 가치 기준의 다양성을 확대했지만, ㉡은 사적이고 정서적인 관계 확보의 어려움에서 비롯되었다.

5. <보기>는 과거제에 대한 조선 시대 선비들의 견해를 재구성한 것이다. (가)와 (나)를 읽은 학생이 <보기>에 대해 보인 반응으로 적절하지 <u>않은</u> 것은? [3점]

<보 기>

○ **갑** : 변변치 못한 집안 출신이라 차별받는 것에 불만이 있는 사람들이 많았는데, 과거를 통해 관직을 얻으면서 불만이 많이 해소되어 사회적 갈등이 완화된 것은 바람직하다.

○ **을** : 과거제를 통해 조선 사회에 유교적 가치가 광범위하게 자리를 잡아 좋다. 그런데 많은 선비들이 오랜 시간 과거를 준비하느라 자신의 뛰어난 능력을 펼치지 못한다는 점이 안타깝다.

○ **병** : 요즘 과거 시험 준비를 위해 나오는 책들을 보면 시험에 자주 나왔던 내용만 정리되어 있어서 학습의 깊이가 없으니 문제다. 그래도 과거제 덕분에 더 많은 사람들이 공부를 하려는 생각을 가지게 된 것은 다행이라고 생각한다.

① '갑'이 과거제로 인해 사회적 유동성이 증가했다는 점을 긍정적으로 본 것은, 능력주의에 따른 공정성과 개방성이라는 시험의 성격에 주목한 것이겠군.

② '을'이 과거제로 인해 많은 선비들이 재능을 낭비한다는 점을 부정적으로 본 것은, 치열한 경쟁을 유발하는 시험의 성격에 주목한 것이겠군.

③ '을'이 과거제로 인해 사회의 도덕적 가치 기준에 대한 광범위한 공유가 가능해졌다는 점을 긍정적으로 본 것은, 고전과 유교 경전 위주의 시험 내용에 주목한 것이겠군.

④ '병'이 과거제로 인해 심화된 공부를 하기 어렵다는 점을 부정적으로 본 것은, 형식적인 학습을 유발한 시험 방식에 주목한 것이겠군.

⑤ '병'이 과거제로 인해 교육에 대한 동기가 강화되었다는 점을 긍정적으로 본 것은, 실무 능력을 중심으로 평가하는 시험 방식에 주목한 것이겠군.

6. 문맥상 ⓐ~ⓔ의 단어와 가장 가까운 의미로 쓰인 것은?

① ⓐ : 그가 열쇠를 방 안에 <u>두고</u> 문을 잠가 버렸다.

② ⓑ : 우리는 그 당시의 행복했던 기억을 <u>되살렸다</u>.

③ ⓒ : 협곡 사이에 구름다리가 멋지게 <u>걸쳐</u> 있었다.

④ ⓓ : 사소한 일에만 <u>매달리면</u> 중요한 것을 놓친다.

⑤ ⓔ : 형편이 <u>어려울수록</u> 모두가 힘을 합쳐야 한다.

【7~11】 다음 글을 읽고 물음에 답하시오.

　㉠많은 전통적 인식론자는 임의의 명제에 대해 우리가 세 가지 믿음의 태도 중 하나만을 ⓐ가질 수 있다고 본다. 가령 '내일 눈이 온다.'는 명제를 참이라고 믿거나, 거짓이라고 믿거나, 참이라 믿지도 않고 거짓이라 믿지도 않을 수 있다. 반면 ㉡베이즈주의자는 믿음은 정도의 문제라고 본다. 가령 각 인식 주체는 '내일 눈이 온다.'가 참이라는 것에 대하여 가장 강한 믿음의 정도에서 가장 약한 믿음의 정도까지 가질 수 있다. 이처럼 베이즈주의자는 믿음의 정도를 믿음의 태도에 포함함으로써 많은 전통적 인식론자들과 달리 믿음의 태도를 풍부하게 표현한다.

　우리는 종종 임의의 명제가 참인지 거짓인지 새롭게 알게 된다. 이것을 베이즈주의자의 표현으로 바꾸면 그 명제가 참인지 거짓인지에 대해 가장 강한 믿음의 정도를 새롭게 갖는다는 것이다. 베이즈주의는 이런 경우에 믿음의 정도가 어떤 방식으로 변해야 하는지에 대해 정교한 설명을 제공한다. 이에 따르면, 인식 주체가 특정 시점에 임의의 명제 A가 참이라는 것만을 또는 거짓이라는 것만을 새롭게 알게 됐을 때, 다른 임의의 명제 B에 대한 인식 주체의 기존 믿음의 정도의 변화는 조건화 원리 의 적용을 받는다. 이는 믿음의 정도의 변화에 관한 원리로서, 만약 인식 주체가 A가 참이라는 것만을 새롭게 알게 된다면, B가 참이라는 것에 대한 그 인식 주체의 믿음의 정도는 애초의 믿음의 정도에서 A가 참이라는 조건하에 B가 참이라는 것에 대한 믿음의 정도로 되어야 함을 의미한다. 예를 들어 갑이 '내일 비가 온다.'가 참이라는 것을 약하게 믿고 있고, '오늘 비가 온다.'가 참이라는 조건하에서는 '내일 비가 온다.'가 참이라는 것을 강하게 믿는다고 해 보자. 조건화 원리에 따르면, 갑이 실제로 '오늘 비가 온다.'가 참이라는 것만을 새롭게 알게 될 때, '내일 비가 온다.'가 참이라는 것을 그 이전보다 더 강하게 믿는 것이 합리적이다. 조건화 원리는 새롭게 알게 된 명제가 동시에 둘 이상인 경우에도 마찬가지로 적용된다. 다만 이 원리는 믿음의 정도에 관한 것이지 행위에 관한 것은 아니다.

　명제들 중에는 위의 예에서처럼 참인지 거짓인지 새롭게 알게 된 명제와 관련된 것도 있지만 그렇지 않은 것도 있다. 조건화 원리에 ⓑ따르면, 어떤 명제가 참인지 거짓인지 새롭게 알게 되더라도 그 명제와 관련 없는 명제에 대한 믿음의 정도는 변하지 않아야 한다. 예를 들어 위에서처럼 갑이 '오늘 비가 온다.'가 참이라는 것만을 새롭게 알게 되더라도 그것과 관련 없는 명제 '다른 은하에는 외계인이 존재한다.'에 대한 그의 믿음의 정도는 변하지 않아야 한다. 이처럼 베이즈주의자는 특별한 이유가 없는 한 우리의 믿음의 정도는 유지되어야 한다고 ⓒ본다.

　베이즈주의자는 이렇게 상식적으로 당연하게 여겨지는 생각을 정당화하기 위해 기존의 믿음의 정도를 유지함으로써 ⓓ얻을 수 있는 실용적 효율성에 호소할 수 있다. 특별한 이유 없이 학교를 옮기는 행위는 어떠한 방식으로든 우리의 에너지를 불필요하게 소모한다. 베이즈주의자는 특별한 이유 없이 기존의 믿음의 정도를 ⓔ바꾸는 것도 이와 유사하게 에너지를 불필요하게 소모한다고

볼 수 있다. 이 관점에서는 실용적 효율성을 추구한다면, 특별한 이유가 없는 한 기존의 믿음의 정도를 유지하는 것이 합리적이다.

7. 윗글에서 답을 찾을 수 있는 질문에 해당하지 <u>않는</u> 것은?

① 믿음의 정도와 관련하여 상식적으로 당연하게 여겨지는 생각을 어떻게 정당화할 수 있을까?
② 특별한 이유 없이 믿음의 정도를 바꾸어야 하는 이유는 무엇일까?
③ 믿음의 정도를 어떤 경우에 바꾸고 어떤 경우에 바꾸지 말아야 할까?
④ 믿음의 정도를 바꾸어야 한다면 어떤 방식으로 바꾸어야 할까?
⑤ 임의의 명제에 대해 어떤 믿음의 태도를 가질 수 있을까?

8. ㉠, ㉡에 대한 이해로 적절하지 <u>않은</u> 것은?

① 만약 을이 ㉠이라면 을은 동시에 ㉡일 수 없다.
② ㉠은 을이 '내일 눈이 온다.'가 거짓이라 믿는 것은 그 명제가 거짓임을 강한 정도로 믿는다는 의미라고 주장한다.
③ ㉠은 을이 '내일 눈이 온다.'가 참이라고 믿는다면 을은 '내일 눈이 온다.'가 거짓이라고 믿을 수는 없다고 주장한다.
④ ㉡은 을의 '내일 눈이 온다.'가 참이라는 것에 대한 믿음의 정도와 '내일 눈이 온다.'가 거짓이라는 것에 대한 믿음의 정도가 같을 수 있다고 본다.
⑤ ㉡은 을이 '내일 눈이 온다.'와 '내일 비가 온다.'가 모두 거짓이라고 믿더라도 후자를 전자보다 더 강하게 거짓이라고 믿을 수 있다고 주장한다.

9. 조건화 원리 에 대해 설명한 내용으로 가장 적절한 것은?

① 에너지를 불필요하게 소모하더라도 특별한 이유 없이 믿음의 정도를 바꾸는 것은 합리적이라고 설명한다.
② 어떤 행위를 할 특별한 이유가 있더라도 믿음의 정도의 변화 없이 그 행위를 해서는 안 된다고 말해 준다.
③ 새롭게 알게 된 명제와는 관련 없는 명제에 대해 우리의 믿음의 정도가 어떠해야 하는지에 대해서 말해 주지 않는다.
④ 어떤 명제가 참인 것을 새롭게 알게 되고 동시에 그와 다른 명제가 거짓인 것을 새롭게 알게 되었을 때에도 적용될 수 있다.
⑤ 임의의 명제를 새롭게 알기 전에 그와 다른 명제에 대해 가장 강하지도 않고 가장 약하지도 않은 믿음의 정도를 가지고 있는 인식 주체에게는 적용될 수 없다.

10. 다음은 윗글을 읽은 학생의 독서 활동 기록이다. 윗글을 참고할 때, [A]에 들어갈 내용으로 적절하지 <u>않은</u> 것은? [3점]

〔독서 후 심화 활동〕

글의 내용을 다른 상황에 적용해 보자.

○상황

병과 정은 공동 발표 내용을 기록한 흰색 수첩 하나를 잃어버렸다는 것을 알게 되었다. 그 수첩에는 병의 이름이 적혀 있다. 이와 관련해 병과 정은 다음 명제 ㉮가 참이라고 믿지만 믿음의 정도가 아주 강하지는 않다.

㉮ 병의 수첩은 체육관에 있다.

병 혹은 정이 참이라고 새롭게 알게 될 수 있는 명제는 다음과 같다.

㉯ 체육관에 누군가의 이름이 적힌 흰색 수첩이 있다.

㉰ 병의 이름이 적혀 있지만 어떤 색인지 확인이 안 된 수첩이 병의 집에 있다.

병과 정은 ㉯와 ㉰ 이외에는 ㉮와 관련이 있는 어떤 명제도 새롭게 알게 되지 않고, 조건화 원리에 의해서만 자신들의 믿음의 정도를 바꾼다.

○적용

[A]

① 병이 ㉮와 관련이 없는 다른 명제만을 새롭게 알게 된다면, ㉮에 대한 병의 믿음의 정도는 변하지 않겠군.

② 병이 ㉯만을 알게 된다면, 그 후에 ㉮가 참이라는 것에 대한 병의 믿음의 정도는 그 전보다 더 강해질 수 있겠군.

③ 병이 ㉯를 알게 된 후에 ㉰를 추가로 알게 된다면, ㉮가 참이라는 것에 대한 병의 믿음의 정도는 ㉰를 추가로 알기 전보다 더 약해질 수 있겠군.

④ 병이 ㉯와 ㉰를 동시에 알게 된다면, ㉮가 참이라는 것에 대한 병의 믿음의 정도는 ㉯와 ㉰가 참이라는 조건하에 ㉮가 참이라는 것에 대한 믿음의 정도로 변하겠군.

⑤ 병과 정이 ㉯를 알게 되기 전에 ㉮가 참이라는 것에 대한 믿음의 정도가 서로 다르다면, ㉯만을 알게 된 후에는 ㉮가 참이라는 것에 대한 병과 정의 믿음의 정도가 같을 수 없겠군.

11. 문맥상 ⓐ~ⓔ의 단어와 가장 가까운 의미로 쓰인 것은?

① ⓐ: 어제 친구들과 함께 만나는 자리를 <u>가졌다</u>.

② ⓑ: 법에 <u>따라</u> 모든 절차가 공정하게 진행됐다.

③ ⓒ: 우리는 지금 아이를 <u>봐</u> 줄 분을 찾고 있다.

④ ⓓ: 그는 젊었을 때 <u>얻은</u> 병을 아직 못 고쳤다.

⑤ ⓔ: 매장에서 헌 냉장고를 새 선풍기와 <u>바꿨다</u>.

【12~15】 다음 글을 읽고 물음에 답하시오.

두 명제가 모두 참인 것도 모두 거짓인 것도 가능하지 않은 관계를 모순 관계라고 한다. 예를 들어, 임의의 명제를 P라고 하면 P와 ~P는 모순 관계이다.(기호 '~'은 부정을 나타낸다.) P와 ~P가 모두 참인 것은 가능하지 않다는 법칙을 무모순율이라고 한다. 그런데 "㉠다보탑은 경주에 있다."와 "㉡다보탑은 개성에 있을 수도 있었다."는 모순 관계가 아니다. 현실과 다르게 다보탑을 경주가 아닌 곳에 세웠다면 다보탑의 소재지는 지금과 달라졌을 것이다. 철학자들은 이를 두고, P와 ~P가 모두 참인 혹은 모두 거짓인 가능세계는 없지만 다보탑이 개성에 있는 가능세계는 있다고 표현한다.

'가능세계'의 개념은 일상 언어에서 흔히 쓰이는 필연성과 가능성에 관한 진술을 분석하는 데 중요한 역할을 한다. 'P는 가능하다'는 P가 적어도 하나의 가능세계에서 성립한다는 뜻이며, 'P는 필연적이다'는 P가 모든 가능세계에서 성립한다는 뜻이다. "만약 Q이면 Q이다."를 비롯한 필연적인 명제들은 모든 가능세계에서 성립한다. "다보탑은 경주에 있다."와 같이 가능하지만 필연적이지는 않은 명제는 우리의 현실세계를 비롯한 어떤 가능세계에서는 성립하고 또 어떤 가능세계에서는 성립하지 않는다.

가능세계를 통한 담론은 우리의 일상적인 몇몇 표현들을 보다 잘 이해하는 데 도움이 된다. 다음 상황을 생각해 보자. 나는 현실에서 아침 8시에 출발하는 기차를 놓쳤고, 지각을 했으며, 내가 놓친 기차는 제시간에 목적지에 도착했다. 그리고 나는 "만약 내가 8시 기차를 탔다면, 나는 지각을 하지 않았다."라고 주장한다. 그런데 전통 논리학에서는 "만약 A이면 B이다."라는 형식의 명제는 A가 거짓인 경우에는 B의 참 거짓에 상관없이 참이라고 규정한다. 그럼에도 ⓐ내가 만약 그 기차를 탔다면 여전히 지각을 했을 것이라고 주장하지는 않는 이유는 무엇일까? 내가 그 기차를 탄 가능세계들을 생각해 보면 그 이유를 알 수 있다. 그 가능세계 중 어떤 세계에서 나는 여전히 지각을 한다. 가령 내가 탄 그 기차가 고장으로 선로에 멈춰 운행이 오랫동안 지연된 세계가 그런 예이다. 하지만 내가 기차를 탄 세계들 중에서, 내가 기차를 타고 별다른 이변 없이 제시간에 도착한 세계가 그렇지 않은 세계보다 우리의 현실세계와의 유사성이 더 높다. 일반적으로, A가 참인 가능세계들 중에 비교할 때, B도 참인 가능세계가 B가 거짓인 가능세계보다 현실세계와 더 유사하다면, 현실세계의 나는 A가 실현되지 않은 경우에, 만약 A라면 ~B가 아닌 B라고 말할 수 있다.

가능세계는 다음의 네 가지 성질을 갖는다. 첫째는 가능세계의 일관성이다. 가능세계는 명칭 그대로 가능한 세계이므로 어떤 것이 가능하지 않다면 그것이 성립하는 가능세계는 없다. 둘째는 가능세계의 포괄성이다. 이것은 어떤 것이 가능하다면 그것이 성립하는 가능세계는 존재한다는 것이다. 셋째는 가능세계의 완결성이다. 어느 세계에서든 임의의 명제 P에 대해 "P이거나 ~P이다."라는 배중률이 성립한다. 즉 P와 ~P 중 하나는 반드시 참이라는 것이다. 넷째는 가능세계의 독립성이다. 한 가능세계는 모든 시간과 공간을 포함해야만 하며, 연속된 시간과 공간에 포함된 존재들은 모두 동일한 하나의 세계에만 속한다. 한 가능세계 W1의 시간과 공간이, 다른 가능세계 W2의 시간과 공간으로 이어질 수는 없다. W1과 W2는 서로 시간과 공간이 전혀 다른 세계이다.

가능세계의 개념은 철학에서 갖가지 흥미로운 질문과 통찰을 이끌어 내며, 그에 관한 연구 역시 활발히 진행되고 있다. 나아가 가능세계를 활용한 논의는 오늘날 인지 과학, 언어학, 공학 등의 분야로 그 응용의 폭을 넓히고 있다.

12. 윗글의 내용과 일치하는 것은?

① 배중률은 모든 가능세계에서 성립한다.
② 모든 가능한 명제는 현실세계에서 성립한다.
③ 필연적인 명제가 성립하지 않는 가능세계가 있다.
④ 무모순율에 의하면 P와 ~P가 모두 참인 것은 가능하다.
⑤ 전통 논리학에 따르면 "만약 A이면 B이다."의 참 거짓은 A의 참 거짓과 상관없이 결정된다.

13. ㉠, ㉡에 대한 이해로 적절하지 않은 것은?

① ㉠이 성립하지 않는 가능세계가 존재한다.
② "만약 다보탑이 개성에 있다면, 다보탑은 개성에 있다."가 성립하는 가능세계 중에는 ㉠이 거짓인 가능세계는 없다.
③ ㉡과 "다보탑은 개성에 있지 않다."는 모순 관계가 아니다.
④ 만약 ㉡이 거짓이라면 어떤 가능세계에서도 다보탑이 개성에 있지 않다.
⑤ ㉠과 ㉡은 현실세계에서 둘 다 참인 것이 가능하다.

14. 윗글을 바탕으로 할 때, ⓐ에 대한 답으로 가장 적절한 것은?

① 내가 그 기차를 타지 않은 가능세계들끼리 비교할 때 지각을 한 가능세계와 지각을 하지 않은 가능세계가 현실세계와의 유사성의 정도가 다르기 때문이다.

② 내가 그 기차를 타지 않은 가능세계들끼리 비교할 때 기차 고장이 자주 일어나지 않는 가능세계가 현실세계와의 유사성이 높기 때문이다.

③ 내가 그 기차를 탄 가능세계들끼리 비교할 때 내가 지각을 한 가능세계가 내가 지각을 하지 않은 가능세계에 비해 현실세계와의 유사성이 더 낮기 때문이다.

④ 내가 그 기차를 탄 가능세계들끼리 비교할 때 그 가능세계들의 대다수에서 내가 지각을 하지 않았기 때문이다.

⑤ 내가 그 기차를 탄 것이 현실세계에서 거짓이기 때문이다.

15. 윗글을 참고할 때, <보기>를 이해한 내용으로 적절한 것은?

[3점]

<보 기>

명제 "모든 학생은 연필을 쓴다."와 "어떤 학생도 연필을 쓰지 않는다."는 반대 관계이다. 이 말은, 두 명제 다 참인 것은 가능하지 않지만, 둘 중 하나만 참이거나 둘 다 거짓인 것은 가능하다는 뜻이다.

① 가능세계의 완결성과 독립성에 따르면, 모든 학생이 연필을 쓰는 가능세계가 존재한다는 것과 어떤 학생도 연필을 쓰지 않는 가능세계가 존재한다는 것 중 하나는 반드시 참이고, 그중 한 세계의 시간과 공간이 다른 세계로 이어질 수 없겠군.

② 가능세계의 포괄성과 독립성에 따르면, "어떤 학생도 연필을 쓰지 않는다."가 성립하면서 그 세계에 속한 한 명의 학생이 연필을 쓰는 가능세계들이 존재하고, 그 세계들의 시간과 공간은 서로 단절되어 있겠군.

③ 가능세계의 완결성에 따르면, 어느 세계에서든 "어떤 학생은 연필을 쓴다."와 "어떤 학생은 연필을 쓰지 않는다." 중 하나는 반드시 참이겠군.

④ 가능세계의 포괄성에 따르면, "'모든 학생은 연필을 쓴다."가 참이거나 "어떤 학생도 연필을 쓰지 않는다."가 참'인 가능세계들이 있겠군.

⑤ 가능세계의 일관성에 따르면, 학생들 중 절반은 연필을 쓰고 절반은 연필을 쓰지 않는 가능세계가 존재하겠군.

총 문항				문항	맞은 문항				문항
개별 문항	1	2	3	4	5	6	7	8	9	10
채점										
개별 문항	11	12	13	14	15	16	17	18	19	20
채점										

사회

사 회

🏷️ 출제 트렌드

사회는 정치, 법, 경제, 일반 사회, 문화, 언론, 광고 등을 다루는 분야입니다. 다양한 세부 주제 중에서도 주로 경제와 법률에 관한 지문이 자주 출제됩니다. 사회 지문은 2022년에 시행된 모든 시험에서 다소 어렵게 출제되었는데, 이에 대비하기 위해서는 꾸준한 연습을 통해 사회 지문의 특성과 그에 따른 문제 푸는 감각을 익혀야 합니다. 사회 지문은 주로 어떠한 사회 현상을 병렬, 나열하는 경우가 많고 비교, 대조하는 구조의 글도 출제됩니다. 사회 이론에 대한 개념과 원리를 예시를 통해 자세히 설명하고 구체적인 사례에 적용할 수 있는지 묻는 경우도 있습니다. 또한 〈보기〉를 통해 지문 속에 나타난 내용을 자료를 해석하는 문제와 연결 지어 묻기도 합니다. 다양한 사회 지문을 접하며 자주 등장하는 용어나 기본적인 배경지식은 미리 알아 두는 것이 좋습니다.

시행	출제 지문	문제 수	난이도
2023학년도 수능	법조문의 불확정 개념	4문제 출제	★★☆
2023학년도 9월 모평	유류분권의 개념과 유류분 반환	4문제 출제	★★★
2023학년도 6월 모평	이중차분법의 사건 효과 평가 방법	4문제 출제	★★★
2022학년도 수능	브레턴우즈 체제와 트리핀 딜레마	4문제 출제	★★☆

🏷️ 1등급 꿀팁

하나 _ 도표나 그래프를 지문의 내용과 연결 지어 이해하자.

두울 _ 시각 정보를 풀이하는(비례, 반비례 관계 등) 정보에 집중하자.

세엣 _ 문단별로 중심 내용을 간략하게 정리하는 습관을 기르자.

네엣 _ 사실적 판단 문제와 더불어 논리적 추론 문제에 익숙해지자.

다섯 _ 선택지에서 지문의 같은 내용을 다르게 표현하는 경우도 있으므로 놓치지 말자.

여섯 _ 글쓴이의 견해가 드러나는 글은 견해의 타당성을 평가하며 비판적으로 읽자.

일곱 _ 최신 경향에 맞는 시사, 사회적 현상을 알아두자.

다음 글을 읽고 물음에 답하시오.

　법령의 조문은 대개 'A에 해당하면 B를 해야 한다.'처럼 요건과 효과로 구성된 조건문으로 규정된다. 하지만 그 요건이나 효과가 항상 일의적인 것은 아니다. 법조문에는 구체적 상황을 고려해야 그 상황에 ⓐ맞는 진정한 의미가 파악되는 불확정 개념이 사용될 수 있기 때문이다. 개인 간 법률관계를 규율하는 민법에서 불확정 개념이 사용된 예로 '손해 배상 예정액이 부당히 과다한 경우에는 법원은 적당히 감액할 수 있다.'라는 조문을 ⓑ들 수 있다. 이때 법원은 요건과 효과를 재량으로 판단할 수 있다. 손해 배상 예정액은 위약금의 일종이며, 계약 위반에 대한 제재인 위약벌도 위약금에 속한다. 위약금의 성격이 둘 중 무엇인지 증명되지 못하면 손해 배상 예정액으로 다루어진다.

　채무자의 잘못으로 계약 내용이 실현되지 못하여 계약 위반이 발생하면, 이로 인해 손해를 입은 채권자가 손해 액수를 증명해야 그 액수만큼 손해 배상금을 받을 수 있다. 그러나 손해 배상 예정액이 정해져 있었다면 채권자는 손해 액수를 증명하지 않아도 손해 배상 예정액만큼 손해 배상금을 받을 수 있다. 이때 손해 액수가 얼마로 증명되든 손해 배상 예정액보다 더 받을 수는 없다. 한편 위약금이 위약벌임이 증명되면 채권자는 위약벌에 해당하는 위약금을 ⓒ받을 수 있고, 손해 배상 예정액과는 달리 법원이 감액할 수 없다. 이때 채권자가 손해 액수를 증명하면 손해 배상금도 받을 수 있다.

　불확정 개념은 행정 법령에도 사용된다. 행정 법령은 행정청이 구체적 사실에 대해 행하는 법 집행인 행정 작용을 규율한다. 법령상 요건이 충족되면 그 효과로서 행정청이 반드시 해야 하는 특정 내용의 행정 작용은 기속 행위이다. 반면 법령상 요건이 충족되더라도 그 효과인 행정 작용의 구체적 내용을 ⓓ고를 수 있는 재량이 행정청에 주어져 있을 때, 이러한 재량을 행사하는 행정 작용은 재량 행위이다. 법령에서 불확정 개념이 사용되면 이에 근거한 행정 작용은 대개 재량 행위이다.

　행정청은 재량으로 재량 행사의 기준을 명확히 정할 수 있는데 이 기준을 ㉠재량 준칙이라 한다. 재량 준칙은 법령이 아니므로 재량 준칙대로 재량을 행사하지 않아도 근거 법령 위반은 아니다. 다만 특정 요건하에 재량 준칙대로 특정한 내용의 적법한 행정 작용이 반복되어 행정 관행이 생긴 후에는, 같은 요건이 충족되면 행정청은 동일한 내용의 행정 작용을 해야 한다. 행정청은 평등 원칙을 ⓔ지켜야 하기 때문이다.

12. 윗글을 바탕으로 <보기>를 이해한 내용으로 가장 적절한 것은? [3점]

<보 기>
　갑은 을에게 물건을 팔고 그 대가로 100을 받기로 하는 매매 계약을 했다. 그 후 갑이 계약을 위반하여 을은 80의 손해를 입었다. 이와 관련하여 세 가지 상황이 있다고 하자.

　(가) 갑과 을 사이에 위약금 약정이 없었다.
　(나) 갑이 을에게 위약금 100을 약정했고, 위약금의 성격이 무엇인지 증명되지 못했다.
　(다) 갑이 을에게 위약금 100을 약정했고, 위약금의 성격이 위약벌임이 증명되었다.

(단, 위의 모든 상황에서 세금, 이자 및 기타 비용은 고려하지 않음.)

① (가)에서 을의 손해가 얼마인지 증명되지 못한 경우에도, 갑이 을에게 80을 지급해야 하고 법원이 감액할 수 없다.
② (나)에서 을의 손해가 80임이 증명된 경우, 갑이 을에게 100을 지급해야 하고 법원이 감액할 수 있다.
③ (나)에서 을의 손해가 얼마인지 증명되지 못한 경우, 갑이 을에게 100을 지급해야 하고 법원이 감액할 수 없다.
④ (다)에서 을의 손해가 80임이 증명된 경우, 갑이 을에게 180을 지급해야 하고 법원이 감액할 수 있다.
⑤ (다)에서 을의 손해가 얼마인지 증명되지 못한 경우, 갑이 을에게 80을 지급해야 하고 법원이 감액할 수 없다.

❷ 첫 번째 문단에서 위약금의 성격이 무엇인지 증명되지 못하면 손해 배상 예정액으로 다루어진다고 했으므로, (나)에서 위약금 100은 손해 배상 예정액에 해당한다. 두 번째 문단에서 손해 배상 예정액이 정해져 있었다면 채권자는 그 금액만큼 손해 배상금을 받을 수 있다고 했으므로, (나)에서 갑은 을에게 정해져 있는 손해 배상 예정액 100을 지급해야 한다. 또한 첫 번째 문단에서 손해 배상 예정액이 부당히 과다한 경우에는 법원이 적당히 감액할 수 있다고 하였으므로 적절하다.

③ (나)에서 위약금 100은 정해져 있는 손해 배상 예정액이므로 을의 손해가 증명되지 못한 경우라도 갑은 을에게 100을 지급해야 하는데, 이때 법원은 손해 배상 예정액을 재량에 따라 감액할 수 있다.

④ (다)에서 위약금 100이 위약벌임이 증명되었다고 했는데 이때 을의 손해가 80인 것 또한 증명되었다면, 이 경우 갑은 을에게 위약벌에 해당하는 위약금 100과 손해 배상금 80을 합한 180을 지급해야 하고 법원은 이를 재량에 의해 감액할 수 없다.

8분	2023학년도 수능 10~13번	★★☆	정답 019쪽

【1~4】 다음 글을 읽고 물음에 답하시오.

법령의 조문은 대개 'A에 해당하면 B를 해야 한다.'처럼 요건과 효과로 구성된 조건문으로 규정된다. 하지만 그 요건이나 효과가 항상 일의적인 것은 아니다. 법조문에는 구체적 상황을 고려해야 그 상황에 @맞는 진정한 의미가 파악되는 불확정 개념이 사용될 수 있기 때문이다. 개인 간 법률관계를 규율하는 민법에서 불확정 개념이 사용된 예로 '손해 배상 예정액이 부당히 과다한 경우에는 법원은 적당히 감액할 수 있다.'라는 조문을 ⓑ들 수 있다. 이때 법원은 요건과 효과를 재량으로 판단할 수 있다. 손해 배상 예정액은 위약금의 일종이며, 계약 위반에 대한 제재인 위약벌도 위약금에 속한다. 위약금의 성격이 둘 중 무엇인지 증명되지 못하면 손해 배상 예정액으로 다루어진다.

채무자의 잘못으로 계약 내용이 실현되지 못하여 계약 위반이 발생하면, 이로 인해 손해를 입은 채권자가 손해 액수를 증명해야 그 액수만큼 손해 배상금을 받을 수 있다. 그러나 손해 배상 예정액이 정해져 있었다면 채권자는 손해 액수를 증명하지 않아도 손해 배상 예정액만큼 손해 배상금을 받을 수 있다. 이때 손해 액수가 얼마로 증명되든 손해 배상 예정액보다 더 받을 수는 없다. 한편 위약금이 위약벌임이 증명되면 채권자는 위약벌에 해당하는 위약금을 ⓒ받을 수 있고, 손해 배상 예정액과는 달리 법원이 감액할 수 없다. 이때 채권자가 손해 액수를 증명하면 손해 배상금도 받을 수 있다.

불확정 개념은 행정 법령에도 사용된다. 행정 법령은 행정청이 구체적 사실에 대해 행하는 법 집행인 행정 작용을 규율한다. 법령상 요건이 충족되면 그 효과로서 행정청이 반드시 해야 하는 특정 내용의 행정 작용은 기속 행위이다. 반면 법령상 요건이 충족되더라도 그 효과인 행정 작용의 구체적 내용을 ⓓ고를 수 있는 재량이 행정청에 주어져 있을 때, 이러한 재량을 행사하는 행정 작용은 재량 행위이다. 법령에서 불확정 개념이 사용되면 이에 근거한 행정 작용은 대개 재량 행위이다.

행정청은 재량으로 재량 행사의 기준을 명확히 정할 수 있는데 이 기준을 ㉠재량 준칙이라 한다. 재량 준칙은 법령이 아니므로 재량 준칙대로 재량을 행사하지 않아도 근거 법령 위반은 아니다. 다만 특정 요건하에 재량 준칙대로 특정한 내용의 적법한 행정 작용이 반복되어 행정 관행이 생긴 후에는, 같은 요건이 충족되면 행정청은 동일한 내용의 행정 작용을 해야 한다. 행정청은 평등 원칙을 ⓔ지켜야 하기 때문이다.

1. 윗글의 내용과 일치하지 <u>않는</u> 것은?

① 법령의 요건과 효과에는 모두 불확정 개념이 사용될 수 있다.

② 법원은 불확정 개념이 사용된 법령을 적용할 때 재량을 행사할 수 있다.

③ 불확정 개념이 사용된 법령의 진정한 의미를 이해하려면 구체적 상황을 고려해야 한다.

④ 불확정 개념이 사용된 행정 법령에 근거한 행정 작용은 재량 행위인 경우보다 기속 행위인 경우가 많다.

⑤ 불확정 개념은 행정청이 행하는 법 집행 작용을 규율하는 법령과 개인 간의 계약 관계를 규율하는 법률에 모두 사용된다.

2. ㉠에 대한 이해로 가장 적절한 것은?

① 재량 준칙은 법령이 아니기 때문에 일의적이지 않은 개념으로 규정된다.

② 재량 준칙으로 정해진 내용대로 재량을 행사하는 행정 작용은 기속 행위이다.

③ 재량 준칙으로 규정된 재량 행사 기준은 반복되어 온 적법한 행정 작용의 내용대로 정해져야 한다.

④ 재량 준칙이 정해져야 행정청은 특정 요건하에 행정 작용의 구체적 내용을 선택할 수 있는 재량을 행사할 수 있다.

⑤ 재량 준칙이 특정 요건에서 적용된 선례가 없으면 행정청은 동일한 요건이 충족되어도 행정 작용을 할 때 재량 준칙을 따르지 않을 수 있다.

3. 윗글을 바탕으로 <보기>를 이해한 내용으로 가장 적절한 것은? [3점]

<보 기>

　　갑은 을에게 물건을 팔고 그 대가로 100을 받기로 하는 매매 계약을 했다. 그 후 갑이 계약을 위반하여 을은 80의 손해를 입었다. 이와 관련하여 세 가지 상황이 있다고 하자.

　(가) 갑과 을 사이에 위약금 약정이 없었다.
　(나) 갑이 을에게 위약금 100을 약정했고, 위약금의 성격이 무엇인지 증명되지 못했다.
　(다) 갑이 을에게 위약금 100을 약정했고, 위약금의 성격이 위약벌임이 증명되었다.

(단, 위의 모든 상황에서 세금, 이자 및 기타 비용은 고려하지 않음.)

① (가)에서 을의 손해가 얼마인지 증명되지 못한 경우에도, 갑이 을에게 80을 지급해야 하고 법원이 감액할 수 없다.
② (나)에서 을의 손해가 80임이 증명된 경우, 갑이 을에게 100을 지급해야 하고 법원이 감액할 수 있다.
③ (나)에서 을의 손해가 얼마인지 증명되지 못한 경우, 갑이 을에게 100을 지급해야 하고 법원이 감액할 수 없다.
④ (다)에서 을의 손해가 80임이 증명된 경우, 갑이 을에게 180을 지급해야 하고 법원이 감액할 수 있다.
⑤ (다)에서 을의 손해가 얼마인지 증명되지 못한 경우, 갑이 을에게 80을 지급해야 하고 법원이 감액할 수 없다.

4. 문맥상 ⓐ~ⓔ의 의미와 가장 가까운 것은?

① ⓐ: 이것이 네가 찾는 자료가 <u>맞는지</u> 확인해 보아라.
② ⓑ: 그 부부는 노후 대책으로 적금을 <u>들고</u> 안심했다.
③ ⓒ: 그의 파격적인 주장은 학계의 큰 주목을 <u>받았다</u>.
④ ⓓ: 형은 땀 흘려 울퉁불퉁한 땅을 평평하게 <u>골랐다</u>.
⑤ ⓔ: 그분은 우리에게 한 약속을 반드시 <u>지킬</u> 것이다.

【5~8】 다음 글을 읽고 물음에 답하시오.

　　사유 재산 제도하에서는 누구나 자신의 재산을 자유롭게 처분할 수 있다. 그러나 기부와 같이 어떤 재산이 대가 없이 넘어가는 무상 처분 행위가 행해졌을 때는 그 당사자인 무상 처분자와 무상 취득자의 의사와 무관하게 그 결과가 번복될 수 있다. 무상 처분자가 사망하면 상속이 개시되고, 그의 상속인들이 유류분을 반환받을 수 있는 권리인 유류분권을 행사할 수 있기 때문이다. 이때 무상 처분자는 피상속인이 되고 그의 권리와 의무는 상속인에게 이전된다.

　　유류분은 피상속인의 무상 처분 행위가 없었다고 가정할 때 상속인들이 상속받을 수 있었을 이익 중 법으로 보장된 부분이다. 만약 상속인이 피상속인의 자녀 한 명뿐이면, 상속받을 수 있었을 이익의 $\frac{1}{2}$만 보장된다. 상속인들이 상속받을 수 있었을 이익은 상속 개시 당시에 피상속인이 가졌던 재산의 가치에 이미 무상 취득자에게 넘어간 재산의 가치를 더하여 산정한다. 유류분은 상속인들이 기대했던 이익을 보호하기 위한 것이기 때문이다.

　　피상속인이 상속 개시 당시에 가졌던 재산으로부터 상속받은 이익이 있는 상속인은 유류분에 해당하는 이익의 일부만 반환받을 수 있다. 유류분에 해당하는 이익에서 이미 상속받은 이익을 뺀 값인 유류분 부족액만 반환받을 수 있기 때문이다. 유류분 부족액의 가치는 금액으로 계산되지만 항상 돈으로 반환되는 것은 아니다. 만약 무상 처분된 재산이 돈이 아니라 물건이나 주식처럼 돈 이외의 재산이라면, 처분된 재산 자체가 반환 대상이 되는 것이 원칙이다. 다만 그 재산 자체를 반환하는 것이 불가능한 때에는 무상 취득자는 돈으로 반환해야 한다. 또한 재산 자체의 반환이 가능해도 유류분권자와 무상 취득자의 합의에 의해 돈으로 반환될 수도 있다.

　　무상 처분된 재산이 물건이라면 유류분 반환은 어떤 형태로 이루어질까? 무상 취득자가 반환해야 할 유류분 부족액이 무상 처분된 물건의 가치보다 적다면 유류분권자는 그 물건의 가치에 상당하는 금액에서 유류분 부족액이 차지하는 비율만큼 무상 취득자로부터 반환받을 수 있다. 이로 인해 하나의 물건에 대한 소유권이 여러 명에게 나눠지는데, 이때 각자의 몫을 지분이라고 한다.

　　무상 처분된 물건의 시가가 변동하면 유류분 부족액을 계산할 때는 언제의 시가를 기준으로 삼아야 할까? ㉠유류분의 취지에 비추어 상속 개시 당시의 시가를 기준으로 해야 한다. 다만 그 물건의 시가 상승이 무상 취득자의 노력에서 비롯되었으면 이때는 무상 취득 당시의 시가를 기준으로 계산해야 한다. 이렇게 정해진 유류분 부족액을 근거로 반환 대상인 지분을 계산할 때는, 시가 상승의 원인이 무엇이든 상속 개시 당시의 시가를 기준으로 해야 한다.

5. 윗글의 내용과 일치하지 <u>않는</u> 것은?

① 유류분권은 상속인이 아닌 사람에게는 인정되지 않는다.

② 유류분권이 보장되는 범위는 유류분 부족액의 일부에 한정된다.

③ 상속인은 상속 개시 전에는 무상 취득자에게 유류분권을 행사할 수 없다.

④ 피상속인이 생전에 다른 사람에게 판 재산은 유류분권의 대상이 될 수 없다.

⑤ 무상으로 취득한 재산에 대한 권리는 무상 취득자 자신의 의사에 반하여 제한될 수 있다.

6. 윗글에 대한 이해로 가장 적절한 것은?

① 무상 처분된 재산이 물건 한 개이면 유류분권자는 그 물건 전부를 반환받는다.

② 무상 처분된 물건이 반환되는 경우 유류분 부족액이 클수록 무상 취득자의 지분이 더 커진다.

③ 무상 취득자가 무상 취득한 물건을 반환할 수 없게 되면 유류분 부족액을 지분으로 반환해야 한다.

④ 유류분권자가 유류분 부족액을 물건 대신 돈으로 반환하라고 요구하더라도 무상 취득자는 무상 취득한 물건으로 반환할 수 있다.

⑤ 무상 처분된 물건의 일부가 반환되면 무상 취득자는 그 물건의 소유권을 가지고 유류분권자는 유류분 부족액만큼의 돈을 반환받게 된다.

7. 윗글을 통해 알 수 있는 ㉠의 이유로 가장 적절한 것은?

① 유류분은 피상속인이 자유롭게 처분한 재산의 일부이어야 하기 때문이다.

② 유류분은 피상속인이 재산을 무상 처분하지 않은 것으로 가정하여 산정되기 때문이다.

③ 유류분은 재산의 가치를 증가시킨 무상 취득자의 노력에 대한 보상으로 인정되는 것이기 때문이다.

④ 유류분은 피상속인의 재산에 대해 소유권을 나눠 가진 사람들 각자의 몫을 반영해야 하기 때문이다.

⑤ 유류분에 해당하는 이익의 가치가 상속 개시 전후에 걸쳐 변동되는 것을 반영해야 하기 때문이다.

8. 윗글을 바탕으로 <보기>를 이해한 내용으로 적절하지 <u>않은</u> 것은? [3점]

<보 기>

갑의 재산으로는 A 물건과 B 물건이 있었으며 그 외의 재산이나 채무는 없었다. 갑은 을에게 A 물건을 무상으로 넘겨주었고 그로부터 6개월 후 사망했다. 갑의 상속인으로는 갑의 자녀인 병만 있다. A 물건의 시가는 을이 A 물건을 소유하게 되었을 때는 300, 갑이 사망했을 때는 700이었다. 병은 갑이 사망한 날로부터 3개월 후에 을에게 유류분권을 행사했다. B 물건의 시가는 병이 상속받았을 때부터 병이 을에게 유류분 반환을 요구했을 때까지 100으로 동일하다.
(단, 세금, 이자 및 기타 비용은 고려하지 않음.)

① A 물건의 시가 상승이 을의 노력과 무관한 경우 유류분 부족액은 300이다.

② A 물건의 시가 상승이 을의 노력과 무관한 경우 유류분 반환의 대상은 A 물건의 $\frac{3}{7}$ 지분이다.

③ A 물건의 시가가 을의 노력으로 상승한 경우 유류분 부족액은 100이다.

④ A 물건의 시가가 을의 노력으로 상승한 경우 유류분 반환의 대상은 A 물건의 $\frac{1}{3}$ 지분이다.

⑤ A 물건의 시가가 을의 노력으로 상승한 경우와 을의 노력과 무관하게 상승한 경우 모두, 갑이 상속 개시 당시 소유했던 재산으로부터 병이 취득할 수 있는 이익은 동일하다.

【9~12】 다음 글을 읽고 물음에 답하시오.

공공선택론은 정치학의 영역인 공공 부문의 의사결정에 대해서 경제학적 원리와 방법론을 적용하여 설명하려는 연구이다. 공공선택론은 기존의 정치학과는 다르게 다음 세 가지 가정으로부터 출발한다.

첫 번째 가정은 방법론적 개인주의로, 모든 사회 현상의 분석 단위를 개인으로 삼는다는 것이다. 이 가정에서는 집단을 의사결정을 할 수 있는 유기체적 주체로 보지 않기 때문에 국가는 의사결정의 주체인 개인들의 집합체라고 본다. 따라서 정치 현상은 개인들의 의사결정을 집합적 결과로 보여 주는 것이다.

두 번째는 인간을 '경제 인간'으로 본다는 가정이다. 경제 인간은 자기애를 갖고 자신의 이익을 추구하는 합리적인 인간을 의미한다. 사람들은 자신의 이해관계를 최우선시하므로 구체적 목적을 달성하는 과정에서 비용을 최소화하고 편익을 극대화하려고 한다. 다만 비용, 편익, 효용은 사람마다 다르다.

마지막 가정은 수요와 공급의 관점에서 정치도 본질적으로 경제시장과 같은 선택의 문제이며 정치적 활동 역시 교환 행위로 본다는 것이다. 이 관점에서 정치는 정치시장으로, 정치인은 재화와 용역의 공급자로, 유권자는 수요자로 해석된다. 경제시장에서 사람들은 교환을 통해 이익을 얻을 수 있다고 판단한 경우에만 거래에 참여한다. 정치시장도 이와 마찬가지인데 기존의 경제학의 관점과는 달리, 거래의 결과가 거래 당사자들뿐만 아니라 거래에 참여하지 않은 사람들에게도 영향을 미친다.

[A] 이 세 가지 가정을 바탕으로 공공선택론에서는 공공 부문의 의사결정에서 발생하는 사회적 문제를 분석하는데 그 중 정치인과 유권자가 유발하는 문제를 분석하는 모형으로 중위투표자 정리 모형이 있다. 중위투표자 정리 모형은 단일 사안에 대해 유권자의 정치적 선호가 하나의 정점을 갖는 단일 선호일 경우, 경쟁하는 두 정당의 정치인들이 내거는 공약은 중위투표자가 선호하는 정책에 접근하게 된다는 이론이다. 이때 중위투표자란 정치적 선호에 따른 유권자 전체의 분포에서 한가운데에 위치한 유권자를 말한다. 이 모형은 몇 가지 가정을 전제로 하는데 정치적 선호에 따른 유권자들의 분포는 종 모양의 정규분포를 가지며 유권자는 자신의 선호 체계에 가장 가까운 공약을 제시하는 정치인에게 투표한다는 것이다. 이 경우 선거의 승리를 목적으로 하는 정치인의 정책은 그의 정치적 이념과 관계없이, 중위투표자의 선호를 반영하는 방향으로 수렴하는 경향이 생긴다. 결국 민주주의의 의사결정이 다수가 아닌 소수인 중위투표자에 의해 이루어지게 됨으로써 반민주적인 결과를 초래할 수 있다.

또 다른 모형으로는 합리적 무지 모형이 있다. 유권자는 자신의 선호를 반영할 수 있는 정치인이 누구인지 관심을 가지고 투표해야 하지만 일부 유권자들은 투표에 관심이 없다. 이러한 현상을 공공선택론은 합리적 무지 모형으로 설명한다. 합리적 무지 모형이란 자신의 효용 극대화를 추구하는 유권자는 정보를 습득하는 비용이 정보로부터 얻을 편익보다 클 경우 정보를 습득하지 않고 무지한 상태를 유지한다는 이론이다. 정치인은 자신을 지지하는 유권자의 이해관계를 반영하여 정치적 의사결정을 하기 때문에 합리적 무지가 발생하면 공공재와 행정서비스는 특정 문제에 이해관계를 가지고 정치인과 결탁한 이익집단에만 집중되는 비효율적인 결과를 낳는다.

공공선택론자인 뷰캐넌은 사회의 이러한 비효율적 문제들의 근본적 원인과 해결책을 헌법 제도에서 찾아야 한다는 헌법정치경제학을 제시했다. 뷰캐넌은 헌법정치경제학에서 의사결정 구조를 두 가지 수준으로 구별하는데, 하나는 헌법 제정 이후 의사결정이 입법적 수준에서 결정되는 '일상적 정치'이고, 다른 하나는 일상적 정치에 대한 규칙을 결정하는 '헌법적 정치'이다. 헌법적 정치는 일상적 정치에 제약을 부과하는 헌법을 확립하는 정치 활동이고, 일상적 정치는 헌법 안에서 다양한 전략을 활용하는 정치 활동이다. 그는 헌법적 정치를 통해 집합적 의사결정이 공정하게 이루어지는 규칙을 만들고 헌법 안에서 자신의 이익 추구를 위해 일상적 정치를 하는 개인의 자유를 최대한 보장하는 것을 목표로 삼았다. 이를 위해 헌법 체계의 근본을 개혁해야 한다고 주장했다. 헌법을 만드는 과정에서는 의사결정 참여자 누구도 자신의 이익을 정확하게 산정하기 어렵기 때문에 제정된 헌법의 규칙 내에서 특정 목적을 위한 정책에 대해 합의하는 것과 달리 ⊙헌법 자체에 대해 합의하는 것이 모든 이에게 편익을 준다고 보고 헌법 개혁의 필요성을 주장했던 것이다.

9. 윗글을 통해 답을 찾을 수 <u>없는</u> 질문은?

① 공공선택론이 기존의 정치학과 다른 점은 무엇인가?
② 공공선택론에서는 사회 현상을 분석하는 단위를 무엇으로 보는가?
③ 공공선택론에서는 경제시장과 정치시장이 어떤 차이가 있다고 보는가?
④ 공공선택론은 정치인과 유권자가 유발하는 사회적 문제를 어떤 이론으로 분석하는가?
⑤ 공공선택론이 사회적 문제를 해결하기 위해 정치인의 공약을 강조한 이유는 무엇인가?

10. 공공선택론에 대한 설명으로 보기 <u>어려운</u> 것은?

① 정치인들이 생각하는 효용은 정치인 각자의 주관적 판단에 따라 다르다.
② 정치시장에서 정책적 목적을 달성하기 위해 의사결정을 하는 주체는 국가이다.
③ 의사결정의 주체들은 자신의 경제적 이해에 따라 효율적인 것을 선택하는 능력을 지니고 있다.
④ 정치인은 선거에 무관심한 유권자보다 특정 문제에 이해관계를 가지고 편익을 제공하는 이익집단에 유리한 정치적 의사결정을 한다.
⑤ 유권자는 정치인의 정책 공약에 대한 정보를 습득하기 위한 비용이 이에 대한 이익보다 크면 정책 공약에 대한 정보를 습득하지 않는다.

11. [A]를 적용하여 <보기>의 상황을 이해할 때, 적절하지 <u>않은</u> 것은? [3점]

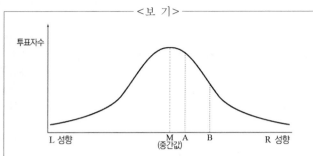

<보 기>

[정치 성향에 따른 유권자 분포도]

　　두 정당의 정치인 갑과 을이 단일 사안에 대해 경쟁하는 다수결 원칙의 선거 상황에서 갑은 정치 성향이 중간인 M의 입장에서, 을은 R 성향인 B의 입장에서 정책을 제시하였다. 유권자는 자신의 정치 성향에 따라 단일한 정점 선호를 가지고 있으며 모두 투표에 참여한다.

① 정치 성향이 M의 왼쪽에 있는 L 성향의 유권자들은 모두 갑에게 투표할 것이다.
② 정치 성향이 중간인 M의 입장에서 정책을 제시한 갑이 을보다 당선 가능성이 높을 것이다.
③ 정치 성향이 A인 유권자들은 자신의 정치적 선호에 따라 R 성향의 정책을 제시한 을에게 투표할 것이다.
④ 정치 성향이 B의 오른쪽에 있는 R 성향의 유권자들은 자신의 효용을 극대화하기 위해 을에게 투표할 것이다.
⑤ 을이 당선 가능성을 높이기 위해 공약을 수정한다면 을은 갑이 제시한 정책과 유사한 정치 성향을 띤 공약을 내세우려 할 것이다.

12. 뷰캐넌이 ㉠처럼 생각한 이유로 가장 적절한 것은?

① 합의로 만들어진 헌법이 일상적 정치를 하는 개인의 활동을 규정하고 제한할 수 없기 때문에
② 의사결정 참여자들이 헌법적 정치를 통해 입법적 수준에서 헌법의 규칙에 합의할 수 있기 때문에
③ 헌법적 정치는 특정 개인의 이익을 정확히 산정하기 어려우므로 규칙의 공정성이 확보되어 개인의 자유를 최대한 보장할 수 있기 때문에
④ 의사결정 참여자들은 일상적 정치를 하는 과정보다 헌법적 정치를 하는 과정에서 누구나 자신의 효용 극대화를 추구하기 쉽기 때문에
⑤ 일상적 정치보다 헌법적 정치를 통해 특정 목적을 위한 정책의 대안에 합의하는 것이 의사결정 참여자들의 이해관계에 부합하기 때문에

총 문항					문항	맞은 문항				문항
개별 문항	1	2	3	4	5	6	7	8	9	10
채점										
개별 문항	11	12	13	14	15	16	17	18	19	20
채점										

【1~4】 다음 글을 읽고 물음에 답하시오.

경제학에서는 증거에 근거한 정책 논의를 위해 사건의 효과를 평가해야 할 경우가 많다. 어떤 사건의 효과를 평가한다는 것은 사건 후의 결과와 사건이 없었을 경우에 나타났을 결과를 비교하는 일이다. 그런데 가상의 결과는 관측할 수 없으므로 실제로는 사건을 경험한 표본들로 구성된 시행집단의 결과와, 사건을 경험하지 않은 표본들로 구성된 비교집단의 결과를 비교하여 사건의 효과를 평가한다. 따라서 이 작업의 관건은 그 사건 외에는 결과에 차이가 ⓐ날 이유가 없는 두 집단을 구성하는 일이다. 가령 어떤 사건이 임금에 미친 효과를 평가할 때, 그 사건이 없었다면 시행집단과 비교집단의 평균 임금이 같을 수밖에 없도록 두 집단을 구성하는 것이다. 이를 위해서는 두 집단에 표본이 임의로 배정되도록 사건을 설계하는 실험적 방법이 이상적이다. 그러나 사람을 표본으로 하거나 사회 문제를 다룰 때에는 이 방법을 적용할 수 없는 경우가 많다.

이중차분법은 시행집단에서 일어난 변화에서 비교집단에서 일어난 변화를 뺀 값을 사건의 효과라고 평가하는 방법이다. 이는 사건이 없었더라도 비교집단에서 일어난 변화와 같은 크기의 변화가 시행집단에서도 일어났을 것이라는 평행추세 가정에 근거해 사건의 효과를 평가한 것이다. 이 가정이 충족되면 사건 전의 상태가 평균적으로 같도록 두 집단을 구성하지 않아도 된다.

이중차분법은 1854년에 스노가 처음 사용했다고 알려져 있다. 그는 두 수도 회사로부터 물을 공급받는 런던의 동일 지역 주민들에 주목했다. 같은 수원을 사용하던 두 회사 중 한 회사만 수원을 ⓑ바꿨는데 주민들은 자신의 수원을 몰랐다. 스노는 수원이 바뀐 주민들과 바뀌지 않은 주민들의 수원 교체 전후 콜레라로 인한 사망률의 변화들을 비교함으로써 콜레라가 공기가 아닌 물을 통해 전염된다는 결론을 ⓒ내렸다. 경제학에서는 1910년대에 최저임금제 도입 효과를 파악하는 데 이 방법이 처음 이용되었다.

평행추세 가정이 충족되지 않는 경우에 이중차분법을 적용하면 사건의 효과를 잘못 평가하게 된다. 예컨대 ㉠어떤 노동자 교육 프로그램의 고용 증가 효과를 평가할 때, 일자리가 급격히 줄어드는 산업에 종사하는 노동자의 비중이 비교집단에 비해 시행집단에서 더 큰 경우에는 평행추세 가정이 충족되지 않을 것이다. 그렇다고 해서 집단 간 표본의 통계적 유사성을 ⓓ높이려고 사건 이전 시기의 시행집단을 비교집단으로 설정하는 것이 평행추세 가정의 충족을 보장하는 것은 아니다. 예컨대 고용처럼 경기변동에 민감한 변화라면 집단 간 표본의 통계적 유사성보다 변화 발생의 동시성이 이 가정의 충족에서 더 중요할 수 있기 때문이다.

여러 비교집단을 구성하여 각각에 이중차분법을 적용한 평가

결과가 같음을 확인하면 평행추세 가정이 충족된다는 신뢰를 줄 수 있다. 또한 시행집단과 여러 특성에서 표본의 통계적 유사성이 높은 비교집단을 구성하면 평행추세 가정이 위협받을 가능성을 ⓔ줄일 수 있다. 이러한 방법들을 통해 이중차분법을 적용한 평가에 대한 신뢰도를 높일 수 있다.

1. 윗글에 대한 이해로 적절하지 않은 것은?

① 실험적 방법에서는 시행집단에서 일어난 평균 임금의 사건 전후 변화를 어떤 사건이 임금에 미친 효과라고 평가한다.

② 사람을 표본으로 하거나 사회 문제를 다룰 때에도 실험적 방법을 적용하는 경우가 있다.

③ 평행추세 가정에서는 특정 사건 이외에는 두 집단의 변화에 차이가 날 이유가 없다고 전제한다.

④ 스노의 연구에서 시행집단과 비교집단의 콜레라 사망률은 사건 후뿐만 아니라 사건 전에도 차이가 있었을 수 있다.

⑤ 스노는 수원이 바뀐 주민들과 바뀌지 않은 주민들 사이에 공기의 차이는 없다고 보았을 것이다.

2. 다음은 이중차분법을 ㉠에 적용할 경우에 나타날 결과를 추론한 것이다. A와 B에 들어갈 말을 바르게 짝지은 것은?

프로그램이 없었다면 시행집단에서 일어났을 고용률 증가는, 비교집단에서 일어난 고용률 증가와/보다 (A) 것이다. 그러므로 ㉠에 이중차분법을 적용하여 평가한 프로그램의 고용 증가 효과는 평행추세 가정이 충족되는 비교집단을 이용하여 평가한 경우의 효과보다 (B) 것이다.

	A	B
①	클	클
②	클	작을
③	같을	클
④	작을	클
⑤	작을	작을

3. 윗글을 바탕으로 <보기>를 이해한 내용으로 적절하지 <u>않은</u> 것은? [3점]

<보 기>

아래의 표는 S 국가의 P주와 그에 인접한 Q주에 위치한 식당들을 1992년 1월 초와 12월 말에 조사한 결과의 일부이다. P주는 1992년 4월에 최저임금을 시간당 4달러에서 5달러로 올렸고, Q주는 1992년에 최저임금을 올리지 않았다. P주 저임금 식당들은, 최저임금 인상 전에 시간당 4달러의 임금을 지급했고 최저임금 인상 후에 임금이 상승했다. P주 고임금 식당들은, 최저임금 인상 전에 이미 시간당 5달러보다 더 높은 임금을 지급했고 최저임금 인상 후에도 임금이 상승하지 않았다. 이때 최저임금 인상에 따른 임금 상승이 고용에 미친 효과를 평가한다고 하자.

집단	평균 피고용인 수(단위: 명)		
	사건 전(A)	사건 후(B)	변화(B-A)
P주 저임금 식당	19.6	20.9	1.3
P주 고임금 식당	22.3	20.2	-2.1
Q주 식당	23.3	21.2	-2.1

① 최저임금 인상 후에 시행집단에서 일어난 변화는 1.3명이다.
② 시행집단과 비교집단의 식당들이 종류나 매출액 수준 등의 특성에서 통계적 유사성이 높을수록 평가에 대한 신뢰도가 높아진다.
③ 비교집단을 Q주 식당들로 택해 이중차분법을 적용하면 시행집단에서 최저임금 인상에 따른 임금 상승의 고용 효과는 3.4명 증가로 평가된다.
④ 비교집단의 변화를, P주 고임금 식당들의 1992년 1년간 변화로 파악할 경우보다 시행집단의 1991년 1년간 변화로 파악할 경우에 더 신뢰할 만한 평가를 얻는다.
⑤ 비교집단을 Q주 식당들로 택하든 P주 고임금 식당들로 택하든 비교집단에서 일어난 변화가 동일하다는 사실은 평행추세 가정의 충족에 대한 신뢰도를 높인다.

4. 문맥상 ⓐ~ⓔ의 단어와 가장 가까운 의미로 쓰인 것은?

① ⓐ: 그 사건의 전말이 모두 오늘 신문에 <u>났다</u>.
② ⓑ: 산에 가려다가 생각을 <u>바꿔</u> 바다로 갔다.
③ ⓒ: 기상청에서 전국에 건조 주의보를 <u>내렸다</u>.
④ ⓓ: 회원들이 회칙 개정을 요구하는 목소리를 <u>높였다</u>.
⑤ ⓔ: 하고 싶은 말은 많지만 오늘은 이만 <u>줄입니다</u>.

【5~8】 다음 글을 읽고 물음에 답하시오.

기업이 경영활동을 수행하는 과정에서 발생되는 비용은, 기업의 영업활동으로 인하여 지출되는 영업비와 기업이 타인의 자본을 사용할 경우 발생되는 재무비로 구성된다. 영업비는 다시, 원재료 구입비, 소모품비 등 생산량에 따라 비례적으로 증가하는 영업변동비와 설비나 사무실의 임차료 및 유지비용, 직원의 임금 등 생산량의 변동과 관계없이 일정하게 발생하는 비용인 영업고정비로 구분된다. 영업고정비는 기계 설비의 구입, 공장 신설, 시설 확장 등과 같이, 기업이 용이하게 현금화할 수 없는 비유동자산에 투자를 많이 할수록 증가하게 되는데 이는 ㉠지렛대의 역할을 하여 영업레버리지 효과를 일으킨다.

그런데 기업의 비유동자산에 대한 투자는 때로 영업위험을 초래하기도 한다. 영업위험은 기업의 영업 성격이나 영업비의 성격으로 인하여 발생하는 위험으로 영업이익의 변동성과 관련이 있다. 이에 기업은 투자 정책이 영업이익과 영업위험에 미치는 영향을 측정할 도구가 필요한데, 이때 이용되는 도구가 바로 영업레버리지도이다. 영업레버리지도는 기업의 매출액이 변동할 때 영업이익이 변동하는 정도로, 영업이익에 대한 공헌이익으로 나타낼 수 있다. 여기서 공헌이익이란 매출이 실제로 기업의 이익에 얼마만큼 공헌했는지를 나타내는 것으로, 매출액에서 영업변동비를 차감한 금액을 의미하고, 영업이익이란 순수하게 영업을 통해 벌어들인 이익을 나타내는 것으로, 공헌이익에서 영업고정비를 차감한 금액을 의미한다. 이는 수식을 이용하면 다음과 같이 나타낼 수 있다.

$$영업레버리지도 = \frac{공헌이익}{영업이익} = \frac{매출액 - 영업변동비}{매출액 - 영업변동비 - 영업고정비}$$

위 수식은 영업고정비가 클수록 영업레버리지도가 커진다는 것을 나타낸다. 다시 말해, 영업고정비가 클수록 영업레버리지 효과가 증가한다는 것을 나타내는 것이다. 예를 들어, 어떤 기업의 매출액이 10억 원, 영업변동비가 6억 원, 영업고정비가 2억 원이라면, 이 기업의 공헌이익은 매출액에서 영업변동비를 차감한 금액인 4억 원이 되며, 영업이익은 매출액에서 영업변동비와 영업고정비를 차감한 금액인 2억 원이 된다. 따라서 이 기업의 영업이익에 대한 공헌이익인 영업레버리지도는 2가 되며, 이는 10%의 매출액 증감이 있을 때, 영업이익은 그 2배인 20%의 증감이 됨을 뜻한다.

영업고정비가 증가할 경우 영업이익이 확대되어 나타나는 것은 생산 규모의 확대로 인해 규모의 경제가 작용하게 되고 단위생산원가는 훨씬 저렴하게 되어, 매출액이 증가할 때, 종전의 소규모 생산 시설을 유지할 때보다 영업이익의 증가 폭이 더 커지기 때문이다. 반대로 매출액이 감소할 때에는 영업고정비의 부담이 증가하여 영업이익의 감소 폭이 더 커진다. 이와 같은 원리에 의해서 영업고정비가 증가하면 영업레버리지 효과가 발생하는 것이다.

이렇게 영업고정비가 증가할수록 매출액의 변동에 따른 영업이익의 변동 폭이 확대된다는 사실은 기업의 의사결정과 관련하여 다음과 같은 점을 시사한다. 첫째, 사업 전망과 관련지어 영업레버리지 효과를 평가해야 한다는 점이다. 사업 전망이 밝은 기업이 영업레버리지도가 높으면 이익의 확대를 기대할 수 있지만, 사업 전망이 흐린 기업이 영업레버리지도가 높으면 손실이 확대될 수 있다. 둘째, 시설 투자 혹은 생산 방식의 전환은 기업의 자산 구조를 변화시키고, 이에 따라 비용 구조를 변화시킨다. 즉 이와 같은 의사결정의 문제는 영업레버리지 효과의 변화를 가져와 영업위험을 변화시킨다. 따라서 영업고정비를 증가시키는 이와 같은 의사결정에는 기업의 영업이익과 영업위험에 미치는 영향이 충분히 고려되어야 한다는 것이다.

5. 윗글을 통해 답을 찾을 수 <u>없는</u> 질문은?
① 기업의 시설 투자는 영업비에 어떠한 영향을 미치는가?
② 기업의 경영활동을 통해 발생되는 비용은 어떻게 분류할 수 있는가?
③ 기업이 비유동자산을 용이하게 현금화할 수 없는 이유는 무엇인가?
④ 기업의 영업이익에 대한 공헌이익은 사업 전망과 어떤 관계를 맺고 있는가?
⑤ 기업의 생산 규모 확대가 매출액의 증감에 따라 영업이익에 미치는 영향은 무엇인가?

6. 문맥을 고려할 때 ㉠의 의미를 파악한 내용으로 가장 적절한 것은?
① 기업의 영업비와 재무비의 비중을 조절하는 역할을 한다는 것이군.
② 기업의 공헌이익을 항상 일정하게 조절하는 역할을 한다는 것이군.
③ 규모의 경제로부터 발생할 수 있는 효과를 축소시키는 역할을 한다는 것이군.
④ 매출액 변동에 따른 영업이익의 변동 폭을 확대시키는 역할을 한다는 것이군.
⑤ 기업의 영업 성격과 관계없이 기업의 이익을 언제나 증가시키는 역할을 한다는 것이군.

7. <u>영업레버리지도</u>에 대한 이해로 가장 적절한 것은?
① 기업이 소모품비를 많이 사용할수록 영업레버리지도는 점점 감소한다.
② 기업이 영업위험의 감소를 위해 비유동자산을 처분하면 영업레버리지도는 감소한다.
③ 기업의 생산 시설을 확장하여 생산 규모가 커지면 영업레버리지도는 이전과 동일하게 유지된다.
④ 기업의 투자 정책을 판단하기 위해 단위생산원가를 측정하는 도구인 영업레버리지도를 활용한다.
⑤ 기업의 영업이익과 공헌이익이 같을 때의 영업레버리지도에 따르면 영업레버리지 효과는 증가한다.

8. <보기>는 윗글을 이해하기 위한 학습지의 일부이다. 윗글을 바탕으로 <보기>에 대해 보인 반응으로 적절하지 <u>않은</u> 것은? [3점]

─────〈 보 기 〉─────

○○ 기업은 작년에 A 생산 방식으로 제품을 생산해 개당 10,000원에 100만 개를 판매하였고, 영업변동비는 개당 9,000원을 유지하였다. 올해는 영업이익을 올리기 위해 B 생산 방식으로의 전환을 검토하였다. B 생산 방식으로 전환할 경우 100만 개의 제품을 판매할 때 영업변동비는 개당 2,000원이 감소하여 7,000원이 되지만, 20억 원의 영업고정비를 새롭게 부담해야 한다는 예측 결과를 얻었다. 다음은 두 생산 방식의 판매량이 10% 증감했을 때를 가정한 표이다.

	A 생산 방식			B 생산 방식		
판매량 증감률(%)	−10	0	+10	−10	0	+10
판매량(만 개)	90	100	110	90	100	110
매출액(억 원)	90	100	110	90	100	110
영업변동비(억 원)	81	90	99	63	70	77
영업고정비(억 원)	0	0	0	20	20	20

① ○○ 기업이 A 생산 방식을 유지한다면 영업레버리지 효과는 기대할 수 없겠군.
② ○○ 기업이 B 생산 방식으로 전환한다면 판매량이 그대로 유지되어도 영업이익은 감소하겠군.
③ ○○ 기업이 B 생산 방식으로 전환한 후 판매량이 10% 증가한다면 영업이익은 30% 증가하겠군.
④ ○○ 기업이 올해의 사업 전망을 부정적으로 예측한다면 A 생산 방식을 유지하는 것이 유리하겠군.
⑤ ○○ 기업이 A 생산 방식을 유지한다면 영업비는 생산량에 따라 비례적으로 증가하는 비용만으로 구성되겠군.

【9~14】다음 글을 읽고 물음에 답하시오.

(가)

식품처럼 개인 차원에서 소비하는 사용재와 달리 공원처럼 여러 사람의 공동 소비를 위해 생산된 재화나 서비스를 공공재라 한다. 공공재에 대한 정의는 다양하지만 공급 주체에 따라 규정되는 것은 아니며 재화나 서비스 자체의 성격에서 규정된다. 정부의 공공재 정책은 공익을 목적으로 하는데, 이 공익이 무엇인가에 대해서는 실체설과 과정설이 있다. 실체설은 사회에서 합의된 절대적 가치, 예를 들어 인권 등을 공익이라 보는 입장이다. 과정설은 공익과 특정 실체의 연결을 부정하고 공익을 발견해 나가는 의사 결정 과정에서의 적절한 절차를 중시한다.

어떤 공익이 다른 공익과 서로 공존하기 어렵거나 적절한 절차를 거치더라도 대립되는 의견이 서로 대등할 경우 정책 딜레마에 빠지기 쉽다. 정책 딜레마는 비교 불가능한 가치나 대안에 대해, 어느 하나의 대안을 선택하면 선택되지 않은 대안이 주는 기회 손실이 크기 때문에 선택이 곤란한 상황을 말한다. 이런 상황이 지속될 경우 정책 집행의 지연이나 논란이 심화되어 사회 전체 비용이 ⓐ증가한다. 그래서 정부는 정책 딜레마 상황에서 벗어날 수 있는 방법을 꾸준히 탐색해 왔다.

㉠'합리 모형'은 정책 목표와 수단 사이에 존재하는 인과 관계의 적절성 등을 확보하여 딜레마 상황에서 최적의 대안을 선택할 수 있다고 설명한다. 충분한 시간, 예산, 정보 등이 의사 결정자들에게 주어지면 모든 가능한 대안을 검토할 수 있으므로 합리적으로 결정할 수 있다는 것이다. ㉡'만족 모형'은 합리 모형이 전제하는 상황은 오지 않기 때문에 최적 수준의 결정보다는 만족할 만한 수준에서의 결정을 강조한다. 선택 상황에 놓인 의사 결정자들의 신속한 결정은 그 결정의 도덕적 속성이나 논리적 속성과는 무관하게 정책 결정의 불확실성을 제거하여 사회에 긍정적으로 작용한다고 본다. 어떤 결정을 하든지 능률적인 방향으로 자원을 배분할 수 있는 시장의 역할을 ⓑ기대하는 것이다.

정책 딜레마의 지속은 사회 전체의 비용을 급격히 증가시킨다. 충분한 예산과 정보가 갖춰질수록 검토해야 할 시간은 무한대로 늘어나기 때문에 현실에서는 딜레마 지속으로 인한 비용 역시 대폭 증가한다. 이런 점에서 만족 모형은 주어진 시간과 예산이 부족하여 어쩔 수 없이 받아들여지는 결정이 아니라 딜레마 상황의 지속에 빠지지 않으려는 의사 결정자들의 전략으로 ⓒ채택될 수 있다.

(나)

지방 정부는 자주적 재원인 지방세원 이외에도 중앙 정부로부터 재정 지원을 받아 해당 지역에 공익 실현을 위한 공공재를 제공한다. 재정 지원에는 여러 형태가 존재하는데, 지급 방식에 따라 정액 지원금과 정률 지원금으로 나눌 수 있다. 정액 지원금은 지역 주민의 공공재 지출과 상관없이 일정 금액을 지원하는 데 반해, 정률 지원금은 공공재의 단위당 비용에 대한 일정 비율의 형태로 지원된다. 두 지원금은 공공재에 대한 지역 주민의 소비에 서로 다른 영향을 끼친다. <그림>은 어느 지역 주민이 소비할 수 있는 공공재의 양(Q)과 사용재의 양(P)을 나타낸 것이다. 이 지역 주민이 보유한 경제적 자원, 예컨대 소득을 통해 선택할 수 있는 공공재와 사용재의 조합을 의미하는 예산선은 선분 AB로 나타나 있다. 그리고 이 지역 주민의 공공재와 사용재에 대한 선호는 I로, 재정 지원에 따라 변화된 선호는 I'로 나타나 있다. 지방 정부가 지역 주민이 원하는 바를 충실히 반영한다는 것을 전제할 때, 이 지역에서 선택하게 될 공공재와 사용재의 조합은 균형점 E로 나타나 있다.

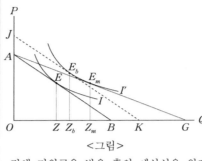
<그림>

이런 조건에서 일정한 크기의 정액 지원금은 결국 지역 주민의 소득의 크기가 증가한다는 것을 의미한다. 정액 지원금은 공공재 소비든 사용재 소비든 어디든 사용될 수 있기 때문이다. 그래서 이 정액 지원금을 받은 후의 예산선은 원래의 예산선이 바깥쪽으로 평행 이동해 만들어진 선분 JK가 된다. <그림>에는 정액 지원금을 받은 후의 균형점이 E_b로 나타나 있다. 이론적으로 정액 지원금은 지역 주민의 소득 증가와 동일한 효과를 내기 때문에 각 지역의 기본적 재정 기반을 ⓓ보완하는 것과 동시에 지역 간 재정 격차를 조정할 수 있다.

한편 정률 지원금은 공공재 공급 보조율에 따라 예산선의 기울기를 변하게 한다. <그림>에서 원래의 예산선은 선분 AB였는데, 정률 지원금으로 인해 예산선은 선분 AG로 변한다. 이렇게 정률 지원금이 지급되면 그 지역이 선택하게 되는 균형점은 E_m이 된다. 이 경우 그 지역이 선택하는 공공재의 양이 증가되는 것으로 나타나 있다. 결국 가격 보조의 의미를 갖는 정률 지원금은 지방 정부가 더 많은 공공재를 생산하도록 유도하는 데 정액 지원금보다 더 효과적이라는 것을 알 수 있다.

앞서 언급했듯 이론적으로는 정액 지원금이 지역 주민의 소득 증가와 동일한 효과를 갖는다. 그런데 실증 연구에 따르면 정액 지원금이 교부되었을 때가 직접적으로 소득이 증가했을 때보다 공공재의 추가적 생산을 더 촉진시키는 경우가 있다. 이러한 현상을 '끈끈이 효과'라 한다. 따라서 어떤 정책이 공익 실현 목적에 더 적절한 것인가에 대해 의사 결정자들은 ⓔ숙고할 수밖에 없다.

9. (가), (나)에 대한 설명으로 가장 적절한 것은?

① (가)는 정부와 사회의 상호 작용을 바탕으로 공공재와 사용재의 적절한 조화가 중요함을 부각하고 있다.

② (나)는 중앙 정부와 지방 정부의 차이점을 중심으로 의사 결정자들의 역할을 구분하고 있다.

③ (나)는 정책에 따른 효과를 바탕으로 정책 결정이 지역 사회의 공공재 생산에 미치는 영향을 서술하고 있다.

④ (가), (나) 모두 정책을 평가할 수 있는 방법에 대해 논의하여 정책 결정 모형의 장단점을 평가하고 있다.

⑤ (가), (나) 모두 정책 결정 시 고려해야 할 요소를 분석하며 정책 효과의 극대화 여부를 판단하는 기준을 마련하고 있다.

10. (가)를 이해한 내용으로 적절하지 <u>않은</u> 것은?

① 정책이 추구해야 할 목적으로 사회적으로 합의된 절대적 가치를 중시하는 것은 실체설이다.

② 과정설은 어떤 특정 이익도 적절한 절차를 따랐을 경우 공익으로 간주될 수 있다는 특징이 있다.

③ 다양한 이해관계가 존재하는 사회에서는 공공재 정책을 둘러싸고 다양한 의견이 존재할 수 있다.

④ 마을에서 운영하는 도서관이 모든 시민이 함께 이용하는 성격을 띤다면 공공재라고 할 수 있다.

⑤ 공익의 실체가 분명하고 정부 관료들이 준수해야 할 적절한 절차가 있다면 정책 딜레마 상황에 놓이지 않는다.

11. (가)의 ㉠, ㉡ 입장에서 (나)를 이해한다고 할 때, 이에 대한 설명으로 적절하지 <u>않은</u> 것은?

① ㉠: 중앙 정부의 정책 목표가 무엇인가에 따라 지원금 지급 방식을 달리하는 수단을 사용할 수 있기 때문에 딜레마 상황에서도 의사 결정자들은 최적의 대안을 찾는다.

② ㉠: 중앙 정부가 지원금 지급 방식에 따른 효과에 대해 충분한 정보를 가지고 있지 않다면 딜레마 상황이 지속되더라도 시간과 예산을 추가로 투입하여 정보를 수집한다.

③ ㉡: 딜레마 상황을 해소하려면 지원금 지급 방식에 대한 도덕적 가치를 도출하는 것보다 지원금 지급 방식에 따른 실증 효과를 인과적으로 도출하는 것이 더 중요하다.

④ ㉡: 중앙 정부가 어떤 재정 지원을 하든 시장에서 능률적으로 자원을 배분할 수 있기 때문에 어떤 지원금 지급 방식을 선택하든 딜레마 상황에서 벗어나는 것이 가능하다.

⑤ ㉡: 딜레마 상황에서 중앙 정부가 정책의 효과에 대해 완전한 정보를 갖게 되는 시간은 무한정으로 지연될 수 있으므로 만족할 만한 수준에서 재정 지원 형태를 결정한다.

12. (나)의 <그림>을 이해한 내용으로 적절하지 <u>않은</u> 것은?

① 정액 지원금과 정률 지원금이 모두 없다면 점 E가 해당 지역에서 선택될 공공재와 사용재의 균형이다.

② 정률 지원금이 지급될 때의 균형점에서보다 정액 지원금이 지급될 때의 균형점에서 이 지역 주민의 사용재 소비가 더 크다.

③ 공공재의 소비는 정액 지원금이 지급되면 지급 이전보다 선분 ZZ_b만큼 늘어나고, 정률 지원금이 지급되면 지급 이전보다 선분 ZZ_m만큼 늘어난다.

④ 정률 지원금이 지급되면 이 지역 주민의 공공재 소비 부담이 지급 이전보다 일정 비율로 감소하게 되므로 예산선이 선분 AB에서 선분 AG로 이동한다.

⑤ 점 E_b에서의 공공재 소비 수준은 점 E_m에서의 공공재 소비 수준보다 낮으므로 정률 지원금이 지급되면 Z_b에서 Z_m만큼 소득 금액이 감소하는 효과를 갖는다.

13. (나)와 <보기>를 관련지어 이해한 내용으로 가장 적절한 것은?

[3점]

> ― < 보 기 > ―
> ○○ 지역 주민 소득이 10억 원 늘어났을 때에는 1억 원 정도만이 추가적으로 공공재 소비에 투입되는 데 비해, 해당 지방 정부에 10억 원의 정액 지원금이 교부되었을 때에는 2억 원이 추가적으로 공공재 소비에 투입되었다.
> (단, 공공재 소비에 투입되지 않은 것은 모두 사용재 구입에 소비되었다고 가정한다.)

① <보기>의 사례는 지방 정부의 공공재 생산 유도에 지역 주민 소득의 직접 증가보다 정액 지원금이 더 효과적임을 보여 주는군.

② <보기>의 사례는 중앙 정부가 지방 정부에 정액 지원금을 교부했음에도 불구하고 끈끈이 효과가 나타나지 않을 수 있다는 것을 보여 주는군.

③ <보기>의 사례는 지원금의 80%가 지역 주민의 사용재 소비 증가에 기여한다는 것이므로 이 지역의 기본적 재정 기반을 약화시킬 수 있음을 보여 주는군.

④ <보기>의 사례는 사용재 소비에 투입되지 않고 공공재 소비에 투입된 지원금 2억 원은 지역 주민 소득 증가에 기여할 수 없다는 것을 보여 주는군.

⑤ <보기>의 사례는 공공재의 단위당 비용에 대해 일정 비율로 중앙 정부와 지방 정부가 나누어 부담한다는 것이므로 끈끈이 효과가 나타나는 현상을 보여 주는군.

14. ⓐ~ⓔ를 사용하여 만든 문장으로 적절하지 <u>않은</u> 것은?

① ⓐ: 도서관의 장서는 해마다 증가하고 있다.

② ⓑ: 우리는 날씨가 맑기를 기대했다.

③ ⓒ: 채택된 원고는 돌려 드리지 않습니다.

④ ⓓ: 제품의 문제점을 보완하여 상품을 재출시했다.

⑤ ⓔ: 그는 지난날의 잘못을 주변 사람들에게 숙고했다.

총 문항				문항		맞은 문항				문항
개별 문항	1	2	3	4	5	6	7	8	9	10
채점										
개별 문항	11	12	13	14	15	16	17	18	19	20
채점										

| 8분 | 2022학년도 수능 10~13번 | ★★☆ | 정답 026쪽 |

[1~4] 다음 글을 읽고 물음에 답하시오.

기축 통화는 국제 거래에 결제 수단으로 통용되고 환율 결정에 기준이 되는 통화이다. 1960년 트리핀 교수는 브레턴우즈 체제에서의 기축 통화인 달러화의 구조적 모순을 지적했다. 한 국가의 재화와 서비스의 수출입 간 차이인 경상 수지는 수입이 수출을 초과하면 적자이고, 수출이 수입을 초과하면 흑자이다. 그는 "미국이 경상 수지 적자를 허용하지 않아 국제 유동성 공급이 중단되면 세계 경제는 크게 위축될 것"이라면서도 "반면 적자 상태가 지속돼 달러화가 과잉 공급되면 준비 자산으로서의 신뢰도가 저하되고 고정 환율 제도도 붕괴될 것"이라고 말했다.

이러한 트리핀 딜레마는 국제 유동성 확보와 달러화의 신뢰도 간의 문제이다. 국제 유동성이란 국제적으로 보편적인 통용력을 갖는 지불 수단을 말하는데, ㉠금 본위 체제에서는 금이 국제 유동성의 역할을 했으며, 각 국가의 통화 가치는 정해진 양의 금의 가치에 고정되었다. 이에 따라 국가 간 통화의 교환 비율인 환율은 자동적으로 결정되었다. 이후 ㉡브레턴우즈 체제에서는 국제 유동성으로 달러화가 추가되어 '금 환 본위제'가 되었다. 1944년에 성립된 이 체제는 미국의 중앙은행에 '금 태환 조항'에 따라 금 1온스와 35달러를 언제나 맞교환해 주어야 한다는 의무를 지게 했다. 다른 국가들은 달러화에 대한 자국 통화의 가치를 고정했고, 달러화로만 금을 매입할 수 있었다. 환율은 경상 수지의 구조적 불균형이 있는 예외적인 경우를 제외하면 ±1% 내에서의 변동만을 허용했다. 이에 따라 기축 통화인 달러화를 제외한 다른 통화들 간 환율인 교차 환율은 자동적으로 결정되었다.

1970년대 초에 미국은 경상 수지 적자가 누적되기 시작하고 달러화가 과잉 공급되어 미국의 금 준비량이 급감했다. 이에 따라 미국은 달러화의 금 태환 의무를 더 이상 감당할 수 없는 상황에 도달했다. 이를 해결할 수 있는 방법은 달러화의 가치를 내리는 평가 절하, 또는 달러화에 대한 여타국 통화의 환율을 하락시켜 그 가치를 올리는 평가 절상이었다. 하지만 브레턴우즈 체제하에서 달러화의 평가 절하는 규정상 불가능했고, 당시 대규모 대미 무역 흑자 상태였던 독일, 일본 등 주요국들은 평가 절상에 나서려고 하지 않았다. 이 상황이 유지되기 어려울 것이라는 전망으로 독일의 마르크화와 일본의 엔화에 대한 투기적 수요가 증가했고, 결국 환율의 변동 압력은 더욱 커질 수밖에 없었다. 이러한 상황에서 각국은 보유한 달러화를 대규모로 금으로 바꾸기를 원했다. 미국은 결국 1971년 달러화의 금 태환 정지를 선언한 닉슨 쇼크를 단행했고, 브레턴우즈 체제는 붕괴되었다.

그러나 붕괴 이후에도 달러화의 기축 통화 역할은 계속되었다. 그 이유로 규모의 경제를 생각할 수 있다. 세계의 모든 국가에서 ㉢어떠한 기축 통화도 없이 각각 다른 통화가 사용되는 경우

두 국가를 짝짓는 경우의 수만큼 환율의 가짓수가 생긴다. 그러나 하나의 기축 통화를 중심으로 외환 거래를 하면 비용을 절감하고 규모의 경제를 달성할 수 있다.

1. 윗글을 통해 답을 찾을 수 *없는* 질문은?

① 브레턴우즈 체제 붕괴 이후에도 달러화가 기축 통화로서 역할을 할 수 있었던 이유는 무엇인가?

② 브레턴우즈 체제 붕괴 이후의 세계 경제 위축에 대해 트리핀은 어떤 전망을 했는가?

③ 브레턴우즈 체제에서 미국 중앙은행은 어떤 의무를 수행해야 했는가?

④ 브레턴우즈 체제에서 국제 유동성의 역할을 한 것은 무엇인가?

⑤ 브레턴우즈 체제에서 달러화 신뢰도 하락의 원인은 무엇인가?

2. 윗글을 바탕으로 추론한 내용으로 적절하지 *않은* 것은?

① 닉슨 쇼크가 단행된 이후 달러화의 고평가 문제를 해결할 수 있는 달러화의 평가 절하가 가능해졌다.

② 브레턴우즈 체제에서 마르크화와 엔화의 투기적 수요가 증가한 것은 이들 통화의 평가 절상을 예상했기 때문이다.

③ 금의 생산량 증가를 통한 국제 유동성 공급량의 증가는 트리핀 딜레마 상황을 완화하는 한 가지 방법이 될 수 있다.

④ 트리핀 딜레마는 달러화를 통한 국제 유동성 공급을 중단할 수도 없고 공급량을 무한정 늘릴 수도 없는 상황을 말한다.

⑤ 브레턴우즈 체제에서 마르크화가 달러화에 대해 평가 절상되면, 같은 금액의 마르크화로 구입 가능한 금의 양은 감소한다.

3. 미국을 포함한 세 국가가 존재하고 각각 다른 통화를 사용할 때, ㉠~㉢에 대한 설명으로 적절한 것은?

① ㉠에서 자동적으로 결정되는 환율의 가짓수는 금에 자국 통화의 가치를 고정한 국가 수보다 하나 적다.

② ㉡이 붕괴된 이후에도 여전히 달러화가 기축 통화라면 ㉡에 비해 교차 환율의 가짓수는 적어진다.

③ ㉢에서 국가 수가 하나씩 증가할 때마다 환율의 전체 가짓수도 하나씩 증가한다.

④ ㉠에서 ㉡으로 바뀌면 자동적으로 결정되는 환율의 가짓수가 많아진다.

⑤ ㉡에서 교차 환율의 가짓수는 ㉢에서 생기는 환율의 가짓수보다 적다.

4. 윗글을 참고할 때, <보기>에 대한 반응으로 가장 적절한 것은? [3점]

<보 기>

　브레턴우즈 체제가 붕괴된 이후 두 차례의 석유 가격 급등을 겪으면서 기축 통화국인 A국의 금리는 인상되었고 통화 공급은 감소했다. 여기에 A국 정부의 소득세 감면과 군비 증대는 A국의 금리를 인상시켰으며, 높은 금리로 인해 대량으로 외국 자본이 유입되었다. A국은 이로 인한 상황을 해소하기 위한 국제적 합의를 주도하여, 서로 교역을 하며 각각 다른 통화를 사용하는 세 국가 A, B, C는 외환 시장에 대한 개입을 합의했다. 이로 인해 A국 통화에 대한 B국 통화와 C국 통화의 환율은 각각 50%, 30% 하락했다.

① A국의 금리 인상과 통화 공급 감소로 인해 A국 통화의 신뢰도가 낮아진 것은 외국 자본이 대량으로 유입되었기 때문이겠군.

② 국제적 합의로 인한 A국 통화에 대한 B국 통화의 환율 하락으로 국제 유동성 공급량이 증가하여 A국 통화의 가치가 상승했겠군.

③ 다른 모든 조건이 변하지 않았다면, 국제적 합의로 인해 A국 통화에 대한 B국 통화의 환율과 B국 통화에 대한 C국 통화의 환율은 모두 하락했겠군.

④ 다른 모든 조건이 변하지 않았다면, 국제적 합의로 인해 A국 통화에 대한 B국과 C국 통화의 환율이 하락하여, B국에 대한 C국의 경상 수지는 개선되었겠군.

⑤ 다른 모든 조건이 변하지 않았다면, A국의 소득세 감면과 군비 증대로 A국의 경상 수지가 악화되며, 그 완화 방안 중 하나는 A국 통화에 대한 B국 통화의 환율을 상승시키는 것이겠군.

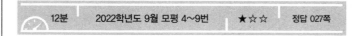
【5~10】 다음 글을 읽고 물음에 답하시오.

(가)

　광고는 시장의 형태 중 독점적 경쟁 시장에서 그 효과가 크다. 독점적 경쟁 시장은, 유사하지만 차별적인 상품을 다수의 판매자가 경쟁하며 판매하는 시장이다. 각 판매자는 자신이 공급하는 상품을 구매자가 차별적으로 인지하고 선호할 수 있도록 하기 위해 광고를 이용한다. 판매자에게 그러한 차별적 인지와 선호가 중요한 이유는, 이를 통해 판매자가 자신의 상품을 원하는 구매자에 대해 누리는 독점적 지위를 강화할 수 있기 때문이다.

　일반적으로 독점적 지위 를 누린다는 것은 상품의 가격을 결정할 수 있는 힘이 있다는 의미이다. 그럼에도 불구하고 판매자는 구매자의 수요를 고려해야 한다. 대체로 구매자는 상품의 물량이 많을 때보다 적을 때 높은 가격을 지불하고자 하기 때문에, 판매자는 공급량을 감소시킴으로써 더 높은 가격을 책정할 수 있다. 독점적 경쟁 시장의 판매자도 이러한 지위 덕분에 상품에 차별성이 없는 경우를 가정할 때보다 다소 비싼 가격에 상품을 판매하는 경향이 있다. 그러나 그 결과 독점적 경쟁 시장의 판매자가 단기적으로 이윤을 보더라도, 그 이윤이 지속되리라 기대할 수는 없다. 이윤을 보는 판매자가 있으면 그러한 이윤에 이끌려 약간 다른 상품을 공급하는 신규 판매자의 수가 장기적으로 증가하고, 그 결과 기존 판매자가 공급하던 상품에 대한 수요는 감소하여 이윤이 줄어들 것이기 때문이다.

　판매자가 광고를 통해 상품의 차별성을 알리는 대표적인 방법은 상품에 대한 정보를 전달하는 것이다. 하지만 많은 비용을 들인 것으로 보이는 광고만으로도 상품의 차별성을 부각할 수 있다. 판매자가 경쟁력에 자신 없는 상품에 많은 광고 비용을 지출하지 않을 것이라는 구매자의 추측을 유도하는 것이 이 광고 방법의 목적이다. 가격이 변화할 때 구매자의 상품 수요량이 변하는 정도를 수요의 가격 탄력성이라 하는데, 구매자가 자신이 선호하는 상품이 차별화되었다고 느낄수록 수요의 가격 탄력성은 감소한다. 이처럼 구매자가 특정 상품에 갖는 충성도가 높아지면, 판매자의 독점적 지위는 강화된다. 판매자는 이렇게 광고가 ㉠경쟁을 제한하는 효과를 노린다. 독점적 경쟁 시장에 진입하는 신규 판매자도 상품의 차별성을 강조함으로써 독점적 지위를 확보하고자 광고를 빈번하게 이용한다.

(나)

　광고는 광고주인 판매자의 이윤 추구 수단으로 기획되지만, 그러한 광고가 광고주의 의도와 상관없이 시장에 영향을 끼치기도 한다. 우선 광고가 독점적 경쟁 시장의 판매자 간 ㉡경쟁을 촉진할 수 있다. 이러한 효과는 광고를 통해 상품 정보에 노출된 구매자가 상품의 품질이나 가격에 예민해질 때 발생한다. 특히 구매자가 가격에 민감하게 수요량을 바꾼다면, 판매자는 경쟁 상품의 가격을 더욱 고려하게 되어 가격 경쟁에 돌입하게 된다. 또한 경쟁은 신규 판매자가 광고를 통해 신상품을 쉽게 홍보하고 시장에 진입할 수 있게 됨으로써 촉진된다. 더 많은 판매자가 시장에서 경쟁하게 되면 각 판매자의 독점적 지위는 약화되고,

구매자는 더 다양한 상품을 높지 않은 가격에 구매할 수 있게 된다.

광고가 특정한 상품에 대한 독점적 경쟁 시장을 넘어서 경제와 사회 전반에 영향을 주기도 한다. 개별 광고가 구매자의 내면에 잠재된 필요나 욕구를 환기하여 대상 상품에 대한 소비를 촉진하는 효과가 합쳐지면 경제 전반에 선순환을 기대할 수 있다. 경제에 광고가 없는 상황을 가정할 때와 비교하면 광고는 쓰던 상품을 새 상품으로 대체하고 싶은 소비자의 욕구를 강화하고, 신상품이 인기를 누리는 유행 주기를 단축하여 소비를 증가시킬 수 있다. 촉진된 소비는 생산 활동을 자극한다. 상품의 생산에는 근로자의 노동, 기계나 설비 같은 생산 요소가 ⓐ 들어가므로, 생산 활동이 증가하면 결과적으로 고용이나 투자가 증가한다. 고용 및 투자의 증가는 근로자이거나 투자자인 구매자의 소득을 증가시킬 수 있다. 경제 전반의 소득이 증가할 때 소비가 증가하는 정도를 한계 소비 성향이라고 하는데, 한계 소비 성향은 양(+)의 값이어서, 경제 전반의 소득 수준이 향상되면 소비가 증가하게 된다.

하지만 광고의 소비 촉진 효과는 환경 오염을 우려하는 사람들에게 비판의 대상이 되기도 한다. 소비뿐만 아니라 소비로 촉진된 생산 활동에서도 환경 오염이 발생하기 때문이다. 환경 오염을 적절한 수준으로 줄이기에 충분한 비용을 판매자나 구매자가 지불할 가능성은 낮으므로, 대부분의 경우에 환경 오염은 심할 수밖에 없다.

5. (가), (나)에 대한 설명으로 가장 적절한 것은?

① (가)는 광고의 개념을 정의하고 광고가 시장에서 차지하는 위상을 소개하고 있다.
② (가)는 광고가 판매자에게 중요한 이유를 제시하고 판매자가 광고를 통해 얻으려는 효과를 설명하고 있다.
③ (나)는 광고의 영향에 대한 다양한 견해를 소개하고 각각의 견해가 안고 있는 한계점을 지적하고 있다.
④ (나)는 광고가 구매자에게 수용되는 과정을 제시하고 구매자가 광고를 수용할 때의 유의점을 나열하고 있다.
⑤ (가)와 (나)는 모두 구매자가 상품을 선택하는 기준을 제시하고 광고와 관련된 제도 마련의 필요성을 강조하고 있다.

6. [독점적 지위]에 대한 설명으로 적절하지 <u>않은</u> 것은?

① 독점적 경쟁 시장에 신규 판매자가 진입하는 것을 차단하지는 않는다.
② 판매자가 공급량을 조절하여 가격을 책정할 수 있는 힘을 가지고 있음을 의미한다.
③ 구매자가 지불하고자 하는 가격이 상품 공급량에 따라 어느 정도인지를 판매자가 감안하지 않아도 되게 한다.
④ 독점적 경쟁 시장의 판매자가 다소 비싼 가격을 책정할 수 있게 하지만 이윤을 지속적으로 보장하지는 않는다.
⑤ 독점적 경쟁 시장의 판매자가 구매자로 하여금 판매자 자신의 상품을 차별적으로 인지하고 선호하게 하면 강화된다.

7. (나)에서 알 수 있는 내용으로 적절하지 <u>않은</u> 것은?

① 광고에 의해 유행 주기가 단축되어 소비가 촉진될 수 있다.
② 광고가 경제 전반에 선순환을 일으키는 정도는 한계 소비 성향이 커질 때 작아진다.
③ 광고가 생산 활동을 자극하면, 근로자이거나 투자자인 구매자의 소득 수준을 향상할 수 있다.
④ 광고가 생산 활동을 증가시키면, 근로자의 노동, 기계나 설비 같은 생산 요소 이용이 증가한다.
⑤ 광고의 소비 촉진 효과는 경제 전반에 광고가 없는 상황에 비해 환경 오염을 심화할 수 있다.

8. ㉠, ㉡을 이해한 내용으로 적절한 것은?

① ㉠은 상품에 대한 구매자의 충성도가 높아질 때 일어나고, ㉡은 수요의 가격 탄력성이 높아질 때 일어난다.
② ㉠의 결과로 판매자는 상품의 가격을 올리기 어렵게 되고, ㉡의 결과로 구매자는 다소 비싼 가격을 감수하게 된다.
③ ㉠은 시장 전체의 판매자 수가 증가하지 않는다는 의미이고, ㉡은 신규 판매자가 시장에 진입하기 어려워진다는 의미이다.
④ ㉠은 기존 판매자의 광고가 차별성을 알리는 데 성공하지 못한 결과로 나타나고, ㉡은 신규 판매자의 광고가 의도대로 성공한 결과로 나타난다.
⑤ ㉠은 광고로 인해 가격에 대한 구매자의 민감도가 약화될 때 발생하고, ㉡은 광고로 인해 판매자가 경쟁 상품의 가격을 고려할 필요가 감소될 때 발생한다.

9. 다음은 어느 기업의 광고 기획 초안이다. 윗글을 참고하여 초안을 분석한 학생의 반응으로 적절하지 <u>않은</u> 것은? [3점]

> **'갑' 기업의 광고 기획 초안**
>
> ○ 대상 : 새로 출시하는 여드름 억제 비누
>
> ○ 기획 근거 : 다수의 비누 판매 기업이 다양한 여드름 억제 비누를 판매 중이며, 우리 기업은 여드름 억제 비누 시장에 처음으로 진입하려는 상황이다. 우리 기업의 신제품은 새로운 성분이 함유되어 기존의 어떤 비누보다 여드름 억제 효과가 탁월하며, 국내에서 전량 생산할 계획이다.
>
>   현재 여드름 억제 비누 시장을 선도하는 경쟁사인 '을' 기업은 여드름 억제 비누로 이윤을 보고 있으며, 큰 비용을 들여 인기 드라마에 상품을 여러 차례 노출하는 전략으로 광고 중이다. 반면 우리 기업은 이번 광고로 상품에 대한 정보 검색을 많이 하는 소비 집단을 공략하고자 제품 정보를 강조하되, 광고 비용은 최소화하려 한다.
>
> ○ 광고 개요 : 새로운 성분의 여드름 억제 효과를 강조하고, 일반인 광고 모델들이 우리 제품의 여드름 억제 효과를 체험한 것을 진술하는 모습을 담은 TV 광고

① 이 광고가 '갑' 기업의 의도대로 성공한다면 '을' 기업의 독점적 지위는 약화될 수 있겠어.

② 이 광고로 '갑' 기업의 여드름 억제 비누 생산이 확대된다면 이 비누를 생산하는 공장의 고용이나 투자가 증가할 수 있겠어.

③ 이 광고로 '갑' 기업이 단기적으로 이윤을 보게 된다면 여드름 억제 비누 시장 내의 판매자 간 경쟁은 장기적으로 약화될 수 있겠어.

④ 이 광고로 '갑' 기업은 많은 비용을 들이는 방법보다는 정보를 전달하는 방법을 중심으로 차별성을 알리려는 것으로 볼 수 있겠어.

⑤ 이 광고가 '갑' 기업의 신제품을 포함하여 여드름 억제 비누 수요의 가격 탄력성을 높인다면 '갑' 기업은 자사 제품의 가격을 높게 책정할 수 없겠어.

10. 문맥상 ⓐ와 바꿔 쓰기에 가장 적절한 것은?

① 반입(搬入)되므로
② 삽입(挿入)되므로
③ 영입(迎入)되므로
④ 주입(注入)되므로
⑤ 투입(投入)되므로

【11~16】 다음 글을 읽고 물음에 답하시오.

  국가들은 상대적 우위를 갖는 재화는 수출하고 상대적 열위를 갖는 재화는 수입하여 쌍방 간 이득을 취한다. 국제무역의 기본 모형인 리카르도 모형은 이러한 무역 원리를 알기 쉽게 설명해 준다.

  리카르도에 ㉠따르면, 무역할 재화, 즉 교역재가 상대적 우위를 가지려면 생산비를 줄여야 한다. 생산비란 어떤 제품 1단위 생산에 필요한 노동시간, 즉 노동소요량을 시간당 임금과 곱한 값이므로 각국은 기술력을 ㉡높여 노동소요량을 줄이거나 값싼 노동력으로 임금을 줄임으로써 상대적 생산비 우위를 차지할 수 있다.

  한 나라에서 특정 재화가 상대국에 대해 상대적 생산비 우위를 갖는지 여부는 '상대적 임금'과 '상대적 생산성 우위'의 비교를 통해 파악할 수 있다. 여기서 상대적 임금이란 자국의 임금을 상대국의 임금으로 나눈 값이고, 상대적 생산성 우위란 상대국의 노동소요량을 자국의 노동소요량으로 나눈 값인데, 각국은 상대국에 대한 자국의 상대적 생산성 우위가 자국의 상대적 임금보다 높은 제품에 생산비 우위를 갖게 된다. 그리고 각국은 이렇게 상대적 생산비 우위를 갖는 제품을 상대국에 수출하게 된다.

  그렇다면 ㉮이렇게 선택적 생산을 통한 무역이 양국 모두에게 정말 이득이 될까? 아래의 <표>를 바탕으로 살펴보자.

제품의 종류	A국의 단위당 노동소요량(a)	B국의 단위당 노동소요량(b)	A국의 상대적 생산성 우위(b/a)
I	1	6	6
II	3	12	4
III	6	12	2
IV	18	9	0.5

<표> A국과 B국의 노동소요량과 A국의 상대적 생산성 우위

  제품의 종류와 무관하게 A국의 시간당 임금이 B국의 3배, 즉 A국의 상대적 임금이 3이라고 가정할 때, A국은 상대적 생산성 우위가 3보다 큰 제품I과 II는 수출하고 3보다 작은 제품III과 IV는 수입하고자 할 것이다. 이때 A국이 수입하는 제품III을 1단위 생산하는 데 B국은 12시간이 필요하다. 그런데 A국의 상대적 임금이 3이므로 B국의 12시간 노동이 A국에게는 4시간 노동에 해당한다고 볼 수 있다. 이는 결국 A국에서 4시간 노동을 위해 필요한 임금으로 B국에서 제품III을 1단위 생산할 수 있다는 의미이므로, 현재 A국의 노동소요량인 6시간과 비교했을 때 제품III을 A국에서 생산하는 것보다 B국에서 생산하는 것이 두 국가 모두에게 이득임을 알 수 있다. 같은 논리로 나머지 제품의 상대적 생산비 우위를 ㉢따져 보면 제품IV는 B국에서, 제품I과 II는 A국에서 생산하는 것이 두 국가 모두에게 이득임을 알 수 있다.

  그런데 상대적 임금과 국제무역의 연관성을 보다 정확하게 파악하기 위해서는 재화의 수요와 공급을 고려하여 시장가격이 정해지듯 노동량의 수요와 공급을 고려할 필요가 있다. 만약 B국에 대한 A국의 상대적 임금이 현재보다 높아진다면, A국에서 생산되는 재화들은 상대적으로 더 비싸질 것이다. 그러면 해당 재화에 대한 B국의 수요량은 감소하게 될 것이고, 그만큼 A국 노동에 대한 수요도 감소할 것이다. 이렇게 A국이 더 적은 양의 재화를 생산하는 동안 B국이 해당 재화를 생산하기 시작하면 A국의 노동 수요는 더 감소하게 될 것이다. 예를 들어 A국의 상대적 임금이 3에서 3.99로 변했다고 가정해 보자.

<표>에서 A국이 수출할 제품의 품목은 변하지 않겠지만, A국에서 생산된 제품의 가격이 상승하여 제품에 대한 수요량도, A국의 노동에 대한 수요도 감소하게 될 것이다. 그러다 상대적 임금이 3.99에서 4.01로 약간 더 상승한다고 가정해 보자. 이제 제품Ⅱ를 생산하는 국가는 A국이 아니라 B국이 될 것이다. B국이 새로운 산업을 추가하는 동안 A국의 노동에 대한 수요는 이전 대비 급격하게 하락할 것이다. 이러한 A국의 변화를 그래프로 ㉣나타내면 <그림>과 같다. 노동에 대한 상대적 수요 곡선(RD)이 계단 형태를 띠는 것은 수출 제품의 품목

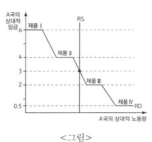

<그림>

은 그대로이나 상대적 임금의 증가로 인해 해당 제품에 대한 수요만 감소하는 경사 구간과, 상대적 임금의 증가가 결국 생산 제품의 변화로 이어져 제품의 생산에 필요한 노동 수요가 상대국으로 점차 이동하는 수평 구간이 번갈아 나타나기 때문이다. 그리고 노동의 상대적 공급 곡선(RS)이 수직 형태를 띠는 것은 임금이 변해도 A국 내에서 가용 가능한 노동량이 바로 변하기는 ㉤어렵기 때문이다. B국에 대한 A국의 상대적 임금은 RS와 RD의 교점에서 결정되며, RS가 좌우로 이동하면서 교점이 경사 구간에 형성되면 A국과 B국 중 한 나라에서, 수평 구간에서 생기면 A국과 B국 모두에서 그 구간에 해당하는 재화를 생산하게 된다.

이렇게 상대적 임금을 고려해 교역재를 정하더라도, 수송비에 따라 그 품목은 달라질 수도 있다. 예를 들어 A국이 <표>의 제품Ⅲ을 수입하는 데 드는 단위당 수송비가 제품Ⅲ의 단위당 생산비와 동일하게 요구된다고 가정해 보자. B국에 대한 A국의 상대적 임금이 3일 때, 생산비만 고려한다면 B국의 12시간 노동은 A국의 4시간 노동에 해당한다고 볼 수 있다. 하지만 수송비까지 고려한다면 결국 8시간 노동에 해당하는 것과 같아진다. 이 경우 현재 A국의 6시간과 비교했을 때 오히려 제품Ⅲ을 A국에서 생산하는 것이 더 유리해진다. 이처럼 상대적 임금을 고려해 무역재를 선정해도 수송비가 얼마냐에 따라 교역재는 자체적으로 생산하는 소비재인 비교역재가 될 수도 있다.

11. 윗글에 대한 설명으로 가장 적절한 것은?
① 선택적 생산이 상대적 임금을 낮추는 과정을 설명하고 있다.
② 노동자의 임금이 교역재 선정에 미치는 영향에 대해 설명하고 있다.
③ 교역재와 비교역재의 생산비 산출 방법의 차이에 대해 설명하고 있다.
④ 수출국이 수입보다 더 많은 이익을 얻게 되는 이유를 설명하고 있다.
⑤ 재화 생산에 필요한 노동의 공급이 노동의 수요에 미치는 영향에 대해 설명하고 있다.

12. 윗글에 대한 이해로 적절하지 <u>않은</u> 것은?
① 임금이 일정할 때, 재화를 생산하는 노동시간을 줄이면 생산비가 낮아진다.
② 한 나라 안에서는 임금이 상승해도 가용 가능한 노동량이 즉각적으로 증가하기 어렵다.
③ 값싼 노동력으로 임금을 줄이더라도 노동소요량을 줄여야만 상대적 생산비 우위를 차지할 수 있다.
④ 상대국보다 임금이 낮은 국가도 그보다 임금이 높은 상대국에서 재화를 수입하는 것이 유리할 수 있다.
⑤ 한 국가의 상대국에 대한 상대적 임금이 특정 재화의 상대적 생산성 우위보다 낮으면 그 재화의 생산비도 상대국보다 낮다.

13. 윗글을 참고할 때, <보기>에 대한 이해로 적절하지 <u>않은</u> 것은? [3점]

――― < 보 기 > ―――

사과와 바나나를 생산하기 위한 X국 노동자의 시간당 임금은 2만 원, Y국 노동자의 시간당 임금은 1만 원이다. 사과 1kg을 X국에서 생산하려면 4시간의 노동이, Y국에서 생산하려면 12시간의 노동이 필요하다. 그리고 바나나 1kg을 X국에서 생산하려면 6시간의 노동이, Y국에서 생산하려면 9시간의 노동이 필요하다.

① X국에서 사과 1kg을 생산하려면 8만 원의 생산비가, Y국에서 바나나 1kg을 생산하려면 9만 원의 생산비가 소요되겠군.
② X국이 기술력을 높여 바나나 1kg 생산에 필요한 노동시간을 4시간으로 줄인다면 바나나 생산에 있어서의 생산비 우위는 X국이 차지하게 되겠군.
③ Y국에 대한 X국의 상대적 임금을 고려할 때, Y국에서 사과 1kg을 생산하는 데 드는 노동시간이 X국의 입장에서는 6시간에 해당한다고 볼 수 있겠군.
④ 사과의 생산에 있어서 X국이 Y국에 대해 갖는 상대적 생산성 우위가 바나나의 생산에 있어서 X국이 Y국에 대해 갖는 상대적 생산성 우위보다 높게 나타나겠군.
⑤ X국과 Y국 모두, 사과와 바나나 중에서 상대국에 대한 자국의 상대적 생산성 우위가 2보다 큰 과일은 수출하고 2보다 작은 과일은 수입하는 것이 유리하다고 판단하겠군.

14. 윗글을 참고할 때, <보기>에 대한 반응으로 적절하지 <u>않은</u> 것은? [3점]

<보 기>

갑국과 을국만 쌀, 밀, 수수, 귀리를 대상으로 무역을 하고 있으며, 현재 갑국은 아래와 같은 노동의 상대적 수요 곡선(RD)과 상대적 공급 곡선(RS)을 보이고 있다.

(단, 제시된 상황 이외의 모든 경제적 변수는 고려하지 않는다.)

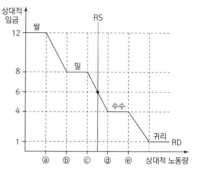

① RS와 RD의 교점이 ⓐ와 ⓑ 사이로 이동하더라도 쌀 생산비에 우위를 갖는 국가는 바뀌지 않겠군.

② RS와 RD의 교점이 ⓑ와 ⓒ 사이로 이동할 경우 밀 생산을 위한 노동 수요의 일부가 을국에서 갑국으로 이동하겠군.

③ RS와 RD의 교점이 ⓒ에 점점 가까워질수록 갑국에서 생산하는 밀에 대한 을국의 수요량은 점차 줄어들게 되겠군.

④ RS와 RD의 교점이 ⓓ에 점점 가까워질수록 갑국이 생산하는 밀의 가격은 현재 대비 상대적으로 낮아지겠군.

⑤ RS와 RD의 교점이 ⓓ와 ⓔ 사이에서 형성될 경우 갑국과 을국 모두에서 수수를 생산하게 되겠군.

15. 수송비를 고려했을 때, ㉮에 대한 답변으로 가장 적절한 것은?

① 선택적 생산을 통한 수출은 수송비가 자국의 생산비보다 적게 소요될 때에만 이익이 된다.

② 선택적 생산을 통한 수출은 자국의 수송비가 상대국의 수송비보다 더 적게 소요될 경우에만 이익이 된다.

③ 선택적 생산을 통한 수출은 수송비가 부과되더라도 상대국에 대한 자국의 상대적 임금이 변하지 않는 경우에만 이익이 된다.

④ 선택적 생산을 통한 수출은 수송비가 부과되었을 때에도 상대국에 대한 자국의 상대적 생산성 우위가 그대로 유지되어야만 이익이 된다.

⑤ 선택적 생산을 통한 수출은 자국의 생산비와 수송비를 모두 고려했을 때의 동일 임금 대비 노동시간이 상대국보다 적은 경우에만 이익이 된다.

16. 문맥상 ㉠~㉤의 단어와 가장 가까운 의미로 쓰인 것은?

① ㉠: 고인의 뜻에 <u>따라</u> 전 재산을 사회에 기부했다.

② ㉡: 그는 모두 함께 참여하자고 목소리를 <u>높였다</u>.

③ ㉢: 나는 그에게 왜 책을 돌려주지 않느냐고 <u>따졌다</u>.

④ ㉣: 그들은 슬픈 감정을 <u>나타내지</u> 않으려고 애썼다.

⑤ ㉤: <u>어려운</u> 가정 형편에도 그는 다른 사람을 돕는다.

8분 | 2022학년도 6월 모평 10~13번 | ★★☆ | 정답 029쪽

【1~4】 다음 글을 읽고 물음에 답하시오.

1764년에 발간된 체사레 베카리아의 『범죄와 형벌』은 커다란 반향을 일으켰다. 형벌에 관한 논리 정연하고 새로운 주장들에 유럽의 지식 사회가 매료된 것이다. 자유와 행복을 추구하는 이성적인 인간을 상정하는 당시 계몽주의 사조에 베카리아는 충실히 호응하여, 이익을 저울질할 줄 알고 그에 따라 행동하는 존재로서 인간을 전제하였다. 사람은 대가 없이 공익만을 위하여 자유를 내어놓지는 않는다. 끊임없는 전쟁과 같은 상태에서 벗어나기 위하여 자유의 일부를 떼어 주고 나머지 자유의 몫을 평온하게 ⓐ<u>누리기로</u> 합의한 것이다. 저마다 할애한 자유의 총합이 주권을 구성하고, 주권자가 이를 위탁받아 관리한다. 따라서 사회의 형성과 지속을 위한 조건이라 할 법은 저마다의 행복을 증진시킬 때 가장 잘 준수되며, 전체 복리를 위해 법 위반자에게 설정된 것이 형벌이다. 이런 논증으로 베카리아는 형벌권의 행사는 양도의 범위를 벗어날 수 없다는 출발점을 세웠다.

베카리아가 볼 때, 형벌은 범죄가 일으킨 결과를 되돌려 놓을 수 없다. 또한 인간을 괴롭히는 것 자체가 그 목적인 것도 아니다. 형벌의 목적은 오로지 범죄자가 또다시 피해를 끼치지 못하도록 억제하고, 다른 사람들이 그 같은 행위를 하지 못하도록 예방하는 데 있을 뿐이다. 이는 범죄로 얻을 이득, 곧 공익이 입게 되는 그만큼의 손실보다 형벌이 가하는 손해가 조금이라도 크기만 하면 달성된다. 그리고 이러한 손익 관계를 누구나 알 수 있도록 처벌 체계는 명확히 성문법으로 규정되어야 하고, 그 집행의 확실성도 갖추어져야 한다. 결국 범죄를 ⓑ<u>가로막는</u> 방벽으로 형벌을 바라보는 것이다. 이 ㉠<u>울타리의</u> 높이는 살인인지 절도인지 등에 따라 달리해야 한다. 공익을 훼손한 정도에 비례해야 하는 것이다. 그것을 넘어서는 처벌은 폭압이며 불필요하다. 베카리아는 말한다. 상이한 피해를 일으키는 두 범죄에 동일한 형벌을 적용한다면 더 무거운 죄에 대한 억지력이 상실되지 않겠는가.

그는 인간이 감각적인 존재라는 사실에 맞추어 제도가 운용될 것을 역설한다. 가장 잔혹한 형벌도 계속 시행되다 보면 사회 일반은 그에 ⓒ<u>무디어져</u> 마침내 그런 것을 봐도 옥살이에 대한 공포 이상을 느끼지 못한다. 인간의 정신에 ⓓ<u>크나큰</u> 효과를 끼치는 것은 형벌의 강도가 아니라 지속이다. 죽는 장면의 목격은 무시무시한 경험이지만 그 기억은 일시적이고, 자유를 박탈당한 인간이 속죄하는 고통의 모습을 오랫동안 대하는 것이 더욱 강력한 억제 효과를 갖는다는 주장이다. 더욱 중요한 것을 지키기 위해 희생한 자유에는 무엇보다도 값진 생명이 포함될 수 없다고도 말한다. 이처럼 베카리아는 잔혹한 형벌을 반대하여 휴머니스트로, 최대 다수의 최대 행복을 말하여 공리주의자로, 자유로운 인간들 사이의 합의를 바탕으로 논의를 전개

하여 사회 계약론자로 이해된다. 형법학에서도 형벌로 되갚아 준다는 응보주의를 탈피하여 장래의 범죄 발생을 방지한다는 일반 예방주의로 나아가는 토대를 ⓔ<u>세웠다는</u> 평가를 받는다.

1. 윗글에서 베카리아의 관점으로 보기 어려운 것은?

① 공동체를 이루는 합의가 유지되는 데는 법이 필요하다.
② 사람은 이성적이고 타산적인 존재이자 감각적 존재이다.
③ 개개인의 국민은 주권자로서 형벌을 시행하는 주체이다.
④ 잔혹함이 주는 공포의 효과는 시간이 흐르면서 감소한다.
⑤ 형벌권 행사의 범위는 양도된 자유의 총합을 넘을 수 없다.

2. ㉠에 대한 설명으로 적절하지 <u>않은</u> 것은?

① 재범을 방지하는 역할을 수행한다.
② 법률로 엮어 뚜렷이 알아볼 수 있도록 해야 한다.
③ 범죄가 유발하는 손실에 따라 높낮이를 정해야 한다.
④ 손익을 저울질하는 인간의 이성을 목적 달성에 활용한다.
⑤ 지키려는 공익보다 높게 설정할수록 방어 효과가 증가한다.

3. 윗글을 바탕으로 베카리아의 입장을 추론한 내용으로 가장 적절한 것은? [3점]

① 형벌이 사회적 행복 증진을 저해한다고 보는 공리주의의 입장에서 사형을 반대한다.
② 사형은 범죄 예방의 효과가 없으므로 일반 예방주의의 입장에서 폐지되어야 한다고 주장한다.
③ 사형은 사람의 기억에 영구히 각인되는 잔혹한 형벌이어서 휴머니즘의 입장에서 인정하지 못한다.
④ 가장 큰 가치를 내어주는 합의가 있을 수 없다는 이유로 사회 계약론의 입장에서 사형을 비판한다.
⑤ 피해 회복의 관점으로 형벌을 바라보는 형법학의 입장에서 사형을 무기 징역으로 대체하는 데 찬성하지 않는다.

4. 문맥상 ⓐ~ⓔ와 바꿔 쓰기에 적절하지 <u>않은</u> 것은?

① ⓐ: 향유(享有)하기로
② ⓑ: 단절(斷絶)하는
③ ⓒ: 둔감(鈍感)해져
④ ⓓ: 지대(至大)한
⑤ ⓔ: 수립(樹立)하였다는

【5~10】 다음 글을 읽고 물음에 답하시오.

형사소송법은 범죄사실은 증거에 의해 인정되어야 하며 범죄사실의 인정은 합리적인 의심이 없는 정도의 증명에 이르러야 한다고 규정하고 있는데, 이를 증거재판주의라 한다. 이는 법관의 자의적인 사실 인정이 허용될 수 없다는 것으로, 공평하고 객관적인 형사재판을 가능하게 하는 전제가 된다고 할 수 있다. 그래서 증거는 형사소송법 체계에서 핵심적인 위치를 차지한다. 형사소송법은 증거의 증거능력과 증명력을 구별하고 있다.

먼저 증거능력이란 어떤 증거가 증명의 자료로 사용될 수 있는 법률상의 자격을 말한다. 증거능력이 있는 증거는 법정에서 주요한 사실 인정의 자료로 이용되어 이를 바탕으로 유죄 판결이 내려질 수 있다. 증거능력이 없는 증거는 원칙적으로 사실 인정의 자료로 쓰일 수 없다.

증거능력의 요건은 법률에 의해 규정되어 있다. 형사소송법은 증거능력을 배제해야 하는 조건을 위법수집증거배제법칙, 자백배제법칙, 전문법칙 등의 세 가지 원칙으로 명문화하고 있다. ⓐ이 원칙들의 공통적인 목적은 피의자, 피고인의 권리를 보장하여 공평한 재판을 실현하는 데에 있다.

위법수집증거배제법칙은 적법한 절차에 따르지 않고 수집한 증거의 ⓑ증거능력을 부정하는 원칙으로, 형사사법기관의 위법한 증거수집을 억제하는 데에 그 목적이 있다. 위법하게 수집한 증거를 통해 알게 된 사실을 바탕으로 수집한 파생증거, 곧 2차 증거의 증거능력도 위법수집증거배제법칙에 따라 배제된다. 이를 독수과실이론이라 하는데, 위법하게 수집된 1차 증거가 독에 오염된 나무라면 그로부터 수집된 2차 증거는 그 나무에 달린 독 열매에 해당한다는 것이다. 예컨대 영장 없이 위법하게 체포한 상태에서 얻은 진술이라면 그 진술의 증거능력은 물론, 그 진술의 도움으로 찾아낸 물증의 증거능력도 인정되지 않는다. 다만 위법하게 수집된 1차 증거와 2차 증거 사이에 인과관계가 희석 또는 단절되었다고 판단될 때는 2차 증거의 증거능력이 인정될 수 있다.

자백배제법칙은 수사 기관이나 법원이 진술자의 자백을, 임의성을 제한하는 방식으로 얻어낸 경우에 그 증거능력을 부정하는 원칙이다. 자백은 중요한 증거이지만, 수사 방법이 ⓒ자백을 얻어 내는 데에만 의존하게 되면 인권 침해의 우려가 커지며 때로는 진실을 밝히기 어려워질 수도 있다. 이에 자백배제법칙은 자백의 주체가 신체적, 정신적 압박 없이 임의*로 한 자백만 증거능력을 인정하게 하여, 자백을 강요하는 것을 금지한다.

[A] 전문법칙은 전문증거는 증거능력이 없다는 원칙이다. 전문증거란 피고인, 증인 등 사안을 체험한 자가 구두로 진술한 진술증거 가운데 법정에서 직접 이루어지지 않고 다른 사람에 의해 간접적으로 전해진 것을 말한다. 이러한 전문증거에는 구두로 전하는 전문진술과 서류인 전문서류가 있다.

전문증거는 진술증거를 전하는 사람에 의한 편집, 조작의 우려가 있다는 점, 전문증거에 대해서는 피고인이 법정에서 증인에 대한 반대신문을 할 수 없다는 점, 전문증거에 대해서는 법관이 법정에서 진술자에게 직접 묻고 답을 듣지 못하기 때문에 정확한 언어적 정보를 획득할 수 없다는 점 등이 ⓓ전문법칙의 근거로 꼽힌다. 다만 전문증거임에도 피고인이 증거로 사용할 수 있다는 데에 동의하면 증거능력을 인정하는데, 이를 '증거동의'라고 한다.

한편 증명력은 증거능력과는 달리 증거자료가 사실의 판단에 기여할 수 있는 정도, 즉 증거의 실질적인 가치로서의 신빙성을

뜻한다. 증명력 평가는 증거가치가 크고 작은 정도의 차이를 따지는 것으로, 증거능력 평가가 증거능력의 유무만을 가리는 것과는 구별된다. ㉠증거능력이 있다고 해서 증명력이 있는 것이 아니고, 증명력이 있다고 해서 증거능력이 있는 것도 아니다.

증명력 평가는 법관의 자유 판단에 맡겨져 있는데, 이러한 원칙을 자유심증주의라 한다. 증거능력이 있는 증거가 제출되면 증거가치에 대한 판단은 법관의 자유 판단에 따른다. 이때 법관의 판단은 합당한 근거를 배경으로 해야 하며, ⓔ단순한 자의적 판단은 정당화되지 않는다. 자유심증주의에 따라 법관은 자유롭게 증거를 취사선택할 수 있고, 모순되는 증거가 있는 경우에 어느 증거를 믿는가도 법관의 자유 판단에 맡겨진다. 신빙성이 없는 증인의 증언이라 할지라도 법관은 일정 부분의 증언을 골라내어 믿을 수도 있다.

* 임의: 자기 의사대로 처리하는 일.

5. 윗글에서 다루고 있는 내용으로 적절하지 않은 것은?
① 증명력 판단의 주체
② 증거재판주의의 의의
③ 자백배제법칙의 종류
④ 독수과실이론의 적용 사례
⑤ 위법수집증거배제법칙의 목적

6. ㉠을 보여 주는 사례로 가장 적절한 것은?
① 피고인을 강요하여 얻은 자백이 사건의 진실을 그대로 담고 있는 내용인 경우
② 수사 기관에 의해 수집된 증거가 법정에서 결국 유죄 판결의 핵심적인 근거로 이용된 경우
③ 적법한 절차에 따라 확보한 문서이지만 그 내용이 사건과 관련이 없다고 법관이 판단한 경우
④ 불법적인 수단으로 목격자의 진술을 억지로 얻어냈지만 결국 진술 내용이 허위 사실로 밝혀진 경우
⑤ 증거동의를 받은 전문증거가 객관적 사실을 밝히는 결정적인 단서를 담고 있다고 법관에게 인정된 경우

7. <보기>는 윗글을 이해하기 위한 학습지의 일부이다. 윗글을 읽은 학생이 <보기>에 대해 보인 반응으로 적절하지 <u>않은</u> 것은? [3점]

─── < 보 기 > ───

○사건 요지
피고인은 소지가 금지된 화약류를 허가 없이 소지하여 현행법 위반으로 기소됨.

○수사 기관이 법정에 제출한 증거

[증거 1] 유효한 압수수색영장 없이 압수한 화약류
[증거 1-1] 증거 1을 기초로 획득한 압수물 사진
[증거 2] 법정에서 이루어진 피고인의 자백 진술
[증거 3] 법정에서 이루어진 목격자 증인의 진술

○법원 판결 요약
[증거 1]은 사실 인정의 자료로 쓰일 수 없고, 이에 [증거 1-1] 또한 유죄의 증거로 사용할 수 없음. 그 외 [증거 2], [증거 3] 등의 적법하게 수집되어 사실 인정의 자료로 쓰일 수 있는 증거들만으로는 공소사실을 인정하기에 부족하므로 피고인에게 무죄를 선고함.

① 법원은 [증거 1]과 [증거 1-1] 사이에 인과관계가 희석 또는 단절되지 않았다고 판단했겠군.
② 법원은 합리적인 의심이 없는 정도로 범죄사실이 증명되었는지를 판단하는 데 [증거 1]과 [증거 1-1]을 자료로 사용했겠군.
③ 법원은 위법수집증거배제법칙을 적용하여 [증거 1-1]을 유죄의 증거로 사용할 수 없다고 결정했겠군.
④ 법원은 [증거 2]가 신체적, 정신적 압박이 없는 상태에서 임의로 이루어진 것이라고 인정했겠군.
⑤ 법원은 진술증거인 [증거 2]와 [증거 3]을 전문증거가 아니라고 보았겠군.

8. [A]를 바탕으로 다음의 ㉮와 ㉯에 대해 추론한 내용으로 가장 적절한 것은? [3점]

형사소송법은 전문법칙의 예외를 규정하고 있다. 우선 진술 당시와 그 이후의 정황에 비추어 원래의 진술이 고스란히 법정에 전달되었을 것으로 믿을 수 있을 때, 그 전문증거의 증거능력을 인정한다. 예컨대 ㉮<u>공판기일에 피고인이 법정에서 한 진술이 기재된 조서</u>에 대해서는 증거능력이 인정된다. 그리고 원래의 진술 및 그와 동일한 수준의 증거를 확보할 수 없어서 불가피하게 전문증거라도 사용할 필요가 있을 때에 전문증거의 증거능력이 인정된다. ㉯<u>진술을 필요로 하는 자가 사망, 질병, 행방불명 등으로 법정에서 진술할 수 없는 경우</u>에 그 진술을 담은 전문증거가 이에 해당된다.

① ㉮는 정확한 정보를 확인할 수 있는 원래의 진술이 담긴 전문진술이기 때문에 전문법칙의 예외로 인정되는 것이겠군.
② ㉮가 전문법칙의 예외로 인정되는 것은 원래의 진술이 법정에 전달될 때 다른 사람에 의해 편집, 조작되지 않았을 것이라고 믿을 수 있기 때문이겠군.
③ ㉯는 피고인이 법정에서 증인에 대한 반대신문을 할 수 있기 때문에 전문법칙의 예외로 인정되는 것이겠군.
④ ㉯가 전문법칙의 예외로 인정되는 것은 법관이 진술자와의 문답을 통해 원래의 진술과 동일한 수준의 증거를 확보할 필요가 있기 때문이겠군.
⑤ ㉮와 ㉯는 모두 피고인의 동의가 있더라도 증거능력이 인정되지 않기 때문에 전문법칙의 예외로 인정되는 것이겠군.

9. <u>자유심증주의</u>에 대한 설명으로 적절하지 <u>않은</u> 것은?
① 증거가 사실의 판단에 기여할 수 있는 정도는 법관의 자유 판단에 따른다.
② 법관은 신빙성 없는 증인에 의한 증언도 증거가치가 있다고 판단할 수 있다.
③ 법관은 증거능력이 있는 증거 중에서 범죄사실을 판단하는 데 활용할 증거를 선택할 수 있다.
④ 증거가치가 크고 작은 정도에 대한 법관의 판단은 합당한 근거 없이 자의적으로 이루어져서는 안 된다.
⑤ 법관에 의해 서로 모순된다고 판단된 증거들은 어느 쪽도 증거의 실질적인 가치로서의 신빙성을 인정받을 수 없다.

10. 윗글을 읽는 과정에서 문맥을 고려할 때, ⓐ ~ ⓔ를 이해한 것으로 적절하지 <u>않은</u> 것은?
① ⓐ: 증거능력을 배제해야 하는 조건에 대해 규정한 법칙들의
② ⓑ: 증명 자료로서 필요한 법률상 자격을
③ ⓒ: 진술자의 임의성을 지키는 데에만 의존하게 되면
④ ⓓ: 전문증거의 증거능력을 부정하는 근거로
⑤ ⓔ: 단순히 자의적으로 증거가치를 판단하는 것은

【11~16】 다음 글을 읽고 물음에 답하시오.

민법에서 법률 행위는 의사 표시를 필수적 요소로 하여 법률 효과를 발생시키는 행위로 유언이나 계약 등이 이에 해당한다. 의사 표시는 일정한 법률 효과의 발생을 목적으로 하는 의사를 표시하는 것인데, 표시 행위에는 말이나 글뿐만 아니라 머리를 끄덕이거나 손을 드는 것과 같은 동작이나 침묵 등도 포함된다. 법률 행위에서 의사를 표시한 사람인 표의자의 진의와 표시된 의사가 명백하게 일치하여 이론의 여지가 없을 경우는 문제가 되지 않는다. 하지만 표의자의 의사가 불분명한 경우나 의사 표시를 받아들이는 상대방인 표시 수령자가 표의자의 의사 표시를 표의자의 진의와 다르게 받아들이게 되는 경우 등이 발생하면 법률 행위의 해석이 필요하다. 법률 행위의 해석은 법률 행위의 내용을 확정하는 것으로, 법률 행위의 성립과 유효성 여부를 판단하는 데 있어 중요한 역할을 한다.

법률 행위의 해석은 일정한 기준에 따라 합리적으로 이루어져야 한다. 당사자가 법률 행위로 달성하려고 하는 목적 및 법률 행위 당시의 제반 사정은 우선적으로 고려되는 기준이다. 그리고 법률 행위의 내용은 대체로 그 분야의 관습을 토대로 이루어지는 것이 일반적이라는 점에서, 이를 해석의 기준으로 삼을 수 있다. 관습에 대한 당사자의 의사 표시가 없거나 명확하지 않은 경우에는 관습에 따르지만, 당사자의 의사와 상관없이 강제적으로 적용되는 규범인 강행 규정을 위반하는 관습은 효력이 인정되지 않는다. 한편 법률 행위와 관련된 관습이 없고, 당사자가 임의 규정과 다른 의사를 표시하지 않은 경우에는 임의 규정을 법률 행위의 해석 기준으로 삼을 수 있다. 그리고 권리의 행사와 의무의 이행은 신의를 좇아 성실히 하여야 한다는 신의 성실의 원칙도 법률 행위의 해석 기준이 될 수 있다.

법률 행위의 해석 방법에는 ㉠자연적 해석, ㉡규범적 해석, 보충적 해석 등이 있다. 자연적 해석이란 표의자의 진의를 ⓐ밝히는 해석으로, 계약서상의 문구와 같은 표시 행위에 얽매이지 않고 제반 사정을 종합하여 표의자의 진의를 밝히는 해석이다. 계약의 경우 표의자의 진의와 다른 의사 표시가 있었다 하더라도 표의자와 표시 수령자 간에 의사의 합치가 있다고 한다면, 표시 행위 본래의 목적이 달성된 것으로 보고 표의자의 진의대로 법률 행위의 내용을 확정하는 것은 자연적 해석에 해당한다. 이 경우에는 진의와 다른 의사 표시는 표의자의 의사를 해하지 않는다는 의미의 '오표시 무해의 원칙'이 적용된다. 그리고 유언자의 진의를 바탕으로 유언의 의미가 무엇인지 명확하게 밝히는 것도 자연적 해석에 해당한다.

규범적 해석은 표시 행위의 객관적 의미를 탐구하는 해석이다. 이 해석은 표의자의 표시 행위를 그대로 신뢰한 표시 수령자를 보호하기 위해 행해질 수 있다. 규범적 해석에서는 표시 수령자가 실제로 표시 행위를 어떻게 이해했느냐만을 가지고 법률 행위를 해석하지는 않고, 제반 사정을 고려하여 적절한 주의를 기울인 합리적인 사람이라면 표시 행위를 어떻게 이해했어야 하느냐를 중시하여 법률 행위를 해석한다. 어떤 계약에서 계약서의 내용과 일치하는 주장을 하는 표시 수령자가 계약서의 내용과 다른 주장을 하는 표의자의 진의를 알지 못했던 경우에 표시 수령자의 주장을 인정하는 것은 규범적 해석에 해당한다. 그런데 표시 수령자가 표의자의 진의를 알았거나, 또는 알지 못했다 하더라도 표시 수령자의 과실로 표의자의 진의를 알지 못했을 경우에는 표의자의 의사를 인정하는 해석이 이루어질 수도 있다. 규범적 해석의 결과로 도출된 법률 행위의 내용이 표의자의 진의와 다를 경우에는 표의자의 법익이 침해될 수 있다. 이때 표의자는 법률 행위의 중요한 의사 표시에 착오가 있었다는 것을 입증함으로써 해당 의사 표시를 취소할 수 있지만, 표의자의 중대한 과실로 인한 의사 표시는 취소할 수 없다.

보충적 해석은 자연적 해석 또는 규범적 해석에 따라 법률 행위의 성립이 인정된 후에 고려되는 것으로 ㉮흠결이 있는 법률 행위의 보충을 의미한다. 보충적 해석은 모든 법률 행위에서 할 수 있으나 주로 계약에서 행해진다. 어떤 계약에서 계약 체결 당시에는 미처 생각하지 못했던 상황이 계약 체결 이후 발생하여 문제가 되었을 때, 이러한 상황을 계약 당시 알았다면 양 당사자가 어떻게 계약했을 것인가를 고려하여 법률 행위를 해석하는 것은 보충적 해석에 해당한다고 볼 수 있다. 이때 계약 당시 미처 생각하지 못했던 상황이 법률 행위의 흠결이 되는 것이다.

[A] 가령, 서로 다른 곳에서 병원을 운영하고 있는 의사 갑과 을이 서로의 병원을 교환하기로 계약을 맺고 병원을 옮겼다. 그 후에 을이 그 교환 계약이 무효라고 주장하면서 종전의 병원으로 다시 돌아가겠다는 의사를 표시하였고, 갑이 교환 계약의 유효 확인을 청구하면서 을이 종전의 병원이나 그 부근에서 개원하는 것을 금지하는 내용을 청구한 사안이 있다고 하자. 이 사안에 대해 법원에서는, 갑과 을이 교환 계약 당시 상대방이 종전에 운영하던 병원으로 곧 돌아올 가능성을 염두에 두지 않아서 그에 대해 아무런 약정을 하지 않은 것이 분쟁의 원인이라고 판단했고, 계약 당사자의 일방이 곧바로 종전의 병원으로 돌아간다면 이는 전체 계약의 목적을 위협하는 것으로 보았다. 그래서 법원에서 만약 당사자들이 교환 계약 이행 완료 후 2~3년 내에 상대방이 종전의 병원으로 돌아올 것을 예상했다면 그 기간 동안의 복귀 금지에 합의하였을 것으로 판단하여 갑의 청구를 받아들인다는 판결을 내렸다. 그렇다면 이 판결은 보충적 해석을 토대로 이루어진 것으로 볼 수 있다.

11. 윗글에 대한 설명으로 가장 적절한 것은?
① 법률 행위의 해석의 필요성과 그 의의를 밝히고, 해석 기준과 해석 방법을 설명하고 있다.
② 법률 행위의 해석 방법들을 제시하고, 각 방법의 장단점을 평가하여 종합적 결론을 도출하고 있다.
③ 법률 행위와 관련된 특정한 사례를 소개하고, 그 사례에 적용한 해석 방법의 타당성을 검토하고 있다.
④ 법률 행위의 해석이 필요한 이유를 밝히고, 해석 방법이 사회에 미친 영향을 인과적으로 서술하고 있다.
⑤ 법률 행위의 해석에 필요한 기준을 서술하고, 그 해석 기준이 발전해 온 과정을 통시적으로 서술하고 있다.

12. 윗글의 내용과 일치하지 <u>않는</u> 것은?
① 민법에서의 법률 행위는 의사 표시를 반드시 필요로 한다.
② 보충적 해석은 법률 행위의 성립이 인정된 후에 고려되는 해석 방법이다.
③ 언어적 표현 없이 몸짓만으로도 법률 효과를 지니는 의사가 표시될 수 있다.
④ 법률 행위의 해석은 법률 행위의 성립과 유효성 여부를 판단하는 데 중요한 역할을 한다.
⑤ 자연적 해석에서 적용되는 오표시 무해의 원칙은 표의자의 진의보다 표시 행위를 중시한다.

13. 일정한 기준 에 대해 이해한 내용으로 적절하지 <u>않은</u> 것은?

① 강행 규정에 어긋나는 관습은 기준이 될 수 없다.
② 법률 행위를 통해 달성하려고 하는 당사자의 목적은 기준이 될 수 있다.
③ 권리의 행사와 의무의 이행과 관련된 신의 성실의 원칙은 기준이 될 수 있다.
④ 관련된 관습이 없고 당사자가 임의 규정과 다른 의사를 표시하지 않으면 그 임의 규정은 기준이 될 수 있다.
⑤ 법률 행위와 관련된 관습이 있을 때 당사자가 그 관습을 따르겠다는 의사 표시가 있어야 기준이 될 수 있다.

14. ㉠, ㉡을 바탕으로 <보기>에 대해 반응한 내용으로 적절하지 <u>않은</u> 것은? [3점]

< 보 기 >

(가) A가 B에게 자두나무를 판매하기로 하여 B는 이를 수락하였다. 그런데 계약서를 작성하는 과정에서 A가 착각하여 계약서에 매매 대상을 앵두나무로 잘못 표기하였다. A와 B는 계약서의 내용대로 계약을 체결하였다.

(나) C는 금 100g을 판매하려고 하였으나, D와 매매 계약을 체결할 당시 100g의 판매 금액에 해당하는 가격에 100돈(1돈 = 3.75g)을 판매하겠다고 잘못 말하였다. C와 D는 C의 말대로 계약을 체결하였다.

* (가)와 (나)에서 판매자는 표의자, 구매자는 표시 수령자이다.

① ㉠의 경우, (가)의 A가 매매 대상을 자두나무라고 주장하고 B가 이를 받아들인다면 A의 진의대로 법률 행위가 성립한다고 보겠군.
② ㉠의 경우, (가)의 앵두나무라는 문구나 (나)의 100돈을 판매하겠다는 C의 말에 얽매이지 않고 제반 사정을 종합하여 표의자의 진의를 밝혀야 한다고 보겠군.
③ ㉡의 경우, (가)의 A와 (나)의 C가 의사 표시의 착오로 인해 법익이 침해되었다고 입증하면 A와 C에게 중대한 과실이 있더라도 계약은 취소할 수 있다고 보겠군.
④ ㉡의 경우, (나)의 C가 적정한 값이 아닌 가격에 100돈의 금을 판매하기로 한 말에 중대한 과실이 있다면 해당 의사 표시를 취소할 수 없다고 보겠군.
⑤ ㉡의 경우, (나)의 C가 계약 내용이 잘못되었다고 주장하고 D가 과실로 C의 진의를 알지 못했다면 C의 진의를 인정하는 해석이 이루어질 수도 있다고 보겠군.

15. [A]에서 ㉮에 해당하는 내용으로 가장 적절한 것은?

① 을이 종전의 병원으로 다시 돌아가겠다는 의사를 표시한 계약
② 갑과 을이 일정 기간 후에 서로 다시 종전의 병원으로 돌아가기로 한 합의
③ 갑이 종전의 병원이나 그 부근에서 개원하는 것을 금지하는 내용을 담은 을의 청구
④ 상대방이 종전의 병원으로 돌아올 것을 예상하고 일정 기간 복귀하지 않기로 한 합의
⑤ 계약 당시 상대방이 곧 종전의 병원으로 돌아올 수도 있는 상황을 염두에 두지 않은 계약

16. 문맥상 ⓐ의 의미와 가장 유사한 것은?

① 갑자기 정전이 되어 우리는 촛불을 <u>밝혀</u> 놓았다.
② 어젯밤을 꼬박 <u>밝혀</u> 회의를 했지만 진전이 없었다.
③ 어둠 속에서 길을 찾기 위해 눈을 <u>밝혀</u> 살펴보았다.
④ 그 사건의 전모를 <u>밝혀</u> 억울한 사람이 없게 해야 한다.
⑤ 내 동생은 단 음식을 너무 <u>밝혀</u> 건강을 해칠까봐 걱정이다.

총 문항				문항	맞은 문항				문항
개별 문항	1	2	3	4	5	6	7	8	9	10
채점										
개별 문항	11	12	13	14	15	16	17	18	19	20
채점										

10분 | 2021학년도 수능 26~30번 | ★★☆ | 정답 033쪽

【1~5】 다음 글을 읽고 물음에 답하시오.

채권은 어떤 사람이 다른 사람에게 특정 행위를 요구할 수 있는 권리이다. 이 특정 행위를 급부라 하고, 특정 행위를 해 주어야 할 의무를 채무라 한다. 채무자가 채권을 ⓐ가진 이에게 급부를 이행하면 채권에 대응하는 채무는 소멸한다. 급부는 재화나 서비스 제공인 경우가 많지만 그 외의 내용일 수도 있다.

민법상의 권리는 여러 가지가 있는데 계약 없이 법률로 정해진 요건의 충족으로 발생하기도 하지만 대개 계약의 효력으로 발생한다. 계약이란 권리 발생 등에 관한 당사자의 합의로서, 계약이 성립하면 합의 내용대로 권리 발생 등의 효력이 인정되는 것이 원칙이다. 당장 필요한 재화나 서비스는 그 제공을 급부로 하는 계약을 성립시켜 확보하면 되지만 미래에 필요할 수도 있는 재화나 서비스라면 계약을 성립시킬 수 있는 권리를 확보하는 것이 유리하다. 이를 위해 '예약'이 활용된다. 일상에서 예약이라고 할 때와 법적인 관점에서의 예약은 구별된다. ㉠기차 탑승을 위해 미리 돈을 지불하고 승차권을 구입하는 것을 '기차 승차권을 예약했다'고도 하지만 이 경우는 예약에 해당하지 않는 계약이다. 법적으로 예약은 당사자들이 합의한 내용대로 권리가 발생하는 계약의 일종으로, 재화나 서비스 제공을 급부 내용으로 하는 다른 계약인 '본계약'을 성립시킬 수 있는 권리 발생을 목적으로 한다.

[A] 예약은 예약상 권리자가 가지는 권리의 법적 성질에 따라 두 가지 유형으로 나뉜다. 첫째는 채권을 발생시키는 예약이다. 이 채권의 급부 내용은 '예약상 권리자의 본계약 성립 요구에 대해 상대방이 승낙하는 것'이다. 회사의 급식 업체 공모에 따라 여러 업체가 신청한 경우 그중 한 업체가 선정되었다고 회사에서 통지하면 예약이 성립한다. 이에 따라 선정된 업체가 급식을 제공하고 대금을 ⓑ받기로 하는 본계약 체결을 요청하면 회사는 이에 응할 의무를 진다. 둘째는 예약 완결권을 발생시키는 예약이다. 이 경우 예약상 권리자가 본계약을 성립시키겠다는 의사를 표시하는 것만으로 본계약이 성립한다. 가족 행사를 위해 식당을 예약한 사람이 식당에 도착하여 예약 완결권을 행사하면 곧바로 본계약이 성립하므로 식사 제공이라는 급부에 대한 계약상의 채권이 발생한다.

예약에서 예약상의 급부나 본계약상의 급부가 이행되지 않는 문제가 ⓒ생길 수 있는데, 예약의 유형에 따라 발생 문제의 양상이 다르다. 일반적으로 급부가 이행되지 않아 채권자에게 손해가 발생한 경우 채무자는 자신의 고의나 과실에서 비롯된 것이 아님을 증명하지 못하는 한 채무 불이행 책임을 진다. 이로 인해 채무의 내용이 바뀌는데 원래의 급부 내용이 무엇이든 채권자의 손해를 돈으로 물어야 하는 손해 배상 채무로 바뀐다.

만약 타인이 고의나 과실로 예약상 권리자가 가진 권리 실현을 방해했다면 예약상 권리자는 그에게도 책임을 ⓓ물을 수 있다. 법률에 의하면 누구든 고의나 과실에 의해 타인에게 피해를

ⓔ끼치는 행위를 하고 그 행위의 위법성이 인정되면 불법행위 책임이 성립하여, 가해자는 피해자에게 손해를 돈으로 배상할 채무를 지기 때문이다. 다만 예약상 권리자에게 예약 상대방이나 방해자 중 누구라도 손해 배상을 하면 다른 한쪽의 배상 의무도 사라진다. 급부 내용이 동일하기 때문이다.

1. 윗글에 대한 이해로 적절하지 **않은** 것은?

① 계약상의 채권은 계약이 성립하면 추가 합의가 없어도 발생하는 것이 원칙이다.
② 재화나 서비스 제공을 대상으로 하는 권리 외에 다른 형태의 권리도 존재한다.
③ 예약상 권리자는 본계약상 권리의 발생 여부를 결정할 수 있다.
④ 급부가 이행되면 채무자의 채권자에 대한 채무가 소멸된다.
⑤ 불법행위 책임은 계약의 당사자 사이에 국한된다.

2. ㉠에 대한 이해로 가장 적절한 것은?

① 기차 탑승은 채권에 해당하고 돈을 지불하는 행위는 그 채권의 대상인 급부에 해당한다.
② 기차를 탑승하지 않는 것은 승차권 구입으로 발생한 채권에 대응하는 의무를 포기하는 것이다.
③ 기차 승차권을 미리 구입하는 것은 계약을 성립시키면서 채권의 행사 시점을 미래로 정해 두는 것이다.
④ 승차권 구입은 계약 없이 법률로 정해진 요건을 충족하여 서비스를 제공받을 권리를 발생시키는 행위이다.
⑤ 미리 돈을 지불하는 것은 미래에 필요한 기차 탑승 서비스 이용이라는 계약을 성립시킬 수 있는 권리를 확보한 것이다.

3. 다음은 [A]에 제시된 예를 활용하여, 예약의 유형에 따라 예약상 권리자가 요구할 수 있는 급부에 대해 정리한 것이다. ㄱ~ㄷ에 들어갈 내용을 올바르게 짝지은 것은?

구분	채권을 발생시키는 예약	예약 완결권을 발생시키는 예약
예약상 급부	ㄱ	ㄴ
본계약상 급부	ㄷ	식사 제공

	ㄱ	ㄴ	ㄷ
①	급식 계약 승낙	없음	급식 대금 지급
②	급식 계약 승낙	없음	급식 제공
③	급식 계약 승낙	식사 제공 계약 체결	급식 제공
④	없음	식사 제공 계약 체결	급식 제공
⑤	없음	식사 제공 계약 체결	급식 대금 지급

4. 윗글을 참고할 때, <보기>의 ㉮에 대한 이해로 적절하지 <u>않은</u> 것은? [3점]

―――――――――<보 기>―――――――――

특별한 행사를 앞두고 있는 갑은 미용실을 운영하는 을과 예약을 하여 행사 당일 오전 10시에 머리 손질을 받기로 했다. 갑이 시간에 맞춰 미용실을 방문하여 머리 손질을 요구했을 때 병이 이미 을에게 머리 손질을 받고 있었다. 갑이 예약해 둔 시간에 병이 고의로 끼어들어 위법성이 있는 행위를 하여 ㉮갑은 오전 10시에 머리 손질을 받을 수 없는 손해를 입었다.

① ㉮가 발생하는 과정에서 을의 과실이 있는 경우, 을은 갑에 대해 채무 불이행 책임이 있고 병은 갑에 대해 손해 배상 채무가 있다.

② ㉮가 발생하는 과정에서 을의 고의가 있는 경우, 을과 병은 모두 갑에게 손해 배상 채무를 지고 을이 배상을 하면 병은 갑에 대한 채무가 사라진다.

③ ㉮가 발생하는 과정에서 을에게 고의나 과실이 있는지 없는지 증명되지 않은 경우, 을과 병은 모두 갑에게 채무를 지고 그에 따른 급부의 내용은 동일하다.

④ ㉮가 발생하는 과정에서 을에게 고의나 과실이 있는지 없는지 증명되지 않은 경우, 을과 병은 모두 채무 불이행 책임을 지므로 갑에게 손해 배상 채무를 진다.

⑤ ㉮가 발생하는 과정에서 을에게 고의나 과실이 없음이 증명된 경우, 을과 달리 병에게는 갑이 입은 손해에 대해 금전으로 배상할 책임이 있다.

5. 문맥상 ⓐ~ⓔ의 단어와 가장 가까운 의미로 쓰인 것은?

① ⓐ: 자신의 일에 자부심을 <u>가지는</u> 것이 중요하다.

② ⓑ: 올해 생일에는 고향 친구에게서 편지를 <u>받았다</u>.

③ ⓒ: 기차역 주변에 새로 <u>생긴</u> 상가에 가 보았다.

④ ⓓ: 나는 도서관에서 책 빌리는 방법을 <u>물어</u> 보았다.

⑤ ⓔ: 바닷가의 찬바람을 쐬니 온몸에 소름이 <u>끼쳤다</u>.

【6~10】 다음 글을 읽고 물음에 답하시오.

국가, 지방 자치 단체와 같은 행정 주체가 행정 목적을 ⓐ실현하기 위해 국민의 권리를 제한하거나 국민에게 의무를 부과하는 '행정 규제'는 국회가 제정한 법률에 근거해야 한다. 그러나 국회가 아니라, 대통령을 수반으로 하는 행정부나 지방 자치 단체와 같은 행정 기관이 제정한 법령인 행정입법에 의한 행정 규제의 비중이 커지고 있다. 드론과 관련된 행정 규제 사항들처럼, 첨단 기술과 관련되거나, 상황 변화에 즉각 대처해야 하거나, 개별적 상황을 ⓑ반영하여 규제를 달리해야 하는 행정 규제 사항들이 늘어나고 있기 때문이다. 행정 기관은 국회에 비해 이러한 사항들을 다루기에 적합하다.

행정입법의 유형에는 위임명령, 행정규칙, 조례 등이 있다. 헌법에 따르면, 국회는 행정 규제 사항에 관한 법률을 제정할 때 특정한 내용에 관한 입법을 행정부에 위임할 수 있다. 이에 따라 제정된 행정입법을 위임명령이라고 한다. 위임명령은 제정 주체에 따라 대통령령, 총리령, 부령으로 나누어진다. 이들은 모두 국민에게 적용되기 때문에 입법예고, 공포 등의 절차를 거쳐야 한다. 위임명령은 입법부인 국회가 자신의 권한의 일부를 행정부에 맡겼기 때문에 정당화될 수 있다. 그래서 특정한 행정 규제의 근거 법률이 위임명령으로 제정할 사항의 범위를 정하지 않은 채 위임하는 포괄적 위임은 헌법상 삼권 분립 원칙에 저촉된다. 위임된 행정 규제 사항의 대강을 위임 근거 법률의 내용으로부터 ⓒ예측할 수 있어야 한다는 것이다. 다만 행정 규제 사항의 첨단 기술 관련성이 클수록 위임 근거 법률이 위임할 수 있는 사항의 범위가 넓어진다. 한편, 위임명령이 법률로부터 위임받은 범위를 벗어나서 제정되거나, 위임 근거 법률이 사용한 어구의 의미를 확대하거나 축소하여 제정되어서는 안 된다. ㉠위임명령이 이러한 제한을 위반하여 제정되면 효력이 없다.

[행정규칙]은 원래 행정부의 직제나 사무 처리 절차에 관한 행정입법으로서 고시(告示), 예규 등이 여기에 속한다. 일반 국민에게는 직접 적용되지 않기 때문에, 법률로부터 위임받지 않아도 유효하게 제정될 수 있고 위임명령 제정 시와 동일한 절차를 거칠 필요가 없다. 그러나 행정 규제 사항에 관하여 행정규칙이 제정되는 예외적인 경우도 있다. 위임된 사항이 첨단 기술과의 관련성이 매우 커서 위임명령으로는 ⓓ대응하기 어려워 불가피한 경우, 위임 근거 법률이 행정입법의 제정 주체만 지정하고 행정입법의 유형을 지정하지 않았다면 위임된 사항이 고시나 예규로 제정될 수 있다. 이런 경우의 행정규칙은 위임명령과 달리, 입법예고, 공포 등을 거치지 않고 제정된다.

조례는 지방 의회가 제정하는 행정입법으로 지역의 특수성을 반영하여 제정되고 지역에서 발생하는 사안에 대해 적용된다. 제정 주체가 지방 자치 단체의 기관인 지방 의회라는 점에서 행정부에서 제정하는 위임명령, 행정규칙과 ⓔ구별된다. 조례도 행정 규제 사항을 규정하려면 법률의 위임에 근거해야 한다. 또한 법률로부터 포괄적 위임을 받을 수 있지만 위임 근거 법률이 사용한 어구의 의미를 다르게 사용할 수 없다. 조례는 입법예고, 공포 등의 절차를 거쳐 제정된다.

6. 윗글의 내용과 일치하는 것은?

① 행정입법에 속하는 법령들은 제정 주체가 동일하다.
② 행정입법에 속하는 법령들은 모두 개별적 상황과 지역의 특수성을 반영한다.
③ 행정입법에 속하는 법령들은 모두 정당성을 확보하기 위하여 국회의 위임에 근거한다.
④ 행정 규제 사항에 적용되는 행정입법은 모두 포괄적 위임이 금지되어 있다.
⑤ 행정부가 국회보다 신속히 대응할 수 있는 행정 규제 사항은 행정입법의 대상으로 적합하다.

7. ㉠의 이유로 가장 적절한 것은?

① 그 위임명령이 법률의 근거 없이 행정 규제 사항을 규정했기 때문이다.
② 그 위임명령이 포괄적 위임을 받아 제정된 경우에 해당하기 때문이다.
③ 그 위임명령이 첨단 기술에 대한 내용을 정확히 반영하지 않았기 때문이다.
④ 그 위임명령이 국민의 권리를 제한하는 권한을 행정 기관에 맡겼기 때문이다.
⑤ 그 위임명령이 구체적 상황의 특성을 반영한 융통성 있는 대응을 하지 못했기 때문이다.

8. [행정규칙]에 관한 설명 중 적절하지 않은 것은?

① 행정부의 직제나 사무 처리 절차를 규정하는 경우, 법률의 위임이 요구되지 않는다.
② 행정부의 직제나 사무 처리 절차를 규정하는 경우, 일반 국민에게 직접 적용되지 않는다.
③ 행정 규제 사항을 규정하는 경우, 위임명령의 제정 절차를 따르지 않는다.
④ 행정 규제 사항을 규정하는 경우, 위임 근거 법률의 위임을 받은 제정 주체에 의해 제정된다.
⑤ 행정 규제 사항을 규정하는 경우, 위임 근거 법률로부터 위임받을 수 있는 사항의 범위가 위임명령과 같다.

9. 윗글을 바탕으로 <보기>의 ㉠~㉢에 대해 이해한 내용으로 가장 적절한 것은? [3점]

<보 기>

갑은 새로 개업한 자신의 가게 홍보를 위해 인근 자연 공원에 현수막을 설치하려고 한다. 현수막 설치에 관한 행정 규제의 내용을 확인하기 위해 ○○ 시청에 문의하고 아래와 같은 회신을 받았다.

> 문의하신 내용에 대해 다음과 같이 알려 드립니다.
> ㉠「옥외광고물 등의 관리와 옥외광고산업 진흥에 관한 법률」 제3조(광고물 등의 허가 또는 신고)에 따른 허가 또는 신고 대상 광고물에 관한 사항은 대통령령인 ㉡「옥외광고물 등의 관리와 옥외광고산업 진흥에 관한 법률 시행령」 제5조에 규정되어 있습니다. 이에 따르면 문의하신 규격의 현수막을 설치하시려면 설치 전에 신고하셔야 합니다.
> 또한 위 법률 제16조(광고물 실명제)에 의하면, 신고 번호, 표시 기간, 제작자명 등을 표시하도록 규정하고 있습니다. 표시하는 방법에 대해서는 ㉢○○ 시 지방 의회에서 제정한 법령에 따르셔야 합니다.

① ㉠의 제3조의 내용에서 ㉡의 제5조의 신고 대상 광고물에 관한 사항의 구체적 내용을 확인할 수 있겠군.
② ㉡의 제5조는 ㉠의 제16조로부터 제정할 사항의 범위가 정해져 위임을 받았겠군.
③ ㉡는 ㉢와 달리 입법예고와 공포 절차를 거쳤겠군.
④ ㉡에 나오는 '광고물'의 의미와 ㉢에 나오는 '광고물'의 의미는 일치하겠군.
⑤ ㉢를 준수해야 하는 국민 중에는 ㉡를 준수하지 않아도 되는 국민이 있겠군.

10. 문맥상 ⓐ~ⓔ와 바꿔 쓰기에 가장 적절한 것은?

① ⓐ : 나타내기
② ⓑ : 드러내어
③ ⓒ : 헤아릴
④ ⓓ : 마주하기
⑤ ⓔ : 달라진다

【11~15】 다음 글을 읽고 물음에 답하시오.

'의사표시'는 의사표시자가 내심(內心)의 의사를 외부에 표시하는 법률 행위로서, 효과의사, 표시의사, 행위의사에 이어 표시행위까지의 과정을 ⓐ거치며 일정한 법률 효과를 발생시킨다. A가 전원주택을 짓고 싶어서 B 소유의 토지를 사고자 하는 상황을 가정하여 의사표시 과정을 살펴보자. 전원주택을 짓고 싶다는 A의 생각은 '동기'에 해당한다. 이러한 동기로 인해 A가 B 소유의 토지를 사야겠다고 마음먹은 것은 '효과의사'이다. 또한 이러한 '효과의사'를 B에게 전달해야겠다는 A의 생각은 '표시의사'이며, 이렇게 토지를 매수하겠다는 의사를 전달하는 방법 중 하나인 계약서 작성이라는 행위를 의도하거나 인식하는 것은 '행위의사'이다. 마지막으로 이러한 의사를 토대로 토지 구입을 위한 계약서를 직접 작성하는 것은 '표시행위'이다.

의사표시 과정에서 의사와 표시가 일치할 때에는 큰 문제가 없다. 하지만 의사와 표시가 일치하지 않을 때에는 의사표시의 본질을 무엇으로 보느냐에 ⓑ따라서 동일한 법률 행위도 다르게 해석될 수 있다. 의사표시의 본질을 바라보는 관점은 크게 '의사주의', '표시주의', '효력주의'로 나뉜다. ㉠의사주의는 의사표시의 본질을 의사표시자 내심의 효과의사, 즉 의사표시자의 진의로 파악한다. 그런데 의사주의의 관점을 취할 경우 의사표시자의 의사는 보호되지만 상대방의 신뢰는 보호받지 못하는 문제가 발생할 수 있다. 그래서 ㉡표시주의는 의사표시자의 표시행위에 대한 상대방의 신뢰를 보호하기 위해 의사표시의 본질을 표시행위로 파악한다. 한편 의사와 표시는 일체로서 양자 모두를 의사표시의 요소로 파악하고자 하는 견해도 있는데, 이를 ㉢효력주의라 한다. 이는 의사와 표시를 이분법적으로 나누는 기존의 인식을 거부하는 것이다. 효력주의에 따르면 표시행위는 의사의 단순한 외부적인 표지가 아니라 의사를 완성하여 법적 효력을 발생하게 하는 것이다.

의사와 표시가 불일치하는 대표적인 유형으로는 착오에 의한 의사표시를 들 수 있다. 착오의 기본 유형은 착오가 의사표시의 과정에서 효과의사의 결정, 표시행위의 이해, 표시행위 중 어느 단계에 발생하느냐에 따라 '동기의 착오', '내용의 착오', '표시상의 착오'로 나눌 수 있다. 먼저 동기의 착오는 의사표시자가 효과의사 결정 단계에서 의미 있는 상황을 실제와 다르게 잘못 인식하는 경우이다. 금반지를 사려고 했는데 도금 반지를 금반지인 줄 잘못 인식하고 구입하는 경우가 이에 해당한다. 내용의 착오는 의사표시자가 표시하고자 의도한 대로 표시행위를 하였지만, 표시행위 이해 단계에서 그 의미를 잘못 파악하여 생긴 경우이다. 금반지의 가격은 100달러로 표시되어 있는데, 유로와 달러 ⓒ같은 가치를 지닌 화폐 단위인 줄로 잘못 알고 금반지를 100유로로 산 경우가 이에 해당한다. 표시상의 착오는 의사표시자가 표시하고자 의도한 것과 다른 표시행위를 하는 것이다. 예컨대 매매계약서에 100,000원이라고 표시할 것을 착오로 10,000원이라고 표시하는 경우가 이에 해당한다.

그런데 ㉮착오를 이유로 법률 행위를 취소하기 위해서는 여러 가지 요건을 갖추어야 한다. 첫째로 의사표시가 존재하고 의사표시 과정에서 의사표시자의 착오가 있어야 한다. 둘째로 법률 행위 내용의 중요 부분에 착오가 있어야 한다. 일반적으로 중요 부분의 착오라는 것은 주관적, 객관적 요건이 모두 충족된 상태를 말한다. 즉 의사표시자가 착오가 없었더라면 그러한 의사표시를 하지 않았을 것이라 생각될 정도로 중요한 것이어야 하고, 의사표시자의 입장에 ⓓ섰더라면 일반인도 그러한 의사표시를 하지 않았으리라고 생각될 정도로 중요한 것이어야 한다. 내용의 착오나 표시상의 착오가 이에 해당하는데, 동기의 착오는 일반적으로 객관적 요건을 충족하지 못하므로 법률행위 내용의 중요 부분에 해당하지 않는다. 단, 상대방에 의해 유발된 동기의 착오는 예외로 한다. 셋째로 의사표시자에게 중대한 과실이 없어야 한다. 여기서 중대한 과실이라 함은 의사표시자의 직업이나 행위의 종류, 목적 등에 ⓔ비추어 일반적으로 요구되는 주의를 현저히 결여한 것을 말한다. 주식의 매매를 영업으로 하는 자가 주식 양도의 제한 유무에 관하여 회사의 정관을 조사하지 않은 경우를 그 예로 들 수 있는데, 의사표시자가 단순한 표시상의 착오를 일으킨 경우는 이에 해당하지 않는다. 마지막으로 취소 배제 사유가 존재하지 않아야 한다. 의사표시자가 그의 의사표시에 있어 위험을 의식적으로 인식했음에도 모험적인 행위를 한 경우, 착오가 없을 때보다 착오가 발생했을 때 의사표시자에게 유익한 경우에 취소권이 배제된다. 그리고 상대방이 착오자, 즉 착오를 일으킨 의사표시자의 진의에 동의한 경우나 상대방이 의사표시를 착오자가 의도한 대로 효력 있게 할 용의가 있음을 표시한 경우에도 취소권이 배제된다.

11. 윗글에서 알 수 있는 내용으로 적절하지 <u>않은</u> 것은?
① 표시행위는 내심의 의사를 외부로 드러내는 것이다.
② 효과의사는 의사표시자의 동기를 바탕으로 형성된다.
③ 표시의사는 표시행위를 통해 효과의사를 밝히는 것이다.
④ 의사표시자의 의사표시는 일정한 법률 효과를 발생시킨다.
⑤ 행위의사는 행위에 대한 인식이 없을 때는 존재하지 않는다.

[12~13번] 〈보기〉의 (가), (나)는 의사표시자인 '갑'과 '병'의 착오로 인해 각각 발생한 사건이다. 〈보기〉를 참고하여 두 물음에 답하시오.

<보 기>

(가) 갑은 소를 사육할 목적으로 을이 소유한 과수원을 사겠다는 자신의 의사를 을에게 밝히며 계약서를 작성하였고, 계약금으로 1,000만 원을 을에게 지불하였다. 그런데 갑은 그 과수원이 소를 사육하기에 부적절한 곳이라는 사실을 뒤늦게 알게 되었다. 이에 갑은 을을 상대로 계약금 반환을 요구하는 소송을 제기하였다.

(나) □□시의 도시 계획 결정에 따라 병 소유의 임야 중 일부가 공원 부지로 지정되었는데, 병은 공원에 시설을 설치하기 위한 허가를 받고자 □□시에 신청서를 제출하였다. 그런데 □□시 공무원은 법령을 오해하여 병 소유의 임야 전부를 □□시에 증여하여야만 그러한 허가가 가능하다고 하였고, 병은 그 공무원의 말을 따랐다. 이후 병은 자신의 증여 행위가 법령의 오해로 발생한 것이라는 사실을 알게 되었고, 자신의 증여 행위를 취소하고자 □□시를 상대로 소송을 제기하였다.

12. 윗글을 참고하여 <보기>를 이해한 것으로 가장 적절한 것은? [3점]

		착오 발생 단계	착오 유발 주요인
①	(가)	효과의사의 결정	을
②	(가)	표시행위의 이해	갑
③	(나)	표시행위	병
④	(나)	효과의사의 결정	□□시 공무원
⑤	(나)	표시행위의 이해	□□시 공무원

13. 다음은 ㉠~㉢의 관점에서 <보기>의 (가)에 대하여 논의한 내용이다. 적절하지 <u>않은</u> 것은?
① ㉠은 갑이 토지를 사려는 목적이 소를 사육하는 데 있다는 점에 주목하겠군.
② ㉡은 갑과 계약을 맺은 을의 신뢰를 보호하기 위해서 갑이 작성한 계약서에 주목하겠군.
③ ㉢은 갑이 계약서를 작성함으로써 갑이 가지고 있던 의사가 완성된다고 보겠군.
④ ㉠, ㉡은 모두 소를 사육하기 위해 을의 토지를 사려는 갑의 의사와 계약서를 작성한 갑의 행위를 분리하여 보겠군.
⑤ ㉡, ㉢은 모두 계약서를 작성한 을의 행위가 소를 사육하고자 하는 갑의 의사에 우선한다고 보겠군.

14. ㉮에 대한 이해로 적절하지 <u>않은</u> 것은?

① 매도인이 실수로 일반 시세 가격인 1,000만 원이 아니라 100만 원으로 매매 가격을 계약서에 기재하여 계약이 체결된 경우 매도인은 착오를 이유로 법률 행위를 취소할 수 없다.

② 매도인이 실수로 일반 시세 가격인 100만 원이 아니라 1,000만 원으로 매매 가격을 계약서에 기재하여 계약이 체결된 경우 매도인은 착오를 이유로 법률 행위를 취소할 수 없다.

③ 매도인이 실수로 일반 시세 가격인 1,000만 원이 아니라 100만 원으로 매매 가격을 계약서에 기재하여 계약이 체결되었지만 이후 매수인이 1,000만 원에 매입할 의사를 밝힌 경우 매도인은 착오를 이유로 법률 행위를 취소할 수 없다.

④ 부동산 전문 변호사인 매수인이 공장을 설립할 목적으로 토지 매매 계약을 체결한 후 법률상 공장 신설 허가가 불가능하다는 사실을 알게 된 경우 착오를 이유로 법률 행위를 취소할 수 없다.

⑤ 부동산 시세 차익을 노리던 매수인이 투자를 목적으로 부동산 매매 계약을 체결한 후 해당 부동산이 신도시 개발 후보지에서 탈락하여 가격이 급락한 경우 착오를 이유로 법률 행위를 취소할 수 없다.

15. 문맥상 ⓐ~ⓔ의 단어와 가장 가까운 의미로 쓰인 것은?

① ⓐ : 학생들은 초등학교를 <u>거쳐</u> 중학교에 입학하게 된다.

② ⓑ : 의원들이 모두 의장을 <u>따라</u> 자리에서 일어섰다.

③ ⓒ : 우리 선생님 <u>같은</u> 분은 세상에 또 없으실 거야.

④ ⓓ : 상하이는 대한민국 임시 정부가 <u>선</u> 곳이다.

⑤ ⓔ : 밝은 달은 강물을 <u>비추고</u> 강물은 하늘을 비췄다.

총 문항					문항	맞은 문항				문항
개별 문항	1	2	3	4	5	6	7	8	9	10
채점										
개별 문항	11	12	13	14	15	16	17	18	19	20
채점										

과학

과학

📌 **출제 트렌드**

과학은 물리학, 화학, 생물학, 의학, 지구과학 등 다양한 분야의 과학 지식과 정보를 제시하는 분야입니다. 과학 지문은 과학
적 현상과 원리를 논리적 과정에 따라 보여 주면서 객관적인 이론이 뒷받침되는 경우가 많으므로, 주어진 자료의 해석을 명확
하게 하고 지문 속 다양한 용어의 정의와 예시를 이해해야 합니다. 과학 지식이 상대적으로 부족한 수험생은 기본적인 어휘를
몰라서 시간을 많이 들이고도 정확히 이해하지 못하는 경우가 있습니다. 이때 지문을 읽는 데 드는 시간을 줄이기 위해서는
정보의 경중을 판단하는 능력이 필요합니다. 또 과학 분야에서는 그림이나 표, 그래프와 같은 시각 자료들을 지문과 연결시키
는 문제가 자주 출제되므로 해당 유형의 문제에 익숙해질 필요가 있습니다. 2023학년도 수능에서는 EBS 수능특강의 '최소 제
곱법과 엥겔의 법칙'이 심화되어 기초 대사량에 관한 지문이 출제되었는데, 연계 지문이었음에도 수험생들의 체감 난도는 높
았던 것으로 보입니다.

시행	출제 지문	문제 수	난이도
2023학년도 수능	기초 대사량 측정 방법	4문제 출제	★★★
2023학년도 6월 모평	비타민 K의 기능	4문제 출제	★★★
2022학년도 6월 모평	전통적 PCR과 실시간 PCR	4문제 출제	★★☆

📌 **1등급 꿀팁**

하나 _ 각 문단의 핵심 키워드를 중심으로 정보를 파악하자.

두울 _ 지문에 제시된 여러 용어와 개념을 명확히 이해하며 읽자.

세엣 _ 실험 과정이나 흐름, 순서를 놓치지 말고 파악하자.

네엣 _ 그림이나 그래프 등의 시각 자료는 제시된 정보를 바탕으로 해석하자.

다섯 _ 지문의 내용이 어려울수록 빠르게 읽기보다 정확하게 읽는 습관을 들이자.

여섯 _ 과학 원리를 다른 상황에 적용하는 문제를 풀 때는 반드시 지문 속 내용을 바탕으로 적용해야 함을
잊지 말자.

일곱 _ 지문을 구조화하고 이미지화하는 연습을 통해 전체적인 내용의 설계를 확인하자.

다음 글을 읽고 물음에 답하시오.

하루에 필요한 에너지의 양은 하루 동안의 총 열량 소모량인 대사량으로 구한다. 그중 기초 대사량은 생존에 필수적인 에너지로, 쾌적한 온도에서 편히 쉬는 동물이 공복 상태에서 생성하는 열량으로 정의된다. 이때 체내에서 생성한 열량은 일정한 체온에서 체외로 발산되는 열량과 같다. 기초 대사량은 개체에 따라 대사량의 60~75%를 차지하고, 근육량이 많을수록 증가한다.

기초 대사량은 직접법 또는 간접법으로 구한다. ⊙직접법은 온도가 일정하게 유지되고 공기의 출입량을 알고 있는 호흡실에서 동물이 발산하는 열량을 열량계를 이용해 측정하는 방법이다. ⓒ간접법은 호흡 측정 장치를 이용해 동물의 산소 소비량과 이산화 탄소 배출량을 측정하고, 이를 기준으로 체내에서 생성된 열량을 추정하는 방법이다.

19세기의 초기 연구는 체외로 발산되는 열량이 체표 면적에 비례한다고 보았다. 즉 그 둘이 항상 일정한 비(比)를 갖는다는 것이다. 체표 면적은 (체중)$^{0.67}$에 비례하므로, 기초 대사량은 체중이 아닌 (체중)$^{0.67}$에 비례한다고 하였다. 어떤 변수의 증가율은 증가 후 값을 증가 전 값으로 나눈 값이므로, 체중이 W에서 2W로 커지면 체중의 증가율은 (2W)/(W)=2이다. 이 경우에 기초 대사량의 증가율은 (2W)$^{0.67}$/(W)$^{0.67}$=2$^{0.67}$, 즉 약 1.6이 된다.

1930년대에 클라이버는 생쥐부터 코끼리까지 다양한 크기의 동물의 기초 대사량 측정 결과를 분석했다. 그래프의 가로축 변수로 동물의 체중을, 세로축 변수로 기초 대사량을 두고, 각 동물별 체중과 기초 대사량의 순서쌍을 점으로 나타냈다.

가로축과 세로축 두 변수의 증가율이 서로 다를 경우, 그 둘의 증가율이 같을 때와 달리, '일반적인 그래프'에서 이 점들은 직선이 아닌 어떤 곡선의 주변에 분포한다. 그런데 순서쌍의 값에 상용로그를 취해 새로운 순서쌍을 만들어서 이를 〈그림〉과 같이 그래프에 표시하면, 어떤 직선의 주변에 점들이 분포하는 것으로 나타난다. 그러면 그 직선의 기울기를 이용해 두 변수의 증가율을 비교할 수 있다. 〈그림〉에서 X와 Y는 각각 체중과 기초 대사량에 상용로그를 취한 값이다. 이런 방식으로 표현한 그래프를 'L-그래프'라 하자.

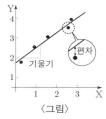

〈그림〉

체중의 증가율에 비해, 기초 대사량의 증가율이 작다면 L-그래프에서 직선의 기울기는 1보다 작으며 기초 대사량의 증가율이 작을수록 기울기도 작아진다. 만약 체중의 증가율과 기초 대사량의 증가율이 같다면 L-그래프에서 직선의 기울기는 1이 된다.

이렇듯 L-그래프와 같은 방식으로 표현할 때, 생물의 어떤 형질이 체중 또는 몸 크기와 직선의 관계를 보이며 함께 증가하는 경우 그 형질은 '상대 성장'을 한다고 한다. 동일 종에서의 심장, 두뇌와 같은 신체 기관의 크기도 상대 성장을 따른다.

한편, 그래프에서 가로축과 세로축 두 변수의 관계를 대변하는 최적의 직선의 기울기와 절편은 최소 제곱법으로 구할 수 있다. 우선, 그래프에 두 변수의 순서쌍을 나타낸 점들 사이를 지나는 임의의 직선을 그린다. 각 점에서 가로축에 수직 방향으로 직선까지의 거리인 편차의 절댓값을 구하고 이들을 각각 제곱하여 모두 합한 것이 '편차 제곱 합'이며, 편차 제곱 합이 가장 작은 직선을 구하는 것이 최소 제곱법이다.

클라이버는 이런 방법에 근거하여 L-그래프에 나타난 최적의 직선의 기울기로 0.75를 얻었고, 이에 따라 동물의 (체중)$^{0.75}$에 기초 대사량이 비례한다고 결론지었다. 이것을 '클라이버의 법칙'이라 하며, (체중)$^{0.75}$을 대사 체중이라 부른다. 대사 체중은 치료제 허용량의 결정에도 이용되는데, 이때 그 양은 대사 체중에 비례하여 정한다. 이는 치료제 허용량이 체내 대사와 밀접한 관련이 있기 때문이다.

15. 윗글을 읽고 추론한 내용으로 적절하지 <u>않은</u> 것은?

① 일반적인 경우 기초 대사량은 하루에 소모되는 총 열량 중에 가장 큰 비중을 차지하겠군.

② 클라이버의 결론에 따르면, 기초 대사량이 동물의 체표 면적에 비례한다고 볼 수 없겠군.

③ 19세기의 초기 연구자들은 체중의 증가율보다 기초 대사량의 증가율이 작다고 생각했겠군.

④ 코끼리에게 적용하는 치료제 허용량을 기준으로, 체중에 비례하여 생쥐에게 적용할 허용량을 정한 후 먹이면 과다 복용이 될 수 있겠군.

⑤ 클라이버의 법칙에 따르면, 동물의 체중이 증가함에 따라 함께 늘어나는 에너지의 필요량이 이전 초기 연구에서 생각했던 양보다 많겠군.

많은 수험생들이 2023학년도 수능에서 가장 어려운 지문으로 이 과학 지문을 꼽았다. 그중에서도 15번과 17번의 오답률이 특히 높았다. 15번은 지문을 읽고 지문에 직접적으로 드러나지 않은 내용을 추론해야 하는 문제인데, 바로 이 '추론'이 최근 독서 영역이 어려워지는 원인이자 중점이 되고 있다.

❷ 세 번째 문단에서 체표 면적은 (체중)$^{0.67}$에 비례한다고 했는데, 마지막 문단에 따르면 클라이버는 기초 대사량이 (체중)$^{0.75}$에 비례한다고 보았다. 따라서 클라이버의 결론에 따르면 기초 대사량은 동물의 체표 면적에 비례한다고 볼 수 없다.

❸ 세 번째 문단에서 19세기의 초기 연구에서는 기초 대사량이 (체중)$^{0.67}$에 비례한다고 보았으며, 이에 따르면 체중이 2배 증가할 때 기초 대사량은 2$^{0.67}$인 약 1.6배가 된다. 따라서 19세기 초기 연구자들은 체중의 증가율보다 기초 대사량의 증가율이 작다고 생각했을 것이다.

❹ 마지막 문단에서 치료제 허용량의 결정에는 (체중)$^{0.75}$인 대사 체중이 이용된다고 했으므로, 코끼리에게 적용하는 치료제 허용량을 기준으로 대사 체중에 비례하여 생쥐에게 적용할 허용량을 정하면 적정량을 결정할 수 있다. 그런데 코끼리의 체중을 100, 생쥐의 체중을 1이라고 할 때 체중에 비례(100:1)하여 허용량을 정한다면 대사 체중에 비례(100$^{0.75}$:1)하여 허용량을 정할 때보다 적은 양을 생쥐에게 먹이게 될 것이다.

9분   2023학년도 수능 14~17번   ★★★   정답 036쪽

【1~4】다음 글을 읽고 물음에 답하시오.

하루에 필요한 에너지의 양은 하루 동안의 총 열량 소모량인 대사량으로 구한다. 그중 기초 대사량은 생존에 필수적인 에너지로, 쾌적한 온도에서 편히 쉬는 동물이 공복 상태에서 생성하는 열량으로 정의된다. 이때 체내에서 생성한 열량은 일정한 체온에서 체외로 발산되는 열량과 같다. 기초 대사량은 개체에 따라 대사량의 60~75%를 차지하고, 근육량이 많을수록 증가한다.

기초 대사량은 직접법 또는 간접법으로 구한다. ㉠직접법은 온도가 일정하게 유지되고 공기의 출입량을 알고 있는 호흡실에서 동물이 발산하는 열량을 열량계를 이용해 측정하는 방법이다. ㉡간접법은 호흡 측정 장치를 이용해 동물의 산소 소비량과 이산화 탄소 배출량을 측정하고, 이를 기준으로 체내에서 생성된 열량을 추정하는 방법이다.

19세기의 초기 연구는 체외로 발산되는 열량이 체표 면적에 비례한다고 보았다. 즉 그 둘이 항상 일정한 비(比)를 갖는다는 것이다. 체표 면적은 $(체중)^{0.67}$에 비례하므로, 기초 대사량은 체중이 아닌 $(체중)^{0.67}$에 비례한다고 하였다. 어떤 변수의 증가율은 증가 후 값을 증가 전 값으로 나눈 값이므로, 체중이 W에서 2W로 커지면 체중의 증가율은 $(2W)/(W) = 2$이다. 이 경우에 기초 대사량의 증가율은 $(2W)^{0.67} / (W)^{0.67} = 2^{0.67}$, 즉 약 1.6이 된다.

1930년대에 클라이버는 생쥐부터 코끼리까지 다양한 크기의 동물의 기초 대사량 측정 결과를 분석했다. 그래프의 가로축 변수로 동물의 체중을, 세로축 변수로 기초 대사량을 두고, 각 동물별 체중과 기초 대사량의 순서쌍을 점으로 나타냈다.

가로축과 세로축 두 변수의 증가율이 서로 다를 경우, 그 둘의 증가율이 같을 때와 달리, '일반적인 그래프'에서 이 점들은 직선이 아닌 어떤 곡선의 주변에 분포한다. 그런데 순서쌍의 값에 상용로그를 취해 새로운 순서쌍을 만들어서 이를 <그림>과 같이 그래프에 표시하면, 어떤 직선의 주변에 점들이 분포하는 것으로 나타난다. 그러면 그 직선의 기울기를 이용해 두 변수의 증가율을 비교할 수 있다. <그림>에서 X와 Y는 각각 체중과 기초 대사량에 상용로그를 취한 값이다. 이런 방식으로 표현한 그래프를 'L-그래프'라 하자.

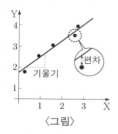

〈그림〉

체중의 증가율에 비해, 기초 대사량의 증가율이 작다면 L-그래프에서 직선의 기울기는 1보다 작으며 기초 대사량의 증가율이 작을수록 기울기도 작아진다. 만약 체중의 증가율과 기초 대사량의 증가율이 같다면 L-그래프에서 직선의 기울기는 1이 된다.

이렇듯 L-그래프와 같은 방식으로 표현할 때, 생물의 어떤 형질이 체중 또는 몸 크기와 직선의 관계를 보이며 함께 증가하는 경우 그 형질은 '상대 성장'을 한다고 한다. 동일 종에서의

심장, 두뇌와 같은 신체 기관의 크기도 상대 성장을 따른다.

한편, 그래프에서 가로축과 세로축 두 변수의 관계를 대변하는 최적의 직선의 기울기와 절편은 최소 제곱법으로 구할 수 있다. 우선, 그래프에 두 변수의 순서쌍을 나타낸 점들 사이를 지나는 임의의 직선을 그린다. 각 점에서 가로축에 수직 방향으로 직선까지의 거리인 편차의 절댓값을 구하고 이들을 각각 제곱하여 모두 합한 것이 '편차 제곱 합'이며, 편차 제곱 합이 가장 작은 직선을 구하는 것이 최소 제곱법이다.

클라이버는 이런 방법에 근거하여 L-그래프에 나타난 최적의 직선의 기울기로 0.75를 얻었고, 이에 따라 동물의 $(체중)^{0.75}$에 기초 대사량이 비례한다고 결론지었다. 이것을 '클라이버의 법칙'이라 하며, $(체중)^{0.75}$을 대사 체중이라 부른다. 대사 체중은 치료제 허용량의 결정에도 이용되는데, 이때 그 양은 대사 체중에 비례하여 정한다. 이는 치료제 허용량이 체내 대사와 밀접한 관련이 있기 때문이다.

1. 윗글의 내용과 일치하지 <u>않는</u> 것은?

① 클라이버의 법칙은 동물의 기초 대사량이 대사 체중에 비례한다고 본다.

② 어떤 개체가 체중이 늘 때 다른 변화 없이 근육량이 늘면 기초 대사량이 증가한다.

③ 'L-그래프'에서 직선의 기울기는 가로축과 세로축 두 변수의 증가율의 차이와 동일하다.

④ 최소 제곱법은 두 변수 간의 관계를 나타내는 최적의 직선의 기울기와 절편을 알게 해 준다.

⑤ 동물의 신체 기관인 심장과 두뇌의 크기는 몸무게나 몸의 크기에 상대 성장을 하며 발달한다.

2. 윗글을 읽고 추론한 내용으로 적절하지 <u>않은</u> 것은?

① 일반적인 경우 기초 대사량은 하루에 소모되는 총 열량 중에 가장 큰 비중을 차지하겠군.

② 클라이버의 결론에 따르면, 기초 대사량이 동물의 체표 면적에 비례한다고 볼 수 없겠군.

③ 19세기의 초기 연구자들은 체중의 증가율보다 기초 대사량의 증가율이 작다고 생각했겠군.

④ 코끼리에게 적용하는 치료제 허용량을 기준으로, 체중에 비례하여 생쥐에게 적용할 허용량을 정한 후 먹이면 과다 복용이 될 수 있겠군.

⑤ 클라이버의 법칙에 따르면, 동물의 체중이 증가함에 따라 함께 늘어나는 에너지의 필요량이 이전 초기 연구에서 생각했던 양보다 많겠군.

3. ⊙, ⓒ에 대한 이해로 가장 적절한 것은?

① ⊙은 체온을 환경 온도에 따라 조정하는 변온 동물이 체외로 발산하는 열량을 측정할 수 없다.
② ⓒ은 동물이 호흡에 이용한 산소의 양을 알 필요가 없다.
③ ⊙은 ⓒ과 달리 격한 움직임이 제한된 편하게 쉬는 상태에서 기초 대사량을 구한다.
④ ⊙과 ⓒ은 모두 일정한 체온에서 동물이 체외로 발산하는 열량을 구할 수 있다.
⑤ ⊙과 ⓒ은 모두 생존에 필수적인 최소한의 에너지를 공급하면서 기초 대사량을 구한다.

4. 윗글을 바탕으로 <보기>를 탐구한 내용으로 가장 적절한 것은? [3점]

<보 기>

농게의 수컷은 집게발 하나가 매우 큰데, 큰 집게발의 길이는 게딱지의 폭에 '상대 성장'을 한다. 농게의 ⓐ게딱지 폭을  이용해 ⓑ큰 집게발의 길이를 추정하기 위해, 다양한 크기의 농게의 게딱지 폭과 큰 집게발의 길이를 측정하여 다수의 순서쌍을 확보했다. 그리고 'L-그래프'와 같은 방식으로, 그래프의 가로축과 세로축에 각각 게딱지 폭과 큰 집게발의 길이에 해당하는 값을 놓고 분석을 실시했다.

① 최적의 직선을 구한다고 할 때, 최적의 직선의 기울기가 1보다 작다면 ⓐ에 ⓑ가 비례한다고 할 수 없겠군.
② 최적의 직선을 구하여 ⓐ와 ⓑ의 증가율을 비교하려고 할 때, 점들이 최적의 직선으로부터 가로축에 수직 방향으로 멀리 떨어질수록 편차 제곱 합은 더 작겠군.
③ ⓐ의 증가율보다 ⓑ의 증가율이 크다면, 점들의 분포가 직선이 아닌 어떤 곡선의 주변에 분포하겠군.
④ ⓐ의 증가율보다 ⓑ의 증가율이 작다면, 점들 사이를 지나는 최적의 직선의 기울기는 1보다 크겠군.
⑤ ⓐ의 증가율과 ⓑ의 증가율이 같고 '일반적인 그래프'에서 순서쌍을 점으로 표시한다면, 점들은 직선이 아닌 어떤 곡선의 주변에 분포하겠군.

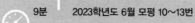
9분　2023학년도 6월 모평 10~13번　★★★　정답 037쪽

【5~8】 다음 글을 읽고 물음에 답하시오.

혈액은 세포에 필요한 물질을 공급하고 노폐물을 제거한다. 만약 혈관 벽이 손상되어 출혈이 생기면 손상 부위의 혈액이 응고되어 혈액 손실을 막아야 한다. 혈액 응고는 섬유소 단백질인 피브린이 모여 형성된 섬유소 그물이 혈소판이 응집된 혈소판 마개와 뭉쳐 혈병이라는 덩어리를 만드는 현상이다. 혈액 응고는 혈관 속에서도 일어나는데, 이때의 혈병을 혈전이라 한다. 이물질이 쌓여 동맥 내벽이 두꺼워지는 동맥 경화가 일어나면 그 부위에 혈전 침착, 혈류 감소 등이 일어나 혈관 질환이 발생하기도 한다. 이러한 혈액의 응고 및 원활한 순환에 비타민 K가 중요한 역할을 한다.

비타민 K는 혈액이 응고되도록 돕는다. 지방을 뺀 사료를 먹인 병아리의 경우, 지방에 녹는 어떤 물질이 결핍되어 혈액 응고가 지연된다는 사실을 발견하고 그 물질을 비타민 K로 명명했다. 혈액 응고는 단백질로 이루어진 다양한 인자들이 관여하는 연쇄 반응에 의해 일어난다. 우선 여러 혈액 응고 인자들이 활성화된 이후 프로트롬빈이 활성화되어 트롬빈으로 전환되고, 트롬빈은 혈액에 녹아 있는 피브리노겐을 불용성인 피브린으로 바꾼다. 비타민 K는 프로트롬빈을 비롯한 혈액 응고 인자들이 간세포에서 합성될 때 이들의 활성화에 관여한다. 활성화는 칼슘 이온과의 결합을 통해 이루어지는데, 이들 혈액 단백질이 칼슘 이온과 결합하려면 카르복실화되어 있어야 한다. 카르복실화는 단백질을 구성하는 아미노산 중 글루탐산이 감마-카르복시글루탐산으로 전환되는 것을 말한다. 이처럼 비타민 K에 의해 카르복실화되어야 활성화가 가능한 표적 단백질을 비타민 K-의존성 단백질이라 한다.

비타민 K는 식물에서 합성되는 ⊙비타민 K1과 동물 세포에서 합성되거나 미생물 발효로 생성되는 ⓒ비타민 K2로 나뉜다. 녹색 채소 등은 비타민 K1을 충분히 함유하므로 일반적인 권장 식단을 따르면 혈액 응고에 차질이 생기지 않는다.

그런데 혈관 건강과 관련된 비타민 K의 또 다른 중요한 기능이 발견되었고, 이는 칼슘의 역설 과도 관련이 있다. 나이가 들면 뼈 조직의 칼슘 밀도가 낮아져 골다공증이 생기기 쉬운데, 이를 방지하고자 칼슘 보충제를 섭취한다. 하지만 칼슘 보충제를 섭취해서 혈액 내 칼슘 농도는 높아지나 골밀도는 높아지지 않고, 혈관 벽에 칼슘염이 침착되는 혈관 석회화가 진행되어 동맥 경화 및 혈관 질환이 발생하는 경우가 생긴다. 혈관 석회화는 혈관 근육 세포 등에서 생성되는 MGP라는 단백질에 의해 억제되는데, 이 단백질이 비타민 K-의존성 단백질이다. 비타민 K가 부족하면 MGP 단백질이 활성화되지 못해 혈관 석회화가 유발된다는 것이다.

비타민 K1과 K2는 모두 비타민 K-의존성 단백질의 활성화를 유도하지만 K1은 간세포에서, K2는 그 외의 세포에서 활성이 높다. 그러므로 혈액 응고 인자의 활성화는 주로 K1이, 그 외의 세포에서 합성되는 단백질의 활성화는 주로 K2가 담당한다. 이에 따라 일부 연구자들은 비타민 K의 권장량을 K1과 K2로 구분하여 설정해야 하며, K2가 함유된 치즈, 버터 등의 동물성 식품과 발효 식품의 섭취를 늘려야 한다고 권고한다.

5. 윗글에서 알 수 있는 내용으로 적절하지 <u>않은</u> 것은?

① 혈전이 형성되면 섬유소 그물이 뭉쳐 혈액의 손실을 막는다.
② 혈액의 응고가 이루어지려면 혈소판 마개가 형성되어야 한다.
③ 혈관 손상 부위에 혈병이 생기려면 혈소판이 응집되어야 한다.
④ 혈관 경화를 방지하려면 이물질이 침착되지 않게 해야 한다.
⑤ 혈관 석회화가 계속되면 동맥 내벽과 혈류에 변화가 생긴다.

6. 칼슘의 역설 에 대한 이해로 가장 적절한 것은?

① 칼슘 보충제를 섭취하면 오히려 비타민 K_1의 효용성이 감소된다는 것이겠군.
② 칼슘 보충제를 섭취해도 뼈 조직에서는 칼슘이 여전히 필요하다는 것이겠군.
③ 칼슘 보충제를 섭취해도 골다공증은 막지 못하나 혈관 건강은 개선되는 경우가 있다는 것이겠군.
④ 칼슘 보충제를 섭취하면 혈액 내 단백질이 칼슘과 결합하여 혈관 벽에 칼슘이 침착된다는 것이겠군.
⑤ 칼슘 보충제를 섭취해도 혈액으로 칼슘이 흡수되지 않아 골다공증 개선이 안 되는 경우가 있다는 것이겠군.

7. ⊙과 ⓒ에 대한 설명으로 가장 적절한 것은?

① ⊙은 ⓒ과 달리 우리 몸의 간세포에서 합성된다.
② ⓒ은 ⊙과 달리 지방과 함께 섭취해야 한다.
③ ⓒ은 ⊙과 달리 표적 단백질의 아미노산을 변형하지 않는다.
④ ⊙과 ⓒ은 모두 표적 단백질의 활성화 이전 단계에 작용한다.
⑤ ⊙과 ⓒ은 모두 일반적으로는 결핍이 발생해 문제가 되는 경우는 없다.

8. 윗글을 참고할 때 <보기>의 (가)~(다)를 투여함에 따라 체내에서 일어나는 반응을 예상한 내용으로 적절하지 <u>않은</u> 것은? [3점]

<보 기>

다음은 혈전으로 인한 질환을 예방 또는 치료하는 약물이다.
(가) 와파린: 트롬빈에는 작용하지 않고 비타민 K의 작용을 방해함.
(나) 플라스미노겐 활성제: 피브리노겐에는 작용하지 않고 피브린을 분해함.
(다) 헤파린: 비타민 K-의존성 단백질에는 작용하지 않고 트롬빈의 작용을 억제함.

① (가)의 지나친 투여는 혈관 석회화를 유발할 수 있겠군.
② (나)는 이미 뭉쳐 있던 혈전이 풀어지도록 할 수 있겠군.
③ (다)는 혈액 응고 인자와 칼슘 이온의 결합을 억제하겠군.
④ (가)와 (다)는 모두 피브리노겐이 전환되는 것을 억제하겠군.
⑤ (나)와 (다)는 모두 피브린 섬유소 그물의 형성을 억제하겠군.

【9~12】다음 글을 읽고 물음에 답하시오.

디지털 카메라에는 피사체를 선명하게 촬영하기 위해 초점을 자동으로 맞추는 자동 초점 방식이 활용되고 있다. 자동 초점 방식은 일반적으로 ㉠피사체로부터 반사되는 빛을 활용하여 초점을 맞추는데, 자동 초점 방식에는 대표적으로 대비 검출 방식과 위상차 검출 방식이 있다.

대비 검출 방식은 촬영 렌즈를 ⓐ통해 들어온 빛을 피사체의 상이 맺히는 이미지 센서로 바로 보내 이미지 센서에서 초점을 직접 검출한다. 이 방식은 피사체로부터 반사되어 들어오는 빛들의 밝기 차이인 빛의 대비를 분석하는 원리를 이용한다. 빛의 대비가 클수록 이미지 센서에 맺히는 상이 선명해져 초점이 정확하게 맞게 된다. 이런 원리를 활용해 대비 검출 방식에서는 빛의 대비가 최대치가 되는 지점을 파악하기 위해 촬영 렌즈를 앞뒤로 반복적으로 움직이면서 이미지 센서에 맺힌 상을 분석한다. 이 방식은 촬영 렌즈가 반복적으로 움직여야 하므로 초점을 맞추는 속도가 상대적으로 느려 빠르게 움직이는 피사체를 촬영할 때는 초점을 맞추기 힘들다. 하지만 별도의 센서에서 초점을 검출하지 않고 상이 맺히는 이미지 센서에서 직접 초점을 검출하기 때문에 초점의 정확도가 높으며 오류의 가능성이 낮다.

위상차 검출 방식은 상이 맺히는 이미지 센서가 직접 초점을 검출하지 않고 AF 센서에서 초점을 검출한다. 이 방식은 AF 센서에 맺히는 빛의 위치 차이인 위상차를 분석하는 원리를 이용한다. 위상차 검출 방식을 활용하여 초점을 맞추는 과정은 일반적으로 다음과 같이 진행된다. 우선 피사체로부터 반사된 빛은 촬영 렌즈를 통해 들어와, 주 반사 거울에서 반사되거나 주 반사 거울을 통과하게 된다. 주 반사 거울에서 반사된 빛은 뷰파인더로 보내져 촬영자가 피사체를 눈으로 확인할 수 있게 해 준다. 한편 주 반사 거울을 통과한 빛은 보조 반사 거울에서 반사되어 한 쌍의 마이크로 렌즈를 통과하면서 분리되고 각각의 AF 센서에 도달하게 된다. 이때 AF 센서에서는 광학적으로 이미 결정되어 있는 위상차 기준값과, 새롭게 측정한 위상차 값을 비교하여 초점이 맞았는지를 판단하게 된다.

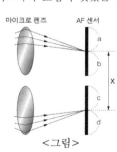
마이크로 렌즈　　AF 센서
〈그림〉

<그림>과 같이 한 쌍의 마이크로 렌즈를 지난 빛들이 각각의 AF 센서 표면의 한 점에서 수렴되면, 이 두 점 사이의 간격인 위상차 값 X가 광학적으로 이미 결정되어 있는 위상차 기준값과 일치하게 되어 AF 센서는 초점이 맞았다고 판단한다. 하지만 <그림>의 상황과 달리 마이크로 렌즈를 지난 빛들이 AF 센서에 도달하기 전에 수렴하게 되면 빛들은 각각 AF 센서의 b 영역과 c 영역에 퍼져서 도달한다. 이 경우 측정된 위상차 값은 정해진 위상차 기준값보다 작아지기 때문에 초점을 맞추기 위해 촬영 렌즈를 뒤로 이동시킨다. 반대로 마이크로 렌즈를 지난 빛들이 AF 센서에 도달할 때까지 수렴하지 못하게 되면 빛들은 각각 AF 센서의 a 영역과 d 영역에 퍼져서 도달한다. 이 경우 측정된 위상차 값은 정해진 위상차 기준값보다 커지기 때문에 초점을 맞추기 위해 촬영 렌즈를 앞으로 이동시킨다. 이 방식은 AF 센서에서 초점을 검출하여 촬영 렌즈를 한 번만 이동시키기 때문에 초점을 맞추는 속도가 상대적으로 빠르다.

9. ㉠에 대한 설명으로 적절하지 않은 것은?
① 대비 검출 방식에서 ㉠은 촬영 렌즈를 통해 들어와 이미지 센서로 바로 보내진다.
② 대비 검출 방식에서 촬영 렌즈는 ㉠의 대비가 최대치가 되는 지점을 찾기 위해 반복하여 움직인다.
③ 위상차 검출 방식에서 주 반사 거울을 통과한 ㉠은 보조 반사 거울에서 반사된다.
④ 위상차 검출 방식에서 ㉠은 초점을 이미지 센서에서 검출하기 위해 마이크로 렌즈로 이동한 후 분리된다.
⑤ 위상차 검출 방식에서 주 반사 거울에서 반사된 ㉠은 촬영자가 피사체를 눈으로 직접 확인할 수 있는 뷰파인더로 보내진다.

10. <보기>는 윗글을 읽은 학생이 보인 반응이다. ㉮~㉱에 들어갈 말로 적절한 것은?

〈 보 기 〉

빠른 속도로 움직이는 자동차를 촬영하기 위해서는 (㉮) 방식 중에서 (㉯) 방식보다는 (㉰) 방식을 사용하는 것이 상대적으로 유리하겠어. 왜냐하면 초점을 맞추는 속도가 (㉱) 때문이야.

	㉮	㉯	㉰	㉱
①	자동 초점	대비 검출	위상차 검출	빠르기
②	자동 초점	위상차 검출	대비 검출	느리기
③	위상차 검출	대비 검출	자동 초점	빠르기
④	위상차 검출	자동 초점	대비 검출	느리기
⑤	대비 검출	자동 초점	위상차 검출	빠르기

11. 윗글을 바탕으로 <보기>를 이해한 내용으로 적절하지 <u>않은</u> 것은? [3점]

<보 기>

다음은 위상차 검출 방식을 적용하는 카메라를 활용한 촬영에서 AF 센서에 빛이 도달하는 과정의 일부를 도식화한 것이다. 이때 X_1과 X_2는 각각의 위상차 값을 의미한다.

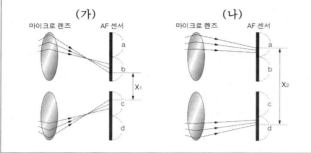

① (가)에서 X_1을 위상차 기준값과 동일하게 만들기 위해서 촬영 렌즈는 한 번만 움직이게 되겠군.

② (가)에서 빛들이 b 영역과 c 영역에 퍼져서 도달한 것으로 보아 X_1은 정해진 위상차 기준값보다 작겠군.

③ (가)에서 빛들이 AF 센서에 도달하기 전에 수렴된 것으로 보아 초점을 맞추기 위해서는 촬영 렌즈를 뒤로 이동해야겠군.

④ (나)에서 빛들이 a 영역과 d 영역에 퍼져서 도달한 것으로 보아 AF 센서는 X_2를 줄여야 초점을 맞출 수 있다고 판단하겠군.

⑤ (나)에서 빛들이 각각의 AF 센서 표면의 한 점에 수렴될 수 있도록 촬영 렌즈를 이동해 위상차 기준값을 크게 만들어야겠군.

12. 문맥상 ⓐ의 의미와 가장 가까운 것은?

① 우리끼리는 서로 <u>통하는</u> 면이 있다.

② 그의 주장은 앞뒤가 잘 <u>통하지</u> 않는다.

③ 그들은 비상구를 <u>통해</u> 건물을 빠져나갔다.

④ 이 바닥에서는 그런 얄팍한 수는 <u>통하지</u> 않는다.

⑤ 나는 두 사람이 오래전부터 소식을 <u>통해</u> 온 것을 알고 있다.

총 문항					문항		맞은 문항				문항
개별 문항	1	2	3	4	5	6	7	8	9	10	
채점											
개별 문항	11	12	13	14	15	16	17	18	19	20	
채점											

8분 | 2022학년도 6월 모평 14~17번 | ★★☆ | 정답 039쪽

【1~4】다음 글을 읽고 물음에 답하시오.

1993년 노벨 화학상은 중합 효소 연쇄 반응(PCR)을 개발한 멀리스에게 수여된다. 염기 서열을 아는 DNA가 한 분자라도 있으면 이를 다량으로 증폭할 수 있는 길을 열었기 때문이다. PCR는 주형 DNA, 프라이머, DNA 중합 효소, 4종의 뉴클레오타이드가 필요하다. 주형 DNA란 시료로부터 추출하여 PCR에서 DNA 증폭의 바탕이 되는 이중 가닥 DNA를 말하며, 주형 DNA에서 증폭하고자 하는 부위를 표적 DNA라 한다. 프라이머는 표적 DNA의 일부분과 동일한 염기 서열로 이루어진 짧은 단일 가닥 DNA로, 2종의 프라이머가 표적 DNA의 시작과 끝에 각각 결합한다. DNA 중합 효소는 DNA를 복제하는데, 단일 가닥 DNA의 각 염기 서열에 대응하는 뉴클레오타이드를 순서대로 결합시켜 이중 가닥 DNA를 생성한다.

PCR 과정은 우선 열을 가해 이중 가닥의 DNA를 2개의 단일 가닥으로 분리하는 것으로 시작한다. 이후 각각의 단일 가닥 DNA에 프라이머가 결합하면, DNA 중합 효소에 의해 복제되어 2개의 이중 가닥 DNA가 생긴다. 일정한 시간 동안 진행되는 이러한 DNA 복제 과정이 한 사이클을 이루며, 사이클마다 표적 DNA의 양은 2배씩 증가한다. 그리고 DNA의 양이 더 이상 증폭되지 않을 정도로 충분히 사이클을 수행한 후 PCR를 종료한다. 전통적인 PCR는 PCR의 최종 산물에 형광 물질을 결합시켜 발색을 통해 표적 DNA의 증폭 여부를 확인한다.

PCR는 시료의 표적 DNA 양도 알 수 있는 실시간 PCR라는 획기적인 개발로 이어졌다. 실시간 PCR는 전통적인 PCR와 동일하게 PCR를 실시하지만, 사이클마다 발색 반응이 일어나도록 하여 누적되는 발색을 통해 표적 DNA의 증폭을 실시간으로 확인할 수 있다. 이를 위해 실시간 PCR에서는 PCR 과정에 발색 물질이 추가로 필요한데, '이중 가닥 DNA 특이 염료' 또는 '형광 표식 탐침'이 이에 이용된다. ⊙이중 가닥 DNA 특이 염료는 이중 가닥 DNA에 결합하여 발색하는 형광 물질로, 새로 생성된 이중 가닥 표적 DNA에 결합하여 발색하므로 표적 DNA의 증폭을 알 수 있게 한다. 다만, 이중 가닥 DNA 특이 염료는 모든 이중 가닥 DNA에 결합할 수 있기 때문에 2개의 프라이머끼리 결합하여 이중 가닥의 이합체(二合體)를 형성한 경우에는 이와 결합하여 의도치 않은 발색이 일어난다.

ⓒ형광 표식 탐침은 형광 물질과 이 형광 물질을 억제하는 소광 물질이 붙어 있는 단일 가닥 DNA 단편으로, 표적 DNA에서 프라이머가 결합하지 않는 부위에 특이적으로 결합하도록 설계된다. PCR 과정에서 이중 가닥 DNA가 단일 가닥으로 되면, 형광 표식 탐침은 프라이머와 마찬가지로 표적 DNA에 결합한다. 이후 DNA 중합 효소에 의해 이중 가닥 DNA가 형성되는 과정 중에 탐침은 표적 DNA와의 결합이 끊어지고 분해된다. 탐침이 분해되어 형광 물질과 소광 물질의 분리가 일어나면 비로소 형광 물질이 발색되며, 이로써 표적 DNA가 증폭되었음을 알 수 있다. 형광 표식 탐침은 표적 DNA에 특이적으로 결합하는 장점을 지니나 상대적으로 비용이 비싸다.

실시간 PCR에서 발색도는 증폭된 이중 가닥 표적 DNA의 양에 비례하며, 일정 수준의 발색도에 도달하는 데 필요한 사이클은 표적 DNA의 초기 양에 따라 달라진다. 사이클의 진행에 따른 발색도의 변화가 연속적인 선으로 표시되며, [A] 표적 DNA를 검출했다고 판단하는 발색도에 도달하는 데 소요된 사이클을 Ct값이라 한다. 표적 DNA의 농도를 알지 못하는 미지 시료의 Ct값과 표적 DNA의 농도를 알고 있는 표준 시료의 Ct값을 비교하면 미지 시료에 포함된 표적 DNA의 농도를 계산할 수 있다.

PCR는 시료로부터 얻은 DNA를 가지고 유전자 복제, 유전병 진단, 친자 감별, 암 및 감염성 질병 진단 등에 광범위하게 활용된다. 특히 실시간 PCR를 이용하면 바이러스의 감염 여부를 초기에 정확하고 빠르게 진단할 수 있다.

1. 윗글에서 알 수 있는 내용으로 적절하지 <u>않은</u> 것은?

① 2종의 프라이머 각각의 염기 서열과 정확히 일치하는 염기 서열을 주형 DNA에서 찾을 수 없다.

② PCR에서 표적 DNA 양이 초기 양을 기준으로 처음의 2배가 되는 시간과 4배에서 8배가 되는 시간은 같다.

③ 전통적인 PCR는 표적 DNA 농도를 아는 표준 시료가 있어도 미지 시료의 표적 DNA 농도를 PCR 과정 중에 알 수 없다.

④ 실시간 PCR는 가열 과정을 거쳐야 시료에 포함된 표적 DNA의 양을 증폭할 수 있다.

⑤ 실시간 PCR를 실시할 때에 표적 DNA의 증폭이 일어나려면 DNA 중합 효소와 프라이머가 필요하다.

2. ⊙과 ⓒ에 대한 설명으로 가장 적절한 것은?

① ⊙은 ⓒ과 달리 프라이머와 결합하여 이합체를 이룬다.

② ⊙은 ⓒ과 달리 표적 DNA에 붙은 채 발색 반응이 일어난다.

③ ⓒ은 ⊙과 달리 형광 물질과 결합하여 이합체를 이룬다.

④ ⓒ은 ⊙과 달리 한 사이클의 시작 시점에 발색 반응이 일어난다.

⑤ ⊙과 ⓒ은 모두 이중 가닥 표적 DNA에 결합하는 물질이다.

3. 어느 바이러스 감염증의 진단 검사에 PCR를 이용하려고 한다. 윗글을 읽고 이해한 반응으로 가장 적절한 것은?

① 전통적인 PCR로 진단 검사를 할 때, 시료에 바이러스의 양이 적은 감염 초기에는 감염 여부를 진단할 수 없겠군.

② 전통적인 PCR로 진단 검사를 할 때, DNA 증폭 여부 확인에 발색 물질이 필요 없으니 비용이 상대적으로 싸겠군.

③ 전통적인 PCR로 진단 검사를 할 때, 실시간 증폭 여부를 확인할 필요가 없어 진단에 걸리는 시간을 줄일 수 있겠군.

④ 실시간 PCR로 진단 검사를 할 때, 표적 DNA의 염기 서열이 알려져 있어야 감염 여부를 분석할 수 있겠군.

⑤ 실시간 PCR로 진단 검사를 할 때, 감염 여부는 PCR가 끝난 후에야 알 수 있지만 실시간 증폭은 확인할 수 있겠군.

4. [A]를 바탕으로 <보기1>의 실험 상황을 가정하고 <보기2>와 같이 예상 결과를 추론하였다. ㉮~㉰에 들어갈 말로 적절한 것은? [3점]

―――<보기 1>―――

표적 DNA의 농도를 알지 못하는 ⓐ미지 시료와, 이와 동일한 표적 DNA를 포함하지만 그 농도를 알고 있는 ⓑ표준 시료가 있다. 각 시료의 DNA를 주형 DNA로 하여 같은 양의 시료로 동일한 조건에서 실시간 PCR를 실시한다.

―――<보기 2>―――

만약 ⓐ가 ⓑ보다 표적 DNA의 초기 농도가 높다면,
↓
표적 DNA가 증폭되는 동안, 사이클이 진행됨에 따라 시간당 시료의 표적 DNA의 증가량은 ⓐ가 (㉮).
↓
실시간 PCR의 Ct값에서의 발색도는 ⓐ가 (㉯).
↓
따라서 실시간 PCR의 Ct값은 ⓐ가 (㉰).

	㉮	㉯	㉰
①	ⓑ보다 많겠군	ⓑ보다 높겠군	ⓑ보다 크겠군
②	ⓑ보다 많겠군	ⓑ와 같겠군	ⓑ보다 작겠군
③	ⓑ와 같겠군	ⓑ보다 높겠군	ⓑ보다 작겠군
④	ⓑ와 같겠군	ⓑ와 같겠군	ⓑ보다 작겠군
⑤	ⓑ와 같겠군	ⓑ보다 높겠군	ⓑ보다 크겠군

【5~9】 다음 글을 읽고 물음에 답하시오.

폐의 혈액으로 들어온 산소는 심장을 거쳐 신체의 각 조직으로 ⓐ전달되어 에너지 생성에 이용되고, 물질대사 결과 생긴 노폐물인 이산화 탄소는 혈액을 통해 심장을 거쳐 폐로 전달되어 몸 밖으로 배출된다. 혈액과 폐포, 혈액과 조직 사이에서의 기체 교환은 분압* 차에 따른 확산에 의해 일어나며, 기체는 분압이 높은 곳에서 낮은 곳으로 확산된다. 한편 혈액을 운반하는 혈관 중에 심장에서 나와 폐나 각 조직으로 가는 혈액이 흐르는 혈관을 동맥, 폐나 각 조직에서 심장으로 가는 혈액이 흐르는 혈관을 정맥이라고 한다. 폐에서 기체 교환이 일어난 후 심장을 거쳐 각 조직으로 흐르는 혈액은 ㉮동맥혈, 조직에서 기체 교환이 일어난 후 폐로 흐르는 혈액은 ㉯정맥혈이다.

폐포 내 산소 분압은 100~110㎜Hg이고 그 주위의 모세 혈관 내 정맥혈의 산소 분압은 40㎜Hg이므로 폐포 내 산소가 폐포를 둘러싼 모세 혈관의 정맥혈로 확산된다. 이때 산소가 풍부해진 혈액은 심장을 거쳐 신체의 각 조직으로 흘러가고, 각 조직의 모세 혈관을 흐르는 동맥혈의 산소 분압은 100㎜Hg, 조직 내 산소 분압은 평균 40㎜Hg이므로 동맥혈 내의 산소는 조직으로 확산된다. 산소를 방출한 혈액은 심장을 거쳐 폐로 흘러간다. 그런데 산소는 물에 대한 용해도가 작아 혈장*에 용해된 상태로 운반되는 양은 폐에서 조직으로 운반되는 산소의 약 1.5%에 ⓑ불과하고, 약 98.5%는 적혈구 내에 있는 헤모글로빈과 결합하여 산소 헤모글로빈 형태로 운반된다.

산소 분압에 따른 헤모글로빈의 산소 포화도를 나타내는 곡선을 산소 해리 곡선이라고 하는데, 산소 해리 곡선에서 가로축은 혈액 내의 산소 분압, 세로축은 헤모글로빈의 산소 포화도를 나타낸다. 어떤 산소 분압에서 헤모글로빈이 산소와 결합한 정도인 산소 포화도와 헤모글로빈이 산소와 분리된 정도인 산소 해리도를 더한 값은 100%이다. 이 곡선은 완만한 S자형으로, 산소 분압이 낮아질 때 산소 헤모글로빈으로부터 해리되는 산소의 양은 산소 분압이 40~100㎜Hg 구간보다 0~40㎜Hg 구간에서 더 많다. 헤모글로빈의 산소 친화도는 헤모글로빈이 산소와 결합하려는 경향을 나타내는데, 산소 친화도에 영향을 미치는 요인에는 산소 분압 외에도 혈액의 pH(수소 이온 농도 지수), 온도 등이 있다. 어떤 조직의 물질대사가 활발해지면 이산화 탄소의 증가로 인해 주변 모세 혈관 내 혈액의 pH가 낮아진다. 혈액의 pH가 낮아지면 헤모글로빈의 산소 친화도가 작아져서 산소의 해리가 ⓒ촉진되어 주변 조직으로 산소가 방출된다. 즉 산소 분압이 같을 때 pH가 더 낮은 곳에서 산소 헤모글로빈으로부터 더 많은 산소가 방출된다. 또한 운동과 같은 신체 활동으로 인해 온도가 높아진 조직 주변 모세 혈관을 흐르는 혈액에서도 산소가 더 쉽게 해리되어 그 조직으로 운동 전보다 더 많은 산소가 방출된다.

한편 각 조직의 물질대사 결과 생긴 노폐물인 이산화 탄소도 혈액으로 확산되어 운반된다. 조직의 이산화 탄소 분압은 평균 46㎜Hg이고, 동맥혈 내 이산화 탄소 분압은 40㎜Hg이므로 조직 내 이산화 탄소는 조직 주변 모세 혈관을 흐르는 혈액으로 확산된다. 조직에서 폐로 운반되는 이산화 탄소의 약 7%는 혈장에 용해된 상태로, 약 23%는 적혈구에 있는 헤모글로빈과 결합하여 카르바미노헤모글로빈 형태로 운반된다. 산소와 결합하지 않은 헤모글로빈은 산소와 결합한 헤모글로빈보다 쉽게 이산화 탄소와 결합하여 카르바미노헤모글로빈을 형성하므로 정맥혈이 동맥혈보다도 헤모글로빈을 이용한 이산화 탄소 운반에 ⓓ유용하다.

　그리고 약 70%의 이산화 탄소는 탄산수소 이온 형태로 운반된다. 조직에서 확산된 이산화 탄소는 주로 적혈구 내에서 탄산 무수화 효소의 작용으로 물과 결합하여 탄산을 형성하고, 탄산은 수소 이온과 탄산수소 이온으로 이온화된다. 이때 수소 이온은 주로 헤모글로빈과 결합하고 탄산수소 이온은 혈장으로 확산되어 폐로 운반된다. 폐포 주위의 모세 혈관에서는 이와 반대의 반응이 일어난다. 즉 탄산수소 이온은 적혈구로 이동하여 수소 이온과 재결합하여 탄산을 형성하고, 탄산은 탄산 무수화 효소의 작용으로 이산화 탄소와 물이 된다. 이 과정에서 생성된 이산화 탄소는 폐포 내로 확산되어 체외로 ⓔ배출된다.

* 분압: 혼합 기체에서 특정 기체에 의한 압력.
* 혈장: 혈액에서 혈구를 제외한 액상 성분.

5. 윗글의 내용과 일치하는 것은?
① 탄산 무수화 효소는 이산화 탄소와 물이 결합하여 탄산을 형성하는 과정과 탄산이 이산화 탄소와 물로 되는 과정에서 작용한다.
② 폐에서 조직으로 운반되는 산소와 조직에서 폐로 운반되는 이산화 탄소는 각각 세 가지 방식으로 운반된다.
③ 산소와 결합하지 않은 헤모글로빈이 산소와 결합한 헤모글로빈보다 이산화 탄소와 결합하기 어렵다.
④ 이산화 탄소와 물이 결합하여 탄산이 형성되는 반응은 주로 혈장에서 일어난다.
⑤ 평균적으로 조직 내의 산소 분압은 46㎜Hg, 이산화 탄소 분압은 40㎜Hg이다.

6. 윗글을 바탕으로 <보기>를 이해한 내용으로 적절하지 않은 것은?

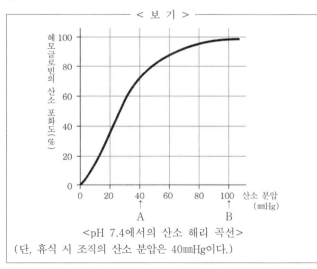

< 보 기 >
<pH 7.4에서의 산소 해리 곡선>
(단, 휴식 시 조직의 산소 분압은 40㎜Hg이다.)

① 산소 분압이 낮아질 때 A부터 B 구간에서 감소되는 산소 포화도보다 A 이하 구간에서 감소되는 산소 포화도가 더 크다.
② 조직의 온도가 휴식 시보다 상승하면 그 조직의 주변을 흐르는 혈액의 산소 포화도는 A일 때보다 증가한다.
③ 헤모글로빈의 산소 포화도와 산소 해리도를 더한 값은 A와 B에서 동일하다.
④ B와 A에서의 산소 포화도 차이만큼의 산소가 휴식 시 조직으로 전달된다.
⑤ A에서의 산소 해리도는 B에서의 산소 해리도보다 더 크다.

7. ㉮, ㉯에 대한 설명으로 적절하지 않은 것은?
① ㉮의 산소 분압은 조직을 지나면 낮아진다.
② ㉮에는 헤모글로빈과 결합한 산소의 양이 혈장에 용해된 산소의 양보다 많다.
③ ㉯는 폐포를 지나면 이산화 탄소 분압이 낮아진다.
④ ㉯에서 이산화 탄소는 대부분 카르바미노헤모글로빈의 형태로 운반된다.
⑤ ㉯는 조직에서 심장으로 가는 혈관과, 심장에서 폐로 가는 혈관에 흐른다.

8. 윗글을 참고하여 <보기>에 대해 반응한 내용으로 적절하지 않은 것은? [3점]

< 보 기 >
가. 일산화 탄소 중독은 일산화 탄소의 지나친 흡입으로 어지럼증, 혼수 등의 증상이 나타나는 현상이다. 일산화 탄소는 헤모글로빈과 결합하려는 경향이 산소의 200배 이상이기 때문에 산소와 결합할 수 있는 헤모글로빈의 양을 감소시킨다. 그리고 일산화 탄소는 조직에서 산소 헤모글로빈으로부터 산소의 방출을 억제한다.
나. 과다 호흡 증후군은 동맥혈의 이산화 탄소 농도가 정상 범위 아래로 떨어져 호흡 곤란, 어지럼증 등의 증상이 나타나는 현상이다. 봉지에 입을 대고 호흡을 하게 하는 응급 처치를 하면 증상을 완화하는 데 도움이 된다.
다. 호흡성 산증은 폐에서 기체 교환의 감소로 동맥혈의 이산화 탄소 분압이 증가하여 호흡 곤란, 두통 등의 증상이 나타나는 현상이다.

① 가 : 일산화 탄소를 지나치게 흡입하게 되면, 생성되는 산소 헤모글로빈의 양이 평상시보다 줄어들겠군.
② 가 : 일산화 탄소는 산소 헤모글로빈에서 산소가 잘 해리되지 않게 하겠군.
③ 나 : 과다 호흡 증후군은 폐를 통한 이산화 탄소 배출이 너무 많이 일어나는 경우에 발생하는 증상이겠군.
④ 나 : 봉지에 입을 대고 호흡을 하게 되면 평상시보다 더 적은 양의 이산화 탄소를 흡입하게 되겠군.
⑤ 다 : 호흡성 산증이 나타난 사람의 체내에는 이산화 탄소가 배출되지 못해 축적되어 있겠군.

9. ⓐ~ⓔ의 사전적 의미로 적절한 것은?
① ⓐ : 널리 알림.
② ⓑ : 목적한 바를 시도하였으나 이루지 못함.
③ ⓒ : 다그쳐 빨리 나아가게 함.
④ ⓓ : 반드시 요구되는 바가 있음.
⑤ ⓔ : 나누어 줌.

【10~13】 다음 글을 읽고 물음에 답하시오.

질병을 유발하는 병원체에는 세균, 진균, 바이러스 등이 있다. 생명체의 기본 구조에 속하는 세포막은 지질을 주성분으로 하는 이중층이다. 세균과 진균은 일반적으로 세포막 바깥 부분에 세포벽이 있고, 바이러스의 표면은 세포막 대신 캡시드라고 부르는 단백질로 이루어져 있다. 바이러스의 종류에 따라 캡시드 외부가 지질을 주성분으로 하는 피막으로 덮인 경우도 있다. 한편 진균과 일부 세균은 다른 병원체에 비해 건조, 열, 화학 물질에 저항성이 강한 포자를 만든다.

생활 환경에서 병원체의 수를 억제하고 전염병을 예방하기 위한 목적으로 사용하는 방역용 화학 물질을 '항(抗)미생물 화학제'라 한다. 항미생물 화학제는 다양한 병원체가 공통으로 갖는 구조를 구성하는 성분들에 화학 작용을 일으키므로 광범위한 살균 효과가 있다. 그러나 병원체의 구조와 성분은 병원체의 종류에 따라 완전히 같지는 않으므로, 동일한 항미생물 화학제라도 그 살균 효과는 다를 수 있다.

항미생물 화학제 중 ㉠멸균제는 포자를 포함한 모든 병원체를 파괴한다. ㉡감염방지제는 포자를 제외한 병원체를 사멸시키는 화합물로 병원, 공공시설, 가정의 방역에 사용된다. 감염방지제 중 독성이 약해 사람의 피부나 상처 소독에도 사용이 가능한 항미생물 화학제를 ㉢소독제라 한다. 사람의 세포막도 지질 성분으로 이루어져 있어 소독제라 하더라도 사람의 세포를 죽일 수 있으므로, 눈이나 호흡기 등의 점막에 접촉하지 않도록 주의해야 한다. 따라서 항미생물 화학제는 병원체에 대한 최대의 방역 효과와 인체 및 환경에 대한 최고의 안전성을 확보할 수 있도록 종류별 사용법을 지켜야 한다.

항미생물 화학제의 작용기제는 크게 병원체의 표면을 손상시키는 방식과 병원체 내부에서 대사 기능을 저해하는 방식으로 나눌 수 있지만, 많은 경우 두 기제가 함께 작용한다. 고농도 에탄올 등의 알코올 화합물은 세포막의 기본 성분인 지질을 용해시키고 단백질을 변성시키며, 병원성 세균에서는 세포벽을 약화시킨다. 또한 알코올 화합물은 지질 피막이 없는 바이러스보다 지질 피막이 있는 병원성 바이러스에서 방역 효과가 크다. 지질 피막은 병원성 바이러스가 사람을 감염시키는 과정에서 중요한 역할을 하기 때문에, 지질을 손상시키는 기능을 가진 항미생물 화학제만으로도 병원성 바이러스에 대한 방역 효과가 있다. 지질 피막의 유무와 관계없이 다양한 바이러스의 감염 예방을 위해서는 하이포염소산 소듐 등의 산화제가 널리 사용된다. 병원성 바이러스의 방역에 사용되는 산화제는 바이러스의 공통적인 표면 구조를 이루는 캡시드를 손상시키는 기능이 있어 바이러스를 파괴하거나 바이러스의 감염력을 잃게 한다.

병원체의 표면에 생긴 약간의 손상이 병원체를 사멸시키는 데 충분하지 않더라도, 항미생물 화학제가 내부로 침투하면 살균 효과가 증가한다. 알킬화제와 산화제는 병원체의 내부로 침투하면 필수적인 물질 대사를 정지시킨다. 글루타르 알데하이드와 같은 알킬화제가 알킬 작용기를 단백질에 결합시키면 단백질을 변성시켜 기능을 상실하게 하고, 핵산의 염기에 결합시키면 핵산을

비정상 구조로 변화시켜 유전자 복제와 발현을 교란한다. 산화제인 하이포염소산 소듐은 병원체 내에서 불특정한 단백질들을 산화시켜 단백질로 이루어진 효소들의 기능을 비활성화하고 병원체를 사멸에 이르게 한다.

10. 윗글에서 답을 찾을 수 있는 질문에 해당하지 <u>않는</u> 것은?

① 병원성 세균은 어떤 작용기제로 사람을 감염시킬까?
② 알코올 화합물은 병원성 세균의 살균에 효과가 있을까?
③ 바이러스와 세균의 표면 구조는 어떤 차이가 있을까?
④ 병원성 바이러스 감염 예방을 위한 방역에 사용되는 물질에는 무엇이 있을까?
⑤ 항미생물 화학제가 병원체에 대해 광범위한 살균 효과를 나타내는 이유는 무엇일까?

11. 윗글을 읽고 이해한 내용으로 적절하지 <u>않은</u> 것은?

① 고농도 에탄올은 지질 피막이 있는 바이러스에 방역 효과가 있다.
② 하이포염소산 소듐은 병원체의 내부가 아니라 표면의 단백질을 손상시킨다.
③ 진균의 포자는 바이러스에 비해서 화학 물질에 대한 저항성이 더 강하다.
④ 알킬화제는 병원체 내 핵산의 염기에 알킬 작용기를 결합시켜 유전자의 발현을 방해한다.
⑤ 산화제가 다양한 바이러스를 사멸시키는 것은 그 산화제가 바이러스의 공통적인 구조를 구성하는 성분들에 작용하기 때문이다.

12. ⊙~ⓒ에 대한 설명으로 적절한 것은?

① ⊙과 ⓒ은 모두, 질병의 원인이 되는 진균의 포자와 바이러스를 사멸시킬 수 있다.
② ⊙과 ⓒ은 모두, 생활 환경의 방역뿐 아니라 사람의 상처 소독에 적용 가능하다.
③ ⓒ과 ⓒ은 모두, 바이러스의 종류에 따라 살균 효과가 달라질 수 있다.
④ ⊙은 ⓒ과 달리, 세포막이 있는 병원성 세균은 사멸시킬 수 있으나 피막이 있는 병원성 바이러스는 사멸시킬 수 없다.
⑤ ⓒ은 ⓒ과 달리, 인체에 해로우므로 사람의 점막에 직접 닿아서는 안 된다.

13. <보기>는 윗글을 읽은 학생이 '가상의 실험 결과'를 보고 추론한 내용이다. [가]에 들어갈 말로 적절하지 <u>않은</u> 것은? [3점]

───────────〈보 기〉───────────

ㅇ 가상의 실험 결과

┌─────────────────────────────────────┐
│ 항미생물 화학제로 사용되는 알코올 화합물 A를 변환 │
│ 시켜 다음과 같은 결과를 얻었다. │
│ 〔결과 1〕 A에서 지질을 손상시키는 기능만을 약화시켜 │
│ B를 얻었다. │
│ 〔결과 2〕 A에서 캡시드를 손상시키는 기능만을 강화시켜 │
│ C를 얻었다. │
│ 〔결과 3〕 B에서 캡시드를 손상시키는 기능만을 강화시켜 │
│ D를 얻었다. │
└─────────────────────────────────────┘

ㅇ 학생의 추론 : 화합물들의 방역 효과와 안전성을 비교해
보면, [[가]   ]고 추론할 수 있어.

(단, 지질 손상 기능과 캡시드 손상 기능은 서로 독립적이며, 화합물 A, B, C, D의 비교 조건은 모두 동일하다고 가정함.)

① B는 A에 비해 지질 피막이 있는 바이러스에 대한 방역 효과는 작고, 인체에 대한 안전성은 높다
② C는 A에 비해 지질 피막이 없는 바이러스에 대한 방역 효과는 크고, 인체에 대한 안전성은 같다
③ C는 B에 비해 지질 피막이 있는 바이러스에 대한 방역 효과는 크고, 인체에 대한 안전성은 같다
④ D는 A에 비해 지질 피막이 없는 바이러스에 대한 방역 효과는 크고, 인체에 대한 안전성은 높다
⑤ D는 B에 비해 지질 피막이 없는 바이러스에 대한 방역 효과는 크고, 인체에 대한 안전성은 같다

총 문항				문항	맞은 문항				문항
개별 문항	1	2	3	4	5	6	7	8	9	10
채점										
개별 문항	11	12	13	14	15	16	17	18	19	20
채점										

10분 | 2020학년도 4월 학평 16~20번 | ★★☆ | 정답 042쪽

【1~5】 다음 글을 읽고 물음에 답하시오.

일반적으로 액체나 기체처럼 물질을 구성하고 있는 입자가 쉽게 움직이거나 입자 간의 상대적인 위치를 쉽게 변화시킬 수 있는 물질을 유체라고 ㉠부른다. 유체에 작용하는 힘과 유체의 운동 원리를 ㉡다루는 유체역학에서는 응력과 점성이라는 개념을 사용하여 유체의 특성을 설명한다.

응력이란 어떤 물질에 외부에서 힘이 가해졌을 때 물질의 내부에서 이에 대항하여 외부의 힘과 반대 방향으로 작용하는 힘이다. 응력은 작용하는 방향에 따라 종류를 나눌 수 있는데 그중 물질의 표면과 평행하게 작용하는 응력을 전단응력이라고 한다. 유체는 이러한 전단응력이 작용할 때 그 형태가 연속적으로 변형된다. 이때 유체가 변형되는 양상은 유체가 가지고 있는 점성에 의해 영향을 받게 된다. 점성이란 유체를 구성하는 입자들의 상호 작용으로 인해 나타나는, 유체가 운동에 저항하는 성질을 말한다.

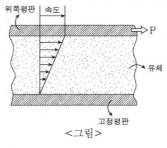
<그림>

<그림>의 실험과 같이 매우 넓은 두 평행평판 사이에 어떤 유체가 들어 있는 경우를 가정해 보자. 이때 평행평판 중 아래쪽은 고정되어 움직이지 않는 고정평판이고, 위쪽평판은 자유롭게 움직일 수 있다. 다른 힘이 작용하지 않는다고 할 때 위쪽평판에 P 방향으로 힘이 가해지면 위쪽평판이 P 방향으로 일정한 속도로 운동하게 된다. 위쪽평판의 운동에 따라 평판 사이의 유체에는 전단응력이 발생하게 된다. 이후 유체를 ㉢이루는 입자들은 일정한 속도로 운동하기 시작하고 그에 따라 유체는 연속적으로 그 모습이 변형된다. 이때 위쪽평판에 접하고 있는 유체 입자들은 위쪽평판과 동일 속도로 이동하고, 고정평판에 접하고 있는 유체 입자들은 이동하지 않는다. 이는 유체가 지닌 점성 때문에 ㉣나타나는 현상이다. 그리고 <그림>에서처럼 두 평판 사이에 있는 유체 입자들의 속도는 고정평판으로부터 위쪽평판 사이의 거리에 비례하여 일정한 비율로 커진다. 그런데 <그림>에서 전단응력이 증가하게 되면 유체 입자들의 속도도 증가하게 되고, 이에 따라 유체의 변형이 커져 전단응력에 따른 시간당 유체가 변형되는 변화율을 의미하는 전단변형률도 커지게 된다. 이를 수식으로 나타내면,

전단응력 = 점성계수 × 전단변형률

로 표현할 수 있다. 이 식에서 점성계수는 유체가 지닌 점성을 수치화하여 표현한 값으로, 유체마다 고유의 값으로 나타난다. 이러한 점성계수의 특징 때문에 전단응력이 일정하다면 점성계수에 따라 전단변형률은 달라지게 된다. 단, 유체의 점성계수는 온도의 변화에 따라 달라질 수 있다.

한편 점성계수가 전단응력이나 전단변형률의 크기에 관계없이 항상 일정한 유체를 뉴턴 유체라고 한다. 뉴턴 유체는 점성계수가 일정하기 때문에 전단응력이 증가함에 따라 전단변형률도 일정하게 증가하게 되는데, 이를 전단변형률을 가로축으로 하고 전단응력을 세로축으로 하는 그래프로 나타내면 일정한

기울기를 가진 직선의 형태로 나타난다. 이때 기울기는 점성계수를 의미한다.

이와 달리 비뉴턴 유체는 전단응력의 크기에 따라 점성계수가 변하는 특징을 가지고 있다. 따라서 전단변형률과 전단응력의 관계를 그래프로 나타내면, 기울기가 변하는 곡선의 형태로 나타난다. 이러한 특징을 가진 비뉴턴 유체에는 전단응력이 증가함에 따라 점성계수가 감소하는 전단희박 유체와, 전단응력이 증가함에 따라 점성계수가 증가하는 전단농후 유체가 있다. 또한 전단응력이 일정한 크기에 도달하기 전까지는 변형이 없다가 항복응력이라고 지칭되는 일정한 전단응력을 초과하면 변형이 ㉤일어나는 빙햄 유체 등이 있다.

1. 윗글의 내용과 일치하지 <u>않는</u> 것은?
① 전단응력이 작용하면 유체의 형태는 변형된다.
② 응력과 점성의 개념으로 유체의 특성을 설명할 수 있다.
③ 점성은 유체를 구성하는 입자들의 상호 작용 때문에 나타난다.
④ 전단응력은 물질의 표면에 평행하게 외부에서 작용하는 힘이다.
⑤ 액체와 기체는 입자 간의 상대적인 위치를 쉽게 변화시킬 수 있다.

2. <보기>는 윗글의 실험 설계에 따라 실험한 결과이다. 윗글을 바탕으로 <보기>를 이해한 내용으로 적절하지 <u>않은</u> 것은? [3점]

⟨ 보 기 ⟩

[실험 결과]

측정 항목 \ 실험	A	B	C
전단변형률	10	20	10

* 온도와 압력은 모든 실험에서 동일하다.
* 실험에 사용된 유체는 각각 다른 뉴턴 유체이다.

① A에서 사용된 유체의 경우, 전단응력이 증가한다면 전단변형률은 증가하겠군.
② B에서 사용된 유체의 경우, 전단응력이 증가하더라도 점성계수는 변하지 않겠군.
③ A와 B에서 사용된 각각의 유체에 작용한 전단응력이 같다면 점성계수는 A에서 사용된 유체가 크겠군.
④ A에서 사용된 유체의 점성계수가 C에서 사용된 유체의 점성계수보다 크다면, 유체에 작용한 전단응력은 A에서 사용된 유체가 더 크겠군.
⑤ B와 C에서 사용된 각각의 유체의 점성계수가 같다면, C에서 사용된 유체에 작용한 전단응력이 더 크겠군.

3. <보기>는 유체 ⓐ와 ⓑ의 특성을 나타낸 그래프이다. 윗글을 바탕으로 <보기>의 ⓐ와 ⓑ에 대해 설명한 것으로 적절하지 <u>않은</u> 것은?

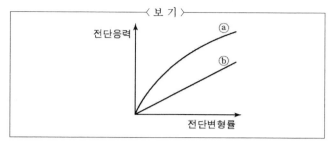

< 보 기 >

① ⓐ는 점성계수가 변하는 유체라고 할 수 있겠군.
② ⓐ는 전단응력에 따라 그래프의 기울기가 달라지는 유체겠군.
③ ⓑ는 온도가 변화하면 그래프의 기울기가 달라질 수 있겠군.
④ ⓑ는 전단응력에 따라 유체가 운동에 저항하는 성질이 달라지겠군.
⑤ ⓑ는 전단응력 값이 증가함에 따라 전단변형률이 일정하게 증가하는 유체겠군.

4. <보기>는 윗글을 읽은 학생이 보인 반응이다. ㉮ ~ ㉰에 들어갈 말로 적절한 것은?

< 보 기 >

마요네즈는 단순히 용기를 기울이기만 해서는 흘러나오지 않고, 일정한 힘 이상으로 눌러야만 나오기 시작한다. 왜냐하면 마요네즈는 전단응력이 증가하여 (㉮)보다 (㉯) 변형이 일어나는 (㉰) 유체이기 때문이다.

	㉮	㉯	㉰
①	항복응력	커져야	빙햄
②	항복응력	커져야	전단농후
③	항복응력	작아져야	전단희박
④	외부의 힘	커져야	전단농후
⑤	외부의 힘	작아져야	빙햄

5. 문맥상 ㉠ ~ ㉭과 가장 가까운 의미로 쓰인 것은?
① ㉠: 그 가게에서는 값을 비싸게 불렀다.
② ㉡: 회의에서 물가 안정을 주제로 <u>다루었다</u>.
③ ㉢: 우리는 모두 각자의 소원을 <u>이루었다</u>.
④ ㉣: 사건의 목격자가 우리 앞에 <u>나타났다</u>.
⑤ ㉭: 경기가 시작되자 사람들이 자리에서 <u>일어났다</u>.

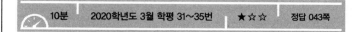
【6~10】 다음 글을 읽고 물음에 답하시오.

통증은 조직 손상이 ⓐ일어나거나 일어나려고 할 때 의식적인 자각을 주는 방어적 작용으로 감각의 일종이다. 통증을 유발하는 자극에는 강한 물리적 충격에 의한 기계적 자극, 높은 온도에 의한 자극, 상처가 나거나 미생물에 감염되었을 때 세포에서 방출하는 화학 물질에 의한 화학적 자극 등이 있다. 이러한 자극은 온몸에 퍼져 있는 감각 신경의 말단에서 받아들이는데, 이 신경 말단을 통각 수용기라 한다. 통각 수용기는 피부에 가장 많아 피부에서 발생한 통증은 위치를 확인하기 쉽지만, 통각 수용기가 많지 않은 내장 부위에서 발생한 통증은 위치를 정확히 확인하기 어렵다. 후각이나 촉각 수용기 등에는 지속적인 자극에 대해 수용기의 반응이 감소되는 감각 적응 현상이 일어난다. 하지만 통각 수용기에는 지속적인 자극에 대해 감각 적응 현상이 거의 일어나지 않는다. 그래서 우리 몸은 위험한 상황에 대응할 수 있게 된다.

대표적인 통각 수용 신경 섬유에는 Aδ 섬유와 C 섬유가 있다. Aδ 섬유에는 기계적 자극이나 높은 온도 자극에 반응하는 통각 수용기가 분포되어 있으며, C 섬유에는 기계적 자극이나 높은 온도 자극뿐만 아니라 화학적 자극에도 반응하는 통각 수용기가 분포되어 있다. Aδ 섬유를 따라 전도된 통증 신호가 대뇌 피질로 전달되면, 대뇌 피질에서는 날카롭고 쑤시는 듯한 짧은 초기 통증을 느끼고 통증이 일어난 위치를 파악한다. C 섬유를 따라 전도된 통증 신호가 대뇌 피질로 전달되면, 대뇌 피질에서는 욱신거리고 둔한 지연 통증을 느낀다. 이는 두 신경 섬유의 특징과 관련이 있다. Aδ 섬유는 직경이 크고 전도 속도가 빠르며, C 섬유는 직경이 작고 전도 속도가 느리다.

머리 아래쪽에서 발생한 <u>통증 신호의 전달</u>은 통각 수용기가 받아들인 자극이 전기적 신호로 변환되어 통각 수용기와 연결된 1차 신경 섬유를 따라 전도된 후, 척수에서 나오는 2차 신경 섬유를 따라 전도되어 시상을 거쳐 중추인 대뇌로 전달됨으로써 이루어진다. 1차 신경 섬유와 2차 신경 섬유는 척수에서 서로 시냅스*를 이루고 있어 통증 신호의 전달을 위해서는 1차 신경 섬유에서 신경 전달 물질이 분비되어야 한다. 신경 전달 물질인 글루탐산은 1차 신경 섬유 말단에서 분비되어 2차 신경 섬유에 있는 ㉠AMPA 수용체 및 ㉡NMDA 수용체와 결합하여 수용체를 활성화시킨다. 그런데 NMDA 수용체는 마그네슘 이온에 의해 억제되어 있어 소량의 글루탐산에는 AMPA 수용체만 먼저 활성화된다. AMPA 수용체가 활성화되면 2차 신경 섬유로 나트륨 이온이 유입되어 1차 신경 섬유를 따라 전도된 통증 신호가 2차 신경 섬유로 전달되며, 통증 신호는 시상을 거쳐 대뇌 피질로 전달된다. AMPA 수용체에 의해 나트륨 이온이 유입되면 뒤이어 NMDA 수용체도 활성화되어 나트륨 이온뿐만 아니라 칼슘 이온도 유입된다. 이 경우 칼슘 이온으로 인해 대뇌 피질로 통증 신호의 전달은 일어나지 않지만 통각 수용기의 민감도가 높아져 약한 자극에 대해서도 통각 수용기가 예민하게 반응하게 한다.

신경 전달 물질 서브스턴스 P는 1차 신경 섬유 말단에서 분비되어 2차 신경 섬유에 있는 NK 수용체를 활성화시켜 통증 신호를 2차 신경 섬유로 전달한다. 통증 신호는 시상을 거쳐 대뇌 피질로 들어가 통증을 느끼게 하고, 망상체와 시상 하부 등 뇌의 여러 부분을 포함하는 대뇌변연계로 전달되어 자율 신경과 내분비계를 자극하여 통증으로 인한 행동이나 감정 반응을 일으킨다.

한편 망상체에서 1차 신경 섬유의 말단으로 뻗어 있는 신경 섬유 말단에서는 엔도르핀, 엔케팔린, 다이노르핀 같은 진통 신경 전달 물질을 분비한다. 이 물질은 1차 신경 섬유의 말단에 있는 아편 수용체와 결합함으로써 1차 신경 섬유에서 서브스턴스 P가 분비되는 것을 억제하여 통증 신호가 2차 신경 섬유로 전달되지 못하도록 한다. 이러한 통증 억제 시스템은 신체가 외상을 입은 상황에서 통증을 완화시키거나 느끼지 못하게 하여 고통을 견딜 수 있게 하는 역할을 한다.

*시냅스: 한 신경 섬유의 말단 부위와 다른 신경이 수십 ㎚의 간격으로 가까이 접해 있는 것.

6. 윗글의 내용과 일치하지 <u>않는</u> 것은?

① Aδ 섬유는 C 섬유보다 직경이 크고 전도 속도가 빠르다.
② 통각 수용기가 많은 부위일수록 통증 위치를 확인하기 쉽다.
③ 망상체에는 1차 신경 섬유의 말단으로 뻗어 있는 신경 섬유가 있다.
④ 기계적 자극이나 높은 온도에 반응하는 통각 수용기가 Aδ 섬유와 C 섬유에 모두 분포되어 있다.
⑤ 통각 수용기는 수용기의 반응이 감소되는 감각 적응 현상을 일으켜 지속적인 자극에 의한 통증을 완화시킨다.

7. 윗글의 '통증 신호의 전달'에 대한 이해로 적절하지 <u>않은</u> 것은?

① C 섬유를 따라 전도된 통증 신호는 대뇌 피질로 전달되지 않는다.
② 1차 신경 섬유와 2차 신경 섬유가 시냅스를 이루는 부위는 척수이다.
③ Aδ 섬유를 통해 초기 통증을 느끼고, C 섬유를 통해 지연 통증을 느낀다.
④ 대뇌변연계에 통증 신호가 전달되면 통증에 의한 행동이나 감정 반응이 일어난다.
⑤ 글루탐산과 서브스턴스 P는 모두 1차 신경 섬유에서 분비되는 신경 전달 물질이다.

8. ㉠, ㉡에 대한 설명으로 적절하지 <u>않은</u> 것은?

① ㉠과 ㉡은 모두 2차 신경 섬유에 있는 수용체이다.
② ㉠은 1차 신경 섬유에서 분비된 글루탐산과 결합하여 활성화된다.
③ ㉡은 마그네슘 이온에 의해 억제되어 있다.
④ ㉡에 의해 칼슘 이온이 유입되면 통증 신호가 대뇌 피질까지 전달된다.
⑤ ㉠이 활성화되어 나트륨 이온이 유입되면 ㉡이 활성화된다.

9. 윗글을 참고할 때, <보기>에 대한 반응으로 가장 적절한 것은? [3점]

< 보 기 >

손상된 세포에서 생성되는 프로스타글란딘은 통각 수용기가 활성화되는 데 필요한 역치*를 낮추어 통증을 잘 느끼게 하는데, 아스피린 같은 약물은 프로스타글란딘의 생성을 억제하여 통증을 완화시킨다. 한편 강력한 진통제인 모르핀은 엔도르핀의 분자 구조와 유사하여 아편 수용체와 잘 결합한다. 하지만 중독성과 부작용이 심해서 통상적인 진통제가 효과가 없을 때 투여하는 최후의 진통제로 쓰인다.

*역치: 생물체가 자극에 대한 반응을 일으키는 데 필요한 최소한도의 자극의 세기를 나타내는 수치.

① 아스피린은 통각 수용기의 활성화를 어렵게 하여 자극을 잘 받아들이지 못하게 하고, 모르핀은 아편 수용체와 결합하여 통증 신호의 전달을 억제하겠군.
② 아스피린은 손상되었던 세포에서 프로스타글란딘의 생성을 활성화시키고, 모르핀은 망상체 및 시상 하부에 전달되어 엔도르핀의 분비를 활성화시키겠군.
③ 아스피린은 통증 자극의 세기를 줄여 통각 수용기의 반응을 감소시키고, 모르핀은 엔도르핀과 반응하여 2차 신경 섬유로 전달되는 통증 신호를 차단하겠군.
④ 아스피린은 통각 수용기를 둔감하게 하여 자극을 전기적 신호로 변환하지 못하게 하고, 모르핀은 서브스턴스 P와 반응하여 서브스턴스 P의 기능을 강화시키겠군.
⑤ 아스피린은 손상된 세포를 회복시켜 프로스타글란딘의 생성을 억제하고, 모르핀은 진통 신경 전달 물질의 분비를 억제하여 서브스턴스 P의 생성을 촉진하겠군.

10. ⓐ의 문맥적 의미와 가장 유사한 것은?

① 나는 평소보다 일찍 <u>일어났다</u>.
② 감기로 오한과 두통이 <u>일어났다</u>.
③ 겨울 외투 속의 솜털이 <u>일어났다</u>.
④ 망해 가던 회사가 <u>일어나</u> 안정을 찾았다.
⑤ 그는 갑자기 자리에서 <u>일어나</u> 앞으로 나왔다.

【11~14】다음 글을 읽고 물음에 답하시오.

신체의 세포, 조직, 장기가 손상되어 더 이상 제 기능을 하지 못할 때에 이를 대체하기 위해 이식을 실시한다. 이때 이식으로 옮겨 붙이는 세포, 조직, 장기를 이식편이라 한다. 자신이나 일란성 쌍둥이의 이식편을 이용할 수 없다면 다른 사람의 이식편으로 '동종 이식'을 실시한다. 그런데 우리의 몸은 자신의 것이 아닌 물질이 체내로 유입될 경우 면역 반응을 일으키므로, 유전적으로 동일하지 않은 이식편에 대해 항상 거부 반응을 일으킨다. 면역적 거부 반응은 면역 세포가 표면에 발현하는 주조직적합복합체(MHC) 분자의 차이에 의해 유발된다. 개체마다 MHC에 차이가 있는데 서로 간의 유전적 거리가 멀수록 MHC에 차이가 커져 거부 반응이 강해진다. 이를 막기 위해 면역 억제제를 사용하는데, 이는 면역 반응을 억제하여 질병 감염의 위험성을 높인다.

이식에는 많은 비용이 소요될 뿐만 아니라 이식이 가능한 동종 이식편의 수가 매우 부족하기 때문에 이를 대체하는 방법이 개발되고 있다. 우선 인공 심장과 같은 '전자 기기 인공 장기'를 이용하는 방법이 있다. 하지만 이는 장기의 기능을 일시적으로 대체하는 데 사용되며, 추가 전력 공급 및 정기적 부품 교체 등이 요구되는 단점이 있고, 아직 인간의 장기를 완전히 대체할 만큼 정교한 단계에 이르지는 못했다.

다음으로는 사람의 조직 및 장기와 유사한 다른 동물의 이식편을 인간에게 이식하는 '이종 이식'이 있다. 그런데 이종 이식은 동종 이식보다 거부 반응이 훨씬 심하게 일어난다. 특히 사람이 가진 자연항체는 다른 종의 세포에서 발현되는 항원에 반응하는데, 이로 인해 이종 이식편에 대해서 초급성 거부 반응 및 급성 혈관성 거부 반응이 일어난다. 이런 거부 반응을 일으키는 유전자를 제거한 형질 전환 미니돼지에서 얻은 이식편을 이식하는 실험이 성공한 바 있다. 미니돼지는 장기의 크기가 사람의 것과 유사하고 번식력이 높아 단시간에 많은 개체를 생산할 수 있다는 장점이 있어, 이를 이용한 이종 이식편을 개발하기 위한 연구가 진행되고 있다.

이종 이식의 또 다른 문제는 ㉠내인성 레트로바이러스이다. 내인성 레트로바이러스는 생명체의 DNA의 일부분으로, 레트로바이러스로부터 유래된 것으로 여겨지는 부위들이다. 이는 바이러스의 활성을 가지지 않으며 사람을 포함한 모든 포유류에 존재한다. ㉡레트로바이러스는 자신의 유전 정보를 RNA에 담고 있고 역전사 효소를 갖고 있는 바이러스로서, 특정한 종류의 세포를 감염시킨다. 유전 정보가 담긴 DNA로부터 RNA가 생성되는 전사 과정만 일어날 수 있는 다른 생명체와는 달리, 레트로바이러스는 다른 생명체의 세포에 들어간 후 역전사 과정을 통해 자신의 RNA를 DNA로 바꾸고 그 세포의 DNA에 끼어들어 감염시킨다. 이후에는 다른 바이러스와 마찬가지로 자신이 속해 있는 생명체를 숙주로 삼아 숙주 세포의 시스템을 이용하여 복제, 증식하고 일정한 조건이 되면 숙주 세포를 파괴한다.

그런데 정자, 난자와 같은 생식 세포가 레트로바이러스에 감염되고도 살아남는 경우가 있었다. 이런 세포로부터 유래된 자손의 모든 세포가 갖게 된 것이 내인성 레트로바이러스이다. 내인성 레트로바이러스는 세대가 지나면서 돌연변이로 인해 염기 서열의

변화가 일어나며 해당 세포 안에서는 바이러스로 활동하지 않는다. 그러나 내인성 레트로바이러스를 떼어 내어 다른 종의 세포 속에 주입하면 이는 레트로바이러스로 변환되어 그 세포를 감염시키기도 한다. 따라서 미니돼지의 DNA에 포함된 내인성 레트로바이러스를 효과적으로 제거하는 기술이 개발 중에 있다.

그동안의 대체 기술과 관련된 연구 성과를 토대로 ⓐ이상적인 이식편을 개발하기 위해 많은 연구가 수행되고 있다.

11. 윗글에서 알 수 있는 내용으로 적절하지 <u>않은</u> 것은?

① 동종 간보다 이종 간이 MHC 분자의 차이가 더 크다.
② 면역 세포의 작용으로 인해 장기 이식의 거부 반응이 일어난다.
③ 이종 이식을 하는 것만으로도 바이러스 감염의 원인이 될 수 있다.
④ 포유동물은 과거에 어느 조상이 레트로바이러스에 의해 감염된 적이 있다.
⑤ 레트로바이러스는 숙주 세포의 역전사 효소를 이용하여 RNA를 DNA로 바꾼다.

12. ⓐ가 갖추어야 할 조건으로 적절하지 <u>않은</u> 것은?

① 이식편의 비용을 낮추어서 정기 교체가 용이해야 한다.
② 이식편은 대체를 하려는 장기와 크기가 유사해야 한다.
③ 이식편과 수혜자 사이의 유전적 거리를 극복해야 한다.
④ 이식편은 짧은 시간에 대량으로 생산이 가능해야 한다.
⑤ 이식편이 체내에서 거부 반응을 유발하지 않아야 한다.

13. 다음은 신문 기사의 일부이다. 윗글을 참고할 때, 기사의 ㉮에 대한 반응으로 적절하지 <u>않은</u> 것은? [3점]

> ## ○○신문
> ○○○○년 ○○월 ○○일
>
> 최근에 줄기 세포 연구와 3D 프린팅 기술이 급속도로 발전하고 있다. 줄기 세포는 인체의 모든 세포나 조직으로 분화할 수 있다. 그러므로 수혜자 자신의 줄기 세포만을 이용하여 3D 바이오 프린팅 기술로 제작한 ㉮세포 기반 인공 이식편을 만들 수 있을 것으로 전망된다. 이미 미니 폐, 미니 심장 등의 개발 성공 사례가 보고되었다.

① 전자 기기 인공 장기와 달리 전기 공급 없이도 기능을 유지할 수 있겠군.
② 동종 이식편과 달리 이식 후 면역 억제제를 사용할 필요가 없겠군.
③ 동종 이식편과 달리 내인성 레트로바이러스를 제거할 필요가 없겠군.
④ 이종 이식편과 달리 유전자를 조작하는 과정이 필요하지는 않겠군.
⑤ 이종 이식편과 달리 자연항체에 의한 초급성 거부 반응이 일어나지 않겠군.

14. ㉠과 ㉡에 대한 설명으로 가장 적절한 것은?

① ㉠은 ㉡과 달리 자신이 속해 있는 생명체의 모든 세포의 DNA에 존재한다.
② ㉡은 ㉠과 달리 자신의 유전 정보를 DNA에 담을 수 없다.
③ ㉡은 ㉠과 달리 자신이 속해 있는 생명체에 면역 반응을 일으키지 않는다.
④ ㉠과 ㉡은 둘 다 자신이 속해 있는 생명체의 유전 정보를 가지고 있다.
⑤ ㉠과 ㉡은 둘 다 자신이 속해 있는 생명체의 세포를 감염시켜 파괴한다.

총 문항					문항	맞은 문항				문항
개별 문항	1	2	3	4	5	6	7	8	9	10
채점										
개별 문항	11	12	13	14	15	16	17	18	19	20
채점										

12분   2020학년도 6월 모평 37~42번   ★★☆   정답 045쪽

【1~6】 다음 글을 읽고 물음에 답하시오.

우리는 한 대의 자동차는 개체라고 하지만 바닷물을 개체라고 하지는 않는다. 어떤 부분들이 모여 하나의 개체를 ⓐ이룬다고 할 때 이를 개체라고 부를 수 있는 조건은 무엇일까? 일단 부분들 사이의 유사성은 개체성의 조건이 될 수 없다. 가령 일란성 쌍둥이인 두 사람은 DNA 염기 서열과 외모도 같지만 동일한 개체는 아니다. 그래서 부분들의 강한 유기적 상호작용이 그 조건으로 흔히 제시된다. 하나의 개체를 구성하는 부분들은 외부 존재가 개체에 영향을 주는 것과는 비교할 수 없이 강한 방식으로 서로 영향을 주고받는다.

상이한 시기에 존재하는 두 대상을 동일한 개체로 판단하는 조건도 물을 수 있다. 그것은 두 대상 사이의 인과성이다. 과거의 '나'와 현재의 '나'를 동일하다고 볼 수 있는 것은 강한 인과성이 존재하기 때문이다. 과거의 '나'와 현재의 '나'는 세포 분열로 세포가 교체되는 과정을 통해 인과적으로 연결되어 있다. 또 '나'가 세포 분열을 통해 새로운 개체를 생성할 때도 '나'와 '나의 후손'은 인과적으로 연결되어 있다. 비록 '나'와 '나의 후손'은 동일한 개체는 아니지만 '나'와 다른 개체들 사이에 비해 더 강한 인과성으로 연결되어 있다.

개체성에 대한 이러한 철학적 질문은 생물학에서도 중요한 연구 주제가 된다. 생명체를 구성하는 단위는 세포이다. 세포는 생명체의 고유한 유전 정보가 담긴 DNA를 가지며 이를 복제하여 증식하고 번식하는 과정을 통해 자신의 DNA를 후세에 전달한다. 세포는 사람과 같은 진핵생물의 진핵세포와, 박테리아나 고세균과 같은 원핵생물의 원핵세포로 구분된다. 진핵세포는 세포질에 막으로 둘러싸인 핵이 ⓑ있고 그 안에 DNA가 있지만, 원핵세포는 핵이 없다. 또한 진핵세포의 세포질에는 막으로 둘러싸인 여러 종류의 세포 소기관이 있으며, 그중 미토콘드리아는 세포 활동에 필요한 생체 에너지를 생산하는 기관이다. 대부분의 진핵세포는 미토콘드리아를 필수적으로 ⓒ가지고 있다.

이러한 미토콘드리아가 원래 박테리아의 한 종류인 원생미토콘드리아였다는 이론이 20세기 초에 제기되었다. 공생발생설 또는 세포 내 공생설이라고 불리는 이 이론에서는 두 원핵생물 간의 공생 관계가 지속되면서 진핵세포를 가진 진핵생물이 탄생했다고 설명한다. 공생은 서로 다른 생명체가 함께 살아가는 것을 말하며, 서로 다른 생명체를 가정하는 것은 어느 생명체의 세포 안에서 다른 생명체가 공생하는 '내부 공생'에서도 마찬가지이다. ⓐ공생발생설은 한동안 생물학계로부터 인정받지 못했다. 미토콘드리아의 기능과 대략적인 구조, 그리고 생명체 간 내부 공생의 사례는 이미 알려졌지만 미토콘드리아가 과거에 독립된 생명체였다는 것을 쉽게 믿을 수 없었기 때문이었다. 그리고 한 생명체가 세대를 이어 가는 과정 중에 돌연변이와 자연선택이 일어나고, 이로 인해 종이 진화하고 분화한다고 보는 전통적인 유전학에서 두 원핵생물의 결합은 주목받지 못했다.

그러다가 전자 현미경의 등장으로 미토콘드리아의 내부까지 세밀히 관찰하게 되고, 미토콘드리아 안에는 세포핵의 DNA와는 다른 DNA가 있으며 단백질을 합성하는 자신만의 리보솜을 가지고 있다는 사실이 ⓓ밝혀지면서 공생발생설이 새롭게 부각되었다.

공생발생설에 따르면 진핵생물은 원생미토콘드리아가 고세균의 세포 안에서 내부 공생을 하다가 탄생했다고 본다. 고세균의 핵의 형성과 내부 공생의 시작 중 어느 것이 먼저인지에 대해서는 논란이 있지만, 고세균은 세포질에 핵이 생겨 진핵세포가 되고 원생미토콘드리아는 세포 소기관인 미토콘드리아가 되어 진핵생물이 탄생했다는 것이다. 미토콘드리아가 원래 박테리아의 한 종류였다는 근거는 여러 가지가 있다. 박테리아와 마찬가지로 새로운 미토콘드리아는 이미 존재하는 미토콘드리아의 '이분 분열'을 통해서만 ⓔ만들어진다. 미토콘드리아의 막에는 진핵 세포막의 수송 단백질과는 다른 종류의 수송 단백질인 포린이 존재하고 박테리아의 세포막에 있는 카디오리핀이 존재한다. 또 미토콘드리아의 리보솜은 진핵세포의 리보솜보다 박테리아의 리보솜과 더 유사하다.

미토콘드리아는 여전히 고유한 DNA를 가진 채 복제와 증식이 이루어지는데도, 미토콘드리아와 진핵세포 사이의 관계를 공생 관계로 보지 않는 이유는 무엇일까? 두 생명체가 서로 떨어져서 살 수 없더라도 각자의 개체성을 잃을 정도로 유기적 상호작용이 강하지 않다면 그 둘은 공생 관계에 있다고 보는데, 미토콘드리아와 진핵세포 간의 유기적 상호작용은 둘을 다른 개체로 볼 수 없을 만큼 매우 강하기 때문이다. 미토콘드리아가 개체성을 잃고 세포 소기관이 되었다고 보는 근거는, 진핵세포가 미토콘드리아의 증식을 조절하고, 자신을 복제하여 증식할 때 미토콘드리아도 함께 복제하여 증식시킨다는 것이다. 또한 미토콘드리아의 유전자의 많은 부분이 세포핵의 DNA로 옮겨 가 미토콘드리아의 DNA 길이가 현저히 짧아졌다는 것이다. 미토콘드리아에서 일어나는 대사 과정에 필요한 단백질은 세포핵의 DNA로부터 합성되고, 미토콘드리아의 DNA에 남은 유전자 대부분은 생체 에너지를 생산하는 역할을 한다. 예컨대 사람의 미토콘드리아는 37개의 유전자만 있을 정도로 DNA 길이가 짧다.

1. 윗글의 내용 전개 방식으로 가장 적절한 것은?

① 개체성과 관련된 예를 제시한 후 공생발생설에 대한 다양한 견해를 비교하고 있다.

② 개체에 대한 정의를 제시한 후 세포의 생물학적 개념이 확립되는 과정을 서술하고 있다.

③ 개체성의 조건을 제시한 후 세포 소기관의 개체성에 대해 공생발생설을 중심으로 설명하고 있다.

④ 개체의 유형을 분류한 후 세포의 소기관이 분화되는 과정을 공생발생설을 중심으로 설명하고 있다.

⑤ 개체와 관련된 개념들을 설명한 후 세포가 하나의 개체로 변화하는 과정을 인과적으로 서술하고 있다.

2. 윗글에 대한 이해로 적절하지 <u>않은</u> 것은?

① 유사성은 아무리 강하더라도 개체성의 조건이 될 수 없다.
② 바닷물을 개체라고 말하기 어려운 이유는 유기적 상호작용이 약하기 때문이다.
③ 새로운 미토콘드리아를 복제하기 위해서는 세포 안에 미토콘드리아가 반드시 있어야 한다.
④ 미토콘드리아의 대사 과정에 필요한 단백질은 미토콘드리아의 막을 통과하여 세포질로 이동해야 한다.
⑤ 진핵세포가 되기 전의 고세균이 원생미토콘드리아보다 진핵세포와 더 강한 인과성으로 연결되어 있다.

3. 윗글을 참고할 때, ㉠의 이유로 가장 적절한 것은?

① 진핵세포가 세포 소기관을 가지고 있다는 사실을 알지 못했기 때문이다.
② 공생발생설이 당시의 유전학 이론에 어긋난다는 근거가 부족했기 때문이다.
③ 한 생명체가 다른 생명체의 세포 속에서 살 수 있다는 근거가 부족했기 때문이다.
④ 미토콘드리아가 진핵세포의 활동에 중요한 기능을 한다는 사실을 알지 못했기 때문이다.
⑤ 미토콘드리아가 자신의 고유한 유전 정보를 전달할 수 있다는 것을 알지 못했기 때문이다.

4. <보기>는 진핵세포의 세포 소기관을 연구한 결과들이다. 윗글을 바탕으로 할 때, 각각의 세포 소기관이 박테리아로부터 비롯되었다고 판단할 수 있는 것만을 <보기>에서 고른 것은?

<보 기>

ㄱ. 세포 소기관이 자신의 DNA를 가지고 있다는 것과 이분분열을 한다는 것을 확인하였다.
ㄴ. 세포 소기관이 자신의 DNA를 가지고 있다는 것과 진핵세포의 리보솜을 가지고 있다는 것을 확인하였다.
ㄷ. 세포 소기관이 막으로 둘러싸여 있다는 것과 막에는 수송단백질이 있는 것을 확인하였다.
ㄹ. 세포 소기관이 막으로 둘러싸여 있다는 것과 막에는 다량의 카디오리핀이 있는 것을 확인하였다.

① ㄱ, ㄷ ② ㄱ, ㄹ ③ ㄴ, ㄷ ④ ㄴ, ㄹ ⑤ ㄷ, ㄹ

5. 윗글을 바탕으로 <보기>를 이해한 내용으로 적절하지 <u>않은</u> 것은? [3점]

<보 기>

○ 복어는 테트로도톡신이라는 신경 독소를 가지고 있지만 테트로도톡신을 스스로 만들지 못하고 체내에서 서식하는 미생물이 이를 생산한다. 복어는 독소를 생산하는 미생물에게 서식처를 제공하는 대신 포식자로부터 자신을 방어할 수 있는 무기를 갖게 되었다. 만약 복어의 체내에 있는 미생물을 제거하면 복어는 독소를 가지지 못하나 생존에는 지장이 없었다.
○ 실험실의 아메바가 병원성 박테리아에 감염되어 대부분의 아메바가 죽고 일부 아메바는 생존하였다. 생존한 아메바의 세포질에서 서식하는 박테리아는 스스로 복제하여 증식할 수 있었고 더 이상 병원성을 지니지는 않았다. 아메바에게는 무해하지만 박테리아에게는 치명적인 항생제를 아메바에게 투여하면 박테리아와 함께 아메바도 죽었다.

① 병원성을 잃은 '아메바의 세포질에서 서식하는 박테리아'는 세포 소기관으로 변한 것이겠군.
② 복어의 '체내에서 서식하는 미생물'은 '복어'와의 유기적 상호작용이 강해진다면 개체성을 잃을 수 있겠군.
③ 복어의 세포가 증식할 때 복어의 체내에서 '독소를 생산하는 미생물'의 DNA도 함께 증식하는 것은 아니겠군.
④ '아메바의 세포질에서 서식하는 박테리아'가 개체성을 잃었다면 '아메바의 세포질에서 서식하는 박테리아'의 DNA 길이는 짧아졌겠군.
⑤ '아메바의 세포질에서 서식하는 박테리아'와 '아메바' 사이의 관계와 '복어'와 '독소를 생산하는 미생물' 사이의 관계는 모두 공생 관계이겠군.

6. 문맥상 ⓐ~ⓔ와 바꿔 쓰기에 적절하지 <u>않은</u> 것은?

① ⓐ: 구성(構成)한다고
② ⓑ: 존재(存在)하고
③ ⓒ: 보유(保有)하고
④ ⓓ: 조명(照明)되면서
⑤ ⓔ: 생성(生成)된다

【7~12】 다음 글을 읽고 물음에 답하시오.

16세기 전반에 서양에서 태양 중심설을 지구 중심설의 대안으로 제시하며 시작된 천문학 분야의 개혁은 경험주의의 확산과 수리 과학의 발전을 통해 형이상학을 뒤바꾸는 변혁으로 이어졌다. 서양의 우주론 이 전파되자 중국에서는 중국과 서양의 우주론을 회통하려는 시도가 전개되었고, 이 과정에서 자신의 지적 유산에 대한 관심이 제고되었다.

복잡한 문제를 단순화하여 푸는 수학적 전통을 이어받은 코페르니쿠스는 천체의 운행을 단순하게 기술할 방법을 찾고자 하였고, 그것이 ⓐ일으킬 형이상학적 문제에는 별 관심이 없었다. 고대의 아리스토텔레스와 프톨레마이오스는 우주의 중심에 고정되어 움직이지 않는 지구의 주위를 달, 태양, 다른 행성들의 천구들과, 항성들이 붙어 있는 항성 천구가 회전한다는 지구 중심설을 내세웠다. 그와 달리 코페르니쿠스는 태양을 우주의 중심에 고정하고 그 주위를 지구를 비롯한 행성들이 공전하며 지구가 자전하는 우주 모형을 ⓑ만들었다. 그러자 프톨레마이오스보다 훨씬 적은 수의 원으로 행성들의 가시적인 운동을 설명할 수 있었고 행성이 태양에서 멀수록 공전 주기가 길어진다는 점에서 단순성이 충족되었다. 그러나 아리스토텔레스의 형이상학을 고수하는 다수 지식인과 종교 지도자들은 그의 이론을 받아들이려 하지 않았다. 왜냐하면 그것은 지상계와 천상계를 대립시키는 아리스토텔레스의 이분법적 구도를 무너뜨리고, 신의 형상을 ⓒ지닌 인간을 한갓 행성의 거주자로 전락시키는 것으로 여겨졌기 때문이다.

16세기 후반에 브라헤는 코페르니쿠스 천문학의 장점은 인정하면서도 아리스토텔레스 형이상학과의 상충을 피하고자 우주의 중심에 지구가 고정되어 있고, 달과 태양과 항성들은 지구 주위를 공전하며, 지구 외의 행성들은 태양 주위를 공전하는 모형을 제안하였다. 그러나 케플러는 우주의 수적 질서를 신봉하는 형이상학인 신플라톤주의에 매료되었기 때문에, 태양을 우주 중심에 배치하여 단순성을 추구한 코페르니쿠스의 천문학을 받아들였다. 하지만 그는 경험주의자였기에 브라헤의 천체 관측치를 활용하여 태양 주위를 공전하는 행성의 운동 법칙들을 수립할 수 있었다. 우주의 단순성을 새롭게 보여 주는 이 법칙들은 아리스토텔레스 형이상학을 더 이상 온존할 수 없게 만들었다.

[A] 17세기 후반에 뉴턴은 태양 중심설을 역학적으로 정당화하였다. 그는 만유인력 가설로부터 케플러의 행성 운동 법칙들을 성공적으로 연역했다. 이때 가정된 만유인력은 두 질점*이 서로 당기는 힘으로, 그 크기는 두 질점의 질량의 곱에 비례하고 거리의 제곱에 반비례한다. 지구를 포함하는 천체들이 밀도가 균질하거나 구 대칭*을 이루는 구라면 천체가 그 천체 밖 어떤 질점을 당기는 만유인력은, 그 천체를 잘게 나눈 부피 요소들 각각이 그 천체 밖 어떤 질점을 당기는 만유인력을 모두 더하여 구할 수 있다. 또한 여기에서 지구보다 질량이 큰 태양과 지구가 서로 당기는 만유인력이 서로 같음을 증명할 수 있다. 뉴턴은 이 원리를 적용하여 달의 공전 궤도와 사과의 낙하 운동 등에 관한 실측값을 연역함으로써 만유인력의 실재를 입증하였다.

16세기 말부터 중국에 본격 유입된 서양 과학은, 청 왕조가 1644년 중국의 역법(曆法)을 기반으로 서양 천문학 모델과 계산법을 수용한 시헌력을 공식 채택함에 따라 그 위상이 구체화되었다. 브라헤와 케플러의 천문 이론을 차례로 수용하여 정확도를 높인 시헌력이 생활 리듬으로 자리 잡았지만, 중국 지식인들은 서양 과학이 중국의 지적 유산에 적절히 연결되지 않으면 아무리 효율적이더라도 불온한 요소로 ⓓ여겼다. 이에 따라 서양 과학에 매료된 학자들도 어떤 방식으로든 ㉠서양 과학과 중국 전통 사이의 적절한 관계 맺음을 통해 이 문제를 해결하고자 하였다.

17세기 웅명우와 방이지 등은 중국 고대 문헌에 수록된 우주론에 대해서는 부정적 태도를 견지하면서 성리학적 기론(氣論)에 입각하여 실증적인 서양 과학을 재해석한 독창적 이론을 제시하였다. 수성과 금성이 태양 주위를 회전한다는 그들의 태양계 학설은 브라헤의 영향이었지만, 태양의 크기에 대한 서양 천문학 이론에 의문을 제기하고 기(氣)와 빛을 결부하여 제시한 광학 이론은 그들이 창안한 것이었다.

17세기 후반 왕석천과 매문정은 서양 과학의 영향을 받아 경험적 추론과 수학적 계산을 통해 우주의 원리를 파악하고자 하였다. 그러면서 서양 과학의 우수한 면은 모두 중국 고전에 이미 ⓔ갖추어져 있던 것인데 웅명우 등이 이를 깨닫지 못한 채 성리학 같은 형이상학에 몰두했다고 비판했다. 매문정은 고대 문헌에 언급된, 하늘이 땅의 네 모퉁이를 가릴 수 없을 것이라는 증자의 말을 땅이 둥글다는 서양 이론과 연결하는 등 서양 과학의 중국 기원론을 뒷받침하였다.

중국 천문학을 중심으로 서양 천문학을 회통하려는 매문정의 입장은 18세기 초를 기점으로 중국의 공식 입장으로 채택되었으며, 이 입장은 중국의 역대 지식 성과물을 망라한 총서인 『사고전서』에 그대로 반영되었다. 이 총서의 편집자들은 고대부터 당시까지 쏟아진 천문 관련 문헌들을 정리하여 수록하였다. 이와 같이 고대 문헌에 담긴 우주론을 재해석하고 확인하려는 경향은 19세기 중엽까지 주를 이루었다.

* 질점 : 크기가 없고 질량이 모여 있다고 보는 이론상의 물체.
* 구 대칭 : 어떤 물체가 중심으로부터 모든 방향으로 같은 거리에서 같은 특성을 갖는 상태.

7. 다음은 윗글을 읽은 학생의 독서 기록 중 일부이다. 윗글을 참고할 때, '점검 결과'로 적절하지 않은 것은?

○읽기 계획 : 1문단을 훑어보면서 뒷부분을 예측하고 질문 만들기를 한 후, 글을 읽고 점검하기

예측 및 질문 내용	점검 결과
○서양의 우주론에 태양 중심설과 지구 중심설의 개념이 소개되어 있을 것이다.	예측과 같음 ……… ①
○서양의 우주론의 영향으로 변화된 중국의 우주론이 소개되어 있을 것이다.	예측과 다름 ……… ②
○서양에서 태양 중심설을 제기한 사람은 누구일까?	질문의 답이 제시됨 ……… ③
○중국에서 서양의 우주론을 접하고 회통을 시도한 사람은 누구일까?	질문의 답이 제시됨 ……… ④
○중국에 서양의 우주론을 전파한 서양의 인물은 누구일까?	질문의 답이 언급되지 않음 ……… ⑤

8. 윗글에 대한 이해로 적절하지 <u>않은</u> 것은?

① 서양과 중국에서는 모두 우주론을 정립하는 과정에서 형이상학적 사고에 대한 재검토가 이루어졌다.

② 서양 천문학의 전래는 중국에서 자국의 우주론 전통을 재인식하는 계기가 되었다.

③ 중국에 서양의 천문학적 성과가 자리 잡게 된 데에는 국가의 역할이 작용하였다.

④ 중국에서는 18세기에 자국의 고대 우주론을 긍정하는 입장이 주류가 되었다.

⑤ 서양에서는 중국과 달리 경험적 추론에 기초한 우주론이 제기되었다.

9. 윗글에 나타난 서양의 우주론에 대한 설명으로 가장 적절한 것은?

① 항성 천구가 고정되어 있다고 보는 아리스토텔레스의 우주론은 천상계와 지상계를 대립시킨 형이상학을 토대로 한 것이었다.

② 많은 수의 원을 써서 행성의 가시적 운동을 설명한 프톨레마이오스의 우주론은 행성이 태양에서 멀수록 공전 주기가 길어진다는 점에서 단순성을 갖는 것이었다.

③ 지구와 행성이 태양 주위를 공전한다는 코페르니쿠스의 우주론은 이전의 지구 중심설보다 단순할 뿐 아니라 아리스토텔레스의 형이상학과 양립이 가능한 것이었다.

④ 지구가 우주 중심에 고정되어 있고 다른 행성을 거느린 태양이 지구 주위를 돈다는 브라헤의 우주론은 아리스토텔레스의 형이상학에서 자유롭지 못한 것이었다.

⑤ 태양 주위를 공전하는 행성의 운동 법칙들을 관측치로부터 수립한 케플러의 우주론은 신플라톤주의에서 경험주의적 근거를 찾은 것이었다.

10. ㉠에 대한 이해로 적절하지 <u>않은</u> 것은?

① 중국에서 서양 과학을 수용한 학자들은 자국의 지적 유산에 서양 과학을 접목하려 하였다.

② 서양 천문학과 관련된 내용이 중국의 역대 지식 성과를 집대성한 『사고전서』에 수록되었다.

③ 방이지는 서양 우주론의 영향을 받았지만 서양의 이론과 구별되는 새 이론의 수립을 시도하였다.

④ 매문정은 중국 고대 문헌에 나타나는 천문학적 전통과 서양 과학의 수학적 방법론을 모두 활용하였다.

⑤ 성리학적 기론을 긍정한 학자들은 중국 고대 문헌의 우주론을 근거로 서양 우주론을 받아들여 새 이론을 창안하였다.

11. <보기>를 참고할 때, [A]에 대한 이해로 적절하지 <u>않은</u> 것은? [3점]

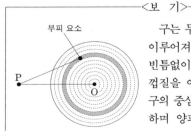

────<보 기>────

구는 무한히 작은 부피 요소들로 이루어져 있다. 그 부피 요소들이 빈틈없이 한 겹으로 배열되어 구 껍질을 이루고, 그런 구 껍질들이 구의 중심 O 주위에 반지름을 달리하며 양파처럼 겹겹이 싸여 구를 이룬다. 이때 부피 요소는 그것의 부피와 밀도를 곱한 값을 질량으로 갖는 질점으로 볼 수 있다.

(1) 같은 밀도의 부피 요소들이 하나의 구 껍질을 구성하면, 이 부피 요소들이 구 외부의 질점 P를 당기는 만유인력들의 총합은, 그 구 껍질과 동일한 질량을 갖는 질점이 그 구 껍질의 중심 O에서 P를 당기는 만유인력과 같다.

(2) (1)에서의 구 껍질들이 구를 구성할 때, 그 동심의 구 껍질들이 P를 당기는 만유인력들의 총합은, 그 구와 동일한 질량을 갖는 질점이 그 구의 중심 O에서 P를 당기는 만유인력과 같다.

(1), (2)에 의하면, 밀도가 균질하거나 구 대칭인 구를 구성하는 부피 요소들이 P를 당기는 만유인력들의 총합은, 그 구와 동일한 질량을 갖는 질점이 그 구의 중심 O에서 P를 당기는 만유인력과 같다.

① 밀도가 균질한 하나의 행성을 구성하는 동심의 구 껍질들이 같은 두께일 때, 하나의 구 껍질이 태양을 당기는 만유인력은 그 구 껍질의 반지름이 클수록 커지겠군.

② 태양의 중심에 있는 질량이 m인 질점이 지구 전체를 당기는 만유인력은, 지구의 중심에 있는 질량이 m인 질점이 태양 전체를 당기는 만유인력과 크기가 같겠군.

③ 질량이 M인 지구와 질량이 m인 달은, 둘의 중심 사이의 거리만큼 떨어져 있으면서 질량이 M, m인 두 질점 사이의 만유인력과 동일한 크기의 힘으로 서로 당기겠군.

④ 태양을 구성하는 하나의 부피 요소와 지구 사이에 작용하는 만유인력은, 지구를 구성하는 모든 부피 요소들과 태양의 그 부피 요소 사이에 작용하는 만유인력들을 모두 더하면 구해지겠군.

⑤ 반지름이 R, 질량이 M인 지구와 지구 표면에서 높이 h에 중심이 있는 질량이 m인 구슬 사이의 만유인력은, $R+h$의 거리만큼 떨어져 있으면서 질량이 M, m인 두 질점 사이의 만유인력과 크기가 같겠군.

12. 문맥상 ⓐ~ⓔ와 바꿔 쓴 것으로 가장 적절한 것은?

① ⓐ: 진작(振作)할

② ⓑ: 고안(考案)했다

③ ⓒ: 소지(所持)한

④ ⓓ: 설정(設定)했다

⑤ ⓔ: 시사(示唆)되어

총 문항					문항	맞은 문항				문항
개별 문항	1	2	3	4	5	6	7	8	9	10
채점										
개별 문항	11	12	13	14	15	16	17	18	19	20
채점										

기 술

Ⅳ 기술

📌 **출제 트렌드**

기술은 통신/디지털 기술, 전자/전기 기술, 의료 기술, 건축 기술 등 생활 기술과 산업 기술 전체를 아우르는 광범위한 내용을 다루는 분야입니다. 기술 지문은 기술이 발전함에 따라 점점 더 다양한 소재가 출제되고 있는데, 분야의 특성상 낯선 용어가 많이 등장하며 어렵게 출제되는 경향이 크므로 주의해야 합니다. 2023학년도 수능에서는 과학 지문이 출제되어 기술 지문은 출제되지 않았고, 2023학년도 9월 모의평가에서 인터넷 검색 엔진에 대해 다룬 지문이 꽤 까다롭게 출제되어 오답률이 높았습니다. 기술 지문에서는 해당 기술의 원리와 구조 등을 설명하고 논리적으로 작동 과정과 세부 구성 등을 보여 줍니다. 또 기술의 한계점을 서술하거나 한 기술을 다른 기술에 적용하는 식의 흐름을 자주 볼 수 있는데, 이러한 기술 지문의 구조에 익숙해지는 연습이 필요합니다. 또한 최근 활발히 대두되는 소재들에 관심을 갖고 미리 알아 두는 것도 배경지식을 넓히는 데 도움이 됩니다.

시행	출제 지문	문제 수	난이도
2023학년도 9월 모평	인터넷 검색 엔진	4문제 출제	★★★
2022학년도 수능	차량 카메라의 영상 제공 방법	4문제 출제	★★★
2022학년도 9월 모평	메타버스의 몰입도를 높이는 여러 가지 기술	4문제 출제	★☆☆

📌 **1등급 꿀팁**

하나_ 첫 문단에서 핵심 내용을 빠르고 정확하게 이해하자.

두울_ 각종 키워드의 관계를 구조적으로 파악하자.

세엣_ 지문을 이해하는 데 주어진 시각 자료를 적극 활용하자.

네엣_ 지문과 〈보기〉에 주어지는 자료를 정확하게 해석하는 연습을 하자.

다섯_ 기술의 바탕이 되는 과학적 원리와 논리적 사고를 전제로 학습하자.

여섯_ 해당 기술의 필요성, 구현 과정, 원리, 특징 등을 세세하게 체크하자.

일곱_ 평소 생활 속에서 접하고 있는 다양한 기술들이 소재가 될 수 있음을 유의하자.

다음 글을 읽고 물음에 답하시오.

　인터넷 검색 엔진은 검색어를 포함하는 웹 페이지를 찾아 화면에 보여 준다. 웹 페이지가 화면에 나타나는 순서를 정하기 위해 검색 엔진은 수백 개가 ⓐ넘는 항목을 고려한 다양한 방식을 사용한다. 대표적인 항목으로 중요도와 적합도가 있다.

　검색 엔진은 빠른 시간 내에 검색 결과를 보여 주기 위해 웹 페이지들의 데이터를 수집하여 인덱스를 미리 작성해 놓는다. 인덱스란 단어를 알파벳순으로 정리한 목록으로, 여기에는 각 단어가 등장하는 웹 페이지와 단어의 빈도수 등이 저장된다. 이때 각 웹 페이지의 중요도가 함께 기록된다.

　㉠중요도는 웹 페이지의 중요성을 값으로 나타낸 것으로 링크 분석 기법으로 측정할 수 있다. 기본적인 링크 분석 기법에서 웹 페이지 A의 값은 A를 링크한 각 웹 페이지들로부터 받는 값의 합이다. 이렇게 받은 A의 값은 A가 링크한 다른 웹 페이지들에 균등하게 나눠진다. 즉 A의 값이 4이고 A가 두 개의 링크를 통해 다른 웹 페이지로 연결된다면, A의 값은 유지되면서 두 웹 페이지에는 각각 2가 보내진다.

　하지만 두 웹 페이지가 실제로 받는 값은 2에 댐핑 인자를 곱한 값이다. 댐핑 인자는 사용자들이 웹 페이지를 읽다가 링크를 통해 다른 웹 페이지로 이동하지 않는 비율을 반영한 값으로 1 미만의 값을 가진다. 댐핑 인자는 모든 링크에 동일하게 적용된다. 가령 그 비율이 20%이면 댐핑 인자는 0.8이고 두 웹 페이지는 A로부터 각각 1.6을 받는다. 웹 페이지로 연결된 링크를 통해 받는 값을 모두 반영했을 때의 값이 각 웹 페이지의 중요도이다. 웹 페이지들을 연결하는 링크들은 변할 수 있기 때문에 검색 엔진은 주기적으로 웹 페이지의 중요도를 갱신한다.

　사용자가 검색어를 입력하면 검색 엔진은 인덱스에서 검색어에 적합한 웹 페이지를 찾는다. ㉡적합도는 단어의 빈도, 단어가 포함된 웹 페이지의 수, 웹 페이지의 글자 수를 반영한 식을 통해 값이 정해진다. 해당 검색어가 많이 나올수록, 그 검색어를 포함하는 다른 웹 페이지의 수가 적을수록, 현재 웹 페이지의 글자 수가 전체 웹 페이지의 평균 글자 수에 비해 적을수록 적합도가 높아진다. 검색 엔진은 중요도와 적합도, 기타 항목들을 적절한 비율로 합산하여 화면에 나열되는 웹 페이지의 순서를 결정한다.

16. <보기>는 웹 페이지들의 관계를 도식화한 것이다. 윗글을 바탕으로 <보기>를 이해한 내용으로 적절한 것은? [3점]

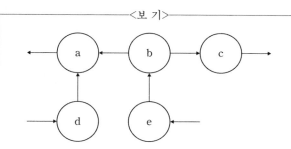

<보 기>

　원은 웹 페이지이고, 화살표는 웹 페이지에서 링크를 통해 화살표 방향의 다른 웹 페이지로 연결됨을 뜻한다. 댐핑 인자는 0.5이고, d와 e의 중요도는 16으로 고정된 값이다.
　(단, 링크와 댐핑 인자 외에 웹 페이지의 중요도에 영향을 주는 다른 요소는 고려하지 않음.)

① a의 중요도는 16이다.
② a가 b와 d로부터 각각 받는 값은 같다.
③ b에서 a로의 링크가 끊어지면 b와 c의 중요도는 같다.
④ e에서 a로의 링크가 추가되면 b의 중요도는 6이다.
⑤ e에서 c로의 링크가 추가되면 c의 중요도는 5이다.

9분 | 2022학년도 10월 학평 14~17번 | ★★★ | 정답 048쪽

[1~4] 다음 글을 읽고 물음에 답하시오.

일반적으로 거리는 두 개의 지점이 공간적으로 ⓐ떨어진 정도를 나타내는 물리적 개념이다. 2차원 평면에 두 지점이 (0, 0)과 (1, 1)에 있다면 두 지점 사이의 최단 거리는 두 점을 잇는 직선의 길이 $\sqrt{2}$가 된다. 한편 거리는 추상적인 성질이나 가치에 대한 차이를 나타내는 척도로도 사용될 수 있다. 이럴 경우 떨어진 정도를 나타내는 기능은 유지되지만, 기준이나 관점에 따라 거리를 계산하는 방법이 달라진다.

거리의 개념은 디지털 데이터에도 적용될 수 있다. 데이터 간의 거리는 추상적 거리의 개념으로, 데이터가 표현하려는 정보에 따라 측정 방법이 다르다. 00, 11과 같은 2비트의 데이터가 2진수로 표현된 수치를 가리킨다면 00과 11의 거리는 두 수치의 차인 $|(0 \times 2^1 + 0 \times 2^0) - (1 \times 2^1 + 1 \times 2^0)| = 3$이 된다. 그런데 2비트의 데이터 00이나 11이 어떤 상태를 나타내는 부호라면 거리는 두 부호가 구별되는 정도라 할 수 있다. 해밍 거리는 부호의 관점에서 부호들 간의 거리를 표현하는 방법 중 하나이다. 해밍 거리는 길이가 같은 두 부호를 비교하였을 때 두 부호의 같은 자리에 있는 서로 다른 문자의 개수로 나타낸다. 예를 들어 세 개의 부호 00, 01, 11이 있다면 00과 01의 해밍 거리는 1이고, 00과 11의 해밍 거리는 2이다. 이때 부호들 간의 최소 해밍 거리는 1이고, 최대 해밍 거리는 2이다.

부호들 간의 최소 해밍 거리를 충분히 멀게 한다면 통신이나 저장 과정에서 발생하는 오류를 검출하여 수정할 수 있다. 예를 들어 전송하려는 1비트의 원시 부호 0과 1이 있고 부호 단위로 송수신한다고 가정해 보자. 송신자가 1을 보낸다면 수신자는 0이나 1 중 하나를 받게 될 것이고, 송신자가 어떤 데이터를 보냈는지 알 수 없기 때문에 오류가 발생하더라도 오류가 있는지 알 수 없다. 이 경우 부호들 간의 최소 해밍 거리는 1이다. 0이나 1을 송수신하는 대신 원시 부호(x) 뒤에 확인 부호(p)를 덧붙여 x p에 해당하는 2비트 단위의 전송 부호를 만들어 보자. ⊙전송 부호는 고정된 원시 부호에 확인 부호를 덧붙이고, 확인 부호는 원시 부호에 대한 1의 개수가 짝수가 되도록 만든다는 규칙을 정한다면 전송 부호는 00과 11이 된다. 만일 수신자가 01이나 10 중 하나를 받은 경우 전송 부호에 오류가 있음을 알 수 있다. 하지만 어느 자리에서 오류가 났는지 알 수 없기 때문에 오류를 수정할 수는 없다.

[A] 00이나 11을 송수신하는 대신 p와 동일한 규칙의 확인 부호(q)를 한 번 더 덧붙여 x p q에 해당하는 3비트 단위의 전송 부호 000과 111 중 하나를 송수신한다고 가정해 보자. 한 자리의 오류만 있다고 가정하면 수신자가 001, 010, 100, 011, 101, 110 중 하나를 받은 경우 오류 발생 자리를 검출하여 수정할 수 있다. 예를 들어 110의 경우 x인 1에 대해 p와 q는 각각 1이 되어야 1의 개수가 짝수가 되지만 q가 0이므로 1의 개수가 홀수이다. 따라서 오류 발생 자리를 검출하여 110을 111로 수정할 수 있다. 이 경우 전송 부호 간의 최소 해밍 거리가 3이어서 한 자리의 오류를 검출하여 수정할 수 있는 것이다.

원시 부호에 확인 부호를 충분히 덧붙이면 전송 부호의 길이는 길어지지만 전송 부호들 간의 최소 해밍 거리도 함께 멀어져 오류가 많이 발생하더라도 오류를 검출하여 수정하는 것이 가능하다. 하지만 동일한 정보를 보낼 때 덧붙이는 확인 부호의 개수가 늘어나면 보내야 하는 데이터의 양이 늘어나 전송 효율이 낮아진다.

1. 윗글을 통해 알 수 있는 내용으로 적절하지 **않은** 것은?

① 2진수로 표현된 수치를 가리키는 데이터들 간의 거리는 수치 간의 차로 표현될 수 있다.
② 추상적인 성질이나 가치의 차이를 나타내는 척도로 거리의 개념이 사용될 수 있다.
③ 물리적 개념에서의 거리는 두 지점이 공간적으로 떨어져 있는 정도를 나타낸다.
④ 00과 11의 2진수 수치의 차이와 해밍 거리는 같은 값으로 측정된다.
⑤ 데이터가 표현하려는 정보에 따라 거리를 측정하는 방법이 다르다.

2. [A]와 <보기>를 이해한 내용으로 적절하지 **않은** 것은?
[3점]

> **< 보 기 >**
>
> 확인 부호가 오류 발생 자리에 대한 정보가 되도록 규칙을 정하면 전송 부호에서 한 자리 오류가 발생했을 때 수정이 가능하다. 확인 부호를 검사하여 p에 오류가 있으면 $\boxed{\text{p 자리}}$를 1로, 오류가 없으면 0으로 표현한다. 같은 방식으로 q에 오류가 있으면 $\boxed{\text{q 자리}}$를 1로, 오류가 없으면 0으로 표현한다. 0과 1로 표현된 $\boxed{\text{p 자리}}$ $\boxed{\text{q 자리}}$를 계산하면 한 자리의 오류가 발생했을 때 그 자리를 알아낼 수 있다.

송신	수신	규칙 오류 p 자리	규칙 오류 q 자리	계산	오류 발생 자리
000	000	0	0	$0 \times 2^1 + 0 \times 2^0$	□□□
	010		0	$1 \times 2^1 + 0 \times 2^0$	□☑□
	110	0	1	$0 \times 2^1 + 1 \times 2^0$	
	011	1	1	$1 \times 2^1 + 1 \times 2^0$	
⋮	⋮	⋮	⋮	⋮	⋮

① 송신자는 전송 부호 간의 해밍 거리가 3이 될 수 있도록 0은 000으로, 1은 111로 보내는 것이겠군.
② 수신자가 010을 받았다면 $\boxed{\text{p 자리}}$의 오류를 1로 표현하여 000으로 판단하겠군.
③ 수신자가 110이나 101을 받았다면 수신한 부호에 있는 0을 1로 수정하여 모두 111로 판단하겠군.
④ 수신자가 011을 받았다면 $\boxed{\text{p 자리}}$와 $\boxed{\text{q 자리}}$ 모두에 오류가 있는 경우이므로 두 자리의 오류를 수정하겠군.
⑤ 수신자가 111을 받았다면 $\boxed{\text{p 자리}}$와 $\boxed{\text{q 자리}}$의 오류를 모두 0으로 표현하여 오류가 없는 것으로 판단하겠군.

3. ㉠에 대한 이해로 가장 적절한 것은?

① 전송 부호들 간의 최소 해밍 거리를 멀게 하면 전송하는 데이터의 양은 늘어난다.
② 전송 부호들 간의 최소 해밍 거리가 1이면 전송 과정에서의 오류 검출이 가능하다.
③ 두 전송 부호의 같은 자리에 같은 문자의 개수가 많을수록 해밍 거리는 멀어진다.
④ 덧붙이는 확인 부호가 많아지면 전송 부호들 간의 최대 해밍 거리는 가까워진다.
⑤ 전송 부호들 간의 최소 해밍 거리가 가까워질수록 전송 효율은 낮아진다.

4. ⓐ의 문맥적 의미와 가장 유사한 것은?

① 식당은 본관과 조금 떨어져 있는 별관이다.
② 해가 떨어지자 새는 보금자리로 돌아갔다.
③ 그들의 실력은 평균보다 떨어지는 편이다.
④ 상처가 나서 생긴 딱지가 아물어 떨어졌다.
⑤ 물건을 팔면 본전을 빼고 만 원이 떨어진다.

【5~8】 다음 글을 읽고 물음에 답하시오.

인터넷 검색 엔진은 검색어를 포함하는 웹 페이지를 찾아 화면에 보여 준다. 웹 페이지가 화면에 나타나는 순서를 정하기 위해 검색 엔진은 수백 개가 ⓐ넘는 항목을 고려한 다양한 방식을 사용한다. 대표적인 항목으로 중요도와 적합도가 있다.

검색 엔진은 빠른 시간 내에 검색 결과를 보여 주기 위해 웹 페이지들의 데이터를 수집하여 인덱스를 미리 작성해 놓는다. 인덱스란 단어를 알파벳순으로 정리한 목록으로, 여기에는 각 단어가 등장하는 웹 페이지와 단어의 빈도수 등이 저장된다. 이때 각 웹 페이지의 중요도가 함께 기록된다.

㉠중요도는 웹 페이지의 중요성을 값으로 나타낸 것으로 링크 분석 기법으로 측정할 수 있다. 기본적인 링크 분석 기법에서 웹 페이지 A의 값은 A를 링크한 각 웹 페이지들로부터 받는 값의 합이다. 이렇게 받은 A의 값은 A가 링크한 다른 웹 페이지들에 균등하게 나눠진다. 즉 A의 값이 4이고 A가 두 개의 링크를 통해 다른 웹 페이지로 연결된다면, A의 값은 유지되면서 두 웹 페이지에는 각각 2가 보내진다.

하지만 두 웹 페이지가 실제로 받는 값은 2에 댐핑 인자를 곱한 값이다. 댐핑 인자는 사용자들이 웹 페이지를 읽다가 링크를 통해 다른 웹 페이지로 이동하지 않는 비율을 반영한 값으로 1 미만의 값을 가진다. 댐핑 인자는 모든 링크에 동일하게 적용된다. 가령 그 비율이 20%이면 댐핑 인자는 0.8이고 두 웹 페이지는 A로부터 각각 1.6을 받는다. 웹 페이지로 연결된 링크를 통해 받는 값을 모두 반영했을 때의 값이 각 웹 페이지의 중요도이다. 웹 페이지들을 연결하는 링크들은 변할 수 있기 때문에 검색 엔진은 주기적으로 웹 페이지의 중요도를 갱신한다.

사용자가 검색어를 입력하면 검색 엔진은 인덱스에서 검색어에 적합한 웹 페이지를 찾는다. ㉡적합도는 단어의 빈도, 단어가 포함된 웹 페이지의 수, 웹 페이지의 글자 수를 반영한 식을 통해 값이 정해진다. 해당 검색어가 많이 나올수록, 그 검색어를 포함하는 다른 웹 페이지의 수가 적을수록, 현재 웹 페이지의 글자 수가 전체 웹 페이지의 평균 글자 수에 비해 적을수록 적합도가 높아진다. 검색 엔진은 중요도와 적합도, 기타 항목들을 적절한 비율로 합산하여 화면에 나열되는 웹 페이지의 순서를 결정한다.

5. 윗글을 통해 알 수 있는 내용으로 가장 적절한 것은?

① 인덱스는 사용자가 검색어를 입력한 직후에 작성된다.
② 사용자가 링크를 따라 다른 웹 페이지로 이동하는 비율이 높을수록 댐핑 인자가 커진다.
③ 링크 분석 기법은 웹 페이지 사이의 링크를 분석하여 웹 페이지의 적합도를 값으로 나타낸다.
④ 웹 페이지의 중요도는 다른 웹 페이지에서 받는 값과 다른 웹 페이지에 나눠 주는 값의 합이다.
⑤ 사용자가 검색어를 입력하면 검색 엔진은 검색한 결과를 인덱스에 정렬된 순서대로 화면에 나타낸다.

6. ㉠, ㉡을 고려하여 검색 결과에서 웹 페이지의 순위를 높이기 위한 방안으로 가장 적절한 것은?

① 화제가 되고 있는 검색어들을 웹 페이지에 최대한 많이 나열하여 ㉠을 높인다.

② 사람들이 많이 접속하는 유명 검색 사이트로 연결하는 링크를 웹 페이지에 많이 포함시켜 ㉠을 높인다.

③ 알파벳순으로 앞 순서에 있는 단어들을 웹 페이지 첫 부분에 많이 포함시켜 ㉡을 높인다.

④ 다른 많은 웹 페이지들이 링크하도록 웹 페이지에서 여러 주제를 다루고 전체 글자 수를 많게 하여 ㉡을 높인다.

⑤ 다른 웹 페이지에서 흔히 다루지 않는 주제를 간략하게 설명하되 주제와 관련된 단어를 자주 사용하여 ㉡을 높인다.

7. <보기>는 웹 페이지들의 관계를 도식화한 것이다. 윗글을 바탕으로 <보기>를 이해한 내용으로 적절한 것은? [3점]

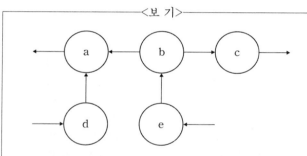

<보 기>

원은 웹 페이지이고, 화살표는 웹 페이지에서 링크를 통해 화살표 방향의 다른 웹 페이지로 연결됨을 뜻한다. 댐핑 인자는 0.5이고, d와 e의 중요도는 16으로 고정된 값이다.
(단, 링크와 댐핑 인자 외에 웹 페이지의 중요도에 영향을 주는 다른 요소는 고려하지 않음.)

① a의 중요도는 16이다.

② a가 b와 d로부터 각각 받는 값은 같다.

③ b에서 a로의 링크가 끊어지면 b와 c의 중요도는 같다.

④ e에서 a로의 링크가 추가되면 b의 중요도는 6이다.

⑤ e에서 c로의 링크가 추가되면 c의 중요도는 5이다.

8. 문맥상 ⓐ의 의미와 가장 가까운 것은?

① 공부를 하다 보니 시간은 자정이 넘었다.

② 그들은 큰 산을 넘어서 마을에 도착했다.

③ 철새들이 국경선을 넘어서 훨훨 날아갔다.

④ 선수들은 가까스로 어려운 고비를 넘었다.

⑤ 갑자기 냄비에서 물이 넘어서 좀 당황했다.

【9~12】 다음 글을 읽고 물음에 답하시오.

객체 탐지(Object Detection)란 사람, 동물, 사물 등 이미지에 있는 여러 대상의 위치를 찾아 각 대상의 크기에 맞는 경계 상자를 표시하고, 미리 학습된 객체 데이터를 바탕으로 그 경계 상자 안의 대상이 어떤 객체인지 판별하는 작업이다.

<객체 탐지의 예>

딥러닝 기반의 객체 탐지 모델은 '2단계 방식'과 '단일 단계 방식'으로 나눌 수 있다. 2단계 방식은 먼저 이미지에서 탐지할 객체가 있을 확률이 높은 곳을 추정한 후, 그 영역의 대상을 집중적으로 탐지하여 어떤 객체인지 판별하는 방식이다. 각 과정이 별도의 인공신경망을 통해 순차적으로 이루어지기 때문에 객체를 판별해 내는 정확도는 높지만, 처리하는 데이터가 많고 구조가 복잡하여 탐지 속도가 느리기 때문에 실시간으로 객체를 탐지하는 데는 어려움이 있다. 단일 단계 방식은 이 두 가지 과정이 하나의 인공신경망을 통해 동시에 이루어지는 방식인데, 가장 대표적인 알고리즘 모델로 YOLO(You Only Look Once)가 있다.

YOLO는 이미지가 입력되면 먼저 이미지를 $S \times S$개의 영역으로 나누고, 하나의 영역을 기준으로 경계 상자 N개를 표시한다. 그리고 모든 영역마다 동일하게 N개의 경계 상자를 표시하면서 각각의 경계 상자에 특정 객체가 존재할 확률도 예측한다. 이때 경계 상자의 개수가 많을수록 탐지 속도가 느려지기 때문에 설정할 수 있는 경계 상자의 수가 제한적인데 일반적으로 N은 5 이하로 설정한다. 각 경계 상자의 데이터는 B_x, B_y, B_w, B_h, P_c와 C로 표시되는데 B_x, B_y는 경계 상자의 중심점 좌표이며 B_w, B_h는 폭과 높이이다. 그리고 P_c는 해당 경계 상자에 어떤 객체가 존재할 확률값이고, C는 그 객체가 특정 객체일 확률값이다. 이때 B_x, B_y는 항상 기준이 되는 하나의 영역 안에 속해 있지만, 경계 상자의 크기는 영역의 크기와 상관없이 다양하게 표시된다. C는 미리 학습된 m가지 종류의 객체 데이터와 비교하여 각 객체일 확률을 표시한 값으로, 미리 학습된 객체의 가짓수에 따라 판별할 수 있는 객체의 가짓수가 결정되며, 그에 따라 C의 개수도 결정된다. 하나의 이미지가 입력되면 이러한 방식으로 모든 영역별로 이미지에 있는 대상들을 확인하고 그 대상이 특정 객체일 확률값을 계산해서 총 '$S \times S \times N(5+m)$'개의 데이터를 출력하게 된다.

이후 경계 상자에 객체가 존재할 확률값과 그것이 특정 객체일 확률값을 곱하여 해당 경계 상자에 특정 객체가 존재할 확률값인 '신뢰도 점수'를 구한다. 신뢰도 점수는 경계 상자의 위치와 객체의 판별이 얼마나 정확한지를 나타낸다. 모든 경계 상자들은 미리 학습된 객체의 가짓수만큼 신뢰도 점수를 가지며, 이 중 가장 큰 값을 가지는 객체가 해당 경계 상자에서 탐지된 객체가 된다.

그런데 서로 다른 경계 상자에서 같은 종류의 객체가 탐지될 수 있다. 이때는 각 경계 상자가 하나의 대상에 중복되어 표시된 것인지, 서로 다른 대상에 표시된 것인지를 판단하여 이미지 속의 각 대상별로 가장 정확한 경계 상자 하나만 표시하는 과정을 거치는데, 이를 '비최댓값 억제(NMS, Non-Max Suppression)'라고 한다. NMS는 두 경계 상자

[A]

의 교집합을 합집합으로 나눈 값인 IoU를 기준으로 이루어진다. IoU 값은 두 경계 상자의 위치가 일치할수록 1에 가까운 값이 나오며, 이 값이 설정된 임곗값보다 크면 두 경계 상자가 동일한 대상에 표시된 것으로 판단하고 둘 중 신뢰도 점수가 낮은 상자를 삭제한다. 그리고 IoU 값이 설정된 임곗값보다 작으면 경계 상자가 서로 다른 대상에 표시된 것으로 판단하여 두 경계 상자 모두 그대로 둔다. 이러한 방법으로 한 가지 종류의 객체에 대해 그려진 모든 경계 상자들 중 가장 높은 신뢰도 점수를 가진 경계 상자를 기준으로 다른 경계 상자들을 하나씩 삭제해 나간다. 이후 IoU 값이 설정된 임곗값보다 작아서 지워지지 않고 남겨진 경계 상자 중에서 가장 높은 신뢰도 점수를 가진 경계 상자를 다음 기준으로 정하여 동일한 과정을 반복한다. 그리고 이러한 과정을 다른 모든 대상에 표시된 경계 상자들에 대해서도 순차적으로 반복한다. 이렇게 해서 결국 이미지 속의 각 대상별로 가장 높은 신뢰도 점수를 가진 경계 상자 하나씩만 남게 된다.

이런 원리로 인해 YOLO는 2단계 방식에 비해 탐지 속도가 매우 빨라서 자율 주행 자동차, 지능형 CCTV 등에 널리 사용되고 있다. 하지만 속도가 빠른 대신 ⑤새 떼와 같이 여러 물체가 한 영역 안에 모여 있는 경우 일부 대상을 탐지하지 못한다는 한계점도 가지고 있다.

9. 윗글의 내용과 일치하지 <u>않는</u> 것은?
① 객체 탐지는 이미지에 있는 대상의 위치를 찾고 그 대상이 어떤 객체인지 판별하는 작업이다.
② 2단계 방식은 객체를 탐지하는 속도가 느려서 실시간 탐지에는 사용하기가 어렵다.
③ 이미지에 표시되는 경계 상자는 기준이 되는 영역의 크기에 따라 그 크기가 결정된다.
④ 신뢰도 점수는 경계 상자에 특정 객체가 존재할 확률값을 말하며 모든 경계 상자마다 존재한다.
⑤ 경계 상자가 표시되는 과정에서 하나의 대상에 여러 개의 경계 상자가 그려질 수도 있다.

10. 윗글을 참고할 때, <보기>에 대한 설명으로 적절하지 <u>않은</u> 것은?

— <보 기> —

다음은 경계 상자의 수를 2로 설정한 YOLO 모델에 특정 이미지를 입력했을 때, 데이터가 출력되는 과정을 도식화하여 나타낸 것이다. 단, 입력된 이미지는 단일 객체에 대한 이미지이다.

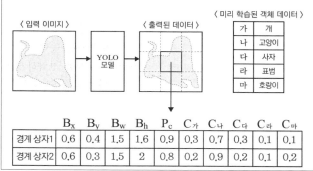

	B_x	B_y	B_w	B_h	P_c	$C_가$	$C_나$	$C_다$	$C_라$	$C_마$
경계 상자1	0.6	0.4	1.5	1.6	0.9	0.3	0.7	0.3	0.1	0.1
경계 상자2	0.6	0.3	1.5	2	0.8	0.2	0.9	0.2	0.1	0.2

① 입력된 이미지에서 탐지된 객체는 '고양이'일 가능성이 가장 높다.
② 경계 상자 1이 경계 상자 2보다 더 정확하게 객체를 탐지하였다.
③ 입력된 이미지의 전체 영역에 표시되는 경계 상자는 모두 18개이다.
④ 입력된 이미지에서 탐지할 수 있는 객체의 종류는 모두 다섯 가지이다.
⑤ YOLO 모델이 이미지를 분석하여 출력하는 데이터는 모두 180개이다.

11. [A]를 바탕으로 <보기>를 이해한 내용으로 가장 적절한 것은?

[3점]

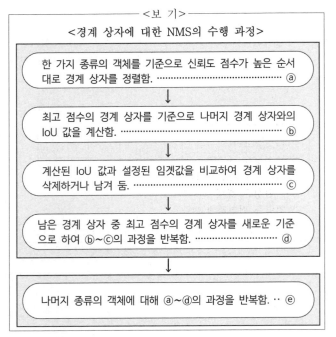

─────── <보 기> ───────

<경계 상자에 대한 NMS의 수행 과정>

┌─────────────────────────────────┐
│ 한 가지 종류의 객체를 기준으로 신뢰도 점수가 높은 순서 │
│ 대로 경계 상자를 정렬함. ·················· ⓐ │
└─────────────────────────────────┘
                    ↓
┌─────────────────────────────────┐
│ 최고 점수의 경계 상자를 기준으로 나머지 경계 상자와의 │
│ IoU 값을 계산함. ························· ⓑ │
└─────────────────────────────────┘
                    ↓
┌─────────────────────────────────┐
│ 계산된 IoU 값과 설정된 임곗값을 비교하여 경계 상자를 │
│ 삭제하거나 남겨 둠. ······················ ⓒ │
└─────────────────────────────────┘
                    ↓
┌─────────────────────────────────┐
│ 남은 경계 상자 중 최고 점수의 경계 상자를 새로운 기준 │
│ 으로 하여 ⓑ~ⓒ의 과정을 반복함. ············· ⓓ │
└─────────────────────────────────┘
                    ↓
┌─────────────────────────────────┐
│ 나머지 종류의 객체에 대해 ⓐ~ⓓ의 과정을 반복함. ·· ⓔ │
└─────────────────────────────────┘

① ⓐ의 대상이 되는 경계 상자의 신뢰도 점수는 이미지에 상관 없이 항상 일정하겠군.

② ⓑ에서 계산된 IoU 값이 0에 가까울수록 두 경계 상자는 중복되는 부분이 많겠군.

③ ⓒ의 과정에서 경계 상자가 삭제되지 않았다면 두 경계 상자가 동일한 대상에 표시된 경계 상자라고 판단한 것이겠군.

④ ⓓ의 과정은 하나의 특정 대상에 중복되어 표시된 여러 개의 경계 상자가 하나만 남을 때까지 반복되겠군.

⑤ ⓔ에서 새로운 기준이 되는 경계 상자는 이전 객체의 기준이 되었던 경계 상자와 동일한 대상에 그려져 있겠군.

12. ㉠의 이유로 가장 적절한 것은?

① 대상의 크기에 따라 해당 경계 상자에 존재할 확률값이 달라지기 때문에

② 객체에 대한 신뢰도 점수가 임곗값보다 작아 경계 상자가 제거되기 때문에

③ 객체를 탐지할 때 미리 학습된 객체 데이터에 따라 객체를 판별하기 때문에

④ 객체를 탐지할 때 영역별로 탐지할 수 있는 객체의 수가 제한적이기 때문에

⑤ 객체를 탐지할 때 처리하는 데이터가 많고 알고리즘의 구조가 복잡하기 때문에

총 문항					문항	맞은 문항				문항
개별 문항	1	2	3	4	5	6	7	8	9	10
채점										
개별 문항	11	12	13	14	15	16	17	18	19	20
채점										

 9분   2022학년도 3월 학평 10~13번   ★★★   정답 051쪽

[1~4] 다음 글을 읽고 물음에 답하시오.

문자 입력 창에 한 글자만을 입력했는데 완성된 문구가 ⓐ제시되는 자동 완성을 경험해 보았을 것이다. '코'라는 문자를 입력했다면 '코피', '코로나' 등이 후보로 제시되어 휴대 전화와 같이 문자 입력이 불편한 경우 문자 입력을 편리하게 할 수 있다. 이는 사용했던 단어들 중에서 입력되는 문자와 첫 글자부터 일치하는 것을 찾고 그중 사용 빈도가 높은 단어들을 후보로 제시하는 것이라고 할 수 있다. 한편 워드 프로세서에서 단어 찾기와 같은 검색은 저장되어 있는 문자열을 대상으로 검색어가 ⓑ포함된 문자열을 찾는 것이다. 검색은 자동 완성과 달리 대상 문자열의 어느 위치에서도 검색어를 찾을 수 있어야 하며 사용 빈도를 고려하지 않아도 된다.

검색이 가능하기 위해서는 검색어를 저장되어 있는 문자열의 부분 문자열과 비교하는 알고리즘이 필요하다. 예를 들어 '우리글'이라는 검색어를 '한글:␣우리나라에서␣창제된␣우리글'이라는 띄어쓰기(␣)가 포함된 18글자의 대상 문자열에서 검색한다고 ⓒ가정해 보자. ㉠가장 간단히 떠올릴 수 있는 방법은 '우리글'이 3글자이므로 대상 문자열을 3글자씩 잘라 1글자씩 비교하는 것이다. '한글:', '글:␣', ':␣우' 등과 같이 16개의 비교 대상을 만들고 이를 검색어와 각각 비교하여 모두 같은지 확인한다. 하나의 비교 대상을 확인하기 위해서는 3글자를 각각 비교해야 하므로 총 16×3번 비교를 하게 될 것이다. 검색어 길이에 비해 대상 문자열이 짧거나 같은 경우는 없으므로 이 방법은 검색어와 비교해야 하는 대상 문자열의 길이가 길어지거나 개수가 많아지면 비교 횟수가 늘어나 검색 시간이 늘어난다.

[A]
검색 시간을 줄이기 위한 다른 방법은 없을까? 검색어와 비교 대상을 1글자씩 비교하지 않고 3글자씩 한 번에 비교할 수 있다면 그만큼 비교 횟수가 줄어들게 되어 검색 시간이 줄어들 것이다. 이를 위해 각각의 문자열에 특정 값을 ⓓ생성하는 함수를 설정할 수 있다. 이런 함수를 해시 함수라고 하고, 어떤 문자열에 대해 해시 함수가 생성한 값을 해시값이라고 한다. 만일 해시 함수가 입력 가능한 문자열에 대해 모두 다른 해시값을 생성한다면 검색어의 해시값과 비교 대상의 해시값을 비교하여 두 문자열이 일치함을 단번에 ⓔ판단할 수 있다.

앞의 예와 같이 검색어가 3글자이고 18글자의 대상 문자열이 제시된다면 비교 대상은 16개가 만들어진다. 하지만 각 비교 대상에서 문자열 비교는 1번의 해시값 비교로 줄어들기 때문에 전체 비교 횟수는 감소하게 된다. 물론 해시값을 생성하는 해시 함수의 연산이 추가되지만 추가되는 연산 시간이 각 글자 단위의 비교에 필요한 연산 시간보다 짧다면 전체적인 검색 시간은 단축될 수 있다. 이런 이유로 해시 함수는 연산이 간단하면서도 중복되지 않는 해시값을 생성할 수 있어야 한다.

1. 윗글을 통해 알 수 있는 내용으로 적절하지 <u>않은</u> 것은?

① 검색은 저장되어 있는 문자열 전체를 대상으로 검색어가 포함되어 있는지 확인한다.

② 검색은 필요에 따라 각기 다른 문자열에 동일한 해시값을 생성하는 해시 함수를 사용한다.

③ 검색은 저장되어 있는 문자열의 부분 문자열과 검색어를 비교하는 알고리즘을 활용한다.

④ 자동 완성은 사용 빈도를 고려하여 입력되는 문자가 포함된 문자열을 후보로 제시한다.

⑤ 자동 완성은 휴대 전화와 같이 문자 입력이 불편한 경우 문자 입력을 편리하게 할 수 있는 방법이다.

2. [A]를 이해한 내용으로 적절한 것은?

① 검색어의 길이가 짧아진다면 비교 대상의 개수가 줄어들어 해시값 비교 횟수가 증가할 수 있겠군.

② 대상 문자열에 반복되는 글자가 많다면 해시값이 작아져서 해시 함수의 연산 시간이 단축될 수 있겠군.

③ 검색어보다 긴 대상 문자열의 개수가 늘어난다면 비교 대상이 늘어나 해시값 비교 횟수가 증가할 수 있겠군.

④ 대상 문자열이 1개일 경우 검색어의 길이가 짧아진다면 비교 대상의 길이가 줄어들어 해시값 비교 횟수가 감소할 수 있겠군.

⑤ 대상 문자열이 2개일 경우 검색어의 길이가 길어진다면 비교 대상의 개수가 늘어나 해시 함수의 연산 시간이 증가할 수 있겠군.

3. ㉠에 <보기>의 조건을 모두 추가하여 검색한다고 할 때, 이에 대한 설명으로 적절하지 <u>않은</u> 것은? [3점]

> ── < 보 기 > ──
> [조건]
> ○ 검색어에 문장 부호가 포함되지 않는 경우 문장 부호가 있는 부분 문자열은 비교 대상에서 제외한다.
> ○ 검색어에 띄어쓰기가 포함되는 경우 띄어쓰기의 위치가 일치하지 않는 부분 문자열은 비교 대상에서 제외한다.

① '우리ᄂ글'로 검색할 경우 띄어쓰기의 위치가 일치하는 비교 대상 3개가 만들어진다.

② '우리ᄂ글'로 검색할 경우의 비교 횟수보다 '우리글'로 검색할 경우의 비교 횟수가 더 많다.

③ '우리글'로 검색할 경우 비교 대상은 'ᄂ우리', '우리나', '리나라' 등과 같이 3글자로 된 비교 대상들이 만들어진다.

④ '우리글'로 검색할 경우 부분 문자열 '한글:', '글:ᄂ', ':ᄂ우'에는 문장 부호가 포함되어 있기 때문에 비교하지 않는다.

⑤ '우리글'로 검색할 경우 일치하는 문자열을 찾을 수 있지만 '우리ᄂ글'로 검색할 경우는 일치하는 문자열을 찾을 수 없다.

4. ⓐ~ⓔ의 사전적 의미로 적절하지 <u>않은</u> 것은?

① ⓐ : 어떠한 의사를 말이나 글로 나타내어 보임.

② ⓑ : 어떤 사물이나 현상 가운데 함께 들어 있거나 함께 넣음.

③ ⓒ : 다른 사람의 말이나 행동, 형편 따위를 잘 알아서 긍정하고 이해함.

④ ⓓ : 사물이 생겨남. 또는 사물이 생겨 이루어지게 함.

⑤ ⓔ : 사물을 인식하여 논리나 기준 등에 따라 판정을 내림.

【5~8】 다음 글을 읽고 물음에 답하시오.

주차하거나 좁은 길을 지날 때 운전자를 돕는 장치들이 있다. 이 중 차량 전후좌우에 장착된 카메라로 촬영한 영상을 이용하여 차량 주위 360°의 상황을 위에서 내려다본 것 같은 영상을 만들어 차 안의 모니터를 통해 운전자에게 제공하는 장치가 있다. 운전자에게 제공되는 영상이 어떻게 만들어지는지 알아보자.

먼저 차량 주위 바닥에 바둑판 모양의 격자판을 펴 놓고 카메라로 촬영한다. 이 장치에서 사용하는 광각 카메라는 큰 시야각을 갖고 있어 사각지대가 줄지만 빛이 렌즈를 ⓐ지날 때 렌즈 고유의 곡률로 인해 영상이 중심부는 볼록하고 중심부에서 멀수록 더 휘어지는 현상, 즉 렌즈에 의한 상의 왜곡이 발생한다. 이 왜곡에 영향을 주는 카메라 자체의 특징을 내부 변수라고 하며 왜곡 계수로 나타낸다. 이를 알 수 있다면 왜곡 모델을 설정하여 왜곡을 보정할 수 있다. 한편 차량에 장착된 카메라의 기울어짐 등으로 인해 발생하는 왜곡의 원인을 외부 변수라고 한다. ㉠촬영된 영상과 실세계 격자판을 비교하면 영상에서 격자판이 회전한 각도나 격자판의 위치 변화를 통해 카메라의 기울어진 각도 등을 알 수 있으므로 왜곡을 보정할 수 있다.

왜곡 보정이 끝나면 영상의 점들에 대응하는 3차원 실세계의 점들을 추정하여 이로부터 원근 효과가 제거된 영상을 얻는 시점 변환이 필요하다. 카메라가 3차원 실세계를 2차원 영상으로 투영하면 크기가 동일한 물체라도 카메라로부터 멀리 있을수록 더 작게 나타나는데, 위에서 내려다보는 시점의 영상에서는 거리에 따른 물체의 크기 변화가 없어야 하기 때문이다.

㉡왜곡이 보정된 영상에서의 몇 개의 점과 그에 대응하는 실세계 격자판의 점들의 위치를 알고 있다면, 영상의 모든 점들과 격자판의 점들 간의 대응 관계를 가상의 좌표계를 이용하여 기술할 수 있다. 이 대응 관계를 이용해서 영상의 점들을 격자의 모양과 격자 간의 상대적인 크기가 실세계에서와 동일하게 유지되도록 한 평면에 놓으면 2차원 영상으로 나타난다. 이때 얻은 영상이 ㉢위에서 내려다보는 시점의 영상이 된다. 이와 같은 방법으로 구한 각 방향의 영상을 합성하면 차량 주위를 위에서 내려다본 것 같은 영상이 만들어진다.

5. 윗글의 내용과 일치하는 것은?

① 차량 주위를 위에서 내려다본 것 같은 영상은 360°를 촬영하는 카메라 하나를 이용하여 만들어진다.

② 외부 변수로 인한 왜곡은 카메라 자체의 특징을 알 수 있으면 쉽게 해결할 수 있다.

③ 차량의 전후좌우 카메라에서 촬영된 영상을 하나의 영상으로 합성한 후 왜곡을 보정한다.

④ 영상이 중심부로부터 멀수록 크게 휘는 것은 왜곡 모델을 설정하여 보정할 수 있다.

⑤ 위에서 내려다보는 시점의 영상에 있는 점들은 카메라 시점의 영상과는 달리 3차원 좌표로 표시된다.

---

6. ㉠~㉢을 이해한 내용으로 가장 적절한 것은?

① ㉠에서 광각 카메라를 이용하여 확보한 시야각은 ㉡에서는 작아지겠군.

② ㉡에서는 ㉠과 마찬가지로 렌즈와 격자판 사이의 거리가 멀어질수록 격자판이 작아 보이겠군.

③ ㉡에서는 ㉠에서 렌즈와 격자판 사이의 거리에 따른 렌즈의 곡률 변화로 생긴 휘어짐이 보정되었겠군.

④ ㉡과 실세계 격자판을 비교하여 격자판의 위치 변화를 보정한 ㉢은 카메라의 기울어짐에 의한 왜곡을 바로잡은 것이겠군.

⑤ ㉡에서 렌즈에 의한 상의 왜곡 때문에 격자판의 윗부분으로 갈수록 격자 크기가 더 작아 보이던 것이 ㉢에서 보정되었겠군.

7. 윗글을 바탕으로 <보기>를 탐구한 내용으로 가장 적절한 것은? [3점]

<보 기>

그림은 ┃장치┃가 장착된 차량의 운전자에게 제공된 영상에서 전방 부분만 보여 준 것이다. 차량 전방의 바닥에 그려진 네 개의 도형이 영상에서 각각 A, B, C, D로 나타나 있고, C와 D는 직사각형이고 크기는 같다. p와 q는 각각 영상 속 임의의 한 점이다.

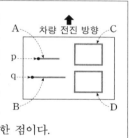

① 원근 효과가 제거되기 전의 영상에서 C는 윗변이 아랫변보다 긴 사다리꼴 모양이다.

② 시점 변환 전의 영상에서 D는 C보다 더 작은 크기로 영상의 더 아래쪽에 위치한다.

③ A와 B는 p와 q 간의 대응 관계를 이용하여 바닥에 그려진 도형을 크기가 유지되도록 한 평면에 놓은 것이다.

④ B에 대한 A의 상대적 크기는 가상의 좌표계를 이용하여 시점을 변환하기 전의 영상에서보다 더 커진 것이다.

⑤ p가 A 위의 한 점이라면 A는 p에 대응하는 실세계의 점이 시점 변환을 통해 선으로 나타난 것이다.

8. 문맥상 ⓐ의 의미와 가장 가까운 것은?

① 그때 동생이 탄 버스는 교차로를 <u>지나고</u> 있었다.

② 그것은 슬픈 감정을 <u>지나서</u> 아픔으로 남아 있다.

③ 어느새 정오가 훌쩍 <u>지나</u> 식사할 시간이 되었다.

④ 물의 온도가 어는점을 <u>지나</u> 계속 내려가고 있다.

⑤ 가장 힘든 고비를 <u>지나고</u> 나니 마음이 가뿐하다.

[9~12] 다음 글을 읽고 물음에 답하시오.

'메타버스(metaverse)'는 '초월'이라는 의미의 '메타(meta)'와 '세계'를 뜻하는 '유니버스(universe)'의 합성어로, 현실 세계와 가상 공간이 적극적으로 상호 작용하는 공간을 의미한다. 감각 전달 장치는 메타버스 속에서 사용자를 대신하는 아바타가 보고 만지는 것으로 설정된 감각을 사용자에게 전달하는 장치이다. 사용자는 이를 통하여 가상 공간을 현실감 있게 체험하면서 메타버스에 몰입하게 된다.

시각을 전달하는 장치인 HMD*는 사용자의 양쪽 눈에 가상 공간을 표현하는, 시차*가 있는 영상을 전달한다. 전달된 영상을 뇌에서 조합하는 과정에서 사용자는 공간과 물체의 입체감을 느낄 수 있다. 가상 공간에서 물체를 접촉하는 것처럼 사용자의 손에 감각 반응을 직접 전달하는 장치로는 가상 현실 장갑이 있다. 가상 현실 장갑은 가상 공간에서 아바타가 만지는 가상 물체의 크기, 형태, 온도 등을 사용자가 느낄 수 있도록 설계되어 있다. 이 외에도 가상 현실 장갑은 사용자의 손가락 및 팔의 움직임에 따라 아바타를 움직이게 할 수 있다.

한편 사용자의 움직임을 아바타에게 전달하는 공간 이동 장치를 이용하면, 사용자는 몰입도 높은 메타버스 체험을 할 수 있다. 공간 이동 장치인 가상 현실 트레드밀은 일정한 공간에 설치되어 360도 방향으로 사용자의 이동이 가능하도록 바닥의 움직임을 지원한다.

[A] ┌ 가상 현실 트레드밀과 함께 사용되는 모션 트래킹 시스템은 사용자의 동작에 따라 아바타가 동일하게 움직일 수 있도록 동기화하는 시스템으로, 동작 추적 센서, 관성 측정 센서, 압력 센서 등으로 구성된다. 동작 추적 센서는 사용자의 동작을 파악하며, 관성 측정 센서는 사용자의 이동 속도 변화율 및 회전 속도를 측정한다. 압력 센서는 서로 다른 물체 간에 작용하는 압력을 측정한다. 만약 바닥에 압력 센서가 부착된 신발을 사용자가 신고 뛰면, 압력 센서는 지면과 발바닥 사이의 압력을 감지하여 사용자가 뛰는 힘을 파악할 수 있다. 모션 트래킹 시스템이 사용자의 동작 정보를 컴퓨터에 전달하면, 컴퓨터는 사용자가 움직이는 방향과 속도에 ⓐ<u>맞춰</u> 트레드밀의 바닥을 제어한다. 이와 같이 사용자의 이동 동작에 따라 트레드밀의 움직임이 변경되기도 하지만, 아바타가 존재하는 가상 공간의 환경 변화에 따라 트레드밀 바닥의 진행 속도 및 방향, 기울기 등이 변경되기도 한다. 또한 사용자의 움직임이나 트레드밀의 작동 변화에 따라 HMD에 표시되는 가상 공간의 장면이 └ 변경되어 사용자는 더욱 현실감 높은 체험을 할 수 있다.

* HMD : 머리에 쓰는 3D 디스플레이의 한 종류.
* 시차 : 한 물체를 서로 다른 두 지점에서 보았을 때 방향의 차이.

9. 윗글의 내용과 일치하지 <u>않는</u> 것은?

① 감각 전달 장치와 공간 이동 장치는 사용자가 메타버스에 몰입할 수 있게 한다.

② 공간 이동 장치는 현실 세계 사용자의 움직임을 메타버스의 아바타에게 전달한다.

③ HMD는 사용자가 시각을 통해 메타버스의 공간과 물체의 입체감을 느끼도록 한다.

④ 감각 전달 장치는 아바타가 느끼는 것으로 설정된 감각을 사용자에게 전달하는 장치이다.

⑤ 가상 현실 장갑을 착용하면 사용자와 아바타는 상호 간에 감각 반응을 주고받을 수 있다.

10. [A]에 대한 이해로 적절한 것은?

① 관성 측정 센서는 사용자의 이동 속도와 뛰는 힘을 측정할 수 있다.

② HMD에 표시되는 가상 공간 장면의 변경에 따라 HMD는 가상 현실 트레드밀을 제어한다.

③ 가상 공간에서 아바타가 경사로를 만나면 가상 현실 트레드밀 바닥의 기울기가 변경될 수 있다.

④ 모션 트래킹 시스템은 아바타의 동작에 따라 사용자가 동일하게 움직일 수 있도록 동기화한다.

⑤ 아바타가 이동 방향을 바꾸면 가상 현실 트레드밀 바닥의 진행 방향이 변경되어 사용자의 이동 방향이 바뀌게 된다.

11. 윗글을 바탕으로 <보기>를 이해한 내용으로 적절하지 <u>않은</u> 것은? [3점]

<보 기>

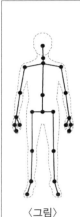

동작 추적 센서의 하나인 키넥트 센서는 적외선 카메라와 RGB 카메라 등으로 구성된다. 적외선 카메라는 광원에서 발산된 적외선이 피사체의 표면에서 반사되어 수신되기까지 걸리는 시간을 측정하여, 피사체의 입체 정보를 포함하는 저해상도 단색 이미지를 제공한다. 반면 RGB 카메라는 피사체의 고해상도 컬러 이미지를 제공한다. 키넥트 센서는 저해상도 입체 이미지를 고해상도 컬러 이미지에 투영하여 사용자가 검출되는 경우, <그림>과 같이 신체 부위에 대응되는 25개의 연결점을 선으로 이은 3D 골격 이미지를 제공한다.

〈그림〉

① 키넥트 센서는 가상 공간에 있는 물체들 간의 거리를 측정하여 입체감을 구현할 수 있다.

② 키넥트 센서가 확보한, 사용자의 춤추는 동작 정보를 바탕으로 아바타의 춤추는 동작이 구현될 수 있다.

③ 키넥트 센서와 관성 측정 센서를 이용하여 사용자의 걷는 자세 및 이동 속도 변화율을 파악할 수 있다.

④ 연결점의 수와 위치의 제약 때문에 사용자의 골격 이미지로는 사용자의 얼굴 표정 변화를 아바타에게 전달할 수 없다.

⑤ 적외선 카메라의 입체 이미지와 RGB 카메라의 컬러 이미지 정보로부터 생성된 골격 이미지가 사용자의 동작 정보를 파악하는 데 사용된다.

12. 문맥상 의미가 ⓐ와 가장 가까운 것은?

① 그 연주자는 피아노를 언니의 노래에 정확히 맞추어 쳤다.

② 아내는 집 안에 있는 물건들의 색깔을 조화롭게 맞추었다.

③ 우리는 다음 주까지 손발을 맞추어 작업을 마치기로 했다.

④ 그 동아리는 신입 회원을 한 명 더 뽑아 인원을 맞추었다.

⑤ 동생은 중간고사를 보고 나서 친구와 답을 맞추어 보았다.

총 문항					문항		맞은 문항			문항
개별 문항	1	2	3	4	5	6	7	8	9	10
채점										
개별 문항	11	12	13	14	15	16	17	18	19	20
채점										

IV

12분 2021학년도 10월 학평 5~10번 ★★☆ 정답 053쪽

【1~6】 다음 글을 읽고 물음에 답하시오.

선박의 진수란 새로 건조한 배를 처음 물에 띄우는 것을 말한다. 선박 진수에 가장 보편적으로 사용되는 시설은 드라이 독이다. 드라이 독은 선박 출입이 가능하도록 육상에 직육면체 형태로 땅을 파서 만든다. 바다와 접한 독의 입구에는 독의 외부와 내부를 분리하는 수문을 설치하는데, 수문의 내부는 물을 채우거나 뺄 수 있는 구조로 되어 있다. 이는 부력을 활용하여 수문을 열고 닫기 위한 것이다. 수문에 물을 채워 수중으로 가라앉혀 드라이 독의 입구를 닫고, 독 내부의 물을 모두 퍼내 독 내부가 육상과 같은 상태가 되면, 독 내부에서는 독 외부에서 제작된 선체 구조물을 조립하는 등의 선박 건조가 이루어진다.

진수 작업은 선박 건조가 완료된 상태에서 시작된다. 먼저 독의 수문을 닫은 채 독 내부로 물을 채운다. 처음에는 물을 선박의 흘수보다 약간 깊은 정도까지 채워 선박의 누수나 균형 등을 확인하는데, 이를 1차 진수라고 한다. 흘수는 물에 떠 있는 물체가 수면에 의해 구분되는 면에서 그 물체의 가장 깊은 점까지의 수심이다. 선박의 흘수를 계산하려면 물에 잠겨 있는 물체가 중력에 반해 밀어 올려지는 힘인 부력에 대해 이해해야 한다. 부력의 크기는 물체가 물을 밀어낸 부피만큼의 물의 무게로 이는 ⊙배수량을 의미한다. 따라서 물에 떠 있는 선박은 부력의 크기와 배수량이 같다. 선박의 배수량은 선박 자체의 무게와 화물, 연료 등의 무게를 합한 것으로, 선박의 물에 잠긴 부분의 부피와 밀어낸 물의 단위 부피당 무게를 곱한 값이 된다. 따라서 1차 진수에서 독 내부로 주입하는 물의 양을 결정하는 기준이 되는 흘수를 알기 위해서는 먼저 선박의 물에 잠기게 될 부분의 부피를 계산해야 한다.

선박의 물에 잠길 부분이 직육면체라면 부피를 계산하는 것이 어렵지 않다. 하지만 선박은 대부분 유선형이고, 특히 뱃머리인 선수 부분과 배의 뒷부분인 선미 부분은 곡선 형태이기 때문에 선박의 물에 잠길 부분의 부피를 구하는 것이 간단하지 않다. 그래서 이 부피 계산에 사용되는 것이 심프슨 공식이다. 심프슨 공식은 면적을 계산하고자 하는 도형을 여러 개의 작은 사다리꼴로 나누어, 그 사다리꼴의 면적을 계산해 합산함으로써 실제 도형 면적의 근삿값을 구하는 공식이다. <그림>에서 선박의 수직 단면과 유사한 도형 ABCFD의 면적을 계산하려면, 사다리꼴 ABED와 사다리꼴 BCFE의

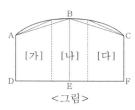

<그림>

면적을 계산해 합산하면 된다. 하지만 2개로 구분된 구간을 [가], [나], [다]의 3개의 구간으로 나누어 계산하면 더 정밀한 근삿값을 얻을 수 있다. 이런 식으로 ⓒ횡축 즉 선박의 폭을 여러 개의 구간으로 세분한 후, 이 구간들의 면적을 합산하면 수직 단면적의 근삿값을 더욱 정밀하게 계산할 수 있다.

이처럼 선박의 수직 단면적을 구하면, 이 수직 단면적에 선박의 길이를 곱해 부피를 구해야 한다. 하지만 대부분의 선박은 그 형태로 인해 수직 단면적이 변화하고, 특히 선수와 선미 부분에서는 변화 폭이 크므로 다시 심프슨 공식을 사용해야 한다. 선박의 물에 잠길 부분의 부피를 구할

[A] 때에는 단면적 곡선이 그려진 그래프를 이용한다. 먼저 수평축은 일정한 길이의 구역으로 분할된 선박 측면에서의 위치로, 수직축은 선박의 수직 단면적으로 설정한다. 심프슨 공식을 활용해 각 구역의 특정 지점의 수직 단면적을 구한 후 이를 그래프에 점으로 나타낸다. 그리고 각각의 점을 연결하면 단면적 곡선이 되는데, 심프슨 공식을 이용해 이 곡선 내부의 면적을 구하면 선박의 부피를 추정할 수 있다.

선박의 배수량은 선박의 물에 잠긴 부분의 부피와 물의 단위 부피당 무게를 곱한 값이므로, 선박의 배수량과 물의 단위 부피당 무게를 이용해 선박의 물에 잠길 부분의 부피를 추정하고 이를 바탕으로 흘수를 알아낸다. 1차 진수 시에는 이 흘수를 기준으로 독 내부에 물을 채우게 된다. 1차 진수 결과 선박에 이상이 없으면 독 외부와 내부의 수위가 같아질 때까지 물을 채워 선박을 띄우는데, 이를 2차 진수라고 한다. 이후 선박이 떠 있는 상태에서, 내부의 물을 빼내 떠오른 수문을 독 입구에서 제거하고, 선박을 독 외부로 끌어낸다.

한편 드라이 독은 선박 건조뿐만 아니라 운용 중인 선박의 수리와 점검에도 이용된다. 드라이 독 내부에 선박을 가두고 수문을 막은 후 독 내부의 물을 빼 독 내부가 육상과 같은 상태가 되면 수리와 점검을 실시한다. 그리고 작업이 종료된 선박은 다시 진수의 과정을 ⓐ거치게 되는데, 운용 중인 선박은 화물과 연료가 실려 있어 처음 진수할 때와 비교해 배수량에 차이가 생겨 선박의 흘수도 처음 진수할 때와 달라지게 된다.

1. 윗글을 통해 알 수 있는 내용으로 적절하지 않은 것은?

① 드라이 독에서는 부력을 이용하여 수문을 제거한다.

② 드라이 독은 선박 진수에 사용되는 보편적인 시설이다.

③ 드라이 독 내부에서는 선체 구조물을 조립하는 작업이 이루어진다.

④ 드라이 독은 독 내부로 물을 채우고 독 외부로 물을 뺄 수 있어야 한다.

⑤ 드라이 독에서 수리를 마친 선박을 다시 운용할 때에는 진수의 과정이 생략된다.

2. [A]를 바탕으로 <보기>를 이해한 내용으로 적절하지 <u>않은</u> 것은? [3점]

<보기>

다음은 가상의 흘수를 설정하고 선박 일부의 물에 잠길 부분의 부피를 계산하기 위해 그린 수직 단면적 곡선이다.

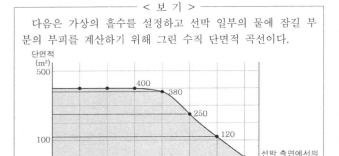

① 각 구역의 단면적 곡선은 물에 잠길 해당 구역의 실제 단면적을 정확히 반영하지는 못하겠군.
② 선박 구역을 더 여러 개로 분할하면 선박의 물에 잠길 부분의 부피를 실제와 더욱 가깝게 구할 수 있겠군.
③ 단면적 곡선과 수평축, 수직축으로 둘러싸인 면적을 통해 구역 Ⅰ~Ⅶ의 물에 잠길 부분의 부피를 추정할 수 있겠군.
④ 구역 Ⅰ~Ⅲ은 단면적이 일정한 것으로 보아, 해당 구역의 물에 잠길 부분의 형태가 직육면체임을 알 수 있겠군.
⑤ 구역 Ⅳ~Ⅶ은 급격한 단면적 변화가 나타나는 것으로 보아, 해당 구역은 선박의 선수나 선미 부분에 해당한다고 볼 수 있겠군.

3. ㉠과 관련하여 이해한 내용으로 적절하지 <u>않은</u> 것은?

① 1차 진수와 2차 진수에서 선박의 배수량이 동일하다면, 이 선박의 흘수는 같을 것이다.
② 두 선박이 배수량이 같더라도 흘수가 다르다면, 두 선박의 물에 잠겨 있는 부분의 부피는 다를 것이다.
③ 흘수가 같은 두 선박의 배수량이 다르다면, 두 선박이 밀어 낸 물의 양은 차이가 있을 것이다.
④ 건조가 완료된 선박에 화물과 연료를 실어 선박의 배수량이 증가한다면, 선박이 받는 부력의 크기도 커질 것이다.
⑤ 배수량이 다른 두 선박을 같은 드라이 독에서 수리한다면, 독 내부를 육상과 같은 상태로 만들기 위해 독 외부로 빼내는 물의 양은 배수량이 작은 선박이 배수량이 큰 선박보다 더 많을 것이다.

4. ㉡의 이유로 가장 적절한 것은?

① 곡면의 형태를 사다리꼴과 유사한 형태로 만들 수 있기 때문에
② 곡면이 이루는 면적과 사다리꼴의 면적 차이를 줄일 수 있기 때문에
③ 세분화된 구간에서 곡면의 면적이 사다리꼴의 면적보다 작아지기 때문에
④ 사다리꼴들의 크기가 비슷해져 곡면이 이루는 면적의 근삿값을 계산할 수 있기 때문에
⑤ 폭을 더 많이 세분할수록 각각의 사다리꼴의 면적을 구하는 계산이 더 쉬워지기 때문에

5. 윗글의 드라이 독 과 <보기>의 플로팅 독 을 비교한 내용으로 가장 적절한 것은?

<보기>

플로팅 독 은 수상에서 운용하는 독으로 독의 바닥과 측면은 모두 물을 채우거나 뺄 수 있는, 횡단면이 유자형(⊔)인 구조로 되어 있다. 독의 바닥과 측면에서 물을 빼면 독은 물 위에 떠 있게 되는데, 이때 육상과 연결해 선박 건조에 필요한 구조물을 이동시켜 선박을 건조한다. 선박 건조가 완료되면 플로팅 독을 수심이 깊은 해역으로 이동시킨 후 독의 바닥과 측면에 물을 채운다. 그러면 플로팅 독이 수중으로 가라앉게 되어 선박은 자연스럽게 물 위에 뜨면서 진수가 완료된다. 하지만 플로팅 독은 물 위에 떠 있기 때문에 진수할 수 있는 선박의 무게나 기후 등의 제약을 받는다.

① 드라이 독은 플로팅 독에 비해 선박 건조 과정에서 높은 파도와 같은 해상 조건의 영향을 더 많이 받겠군.
② 드라이 독은 플로팅 독에 비해 배수량이 큰 대형 선박을 진수하는 데 적합하지 않겠군.
③ 플로팅 독은 드라이 독과 달리 선박 건조가 완료된 후 선박을 진수하는 위치를 이동시킬 수 있겠군.
④ 플로팅 독은 드라이 독과 달리 선박 건조나 수리의 과정을 육상과 같은 환경에서 진행하겠군.
⑤ 플로팅 독은 드라이 독과 달리 선박 진수 시 독 내부와 외부를 차단하는 과정이 필요하겠군.

6. 문맥상 의미가 ⓐ와 가장 가까운 것은?

① 신입 사원들은 엄격한 선발 단계를 <u>거친</u> 인재들이었다.
② 할머니께서는 대구를 <u>거처</u> 부산에 있는 댁으로 가셨다.
③ 나는 돌멩이가 발길에 자꾸 <u>거처</u> 걷기가 힘들었다.
④ 우리는 사무실을 <u>거친</u> 후 공사 현장으로 갔다.
⑤ 그는 회장이 되자 더 이상 <u>거칠</u> 것이 없었다.

【7~11】 다음 글을 읽고 물음에 답하시오.

컴퓨터 과학자 데이크스트라가 고안한 '철학자의 만찬 문제'는 컴퓨터 내에서 여러 프로세스*가 서로 점유하고 있는 자원을 얻기 위해 상대방의 작업이 끝나기만을 기다리며 대기하는 '교착 상태'와 특정 프로세스가 원하는 자원을 계속 할당받지 못하는 '기아 상태'에 대한 대표적인 예시로 활용된다.

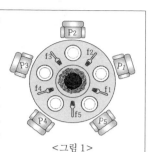
<그림 1>

<그림 1>처럼 다섯 명의 철학자(P1~P5)가 앉아 있는 자리 왼쪽에 포크(f1~f5)가 각각 하나씩 놓여 있다고 하자. 가운데 놓인 스파게티를 덜어 오기 위해서 철학자는 양옆의 포크를 동시에 이용해야 하며, 다른 철학자가 사용 중인 포크는 사용할 수 없다. 또 모든 철학자 Pn이 왼쪽의 포크 fn을 먼저 든 다음 오른쪽 포크 fn+1을 들어서 스파게티를 가져오기로 약속했을 때, 스파게티를 가져오기 위해 모든 철학자가 동시에 왼쪽 포크를 들게 되면, 오른쪽에는 남는 포크가 없어 모두가 무한정 서로를 기다리는 교착 상태가 발생한다. 또한 교착 상태가 해결되더라도 여러 이유로 특정 철학자에게 포크를 들 기회가 주어지지 않을 경우 특정 철학자만 스파게티를 먹지 못하는 기아 상태가 발생한다. 컴퓨터에서도 마찬가지로 CPU나 메모리 등과 같은 공유 자원을 이용해 프로세스를 처리하는 과정에서 다양한 이유로 교착 상태와 기아 상태가 발생하게 된다.

'철학자의 만찬 문제'에 대해 데이크스트라는 ㉠ 모든 철학자 Pn이 동시에 포크 fn을 집을 때 P5만 f1을 집도록 하면 적어도 한 명은 식사를 할 수 있어 교착 상태를 해결할 수 있음을 밝힌 바 있다. 실제 교착 상태는 예방, 회피, 발견 및 복구의 방법으로 해결 가능한데, 우선 교착 상태의 네 가지 필요조건 중 하나를 부정함으로써 교착 상태의 발생을 사전에 예방할 수 있다. 교착 상태는 자원에 대한 배타적인 통제권을 요구하는 '상호 배제 조건', 프로세스가 할당된 자원을 가진 상태에서 다른 자원을 기다리는 '점유 대기 조건', 프로세스가 어떤 자원의 사용을 끝낼 때까지 그 자원을 사용할 수 없는 '비선점 조건', 프로세스가 순환적으로 다음 프로세스가 요구하는 자원을 가지고 있는 '순환 대기 조건'을 모두 충족했을 때 발생한다. 이에 따라 여러 프로세스가 공유 자원을 동시에 사용할 수 있도록 상호 배제 조건을 부정하거나, 특정 프로세스의 실행 전에 필요한 모든 자원을 미리 할당하여 점유 대기 조건을 부정하는 방법, 자원에 고유한 순서를 할당하여 순환 대기 조건을 부정하는 방법 등으로 교착 상태를 예방한다. 하지만 어떤 자원들은 근본적으로 동시에 공유가 불가능하기 때문에 일반적으로 상호 배제 조건은 부정할 수 없다. 한편 교착 상태를 예방하는 과정에서 장치의 이용률과 속도가 저하되고 기아 상태가 발생하기도 한다.

자원을 좀 더 효율적으로 활용하기 위해 교착 상태를 회피하는 방법으로는 '은행원 알고리즘'을 활용한다. 예를 들어 100달러를 가지고 있는 은행이 있다고 하자. A, B, C의 고객이 각각 최대 60달러, 40달러, 50달러를 빌리려고 한다. 은행은 현재 A, B, C고객에게 각각 30달러를 빌려준 상황이다. A, B, C고객들은 각각 30달러, 10달러,

[A] 20달러의 돈이 추가적으로 더 필요하지만 은행은 고객들에게 돈을 빌려주고 남은 10달러만 빌려줄 수 있는 상황이다. 이 상황을 해결하기 위해 은행은 대출 가능한 10달러 전부를 B고객에게 빌려주고 그 고객이 돈을 갚을 때까지 기다렸다가 A고객이나 C고객에게 돈을 빌려줄 수 있다. B고객에게 남은 돈을 먼저 빌려주면 모든 고객의 요구를 해결해 줄 수 있는 두 가지 경로의 안전 순서열(B-A-C, B-C-A)이 존재하게 되는 것이다. 이처럼 시스템 내에 안전 순서열이 존재하는 상태를 '안전 상태'라고 하는데, 이러한 안전 상태에서만 프로세스에 자원을 분배함으로써 교착 상태를 회피할 수 있다.

또한 교착 상태를 발견하여 복구하기도 하는데, 교착 상태를 발견하는 방법으로는 '자원할당그래프'를 이용한다. 자원할당 그래프는 프로세스와 자원 간의 관계를 시각적으로 표시하여 순환 대기 조건을 발견함으로써 교착 상태를 판단한다.

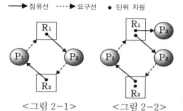
→ 점유선 ····▶ 요구선 ● 단위 자원
<그림 2-1> 　<그림 2-2>

자원 Rn으로부터 프로세스 Pn으로 향하는 화살표를 점유선, 프로세스 Pn에서 자원 Rn으로 향하는 화살표를 요구선이라고 했을 때 <그림 2-1>처럼 서로 공유하는 자원 R1, R2를 두고 점유선과 요구선이 순환하는 형태일 때 교착 상태임을 발견할 수 있다. 또 <그림 2-2>처럼 순환 구조가 존재하더라도 R2처럼 한 가지 종류의 자원에 동일한 단위 자원이 여러 개 있어 프로세스의 요구대로 자원 할당이 가능하거나, P3처럼 순환 구조에서 독립적으로 단위 자원을 점유하고 있어 반납한 단위 자원을 P1에게 할당할 수 있을 경우 교착 상태로 보지 않는다.

교착 상태가 발견되면 교착 상태 해결을 위해 시스템을 교착 상태 이전으로 복구시키는 방법을 사용한다. 교착 상태를 복구시키는 방법으로는 주로 교착 상태에 속한 프로세스들을 중지시키는 방법을 사용하는데, 교착 상태를 해결하기 위해 투입되는 자원이나 시간으로 인해 발생하는 시스템의 성능 저하가 교착 상태로 인해 발생하는 성능 저하보다 큰 경우 발견된 교착 상태를 무시하기도 한다. 또 다양한 방법으로 교착 상태가 해결되었음에도 불구하고 시스템 내 특정 프로세스에 기아 상태가 발생할 경우 새로운 프로세스의 시작을 보류하도록 조치하여 기아 상태를 해결한다. 이와 같은 교착 상태와 기아 상태의 해결을 통해 컴퓨터의 운영 체제는 각 프로세스를 위한 공유 자원들을 보다 안정적이고 효율적으로 운영할 수 있게 된다.

＊프로세스: 실행 중인 프로그램.

7. 윗글에 대한 이해로 가장 적절한 것은?
① 특정 프로세스에 필요한 모든 자원을 미리 할당할 경우 교착 상태가 발생한다.
② 안전 순서열이 여러 개 존재하는 상태에서 자원을 분배할 경우 교착 상태가 발생한다.
③ 교착 상태를 무시할 경우 교착 상태로 인해 발생하는 컴퓨터의 성능 저하를 막을 수 있다.
④ 교착 상태에 속한 프로세스를 중지시킬 경우 시스템을 교착 상태 이전으로 복구할 수 없다.
⑤ 특정 프로세스만 원하는 자원을 계속 할당받지 못할 경우 새로운 프로세스의 시작을 보류하여 문제를 해결할 수 있다.

8. ㉠의 이유로 가장 적절한 것은?

① P_5가 f_1을 집으면 P_5가 f_2도 집게 되어 식사를 시작할 수 있기 때문에

② P_5가 f_1을 집기 전에 P_1이 f_1을 집게 되어 P_1이 식사를 시작할 수 있기 때문에

③ P_5와 P_1이 f_1을 집기 위해 경쟁하는 동안 P_2가 식사를 시작할 수 있기 때문에

④ P_5가 f_5를 집지 않으면 P_4가 f_4와 f_5를 집게 되어 식사를 시작할 수 있기 때문에

⑤ P_5가 f_1과 f_5를 모두 집지 못해 P_1과 P_4가 동시에 식사를 시작할 수 있기 때문에

9. 철학자의 만찬 문제 를 교착 상태의 발생 조건과 관련하여 이해한 내용으로 적절하지 <u>않은</u> 것은?

① 특정 철학자에게 포크 두 개를 미리 지정해 주는 방법은 점유 대기 조건을 부정하는 방법이겠군.

② 만찬 중 두 철학자가 하나의 포크를 동시에 공유할 수 없으므로 상호 배제 조건을 충족하고 있다고 볼 수 있겠군.

③ 철학자들이 다른 철학자가 사용 중인 포크를 사용할 수 없다는 점에서 비선점 조건을 충족하고 있다고 볼 수 있겠군.

④ 교착 상태를 발생시키는 조건을 부정하여 교착 상태를 예방하더라도 특정 철학자가 식사를 못 하는 기아 상태가 발생할 수 있겠군.

⑤ 철학자들이 집는 포크에 고유한 순서를 할당하여 순환 대기 조건을 부정하더라도 상호 배제 조건을 부정할 수 없다면 교착 상태가 발생하겠군.

10. [A]를 참고했을 때, <보기>의 시스템에 대한 설명으로 적절하지 <u>않은</u> 것은?

─────< 보 기 >─────

자원 프로세스	현재 할당량	최대 요구량	추가 요구량	사용 가능량
P_1	2	12	10	
P_2	4	ⓐ	ⓑ	6
P_3	4	13	9	
P_4	2	8	ⓒ	

＊시스템에는 한 가지 종류의 자원만 존재하며, 자원의 총량은 18인 경우를 가정함.

① ⓐ가 12일 경우, <보기>의 시스템에는 안전 순서열이 한 가지만 존재한다.

② ⓑ가 8보다 크다면, <보기>의 시스템은 안전 상태가 아니다.

③ P_4의 최대 요구량과 현재 할당량을 고려했을 때, ⓒ는 6이다.

④ <보기>의 시스템에 P_4로 시작하는 안전 순서열만 존재한다면, ⓑ는 ⓒ보다 크다.

⑤ <보기>의 시스템이 안전 상태라면, P_1과 P_3으로 시작하는 안전 순서열은 존재하지 않는다.

11. 윗글을 바탕으로 <보기>의 자원할당그래프에 대해 이해한 내용으로 가장 적절한 것은? [3점]

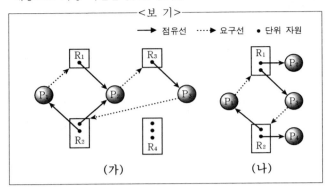

─────< 보 기 >─────
→ 점유선   ┈▶ 요구선   ● 단위 자원

(가)   (나)

① (가)에는 할당되지 않은 자원 R_4가 있어 교착 상태가 발생하지 않는다.

② (가)의 R_2에는 동일한 단위 자원이 두 개 있어 P_3의 요구대로 자원 할당이 가능하다.

③ (나)에서 P_1이 요구한 자원은 P_3이 사용하던 자원을 반납해야만 사용할 수 있다.

④ (나)는 P_2와 P_4가 순환 구조에서 독립하여 R_1과 R_2의 단위 자원을 점유하고 있으므로 교착 상태로 볼 수 없다.

⑤ (가)는 (나)와 달리 순환 구조 내 모든 공유 자원이 프로세스에 할당되어 있다.

총 문항				문항		맞은 문항			문항
개별 문항	1	2	3	4	5	6	7	8	9	10
채점										
개별 문항	11	12	13	14	15	16	17	18	19	20
채점										

[고3 국어 독서]

11분 2021학년도 4월 학평 30~34번 ★★★ 정답 056쪽

【1~5】 다음 글을 읽고 물음에 답하시오.

디지털 이미지는 사진이나 그림을 디지털 형태로 표현한 것을 말한다. 이러한 디지털 이미지는 최소 단위의 점인 화소로 구성되며, 각 화소에는 밝기나 색상 등을 나타내는 값이 부여되어 있다. 일반적으로 화소의 수가 많을수록 해상도는 높아지지만 대신 저장되는 데이터의 용량은 커지게 된다. 따라서 이러한 디지털 이미지를 효율적으로 저장하고 전송하기 위해서는 데이터의 용량을 줄여 주는 디지털 이미지 압축 기술이 필요하다.

디지털 이미지 압축 기술에는 ㉠무손실 압축과 ㉡손실 압축이 있다. 무손실 압축은 압축 과정에서 데이터를 손실시키는 방법을 사용하지 않고 압축이 진행되기 때문에 압축 효율은 떨어지지만, 원본과 동일한 이미지로 복원이 가능하다. 반면 손실 압축은 중복되거나 필요치 않은 데이터를 제거하여 원본과 동일한 이미지로 복원하기는 어렵지만, 무손실 압축에 비해 수 배에서 수천 배 이상의 높은 압축 효율을 얻을 수 있어 보편적인 압축 기술로 활용되고 있다.

우리가 일반적으로 사용하는 JPEG는 손실 압축 기술이 적용된 대표적인 디지털 이미지 파일 형식이다. JPEG 형식의 압축은 크게 전처리, DCT, 양자화, 부호화 과정을 거친다.

첫째, 전처리 과정에서는 색상 모델 변경과 '샘플링'이 이루어진다. 우선 디지털 이미지의 색상 모델을 RGB에서 YCbCr로 변경한다. RGB 모델은 빛의 삼원색을 조합하여 화소의 색과 밝기를 함께 표현하는데, 변경된 YCbCr 모델에서는 밝기 정보를 나타내는 Y와 색상 정보를 나타내는 Cb, Cr로 분리하여 화소의 정보를 표현한다. 색상 모델이 RGB 모델에서 YCbCr 모델로 변경되면, 화소들에서 일부 값만을 추출하는 샘플링이 진행된다. 인간의 눈은 밝기의 변화에는 민감하고, 색상의 변화에는 상대적으로 덜 민감하다. 그래서 샘플링에서는 밝기 정보를 나타내는 Y는 모두 추출되고, 색상 정보를 나타내는 Cb와 Cr은 인간의 눈이 색상의 변화를 인식하지 못하는 범위 내에서 일부만 추출된다. 이러한 샘플링은 화소들을 일정한 단위로 묶은 블록에서 J:a:b의 비율로 화소의 정보를 추출하는 방식으로 진행된다. 이때 J는 화소 블록의 가로 화소 개수를, a는 화소 블록 첫 번째 행에서 추출하는 화소의 정보의 개수를, b는 두 번째 행에서 추출하는 화소의 정보의 개수를 의미한다. 예를 들어 4:2:0의 비율로 색상 정보를 샘플링하면, 가로 화소의 수가 4개인 화소 블록 중 첫 번째 행에서는 색상 정보가 2개 추출되고, 두 번째 행에서는 색상 정보가 추출되지 않는다. 결국 4×2 블록에 있는 여덟 개의 색상 정보 중 두 개의 정보만 추출되어 데이터의 용량은 줄어든다.

전처리 과정 후에는 DCT라고 불리는 변환 과정이 진행된다. DCT란 샘플링한 화소의 정보들을 주파수로 변환하여 주파수 영역에 따라 규칙적으로 분리된 데이터로 나타내는 과정이다. DCT는 효율성을 고려하여 가로 8개, 세로 8개의 화소로 블록화된 행렬을 기본 단위로 진행된다. DCT가 수행되면, 인접한 화소들 간의 정보 차이가 작다는 것을 나타내는 저주파 성분은 행렬의 왼쪽 위로, 차이가 크다는 것을 나타내는 고주파 성분은 행렬의 오른쪽 아래로 모여 주파수 영역에 따라 분리된 행렬값으로 표현된다. 이렇게 분리된 저주파 성분의 절댓값은 고주파 성분의 절댓값보다 크다.

다음으로 양자화 과정을 거치게 된다. 양자화 과정에서는 DCT로 얻은 행렬값을 미리 설정된 특정 상수로 나눈 뒤 반올림하게 된다. 이때 저주파 성분의 행렬값은 작은 상수로 나눈 뒤 반올림하지만, 고주파 성분의 행렬값은 0의 값으로 만들기 위해 큰 상수로 나눈 뒤 반올림한다. 이는 인간의 눈은 저주파 성분에는 민감하지만 고주파 성분에는 덜 민감하다는 특성을 고려하여, 저주파 성분의 절댓값은 줄이고 고주파 성분은 제거해 데이터의 용량을 줄이기 위한 것이다.

마지막으로는 부호화 과정을 거친다. 부호화는 양자화를 거친 행렬값을 이진수의 부호로 표현하는 것이다. 이 과정에서는 대표적으로 허프만 부호화가 사용된다. 허프만 부호화는 빈번하게 발생되는 데이터를 표현할 때는 적은 수의 비트*를 할당하고, 드물게 발생되는 데이터를 표현할 때는 더 많은 수의 비트를 할당하는 방식으로 진행된다. 그 결과 허프만 부호화 과정에서는 데이터를 손실시키지 않으면서도 디지털 이미지의 데이터의 용량을 줄일 수 있게 된다.

* 비트: 컴퓨터에 의해 처리되거나 저장되는 정보의 최소 단위로서 0이나 1로 표현됨.

1. ㉠과 ㉡에 대한 이해로 적절하지 **않은** 것은?
① ㉠보다 ㉡은 높은 압축 효율을 얻을 수 있는 기술이다.
② JPEG는 ㉡이 적용된 대표적인 디지털 이미지 파일 형식이다.
③ ㉠으로 디지털 이미지를 압축하면 데이터의 용량은 줄어들지 않는다.
④ ㉠을 활용하여 압축된 디지털 이미지는 원본과 동일한 이미지로 복원이 가능하다.
⑤ ㉡은 중복되거나 필요치 않은 데이터를 제거하는 방식으로 디지털 이미지를 압축한다.

2. 화소에 대한 설명으로 적절하지 **않은** 것은?
① 화소는 디지털 이미지를 구성하는 최소 단위이다.
② 화소는 빛의 삼원색을 조합하여 표현할 수 있다.
③ 화소 수의 증감에 따라 해상도가 달라질 수 있다.
④ 화소의 정보는 밝기 정보와 색상 정보로 분리될 수 있다.
⑤ 화소의 수가 늘어날수록 효율적으로 데이터를 전송할 수 있다.

※ 〈보기〉는 윗글의 내용을 확인하기 위한 학습지의 일부이다. 3번~5번 물음에 답하시오.

─〈 보 기 〉─

Ⅰ. JPEG 형식의 압축 과정

Ⅱ. 심화 활동
1. JPEG 형식의 샘플링 이해하기 활동

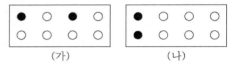

(가)와 (나)는 동일한 디지털 이미지를 JPEG 형식으로 압축하는 과정에서 적용된 서로 다른 샘플링 비율을 도식화한 것이다. ●는 색상 정보가 추출된 화소, ○는 색상 정보가 추출되지 않은 화소를 의미한다.

2. DCT와 양자화 이해하기 활동
아래의 결과는 DCT와 양자화 과정에서 얻은 행렬값을 도식화한 것입니다. 이에 대해 설명해 봅시다.

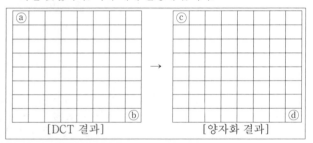

3. 윗글을 바탕으로 <보기>의 'JPEG 형식의 압축 과정'을 이해한 내용으로 적절하지 않은 것은?
① ㉮에서는 색상 모델 변경이 샘플링보다 먼저 진행되겠군.
② ㉮를 통해 추출된 화소의 정보들은 ㉯에서 주파수로 변환되겠군.
③ ㉯에서 주파수 영역에 따라 규칙적으로 분리해 낸 화소의 정보는 ㉰에서 특정 상수로 나누어 반올림되겠군.
④ ㉰와 ㉱에서는 모두 데이터를 손실시켜 데이터의 용량을 줄여 주겠군.
⑤ ㉱에서는 데이터가 발생되는 빈도에 따라 비트 수를 다르게 할당하여 데이터를 부호화하겠군.

4. 윗글을 읽은 학생이 <보기>의 'JPEG 형식의 샘플링 이해하기 활동'을 통해 얻은 결론으로 적절하지 않은 것은? [3점]
① (가)에서는 색상 정보가 하나도 추출되지 않는 행이 있겠군.
② (나)의 샘플링을 J:a:b 비율로 나타내면 4:1:1로 표현할 수 있겠군.
③ (가)와 (나)는 각각 샘플링 비율은 다르지만, 추출된 색상 정보의 개수는 동일하겠군.
④ (가)와 (나)에서는 추출된 Cb와 Cr의 각각의 개수만큼 Y가 추출되겠군.
⑤ (가)와 (나)에서 색상 정보가 일부만 추출된 것은 인간의 시각적 특성을 고려한 것이겠군.

5. 윗글을 읽은 학생이 <보기>의 'DCT와 양자화 이해하기 활동'에서 보일 수 있는 반응으로 가장 적절한 것은?
① ⓐ와 ⓑ는 양자화 과정을 거치면 0의 값이 되겠군.
② ⓐ와 ⓑ는 양자화 과정에서 서로 다른 상수를 사용하겠군.
③ ⓐ의 절댓값보다 ⓒ의 절댓값이 크겠군.
④ ⓑ와 ⓓ는 저주파 영역을 나타내겠군.
⑤ ⓒ의 절댓값이 ⓓ의 절댓값보다 작겠군.

【6~10】 다음 글을 읽고 물음에 답하시오.

우리가 일상적으로 사용하는 무선 통신인 휴대 전화는 800MHz 대역이나 2100MHz 대역 등과 같이 일정한 주파수 대역이 분배되어 있다. 이 주파수 대역 중 일부를 특정 이동 통신 사업자가 할당받아 휴대 전화 서비스를 공급하는데, 할당된 주파수 대역 내에서 수많은 사용자들이 혼선 없이 무선 통신을 사용하기 위해서는 다중 접속 기술이 필요하다. 다중 접속 기술이란 여러 사용자가 동일한 주파수 대역을 사용하는 기술로, 부호 분할 다중 접속(CDMA) 방식을 예로 들 수 있다. CDMA 방식은 ⊙ 확산 코드를 이용하여 각 사용자의 신호를 구분하는 방식으로, 여러 송신자가 동일한 주파수 대역으로 동시에 정보를 송신하여도 수신자는 자신에게 보내온 정보만을 구별해 낼 수 있다.

[A] 가령, 송신하고자 하는 정보가 1001이고 확산 코드가 100이라고 가정할 때 방법은 다음과 같다. 먼저 송신하려는 정보와 확산 코드를 결합하기 위한 'XOR 연산(⊕)'을 수행한다. XOR 연산은 비교 대상이 같으면 0, 다르면 1로 나타내는 연산이다. 1001의 맨앞의 1을 확산 코드 100의 각 자릿수와 XOR 연산을 하면 011로 확산되고, 그 다음의 0을 확산 코드 100의 각 자릿수와 XOR 연산을 하면 100으로 확산된다. 이런 식으로 하면 1001은 12 자리의 011 100 100 011로 확산되고, 확산된 신호가 송신된다. 수신자는 송신자와 동일한 확산 코드를 통해 수신된 신호를 원래의 정보로 복원할 수 있다. 12 자리 $\underset{y_1 y_2 y_3}{011} \underset{y_4 y_5 y_6}{100} \underset{y_7 y_8 y_9}{100} \underset{y_{10}y_{11}y_{12}}{011}$ 은 확산 코드 $\underset{c_1 c_2 c_3}{100}$ 과 같은 3자리의 블록으로 구분된다. 그리고 첫 블록에서 $y_1 \oplus c_1$, $y_2 \oplus c_2$, $y_3 \oplus c_3$, 다음 블록에서 $y_4 \oplus c_1$, $y_5 \oplus c_2$, $y_6 \oplus c_3$와 같은 수행을 반복한다. 그러면 각 블록의 연산 결과는 111 또는 000이어서 1 또는 0으로 수렴되어 원래의 정보 1001을 복원할 수 있다.

한편 2400MHz 대역은 산업, 과학, 의료용으로 분배되어 있어 특별히 할당받지 않아도 누구나 사용할 수 있다. 2400MHz 대역으로 통신하는 블루투스 기기들은 자유롭게 통신하면서도 혼선을 피할 수 있어야 한다. 블루투스 기기들은 주파수 도약 확산(FHSS) 방식을 사용하는데, 블루투스 통신을 위해서는 우선 통신하고자 하는 기기들이 '페어링'되어야 한다. 페어링은 블루투스 기기들 간의 무선 통신을 위해 서로 식별할 수 있는 정보를 확인하고 연결을 설정하는 것이다. 블루투스 통신을 하고자 하는 기기들 중 어느 한쪽에서 검색 신호를 송신하면 검색 신호는 주변에 있는 모든 블루투스 기기들로 송신된다. 블루투스 기기들은 항시 검색 신호를 탐지하고 있고 검색 신호에 응답을 한다. 응답한 기기들 중 통신을 원하는 기기를 선택하면 페어링이 완료되고 이때부터 기기들 간에 통신이 이루어지게 된다. 기기들 간에 통신이 이루어지더라도 블루투스 기기들은 주변에서 보내오는 검색 신호를 탐지하고 검색 신호에 응답한다.

FHSS 방식을 사용하는 블루투스 통신에서는 2402MHz부터 2480MHz까지의 주파수를 1MHz 단위로 나누어 79개의 채널을 생성하고, 79개의 채널 중 몇 개를 선택하여 이동한다. 이때 채널을 선택하는 패턴을 ⓒ 확산 패턴이라고 한다. ㉮ 블루투스 기기들은 여러 개의 주파수를 확산 패턴에 따라 1초당 1600번 이동해 가며 통신을 한다.

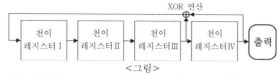

<그림>

확산 패턴은 <그림>과 같이 천이 레지스터*와 XOR 연산을 이용해 만들 수 있다. 각 시행에서 각각의 천이 레지스터에 저장된 값은 오른쪽의 천이 레지스터로 이동한다. 이때 천이 레지스터 Ⅳ가 가지고 있던 값이 출력되고, 비워진 천이 레지스터 Ⅰ은 이전 시행의 천이 레지스터 Ⅲ과 천이 레지스터 Ⅳ의 값을 XOR 연산을 하여 채운다. 각 천이 레지스터의 초깃값이 1, 1, 1, 1일 때 각 시행에 따라 출력된 [B] 값은 1, 1, 1, 1, 0, 0, 0, 1, 0, 0, 1, 1, 0, 1, 0, ……과 같이 나타난다. 따라서 선택하려는 채널의 개수를 고려하여, 출력된 값들을 변환하면 다양한 확산 패턴을 만들 수 있다. 그리고 블루투스 기기들이 동일한 확산 패턴으로 통신하더라도 페어링된 시간이 다를 수 있으므로 혼선이 일어날 확률이 매우 낮다.

*천이 레지스터(shift register) : 정보를 저장하고 이동하는 기능을 하는 장치.

6. 윗글의 내용과 일치하지 않는 것은?

① CDMA 방식은 여러 사용자가 동일한 주파수 대역을 사용하는 기술이다.

② 이동 통신 사업자는 할당받은 주파수 대역에서 휴대 전화 서비스를 공급한다.

③ 블루투스 기기들은 산업, 과학, 의료용으로 분배되어 있는 2400MHz 대역으로 통신한다.

④ CDMA 방식에서 송신자와 수신자는 서로 다른 확산 코드를 이용해 정보를 주고받는다.

⑤ 블루투스 기기들의 페어링을 위한 검색 신호는 주변에 있는 모든 블루투스 기기들로 송신된다.

7. [A], [B]를 바탕으로 추론한 내용으로 적절하지 않은 것은?

① [A]: 송신하려는 정보가 m자리의 정보일 때 n자리의 확산 코드로 XOR 연산을 한다면 m×n자리로 확산되겠군.

② [A]: 4자리의 확산 코드를 사용하여 만들어진 신호를, 4자리의 확산 코드를 사용하여 복원하려 한다면 4자리의 블록으로 구분되겠군.

③ [A]: 수신된 신호 011 100 100 011을 확산 코드 010으로 복원하려 한다면 연산 결과는 001 110 110 001로 나타나 수렴되지 않겠군.

④ [B]: 각 천이 레지스터의 초깃값이 0, 1, 1, 0이면 세 번째 시행으로 출력되는 값은 0이겠군.

⑤ [B]: 천이 레지스터 Ⅲ과 천이 레지스터 Ⅳ의 초깃값이 각각 0이라면 첫 번째 시행 후에 천이 레지스터 Ⅰ은 0으로 채워지겠군.

8. '주파수 도약 확산 방식'과 관련하여 <보기 1>을 이해한 내용으로 적절한 것만을 <보기 2>에서 모두 고른 것은? [3점]

— < 보기 1 > —

다음은 혼선 없이 통신하고 있는 블루투스 기기들의 확산 패턴에 따른 채널 선택을 보여 주는 그래프이다.

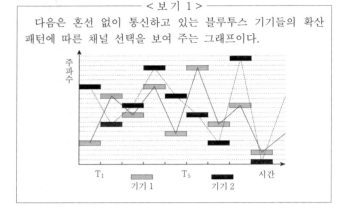

— < 보기 2 > —

a. 기기 1과 기기 2는 모두 $\frac{1}{1600}$ 초마다 채널을 이동하고 있기 때문에 검색 신호를 탐지할 수 없겠군.

b. 기기 1과 기기 2는 모두 1MHz 단위로 형성된 79개의 채널 중 몇 개를 선택하는 패턴을 보인다고 할 수 있겠군.

c. 새로운 기기가 기기 2와 동일한 패턴으로 채널을 이동하더라도 페어링된 시간이 다르다면 혼선이 일어날 확률이 매우 낮겠군.

d. 기기 1과 기기 2가 동시에 채널 이동을 시작하였지만 혼선 없이 통신하는 것은 확산 패턴이 서로 다르기 때문일 수 있겠군.

① a, b   ② b, d   ③ c, d
④ a, c, d   ⑤ b, c, d

9. ㉠, ㉡을 이해한 내용으로 가장 적절한 것은?

① ㉠은 수신된 신호를 원래의 정보로 복원하는 데 사용된다.
② ㉡은 XOR 연산을 통해 기기들 간의 페어링 과정을 생략한다.
③ ㉠과 ㉡은 모두 XOR 연산에 필요한 초깃값들을 만든다.
④ ㉠과 ㉡은 모두 송신하려는 정보의 각 자릿수를 표시하는 데 사용된다.
⑤ ㉠과 ㉡은 모두 수신하려는 정보와 검색 신호를 구별해 내는 데 사용된다.

10. ㉮의 이유로 가장 적절한 것은?

① 블루투스 통신에서 2402MHz부터 2480MHz까지의 주파수를 1MHz 단위로 나누어 79개의 채널을 생성하기 위해
② 블루투스 통신에서 사용하는 주파수 대역은 누구나 사용할 수 있어 그 주파수 대역에서의 혼선을 방지하기 위해
③ 확산 패턴을 만들면서 각각의 천이 레지스터에 저장된 값을 오른쪽의 천이 레지스터로 이동시키기 위해
④ 블루투스 통신에 필요한 확산 패턴을 천이 레지스터와 XOR 연산을 이용해 만들기 위해
⑤ 블루투스 기기들이 무선 연결을 위해 서로를 식별할 수 있는 정보를 확인하기 위해

【11~14】 다음 글을 읽고 물음에 답하시오.

최근의 3D 애니메이션은 섬세한 입체 영상을 구현하여 실물을 촬영한 것 같은 느낌을 준다. 실물을 촬영하여 얻은 자연 영상을 그대로 화면에 표시할 때와 달리 3D 합성 영상을 생성, 출력하기 위해서는 모델링과 렌더링을 거쳐야 한다.

모델링 은 3차원 가상 공간에서 물체의 모양과 크기, 공간적인 위치, 표면 특성 등과 관련된 고유의 값을 설정하거나 수정하는 단계이다. 모양과 크기를 설정할 때 주로 3개의 정점으로 형성되는 삼각형을 활용한다. 작은 삼각형의 조합으로 이루어진 그물과 같은 형태로 물체 표면을 표현하는 방식이다. 이 방법으로 복잡한 굴곡이 있는 표면도 정밀하게 표현할 수 있다. 이때 삼각형의 꼭짓점들은 물체의 모양과 크기를 결정하는 정점이 되는데, 이 정점들의 개수는 물체가 변형되어도 변하지 않으며, 정점들의 상대적 위치는 물체 고유의 모양이 변하지 않는 한 달라지지 않는다. 물체가 커지거나 작아지는 경우에는 정점 사이의 간격이 넓어지거나 좁아지고, 물체가 회전하거나 이동하는 경우에는 정점들이 간격을 유지하면서 회전축을 중심으로 회전하거나 동일 방향으로 동일 거리만큼 이동한다. 물체 표면을 구성하는 각 삼각형 면에는 고유의 색과 질감 등을 나타내는 표면 특성이 하나씩 지정된다.

공간에서의 입체에 대한 정보인 이 데이터를 활용하여, 물체를 어디에서 바라보는가를 나타내는 관찰 시점을 기준으로 2차원의 화면을 생성하는 것이 렌더링이다. 전체 화면을 잘게 나눈 점이 화소인데, 정해진 개수의 화소로 화면을 표시하고 각 화소별로 밝기나 색상 등을 나타내는 화솟값이 부여된다. 렌더링 단계에서는 화면 안에서 동일 물체라도 멀리 있는 경우는 작게, 가까이 있는 경우는 크게 보이는 원리를 활용하여 화솟값을 지정함으로써 물체의 원근감을 구현한다. 표면 특성을 나타내는 값을 바탕으로, 다른 물체에 가려짐이나 조명에 의해 물체 표면에 생기는 명암, 그림자 등을 고려하여 화솟값을 정해 줌으로써 물체의 입체감을 구현한다. 화면을 구성하는 모든 화소의 화솟값이 결정되면 하나의 프레임이 생성된다. 이를 화면출력장치를 통해 모니터에 표시하면 정지 영상이 완성된다.

모델링과 렌더링을 반복하여 생성된 프레임들을 순서대로 표시하면 동영상이 된다. 프레임을 생성할 때, 모델링과 관련된 계산을 완료한 후 그 결과를 이용하여 렌더링을 위한 계산을 한다. 이때 정점의 개수가 많을수록, 해상도가 높아 출력 화소의 수가 많을수록 연산 양이 많아져 연산 시간이 길어진다. 컴퓨터의 중앙처리장치(CPU)는 데이터 연산을 하나씩 순서대로 수행하기 때문에 과도한 양의 데이터가 집중되면 미처 연산되지 못한 데이터가 차례를 기다리는 병목 현상이 생겨 프레임이 완성되는 데 오랜 시간이 걸린다. CPU의 그래픽 처리 능력을 보완하기 위해 개발된 ㉠그래픽처리장치(GPU)는 연산을 비롯한 데이터 처리를 독립적으로 수행할 수 있는 장치인 코어를 수백에서 수천 개씩 탑재하고 있다. GPU의 각 코어는 그래픽 연산에 특화된 연산만을 할 수 있고 CPU의 코어에 비해서 저속으로 연산한다. 하지만 GPU는 동일한 연산을 여러 번 수행해야 하는 경우, 고속으로

출력 영상을 생성할 수 있다. 왜냐하면 GPU는 한 번의 연산에 쓰이는 데이터들을 순차적으로 각 코어에 전송한 후, 전체 코어에 하나의 연산 명령어를 전달하면, 각 코어는 모든 데이터를 동시에 연산하여 연산 시간이 짧아지기 때문이다.

11. 윗글에 대한 이해로 적절하지 <u>않은</u> 것은?

① 자연 영상은 모델링과 렌더링 단계를 거치지 않고 생성된다.
② 렌더링에서 사용되는 물체 고유의 표면 특성은 화솟값에 의해 결정된다.
③ 물체의 원근감과 입체감은 관찰 시점을 기준으로 구현한다.
④ 3D 영상을 재현하는 화면의 해상도가 높을수록 연산 양이 많아진다.
⑤ 병목 현상은 연산할 데이터의 양이 처리 능력을 초과할 때 발생한다.

12. 모델링 에 대한 설명으로 가장 적절한 것은?

① 다른 물체에 가려져 보이지 않는 부분에 있는 삼각형의 정점들의 위치는 계산하지 않는다.
② 삼각형들을 조합함으로써 물체의 복잡한 곡면을 정교하게 표현할 수 있다.
③ 하나의 작은 삼각형에 다양한 색상의 표면 특성들을 함께 부여한다.
④ 공간상에 위치한 정점들을 2차원 평면에 존재하도록 배치한다.
⑤ 다양하게 변할 수 있는 관찰 시점을 순차적으로 저장한다.

13. ㉠에 대한 추론으로 적절한 것은?

① 동일한 개수의 정점 위치를 연산할 때, 동시에 연산을 수행하는 코어의 개수가 많아지면 총 연산 시간이 길어진다.
② 정점의 위치를 구하기 위한 10개의 연산을 10개의 코어에서 동시에 진행하려면, 10개의 연산 명령어가 필요하다.
③ 1개의 코어만 작동할 때, 정점의 위치를 구하기 위한 연산 시간은 1개의 코어를 가진 CPU의 연산 시간과 같다.
④ 정점 위치를 구하기 위한 각 데이터의 연산을 하나씩 순서대로 처리해야 한다면, 다수의 코어가 작동하는 경우 총 연산 시간은 1개의 코어만 작동하는 경우의 총 연산 시간과 같다.
⑤ 정점 위치를 구하기 위해 연산해야 할 10개의 데이터를 10개의 코어에서 처리할 경우, 모든 데이터를 모든 코어에 전송하는 시간은 1개의 데이터를 1개의 코어에 전송하는 시간과 같다.

14. 다음은 3D 애니메이션 제작을 위한 계획의 일부이다. 윗글을 바탕으로 할 때 적절하지 <u>않은</u> 것은? [3점]

	〔장면 구상〕	〔장면 스케치〕
장면 1	주인공 '네모'가 얼굴을 정면으로 향한 채 입에 아직 불지 않은 풍선을 물고 있다.	
장면 2	'네모'가 바람을 불어 넣어 풍선이 점점 커진다.	
장면 3	풍선이 더 이상 커지지 않고 모양을 유지한 채, '네모'는 풍선과 함께 하늘로 날아올라 점점 멀어지는 모습이 보인다.	

① 장면 1의 렌더링 단계에서 풍선에 가려 보이지 않는 입 부분의 삼각형들의 표면 특성은 화솟값을 구하는 데 사용되지 않겠군.
② 장면 2의 모델링 단계에서 풍선에 있는 정점의 개수는 유지되겠군.
③ 장면 2의 모델링 단계에서 풍선에 있는 정점 사이의 거리가 멀어지겠군.
④ 장면 3의 모델링 단계에서 풍선에 있는 정점들이 이루는 삼각형들이 작아지겠군.
⑤ 장면 3의 렌더링 단계에서 전체 화면에서 화솟값이 부여되는 화소의 개수는 변하지 않겠군.

총 문항					문항	맞은 문항				문항
개별 문항	1	2	3	4	5	6	7	8	9	10
채점										
개별 문항	11	12	13	14	15	16	17	18	19	20
채점										

8분　2020학년도 10월 학평 27~30번　★★☆　정답 059쪽

【1~4】 다음 글을 읽고 물음에 답하시오.

알고리즘은 컴퓨터에서 문제 해결 방법을 논리적인 순서로 설명하거나 표현하는 절차이다. 그런데 문제 해결 방법에는 여러 가지가 있을 수 있어 어떤 방법으로 문제를 해결하느냐에 따라 효율성이 달라진다. 알고리즘의 효율성을 분석할 때 흔히 시간 복잡도를 사용하는데, 시간 복잡도는 반복적으로 수행되는 연산의 횟수를 이용하여 나타낸다. 이때 연산에는 산술 연산뿐만 아니라 원소 간의 비교를 나타내는 비교 연산도 포함된다. 알고리즘 분야 중 정렬은 원소들을 오름차순이나 내림차순과 같이 특정한 순서에 따라 배열하는 것으로, 정렬을 통해 특정 원소를 탐색하는 데 소요되는 시간을 줄일 수 있다.

㉠삽입 정렬은 정렬된 부분에 정렬할 원소의 위치를 찾아 삽입하는 방식이다. 집합 {564, 527, 89, 72, 34, 6, 3, 0}의 원소를 오름차순으로 정렬하는 경우, 먼저 564를 정렬된 부분으로 가정하고 그다음 원소인 527을 564와 비교하여 527을 564의 앞으로 삽입한다. 그리고 그다음 원소인 89를 정렬된 부분인 {527, 564} 중 564와 비교하여 564의 앞으로 삽입하고, 다시 527과 비교하여 527의 앞으로 삽입한다. 정렬된 부분과 정렬할 원소를 비교하여, 삽입할 필요가 없다면 순서를 그대로 유지한다. 삽입 정렬은 원소들을 비교하여 삽입하는 과정이 반복되므로 비교 연산의 횟수를 구하여 시간 복잡도를 나타낼 수 있다. 이 경우 집합 {564, 527, 89, 72, 34, 6, 3, 0}의 원소를 오름차순으로 정렬하면 시간 복잡도는 28번(1+2+3+4+5+6+7)이 된다.

㉡병합 정렬은 정렬하려는 집합을 두 개의 부분 집합으로 반복 분할한 뒤 다시 병합하면서 하나의 정렬된 집합으로 만드는 방식이다. 집합을 이루는 원소의 개수가 적을수록 정렬에 필요한 연산 횟수가 줄어든다. 집합 {564, 527, 89, 72, 34, 6, 3, 0}의 원소를 오름차순으로 정렬할 때 병합 정렬을 사용하는 경우, ㉮<그림>의 Ⓐ와 같이 8개의 부분 집합이 될 때까지 전체 집합을 분할한다.

{564, 527, 89, 72, 34, 6, 3, 0}
{564, 527, 89, 72}　　{34, 6, 3, 0}
{564, 527}　{89, 72}　{34, 6}　{3, 0}
{564} {527} {89} {72} {34} {6} {3} {0} … Ⓐ
{527, 564}　{72, 89}　{6, 34}　{0, 3}
{72, 89, 527, 564}　　{0, 3, 6, 34}
{0, 3, 6, 34, 72, 89, 527, 564}
<그림>

그 후 {564}와 {527}을 비교하여 {527, 564}로 병합하고, {89}와 {72}를 비교하여 {72, 89}로 병합한다. {527, 564}를 {72, 89}와 병합할 때에는 527과 72를 비교하고, 527과 89를 비교하여 {72, 89, 527, 564}로 병합한다. 병합 정렬은 원소들을 비교하여 정렬하는 과정이 반복되므로 비교 연산의 횟수를 구하여 시간 복잡도를 나타낼 수 있는데, 이 경우 시간 복잡도는 12번((1+1+1+1)+(2+2)+4)이 되고 삽입 정렬에 비해 시간 복잡도가 감소한다.

한편 ㉢기수 정렬은 원소들의 각 자릿수의 숫자를 확인하여 각 자릿수에 해당하는 큐에 넣는 방식이다. 큐는 먼저 넣은

[A] 자료를 먼저 내보내는 자료 구조이다. 원소들의 각 자릿수의 숫자를 확인하기 위해서는 나머지를 구하는 모듈로(modulo) 연산을 수행한다. 집합 {564, 527, 89, 72, 34, 6, 3, 0}의 원소를 오름차순으로 정렬할 때 기수 정렬을 사용하는 경우, 먼저 모듈로 연산으로 일의 자릿수의 숫자를 확인하여 564를 큐4에, 527을 큐7에, 89를 큐9에, 72를 큐2에, 34를 큐4에, 6을 큐6에, 3을 큐3에, 0을 큐0에 넣는다. 이렇게 1차 정렬된 원소들을 다시 모듈로 연산으로 십의 자릿수의 숫자를 확인하여 차례대로 해당하는 큐에 넣어 2차 정렬한다. 이때 해당하는 자릿수가 없다면 자릿수의 숫자를 0으로 간주하여 정렬한다. 기수 정렬은 원소들 중 자릿수가 가장 큰 원소의 자릿수만큼 원소들의 자릿수의 숫자를 확인하는 과정이 반복되므로 모듈로 연산의 횟수를 구하여 시간 복잡도를 나타낼 수 있다. 이 경우 집합 {564, 527, 89, 72, 34, 6, 3, 0}의 원소를 오름차순으로 정렬하면 시간 복잡도는 24번(8+8+8)이 된다.

정렬 알고리즘은 원소들의 초기 나열 상태에 따라 효율성이 다를 수 있으므로 실제 컴퓨터에서는 이를 고려하여 여러 정렬 알고리즘을 복합적으로 사용한다.

1. ㉠~㉢에 대한 설명으로 가장 적절한 것은?

① ㉠과 달리 ㉡에서는 정렬된 부분의 원소와 정렬할 원소를 비교한다.

② ㉡과 달리 ㉠에서는 원소의 개수가 늘어날수록 정렬된 집합을 만들기 위한 연산 횟수가 감소한다.

③ ㉡과 달리 ㉠과 ㉢에서는 집합을 각각의 원소로 분할한 뒤 정렬한다.

④ ㉢과 달리 ㉡에서는 원소들의 자릿수에 따라 모듈로 연산의 반복 횟수가 결정된다.

⑤ ㉢과 달리 ㉠과 ㉡에서는 원소들 간의 비교 횟수를 통해 시간 복잡도를 구한다.

2. 윗글을 바탕으로 <보기>를 이해한 내용으로 적절하지 않은 것은? [3점]

─── < 보 기 > ───

ⓐ 집합 {564, 527, 89, 72}의 원소를 오름차순으로 정렬하는 경우

ⓑ 집합 {0, 3, 6, 34, 72, 89, 527, 564}의 원소를 오름차순으로 정렬하는 경우

ⓒ 집합 {34, 6, 3, 0, 564, 527, 89, 72}의 원소를 오름차순으로 정렬하는 경우

(단, 정렬 알고리즘을 사용할 때, 윗글에 제시된 방식을 따른다.)

① ⓐ는 삽입 정렬을 사용하면 시간 복잡도가 6번이 되겠군.

② ⓐ는 삽입 정렬보다 병합 정렬을 사용할 때 시간 복잡도가 증가하겠군.

③ ⓑ는 병합 정렬보다 삽입 정렬을 사용할 때 시간 복잡도가 감소하겠군.

④ ⓒ는 병합 정렬을 사용하면 시간 복잡도가 12번이 되겠군.

⑤ ⓑ와 ⓒ는 기수 정렬을 사용하면 시간 복잡도가 동일하겠군.

3. [A]를 바탕으로 <보기>에 대해 보인 반응으로 적절하지 <u>않은</u> 것은?

─── < 보 기 > ───

○ 집합 {564, 527, 89, 72, 34, 6, 3, 0}의 원소를 오름차순으로 정렬할 때 기수 정렬을 사용해 보자.

1차 정렬	큐0	큐1	큐2	큐3	큐4	큐5	큐6	큐7	큐8	큐9
	0		72	3	34 564		6	527		89
결과	{0, 72, 3, 564, 34, 6, 527, 89}									

⇩

2차 정렬	큐0	큐1	큐2	큐3	큐4	큐5	큐6	큐7	큐8	큐9
	6 3 0		527	34			564	72	89	
결과										

⇩

3차 정렬	큐0	큐1	큐2	큐3	큐4	큐5	큐6	큐7	큐8	큐9
	89 72 34 6 3 0					564 527				
결과	{0, 3, 6, 34, 72, 89, 527, 564}									

① 1차 정렬에서 564와 34를 큐4에 넣는 것은 일의 자릿수의 숫자가 동일하기 때문이군.

② 2차 정렬의 결과는 {0, 3, 6, 527, 34, 564, 72, 89}로 나타나는군.

③ 3차 정렬에서 0, 3, 6 모두 십의 자릿수가 0으로 간주되기 때문에 큐0에 저장되는군.

④ 1차 정렬에서는 큐4에 564를 가장 먼저 넣고, 3차 정렬에서는 큐0에 0을 가장 먼저 넣는군.

⑤ 자릿수가 가장 큰 원소는 백의 자릿수이기 때문에 3차 정렬 결과 모든 원소가 오름차순으로 정렬되는군.

4. ㉮의 이유로 가장 적절한 것은?

① 전체 집합을 정렬하는 것보다 부분 집합을 정렬하는 것이 연산 횟수가 줄어들기 때문에

② 부분 집합의 원소들 중 자릿수 큰 원소일수록 비교 연산 횟수가 줄어들기 때문에

③ 부분 집합 원소들의 초기 나열 상태에 따라 알고리즘을 복합적으로 사용하기 때문에

④ 전체 집합을 반복적으로 분할할수록 비교 연산 횟수가 늘어나기 때문에

⑤ 전체 집합을 각각의 부분 집합으로 다시 분할할 필요가 없기 때문에

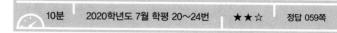 10분 ｜ 2020학년도 7월 학평 20~24번 ｜ ★★☆ ｜ 정답 059쪽

【5~9】 다음 글을 읽고 물음에 답하시오.

OLED(Organic Light Emitting Diode)란 LED의 발광층에 전기에너지를 받으면 특정한 색의 빛을 내는 유기물질을 넣은 것을 말한다. 가장 기본이 되는 ㉠RGB-OLED는 빛의 3원색인 적색, 녹색, 청색을 내는 서브픽셀 세 개가 모여 하나의 픽셀을 이룬다. 서브픽셀은 전자를 주입해주는 음극, 전자와 정공*이 만나 빛을 만들어내는 발광층, 정공을 주입해주는 양극 등이 순서대로 다층 구조를 이루고 있는데 서브픽셀마다 일종의 밸브 역할을 하는 박막트랜지스터(TFT)가 양극(+) 쪽에 위치하고 있어 전류를 차단하거나 통하게 하고 전류량을 조절한다. 서브픽셀을 모두 끄면 검은색을, 모두 켜면 흰색을 만들어 낼 수 있고 서브픽셀의 전류량을 조절해 빛의 양을 적절히 배합하면 다양한 색상의 빛을 표현해 낼 수 있다.

그렇다면 발광층에서 빛이 나는 원리는 무엇일까? 에너지가 가장 낮아 전자가 안정된 상태를 '바닥상태'라 한다. 그리고 바닥상태에 일정 이상의 에너지가 가해져 전자가 원래의 자리에서 이동하며 높은 에너지를 지니게 된 상태를 '들뜬상태'라 한다. 들뜬상태의 전자는 안정화되려는 속성이 있어 다시 바닥상태로 돌아가게 된다. 이때 전자는 들뜬상태와 바닥상태의 에너지 차이, 즉 바닥상태에서 들뜬상태가 되도록 가해졌던 에너지만큼의 에너지를 방출한다. TFT가 전류를 흐르게 하면 들뜬상태가 된 전자가 양극을 향해, 정공은 음극을 향해 이동하다가 발광층에서 서로 만나게 된다. 발광층에서 전자는 정공과 결합하며 안정화되어 바닥상태가 되고 이때 들뜬상태와 바닥상태의 에너지 차이만큼 대부분 빛에너지로 전환된다.

서브픽셀별로 나오는 빛의 색상은 발광층에 들어간 유기물질이 지닌 '밴드 갭'에 의해 결정된다. 밴드 갭이란 전자가 채워져 있는 영역 중 가장 높은 에너지 궤도(HOMO)와 전자가 채워질 수 있는 영역 중 가장 낮은 에너지 궤도(LUMO)가 지니는 에너지 준위의 차를 말한다. HOMO에 바닥상태로 존재하는 전자에 밴드 갭 이상의 에너지를 가하면 들뜬상태가 된 전자가 LUMO로 이동하여 정공과 결합한다. 이후 전자는 다시 에너지를 방출하며 바닥상태로 돌아오면서 밴드 갭에 해당하는 파장의 빛을 방출하게 된다. 밴드 갭이 크면 빛을 내기 위해 더 많은 에너지가 필요하기 때문에 밴드 갭이 큰 유기물질은 밴드 갭이 작은 유기물질에 비해 수명이 짧다.

OLED는 중간에 위치한 발광층에서 만들어진 빛을 어디로 내보내느냐에 따라 ⓐ배면 발광과 ⓑ전면 발광으로 나뉜다. 빛이 양극을 향해 나가면 배면 발광, 음극을 향해 나가면 전면 발광이라 한다. 배면 발광의 경우 음극은 전자의 주입 및 반사층 역할을 해야 하기 때문에, 일함수*가 낮고 불투명한 은과 마그네슘의 혼합 금속을 사용한다. 반면 양극에는 반대의 성질을 지닌 인듐과 산화주석의 화합물(ITO)을 사용한다. 그런데 빛이 양극에 위치한 TFT를 통과해 나갈 때 빛의 일부가 TFT에 막혀 빠져나가지 못해 개구율이 떨어진다는 문제가 발생한다. 개구율이란 단위 화소 전체 면적에서 실제로 빛이 나올 수 있는 면적의 비율로, 개구율이 높으면 동일 전류를 흘렸을 때 나오는 빛의 양이 많아 휘도가 높다. 이 때문에 개구율의 저하는 휘도의 저하로 이어지고 일정 화질을 위한 휘도를 내기 위해서는 손실된 휘도만큼 더 밝게 발광시켜야 하므로 유기물질의 수명에 좋지 않은 영향을 미치게 된다.

개구율을 높이기 위해 TFT가 없는 음극을 향해 빛을 내보내는 전면 발광은 양극에는 일함수가 높고 반사층 역할을 할 수 있는 금이나 백금 같은 금속을 사용하고 음극에는 투명도가 높은 물질을 사용해야 한다. 그러나 음극에 ITO를 사용하면 일함수가 높아 전자를 쉽게 내줄 수 없다. 결국 음극에는 일함수가 낮으면서도 투명도가 높은 금속을 사용해야 하는데, 투명도를 높이기 위해서는 금속을 얇게 만들어야 한다. 그런데 음극이 일정 두께 이하로 얇아지면 면저항이 증가하게 되고, 저항이 높아지면 패널의 위치별로 생성되는 전압이 달라지게 되어 화면의 균일도가 떨어지는 부작용이 발생한다.

이를 해결하는 대표적인 방법은 미소공진현상을 이용하는 것이다. 발광층에서 생성된 빛의 일부는 반투명 음극을 통해 빠져나가지만 일부는 음극에 반사되어 양극을 향하고 양극에 다시 부딪혀 재반사되는데 이렇게 반사된 빛들은 서로 간섭을 일으키며 미소공진현상이 일어나게 된다. 미소공진현상에 의해 빛은 위상이 일치하는 파동들이 만나면 보강간섭이 일어나 파동의 강도가 세지고, 위상이 반대인 파동들이 만나면 상쇄간섭이 일어나 파동이 약해지거나 사라지게 된다. 이러한 미소공진현상을 통해 빛의 세기가 강해지면 휘도가 높아지게 되고, 그 결과 휘도를 향상시키기 위해 높은 전류로 구동을 하지 않아도 되므로 OLED의 수명이 길어지게 된다. 더불어 조건에 일치하는 파장만 보강되고 조건이 맞지 않는 파장은 상쇄되므로 스펙트럼이 좁아져서 색의 순도가 높아지는 효과도 얻게 된다.

* 정공 : 전자가 차지하고 있어야 할 자리에 전자가 없어 생긴 빈 공간, 전자와는 반대로 양전하를 갖는 전하 운반체로 일종의 가상의 입자.
* 일함수 : 전자 하나를 밖으로 끌어내는 데 필요한 최소의 일 또는 에너지.

5. 윗글의 내용 전개 방식으로 가장 적절한 것은?
① OLED의 기능을 열거하면서 OLED로 색을 표현할 때 유의할 점을 제시하고 있다.
② OLED와 관련된 개념을 소개하면서 OLED의 구조와 발광 원리에 대해 설명하고 있다.
③ OLED의 발전 과정을 통시적으로 서술하면서 OLED를 대체할 수 있는 물질을 소개하고 있다.
④ OLED의 각 구성 요소들 간의 공통점과 차이점을 비교하면서 구성 요소들의 장단점을 분석하고 있다.
⑤ OLED를 기준에 따라 분류하며 OLED의 종류에 따라 빛의 파장을 조절하는 방법을 설명하고 있다.

6. ㉠에 대한 설명으로 적절하지 않은 것은?
① 흰색을 만들 때보다 청색을 만들 때 더 많은 전류량이 필요하다.
② 발광층에서 전자가 정공을 만나 빛을 방출하면 바닥상태로 돌아간다.
③ TFT를 이용하여 전류량을 조절하면 다양한 색상의 빛을 만들 수 있다.
④ 적색, 녹색, 청색을 낼 수 있는 서브픽셀 세 개가 모여 하나의 픽셀을 이룬다.
⑤ 전류를 흐르게 하면 양극과 음극에서 각각 정공과 전자가 발광층을 향해 이동한다.

7. 윗글을 바탕으로 <보기>를 이해한 내용으로 적절하지 않은 것은? [3점]

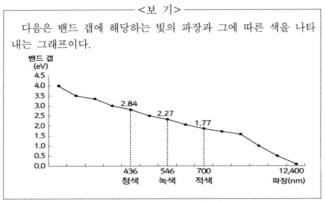

<보 기>
다음은 밴드 갭에 해당하는 빛의 파장과 그에 따른 색을 나타내는 그래프이다.

① 밴드 갭의 크기가 큰 유기물질일수록 파장이 짧은 빛이 방출되는구나.
② 동일한 시간을 사용할 때, 녹색보다 청색을 내는 유기물질의 수명이 짧아지겠구나.
③ 밴드 갭이 2.5eV 이하인 유기물질을 모든 서브픽셀에 넣으면 흰색을 만들 수 없겠구나.
④ LUMO의 에너지 준위가 2.84eV이고 HOMO의 에너지 준위가 1.77eV인 유기물질은 적색을 내겠구나.
⑤ 2.27eV의 밴드 갭을 지니고 있는 유기물질은 전자가 들뜬상태에서 바닥상태로 돌아오면서 녹색을 내겠구나.

8. ⓐ와 ⓑ에 대한 설명으로 가장 적절한 것은?
① ⓐ는 음극에 투명도가 높은 물질을 사용하여 빛의 양을 늘려준다.
② ⓑ는 음극을 얇게 만들수록 면저항이 낮아져 화면의 균일도가 높아진다.
③ ⓐ와 ⓑ는 모두 빛이 나가는 방향에 일함수가 높은 물질을 두어야 한다.
④ ⓐ와 ⓑ는 모두 빛이 나가는 반대 방향에 투명하지 않은 물질을 사용하여 반사율을 높인다.
⑤ ⓐ는 휘도를 높이고 유기물질의 수명을 늘리기 위해서 ⓑ보다 더 많은 전류량을 필요로 한다.

9. 윗글의 미소공진현상에 대한 이해로 적절하지 않은 것은?
① 다른 파동과 상호 작용을 하지 않을 경우 빛은 음극을 통과할 수 없구나.
② 서로 위상이 반대인 파동이 만나면 빛이 약해지거나 사라지기도 하는구나.
③ 파동 간의 간섭으로 한정된 파장의 빛만 나오게 되므로 색의 순도가 높아지는구나.
④ 전류량을 높이지 않아도 빛의 휘도를 높일 수 있으니 유기물질의 수명이 길어지는구나.
⑤ 파동 간 간섭이 일어나는 것은 양극과 음극에 반사를 일으키는 물질을 사용하기 때문이구나.

【10~13】 다음 글을 읽고 물음에 답하시오.

일반 사용자가 디지털 카메라를 들고 촬영하면 손의 미세한 떨림으로 인해 영상이 번져 흐려지고, 걷거나 뛰면서 촬영하면 식별하기 힘들 정도로 영상이 흔들리게 된다. 흔들림에 의한 영향을 최소화하는 기술이 영상 안정화 기술이다.

영상 안정화 기술에는 빛을 이용하는 광학적 기술과 소프트웨어를 이용하는 디지털 기술 등이 있다. 광학 영상 안정화(OIS) 기술을 사용하는 카메라 모듈은 렌즈 모듈, 이미지 센서, 자이로 센서, 제어 장치, 렌즈를 움직이는 장치로 구성되어 있다. 렌즈 모듈은 보정용 렌즈들을 포함한 여러 개의 렌즈들로 구성된다. 일반적으로 카메라는 렌즈를 통해 들어온 빛이 이미지 센서에 닿아 피사체의 상이 맺히고, 피사체의 한 점에 해당하는 위치인 화소마다 빛의 세기에 비례하여 발생한 전기 신호가 저장 매체에 영상으로 저장된다. 그런데 카메라가 흔들리면 이미지 센서 각각의 화소에 닿는 빛의 세기가 변한다. 이때 OIS 기술이 작동되면 자이로 센서가 카메라의 움직임을 감지하여 방향과 속도를 제어 장치에 전달한다. 제어 장치가 렌즈를 이동시키면 피사체의 상이 유지되면서 영상이 안정된다.

렌즈를 움직이는 방법 중에는 보이스코일 모터를 이용하는 방법이 많이 쓰인다. 보이스코일 모터를 포함한 카메라 모듈은 중앙에 위치한 렌즈 주위에 코일과 자석이 배치되어 있다. 카메라가 흔들리면 제어 장치에 의해 코일에 전류가 흘러서 자기장과 전류의 직각 방향으로 전류의 크기에 비례하는 힘이 발생한다. 이 힘이 렌즈를 이동시켜 흔들림에 의한 영향이 상쇄되고 피사체의 상이 유지된다. 이외에도 카메라가 흔들릴 때 이미지 센서를 움직여 흔들림을 감쇄하는 방식도 이용된다.

OIS 기술이 손 떨림을 훌륭하게 보정해 줄 수는 있지만 렌즈의 이동 범위에 한계가 있어 보정할 수 있는 움직임의 폭이 좁다. 디지털 영상 안정화(DIS) 기술은 촬영 후에 소프트웨어를 사용해 흔들림을 보정하는 기술로 역동적인 상황에서 촬영한 동영상에 적용할 때 좋은 결과를 얻을 수 있다. 이 기술은 촬영된 동영상을 프레임 단위로 나눈 후 연속된 프레임 간 피사체의 움직임을 추정한다. 움직임을 추정하는 한 방법은 특징점을 이용하는 것이다. 특징점으로는 피사체의 모서리처럼 주위와 밝기가 뚜렷이 구별되며 영상이 이동하거나 회전해도 그 밝기 차이가 유지되는 부분이 선택된다.

먼저 k 번째 프레임에서 특징점들을 찾고, 다음 k+1 번째 프레임에서 같은 특징점들을 찾는다. 이 두 프레임 사이에서 같은 특징점이 얼마나 이동하였는지 계산하여 영상의 움직임을 추정한다. 그리고 흔들림이 발생한 곳으로 추정되는 프레임에서 위치 차이만큼 보정하여 흔들림의 영향을 줄이면 보정된 동영상은 움직임이 부드러워진다. 그러나 특징점의 수가 늘어날수록 연산이 더 오래 걸린다. 한편 영상을 보정하는 과정에서 영상을 회전하면 프레임에서 비어 있는 공간이 나타난다. 비어 있는 부분이 없도록 잘라 내면 프레임들의 크기가 작아지는데, 원래의 프레임 크기를 유지하려면 화질은 떨어진다.

10. 윗글을 이해한 내용으로 적절하지 <u>않은</u> 것은?

① 디지털 영상 안정화 기술은 소프트웨어를 이용하여 이미지 센서를 이동시킨다.

② 광학 영상 안정화 기술을 사용하지 않는 디지털 카메라에도 이미지 센서는 필요하다.

③ 연속된 프레임에서 동일한 피사체의 위치 차이가 작을수록 동영상의 움직임이 부드러워진다.

④ 디지털 카메라의 저장 매체에는 이미지 센서 각각의 화소에서 발생하는 전기 신호가 영상으로 저장된다.

⑤ 보정 기능이 없다면 손 떨림이 있을 때 이미지 센서 각각의 화소에 닿는 빛의 세기가 변하여 영상이 흐려진다.

11. 윗글의 'OIS 기술'에 대한 설명으로 적절하지 <u>않은</u> 것은?

① 보이스코일 모터는 카메라 모듈에 포함되는 장치이다.

② 자이로 센서는 이미지 센서에 맺히는 영상을 제어 장치로 전달한다.

③ 보이스코일 모터에 흐르는 전류에 의해 발생한 힘으로 렌즈의 위치를 조정한다.

④ 자이로 센서가 카메라 움직임을 정확히 알려도 렌즈 이동의 범위에는 한계가 있다.

⑤ 흔들림에 의해 피사체의 상이 이동하면 원래의 위치로 돌아오도록 렌즈나 이미지 센서를 이동시킨다.

12. 윗글을 참고할 때, <보기>의 A~C에 들어갈 말을 바르게 짝지은 것은?

＜보 기＞

특징점으로 선택되는 점들과 주위 점들의 밝기 차이가 (A), 영상이 흔들리기 전의 밝기 차이와 후의 밝기 차이 변화가 (B) 특징점의 위치 추정이 유리하다. 그리고 특징점들이 많을수록 보정에 필요한 (C)이/가 늘어난다.

	A	B	C
①	클수록	클수록	프레임의 수
②	클수록	작을수록	시간
③	클수록	작을수록	프레임의 수
④	작을수록	클수록	시간
⑤	작을수록	작을수록	프레임의 수

13. 윗글을 읽고 <보기>를 이해한 반응으로 가장 적절한 것은?

[3점]

＜보 기＞

새로 산 카메라의 성능을 시험해 보고 싶어서 OIS 기능을 켜고 동영상을 촬영했다. 빌딩을 찍는 순간, 바람에 휘청하여 들고 있던 카메라가 기울어졌다. 집에 돌아와 촬영된 영상을 확인하고 소프트웨어로 보정하려 한다.

〔촬영한 동영상 중 연속된 프레임〕

㉠ k 번째 프레임

㉡ k+1 번째 프레임

---

① ㉠에서 프레임의 모서리 부분으로 특징점을 선택하는 것이 움직임을 추정하는 데 유리하겠군.

② ㉡을 DIS 기능으로 보정하고 나서 프레임 크기가 변했다면 흔들림은 보정되었으나 원래의 영상 일부가 손실되었겠군.

③ ㉠에서 빌딩 모서리들 간의 차이를 특징점으로 선택하고 그 차이를 계산하여 ㉡을 보정하겠군.

④ ㉠은 OIS 기능으로 손 떨림을 보정한 프레임이지만, ㉡은 OIS 기능으로 보정해야 할 프레임이겠군.

⑤ ㉡을 보면 ㉠이 촬영된 직후 카메라가 크게 움직여 DIS 기능으로는 완전히 보정되지 않았다는 것을 알 수 있겠군.

총 문항					문항	맞은 문항				문항
개별 문항	1	2	3	4	5	6	7	8	9	10
채점										
개별 문항	11	12	13	14	15	16	17	18	19	20
채점										

[고3 국어 독서]

V

예술 및 복합

Ⅴ 예술 및 복합

🏷️ 출제 트렌드

예술은 음악, 미술, 건축, 공연, 사진 등 다양한 분야의 예술에 대한 이해와 예술 사조, 장르에 대한 정의, 흐름 등을 다루는 분야입니다. 예술 작품을 감상하고 비평하는 안목을 필요로 하지만 이는 수험생의 자의적 판단이 아닌 글쓴이의 입장에 따라 이루어져야 함을 명심해야 합니다. 또한 여러 작가와 작품을 비교하는 문제가 빈번하게 출제되니 공통점과 차이점을 체크해 가면서 읽어야 합니다. 예술 지문은 다른 분야의 지문에 비해 출제 빈도가 낮으며 난이도도 평이하다고 할 수 있습니다.

복합 지문은 인문과 과학, 과학과 기술, 인문과 예술 등 두 가지 분야가 융합된 주제를 다룹니다. 그러나 복합 지문이라고 해서 특별히 다를 것은 없으며, 의외로 구조가 단순한 경우도 많으니 다른 지문과 마찬가지로 문단별로 핵심어와 중심 내용 파악에 집중하면 됩니다. 다만 지문당 문제 수가 많은 편이므로 시간 분배에 신경을 써야 합니다.

시행	출제 지문	문제 수	난이도
2023학년도 9월 모평	아도르노의 미학	6문제 출제	★★☆
2021학년도 9월 모평	예술의 정의와 비평	6문제 출제	★★☆
2020학년도 9월 모평	역사적 사료로서의 영화	6문제 출제	★★☆

🏷️ 1등급 꿀팁

하나 _ 예술 지문은 다른 지문에 비해 비교적 내용이 쉬우므로 실수하지 말자.

두울 _ 지문을 눈으로만 읽지 말고 밑줄과 기호 등을 적극적으로 활용하자.

세엣 _ 예술 지문에 자주 쓰이는 어휘들은 미리 배경지식으로 알아 두자.

네엣 _ 핵심 제재와 그것에 대한 설명을 놓치지 말고 이해하자.

다섯 _ 복합 지문도 결국 내용 이해와 세부 요소들 간의 관계 파악이 핵심임을 알자.

여섯 _ 지문의 구조나 내용 전개 방식, 어휘에 관한 문제는 지문을 읽으면서 동시에 풀자.

일곱 _ 추론이나 적용이 필요한 문제는 사고력을 활용하되 반드시 지문 속에서 근거를 찾도록 하자.

다음 글을 읽고 물음에 답하시오.

(가)

아도르노는 문화 산업에 의해 양산되는 대중 예술이 이윤 극대화를 위한 상품으로 전락함으로써 예술의 본질을 상실했을 뿐 아니라 현대 사회의 모순과 부조리를 은폐하고 있다고 지적했다. 아도르노가 보는 대중 예술 은 창작의 구성에서 표현까지 표준화되어 생산되는 상품에 불과하다. 그는 대중 예술의 규격성으로 인해 개인의 감상 능력 역시 표준화되고, 개인의 개성은 다른 개인의 그것과 다르지 않게 된다고 보았다. 특히 모든 것을 상품의 교환 가치로 환원하려는 자본주의 사회에서, 대중 예술은 개인의 정체성마저 상품으로 ⓐ전락시키는 기제로 작용한다는 것이다.

아도르노는 서로 다른 가치 체계를 하나의 가치 체계로 통일시키려는 속성을 동일성으로, 하나의 가치 체계로의 환원을 거부하는 속성을 비동일성으로 규정하고, 예술은 이러한 환원을 거부하는 비동일성을 지녀야 한다고 주장한다. 그렇기 때문에 예술은 대중이 원하는 아름다운 상품이 되기를 거부하고, 그 자체로 추하고 불쾌한 것이 되어야 한다는 것이다. 그에게 있어 예술은 예술가가 직시한 세계의 본질을 감상자들에게 체험하게 해야 한다. 예술은 동일화되지 않으려는, 일정한 형식이 없는 비정형화된 모습으로 나타남으로써 현대 사회의 부조리를 체험하게 하는 매개여야 한다는 것이다.

아도르노는 쇤베르크의 음악과 같은 전위 예술이 그 자체로 동일화에 저항하면서도, 저항이나 계몽을 직접적으로 드러내지 않는다는 것을 높게 평가한다. 저항이나 계몽을 직접 표현하는 것에는 비동일성을 동일화하려는 폭력적 의도가 내재되어 있다고 보기 때문이다. 불협화음으로 가득 찬 쇤베르크의 음악이 감상자들에게 불쾌함을 느끼게 했던 것처럼 예술은 그것에 드러난 비동일성을 체험하게 함으로써 동일화의 폭력에 저항해야 한다는 것이다.

아도르노에게 있어 예술은 사회적 산물이며, 그래서 미학은 작품에 침전된 사회의 고통스러운 상태를 읽기 위해 존재한다. 그는 비동일성 그 자체를 속성으로 하는 전위 예술이 추구해야 할 바람직한 모습으로 제시했다.

(나)

아도르노의 미학은 예술과 사회의 관계를 통해 예술의 자율성을 추구했다는 점에서 긍정적으로 평가된다. 예술은 사회적인 것인 동시에 사회에서 떨어져 사회의 본질을 직시하는 것이어야 한다고 보기 때문이다. 그의 미학은 기존의 예술에 대한 비판적 관점을 제공한다. 가령 사과를 표현한 세잔의 작품을 아도르노의 미학으로 읽어 낸다면, 이 그림은 사회의 본질과

ⓑ유리된 '아름다운 가상'을 표현한 것에 불과할 것이다.

하지만 세잔의 작품은 예술가의 주관적 인상을 붉은색과 회색 등의 색채와 기하학적 형태로 표현한 미메시스일 수 있다. 미메시스란 세계를 바라보는 주체의 관념을 재현하는 것, 즉 감각될 수 없는 것을 감각 가능한 것으로 구현하는 것을 의미한다. 다시 말해 세잔의 작품은 눈에 보이는 특정의 사과가 아닌 예술가의 시선에 포착된 세계의 참모습, 곧 자연의 생명력과 그에 얽힌 농부의 삶 그리고 이를 ⓒ응시하는 예술가의 사유를 재현한 것이 된다.

아도르노는 예술이 예술가에게 포착된 세계의 본질을 감상자로 하여금 체험하게 하는 것이어야 한다고 본다. 그러나 그는 이러한 미적 체험을 현대 사회의 부조리에 국한시킴으로써, 진정한 예술을 감각적 대상인 형태 그 자체의 비정형성에 대한 체험으로 한정한다. 결국 ㉠아도르노의 미학에서는 주관의 재현이라는 미메시스가 부정되고 있다.

한편 아도르노의 미학은 예술의 영역을 극도로 축소시키고 있다. 즉 그 자신은 동일화의 폭력을 비판하지만, 자신이 추구하는 전위 예술만이 진정한 예술이라고 주장하며 ㉡전위 예술의 관점에서 예술의 동일화를 시도하고 있다. 특히 이는 현실 속 다양한 예술의 가치가 발견될 기회를 ⓓ박탈한다. 실수로 찍혀 작가의 어떠한 주관도 결여된 사진에서조차 새로운 예술 정신을 ⓔ발견하는 것이 가능하다는 베냐민의 지적처럼, 전위 예술이 아닌 예술에서도 미적 가치를 발견할 수 있다. 또한 대중음악이 사회적 저항의 메시지를 전달하는 사례도 있듯이, 자본의 논리에 편승한 대중 예술이라 하더라도 사회에 대한 비판적 기능을 수행하는 경우도 있다.

7. (가)의 '아도르노'의 관점을 바탕으로 할 때, ㉡에 대해 반박할 수 있는 말로 가장 적절한 것은?

① 동일화는 애초에 예술과 무관하므로 예술의 동일화는 실현 불가능하다.

② 전위 예술의 속성은 부조리 그 자체를 폭로하는 것이므로 비동일성은 결국 동일성으로 귀결된다.

③ 동일성으로 환원된 대중 예술에서도 비동일성을 발견할 수 있으므로 예술의 동일화는 무의미하다.

④ 전위 예술은 동일성과 비동일성의 구분을 거부하므로 전위 예술로의 동일화는 새로운 차원의 비동일성으로 전환된다.

⑤ 동일화를 거부하는 속성이 전위 예술의 본질이므로 전위 예술을 추구하는 것은 동일화가 아니라 비동일화를 지향하는 것이다.

12분 | 2023학년도 9월 모평 4~9번 | ★★☆ | 정답 062쪽

【1~6】 다음 글을 읽고 물음에 답하시오.

(가)

아도르노는 문화 산업에 의해 양산되는 대중 예술이 이윤 극대화를 위한 상품으로 전락함으로써 예술의 본질을 상실했을 뿐 아니라 현대 사회의 모순과 부조리를 은폐하고 있다고 지적했다. 아도르노가 보는 대중 예술은 창작의 구성에서 표현까지 표준화되어 생산되는 상품에 불과하다. 그는 대중 예술의 규격성으로 인해 개인의 감상 능력 역시 표준화되고, 개인의 개성은 다른 개인의 그것과 다르지 않게 된다고 보았다. 특히 모든 것을 상품의 교환 가치로 환원하려는 자본주의 사회에서, 대중 예술은 개인의 정체성마저 상품으로 ⓐ전락시키는 기제로 작용한다는 것이다.

아도르노는 서로 다른 가치 체계를 하나의 가치 체계로 통일시키려는 속성을 동일성으로, 하나의 가치 체계로의 환원을 거부하는 속성을 비동일성으로 규정하고, 예술은 이러한 환원을 거부하는 비동일성을 지녀야 한다고 주장한다. 그렇기 때문에 예술은 대중이 원하는 아름다운 상품이 되기를 거부하고, 그 자체로 추하고 불쾌한 것이 되어야 한다는 것이다. 그에게 있어 예술은 예술가가 직시한 세계의 본질을 감상자들에게 체험하게 해야 한다. 예술은 동일화되지 않으려는, 일정한 형식이 없는 비정형화된 모습으로 나타남으로써 현대 사회의 부조리를 체험하게 하는 매개여야 한다는 것이다.

아도르노는 쇤베르크의 음악과 같은 전위 예술이 그 자체로 동일화에 저항하면서도, 저항이나 계몽을 직접적으로 드러내지 않는다는 것을 높게 평가한다. 저항이나 계몽을 직접 표현하는 것에는 비동일성을 동일화하려는 폭력적 의도가 내재되어 있다고 보기 때문이다. 불협화음으로 가득 찬 쇤베르크의 음악이 감상자들에게 불쾌함을 느끼게 했던 것처럼 예술은 그것에 드러난 비동일성을 체험하게 함으로써 동일화의 폭력에 저항해야 한다는 것이다.

아도르노에게 있어 예술은 사회적 산물이며, 그래서 미학은 작품에 침전된 사회의 고통스러운 상태를 읽기 위해 존재한다. 그는 비동일성 그 자체를 속성으로 하는 전위 예술을 예술이 추구해야 할 바람직한 모습으로 제시했다.

(나)

아도르노의 미학은 예술과 사회의 관계를 통해 예술의 자율성을 추구했다는 점에서 긍정적으로 평가된다. 예술은 사회적인 것인 동시에 사회에서 떨어져 사회의 본질을 직시하는 것이어야 한다고 보기 때문이다. 그의 미학은 기존의 예술에 대한 비판적 관점을 제공한다. 가령 사과를 표현한 세잔의 작품을 아도르노의 미학으로 읽어 낸다면, 이 그림은 사회의 본질과 ⓑ유리된 '아름다운 가상'을 표현한 것에 불과할 것이다.

하지만 세잔의 작품은 예술가의 주관적 인상을 붉은색과 회색 등의 색채와 기하학적 형태로 표현한 미메시스일 수 있다. 미메시스란 세계를 바라보는 주체의 관념을 재현하는 것, 즉 감각될 수 없는 것을 감각 가능한 것으로 구현하는 것을 의미한다. 다시 말해 세잔의 작품은 눈에 보이는 특정의 사과가 아닌 예술가의 시선에 포착된 세계의 참모습, 곧 자연의 생명력과 그에 얽힌 농부의 삶 그리고 이를 ⓒ응시하는 예술가의 사유를 재현한 것이 된다.

아도르노는 예술이 예술가에게 포착된 세계의 본질을 감상자로 하여금 체험하게 하는 것이어야 한다고 본다. 그러나 그는 이러한 미적 체험을 현대 사회의 부조리에 국한시킴으로써, 진정한 예술을 감각적 대상인 형태 그 자체의 비정형성에 대한 체험으로 한정한다. 결국 ㉠아도르노의 미학에서는 주관의 재현이라는 미메시스가 부정되고 있다.

한편 아도르노의 미학은 예술의 영역을 극도로 축소시키고 있다. 즉 그 자신은 동일화의 폭력을 비판하지만, 자신이 추구하는 전위 예술만이 진정한 예술이라고 주장하며 ㉡전위 예술의 관점에서 예술의 동일화를 시도하고 있다. 특히 이는 현실 속 다양한 예술의 가치가 발견될 기회를 ⓓ박탈한다. 실수로 찍혀 작가의 어떠한 주관도 결여된 사진에서조차 새로운 예술 정신을 ⓔ발견하는 것이 가능하다는 베냐민의 지적처럼, 전위 예술이 아닌 예술에서도 미적 가치를 발견할 수 있다. 또한 대중음악이 사회적 저항의 메시지를 전달하는 사례도 있듯이, 자본의 논리에 편승한 대중 예술이라 하더라도 사회에 대한 비판적 기능을 수행하는 경우도 있다.

1. 다음은 (가)와 (나)를 읽고 수행한 독서 활동지의 일부이다. Ⓐ~Ⓔ 중 적절하지 <u>않은</u> 것은?

	(가)	(나)
글의 화제	아도르노의 예술관 ·· Ⓐ	
서술 방식의 공통점	구체적인 예를 제시하고 그것에 담긴 의미를 설명함. ······································· Ⓑ	
서술 방식의 차이점	(가)는 (나)와 달리 화제와 관련된 개념을 정의하고 개념의 변화 과정을 제시함. ·········· Ⓒ	(나)는 (가)와 달리 논지를 강화하기 위해 다른 이의 견해를 인용함. ············· Ⓓ
서술된 내용 간의 관계	(가)에서 소개한 이론에 대해 (나)에서 의의를 밝히고 한계를 지적함. ·· Ⓔ	

① Ⓐ   ② Ⓑ   ③ Ⓒ   ④ Ⓓ   ⑤ Ⓔ

2. 아도르노가 보는 대중 예술 에 대한 이해로 적절하지 <u>않은</u> 것은?

① 문화 산업을 통해 상품화된 개인의 정체성과 대립적 관계를 형성한다.

② 일정한 규격에 맞춰 생산될 뿐 아니라 대중의 감상 능력을 표준화한다.

③ 자본주의의 교환 가치 체계에 종속된 것으로서 예술로 포장된 상품에 불과하다.

④ 모든 것을 상품의 교환 가치로 환원하려는 자본주의 사회의 속성을 은폐한다.

⑤ 문화 산업의 이윤 극대화 과정에서 개인들이 지닌 개성의 차이를 상실시킨다.

3. ㉠의 이유를 추론한 내용으로 가장 적절한 것은?

① 비정형적 형태뿐 아니라 정형적 형태 역시 재현되기 때문이다.

② 재현의 주체가 예술가로부터 예술 작품의 감상자로 전환되기 때문이다.

③ 미적 체험의 대상이 사회의 부조리에서 세계의 본질로 변화되기 때문이다.

④ 미적 체험의 과정에서 비정형적인 형태가 예술가의 주관으로 왜곡되기 때문이다.

⑤ 예술가의 주관이 가려지고 작품에 나타난 형태에 대한 체험만이 강조되기 때문이다.

4. (가)의 '아도르노'의 관점을 바탕으로 할 때, ㉡에 대해 반박할 수 있는 말로 가장 적절한 것은?

① 동일화는 애초에 예술과 무관하므로 예술의 동일화는 실현 불가능하다.

② 전위 예술의 속성은 부조리 그 자체를 폭로하는 것이므로 비동일성은 결국 동일성으로 귀결된다.

③ 동일성으로 환원된 대중 예술에서도 비동일성을 발견할 수 있으므로 예술의 동일화는 무의미하다.

④ 전위 예술은 동일성과 비동일성의 구분을 거부하므로 전위 예술로의 동일화는 새로운 차원의 비동일성으로 전환된다.

⑤ 동일화를 거부하는 속성이 전위 예술의 본질이므로 전위 예술을 추구하는 것은 동일화가 아니라 비동일화를 지향하는 것이다.

5. 다음은 학생이 미술관에 다녀와서 작성한 감상문이다. 이에 대해 (가)의 '아도르노'의 관점(A)과 (나)의 글쓴이의 관점(B)에서 설명한 내용으로 적절하지 <u>않은</u> 것은? [3점]

> 주말 동안 미술관에서 작품을 관람했다. 기억에 남는 세 작품이 있었다. 첫 번째 작품의 제목은 「자화상」이었지만 얼굴의 형상을 전혀 찾아볼 수 없는 기괴한 모습이었고, 제각각의 형태와 색채들이 이곳저곳 흩어져 있어 불편한 감정만 느껴졌다. 두 번째 작품은 사회에 비판적인 유명 연예인의 얼굴을 묘사한 그림으로, 대량 복제되어 유통되는 작품이었다. 그리고 사용된 색채와 구도가 TV에서 본 상업 광고의 한 장면같이 익숙하게 느껴져서 좋았다. 세 번째 작품은 시골 마을의 서정적인 풍경을 사실적으로 묘사한 그림으로 색감과 조형미가 뛰어나 오랫동안 기억에 잔상으로 남았다.

① A : 첫 번째 작품에서 학생이 기괴함과 불편함을 느낀 것은 부조리한 사회에 대한 예술적 체험의 충격 때문일 수 있습니다.

② A : 두 번째 작품에서 학생이 느낀 익숙함은 현대 사회의 모순에 대한 무감각과 같은 것일 수 있습니다. 이는 문화 산업의 논리에 동일화되어 감각이 무뎌진 결과라 할 수 있습니다.

③ A : 세 번째 작품에 표현된 서정성과 조형미는 부조리에 대한 저항과는 괴리가 있습니다. 사회에 대한 저항을 직접적으로 드러낸 예술이어야 진정한 예술이라고 할 수 있습니다.

④ B : 첫 번째 작품의 흩어져 있는 형태와 색채가 예술가의 표현 의도를 담고 있지 않더라도 그 작품에서 예술적 가치를 발견할 수 있습니다.

⑤ B : 두 번째 작품은 대량 생산을 통해 제작된 것이지만 그 연예인의 사회 비판적 이미지를 이용해 현대 사회의 문제점을 고발하는 것일 수 있습니다.

6. 문맥상 ⓐ~ⓔ와 바꿔 쓰기에 적절하지 <u>않은</u> 것은?

① ⓐ : 맞바꾸는

② ⓑ : 동떨어진

③ ⓒ : 바라보는

④ ⓓ : 빼앗는다

⑤ ⓔ : 찾아내는

[7~12] 다음 글을 읽고 물음에 답하시오.

(가)

스톨니츠는 우리가 미적 태도로 지각하는 모든 대상은 미적 대상이 된다고 주장한다. 이때의 미적 태도는 어떤 대상을 유용성에 근거해서 바라보는 실제적 지각 태도와 다르다. 그가 말하는 미적 태도는 그것이 예술 작품이든 아니든, 감상자가 지각하는 대상 자체를 '무관심적'이면서 '공감적'으로 '관조'하는 태도이다.

스톨니츠가 말하는 미적 태도에서의 '무관심적'이라는 것은 대상에 대해 관심이 없는 '비관심적'과는 다르다. 무관심적이라는 것은 대상을 사용하거나 조작하여, 무엇을 ⓐ취하려는 목적을 가지고 대상을 바라보지 않는다는 것이다. 다시 말해 무관심적이라는 것은 대상에 대해 어떤 이해관계를 떠나, 보이고 느껴지는 대로 관심을 가지고 본다는 것이다. 예를 들어 누군가가 사과를 볼 때, 어떤 지식이나 수익을 얻으려는 관심을 가지고 보는 것이 아니라, 사과라는 대상 자체에 관심을 가지고 바라보는 것이다.

그리고 '공감적'이라는 것은, 감상자가 대상에 반응할 때 대상 자체의 조건에 의해 대상을 받아들이는 방식을 취하는 것을 의미한다. 이를 위해 감상자는 자신을 대상과 분리시키는 신념이나 편견과 같은 반응은 억제해야 한다. 그렇게 하지 않으면 대상이 감상자에게 흥미롭게 지각될 수 있는 가능성이 사라지게 된다. 예를 들어 ㉠특정 신을 찬미하기 위한 의도가 담긴 조각 작품에 대해 감상자 자신의 종교적 기준과 다르다고 거부감을 가지는 것은 공감적이지 못한 것이다.

끝으로 '관조'란 단순한 응시가 아니라 감상자가 대상에 적극적으로 주목하는 것을 의미한다. 관조는 활동과 함께 일어나기도 하는데, 일례로 음악을 듣는 감상자가 음악에 집중하여 멜로디를 따라 손으로 장단을 맞추는 모습을 들 수 있다. 그러나 대상에 적극적으로 주목하며 활동하는 것이 관조가 의미하는 바의 전부는 아니다. 대상의 독특한 가치를 맛보기 위해서는 복잡하고 섬세한 부분까지 주의 깊게 살펴야 한다. 이러한 섬세한 부분들을 민감하게 인지하는 것이 식별력이다. 즉, 식별력을 갖추고 관조한다면 더욱 풍부한 미적 경험을 할 수 있다. 이러한 식별력은 반복해서 예술 작품을 경험하거나, 작품에 드러나는 표현 기법이나 작품의 구성 요소와 같은 지식에 대해 공부하거나, 예술 형식에 대한 기술적 훈련을 함으로써 기를 수 있다.

(나)

비어즐리는 미적 대상이란 예술 작품의 속성 중 올바르게 감상되고 비평될 수 있는 것이라고 주장한다. 그는 미적 대상이 감상자의 주관적 태도에 의해서 규정될 수 없다고 말하며, 오직 예술 작품 자체의 속성들에 근거하여 미적 대상을 규정할 수 있다는 객관주의적 입장을 ⓑ취한다. 그래서 그는 '구분의 원리'와 '지각 가능성의 원리'를 통해 예술 작품에서 미적 대상이 될 수 없는 것들을 미적 대상에서 배제한다.

먼저 비어즐리는 구분의 원리를 제시하며, 예술가의 의도를 예술 작품의 미적 대상으로 생각하는 입장에 반대한다. 그는 예술 작품의 속성이 미적 대상이 되려면 그 예술 작품과 구분되어서는 안 된다는 것을 전제한다. 그래서 그는 예술 작품과 구분되는 예술가의 의도는 예술 작품의 속성이 될 수 없어 미적 대상에서 배제되어야 한다고 말한다.

지각 가능성의 원리는 예술 작품의 어떤 속성이 직접적으로 지각될 수 있어야만 미적 대상이 될 수 있다는 것이다. 비어즐리는 예술 작품을 경험하는 데 전혀 지각될 수 없거나 직접적으로 지각될 수 없는 것들을 물리적 측면이라고 규정하고, 이를 미적 대상에서 배제해야 한다고 말한다. 예를 들어 어떤 그림에 대해 '이 그림은 상쾌한 색조와 흐르는 운동감이 있다.'라고 했다면, 이는 그림을 보면서 직접적으로 지각할 수 있는 미적 대상에 대해 진술한 것이다. 하지만 '이 그림은 유화 물감을 재료로 사용하였다.'나 '이 그림은 1892년에 창작되었다.'라고 했다면, 이는 그림을 보면서 직접적으로 지각할 수 없는 물리적 측면에 대해 진술한 것이다.

비어즐리는 이 원리들을 종합하여 예술 작품의 속성 중 객관적으로 지각될 수 있는 대상을 밝히며, ㉡미적 대상으로서의 예술 작품의 의미를 해석할 때는 오로지 예술 작품과 분리될 수 없는 객관적인 속성만을 고려해야 한다는 주장을 분명히 하였다.

7. 다음은 (가)와 (나)를 읽고 학생이 작성한 활동지의 일부이다. 학생의 반응으로 적절하지 <u>않은</u> 것은?

	질문	학생의 응답	
		예	아니요
①	(가)는 상반된 견해를 절충하여 대안을 제시하고 있나요?		√
②	(가)는 시대에 따라 달라지는 이론의 변천 과정을 서술하고 있나요?		√
③	(나)는 중심 내용을 정리하며 글을 마무리하고 있나요?	√	
④	(가)와 (나)는 독자의 이해를 돕기 위해 예시를 활용하고 있나요?	√	
⑤	(가)와 (나)는 핵심 주제와 관련된 개념들의 의미를 설명하고 있나요?		√

8. <보기>는 ㉡의 관점에서 ㉠에 대해 보인 학생의 반응이다. ㉮ ~ ㉰에 들어갈 말로 적절한 것은?

< 보 기 >

조각 작품에 담긴 특정 신을 찬미하려 한 예술가의 의도는, (㉮)으로 지각될 수 있는 것이 아니기에 예술 작품과 (㉯)되어야 한다. 따라서 예술가의 의도는 미적 대상으로서 예술 작품의 의미를 올바르게 감상하기 위한 속성으로 볼 수 (㉰).

	㉮	㉯	㉰
①	객관적	구분	없다
②	객관적	종합	있다
③	객관적	구분	있다
④	공감적	종합	없다
⑤	공감적	구분	있다

9. (가)의 '스톨니츠'와 (나)의 '비어즐리'의 입장에서 <보기>의 A와 B에 대해 보일 수 있는 반응으로 적절하지 <u>않은</u> 것은? [3점]

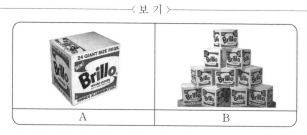

〈 보 기 〉

A는 특정 회사가 실제로 제품을 담아 판매하기 위해 생산한 종이 상자로 예술 작품이 아니지만, B는 현대 미술가 앤디 워홀이 A의 모양을 그대로 복제하여 '브릴로 박스'라는 제목으로 1964년에 창작한 설치 미술 작품이다.

① 스톨니츠는 A는 예술 작품이 아니지만, 감상자가 A를 무관심적이면서 공감적으로 관조한다면 미적 대상이 될 수 있다고 보겠군.
② 스톨니츠는 B는 실제적 지각 태도로 감상해야 미적 대상이 될 수 있다고 보겠군.
③ 비어즐리는 감상자의 주관적 태도로는 B를 미적 대상으로 규정할 수 없다고 보겠군.
④ 비어즐리는 B가 창작된 연도는 미적 대상이 되는 작품의 속성이 아니라고 보겠군.
⑤ 비어즐리는 A는 미적 대상이 될 수 없으며, B에서의 물리적 측면도 미적 대상이 될 수 없다고 보겠군.

10. 학생이 '읽기 중' 단계에서 활동한 내용으로 가장 적절한 것은?
① 두 글은 모두, 예술가의 의도에 의해 규정되는 미적 대상을 비판하고 있다.
② 두 글은 모두, 예술 작품의 유용성을 평가하기 위한 절차를 설명하고 있다.
③ 두 글은 모두, 지각할 수 있는 대상이어야 미적 대상으로 고려될 수 있다는 관점을 드러내고 있다.
④ 두 글은 모두, 감상자가 관심을 가지지 않고 감상해야 예술 작품은 미적 대상이 될 수 있다고 설명하고 있다.
⑤ 두 글은 모두, 예술 작품이 미적 대상이 되기 위해서는 감상자와 예술가의 상호 작용이 필요함을 강조하고 있다.

11. 학생이 Ⓐ를 해결하기 위해 (가)의 내용을 적용하여 '읽기 후' 활동을 했을 때, 적절하지 <u>않은</u> 것은?
① 프랑스 상징시를 감상하기 위해 상징의 개념에 대해 학습하기
② 표현주의 연극을 감상하기 위해 해당 연극을 반복해서 관람하기
③ 평시조를 감상하기 위해 평시조의 형식에 맞춰 창작하는 훈련하기
④ 사실주의 영화를 감상하기 위해 영화의 역사에 대한 지식을 공부하기
⑤ 교향곡을 감상하기 위해 곡의 섬세한 부분에 얽매이지 않고 상상력 발휘하기

12. 다음 중 (가)의 ⓐ와 (나)의 ⓑ의 의미로 쓰인 예가 바르게 짝지어진 것은?
① ⓐ: 그녀는 정당한 이득을 <u>취했다</u>.
　　ⓑ: 그는 자신의 꿈에 대해 적극적인 태도를 <u>취했다</u>.
② ⓐ: 그녀는 급하게 연락을 <u>취했다</u>.
　　ⓑ: 나는 그가 준비한 선물들 중에서 가장 새것을 <u>취했다</u>.
③ ⓐ: 군인들은 차려 자세를 <u>취했다</u>.
　　ⓑ: 어머니는 숙면을 <u>취하고</u> 계셨다.
④ ⓐ: 정부는 실리적인 대외 정책을 <u>취했다</u>.
　　ⓑ: 그가 제시한 조건들 가운데서 마음에 드는 것만을 <u>취했다</u>.
⑤ ⓐ: 친구는 퇴원 후 조금씩 음식을 <u>취하기</u> 시작했다.
　　ⓑ: 그는 당장에라도 일어설 자세를 <u>취했다</u>.

※ 다음은 학생의 독서 활동을 구조화한 것이다. 10번과 11번 물음에 답하시오.

독서 동기

　주제별 체험학습에서 '미적 대상 경험하기'라는 주제로 표현주의 연극을 보고 왔다. 친구들과 나는 연극이 정말 아름다웠다고 생각했다. 돌아오는 길에 문득 Ⓐ 예술 작품들이 지닌 독특한 가치들을 주의 깊게 살필 수 있는 능력을 기르기 위해서는 어떤 노력이 더 필요한지 궁금해졌다.

독서 과정	학생의 활동
읽기 전	독서 목적 확인하기, 경험을 떠올려 배경지식 활성화하기
⇩	
읽기 중	(가)와 (나)를 읽고 이해한 내용을 자기 말로 바꾸어 말해 보기
⇩	
읽기 후	새로 알게 된 내용의 활용 방안 생각하기

총 문항				문항	맞은 문항				문항
개별 문항	1	2	3	4	5	6	7	8	9	10
채점										
개별 문항	11	12	13	14	15	16	17	18	19	20
채점										

| 12분 | 2020학년도 10월 학평 16~21번 | ★★☆ | 정답 065쪽 |

【1~6】 다음 글을 읽고 물음에 답하시오.

(가)

호펠드는 권리 개념이 생각보다 복잡하기 때문에 엄밀하게 사용되지 않을 경우 잘못된 추론이나 결론으로 이어질 수 있다고 보았다. 그는 'X가 상대방 Y에 대하여 무언가에 관한 권리를 가진다.'는 진술이 의미하는 바를 몇 가지 기본 범주들로 살펴 권리 개념을 이해해야 권리자 X와 그 상대방 Y의 지위를 명확히 파악할 수 있다고 주장했다. 권리의 기본 범주는 다음과 같다.

첫째, 청구권이다. 이는 ⊙Y가 X에게 A라는 행위를 할 법적 의무가 있다면 X는 상대방 Y에 대하여 A라는 행위를 할 것을 법적으로 청구할 수 있다는 의미이다. 호펠드는 청구가 논리적으로 언제나 의무와 대응 관계를 이룬다고 보았다. 가령 X는 폭행당하지 않을 권리를 가졌는데, Y에게 X를 폭행하지 않을 의무가 부과되지 않았다고 한다면 그 권리는 무의미하기 때문이다. 따라서 청구로서의 권리는 단순히 무언가를 주장하는 것이 아니라 의무 이행 혹은 의무 불이행에 대한 일련의 법적 조치를 포함하고 있다. 또한 의무의 내용이 달라지면 권리의 내용도 달라진다고 볼 수 있다.

둘째, 자유권이다. 이는 X가 상대방 Y에 대하여 A라는 행위를 하거나 하지 않아야 할 법적 의무가 없다면 X는 Y에 대하여 A를 행하지 않거나 행할 법적 자유가 있다는 의미이다. 이 권리의 특징은 의무의 부정에 있다. 가령 A를 행할 자유가 있다는 것은 A를 하지 않아야 할 법적 의무가 없다는 것이다. 이때 Y는 X가 A를 행하는 것을 방해하지 말아야 할 의무가 있는 것은 아니다. 즉 권리자의 상대방은 권리자의 권리 행사를 방해할 권리를 가질 수 있다는 것이다. 이처럼 자유로서의 권리는 상대방의 '청구권 없음.'과 대응 관계에 있다.

셋째, 권능으로서의 권리이다. 이는 X가 상대방 Y에게 법적 효과 C를 야기하는 것이 인정된다면 X는 Y에게 효과 C를 초래할 수 있는 법적 권능을 가진다는 의미이다. 권능은 법률 행위를 통해서 자신 또는 타인의 법률관계를 창출하거나 변경 또는 소멸시킬 수 있는 힘을 가리킨다. 가령 소송할 권리 등이 이에 해당한다고 볼 수 있다. 이때 권능을 행사하는 자의 상대방은 권능을 가진 자의 처분 아래 놓인 상태에 있다.

넷째, 면제권이다. 이는 X에게 C라는 효과를 야기할 법적 권능이 상대방 Y에게 없다면, X는 Y에 대하여 C라는 법적 효과에 대한 법적 면제를 가진다는 의미이다. 다시 말해 Y가 X와 관련하여 법률관계를 형성, 변경, 소멸시킬 수 있는 권능을 가지고 있지 않다는 것이다. 면제로서의 권리는 상대방이 그러한 처분을 '할 권능 없음.'과 대응 관계에 있다. 그러므로 면제권의 부정은 권능을 가진 자의 처분 아래 놓여 있음을 의미한다. 가령 토지 소유권자는 자신 이외의 다른 사람에 의해서 토지가 처분되지 않을 권리를 가지고 있다고 할 수 있다.

(나)

근대 이후 개인의 권리가 중시되자 법철학은 권리의 근본적 성격을 법적으로 존중되는 의사에 의한 선택의 관점에서 볼 것인가 아니면 법적으로 보호되는 이익의 관점에서 볼 것인가를 놓고 지속적으로 논쟁해 왔다. 각각 의사설과 이익설로 불리는 두 입장은 권리란 무엇인가에 대해 서로 견해를 달리한다.

의사설의 기본적인 입장은 어떤 사람이 무언가에 대하여 권리를 갖는다는 것은 법률관계 속에서 그 무언가와 관련하여 그 사람의 의사에 의한 선택이 다른 사람의 의사보다 우월한 지위에 있음을 법적으로 인정하는 것이다. 의사설을 지지한 하트는 권리란 그것에 대응하는 의무가 존재한다고 보았다. 그는 의무의 이행 여부를 통제할 권능을 가진 권리자의 선택이 권리의 본질적 요소라고 보았기 때문에 법이 타인의 의무 이행 여부에 대한 권능을 부여하지 않은 경우에는 권리를 가졌다고 말할 수 없다고 주장했다.

의사설은 타인의 의무 이행 여부와 관련된 권능, 곧 합리적 이성을 가진 자가 아니면 권리자가 되지 못하는 난점이 있다. 가령 사람이 동물 보호 의무를 갖는다고 하더라도 동물이 권리를 갖는다고 보기는 어렵다. 왜냐하면 동물은 이성적 존재가 아니기 때문이다. 그래서 의사설은 권리 주체를 제한한다는 비판을 받는다. 또한 의사설은 면제권을 갖는 어떤 사람이 면제권을 포기함으로써 타인의 권능 아래에 놓일 권리, 즉 스스로를 노예와 같은 상태로 만들 권리를 인정해야 하는 상황에 직면한다. 하지만 현대에서는 이런 상황이 인정되기가 ⓐ어렵다.

이익설의 기본적인 입장은 권리란 이익이며, 법이 부과하는 타인의 의무로부터 이익을 얻는 자는 누구나 권리를 갖는다는 것이다. 그래서 타인의 의무 이행에 따른 이익이 없다면 권리가 없다고 본다. 이익설을 주장하는 라즈는 권리와 의무가 동전의 양면처럼 논리적으로 서로 대응하는 관계일 뿐만 아니라 권리가 의무를 정당화하는 관계에 있다고 보았다. 즉 권리가 의무 존재의 근거가 된다고 보는 입장을 지지한다고 볼 수 있다. 그래서 누군가의 어떤 이익이 타인에게 의무를 부과할 만큼 중요성을 가지는 것일 때 비로소 그 이익은 권리로서 인정된다고 보았다. 호펠드식으로 말한다면 법이 개인들에게 이익이 되는 바를 그 중요도나 특성에 따라서 청구권, 자유권, 권능 또는 면제권의 형식으로 보호하는 것이라고 볼 수 있다.

이익설의 난점으로는 제3자를 위한 계약을 들 수 있다. 가령 갑이 을과 계약하며 병에게 꽃을 배달해 달라고 했다고 하자. 이익 수혜자는 병이지만 권리자는 계약을 체결한 갑이다. 쉽게 말해 을의 의무 이행에 관한 권능을 가진 사람은 병이 아니라 갑이다. 그래서 이익설은 이익의 수혜자가 아닌 권리자가 있는 경우를 설명하기 어렵다는 비판을 받는다. 또한 이익설은 권리가 실현하려는 이익과 그에 상충하는 이익을 비교해야 할 경우 어느 것이 더 우세한지를 측정하기 쉽지 않다.

1. (가)와 (나)에 대한 설명으로 가장 적절한 것은?

① (가)는 (나)와 달리, 권리의 기본 범주와 그 의미들을 분석하고 있다.

② (나)는 (가)와 달리, 특정 기준에 따라 권리의 종류를 분류하고 있다.

③ (가)와 (나) 모두 정치적으로 올바른 권리 개념이 무엇인지 논하고 있다.

④ (가)와 (나) 모두 권리론과 관련된 논쟁을 소개하며 각각의 장단점을 제시하고 있다.

⑤ (가)는 권리론이 발전되어 온 과정을, (나)는 권리 간의 충돌을 해소할 수 있는 방법을 소개하고 있다.

2. (나)의 '하트'와 '라즈'의 입장에서 ㉠을 설명한 내용으로 적절하지 않은 것은?

① 하트 : X가 권능을 행사할 수 없다고 판단되면 X는 권리자의 지위를 가지고 있지 않다고 볼 수 있다.
② 하트 : X가 Y에 대하여 의무 이행 요청을 포기한다면 X는 자신의 권능을 부정하는 것이다.
③ 하트 : X가 권리자라면 X는 Y의 의무 이행을 면제할 수 있다.
④ 라즈 : X의 이익이 곧 권리이므로 Y의 의무 이행에 따른 이익이 없다면 X에게 권리가 있다고 보기 어렵다.
⑤ 라즈 : X의 이익이 Y에게 의무를 부과할 만큼 중요한 것일 때 X의 권리가 인정될 수 있다.

3. (가)의 자유권에 대한 이해로 가장 적절한 것은?

① 만일 내가 담 너머 이웃의 건물을 구경할 권리가 있다면, 그 이웃은 내가 구경하지 못하도록 담을 높게 세울 수 없다는 것이 자유로서의 권리이다.
② 만일 나와 친구가 길가의 낙엽을 보았을 때 내가 낙엽을 주울 권리가 있다면, 그 친구는 낙엽을 주울 수 없다는 것이 자유로서의 권리이다.
③ 만일 내가 내 자동차를 친구에게 빌려주지 않을 권리가 있다면, 그 친구는 나에게 내 자동차를 빌릴 수 없다는 것이 자유로서의 권리이다.
④ 만일 내가 이웃의 가게에 들어갈 권리가 있다면, 그 이웃은 내가 가게에 들어가지 못하도록 막을 수 있다는 것이 자유로서의 권리이다.
⑤ 만일 내가 원하는 대로 옷 입을 권리가 있다면, 타인은 내가 원하는 대로 옷 입는 것을 허용해야만 하는 것이 자유로서의 권리이다.

4. (나)를 이해한 내용으로 적절하지 않은 것은?

① 의사설은 의무가 있는 곳에는 권리자가 필연적으로 존재한다고 본다.
② 의사설은 권리의 본질을 권리자의 의사에 의한 선택이라고 설명한다.
③ 의사설은 법적 권능을 행사할 수 있는 합리적 이성을 갖춘 자만 권리 주체로 인정한다는 비판을 받는다.
④ 이익설은 권리가 의무 존재의 근거가 된다고 본다.
⑤ 이익설은 권리가 실현하려는 이익과 그에 상충하는 이익을 비교해야 할 경우 어느 것이 더 우세한지 판단하기 어렵다.

5. (가)와 (나)를 바탕으로 할 때, <보기>의 ㉮에 대해 보인 반응으로 가장 적절한 것은? [3점]

> ─── < 보 기 > ───
> ㉮언론 출판의 자유는 모든 국민이 마땅히 누려야 할 기본적 권리이다. 이를 헌법으로 보장한 것은 언론 출판의 자유를 국민에게 부여함으로써 국민이 얻는 이익이 매우 중요하기 때문이다. 언론 출판의 자유는 국가를 비롯하여 다른 누구의 권능에게도 지배받지 않는다고 할 수 있다. 또한 국민은 자신에게 부여된 언론 출판의 자유를 남에게 넘겨줄 수 없으며, 언론 출판의 자유를 보장하도록 국가에 부과된 의무를 국민이 좌지우지할 권한이 없다.

① 호펠드라면 ㉮는 국가의 권능 아래에 있지 않아 ㉮를 면제권으로 설명할 것이고, 하트라면 국민이 국가에 권능을 행사할 수 없어 ㉮를 권리로 설명하기 어렵다고 말할 것이다.
② 호펠드라면 국가는 ㉮를 제한하는 법을 제정할 권능이 없어 ㉮를 권능으로서의 권리로 설명할 것이고, 라즈라면 법적으로 보호되는 이익을 국민이 갖게 되어 ㉮는 권리로서 승인된다고 말할 것이다.
③ 호펠드라면 ㉮는 기본적 권리로서 국민이 좌지우지할 권능이 없어 ㉮를 면제권으로 설명할 것이고, 하트라면 ㉮는 국가에 의무를 부과할 만큼 중요성을 가지기 때문에 ㉮는 권리로서 승인된다고 말할 것이다.
④ 호펠드라면 어느 누구도 ㉮에 영향을 미치는 권능을 행사할 수 없어 ㉮를 권능으로서의 권리로 설명할 것이고, 하트라면 ㉮는 어느 누구나 누려야 할 이익에 해당하여 국민 모두가 권리자가 될 것이라고 말할 것이다.
⑤ 호펠드라면 ㉮를 권능으로서의 권리나 면제권 어느 것으로도 설명할 수 있다고 할 것이고, 라즈라면 권리자와 이익의 수혜자가 일치하지 않는 경우에 해당하여 ㉮를 자신의 권리론으로는 설치하기 어렵다고 말할 것이다.

6. ⓐ와 문맥적 의미가 가장 유사한 것은?

① 살림이 어려운 때일수록 힘을 합쳐야 한다.
② 휴가를 얻지 못해 여행 가기가 어려울 것 같다.
③ 이 책은 너무 어려워서 내가 읽기에는 참 힘들다.
④ 그 사람은 어려운 형편 속에서도 씩씩하게 살았다.
⑤ 나는 선생님이 어려워서 그 앞에서는 말도 제대로 못 한다.

[7~12] 다음 글을 읽고 물음에 답하시오.

(가)

미학은 예술과 미적 경험에 관한 개념과 이론에 대해 논의하는 철학의 한 분야로서, 미학의 문제들 가운데 하나가 바로 예술의 정의에 대한 문제이다. 예술이 자연에 대한 모방이라는 아리스토텔레스의 말에서 비롯된 모방론은, 대상과 그 대상의 재현이 닮은꼴이어야 한다는 재현의 투명성 이론을 ⓐ전제한다. 그러나 예술가의 독창적인 감정 표현을 중시하는 한편 외부 세계에 대한 왜곡된 표현을 허용하는 낭만주의 사조가 18세기 말에 등장하면서, 모방론은 많이 쇠퇴했다. 이제 모방을 필수 조건으로 삼지 않는 낭만주의 예술가의 작품을 예술로 인정해 줄 수 있는 새로운 이론이 필요했다.

20세기 초에 **콜링우드**는 진지한 관념이나 감정과 같은 예술가의 마음을 예술의 조건으로 규정하는 표현론을 제시하여 이 문제를 해결하였다. 그에 따르면, 진정한 예술 작품은 물리적 소재를 통해 구성될 필요가 없는 정신적 대상이다. 또한 이와 비슷한 ⓑ시기에 외부 세계나 작가의 내면보다 작품 자체의 고유 형식을 중시하는 형식론도 발전했다. 벨의 |형식론|은 예술 감각이 있는 비평가들만이 직관적으로 식별할 수 있고 정의는 불가능한 어떤 성질을 일컫는 '의미 있는 형식'을 통해 그 비평가들에게 미적 정서를 유발하는 작품을 예술 작품이라고 보았다.

20세기 중반에, 뒤샹이 변기를 가져다 전시한 「샘」이라는 작품은 예술 작품으로 인정되지만 그것과 형식적인 면에서 차이가 없는 일반적인 변기는 예술 작품으로 인정되지 않는 이유를 설명하지 못하게 되자 두 가지 대응 이론이 나타났다. 하나는 우리가 흔히 예술 작품으로 분류하는 미술, 연극, 문학, 음악 등이 서로 이질적이어서 그것들 전체를 아울러 예술이라 정의할 수 있는 공통된 요소를 갖지 않는다는 웨이츠의 예술 정의 불가론이다. 그의 이론은 예술의 정의에 대한 기존의 이론들이 겉보기에는 명제의 형태를 취하고 있으나 사실은 참과 거짓을 판정할 수 없는 사이비 명제이므로, 예술의 정의에 대한 논의 자체가 불필요하다는 견해를 대변한다.

다른 하나는 예술계라는 어떤 사회 제도에 속하는 한 사람 또는 여러 사람에 의해 감상의 후보 자격을 수여받은 인공물을 예술 작품으로 규정하는 **디키**의 제도론이다. 하나의 작품이 어떤 특정한 기준에서 훌륭하므로 예술 작품이라고 부를 수 있다는 평가적 ⓒ이론들과 달리, 디키의 견해는 일정한 절차와 관례를 거치기만 하면 모두 예술 작품으로 볼 수 있다는 분류적 이론이다. 예술의 정의와 관련된 이 논의들은 예술로 분류할 수 있는 작품들의 공통된 본질을 찾는 시도이자 예술의 필요충분조건을 찾는 시도이다.

(나)

예술 작품을 어떻게 감상하고 비평해야 하는지에 대해 다양한 논의들이 있다. 예술 작품의 의미와 가치에 대한 해석과 판단은 작품을 비평하는 목적과 태도에 따라 달라진다. 예술 작품에 대한 주요 비평 방법으로는 맥락주의 비평, 형식주의 비평, 인상주의 비평이 있다.

㉠맥락주의 비평은 주로 예술 작품이 창작된 사회적·역사적 배경에 관심을 갖는다. 비평가 **텐**은 예술 작품이 창작된 당시 예술가가 살던 시대의 환경, 정치·경제·문화적 상황, 작품이 사회에 미치는 효과 등을 예술 작품 비평의 중요한 ⓓ근거로 삼는다. 그 이유는 예술 작품이 예술가가 속해 있는 문화의 상징과 믿음을 구체화하며, 예술가가 속한 사회의 특성들을 반영한다고 보기 때문이다. 또한 맥락주의 비평에서는 작품이 창작된 시대적 상황 외에 작가의 심리적 상태와 이념을 포함하여 가급적 많은 자료를 바탕으로 작품을 분석하고 해석한다.

그러나 객관적 자료를 중심으로 작품을 비평하려는 맥락주의는 자칫 작품 외적인 요소에 치중하여 작품의 핵심적 본질을 훼손할 우려가 있다는 비판을 받는다. 이러한 맥락주의 비평의 문제점을 극복하기 위한 방법으로는 형식주의 비평과 인상주의 비평이 있다. 형식주의 비평은 예술 작품의 외적 요인 대신 작품의 형식적 요소와 그 요소들 간 구조적 유기성의 분석을 중요하게 생각한다. **프리드**와 같은 형식주의 비평가들은 작품 속에 표현된 사물, 인간, 풍경 같은 내용보다는 선, 색, 형태 등의 조형 요소와 비례, 율동, 강조 등과 같은 조형 원리를 예술 작품의 우수성을 판단하는 기준이라고 주장한다.

㉡인상주의 비평은 모든 분석적 비평에 대해 회의적인 ⓔ시각을 가지고 있어 예술을 어떤 규칙이나 객관적 자료로 판단할 수 없다고 본다. "훌륭한 비평가는 대작들과 자기 자신의 영혼의 모험들을 관련시킨다."라는 비평가 **프랑스**의 말처럼, 인상주의 비평은 비평가가 다른 저명한 비평가의 관점과 상관없이 자신의 생각과 느낌에 대하여 자율성과 창의성을 가지고 비평하는 것이다. 즉, 인상주의 비평가는 작가의 의도나 그 밖의 외적인 요인들을 고려할 필요 없이 비평가의 자유 의지로 무한대의 상상력을 가지고 작품을 해석하고 판단한다.

7. (가)와 (나)의 공통적인 내용 전개 방식으로 가장 적절한 것은?

① 대립되는 관점들이 수렴되어 가는 역사적 과정을 밝히고 있다.
② 화제에 대한 이론들을 평가하여 종합적 결론을 도출하고 있다.
③ 화제가 사회에 미치는 영향들을 분석하여 서로 간의 차이를 밝히고 있다.
④ 화제와 관련된 관점의 문제점을 제시하고 대안적 관점을 소개하고 있다.
⑤ 화제와 관련된 하나의 사례를 중심으로 다양한 이론을 시대 순으로 나열하고 있다.

8. (가)의 |형식론|에 대한 이해로 가장 적절한 것은?

① 미적 정서를 유발할 수 있는 어떤 성질을 근거로 예술 작품의 여부를 판단한다.
② 모든 관람객이 직관적으로 식별할 수 있는 형식을 통해 예술 작품의 여부를 판단한다.
③ 감정을 표현하는 모든 작품은 그 작품이 정신적 대상이더라도 예술 작품이라고 주장한다.
④ 외부 세계의 형식적 요소를 작가 내면의 관념으로 표현하는 것을 예술의 조건이라고 주장한다.
⑤ 특정한 사회 제도에 속하는 모든 예술가와 비평가가 자격을 부여한 작품을 예술 작품으로 판단한다.

9. (가)에 등장하는 이론가와 예술가들이 상대의 견해나 작품을 평가할 수 있는 말로 적절하지 <u>않은</u> 것은?

① **모방론자가 뒤샹에게** : 당신의 작품 「샘」은 변기를 닮은 것이 아니라 변기 그 자체라는 점에서 예술 작품이 되기 위한 필요 충분조건을 갖추고 있습니다.

② **낭만주의 예술가가 모방론자에게** : 대상을 재현하기만 하면 예술가의 감정을 표현하지 않은 작품도 예술 작품으로 인정하는 당신의 견해는 받아들일 수 없습니다.

③ **표현론자가 낭만주의 예술가에게** : 당신의 작품은 예술가의 마음을 표현했으니 대상을 있는 그대로 표현하지 않았더라도 예술 작품입니다.

④ **뒤샹이 제도론자에게** : 예술계에서 일정한 절차와 관례를 거치면 예술 작품이라는 당신의 주장은 저의 작품 「샘」 외에 다른 변기들도 예술 작품이 될 수 있음을 인정하는 것입니다.

⑤ **예술 정의 불가론자가 표현론자에게** : 당신이 예술가의 관념을 예술 작품의 조건으로 규정할 때 사용하는 명제는 참과 거짓을 판단할 수 없기 때문에 받아들일 수 없습니다.

10. (가)와 (나)를 읽은 후 작성한 메모의 일부이다. 메모의 내용이 적절하지 <u>않은</u> 것은? [3점]

■ 작품 정보 요약
• 작품 제목 : 「그리움」
• 팸플릿의 설명
  – 화가 A가, 화가였던 자기 아버지가 생전에 신던 낡고 색이 바랜 신발을 보고 그린 작품임.
  – 화가 A의 예술가 정신은 궁핍하게 살면서도 예술혼을 잃지 않고 작품 활동을 했던 아버지의 삶에서 영향을 받았음.
• 작품 전체에 따뜻한 계열의 색이 주로 사용됨.

■ 비평문 작성을 위한 착안점
○ 콜링우드의 관점을 적용하면, 화가 A가 낡은 신발을 그린 것에서 아버지에 대한 그리움을 갖고 있었으리라는 점을 제시할 수 있겠군. ······························①
○ 디키의 관점을 적용하면, 평범한 신발이 특별한 이유는 신발의 원래 주인이 화가였다는 사실에 있음을 언급하여 이 그림을 예술 작품으로 평가할 수 있겠군. ·········②
○ 텐의 관점을 적용하면, 이 작품에서 아버지의 낡은 신발은 화가 A가 추구하는 예술가 정신의 상징임을 팸플릿 정보를 근거로 해석할 수 있겠군. ···············③
○ 프리드의 관점을 적용하면, 따뜻한 계열의 색들을 유기적으로 구성한 점에서 이 그림이 우수한 작품임을 언급할 수 있겠군. ·····························④
○ 프랑스의 관점을 적용하면, 그림 속의 낡고 색이 바랜 신발을 보고, 지친 나의 삶에서 편안함과 여유를 느꼈음을 서술할 수 있겠군. ·····················⑤

11. 피카소의 「게르니카」에 대해 <보기>의 A는 ㉠의 관점, B는 ㉡의 관점에서 비평한 내용이다. (나)를 바탕으로 A, B를 이해한 내용으로 적절하지 <u>않은</u> 것은?

<보 기>

피카소, 「게르니카」

A : 1937년 히틀러가 바스크 산악 마을인 '게르니카'에 30여 톤의 폭탄을 퍼부어 수많은 인명을 살상한 비극적 사건의 참상을, 울부짖는 말과 부러진 칼 등의 상징적 이미지를 사용하여 전 세계에 고발한 기념비적인 작품이다.

B : 뿔 달린 동물은 슬퍼 보이고, 아이는 양팔을 뻗어 고통을 호소하고 있다. 우울한 색과 기괴한 형태들이 나를 그 속으로 끌어들이는 듯하다. 그러나 빛이 보인다. 고통과 좌절감이 느껴지지만 희망을 갈구하는 훌륭한 작품이다.

① A에서 '1937년'에 '게르니카'에서 발생한 사건을 언급한 것은 역사적 정보를 바탕으로 작품을 해석하기 위한 것이겠군.

② A에서 비극적 참상을 '전 세계에 고발'하였다고 서술한 것은 작품이 사회에 미치는 효과를 드러내고자 한 것이겠군.

③ B에서 '슬퍼 보이고'와 '고통을 호소하고'라고 서술한 것은 작가의 심리적 상태를 표현하려는 것이겠군.

④ B에서 '우울한 색과 기괴한 형태'를 언급한 것은 비평가의 주관적 인상을 반영하기 위한 것이겠군.

⑤ B에서 '희망을 갈구하는'이라고 서술한 것은 비평가의 자유로운 상상력이 반영된 것이겠군.

12. 문맥을 고려할 때, 밑줄 친 말이 ⓐ~ⓔ의 동음이의어인 것은?

① ⓐ : 모든 인간은 평등하다고 <u>전제(前提)</u>해야 한다.

② ⓑ : 가을은 오곡백과가 무르익는 <u>시기(時期)</u>이다.

③ ⓒ : 이 문제에 대해서는 <u>이론(異論)</u>의 여지가 없다.

④ ⓓ : 이 소설은 사실을 <u>근거(根據)</u>로 하여 쓰였다.

⑤ ⓔ : 청소년의 <u>시각(視角)</u>으로 이 문제를 살펴보자.

총 문항					문항	맞은 문항				문항
개별 문항	1	2	3	4	5	6	7	8	9	10
채점										
개별 문항	11	12	13	14	15	16	17	18	19	20
채점										

12분 | 2019학년도 10월 학평 30~35번 | ★★☆ | 정답 067쪽

[1~6] 다음 글을 읽고 물음에 답하시오.

현대 사회는 정보 통신 기술의 발달로 매일 엄청난 양의 자료가 생성·축적되고 있다. 이러한 많은 양의 자료에서 유용한 정보를 찾아 활용하기 위해 다양한 분석 기법이 쓰이는데, 그 중 정책 수립, 기업 관리, 의학 분야 연구, 마케팅 등에 널리 쓰이는 것이 연관성 분석이다. 마케팅 분야를 예로 든다면, 연관성 분석은 수집한 자료 안에 존재하는 품목 간의 연관 규칙을 발견하는 과정을 말하며, 연관 규칙은 '고객이 X를 사면 Y도 산다.'의 형태를 띤다. 이때 '고객이 X를 산다.'는 조건이 되고 '고객이 Y를 산다.'는 결과가 된다. 연관 규칙은 'X → Y'와 같이 조건과 결과를 기호로 표현하는 것이 일반적이며, 통계학의 확률을 기반으로 한다.

연관성 분석을 통해 유용한 연관 규칙을 찾기 위해서는 대상 품목들이 어느 정도의 연관성이 있는지를 측정해야 한다. 연관성 측도의 기본은 발생 빈도로, 이와 관련한 주요 측도에는 지지도, 신뢰도, 향상도가 있다. 먼저 지지도는 전체 거래에 대해서 조건과 결과에 있는 품목들이 함께 구매되는 경향을 나타낸다. 'X → Y'의 지지도는 X와 Y를 모두 구매하는 거래의 수를 전체 거래의 수로 나눈 값으로, 지지도가 높다는 것은 동시 구매가 많이 일어난다는 것을 의미한다. <표>는 다섯 가지의 품목만 취급하는 편의점에서 다섯 명의 고객이 한 번씩만 거래했다고 가정한 것이다. <표>에서 생수와 빵을 모두 산 경우는 다섯 번의 거래 중 두 번이므로, '생수 → 빵'의 지지도는 2/5(40%)이다.

고객	품목
1	빵, 생수, 우유
2	빵, 휴지, 우유
3	빵, 세제, 우유
4	빵, 생수, 세제
5	생수, 휴지, 우유

<표>

'빵 → 생수'의 지지도도 2/5이므로 'X → Y'와 'Y → X'의 지지도는 같다.

신뢰도는 조건의 구매가 발생하였을 때 결과의 구매가 일어날 확률이다. 즉 'X → Y'의 신뢰도는 X와 Y를 모두 구매하는 거래의 수를 X를 구매하는 거래의 수로 나눈 값이다. 따라서 신뢰도가 높다는 것은 조건의 구매가 발생한 경우에 결과의 구매가 많이 일어남을 의미한다. <표>에서 생수를 구매한 세 번의 거래 중에서 두 번만 빵을 샀으므로, '생수 → 빵'은 2/3(약 66.7%)의 신뢰도를 갖는다. 그런데 '빵 → 생수'의 신뢰도는 2/4(50%)이다. 이처럼 'X → Y'와 'Y → X'의 신뢰도는 같지 않을 수 있다.

[A]
향상도는 어떤 연관 규칙에 대하여 조건 없이 결과가 일어날 확률보다, 조건이 일어났을 때 결과가 일어날 확률이 얼마나 더 향상되는지를 알려 주는 측도이다. 향상도는 신뢰도를 기대 신뢰도로 나눈 값이다. 기대 신뢰도란 'X → Y'에서 Y를 포함하는 거래의 수를 전체 거래의 수로 나눈 값이다. 'X → Y'에서 향상도가 1이라는 것은 X와 Y의 구매가 서로 독립적이라는 의미이다. 그리고 'X → Y'에서 향상도가 1보다 크다는 것은 X를 구매했을 때 Y를 구매할 확률이, 전체 거래에서 Y를 구매할 확률보다 크다는 것이다. 따라서 이 연관 규칙은 결과를 예측하는 데 있어서 우연적 기회보다 우수하여 마케팅 전략을 ⓐ세우는 데 유용하게 활용된다. 반면에 'X → Y'에서 향상도가 1보다 작다는 것은 X를 구매했을 때 Y를 구매할 확률이, 전체 거래에서 Y를 구매할 확률보다 작다는 것이므로 이 연관 규칙을 마케

팅 전략에 바로 적용하기는 어렵다. 그래서 향상도가 1보다 작은 경우에는 음의 연관 규칙을 만들어 유용하게 쓰일 수 있도록 하기도 한다. 음의 연관 규칙은 결과에 '이다' 대신에 '아니다'를 쓴다는 것을 제외하고는 연관 규칙과 유사하다. 예컨대 'X → Y'의 신뢰도가 30%이고, 'X → Y'의 기대 신뢰도가 40%라고 가정해 보자. 이 경우 'X → Y'의 향상도는 3/4으로 1보다 작다. 따라서 이를 음의 연관 규칙, 곧 'X를 사면 Y를 사지 않는다.'로 전환하면, 신뢰도는 70%(100% − 30%)가 되고, 기대 신뢰도는 60%(100% − 40%)가 되므로 향상도는 7/6로 1보다 커지게 되어 유용하게 쓰일 수 있다.

이와 같은 연관성 분석은 결과가 명확하기 때문에 이해하기 쉽고, 유용한 연관 규칙의 형태로 주어지므로 마케팅 전략에 적용하기도 좋다. 그러나 분석하려는 품목의 수가 늘어나면 연관 규칙이 기하급수적으로 늘어난다는 문제가 발생하는데, 이 문제를 해결하기 위한 보편적 방법으로 거래가 충분히 이루어지지 않은 품목을 제거하는 최소지지도 가지치기가 있다. 이는 지지도가 낮은 품목을 분석 대상에서 삭제하거나, 하위 품목을 상위 품목으로 일반화하여 품목들이 분석자가 임의로 설정한 최소지지도를 넘게 하는 것이다.

지금까지 살펴본 연관성 분석은 사건들의 발생 순서는 분석의 고려 대상으로 삼지 않았다. 그런데 순차적으로 일어나는 사건들을 나열한 시계열 자료를 분석하여 선후 사건들 사이의 연관성을 추론할 수도 있다. 이를 ㉠시차 연관성 분석이라고 한다. 시간의 흐름에 따라 어떤 사건들이 일어났는지를 분석하여 사건들 간의 연관성을 발견하면, 이러한 연관성을 토대로 미래의 사건을 예측하거나 사건들 사이의 인과 관계를 추론하는 등 다양하게 활용할 수 있다. 이와 같은 시차 연관성 분석을 하기 위해서는 사건이 일어난 시간이나 순서를 알려 주는 정보가 필요하다. 또한 다른 시간대에 일어난 사건이 동일한 분석 대상에서 일어났다는 것을 알려 주는 분석 대상의 식별 정보도 필요하다.

1. 윗글에 대한 설명으로 적절하지 <u>않은</u> 것은?

① 연관성 분석에 쓰이는 측도들을 예를 들어 설명하고 있다.
② 시차 연관성 분석의 특징과 분석에 필요한 요소들을 밝히고 있다.
③ 연관성 분석이 시대에 따라 변천하게 된 과정을 설명하고 있다.
④ 연관성 분석에서 발생할 수 있는 문제를 해결하기 위한 방법을 제시하고 있다.
⑤ 다양한 분석 기법이 여러 분야에서 널리 쓰이게 된 사회적 배경을 소개하고 있다.

2. 윗글의 내용과 일치하지 <u>않는</u> 것은?

① 연관성 분석에서 분석하려는 품목을 상위 품목으로 일반화하면 연관 규칙의 수가 기하급수적으로 늘어난다.

② 최소지지도 가지치기에는 지지도가 낮은 품목을 분석 대상에서 삭제하는 방법이 있다.

③ 연관성 분석은 결과가 명확하고 유용한 연관 규칙의 형태로 주어지는 장점이 있다.

④ 향상도가 1이라는 것은 조건과 결과가 서로 독립적이라는 의미이다.

⑤ 연관성 측도에서 기본이 되는 것은 발생 빈도이다.

3. 윗글의 <표>에 대해 이해한 내용으로 적절하지 <u>않은</u> 것은?

① '빵→생수'가 '빵→휴지'의 지지도보다 높은 것은 '빵'을 '생수'와 함께 구매한 경우가 '빵'을 '휴지'와 함께 구매한 경우보다 많은 것을 의미한다.

② '휴지→우유'의 신뢰도가 100%인 것은 '우유'를 구매한 모든 경우에 '휴지'를 구매한 것을 의미한다.

③ '생수→빵'과 '생수→우유'는 '생수→휴지'보다 신뢰도가 높다.

④ '우유→생수'의 지지도와 '생수→우유'의 지지도는 같다.

⑤ '빵→세제'의 신뢰도와 '세제→빵'의 신뢰도는 다르다.

4. ㉠을 활용한 사례로 적절한 것만을 <보기>에서 있는 대로 고른 것은?

───── < 보 기 > ─────

ㄱ. 어느 병원에서 □□ 질환을 앓은 환자들을 추적하여, 이들 가운데 이전에 ○○ 질환을 앓은 경우가 많다는 것을 밝혀냈다. 이후 ○○ 질환을 앓는 환자의 경우에는 □□ 질환에 대한 예방 치료도 하도록 하였다.

ㄴ. 대형 유통 업체에서 10월 한 달간 라면과 계란의 판매대를 붙여 놓았을 때와 멀리 떼어 놓았을 때의 판매량을 조사하여, 멀리 떼어 놓았을 때의 판매량이 높다는 결과를 얻었다. 그 결과를 토대로 두 상품의 판매대를 멀리 떼어 놓기로 결정했다.

ㄷ. 백화점에서 자사의 백화점 카드로 결제한 고객들의 소비 성향을 분석하여, TV를 산 고객들이 재방문하여 고성능 스피커를 구입하는 경향이 있음을 알아내었다. 이를 토대로 TV를 산 고객들에게 고성능 스피커에 대한 상품 안내서를 우편으로 보냈다.

ㄹ. 온라인 쇼핑몰 운영자가 회원들의 웹 페이지 방문 순서를 분석하여, 주로 'A 웹 페이지→B 웹 페이지→C 웹 페이지→……' 순으로 방문한다는 규칙을 발견하였다. 그래서 회원들이 편리하게 이 경로에 따라 방문할 수 있는 회원 전용 웹 페이지를 따로 만들었다.

① ㄱ, ㄴ, ㄹ ② ㄱ, ㄷ, ㄹ ③ ㄱ, ㄷ
④ ㄴ, ㄷ ⑤ ㄴ, ㄹ

5. [A]를 바탕으로 할 때, <보기>에 대해 보인 반응으로 가장 적절한 것은? [3점]

───── < 보 기 > ─────

어느 매장에서 고객들이 팥빙수를 만들기 위해 구매한 팥(A), 인절미(B), 콩가루(C)의 전체 거래 정보에 대해 연관성 분석을 하였다. 다음은 이를 통해 발견한 연관 규칙의 일부이다.

연관 규칙 (X→Y)	기대 신뢰도	신뢰도	향상도	
A→B	42.5%	55.6%	1.308	⋯⋯ ㉮
B→C	40.0%	35.3%	0.883	⋯⋯ ㉯
C→A	45.0%	50.0%	1.111	⋯⋯ ㉰
:	:	:	:	:

① ㉮의 연관 규칙에서 B를 포함하는 거래의 수를 전체 거래의 수로 나눈 값은 ㉰의 연관 규칙에서 A를 포함하는 거래의 수를 전체 거래의 수로 나눈 값보다 크군.

② ㉯의 연관 규칙에서 B를 구매했을 때 C를 구매할 확률은 전체 거래에서 C를 구매할 확률보다 작군.

③ ㉯의 연관 규칙의 신뢰도는 ㉯의 음의 연관 규칙의 신뢰도보다 크군.

④ ㉯의 연관 규칙이 ㉮의 연관 규칙보다 마케팅 전략에 바로 적용하여 활용하기에 유용하겠군.

⑤ ㉰의 연관 규칙을 음의 연관 규칙인 'A→C'로 전환하면 더욱 유용하게 쓸 수 있겠군.

6. ⓐ의 문맥적 의미와 가장 유사한 것은?

① 변호사는 그를 증인으로 <u>세웠다</u>.

② 시험이 끝난 학생들이 방학 계획을 <u>세웠다</u>.

③ 과장은 회사의 실적을 올리는 데 공을 <u>세웠다</u>.

④ 목수는 목재를 잘 자르기 위해 톱날을 <u>세웠다</u>.

⑤ 우리 학교는 많은 노력을 기울여 전통을 <u>세웠다</u>.

[7~12] 다음 글을 읽고 물음에 답하시오.

과거는 지나가 버렸기 때문에 역사가가 과거의 사실과 직접 만나는 것은 불가능하다. 역사가는 사료를 매개로 과거와 만난다. 사료는 과거를 그대로 재현하는 것은 아니기 때문에 불완전하다. 사료의 불완전성은 역사 연구의 범위를 제한하지만, 그 불완전성 때문에 역사학이 학문이 될 수 있으며 역사는 끝없이 다시 서술된다. 매개를 거치지 않은 채 손실되지 않은 과거와 ⓐ만날 수 있다면 역사학이 설 자리가 없을 것이다. 역사학은 전통적으로 문헌 사료를 주로 활용해 왔다. 그러나 유물, 그림, 구전 등 과거가 남긴 흔적은 모두 사료로 활용될 수 있다. 역사가들은 새로운 사료를 발굴하기 위해 노력한다. 알려지지 않았던 사료를 찾아내기도 하지만, 중요하지 않게 ⓑ여겨졌던 자료를 새롭게 사료로 활용하거나 기존의 사료를 새로운 방향에서 파악하기도 한다. 평범한 사람들의 삶의 모습을 중점적인 주제로 다루었던 미시사 연구에서 재판 기록, 일기, 편지, 탄원서, 설화집 등의 이른바 '서사적' 자료에 주목한 것도 사료 발굴을 위한 노력의 결과이다.

시각 매체의 확장은 사료의 유형을 더욱 다양하게 했다. 이에 따라 역사학에서 영화를 통한 역사 서술에 대한 관심이 일고, 영화를 사료로 파악하는 경향도 ⓒ나타났다. 역사가들이 주로 사용하는 문헌 사료의 언어는 대개 지시 대상과 물리적·논리적 연관이 없는 추상화된 상징적 기호이다. 반면 영화는 카메라 앞에 놓인 물리적 현실을 이미지화하기 때문에 그 자체로 물질성을 띤다. 즉, 영화의 이미지는 닮은꼴로 사물을 지시하는 도상적 기호가 된다. 광학적 메커니즘에 따라 피사체로부터 비롯된 영화의 이미지는 그 피사체가 있었음을 지시하는 지표적 기호이기도 하다. 예를 들어 다큐멘터리 영화는 피사체와 밀접한 연관성을 갖기 때문에 피사체의 진정성에 대한 믿음을 고양하여 언어적 서술에 비해 호소력 있는 서술로 비춰지게 된다.

그렇다면 영화는 역사와 어떻게 관계를 맺고 있을까? 역사에 대한 영화적 독해와 영화에 대한 역사적 독해는 영화와 역사의 관계에 대한 두 축을 ⓓ이룬다. 역사에 대한 영화적 독해는 영화라는 매체로 역사를 해석하고 평가하는 작업과 연관된다. 영화인은 자기 나름의 시선을 서사와 표현 기법으로 녹여내어 역사를 비평할 수 있다. 역사를 소재로 한 역사 영화는 역사적 고증에 충실한 개연적 역사 서술 방식을 취할 수 있다. 혹은 역사적 사실을 자원으로 삼되 상상력에 의존하여 가공의 인물과 사건을 덧대는 상상적 역사 서술 방식을 취할 수도 있다. 그러나 비단 역사 영화만이 역사를 재현하는 것은 아니다. 모든 영화는 명시적이거나 우회적인 방법으로 역사를 증언한다. 영화에 대한 역사적 독해는 영화에 담겨 있는 역사적 흔적과 맥락을 검토하는 것과 연관된다. 역사가는 영화 속에 나타난 풍속, 생활상 등을 통해 역사의 외연을 확장할 수 있다. 나아가 제작 당시 대중이 공유하던 욕망, 강박, 믿음, 좌절 등의 집단적 무의식과 더불어 이상, 지배적 이데올로기 같은 미처 파악하지 못했던 가려진 역사를 끌어내기도 한다.

영화는 주로 허구를 다루기 때문에 역사 서술과는 거리가 있

다고 보는 사람도 있다. 왜냐하면 역사가들은 일차적으로 사실을 기록한 자료에 기반해서 연구를 ⓔ펼치기 때문이다. 또한 역사가는 ㉠자료에 기록된 사실이 허구일지도 모른다는 의심을 버리지 않고 이를 확인하고자 한다. 그러나 문헌 기록을 바탕으로 하는 역사 서술에서도 허구가 배격되어야 할 대상만은 아니다. 역사가는 ㉯허구의 이야기 속에서 그 안에 반영된 당시 시대적 상황을 발견하여 사료로 삼으려고 노력하기도 한다. 지어낸 이야기는 실제 있었던 사건에 대한 기록이 아니지만 사고방식과 언어, 물질문화, 풍속 등 다양한 측면을 반영하며, 작가의 의도와 상관없이 혹은 작가의 의도 이상으로 동시대의 현실을 전달해 주기도 한다. 어떤 역사가들은 허구의 이야기에 반영된 사실을 확인하는 것에서 더 나아가 ㉰사료에 직접적으로 나타나지 않은 과거를 재현하기 위해 허구의 이야기를 활용하여 사료에 기반한 역사적 서술을 보완하기도 한다. 역사가가 허구를 활용하는 것은 실제로 존재했던 과거에 접근하고자 하는 고민의 결과이다.

[A] 영화는 허구적 이야기에 역사적 사실을 담아냄으로써 새로운 사료의 원천이 될 뿐 아니라, 대안적 역사 서술의 가능성까지 지니고 있다. 영화는 공식 제도가 배제했던 역사를 사회에 되돌려 주는 '아래로부터의 역사'의 형성에 기여한다. 평범한 사람들의 회고나 증언, 구전 등의 비공식적 사료를 토대로 영화를 만드는 작업은 빈번하게 이루어지고 있다. 그리하여 영화는 하층 계급, 피정복 민족처럼 역사 속에서 주변화된 집단의 문혀 있던 목소리를 표현해 낸다. 이렇듯 영화는 공식 역사의 대척점에서 활동하면서 역사적 의식 형성에 참여한다는 점에서 역사 서술의 한 주체가 된다.

7. 윗글의 내용 전개 방식으로 가장 적절한 것은?

① 역사의 개념을 밝히면서 영화와 역사 간의 공통점과 차이점을 비교하고 있다.

② 영화의 변천 과정을 통시적으로 밝혀 사료로서 영화가 지닌 의의를 강조하고 있다.

③ 역사에 대한 서로 다른 견해를 대조하여 사료로서 영화가 지닌 한계를 비판하고 있다.

④ 영화의 사료로서의 특성을 밝히면서 역사 서술로서 영화가 지닌 가능성을 제시하고 있다.

⑤ 다양한 영화의 유형별 장단점을 분석하여 영화가 역사 서술의 대안이 될 수 있는지에 대해 평가하고 있다.

8. 윗글에 대한 이해로 가장 적절한 것은?

① 개인적 기록은 사료로 활용하기에 적절하지 않다.

② 역사가가 활용하는 공식적 문헌 사료는 매개를 거치지 않은 과거의 사실이다.

③ 기존의 사료를 새로운 방향에서 파악하는 것은 사료의 발굴이라고 할 수 있다.

④ 문헌 사료의 언어는 다큐멘터리 영화의 이미지에 비해 지시 대상에 대한 지표성이 강하다.

⑤ 카메라를 매개로 얻어진 영화의 이미지는 지시 대상과 닮아 있다는 점에서 상징적 기호이다.

9. ㉮, ㉯의 사례로 적절한 것만을 <보기>에서 있는 대로 찾아 바르게 짝지은 것은?

<보 기>
ㄱ. 조선 후기 유행했던 판소리를 자료로 활용하여 당시 음식 문화의 실상을 파악하고자 했다.
ㄴ. B.C. 3세기경에 편찬된 것으로 알려진 경전의 일부에 사용된 어휘를 면밀히 분석하여, 그 경전의 일부가 후대에 첨가 되었을 가능성을 검토했다.
ㄷ. 중국 명나라 때의 상거래 관행을 연구하기 위해 명나라 때 유행한 다양한 소설들에서 상업 활동과 관련된 내용을 모아 공통된 요소를 분석했다.
ㄹ. 17세기의 사건 기록에서 찾아낸 한 평범한 여성의 삶에 대한 역사서를 쓰면서 그 여성의 심리를 묘사하기 위해 같은 시대에 나온 설화집의 여러 곳에서 문장을 차용했다.

	㉮	㉯
①	ㄱ, ㄷ	ㄹ
②	ㄱ, ㄹ	ㄴ
③	ㄴ, ㄷ	ㄱ
④	ㄷ	ㄴ, ㄹ
⑤	ㄹ	ㄱ, ㄴ

10. ㉠에 나타난 역사가의 관점에서 [A]를 비판한 내용으로 가장 적절한 것은?

① 영화는 많은 사실 정보를 담고 있기 때문에 사료로서의 가능성을 가지고 있다.
② 하층 계급의 역사를 서술하기 위해서는 영화와 같이 허구를 포함하는 서사적 자료에 주목해야 한다.
③ 영화가 늘 공식 역사의 대척점에 있는 것은 아니며, 공식 역사의 입장에서 지배적 이데올로기를 선전하는 수단으로 활용되곤 한다.
④ 주변화된 집단의 목소리는 그 집단의 이해관계를 반영하기 때문에 그것에 바탕을 둔 영화는 주관에 매몰된 역사 서술일 뿐이다.
⑤ 기억이나 구술 증언은 거짓이거나 변형될 가능성이 있기 때문에 다른 자료와 비교하여 진위 여부를 검증한 후에야 사료로 사용이 가능하다.

11. 윗글을 바탕으로 <보기>를 이해한 내용으로 적절하지 <u>않은</u> 것은? [3점]

<보 기>
1982년 작 영화 「마르탱 게르의 귀향」은 16세기 중엽 프랑스 농촌의 보통 사람들 간의 사건에 관한 재판 기록을 토대로 한다. 당시 사건의 정황과 생활상에 관한 고증을 맡은 한 역사가는 영화 제작 이후 재판 기록을 포함한 다양한 문서들을 근거로 동명의 역사서를 출간했다. 1993년, 영화 「마르탱 게르의 귀향」은 19세기 중엽 미국을 배경으로 하여 허구적 인물과 사건으로 재구성한 영화 「서머스비」로 탈바꿈되었다. 두 작품에서는 여러 해 만에 귀향한 남편이 재판 과정에서 가짜임이 드러난다. 전자는 당시 생활상을 있는 그대로 복원하는 데 치중했다. 반면 후자는 가짜 남편을 마을에 바람직한 변화를 가져온 지도자로 묘사하면서 미국 근대사를 긍정적으로 평가하고자 하는 대중의 욕망을 반영했다.

① 「서머스비」에 반영된, 미국 근대사를 긍정적으로 평가하려는 대중의 욕망은 영화가 제작된 당시 사회의 집단적 무의식에 해당하는군.
② 실화에 바탕을 둔 영화 「마르탱 게르의 귀향」을 가공의 인물과 사건으로 재구성한 「서머스비」에서는 영화에 대한 역사적 독해를 시도하기 어렵겠군.
③ 영화 「마르탱 게르의 귀향」은 실제 사건의 재판 기록을 토대로 제작됐지만, 그 속에도 역사에 대한 영화인 나름의 시선이 표현 기법으로 나타났겠군.
④ 영화 「마르탱 게르의 귀향」은 역사적 고증에 바탕을 두고 당시 사건과 생활상을 충실히 재현하기 위해 노력했다는 점에서 개연적 역사 서술 방식에 가깝겠군.
⑤ 역사서 『마르탱 게르의 귀향』은 16세기 프랑스 농촌의 평범한 사람들의 삶의 모습을 서사적 자료에 근거하여 다루었다는 점에서 미시사 연구의 방식을 취했다고 볼 수 있군.

12. 문맥상 ⓐ~ⓔ와 바꿔 쓰기에 적절하지 <u>않은</u> 것은?

① ⓐ: 대면(對面)할
② ⓑ: 간주(看做)되었던
③ ⓒ: 대두(擡頭)했다
④ ⓓ: 결합(結合)한다
⑤ ⓔ: 전개(展開)하기

총 문항				문항	맞은 문항				문항
개별 문항	1	2	3	4	5	6	7	8	9	10
채점										
개별 문항	11	12	13	14	15	16	17	18	19	20
채점										

10분 | 2019학년도 7월 학평 28~32번 | ★★☆ | 정답 069쪽

[1~5] 다음 글을 읽고 물음에 답하시오.

㉠근대 철학에서는 대상이 지닌 고정된 진리나 고유한 본질에 해당하는 동일성을 찾으려고 노력하였다. 그리고 그 동일성을 그대로 표상하는 것, 즉 얼마나 유사하게 동일성을 재현할 수 있느냐에 관심을 가졌다. 그러나 ㉡들뢰즈는 표상이 대상들이 지닌 차이를 동일성에 종속시키는 것이라 비판하였다. 들뢰즈는 대상이 다른 대상들과 관계 맺으며 펼쳐지는 무수한 차이를 긍정하며 세계를 생성의 원리로 설명하고자 했다.

들뢰즈가 말하는 '차이'란 두 대상을 정태적으로 비교해서 ⓐ나오는 어떤 것이 아니라, 두 대상이 만나고 섞임으로써 '생성'되는 것이다. 예를 들어 '달리기를 잘하는 사람(A)'과 '자동차(B)'가 있다고 가정해 보자. A는 원래 땅 위를 달리며, 달리기와 관련된 근육이 발달되어 있었을 것이다. 그런데 A가 달리기 대신 B를 오랫동안 반복적으로 운전한다면 어떻게 될까? A는 달리는 근육 대신 브레이크나 엑셀을 밟는 근육이 발달할 것이다. A는 땅과 자동차 중 어느 것과 관계를 맺느냐에 따라 이전의 A와는 다른 차이를 지니게 된다. 그리고 그 차이는 A에게 '자동차 운전을 잘하게 된 사람'이라는 새로운 의미를 부여하게 되는데, 이것이 바로 '생성'이다.

또한 들뢰즈는 대상과 대상이 연결되어 서로를 변화시키는 생성의 과정을 주름 개념으로 설명한다. 새로 산 옷을 입으면, 이 옷은 얼마 지나지 않아 많은 주름이 ⓑ생긴다. 이 주름은 옷 자체 혹은 외부로부터 받은 힘에 의해 만들어진다. 결국 주름은 대상 자체의 내재적 원인에 의해 혹은 차이를 지닌 대상과의 관계 속에서 끊임없이 생성되는 '흔적'이라 할 수 있다. 생성된 주름은 시간의 연속된 흐름 속에서 다시 다른 대상들과 관계를 맺으며, 서로 관계를 맺는 대상들은 처음과는 차이가 나는 새로운 주름을 계속해서 생성해 나간다. 따라서 주름에는 시간적 개념과 변형이 포함됨을 알 수 있다.

들뢰즈가 제안한 '주름' 개념은 현대 건축가들에게 영향을 미쳤으며, 특히 현대 랜드스케이프 건축에 많은 영감을 주었다. 랜드스케이프 건축가들은 대지와 건물, 건물과 건물, 건물의 내부와 외부를 각각의 고정된 의미로 분리하여 바라보려는 전통적인 이분법적 관점을 거부하고 이들을 하나의 주름 잡힌 표면, 즉 서로 관계 맺으며 접고 펼쳐지는 반복적 과정 속에서 생성된 하나의 통합된 공간으로 보고자 하였다. 그동안 건축에서는 대지와 건물이 인간에 의해 그 역할이 일방적으로 규정되는 수동적 존재로 파악되었었는데, 현대 건축에서는 대지와 건물 자체가 새로운 의미를 생성하는 능동적인 존재로 작동한다.

랜드스케이프 건축에서 나타나는 연속된 표면은 대지와 건물의 벽, 천장을 하나의 흐름으로 생성하면서 대지와 건물이 구분되지 않고 하나로 연결되어 통합되기도 하고, 건물 자체가 대지를 완전히 ⓒ덮어서 대지와 건물이 통합되기도 한다. 그리고 연속된 표면은 주름처럼 접히고 펼쳐지면서 공간을 ⓓ만들어 내는데, 이러한 공간은 그 성격이 고정되지 않고 우연적인 상황 혹은 주변의 여러 가지 요인의 전개로 인해 재구성될 수 있는 잠재적인 특징을 지니게 된다. 그리고 이러한 공간의

흐름은 연속적으로 구성되어 있어 건물의 안과 밖이 자연스럽게 연결되기 때문에 건물의 내부와 외부의 구분이 모호해지게 된다. 이를 통해 건물 내부에서 외부를 바라보는 시선과 외부에서 내부를 바라보는 응시를 동시에 담아낼 수 있게 되는 것이다.

<동대문디자인플라자 (DDP)>

우리나라의 동대문디자인플라자(DDP)는 이러한 랜드스케이프 건축의 특성이 잘 드러나 있는 건물이다. DDP의 표면은 주름진 곡선이 연속적으로 이어지고 있는데, 하늘에서 ⓔ내려다보면 건물 전체가 대지를 덮고 있는 형상을 띠고 있다. 또한 주름진 곡선에 의해 만들어진 내부의 공간들은 디자인 전시관으로 활용되기도 하지만, 경우에 따라 패션 행사나 다양한 체험 마당 등 다양한 용도로 활용된다. 특히 DDP는 기존에 있던 지하철역이 건물의 지하 광장과 건물의 입구로 이어지도록 만들어졌으며, DDP 외부의 공원과 건물 간의 경계가 없어 공원을 걷다 보면 자연스럽게 건물의 내부로 이어지고, 내부에서 옥상의 잔디 언덕으로 이동하게 되면서 다시 건물 밖의 공원으로 나오게 되는데, 이런 점 때문에 DDP는 기존에 존재하는 것들과 통합을 추구하였다는 평가를 받고 있다.

1. ㉠, ㉡에 대한 설명으로 가장 적절한 것은?
① ㉠은 공간적 개념에서, ㉡은 시간적 개념에서 대상의 생성을 언급하였다.
② ㉠은 대상의 변하지 않는 속성에, ㉡은 대상의 변화하는 속성에 주목하였다.
③ ㉠은 어떤 대상과 관계하느냐에, ㉡은 대상과 어떻게 관계하느냐에 주목하였다.
④ ㉠은 차이를 본질에 종속시키고자 하였고, ㉡은 동일성을 차이에 종속시키고자 하였다.
⑤ ㉠과 ㉡의 목표는 모두 대상이 갖는 고정된 본질을 파악하는 것이었다.

2. 주름에 대한 이해로 적절하지 않은 것은?
① 주름은 내재적 원인에 의해 완성된다.
② 주름은 대상과 대상이 서로 연결되어 생성된다.
③ 생성된 주름은 다른 대상들과의 차이를 만들어 낸다.
④ 주름은 대상들 간의 관계를 통해 새로운 의미를 형성한다.
⑤ 대상의 주름은 서로를 변화시키며 연속적으로 만들어진다.

3. 동대문디자인플라자에 대한 이해로 적절하지 <u>않은</u> 것은?

① 대지와 건물의 표면에 주름처럼 이어진 곡선은 대지의 의미가 건물에 의해 규정되도록 하고 있군.

② 건물 전체가 대지를 덮고 있는 형상은 건물과 대지를 통합하여 연속된 표면을 이룬 것에 해당하겠군.

③ 관람자는 공원에서 건물 내부로, 내부에서 잔디 언덕으로 이동하면서 시선과 응시를 모두 경험할 수 있겠군.

④ 기존에 있던 지하철역을 건물의 입구와 이어지도록 한 것은 기존의 시설물과 건물을 이분법적으로 보지 않은 것이군.

⑤ 내부 공간들이 전시관과 패션 행사 등으로 다양하게 활용되는 것은 공간의 성격을 고정하지 않았기 때문에 가능한 것이겠군.

4. 다음 '학습 활동'에서 [A]에 들어갈 내용으로 적절하지 <u>않은</u> 것은? [3점]

> 🖼 **학습 활동**
>
> 다음 자료를 참고하여 한국의 전통 건축과 랜드스케이프 건축을 비교해 보자.
>
> > 소쇄원에 들어서면 자연석 축대로 경계를 삼아 소박한 멋을 내는 인공 연못과 만나게 된다. 기존의 지형과 물줄기의 흐름을 바꾸지 않고 그대로 살려 만든 소쇄원 내부의 길을 따라 걷다 보면 소쇄원의 대표적인 건물인 광풍각에 이르게 된다. 광풍각의 들어열개문은 문짝을 접고 그것을 들어 올릴 수 있는 구조로 되어 있어 방 안에서 바로 마루 너머의 자연과 연결되어 방에서도 자연을 즐길 수 있다. 아울러 이러한 들어열개문의 특성으로 인해 방과 마루의 공간이 나뉘면서 동시에 통합될 수도 있다. 광풍각 앞의 마당은 다른 장소로 이어주는 통로로, 자연을 완상하는 장소로, 함께 어울리는 놀이의 공간으로도 활용된다.
>
> **[활동 결과]**
>
> ([A]   )는 점에서, 소쇄원에서 랜드스케이프 건축의 특성을 엿볼 수 있다.

① 소쇄원 내부의 길은 기존의 자연 환경과 관계를 맺고 있다

② 소쇄원의 연못은 대지와 구분되는 비연속적 표면을 이루고 있다

③ 소쇄원의 마당은 상황에 따라 용도가 달라지는 잠재성을 지니고 있다

④ 들어열개문을 통해 광풍각의 외부와 내부를 하나로 연결할 수 있다

⑤ 들어열개문의 문짝을 접어 올리면 방과 마루의 경계가 모호해진다

5. 문맥상 ⓐ~ⓔ와 바꿔 쓰기에 적절한 것은?

① ⓐ: 도출(導出)되는
② ⓑ: 구성(構成)된다
③ ⓒ: 봉인(封印)하여
④ ⓓ: 제작(製作)해
⑤ ⓔ: 주시(注視)하면

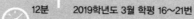

【6~11】 다음 글을 읽고 물음에 답하시오.

전통적으로 동아시아에서 역법은 연월일시의 시간 규범을 제시하는 일뿐만 아니라 태양, 달 그리고 다섯 행성의 위치 변화를 통해 하늘의 뜻을 이해하는 것이었다. 역법의 ⓐ운용과 역서의 발행은 나라를 다스리는 중요한 통치 행위였기 때문에 동아시아에서는 국가 기구를 설치하여 역법을 다루었고 그곳의 관리에게만 연구가 허락되었다. 『서경(書經)』에서 말한 '하늘을 관찰하여 백성에게 시간을 내려준다.'라는 뜻의 관상수시(觀象授時)는 유교 문화권에서 역법을 어떻게 바라보았는가를 잘 드러낸다. 관상수시는 하늘의 명을 받은 천자에게만 허락된 일이므로 고려 시대에는 중국의 역을 거의 그대로 따라야 했다. 고려 초에 도입된 선명력은 정확성이 부족하여 고려 말에는 정확성이 높아진 수시력을 도입했다. 수시력은 계산식이 복잡해 익히기가 어려웠기 때문에 일식과 월식, 곧 교식을 추보*할 때는 여전히 선명력이 사용되었다. 이 상황은 조선 건국 직후에도 지속되었다.

세종은 즉위 초부터 수시력에 대한 이해를 높이려고 애썼고 마침내 수시력에 ⓑ통달했다고 자부했다. 그럼에도 세종 12년, 교식 추보에 오차가 생기자 세종은 그 해결책으로 ㉠조선만의 교식 추보 방법을 찾고자 했다. 세종은 중국의 역법을 수용하되 이것을 조선에 맞게 운용하는 방법을 택함으로써 중국과의 관계를 고려하면서도 시간 규범을 스스로 수립하고자 한 것이다. 수시력으로 교식을 추보할 때에는 입성을 사용했는데, 이때의 입성은 모두 중국을 기준으로 한 것이었다. 입성이란 천체의 위치를 계산하는 데 필요한 관측값 등을 실어 놓은 계산표이다. 세종은 한양을 기준으로 한 입성을 제작하려 했다. 그래서 입성 제작에 필요한 낮과 밤의 길이인 주야각을 추보하기 위해 한양의 위도 등을 알아내도록 명했다. 이러한 일련의 연구 성과를 담은 것이 세종 26년에 편찬된 『칠정산 내편』이다. '칠정'이란 태양, 달, 다섯 행성의 운행을 가리키고, '산'이란 계산했다는 뜻이다. 『칠정산 내편』은 중국 역법에 기반을 두었지만 교식과 천체 관측에 필요한 값들을 한양의 기준으로 계산할 수 있게 되었다는 점에서 독자적인 역법이라 할 수 있다.

『칠정산 내편』의 효용성을 살피기 위해 세종은 정묘년(1447년) 8월에 일어날 교식을 미리 추보하여 『칠정산 내편 정묘년 교식 가령』을 편찬하게 했다. 그런데 이 추보에 오차가 발생하자 추보의 방법과 내용을 꾸준히 ⓒ정비했다. 이 성과를 담은 책이 바로 세조 4년에 편찬된 『교식 추보법 가령』이다. 이 책은 정묘년(1447년) 8월의 교식을 새로운 계산식으로 다시 추보한 것이다. 두 가령의 교식 추보 원리는 동일하지만 계산식을 약간 달리했기 때문에 교식 추보 시각은 서로 달랐다. 두 가령의 교식 추보 시각은 현대 천문학의 계산과 조금의 오차는 있지만 당시 유럽의 천문학과 비교하더라도 그 방법론이 매우 정교하여 조선 역법의 뛰어난 수준을 보여 주는 것이다.

지구는 태양과의 거리가 가장 가까운 근일점에서 공전 속도가 가장 빠르다. 그러므로 ㉡북반구에서 관측한 태양은 동지 즈음에 가장 빠르게 운행하는 것으로 보이고, 하지 즈음에 가장 느리게 운행하는 것으로 보인다. 그래서 『칠정산 내편』은 근일점과 동지가 일치한다고 보았다. 즉 동지와 하지에서 태양의 실제 위치가 평균 속도로 운행한 태양의 위치와 일치한다고 설정한 것이다. 그리고 동지부터 하지 사이를 영, 하지부터 동지 사이를 축이라 했다. '영축차'는 태양의 실제 위치에서 평균 위치를 뺀 값이다. 그러므로 영에서의 값인 '영차'는 양

의 값이고, 축에서의 값인 '축차'는 음의 값이다. 달 역시 지구와 가까울수록 빠르게 움직인다. ⓒ그래서 달이 지구와 가장 가까이 위치할 때인 근지점에서 '지질차'의 값을 0으로 간주했다. '지질차'란 달의 실제 위치에서 평균 위치를 뺀 값인데, 근지점부터 달이 지구와 가장 멀리 떨어져 있는 원지점까지는 달의 실제 위치가 평균 위치보다 앞선다. 그리고 원지점부터 근지점까지는 그 반대이다. ⓓ달의 실제 위치가 평균 위치보다 앞서면 '질차', 뒤처지면 '지차'라 했다.

달이 태양과 지구 사이에 놓여 태양을 가릴 때를 삭(朔), 지구가 태양과 달 사이에 놓여 달을 가릴 때를 망(望)이라 한다. 정삭과 정망은 지구와 달이 태양과 정확히 일직선 위에 놓이게 될 때의 시각이다. 『칠정산 내편 정묘년 교식 가령』과 『교식 추보법 가령』 모두 정삭, 정망은 태양과 달의 평균 위치로 계산된 경삭과 경망에 실제 태양과 달의 빠르고 느린 정도를 가하거나 감하여 구했다. 이를 가감차 방식이라 한다. 가감차 값은 영축차에서 지질차를 뺀 값을 속도항 값으로 나누어 구했다. 즉 가감차 값이 양일 때에는 그 값을 경삭, 경망에 더하는 가차로 삼았고, 음일 때에는 그 값을 경삭, 경망에서 빼는 감차로 삼았다. 앞에서 언급한 두 가령 모두 영축차에서 지질차를 뺀 값에는 거의 차이가 없다. 하지만 『칠정산 내편 정묘년 교식 가령』은 속도항 값으로 달의 이동 속도를 활용했지만, 『교식 추보법 가령』은 달의 이동 속도에서 태양의 이동 속도를 뺀 값을 활용했다. ⓔ이는 태양이 달에 비해 느린 속도로 달과 같은 방향으로 이동하는 것처럼 보이는 현상을 고려한 것이다.

『칠정산 내편』 등을 통한 역법의 확립으로 조선은 유교적 이념을 만족스럽게 ⓐ실현할 수 있는 체계를 갖추었다는 자부심을 가질 수 있게 되었다. 『칠정산 내편』이 편찬된 지 200여 년 뒤, 일본을 왕래하던 조선 통신사 사신 박안기는 조선의 역법을 일본에 전하게 된다. 이를 바탕으로 일본에서도 독자적인 역법 『정향력』이 완성되었다. 동아시아 천문학은 시대와 장소에 따라 서로 다르게 전개되었지만 『칠정산 내편』, 『정향력』 등은 자국의 고유한 역법을 ⓔ확립하고자 했던 열망의 소산이라고 할 수 있다.

*추보: 천체의 운행을 관측함.

6. 윗글에 대한 설명으로 가장 적절한 것은?

① 관상수시의 개념을 소개하고 고려와 조선이 그것을 어떻게 변용하여 역법 제작에 응용했는지 설명하고 있다.

② 조선의 역법 발달 과정을 언급하고 동서양 문명에서 공통적으로 나타난 천문과 역법의 의미를 보여 주고 있다.

③ 역법에 대한 유교적 관점을 드러내고 조선이 역법 확립을 위해 노력한 바와 그것이 끼친 영향을 보여 주고 있다.

④ 조선에서 교식 추보 방법이 발달했던 이유를 제시하고 교식 추보가 중국 천문학 발전에 끼친 영향을 설명하고 있다.

⑤ 조선 역법의 우수성을 부각하고 당대에 관측한 값들이 현대적 관점에서 얼마나 정확한 것인지 단계적으로 검증하고 있다.

7. 윗글을 통해 알 수 있는 사실이 <u>아닌</u> 것은?

① 조선은 역법을 통해 천자를 부정하고 독자적 정치 이념을 실현하고자 했다.

② 조선은 교식 추보 이외에 여러 행성들의 운동도 역법에 담으려고 노력했다.

③ 전통적으로 동아시아에서는 국가의 주도와 통제 아래 역법 연구가 수행되었다.

④ 전통적으로 동아시아는 천체의 변화를 이해하여 하늘의 뜻을 알고자 역법을 마련했다.

⑤ 조선은 역법의 확립을 통해 유교적 이념의 실현을 위한 체계를 수립했다는 자부심을 가질 수 있었다.

8. 윗글과 <보기>를 관련지어 추리한 내용으로 적절하지 <u>않은</u> 것은?

< 보 기 >

(가) 이전에는 선명력을 썼기 때문에 오차가 꽤 많았으나, 신(臣) 정초가 수시력법을 연구하여 밝혀낸 뒤로는 역서 만드는 법이 어느 정도 바로잡혔다. 그러나 이번(세종 12년) 일식의 시작과 끝 시각이 모두 차이가 있었으니 이는 정밀하게 살피지 못한 까닭이다.
— 『세종실록』 권49

(나) (세종께서) "이 일의 요체는 북극출지의 고하(한양의 위도)를 정하는 데 있으니 먼저 간의를 만들어 올림이 좋겠다."하시므로, …(중략)… 먼저 나무로 모양을 만들어 북극출지 38도소를 정하니, 『원사(元史)』의 측정값과 부합하였으므로 마침내 구리를 녹여 부어 간의를 만들었다.
— 『세종실록』 권77

(다) 수시력과 통궤의 체계에 근거하여 같은 점과 차이점을 가려서 정밀한 것을 가려 뽑고 거기에 몇 가지 항목을 더하여 한 권의 책으로 만들게 하고, 『칠정산 내편』이라고 했다. …(중략)… 수시력이나 통궤법의 주야각은 각기 근거한 곳에서 추정한 것이므로 우리나라와는 다르다.
— 이순지, 『사여전도통궤』 발문(세종 26년)

① (가): 세종 즉위 전까지 조선에서 선명력을 사용해 교식을 추보할 때 오차가 컸겠군.

② (가): 세종 12년의 교식 추보의 오차 원인을 밝히기 위해 『칠정산 내편 정묘년 교식 가령』을 편찬한 것이군.

③ (나): 교식 추보의 정확성을 높이기 위해 조선에서 천체 관측 기구가 제작되었겠군.

④ (다): 『칠정산 내편』 편찬에 기반이 되었던 중국의 역법으로는 수시력을 들 수 있겠군.

⑤ (다): 세종과 이순지 모두 중국의 주야각 입성이 우리나라의 주야각 입성과 다르다고 생각했겠군.

9. <보기>를 참고하여 윗글을 이해한 내용으로 적절한 것은?

[3점]

─────── < 보 기 > ───────

정묘년(1447년) 8월은 하지를 지나 동지로 가는 시점으로, 경삭이 일어날 때 달은 원지점에서 근지점으로 이동하고 있었다. 『칠정산 내편 정묘년 교식 가령』과 『교식 추보법 가령』의 추보법에 의하면 경삭이 일어날 때 태양의 실제 위치와 평균 위치의 차는 약 2.39였고, 달의 실제 위치와 평균 위치의 차는 약 4.99였다.

① 정묘년 8월 경삭 때 달의 실제 위치가 평균 위치보다 앞서 있었을 것이다.
② 정묘년 8월 정삭 추보에서 가감차 값은 『칠정산 내편 정묘년 교식 가령』이 『교식 추보법 가령』보다 더 컸을 것이다.
③ 정묘년 8월 정삭 추보에서 두 가령 모두 경삭에 가감차 값을 더하는 가차로 삼았을 것이다.
④ 정묘년 8월 정삭 추보에서 두 가령 모두 가감차 계산에 영차를 사용했을 것이다.
⑤ 정묘년 8월 정삭 때 지구가 태양과 달 사이에 있었을 것이다.

10. ㉠~㉤에 대한 이해로 가장 적절한 것은?

① ㉠: 조선에서 일어나는 교식을 정확히 추보하기 위해 수시력을 연구하는 방법을 찾고자 했다.
② ㉡: 낮의 길이와 공전 속도가 비례하는 것으로 보인다.
③ ㉢: 근지점에서 달의 실제 위치와 평균 위치가 일치한다고 간주했다.
④ ㉣: '질차'는 음의 값을, '지차'는 양의 값을 가진다고 보았다.
⑤ ㉤: 『교식 추보법 가령』의 속도항 값이 음의 값을 가진 것을 고려한 것이다.

11. ⓐ~ⓔ의 사전적 의미가 바르지 <u>않은</u> 것은?

① ⓐ: 무엇을 움직이게 하거나 부리어 씀.
② ⓑ: 예리한 관찰력으로 사물을 꿰뚫어 봄.
③ ⓒ: 흐트러진 체계를 정리하여 제대로 갖춤.
④ ⓓ: 꿈, 기대 따위를 실제로 이룸.
⑤ ⓔ: 체계나 견해, 조직 따위가 굳게 섬. 또는 그렇게 함.

【1~5】 다음 글을 읽고 물음에 답하시오.

(가)

청강(淸江) 녹초변(綠草邊)의 소 먹이는 아이들이
석양에 흥이 겨워 피리를 비껴 부니
물 아래 잠긴 용이 잠을 깨어 일어날 듯   [A]
안개 기운에 나온 학이 제 집을 버리고
반공(半空)에 솟아 뜰 듯
소선(蘇仙) 적벽(赤壁)*은 가을 칠월(秋七月)이 좋다 하되
팔월 보름달을 모두 어찌 칭찬하는고   [B]
고운 구름 흩어지고 물결이 잔잔할 때
하늘에 돋은 달이 솔 위에 걸렸거든
달을 잡으려다 물에 빠진 적이 있는 적선(謫仙)이 야단스럽구나
공산(空山)에 쌓인 잎을 삭풍(朔風)이 거둬 불어
떼구름 거느리고 눈조차 몰아오니   [C]
천공(天空)이 호사로워 옥으로 꽃을 지어
만수(萬樹) 천림(千林)을 꾸며 내는구나
앞 여울 가려 얼어 독목교(獨木橋) 비꼈는데
막대 멘 늙은 중이 어느 절로 가는 건가   [D]
산옹(山翁)의 이 ㉠부귀(富貴)를 남에게 전하지 마오
경요굴(瓊瑤窟) 은세계(隱世界)를 찾을 이 있을세라
산중에 벗이 없어 한기(漢紀)*를 쌓아 두고
만고 인물을 거슬러 헤아리니
성현도 많거니와 호걸도 많고 많다
하늘 삼기실 제 곧 무심할까마는   [E]
어찌하여 시운(時運)이 일락배락* 하였는가
모를 일도 많거니와 애달픔도 그지없다
기산(箕山)의 늙은 고불 귀는 어찌 씻었던가*
박 소리 핑계하고* 조장(操狀)*이 가장 높다
인심이 낯 같아서 볼수록 새롭거늘
세사(世事)는 구름이라 험하기도 험하구나
엊그제 빚은 술이 얼마큼 익었나니
잡거니 밀거니 실컷 기울이니
마음에 맺힌 시름 적게나 하리로다
        - 정철, 「성산별곡(星山別曲)」 -

*소선 적벽: 송나라 문인 소동파가 지은 적벽부.
*한기: 책.
*일락배락: 흥했다가 망했다가.
*기산의 ~ 씻었던가: 기산에 숨어 살던 허유가 임금의 자리를 제안받았
 을 때, 이를 거절하면서 그 말을 들은 자신의 귀를 씻었다는 고사.
*박 소리 핑계하고: 표주박 하나도 귀찮다면서 허유가 핑계하고.
*조장: 기개 있는 품행.

(나)

㉡부귀(富貴)라 구(求)치 말고 빈천(貧賤)이라 염(厭)치 마라
인생 백 년(百年)이 한가(閑暇)할사 이내 것이
백구(白鷗)야 날지 마라 너와 망기(忘機)*하오리라
                <제1곡>

서산(西山)에 해 져 간다 고깃배 떴단 말가
죽간(竹竿)을 둘러메고 십 리 장사(十里長沙) 내려가니
연화(煙花) 수삼(數三) 어촌(漁村)이 무릉(武陵)인가 하노라
                <제6곡>
        - 권구, 「병산육곡(屛山六曲)」 -

*망기: 속세의 일이나 욕심을 잊음.

(다)

윤상군이 처음에 곤강 남쪽에 집터를 마련했다. 집터 동편과 서편에 밤나무 숲이 울창하였으므로 거기에다가 정자를 짓고 **율정(栗亭)**이라고 이름했다. 그 후에 또 조금 서편으로 가서 새로 집을 샀는데 밤나무 숲이 더욱 무성했다. 성안에 있는 집에서는 밤나무를 심는 사람이 적은데, 윤공은 집을 구할 때마다 밤나무 있는 곳을 선택했다.

그는 일찍이 나에게 말했다.

"봄에는 잎이 무성하지 않아 가지 사이가 성글어서 그 사이로 꽃이 서로 비치고, 여름이면 잎이 우거져서 그늘에서 놀 수가 있으며, 가을에는 밤이 먹을 만하며, 겨울이면 밤송이를 모아 아궁이에 불을 땔 수가 있다. 그래서 나는 밤나무를 좋아한다."

나는 말한다. 불이 마른 것에 잘 붙고 물이 축축한 곳으로 흐르는 것은, 성질이 같은 것끼리 서로 찾아가는 것이니 이치에 있어서 반드시 그러한 것이다. 대개 그 숭상하는 것이 같으면 물건이나 내가 다를 것이 없는 것은 어쩔 수 없는 일이다. 왜 그런가 하면 하늘과 땅 사이에 나는 풀이나 나무가 모두 한 기운이기 때문이다. 그러나 그 뿌리와 싹과 꽃과 열매가 어려운 것, 쉬운 것, 일찍 되는 것, 늦게 되는 것 등 가지각색인데, 오직 이 밤나무는 모든 나무 가운데서 가장 늦게 나며, 재배하기도 어렵고 기르는 데 시간도 오래 걸린다.

그러나 자라기만 하면 쉽게 튼튼해지며, 잎이 매우 늦게 돋지만, 돋기만 하면 곧 그늘을 쉽게 만들어 준다. 꽃이 매우 늦게 피지만 피기만 하면 곧 흐드러지며, 열매가 매우 늦게 맺히지만 맺히기만 하면 곧 수확할 수 있다. 그러니 이 밤나무는 모든 사물에 공통되는 차고 이지러지고 줄어들고 보태는 이치를 함께 가지고 있는 것이다.

윤공은 나와 같은 해에 과거에 합격했는데 그때의 나이가 30여 세였다. 그러다가 나이가 40세가 넘어서야 비로소 처음으로 벼슬에 나아갔으므로 사람들은 모두가 늦었다고 하였으나, 공은 직무에 더욱 조심하며 충실히 했다. 그러다가 임금의 인정을 받아 등용되었는데, 하루 동안에 아홉 번 자리를 옮겨 대신의 지위에 이르게 되었으니, 이것은 별로 손질을 하지 않았는데도 무성하게 뻗어 나간 밤나무와 같다. 그 기틀을 세우는 것이 처음에는 어려웠으나 그 성취하는 것이 뒤에는 쉬웠으니, 이것은 밤나무의 꽃과 열매의 성질과 같은 바가 있다.

나는 그것을 이치로 설명하려 한다. 대개 식물의 씨앗이 흙에서 싹틀 때 깊으면 싹이 더디 터진다. 꼬투리가 터지면 곧 눈이 트고, 눈이 트면 가지가 생겨서 반드시 줄기를 이룬다. 샘물이 웅덩이에 차게 되면 그것이 조금씩 흘러나오게 된다. 그 흐르는 것이 멈추게 되면 물이 고이고, 고이면 못이 되었다가 반드시 바다에까지 도달한다. 그러므로 그 느린 것은 장차 빨리 되려는 것이요, 멈추는 것은 장차 끝까지 도달하려는 것이니, 곧 모자란 것은 채울 수 있으며 부족한 것은 보탤 수 있는 것과 무엇이 다르겠는가. 한 가지 사물에 대해서도 이것을 실증할 수 있는 것이다.

또한 여기에서 사람이 숭상하는 바를 관찰하건대, 곧 불을 숭상하면 불을 닮고 물을 숭상하면 물을 닮으니 나와 숭상하는 사물과 차이가 없다. 따라서 그대가 출세하여 영화롭게 된 것은 밤나무의 생장함과 같으며, 밤을 수확하여 간직함은 그대의 은퇴함과 같다. 그 생장함에는 세상을 유익하게 하는 바가 있으며, 그 간직함에는 자신의 양생의 작용이 있다. 이에 나는 이 정자에 대하여 그 이치를 들어 글을 짓는다.
        - 백문보, 「율정설(栗亭說)」 -

1. (가)~(다)에 대한 설명으로 가장 적절한 것은?

① (가)와 (나)는 시간적 배경이 드러나는 표현을 사용하여 시적 분위기를 형성하고 있다.

② (가)와 (다)는 반어적 표현을 통해 현실에 대응하는 태도를 드러내고 있다.

③ (나)와 (다)는 근경에서 원경으로 시선을 이동하며 대상의 특성을 포착하고 있다.

④ (가), (나), (다) 모두 색채어를 활용하여 대상을 생동감 있게 묘사하고 있다.

⑤ (가), (나), (다) 모두 공간의 이동을 통해 대상이 변화하는 모습을 나타내고 있다.

2. [A]~[E]에 대한 이해로 적절하지 <u>않은</u> 것은?

① [A] : '소 먹이는 아이들'의 피리 소리를 듣고 '용'과 '학'을 떠올리며 강변에서의 흥취를 노래하고 있다.

② [B] : '팔월 보름달'을 '소선 적벽'의 내용과 비교하며 달과 소나무가 어우러진 풍경에서 느끼는 감흥을 드러내고 있다.

③ [C] : '천공'이 '옥'으로 꽃을 만들어 '만수 천림'을 꾸민 것 같다고 표현하며 눈 내린 산의 아름다움을 예찬하고 있다.

④ [D] : '늙은 중'이 가 버린 것에 아쉬워하며 '은세계'를 찾는 사람들이 많아지기를 바라고 있다.

⑤ [E] : '성현'과 '호걸'을 생각하며 '시운'이 '일락배락'하는 것에 대해 안타까움을 느끼고 있다.

3. ㉠과 ㉡에 대한 설명으로 가장 적절한 것은?

① ㉠은 ㉡과 달리 과거를 극복하게 하는 대상이다.

② ㉡은 ㉠과 달리 화자가 추구하는 가치와 거리가 먼 대상이다.

③ ㉠은 갈등을 해소하는 계기가, ㉡은 갈등을 심화하는 계기가 되는 대상이다.

④ ㉠은 화자의 체념적 태도를, ㉡은 화자의 달관적 태도를 드러내는 대상이다.

⑤ ㉠과 ㉡은 모두 화자에게 인생의 무상함을 느끼게 하는 대상이다.

4. 다음은 (다)에 대한 <학습 활동>이다. ⓐ~ⓔ에 들어갈 내용으로 적절하지 <u>않은</u> 것은?

——— <학습 활동> ———

활동 과제 : '나'가 말한 내용이 윤상군의 삶과 어떻게 연관될 수 있는지 생각해 봅시다.

'나'가 말한 내용		활동 결과
불이 마른 것에 잘 붙고 물이 축축한 곳으로 흐르는 것.	⇨	ⓐ
밤나무는 늦게 나고, 기르는 데도 시간이 오래 걸리는 것.	⇨	ⓑ
잎이 매우 늦게 돋지만, 돋기만 하면 곧 그늘을 쉽게 만들어 주는 것.	⇨	ⓒ
별로 손질을 하지 않았는데도 무성하게 뻗어 나가는 것.	⇨	ⓓ
밤나무의 생장함과 밤을 수확하여 간직하는 것.	⇨	ⓔ

① ⓐ : 윤상군이 집을 구할 때마다 밤나무가 있는 곳을 선택한 것과 연관 지어 볼 수 있겠군.

② ⓑ : 윤상군이 나이가 40세가 넘어서야 처음으로 벼슬에 나아간 것과 연관 지어 볼 수 있겠군.

③ ⓒ : 늦게 벼슬에 오르기까지 윤상군이 직무에 더욱 조심하며 충실히 임했다는 것에 연관 지어 볼 수 있겠군.

④ ⓓ : 등용된 윤상군이 하루 동안에 아홉 번 자리를 옮겨 대신의 지위에 이르게 되었다는 것과 연관 지어 볼 수 있겠군.

⑤ ⓔ : 윤상군이 출세하여 영화롭게 된 것과 은퇴하는 것에 연관 지어 볼 수 있겠군.

5. <보기>를 참고하여 (가)~(다)를 감상한 내용으로 적절하지 <u>않은</u> 것은? [3점]

——— <보 기> ———

작가는 화자나 인물을 통해 인간과 세계를 바라보는 자신의 생각을 언어로 형상화하여 표현하기 때문에 문학 작품을 읽는 것은 곧 작가의 생각을 이해하는 것이라고도 할 수 있다. 따라서 작가가 화자나 인물을 어떻게 그리고 있는지 파악하는 것은 문학 작품 속에 담겨 있는 작가의 생각을 이해하는 방법이 된다.

① (가)에서 고사를 인용하며 '늙은 고불'을 '조장'이 높은 인물로 보고 있는 화자를 통해 바람직한 삶의 자세에 대한 인식을 드러내고 있군.

② (가)에서 세상의 일이 '구름'처럼 험하다면서 '술'로 '시름'을 잊겠다고 말하는 화자를 통해 속세를 부정적 대상으로 인식하고 있음을 드러내고 있군.

③ (나)에서 '백구'에게 날지 말라고 말하며 함께 '망기'하고 싶다는 화자를 통해 자연물을 물아일체의 대상으로 인식하고 있음을 드러내고 있군.

④ (나)에서 삶의 터전인 '어촌'을 '무릉'에 비유하며 생활에 대한 만족감을 느끼고 있는 화자를 통해 일상의 공간에 대한 긍정적인 인식을 드러내고 있군.

⑤ (다)에서 정자의 이름을 '율정'이라 짓고 늘 자신의 행동을 경계하였음에도 등용이 늦었던 인물을 통해 당시의 현실에 대한 비판적 인식을 드러내고 있군.

(가)는 비평문 쓰기 모둠 활동 중 학생들이 나눈 대화이고, (나)는 이를 바탕으로 작성한 글의 초고이다. 물음에 답하시오.

비평문 쓰기 모둠 활동

[활동 1]: 모둠 활동을 통해 비평문에서 다룰 현안과 관점 정하기

[활동 2]: 우리 학교 학생들을 예상 독자로 하여 [활동 1]의 결과를 바탕으로 초고 작성하기

(가)

학생 1: 오늘은 내가 모둠장 할 차례니까 진행해 볼게. 지난번에 비평문에서 다룰 현안에 대해 각자 찾아보기로 했잖아. 의견 나눠 볼까?

학생 2: 그래, ㉠시사성이 있으면서도 우리 학교 학생들도 고민해 볼 만한 현안을 다루기로 했었지?

학생 3: 맞아. 나는 우리 학교 학생들의 독서 실태 개선으로 하는 게 좋을 거 같은데.

학생 2: ㉡근데 그건 교지에서 다룬 적이 있어서 내용이 겹치지 않을까?

학생 3: 그러네. 그럼 어떤 걸로 하지?

학생 1: 얼마 전에 읽은 신문 기사 중에 장소의 획일화에 대한 내용이 인상적이었거든. 그건 어때?

학생 2: ㉢장소의 획일화에 대해 조금 더 얘기해 줄래?

학생 1: 응. 장소가 본모습을 잃고 다른 장소와 유사하게 변한 것을 말해.

학생 3: 그렇구나. 우리 학교 근처에 있던 골목길도 다른 지역과 비슷한 ○○거리로 변해 버렸잖아. 우리의 추억이 깃든 장소인데. ㉣이것도 장소의 획일화 아닐까?

학생 1: 그래, 그게 장소 획일화의 사례 중 하나라고 볼 수 있을 것 같아.

학생 2: 그러고 보니 우리 학교 학생들도 경험했을 만한 내용이네. 장소의 획일화를 현안으로 다뤄 보자.

학생 3: 좋아. 근데 장소의 획일화가 나쁜 점만 있을까? 인기 있는 명소를 따라 해서 획일화되더라도 관광객이 늘어나면 이익이 될 수도 있잖아.

학생 1: 물론 이익이 될 수도 있겠지. 근데 획일화된 장소는 금방 식상해져 관광객이 줄어들지 않을까? 그렇게 되면 이익 역시 줄어들게 될 거고.

학생 2: 나도 그렇게 생각해. 그럼 장소의 획일화에 대해 부정적 관점으로 비평문 쓰기를 해 보자.

학생 3: 응. ㉤그럼 장소의 획일화로 어떤 문제들이 생길 수 있는지 더 생각해 볼까?

학생 1: 아무래도 장소의 다양성이 줄어드니까 가 볼 만한 장소가 줄어들겠지. 다른 문제점도 있을 텐데, 내가 자료 수집하면서 더 조사해 볼게. 다른 역할도 나눠 볼까?

학생 2: 초고는 내가 써 볼게. 초고 다 쓰면 검토 부탁해.

학생 3: 나도 자료를 찾는 대로 정리해서 공유할게.

(나)

제목: 이곳저곳 같은 장소, 장소의 획일화 무엇이 문제인가

우리 학교 학생이라면 학교 인근의 변화된 모습을 본 적이

있을 것이다. 학생들이 즐겨 찾던 골목길이 사라지고, 개성 없는 ○○거리가 자리 잡았다. 추억이 담긴 골목길이 전국의 수많은 ○○거리 중 하나가 되어 버렸다. 이처럼 장소가 고유한 특성을 잃고 다른 장소와 동질화된 것이 장소의 획일화이다. 이러한 장소의 획일화는 바람직하지 않다.

장소가 획일화되면 장소에서 느끼는 정서적 유대가 훼손된다. 장소는 물리적 환경으로서의 공간과는 구별되며, 인간과 밀접한 관계를 형성한다. 지리학자 에드워드 렐프는 '나의 장소'라고 느낄 수 있는 진정한 장소가 인간에게 중요하다고 밝히며, 장소에 대한 정서적 유대를 강조하였다. 인간과 장소의 관계가 장소의 획일화로 훼손되면, 장소는 더 이상 애착의 대상이 되지 못하며 안정감을 주지 못한다.

또한 장소가 획일화되면 장소를 통해 얻을 수 있는 경험의 다양성도 줄어든다. 인기 있는 장소를 따라 하면, 장소 고유의 특성이 사라져 경험의 다양성이 줄어드는 것이다. 교내 학술제에서 소개된 '우리 동네 보고서'를 보면, 학교 근처 골목길에서 일어난 변화가 최근 우리 동네 곳곳으로 퍼지고 있음을 확인할 수 있다. 이렇듯 장소가 획일화되어 차별성이 사라지게 되면 경험을 할 수 있는 장소 선택의 폭이 좁아진다.

그런데 장소의 획일화가 불가피하다고 주장하는 이들도 있다. 그들은 경제적 효과를 얻기 위해서는 유행하는 장소를 따라 할 수밖에 없다고 말한다. 그러나 이는 적절한 주장이 아니다. 어딜 가나 비슷한 장소에 싫증을 느낀 사람들은 더 이상 그곳을 찾지 않게 되고, 그로 인해 기대했던 경제적 효과도 지속되기 어렵기 때문이다.

장소의 가치는 장소가 가진 고유한 특성에 기인한다. △△ 재래 시장에서는 전통적인 모습으로 장소의 고유성을 살려 상인과 방문객들에게 큰 호응을 얻고 있다. 이처럼 장소의 획일화에서 벗어나 각 장소에서만 느낄 수 있는 고유한 가치를 지키고 키우려는 노력이 필요하다.

---

6. 대화의 흐름을 고려할 때, ㉠~㉤에 대한 이해로 적절하지 않은 것은?

① ㉠: 상대가 언급한 내용을 구체화하여 확인하고 있다.

② ㉡: 상대의 제안에 대한 자신의 견해를 밝히고 있다.

③ ㉢: 상대의 의견에 대해 추가 정보를 요청하고 있다.

④ ㉣: 상대에게 자신의 생각이 맞는지 확인하고 있다.

⑤ ㉤: 상대의 의도를 정확히 파악했는지 확인하고 있다.

7. 다음은 '학생 1'이 [활동 1]을 준비하면서 작성한 메모이다. ㉮~㉲ 중 (가)의 '학생 1'의 발화에서 확인할 수 있는 내용만을 고른 것은?

- 모둠 활동 시작
  - [활동 1]과 관련해 지난 활동에서 논의된 사항 환기 ····· ㉮
- 비평문에서 다룰 현안 선정
  - 교지에 실린 비평문을 참고 자료로 제시 ············· ㉯
  - 매체에서 찾은 현안 제안 ······························· ㉰
- 현안에 대한 관점 선정
  - 관점을 선정할 때 유의할 점 안내 ······················ ㉱
- 모둠 활동 마무리
  - [활동 2]와 관련해 모둠원들의 역할 분담 제안 ········· ㉲

① ㉮, ㉯, ㉰   ② ㉮, ㉰, ㉲   ③ ㉮, ㉱, ㉲
④ ㉯, ㉰, ㉱   ⑤ ㉰, ㉱, ㉲

8. '학생 2'가 (가)를 바탕으로 세운 글쓰기 계획 중, (나)에 반영되지 않은 것은?

- 제목
  [활동 1]에서 선정한 현안이 드러나게 제목을 구성해야겠군. ····································· ①
- 1문단
  [활동 1]에서 예상 독자도 접했을 만하다고 논의된 경험을 제시하며 글을 시작해야겠군. ····· ②
- 2문단
  [활동 1]에서 언급되지 않았던 전문가의 견해를 인용하여 현안에 대한 사회적 인식의 변화에 대해 설명해야겠군. ··· ③
- 3문단
  [활동 1]에서 언급된 문제점과 관련하여, 장소의 획일화가 확산되고 있음을 보여 주는 추가 자료를 활용해야겠군. ··· ④
- 4문단
  [활동 1]에서 제기되었던 의견을 반영하여 서술해야겠군.
- 5문단
  [활동 1]에서 다뤄지지 않았던 사례를 추가하여 장소의 획일화에서 벗어나기 위한 노력이 필요함을 부각해야겠군. ······ ⑤

9. 다음은 선생님의 모둠 활동 안내이다. 이에 따라 (나)를 평가한 내용으로 적절하지 않은 것은? [3점]

선생님: 오늘은 모둠에서 작성한 비평문의 초고를 평가해 볼게요. 다음의 평가 기준에 따라 각 모둠별로 평가해 봅시다.

ⓐ 현안에 대한 주장이 분명하게 드러나는가?
ⓑ 현안에 대한 관점이 일관되는가?
ⓒ 필자의 주장을 뒷받침할 근거를 제시하였는가?
ⓓ 필자가 선택하지 않은 관점을 비판할 근거를 제시하였는가?

① ⓐ를 고려할 때, 장소의 획일화는 바람직하지 않다는 주장을 명시적으로 드러내고 있어.

② ⓑ를 고려할 때, 장소의 획일화에 대해 부정적으로 생각하는 관점을 일관되게 유지하고 있어.

③ ⓒ를 고려할 때, 획일화된 장소에 식상함을 느낀 사람들이 장소의 선택권을 요구했다는 점을 근거로 제시하고 있어.

④ ⓒ를 고려할 때, 장소가 획일화되면 인간이 장소에서 느끼는 정서적 유대와 안정감이 훼손된다는 점을 근거로 제시하고 있어.

⑤ ⓓ를 고려할 때, 장소의 획일화를 통해 얻으려는 경제적 효과가 지속되기 어렵다는 점을 비판의 근거로 제시하고 있어.

10. <보기 1>을 참고하여 <보기 2>에서 밑줄 친 부분을 중심으로 ㉠~㉤을 이해한 내용으로 적절하지 않은 것은?

─────<보기 1>─────

객체 높임은 일반적으로 주체가 목적어나 부사어로 지시되는 대상인 객체보다 지위가 낮을 때 어휘적 수단이나 문법적 수단으로써 객체를 높이 대우하는 것이다. 전자는 **객체 높임의 동사**('숣-', '아뢰-' 등)를 쓰는 방법이고, 후자는 **객체 높임의 조사**('쯰', '께')를 쓰는 방법과 **객체 높임의 선어말 어미**('-숩-' 등)를 쓰는 방법이다. 중세 국어에서는 이 세 가지 방법을 다 썼으나 현대 국어에서는 객체 높임의 선어말 어미를 쓰지 않는다. 다음에서 중세 국어와 현대 국어를 비교해 보면 이를 확인할 수 있다.

이 말 다 **숣**고 부텨**쯰** 禮數ㅎ**숩**고
[이 말 다 **아뢰**고 부처**께** 절 올리고]

─────<보기 2>─────

㉠ 나도 이제 너희 스승니믈 **보숩고져** ᄒ노니
  [나도 이제 너희 스승님을 **뵙고자** 하니]
㉡ 須達이 舍利弗**쯰** 가 [수달이 사리불**께** 가서]
㉢ 내 이제 世尊**쯰** **숣**노니 [내가 이제 세존**께** **아뢰**니]
㉣ 여보, 당신이 **이모님께** 어머님 **모시고** 갔어요?
㉤ 선생님께서 그 아이에게 다친 덴 없는지 **여쭤** 보셨다.

① ㉠: 어휘적 수단으로 객체인 '너희 스승님'을 높이 대우하고 있다.

② ㉡: 문법적 수단으로 객체인 '舍利弗(사리불)'을 높이 대우하고 있다.

③ ㉢: 조사 '쯰'와 동사 '숣노니'는 같은 대상을 높이기 위해 쓰이고 있다.

④ ㉣: 조사 '께'와 동사 '모시고'는 서로 다른 대상을 높이기 위해 쓰이고 있다.

⑤ ㉤: 주체와 객체의 관계를 고려하면 동사 '여쭤'의 사용은 부적절하다.

11. <학습 활동>을 수행한 결과로 적절한 것은?

<학습 활동>

형태소는 자립성의 유무와 의미의 유형에 따라 다음과 같이 구분된다.

자립성의 유무 의미의 유형	자립 형태소	의존 형태소
실질 형태소	㉠	㉡
형식 형태소	✕	㉢

다음 문장의 형태소를 ㉠, ㉡, ㉢으로 분류한 후, 그 결과를 정리해 보자.

> 우리는 비를 맞고 바람에 맞서다가 드디어 길을 찾아냈다.

① '우리는'의 '우리'와 '드디어'는 ㉡에 속한다.
② '비를'과 '길을'에는 ㉠과 ㉡에 속하는 형태소만 있다.
③ '맞고'의 '맞-'과 '맞서다가'의 '맞-'은 모두 ㉢에 속한다.
④ '바람에'에는 ㉡과 ㉢에 속하는 형태소만 있다.
⑤ '찾아냈다'에는 ㉡과 ㉢에 속하는 형태소만 있다.

12. <보기>의 ㉠~㉤에 해당하는 예로 적절한 것은? [3점]

<보 기>

피동문은 대응하는 능동문과 일정한 문법적 관련을 맺는다. 그중 피동문의 서술어는 능동문의 서술어에 피동의 문법 요소를 결부하여 만드는데, 국어에서는 ㉠동사 어근에 피동 접사 '-이-', '-히-', '-리-', '-기-'를 결합하는 방법(접-/접히-), ㉡접사 '-하-'를 접사 '-받-', '-되-', '-당하-' 등으로 교체하는 방법(사랑하-/사랑받-), ㉢동사 어간에 '-아지-/-어지-'를 결합하는 방법(주-/주어지-) 등이 쓰인다. 단, '날씨가 풀리다'에서처럼 ㉣자연적으로 발생하는 사태를 표현할 때에는 피동문에 대응하는 능동문을 상정하기 어려운 경우가 있다.

한편 '없어지다'나 '거긴 잘 가지지 않는다.'처럼 ㉤'-아지-/-어지-'는 형용사나 자동사에 변화의 의미를 더하는 데 쓰이기도 하는데 이런 용법일 때는 피동문을 이루지 않는다.

① ㉠: 아버지가 아이에게 두터운 점퍼를 입혔다.
② ㉡: 내 몫의 일거리는 형에게 건네받았다.
③ ㉢: 언론에 의해 사건의 전모가 자세히 밝혀졌다.
④ ㉣: 그 사람은 많은 사람들에게 존경받는다.
⑤ ㉤: 모두가 바라던 소원이 드디어 이루어졌다.

총 문항					문항	맞은 문항				문항
개별 문항	1	2	3	4	5	6	7	8	9	10
채점										
개별 문항	11	12	13	14	15	16	17	18	19	20
채점										

시험 직전까지
꼭 챙겨 봐야 할
국어 오답 Note

끝난 시험도 다시 봐야 진짜 실력! 자신의 부족한 부분을 채워보세요.
채점 기록표와 자유 연습장으로 학습 효과를 2배로 높여주는 오답노트입니다.

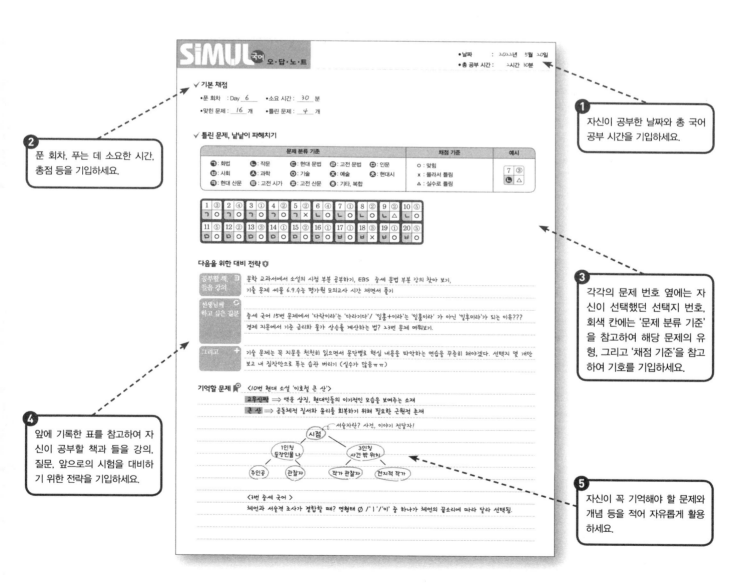

1 자신이 공부한 날짜와 총 국어 공부 시간을 기입하세요.

2 푼 회차, 푸는 데 소요한 시간, 총점 등을 기입하세요.

3 각각의 문제 번호 옆에는 자신이 선택했던 선택지 번호, 회색 칸에는 '문제 분류 기준'을 참고하여 해당 문제의 유형, 그리고 '채점 기준'을 참고하여 기호를 기입하세요.

4 앞에 기록한 표를 참고하여 자신이 공부할 책과 들을 강의, 질문, 앞으로의 시험을 대비하기 위한 전략을 기입하세요.

5 자신이 꼭 기억해야 할 문제와 개념 등을 적어 자유롭게 활용하세요.

뒷면에 있는 오답노트 양식을 가위로 잘라내 복사하거나, PDF 파일을 프린트하여 사용하세요.
골드교육 홈페이지(www.goldedu.co.kr)에서 오답노트의 PDF 파일을 무료로 다운받을 수 있습니다.

✓ 기본 채점

- 푼 회차 : Day _____
- 소요 시간 : _____ 분
- 맞힌 문제 : _____ 개
- 틀린 문제 : _____ 개

✓ 틀린 문제, 낱낱이 파헤치기

문제 분류 기준	채점 기준	예시
ㄱ : 화법　　ㄴ : 작문　　ㄷ : 현대 문법　　ㄹ : 고전 문법　　ㅁ : 인문 ㅂ : 사회　　ㅅ : 과학　　ㅇ : 기술　　ㅈ : 예술　　ㅊ : 현대시 ㅋ : 현대 소설　　ㅌ : 고전 시가　　ㅍ : 고전 산문　　ㅎ : 기타, 복합	○ : 맞힘 x : 몰라서 틀림 △ : 실수로 틀림	7 ③ ㄴ △

1		2		3		4		5		6		7		8		9		10	
11		12		13		14		15		16		17		18		19		20	

다음을 위한 대비 전략 🛡

공부할 책, 들을 강의	....
선생님께 하고 싶은 질문	....
그리고	....

기억할 문제 🚩

B I G
E V E N T
1 + 3 ↙

씨뮬 교재를 구매하신 모든 분들께
고1, 2, 3 한국사·사회탐구·과학탐구 과목
중에서 학년에 상관없이 원하는 3과목의
최신 모의고사(과목별 4~12회 구성)
PDF 파일을 메일로 보내 드립니다.

참 여 방 법

❶ 설문지를 작성하고, "Big Event 1+3"
  한국사·사회탐구·과학탐구 교재 목록에서
  교재번호와 과목명을 확인한 후
  'Big Event 1+3 교재 신청란'에 정확히 기입합니다.

❷ 설문지 부분을 핸드폰(또는 디지털 카메라)으로 찍어서
  골드교육 홈페이지(www.goldedu.co.kr)
  커뮤니티 → "1+3 이벤트" 게시판에 올리시면 됩니다.

❸ "Big Event 1+3"은 3과목까지 신청할 수 있으며,
  여러 과목을 신청하면 임의대로 3과목을 선정하여
  보내 드립니다.

★ 2023년 시행 모의고사를
신청하면 출간 일정상 2024년
2월부터 보내 드리오니 이용에
착오 없으시기 바랍니다.
그리고 이 책의 1+3 이벤트 유효
기간은 발행일로부터 3년입니다.

★ 개인 정보는 이벤트 목적
외에는 사용하지 않으며 이벤트
마감 이후 폐기함을 알려드립니다.

"Big Event 1+3" 한국사·사회탐구·과학탐구 교재 목록

1. 2022년 시행 모의고사 : 신청하시면 확인 후 바로 보내드리고 있습니다.

학년	과목(영역)	횟수	PDF 제공 교재
고1	한국사	4회	11-1 한국사
고2	한국사	4회	11-2 한국사
	사회탐구	4회	11-3 생활과 윤리, 11-4 윤리와 사상, 11-5 한국지리, 11-6 세계지리, 11-7 동아시아사, 11-8 세계사, 11-9 정치와 법, 11-10 경제, 11-11 사회·문화
	과학탐구	4회	11-12 물리학Ⅰ, 11-13 화학Ⅰ, 11-14 생명과학Ⅰ, 11-15 지구과학Ⅰ
고3	한국사	12회	11-16 한국사
	사회탐구	12회	11-17 생활과 윤리, 11-18 윤리와 사상, 11-19 한국지리, 11-20 세계지리, 11-21 동아시아사, 11-22 세계사, 11-23 법과 정치, 11-24 경제, 11-25 사회·문화
	과학탐구	12회	11-26 물리학Ⅰ, 11-27 화학Ⅰ, 11-28 생명과학Ⅰ, 11-29 지구과학Ⅰ
		11회	11-30 물리학Ⅱ, 11-31 화학Ⅱ, 11-32 생명과학Ⅱ, 11-33 지구과학Ⅱ

2. 2023년 시행 모의고사 : 2024년 2월부터 보내드릴 예정입니다.

학년	과목(영역)	횟수	PDF 제공 교재
고1	한국사	4회	12-1 한국사
고2	한국사	4회	12-2 한국사
	사회탐구	4회	12-3 생활과 윤리, 12-4 윤리와 사상, 12-5 한국지리, 12-6 세계지리, 12-7 동아시아사, 12-8 세계사, 12-9 정치와 법, 12-10 경제, 12-11 사회·문화
	과학탐구	4회	12-12 물리학Ⅰ, 12-13 화학Ⅰ, 12-14 생명과학Ⅰ, 12-15 지구과학Ⅰ
고3	한국사	11회	12-16 한국사
	사회탐구	11회	12-17 생활과윤리, 12-18 윤리와 사상, 12-19 한국지리, 12-20 세계지리, 12-21 동아시아사, 12-22 세계사, 12-23 법과 정치, 12-24 경제, 12-25 사회·문화
	과학탐구	11회	12-26 물리학Ⅰ, 12-27 화학Ⅰ, 12-28 생명과학Ⅰ, 12-29 지구과학Ⅰ
		10회	12-30 물리학Ⅱ, 12-31 화학Ⅱ, 12-32 생명과학Ⅱ, 12-33 지구과학Ⅱ

※ 과목별 수록 회차는 사정상 변경될 수 있습니다.

믿을 수 있는 기출문제로 실전 연습하여
출제 경향과 유형을 파악하라!

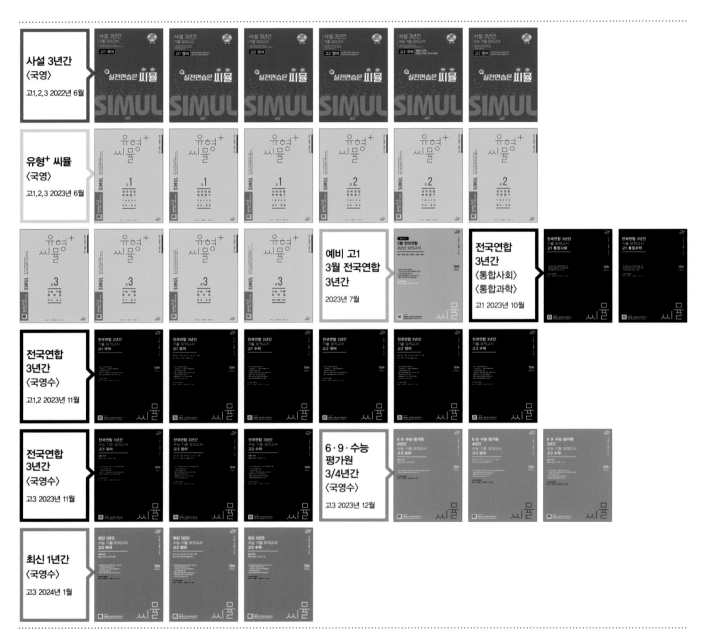

2024 씨뮬 시리즈
대한민국 No 1. 내신 / 학평, 수능 대비 문제집

국어	영어	수학	전과목 / 통합사회·과학
• 유형⁺ 씨뮬 고1 국어 독서	• 유형⁺ 씨뮬 고1 영어 독해	• 전국연합 3년간 고1 수학	• 예비고1 3월 학력평가
• 유형⁺ 씨뮬 고1 국어 문학	• 유형⁺ 씨뮬 고2 영어 독해	• 전국연합 3년간 고2 수학	• 전국연합 3년간 고1 통합사회
• 유형⁺ 씨뮬 고2 국어 독서	• 유형⁺ 씨뮬 고3 영어 독해	• 전국연합 3년간 고3 수학	• 전국연합 3년간 고1 통합과학
• 유형⁺ 씨뮬 고2 국어 문학	• 유형⁺ 씨뮬 고3 영어 어법·어휘	• 6·9·수능 3년간 고3 수학	
• 유형⁺ 씨뮬 고3 국어 독서	• 전국연합 3년간 고1 영어	• 최신 1년간 고3 수학	
• 유형⁺ 씨뮬 고3 국어 문학	• 전국연합 3년간 고2 영어		
• 전국연합 3년간 고1 국어	• 전국연합 3년간 고3 영어		
• 전국연합 3년간 고2 국어	• 사설 3년간 고1 영어		
• 전국연합 3년간 고3 국어	• 사설 3년간 고2 영어		
• 사설 3년간 고1 국어	• 사설 3년간 고3 영어		
• 사설 3년간 고2 국어	• 6·9·수능 4년간 고3 영어		
• 사설 3년간 고3 국어	• 최신 1년간 고3 영어		
• 6·9·수능 4년간 고3 국어			
• 최신 1년간 고3 국어			

씨뮬 풀고 자동 채점 성적분석까지
ⓢ STUDY SENSE 온라인 성적분석 서비스

유형+씨물

고3

수 능 기 출
문 제 집

국 어 – 독 서

정 답 및 해 설

씨뮬과 함께하는 기출 완전정복 커리큘럼

씨뮬 = 실전 연습

내신, 학평, 수능까지 실전 대비 최고의 연습, 씨뮬
씨뮬과 함께 1등급, SKY, 의치한까지

01 예비 고1

예비 고1 3월 전국연합 3년간 모의고사
고등학교 첫 시험을 발 빠르게 준비하여
단 한 권으로 학습 주도권을 잡는 교재
※ 국어, 수학, 영어, 한국사, 사회, 과학 수록

02 고1~3

유형+씨뮬
학평, 수능의 문제 유형을 연습하고
출제 경향을 파악할 수 있는 교재
※ 고1~3 국어 독서/문학
※ 고1~3 영어 독해, 고3 영어 어법·어휘

03 고1~3

전국연합 3년간
최근 3년간 시행된 학평, 모평, 수능 문제들로
완벽한 수능 대비를 할 수 있는 기본 중의 기본서
※ 고1 통합사회, 통합과학
※ 고1~3 국어, 수학, 영어

04 고1~3

사설 3년간
종로, 이투스에서 출제된 고난도 모의고사
문제들을 연습할 수 있는 교재
※ 고1~3 국어, 영어

05 고3

6·9·수능 평가원 3/4년간
평가원에서 최근 3/4년간 출제한 6월,
9월 모평 및 수능 문제들이 수록된
수능 출제 경향 파악에 가장 적합한 교재
※ 고3 국어, 수학, 영어

06 고3

최신 1년간
최근 1년간 시행된 학평, 모평, 수능 문제 뿐
아니라 종로 모의고사까지 수록되어 최신 출제
경향을 한 권으로 파악할 수 있는 교재
※ 고3 국어, 수학, 영어

독자 여러분의 애정 어린 충고로

씨뮬은 해마다
새롭게 완성되어 갑니다!

실제 크기의 시험지와 OMR 카드를 제공해 주어서 실제 시험을 보는 것 같아 실제 시험에서 떨리지 않았고 문제에 대한 해설이 친절히 서술되어 있어 어려운 문제도 혼자만의 노력으로 이해할 수 있었어요. 역시 씨뮬!
⟶》 황*현

모의고사가 모아져 있는 책 중 씨뮬이 정말 최고예요. 특히 영어는 듣기 연습용 받아쓰기도 있어서 많은 도움이 되었습니다. 감사합니다.
⟶》 조*빈

회차별 영단어 핸드북뿐 아니라 책 마지막 부분에 있는 수능 필수 영숙어 파트가 도움이 많이 되었다. 수능에서뿐만 아니라 내신 시험에도 나오는 표현들이 많아 유용했다.
⟶》 김*희

모의고사를 대비하기 위해 구매하였습니다. 다른 문제집들은 실제 모의고사 시험지처럼 되어 있지 않아서 긴장감이 많이 떨어지는데, 씨뮬은 실제 시험지처럼 되어 있고 OMR 카드도 있어서 모의고사 대비하기 아주 좋아요!
⟶》 김*연

씨뮬 교재가 실제 모의고사 종이 크기이다 보니 실제 시험을 치는 듯한 느낌이 들어 더 집중이 잘 되는 것 같다. 해설도 꼼꼼하게 되어 있어 내가 어디서 해석이 안 되는지 바로 찾을 수 있어서 좋았다.
⟶》 김*진

국어에 자신감이 없어서 시작했는데 해설이 꼼꼼하고 추가적인 작품이나 문법이 수록돼 있어서 더 깊이 있게 공부할 수 있었어요.
⟶》 배*진

이 책을 구매했던 이유들 중 하나인, 실전과 비슷한 종이 재질 덕분에 더욱 실감나게 학습할 수 있었습니다. 그리고 맨 뒤에 부착되어 있는 OMR 카드로 체킹 실수를 줄이는 연습도 되었습니다. 꼼꼼한 해설지와 문제 풀이로 공부하면서 그 외에 실전 감각 또한 함양할 수 있는 씨뮬 모의고사입니다!
⟶》 권*희

백분위 95~96을 왔다갔다했어요. 수학 실력을 늘리기 위해 책을 구매해 풀어 본 후 높은 점수를 받게 되었습니다.
⟶》 정*헌

모의고사 볼 때처럼 큰 종이로 되어 있어 더 몰입감 있게 집중할 수 있었던 것 같습니다. 또 해설도 자세하고 고난도 문제와 등급컷도 알려 주어 좋았습니다!
⟶》 서*준

어느 정도 실력이 쌓이고 나면 모의고사로 실전 대비 훈련을 하며 실력을 굳혀 나가야 되죠. 그리고 그 연습 방법으로는 '씨뮬'이라는 교재가 정말 완벽한 것 같아요. 여러분들에게 '씨뮬' 적극 추천합니다.
⟶》 백*민

내신에서 학평까지 실전 연습은
씨뮬 기출 하나로 충분하다

전국연합학력평가 3년간 모의고사　　**11th 국영수 고1~3**

01　실제 시험 그대로 실전 감각 익히기

02　핵심을 짚어주는 명쾌한 해설

03　오답 노트 & OMR 카드

04　같은 작가 다른 작품(국어), 기출문법[구문] 모아보기(영어),
　　　준 킬러 문항 연습(수학)

05　[12th] 전국연합 3년간 수학 교재의 중요 문항에 동영상 강의 제공 예정

DAY 01 〉〉〉〉

1 ④	2 ⑤	3 ③	4 ②	5 ⑤
6 ②	7 ②	8 ⑤	9 ⑤	10 ④
11 ②	12 ②	13 ⑤	14 ④	15 ③
16 ①				

DAY 02 〉〉〉〉

1 ①	2 ③	3 ④	4 ①	5 ②
6 ③	7 ④	8 ①	9 ③	10 ⑤
11 ③	12 ④	13 ②	14 ②	15 ②
16 ③				

DAY 03 〉〉〉〉

1 ①	2 ③	3 ④	4 ③	5 ②
6 ③	7 ①	8 ①	9 ②	10 ②
11 ①	12 ⑤	13 ④	14 ⑤	15 ④

DAY 04 〉〉〉〉

1 ③	2 ④	3 ④	4 ②	5 ②
6 ①	7 ①	8 ④	9 ⑤	10 ③
11 ④	12 ③	13 ②	14 ④	15 ⑤
16 ⑤				

DAY 05 〉〉〉〉

1 ①	2 ④	3 ②	4 ④	5 ⑤
6 ④	7 ②	8 ②	9 ④	10 ⑤
11 ②	12 ①	13 ②	14 ③	15 ④

DAY 06 〉〉〉〉

1 ④	2 ⑤	3 ②	4 ⑤	5 ②
6 ④	7 ②	8 ④	9 ⑤	10 ②
11 ③	12 ③			

DAY 07 〉〉〉〉

1 ①	2 ⑤	3 ④	4 ②	5 ③
6 ④	7 ②	8 ②	9 ③	10 ⑤
11 ③	12 ⑤	13 ①	14 ⑤	

DAY 08 〉〉〉〉

1 ②	2 ⑤	3 ⑤	4 ④	5 ②
6 ③	7 ②	8 ①	9 ③	10 ⑤
11 ②	12 ③	13 ⑤	14 ②	15 ③
16 ①				

DAY 09 〉〉〉〉

1 ③	2 ⑤	3 ④	4 ②	5 ③
6 ③	7 ②	8 ②	9 ⑤	10 ③
11 ①	12 ④	13 ⑤	14 ③	15 ⑤
16 ④				

DAY 10 〉〉〉〉

1 ⑤	2 ③	3 ①	4 ④	5 ②
6 ⑤	7 ③	8 ⑤	9 ④	10 ③
11 ③	12 ④	13 ⑤	14 ①	15 ①

DAY 11 〉〉〉〉

1 ③	2 ④	3 ④	4 ①	5 ①
6 ②	7 ④	8 ③	9 ④	10 ①
11 ⑤	12 ③			

DAY 12 〉〉〉〉

1 ①	2 ②	3 ④	4 ②	5 ①
6 ②	7 ④	8 ④	9 ③	10 ①
11 ②	12 ①	13 ③		

DAY 13 〉〉〉〉

1 ④	2 ⑤	3 ④	4 ①	5 ②
6 ⑤	7 ①	8 ④	9 ①	10 ②
11 ⑤	12 ①	13 ③	14 ①	

DAY 14 〉〉〉〉

1 ③	2 ④	3 ⑤	4 ②	5 ①
6 ④	7 ②	8 ⑤	9 ④	10 ⑤
11 ②	12 ②			

DAY 15 〉〉〉〉

1 ④	2 ④	3 ①	4 ①	5 ②
6 ⑤	7 ⑤	8 ①	9 ③	10 ②
11 ④	12 ④			

DAY 16 〉〉〉〉

1 ②	2 ③	3 ①	4 ③	5 ④
6 ②	7 ④	8 ①	9 ⑤	10 ③
11 ①	12 ①			

DAY 17 〉〉〉〉

1 ⑤	2 ④	3 ②	4 ②	5 ④
6 ①	7 ⑤	8 ④	9 ⑤	10 ①
11 ④				

DAY 18 〉〉〉〉

1 ③	2 ⑤	3 ④	4 ④	5 ②
6 ④	7 ④	8 ⑤	9 ①	10 ②
11 ②	12 ②	13 ④	14 ④	

DAY 19 〉〉〉〉

1 ⑤	2 ②	3 ③	4 ①	5 ②
6 ①	7 ④	8 ④	9 ①	10 ①
11 ②	12 ②	13 ②		

DAY 20 〉〉〉〉

1 ③	2 ①	3 ⑤	4 ⑤	5 ③
6 ①	7 ⑤	8 ①	9 ②	10 ③
11 ⑤	12 ①			

DAY 21 〉〉〉〉

1 ①	2 ②	3 ④	4 ①	5 ①
6 ②	7 ④	8 ①	9 ①	10 ②
11 ③	12 ③			

DAY 22 〉〉〉〉

1 ③	2 ①	3 ②	4 ②	5 ②
6 ②	7 ①	8 ③	9 ②	10 ②
11 ②	12 ④			

DAY 23 〉〉〉〉

1 ②	2 ①	3 ①	4 ②	5 ①
6 ③	7 ①	8 ②	9 ③	10 ③
11 ②				

DAY 24 〉〉〉〉

1 ①	2 ④	3 ②	4 ③	5 ⑤
6 ⑤	7 ②	8 ③	9 ③	10 ①
11 ⑤	12 ③			

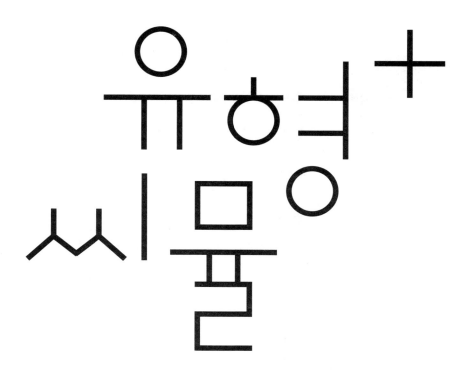

단기 특강, 24일의 기적!

유형+씨뮬

정답 및 해설

고3 국어 독서

CONTENTS

Day 01

본문 004쪽

1. ④	2. ⑤	3. ③	4. ②	5. ⑤
6. ②	7. ②	8. ⑤	9. ⑤	10. ④
11. ②	12. ②	13. ④	14. ④	15. ③
16. ①				

【1~6】 (가) '유서의 특성'

지문해설

유서의 특성과 의의, 우리나라에서의 편찬 양상을 설명한 글이다. 유서는 고금의 서적에서 자료를 수집하고 항목별로 분류, 정리하여 이용에 편리하도록 편찬한 서적이다. 중국에서는 국가 주도로 대규모로 유서를 편찬함으로써 지식을 집성하고 왕조의 위엄을 과시하였다. 이와 달리 조선의 유서는 개인이 소규모로 특정 주제의 전문 유서를 편찬하는 경우가 많았는데, 17세기부터는 실학의 영향으로 새로운 지식의 제공과 확산을 꾀한 유서가 편찬되었다.

■ 비문학 지문 어떻게 이해할까?

1문단
유서의 개념과 특징

2문단
조선에서 편찬된 유서의 특징

3문단
조선 후기 실학자들이 편찬한 유서의 특징

4문단
조선 후기 실학자들이 편찬한 유서의 의의

■ 주제 : 유서의 특성과 조선에서의 유서 편찬 양상

(나) '조선 후기 유서의 서학 수용'

지문해설

조선 후기 실학자들이 편찬한 유서에 서학이 어떻게 수용되었는지를 시기별로 소개한 글이다. 17세기 이수광은 『지봉유설』에서 당대 조선의 지식을 망라하여 항목화하고, 중국에서 접한 서양 관련 지식을 객관적으로 소개했다. 18세기 이익은 『성호사설』에서 서학 지식 자체를 표제어로 삼고, 서학의 세부 내용을 다른 분야로 확대하며 상호 참조하는 방식으로 지식을 심화·확장하여 소개했다. 19세기 이규경은 『오주연문장전산고』를 편찬하면서 중국의 서학 연구서들을 지적 자원으로 활용하여 중국화한 서학 지식과 서학 중국 원류설을 받아들였고, 기존의 중화 관념에서 탈피하지 않으면서 서학을 수용하였다.

■ 비문학 지문 어떻게 이해할까?

1문단
조선 후기 유서에 지적 자원으로 활용된 서학

2문단
17세기 이수광의 서학 수용

3문단
18세기 이익의 서학 수용

4문단
19세기 이규경의 서학 수용

■ 주제 : 조선 후기 유서에 나타난 서학의 수용 양상

1. ④   내용 전개 방식 파악하기

① (가)는 첫 번째 문단의 '유서는 모든 주제를 ~ 나눌 수 있으며'에서 유서의 유형을 일반 유서와 전문 유서로 분류했으나, (나)에서 유서의 분류 기준과 적절성 여부를 평가하지는 않았다.
② (가)는 첫 번째 문단의 '유서는 고금의 서적에서 ~ 편찬한 서적이다.'에서 유서의 개념을 제시하고, 유서에 이전까지의 지식을 집성하는 등의 유용성이 있음을 밝혔다. 그러나 (나)에서 국가별 유서의 변천 과정을 설명하지는 않았다.
③ (가)는 첫 번째 문단에서 유서가 중국에서 비롯되었다고 언급했을 뿐, 유서의 기원에 대한 다양한 학설을 검토하지는 않았다. 한편 (나)는 조선 후기 실학자인 이수광, 이익, 이규경이 유서를 편찬하면서 각각 서학을 어떻게 수용했는지를 설명하며 그 차이점을 보여 주고 있다.
❹ (가)는 첫 번째 문단에서 유서는 일반적으로 기존 서적에서 필요한 부분을 뽑아 배열할 뿐 상호 비교하거나 편찬자의 해석을 가하지 않는 특성이 있음을 밝혔다. 그리고 첫 번째 문단에서 국가 주도로 편찬한 중국의 유서는 이전까지의 지식을 집성하고 왕조의 위엄을 과시했다는 점을, 네 번째 문단에서 조선 후기 실학자들의 유서는 새로운 지식의 축적과 확산을 촉진했다는 점을 그 의의로 제시했다. (나)는 조선 후기 실학자들이 편찬한 백과전서식 유서에서의 서학 수용 양상을 17세기 이수광의 『지봉유설』, 18세기 이익의 『성호사설』, 19세기 이규경의 『오주연문장전산고』를 통해 시기별로 소개했다.
⑤ (가)는 조선에서 17세기 이후 유서 편찬에 나타난 변화를 제시했을 뿐, 유서에 대한 평가가 시대별로 달라진 원인을 분석하지는 않았다. (나)에서는 조선 후기 실학자들 가운데 이수광, 이익, 이규경이 편찬한 유서의 특징을 각각 제시했다.

2. ⑤   세부 내용 파악하기

① (가)의 두 번째 문단에서 조선에서는 전문 유서가 집중적으로 편찬되었고 그 가운데 편찬자가 미상인 유서가 많았는데, 이는 대체로 간행을 염두에 두지 않고 개인적 목적으로 유서를 활용하고자 했기 때문이라고 하였다.
② (가)의 두 번째 문단에서 조선의 유서는 개인이 소규모로 편찬하는 경우가 많았으며, 이때 기존 서적에서 필요한 부분을 발췌, 기록하여 시문 창작, 과거 시험 등 개인적 목적을 위해 유서를 활용하고자 했다고 하였다.
③ (가)의 두 번째 문단에서 조선에서는 중국 유서의 편찬 방식에 따라 필요에 맞게 유서를 편찬하였는데, 대체로 국가보다 개인이 소규모로 편찬하는 경우가 많았다고 하였다.

④ (가)의 첫 번째 문단에서 중국에서는 왕조 초기에 많은 학자들을 동원하여 국가 주도로 대규모 유서를 편찬함으로써 왕조의 위엄을 과시했다고 하였다.
❺ (가)의 첫 번째 문단에서 중국에서 비롯된 유서는 일반적으로 기존 서적에서 필요한 부분을 뽑아 배열할 뿐 상호 비교하거나 편찬자의 해석을 가하지 않았다고 하였다.

3. ③   내용 간의 관계 파악하기

① (가)에 따르면 ㉠의 편찬 의도는 지식의 제공과 확산이었는데, (나)에서 이익은 ㉠에서 서학의 세부 내용을 다른 분야로 확대하며 상호 참조하는 방식으로 지식을 심화하고 확장하여 소개했다고 했으므로 적절하다.
② (가)에 따르면 ㉠는 단순 정리를 넘어 지식을 재분류하여 범주화했는데, (나)에서 이익은 ㉠에서 서학의 해부학과 생리학을 그 자체로 수용하지 않고 주자학 심성론의 하위 이론으로 재분류하는 등 지식의 범주를 바꾸어 수용했다고 했으므로 적절하다.
❸ (나)에 따르면 이규경은 ㉡을 편찬하면서 서학을 적극 활용했는데, 중국의 서학 연구서들을 활용해 매개적 방식으로 서학을 수용하면서 중국화한 서학 지식과 서학이 가지는 진보성의 토대가 중국이라는 서학 중국 원류설을 받아들였다. 즉 ㉡에서 중국 학문의 진보성을 확인하고자 서학을 활용한 것은 아니므로, 이를 통해 평가를 더하는 저술로서 ㉠의 성격이 나타난다고 볼 수 없다.
④ (가)에 따르면 ㉠는 객관적 사실 탐구를 중시하여 자연 과학에 관심을 기울였는데, (나)에서 이규경은 ㉡에 서학의 천문학, 우주론 등의 내용을 수록했다고 했으므로 적절하다.
⑤ (가)에 따르면 ㉠는 주자학이 아닌 새로운 지식을 수용하는 유연성과 개방성을 보였다. 이익이 ㉠에서 서학을 지적 자원으로 활용한 것과 이규경이 ㉡에서 중국의 서학 연구서들을 지적 자원으로 활용한 것에는 새로운 지식을 수용하는 유연성과 개방성이 나타난다고 볼 수 있으므로 적절하다.

4. ②   관점에 따라 비판하기

① ㉯의 '일부 주자학자'들은 이수광의 『지봉유설』에 대해 심성 수양에 절실하지 않다고 비판했으나, (나)에서 이수광이 학문에서 의리를 앞세우고 이익을 뒤로하는 것을 중시했는지는 알 수 없으므로 적절하지 않다.
❷ (나)에 따르면 이수광은 주자학이 주류였던 당시 상황에서 『지봉유설』을 통해 당대 조선의 지식을 망라하는 한편 자신이 접한 서양 관련 지식을 객관적으로 소개했고, 이에 대해 ㉯의 '일부 주자학자'들은 '주자학이 아닌 것이 뒤섞여 순수하지 않다'고 비판했다. 이수광은 주자학이 아닌 다른 학문에 대해서도 열린 태도를 가지고 있었으므로, 이러한 ㉯의 비판에 대해 주자학에 매몰되어 세상의 여러 이치를 연구하지 않는 것은 앎의 바람직한 방법이 아니라고 반박했을 것이다.
③ (나)에서 이수광은 주자학이 아닌 다른 학문에 대해서도 열린 태도를 가지고 있었다고 했으므로 주자학이 아닌 학문의 번성을 문제 삼는 것은 이수광의 태도와 거리가 멀며, ㉯에 대한 반박으로도 볼 수 없다.
④ (나)에서 이수광은 『지봉유설』에 당대 조선의 지식을 망라하면서 자신의 견해를 덧붙였다고 했으므로, 유학

경전에서 쓰이지 않은 글자를 한 글자라도 더하는 일을 용납할 수 없다는 것은 이수광의 태도와 거리가 멀며, ㉣에 대한 반박으로도 볼 수 없다.

⑤ (나)에 따르면 이수광은 주자학에 기초하여 도덕과 경전에 관한 학문 등이 주류였던 상황에서 『지봉유설』에 당대 조선의 지식을 망라하고 서양 관련 지식을 소개했다. 즉 이수광은 주자학의 경전 이외의 지식을 받아들였고 이 때문에 ㉣의 비판을 받은 것이므로, 우리 학문의 여러 경전으로부터 널리 배우고 면밀히 익혀야 한다는 것은 이수광의 태도와 관련이 없고, ㉣에 대한 반박으로도 볼 수 없다.

① (가)의 세 번째 문단에 따르면 실학자들의 유서는 현실 개혁의 뜻을 담았다. 〈보기〉에서 『임원경제지』에는 향촌 구성원 전체의 삶의 조건을 개선할 수 있는 방안이 실렸다고 했으므로, (가)의 실학자들의 유서와 같이 현실의 문제를 개선하려는 목적의식이 나타난다고 볼 수 있다.

② (가)의 세 번째 문단에 따르면 실학자들의 유서에는 증거를 세워 이론적으로 밝히는 고증과 이에 대한 의견인 '안설'을 덧붙이는 경우가 많았다. 〈보기〉에서 『임원경제지』는 조선과 중국의 서적들에서 향촌 관련 부분을 발췌, 분류하고 고증한 유서로 안설을 부기했다고 했으므로, (가)의 실학자들의 유서와 마찬가지로 편찬자의 고증과 의견이 반영되었음을 알 수 있다.

③ (나)의 두 번째 문단에서 『지봉유설』은 당대 조선의 지식을 망라하여 소개한 유서이고, 〈보기〉에서 『임원경제지』는 조선과 중국의 서적들에서 향촌 관련 부분을 발췌한 유서임을 알 수 있다. (가)의 첫 번째 문단에서 모든 주제를 망라한 것은 일반 유서, 특정 주제를 다룬 것은 전문 유서라고 했으므로, 『임원경제지』는 『지봉유설』에 비해 전문 유서의 성격이 두드러진다고 할 수 있다.

④ (나)의 세 번째 문단에서 『성호사설』은 기존의 학설을 정당화하거나 배제하는 근거로 서학을 수용하였다고 했고, 〈보기〉에서 『임원경제지』에는 향촌 구성원 전체의 삶의 조건을 개선할 수 있는 방안이 실렸으며 향촌 실생활에 활용할 수 있는 내용이 집성되었다고 하였다. 따라서 『임원경제지』는 『성호사설』에 비해 향촌 구성원의 삶에 필요한 실용적인 지식의 활용에 대한 관심이 드러날 것이라고 볼 수 있다.

❺ (나)의 네 번째 문단에서 『오주연문장전산고』는 문명의 척도로 여겨진 기존의 중화 관념에서 탈피하지 않았다고 했고, 〈보기〉에서 『임원경제지』에는 서학 중국 원류설, 중국과 비교한 조선의 현실 등이 반영되었다고 했다. 서학 중국 원류설은 서학이 가지는 진보성의 토대가 중국이라는 것으로, 중화 관념을 보여 주는 것이다. 따라서 『임원경제지』가 중화 관념에 구애되지 않았다는 것은 적절하지 않다.

① '편찬 방식에 따라'의 '따르다'는 '어떤 경우, 사실이나 기준 따위에 의거하다.'라는 뜻이므로, '어떤 사실이나 원리 따위에 근거하다.'라는 의미인 '의거하다'로 바꾸어 쓸 수 있다.

❷ '주자학의 지식을 이어받는'의 '이어받다'는 '이미 이루어진 일의 결과나, 해 오던 일 또는 그 정신 따위를

전하여 받다.'라는 뜻으로, '계승하다'와 의미가 통한다. '계몽하다'는 '지식수준이 낮거나 인습에 젖은 사람을 가르쳐서 깨우치다.'라는 뜻이므로 '이어받다'와 바꾸어 쓰기에 적절하지 않다.

③ '쉽게 접할 수 있어야'의 '쉽다'는 '어렵지 아니하고 매우 쉽다.'라는 뜻의 '용이하다'로 바꾸어 쓸 수 있다.

④ '주자학이 아닌 것이 뒤섞여'의 '뒤섞이다'는 '뒤섞이어 있다.'라는 뜻의 '혼재되다'로 바꾸어 쓸 수 있다.

⑤ '지식의 범주를 바꾸어 수용하였다.'의 '바꾸다'는 '다르게 바꾸어 새롭게 고치다.'라는 뜻의 '변경하다'로 바꾸어 쓸 수 있다.

【7~10】 A. F Chalmers, '과학이란 무엇인가?'

지문해설

과학이 무엇인지에 대한 논리 실증주의자와 비판적 합리주의자들의 입장을 설명한 글이다. 논리 실증주의자들은 단칭 언명들을 일반화한 보편 언명이 과학 이론으로 성립될 수 있다고 보았는데, 이러한 관점은 어떤 과학 이론이 지금까지 참이라고 확인된 단칭 언명들을 통해 미래에도 참임이 보장될 수는 없다는 비판을 받았다. 비판적 합리주의는 참인 단칭 언명을 통해 어떤 보편 언명이 거짓임을 밝히는 것은 가능하다고 보았다. 즉 과학과 과학 아닌 것의 구분 기준으로 반증 가능성을 제시하고, 관찰에 의해 반증될 수 있는 언명만을 과학적으로 의미 있는 언명으로 인정해야 한다고 보았다. 비판적 합리주의에서는 기존 과학 이론으로 설명할 수 없는 사실의 관찰로부터 새로운 과학 이론이 비롯되며 모든 과학 이론은 잠정적이라고 보았는데, 이러한 관점을 따를 때 실제 과학 현실을 정확히 설명하지 못한다는 비판을 받는다.

■ **비문학 지문 어떻게 이해할까?**

1문단	2문단
보편 언명이 과학 이론으로 성립될 수 있다고 본 논리 실증주의	과학 이론 성립에 대한 논리 실증주의의 관점 비판

3문단	4문단
과학적으로 의미 있는 언명에 대한 비판적 합리주의의 입장	과학 이론에 대한 비판적 합리주의의 관점과 그에 대한 비판

■ **주제** : 과학 이론의 성립에 대한 논리적 실증주의와 비판적 합리주의의 입장

① 세 번째 문단에서 비판적 합리주의에서는 과학과 과학이 아닌 것을 구분하는 기준으로 반증 가능성을 제시했음을 알 수 있다.

❷ 네 번째 문단에서 비판적 합리주의에 대한 비판을 확인할 수 있으나, 이 글에서 논리적 실증주의자들이 비판적 합리주의가 가지고 있는 문제점을 무엇으로 보았는지는 확인할 수 없다.

③ 네 번째 문단에서 비판적 합리주의는 과학이 참된 진리에 도달할 수는 없으나 점진적으로 다가갈 수 있다고 주장했음을 알 수 있다.

④ 네 번째 문단에서 비판적 합리주의는 기존 과학 이

론으로 설명할 수 없는 사실의 관찰로부터 새로운 과학 이론이 비롯된다고 보았음을 알 수 있다.

⑤ 첫 번째 문단에서 논리 실증주의에서는 어떠한 언명이 기존 이론의 영향을 받지 않고 오로지 객관적 관찰을 통해 참과 거짓으로 확실히 결정될 수 있으면 과학적으로 유의미하다고 보았음을 알 수 있다.

① 네 번째 문단에 따르면 비판적 합리주의는 과학이 참된 진리에 점진적으로 다가갈 수는 있으나 도달할 수는 없다고 주장하였다. 따라서 아인슈타인의 가설이 반증 시도로부터 꾸준히 살아남을 때 참된 진리에 도달한다는 것은 비판적 합리주의의 관점으로 볼 수 없다.

② 네 번째 문단에 따르면 비판적 합리주의는 기존 과학 이론으로 설명할 수 없는 사실의 관찰로부터 새로운 과학 이론이 비롯된다고 보았으며, 이때 기존 과학 이론은 즉시 버려진다고 하였다. 따라서 사실의 관찰 없이 가설의 제시만으로 기존의 과학 이론이 즉시 버려진다고 볼 수는 없다.

③ 네 번째 문단에 따르면 비판적 합리주의에서는 가설이 수립되었을 때 그것을 시험할 수 있는 사례를 떠올리고, 그러한 사례가 관찰되지 않는다면 그 가설은 잠정적 과학 이론의 지위를 부여받는다고 하였다. 그러므로 아인슈타인의 가설은 반증할 수 있는 사례가 관찰되지 않았을 때 잠정적 과학 이론의 지위를 부여받을 것이다.

④ 세 번째 문단에 따르면 비판적 합리주의에서는 관찰에 의해 반증될 수 있는 언명만을 과학적으로 의미 있는 언명으로 인정해야 한다고 보았다. 물질의 존재와 무관하게 공간은 항상 같은 상태라는 기존의 과학 이론은 에딩턴의 관찰에 의해 반증되었으므로 과학적으로 의미 있는 언명에 해당한다.

❺ 세 번째 문단에 따르면 비판적 합리주의에서는 참인 단칭 언명을 통해 가설이나 과학 이론이 참임을 확실히 알 수는 없지만 그것이 거짓임을 밝히는 것은 가능하다. 그리고 네 번째 문단에 따르면 비판적 합리주의는 과학 이론은 언제라도 반증될 수 있기 때문에, 과학이 참된 진리에 도달할 수는 없다고 주장했다. 이로 보아 에딩턴의 사진 분석은 반증 가능성이 있으므로 아인슈타인의 가설이 참된 진리에 도달했음을 알게 할 수는 없다. 하지만 이 사진 분석을 통해 물질의 존재와 무관하게 공간이 항상 같은 상태라는 기존의 과학 이론은 반증되었으므로 이것이 성립하지 않는다는 것은 확실히 알 수 있다.

① ⓐ는 단칭 언명에 대한 설명으로, 논리 실증주의에서는 기존 이론의 영향을 받지 않고 객관적 관찰을 통해 참과 거짓으로 확실히 결정될 수 있는 언명에 해당한다.

② ⓑ는 과학 이론의 성립에 대한 논리 실증주의자들의 생각으로, 단칭 언명들을 일반화한 보편 언명이 과학 이론으로 성립될 수 있다는 것을 가리킨다.

③ ⓒ는 논리 실증주의에 대한 비판에 직면해 완화된 일부 논리 실증주의자들의 입장으로, 단칭 언명이 누적될수록 보편 언명이 참으로 결정될 가능성이 점차 증가할 것이라는 내용이다.

④ ⓓ에서 계속 참으로 남을 것인지 알 수 없는 것은 지금까지 단칭 언명들로 일반화된 보편 언명이다. 논리 실증주의에서는 단칭 언명을 일반화한 보편 언명이 과학 이론으로 성립될 수 있다고 보았으므로, 이는 지금의 과학 이론이 미래의 관찰에도 적용되어 참으로 남을 것인지는 알 수 없다는 것이다.

⑤ ⓔ의 가설을 시험할 수 있는 사례는 기존 과학 이론으로 설명할 수 없는 사실이 발견된 문제 상황을 해결하기 위한 가설을 새로 수립한 뒤 이를 반증할 수 있는 사례를 의미한다.

---

10. ④   핵심 정보 추론하기

① 비판적 합리주의는 기존 과학 이론으로 설명할 수 없는 사실의 관찰로부터 새로운 과학 이론이 비롯된다고 보았는데, 과학자들이 정확한 관찰이 선행되지 않더라도 새로운 가설을 과학 이론으로 인정하려 했다는 내용은 찾을 수 없다.

② 과학자들은 어떤 가설이 세워지면 가설을 시험할 수 있는 사례, 즉 관찰에 의해 반증할 수 있는 사례를 떠올린다고 했으므로 해당 가설의 옳고 그름을 하나하나 점검하려 한다고 볼 수 없다.

③ 과학자들은 기존 과학 이론으로 설명할 수 없는 사실이 발견된 문제 상황을 해결하기 위한 가설을 수립하고, 관찰에 의해 그것을 반증하는 과정을 거쳐 가설을 잠정적 과학 이론으로 인정한다고 하였다.

④ 비판적 합리주의는 기존 과학 이론으로 설명할 수 없는 사실의 관찰로부터 새로운 과학 이론이 비롯되며, 이때 기존 과학 이론은 즉시 버려지고 기존 과학 이론을 수정하여 쓸 수는 없다고 보았다. 그러나 실제 과학 현실에서 과학자들은 기존 과학 이론으로 설명할 수 없는 사례가 발견되어 기존 과학 이론을 폐기해야 함에도 그것을 폐기하지 않고 보완하려는 시도를 빈번히 한다. 즉 ⊙은 비판적 합리주의는 이처럼 기존 과학 이론을 폐기하지 않고 수정하려 하는 실제 과학 현실을 정확하게 설명하고 있지 못하다는 것이다.

⑤ 어떤 가설이 새로운 과학 이론의 지위를 부여받았을지라도 그것이 잠정적인 것이라는 입장은 비판적 합리주의의 관점으로, 과학자들이 이 관점을 보이는 것은 ⊙과 관련이 없다.

【11~16】 (가) 홍병선, '상상력의 철학적 근거'

지문해설

상상력을 철학에서 핵심적인 주제로 생각하며 상상력에 대해 규정한 흄의 철학적 관점을 소개하고 있다. 흄은 상상력을 신체적이며 선천적인 기능으로 바라본 기존의 관점과 달리 정신적이며 후천적인 기능으로 규정한 최초의 철학자로 평가된다. 흄은 인간의 정신적 활동인 '지각'을 '인상'과 '관념'으로 구분하였고 상상력은 인상을 통해 이미지를 재생시키는 능력이라고 보았다. 또한 대상에 대한 인상들 간의 단절을 넘어 동일성을 확보할 수 있는 것은 상상력이 지닌 항상성 때문이라고 보았으며, 연합의 원리에서 벗어나 마음대로 결합된 관념은 무의미하다고 주장했다.

■ **비문학 지문 어떻게 이해할까?**

1문단
상상력을 정신적이며 후천적인 기능으로 규정한 흄

2문단
인상을 관념의 형태로 재생시키는 상상력

3문단
상상력의 관념 연합의 원리

4문단
상상력이 가지고 있는 항상성

■ **주제** : 상상력에 대한 흄의 철학적 관점

(나) 김상환, '왜 칸트인가'

지문해설

칸트는 흄과 달리 상상력을 선험적인 차원에서 탐구하였다. 그는 인간의 인식 능력을 감성, 상상력, 지성, 이성이라는 4가지로 구분하고, 감성과 지성의 매개자인 상상력의 역할을 강조하였다. 즉, 상상력이 없다면 인식이 성립할 수 없다고 보았다. 그리고 상상력을 결합과 도식화의 측면에서 '재생적 상상력'과 '생산적 상상력'으로 구분했다. 재생적 상상력은 오감을 통해 느껴지는 감각들을 재생하여 결합하는 능력이며, 생산적 상상력은 경험 이전에 존재하는 '도식'을 창조할 수 있는 능력이다. 이러한 칸트의 상상력에 대한 탐구는 흄의 한계를 넘어섰다는 점에서 의의가 있다.

■ **비문학 지문 어떻게 이해할까?**

1문단
칸트의 인간의 인식 능력에 대한 연구

2문단	3문단
재생적 상상력	생산적 상상력

■ **주제** : 상상력을 선험적인 차원에서 탐구한 칸트의 철학적 관점

---

11. ②   내용 전개 방식 파악하기

① (가)와 (나)는 각각 상상력에 대한 흄과 칸트의 견해를 소개하고 있다. 하지만 여러 학자의 견해를 병렬적으로 소개하고 있지는 않다.

❷ (가)는 상상력을 신체적이며 선천적인 기능으로 바라본 기존의 관점과 달리 정신적이며 후천적인 기능으로 규정한 최초의 철학자로 평가되는 '흄'의 견해를 설명하고 있고, (나)는 상상력을 경험적 차원에서 연구하였던 기존 개념과 달리 선험적 차원에서 연구한 '칸트'의 견해를 설명하고 있다.

③ (가)는 상상력을 기억과 비교하고 있고, (나)는 재생적 상상력과 생산적 상상력을 비교하고 있다. 그러나 (가)와 (나) 모두 두 개념의 장단점을 분석하고 있지는 않다.

④ (나)는 상상력의 개념을 정의하고 구체적인 사례를 제시하고 있지만, 상상력의 한계를 제시하고 있지는 않다.

⑤ (가)는 상상력을 바라보는 철학적 관점의 형성 배경과 긍정적 영향에 관해서는 언급하고 있지 않다.

---

12. ②   세부 내용 파악하기

① (가)의 마지막 문단에서 흄은 '상상력이 가지고 있는 항상성이라는 특성으로 인해 대상에 대한 인상들 간의

단절을 넘어 동일성을 확보할 수 있다'고 말했다고 하였다.

❷ (가)의 두 번째 문단의 '상상력이 인상을 만들어 낼수는 없지만'이라는 언급을 볼 때, 상상력이 인상을 만들어 낸다는 진술은 흄의 견해로 적절하지 않다.

③ (가)의 세 번째 문단에서 '흄에게 임의로 결합된 관념은 무의미한 환상에 불과하다'고 하였다.

④ (가)의 두 번째 문단에서 '기억에 의해 재생된 관념은 상상력에 의해 재생된 관념보다 훨씬 생생하고, 강력하다'고 하였다.

⑤ (가)의 첫 번째 문단에서 '흄은 인상을 통해 이미지를 재생시키는 능력을 '상상력'이라 보았다'고 하였다.

---

13. ⑤   사례에 적용하여 이해하기

① 칸트는 '감성'은 대상에 의해 우리에게 감각적으로 주어진 것을 오감을 통해 받아들이는 능력이라고 하였으므로 적절하다.

② 칸트는 '이성'으로, 다양한 분야에서 감성, 상상력, 지성에 의해 축적된 수많은 지식들을 영혼이나 우주 또는 신이라는 이념으로 수렴하여 체계화한다고 하였으므로 적절하다.

③ 칸트는 '지성'은 개념을 형성하고, 그 개념에 근거하여 주어진 상황에 대해 판단을 내리는 능력이라고 하였으므로 적절하다.

④ 칸트는 '지성'은 개념을 형성한다고 하였으며, '상상력'은 감성의 내용을 지성에, 지성의 내용을 감성에 전달한다고 하였으므로 적절하다.

❺ 장미꽃을 바라보며 다양한 감각들을 느끼는 것은 대상에 대한 감각을 오감을 통해 받아들이는 능력인 '감성'을 통해 이루어진다. 하지만 그 장미꽃이 빨간색이라는 지식을 축적하는 것은 '이성'을 통해 이루어진다는 진술은 적절하지 않다. 칸트에 의하면 '이성'은 축적된 수많은 지식들을 영혼이나 우주 또는 신이라는 이념으로 수렴하여 체계화하는 능력이다.

---

14. ④   정보 간의 관계 파악하기

① (나)의 두 번째 문단을 보면, ⊙은 다양한 감각들을 재생하여 결합하는 능력이라고 하였으므로 감각과 별개로 작용한다는 설명은 적절하지 않다.

② (나)의 마지막 문단을 보면, ⓛ은 도식을 능동적으로 만드는 능력이라고 하였으므로 경험의 수용과 인식 과정에서 수동적으로 이루어진다는 설명은 적절하지 않다.

③ (나)의 첫 번째 문단을 보면, 칸트는 상상력을 감성과 지성을 연결하는 능력으로 규정하고 있으므로 적절하지 않다.

❹ (나)의 두 번째 문단에서 ⊙은 먼저 무질서하고 다양한 감각들을 훑어본 다음 훑어본 것을 재생하여 결합하는 과정으로 이루어진다고 하였으므로, 다양한 감각들을 결합하기 전에 훑어보는 과정이 필요하다는 설명은 적절하다.

⑤ 도식은 선험적 형식을 말하며, 추상적인 개념을 구체적 감각과 연결하여 이해할 수 있게 해 준다고 하였다. (나)의 마지막 문단에 의하면 이러한 도식을 만드는 능력은 ⓛ이므로 적절하지 않다.

---

15. ③   자료를 바탕으로 이해하기

---

① 흄은 인상을 통해 이미지를 재생시키는 능력을 상상
력이라고 여겼고, 상상력은 관념을 토대로 대상을 이해
할 수 있다고 보았다. 이에 따라 흄은 상상력에 의해 재
생된 이미지를 통해 대상을 이해한다는 ㉭의 견해에 동
의할 것이다.

② 칸트는 생산적 상상력으로 도식을 창조할 수 있고
자유롭게 응용할 수도 있다고 보았다. 이에 따라 칸트
는 상상력이 무언가를 창조할 수 있는 능력이라고 파악
한 ㉴의 견해에 동의할 것이다.

❸ 칸트는 인간의 인식 능력을 감성, 상상력, 지성, 이
성으로 구분하였고, 감성과 지성의 매개자인 상상력의
역할을 강조하였다. 따라서 상상력을 감각에 포함된 능
력이라 판단한 ㉰의 견해에 동의하지 않을 것이다.

④ 흄은 인상을 감각과 같이 대상에 대한 경험의 직접
적인 재료로 보았기 때문에 감각을 통해 경험을 얻게
된다는 ㉱의 견해에 동의할 것이다.

⑤ 흄은 상상력을 관념을 토대로 대상을 이해하고 생각
하는 우리에게 가장 기초적인 능력으로 보았고, 칸트
역시 상상력이 없다면 인식이 성립할 수 없다고 보았
다. 따라서 흄과 칸트 모두 인간의 인식 과정에서 상상
력의 역할을 필수적이라고 파악한 ㉲의 견해에 동의할
것이다.

왜 많이 틀렸을까?

〈보기〉는 제시된 두 철학자의 견해를 재구성한 내용이라고
밝히고 있어. 따라서 지문에 드러난 두 철학자의 핵심적인
의견과 잘 연관 지어서 문제를 해결해야 하겠지. 이 문제는
오답 중 ②번과 ④번을 고른 비율이 높았는데, 우선 ②번을
보자. (나)에서 칸트는 상상력을 재생적 상상력과 생산적 상
상력으로 구분했어. 그리고 (나)의 마지막 문단에서 생산적
상상력이 도식을 창조할 수 있다고 설명하고 있지. 그렇다
면 ④번은 어떨까? (가)에서 '감각'에 대한 이야기는 첫 번
째 문단에 나와. '인상은 감각과 같이 대상에 대한 경험의
직접적인 재료'라고 했는데, 이는 곧 '감각'이 대상을 경험
하기 위한 재료라는 뜻이지. 이제 ④번이 적절하다는 것을
알 수 있겠니?

16. ①　　어휘의 문맥적 의미 파악하기

❶ ⓐ의 '(판단을) 내리다'는 '판단, 결정을 하거나 결말
을 짓다.'라는 의미로, '(결론을) 내리다'와 같은 의미로
사용되었다.

② '(물가가) 내리다'는 '값이나 수치, 온도, 성적 따위가
이전보다 떨어지거나 낮아지다.'라는 의미이다.

③ '(게시판에서 글을) 내리다'는 '컴퓨터 통신망이나 인
터넷 신문에 올린 파일이나 글, 기사 따위를 삭제하다.'
라는 의미이다.

④ '(차에서) 내리다'는 '탈것에서 밖이나 땅으로 옮아가
다.'라는 의미이다.

⑤ '(체증이) 내리다'는 '먹은 음식물 따위가 소화되다.'
라는 의미이다.

Day 02

1. ①	2. ③	3. ④	4. ①	5. ②
6. ③	7. ③	8. ①	9. ③	10. ⑤
11. ③	12. ④	13. ④	14. ②	15. ②
16. ③				

【1~6】 (가) 「신어」에 담긴 육가의 사상

지문해설

중국 한(漢)의 사상가 육가가 『신어』에 담긴 사상
을 설명한 글이다. 육가는 진의 멸망 원인을 분석하
면서 사상 통제가 낳은 폐해를 지적하고 지식과 학
문의 중요성을 강조했다. 그는 지식의 핵심은 현실
정치에 도움을 주는 역사 지식이라고 하면서 '통물'
과 '통변'이라는 개념을 제시했다. 육가는 인의의 실
현을 위해 유교 이념과 현실 정치의 결합을 시도했
으며, 유교를 중심으로 도가의 무위와 법가의 권세
를 수용할 것을 제안했다. 이러한 그의 사상은 인의
의 실현을 강조한 통합 사상으로, 한 무제 이후 유
교 독존의 시대를 여는 데 기여하였다.

■ 비문학 지문 어떻게 이해할까?

1문단
한(漢) 초기 육가에게 주어진 사상적 과제

2문단
육가가 『신어』에서 제시한 진의 멸망 원인과
현실 정치에 대한 관점

3문단
인의가 실현되는 정치를 위해 타 사상을 수용한 육가

4문단
육가 사상의 한계와 의의

■ 주제 : 『신어』에 담긴 육가 사상의 특징과 그 의의

어휘풀이

• 분서갱유(焚書坑儒) 중국 진(秦)나라의 시황제가 학
자들의 정치적 비판을 막기 위하여 민간의 책 가운데
의약(醫藥), 복서(卜筮), 농업에 관한 것만을 제외하고
모든 서적을 불태우고 수많은 유생을 구덩이에 묻어
죽인 일.

(나) 「치평요람」에 담긴 세종과 편찬자들의 사상

지문해설

조선 초기에 진행된 고려 관련 역사서 편찬의 성격
을 『치평요람』에 담긴 세종과 편찬자들의 사상을 중
심으로 설명한 글이다. 조선 초기에 고려의 역사서
를 편찬하는 과정에서 세종은 역사서가 학문을 현실
에서 구현하는 것이라고 파악하고, 중국과 우리나라
의 흥망성쇠를 담은 『치평요람』의 편찬을 명했다. 이
에 따라 집현전 학자들이 편찬한 『치평요람』에는 올
바른 정치의 여부에 따라 국가의 운명이 다하고 천
명이 옮겨 간다는 점을 드러내는 편찬 방식이 활용
되었는데, 여기에는 과거를 거울삼아 국가를 잘 운
영하겠다는 목적과 함께 조선 왕조의 토대를 마련하
려는 의도가 전제되어 있다. 나아가 세종은 왕조의
우수성과 정통성을 경전과 역사의 다양한 근거를 통
해 보여 주고자 『용비어천가』의 편찬을 지시했다.

■ 비문학 지문 어떻게 이해할까?

1문단
조선 초기에 진행된 고려 역사서 편찬의 성격

2문단
태종 대에 시작되어 문종 대에 완성된
『고려사』 편찬 과정과 세종의 역사서에 대한 관심

3문단
『치평요람』의 편찬 목적과 형식 및 주요 내용

4문단
『치평요람』에 담긴 편찬자의 의도와
『용비어천가』의 편찬 배경

■ 주제 : 『치평요람』을 통해 조선의 토대를 마련하
고 정당성을 확보하고자 한 세종과 편찬자들

1. ①　　중심 내용 파악하기

❶ (가)는 한(漢)의 사상가인 육가가 쓴 『신어』에 대해
다룬 글로, 『신어』가 진의 멸망 원인을 분석하고 그에
기초한 안정적 통치 방안을 제시해야 하는 상황 속에서
쓰인 것이며 이 책을 통해 육가는 인의의 실현을 강조
한 통합 사상을 내세웠음을 설명하고 있다. (나)는 조선
초에 세종의 명에 따라 편찬된 『치평요람』을 다룬 글로,
『치평요람』이 고려의 역사서를 편찬하는 과정에서 있었
던 논란과 세종의 역사 연구에 대한 관심을 바탕으로
편찬되었으며, 새 국가의 토대를 마련하려는 의도가 전
제되어 유교적 사회로의 변화를 주장하고 조선 건국의
정당성을 부각하고자 했음을 설명하고 있다. 따라서 이
두 글에 나타난 시대 상황과 사상이 책에 반영된 양상
을 비교하며 읽는 것은 적절하다.

② (가)에서 『신어』는 한 고조의 치국 계책 요구에 부응
해 저술된 책이라고 했으므로, 피지배 계층을 대상으로
한 책이라고 볼 수 없다.

③ (가)에서 언급한 책 중 『순자』는 전국 시대에, 『신어』
는 한나라 때 저술된 것이므로 동일한 시대에 쓰인 책
들을 설명하고 있다고 볼 수 없다.

④ (가)의 『신어』는 새 국가의 안정적 통치 방안을 제시
하는 한편 지식의 중요성을 강조하고 있으므로 학문적,
실용적 성격을 모두 지니고 있다고 볼 수 있다. (나)의
『치평요람』 또한 역사서를 학문을 현실에서 구현하는
것으로 파악한 세종의 명에 따라 편찬된 것으로 국가를
잘 운영하겠다는 목적이 전제되어 있는 것을 볼 때 학
문적, 실용적 성격을 모두 지니고 있다고 볼 수 있다.
따라서 이 둘이 서로 다른 성격의 책이라고 보기는 어
려우며 이를 통해 다양한 분야의 책에 담긴 보편성을
확인하며 읽는 것은 적절하지 않다.

⑤ (가)의 『신어』는 한 고조의 치국 계책 요구에 부응하
기 위해 육가가 저술한 책이고, (나)의 『치평요람』은 세
종의 명에 따라 집현전 학자들이 편찬한 책이다. 따라서
두 책 모두 개인 주도로 편찬된 책이라고 보기 어렵다.

2. ③　　세부 내용 파악하기

① (가)의 첫 번째 문단에서 진(秦)의 권력자였던 이사
에게 '역사 지식은 전통만 따지는 허언이었고, 학문은
법과 제도에 대해 논란을 일으키는 원인에 불과'했다고
한 것을 통해 알 수 있다.

② (가)의 첫 번째 문단에서 진나라 때는 '전국 시대의

『순자』처럼 다른 사상을 비판적으로 흡수하여 통합 학문의 틀을 보여 준 분위기는 일시적으로 약화되었다.'라고 한 것을 통해, 전국 시대에는 『순자』처럼 여러 사상을 통합하려는 학문적 경향이 있었음을 알 수 있다.

❸ (나)의 세 번째 문단에서 『치평요람』은 『자치통감강목』에 따라 역대 국가를 정통과 비정통으로 구분했지만, 편찬 형식 측면에서는 강목체를 따르지 않았다.'라고 하였다. 따라서 『치평요람』이 『자치통감강목』의 편찬 형식을 따랐다는 것은 적절하지 않다.

④ (나)의 네 번째 문단에서 『치평요람』의 '국조' 부분의 편찬자들은 '유교적 시각에서 고려 정치를 바라보며 불교 사상의 폐단을 비롯한 문제점들을 다각도로 드러냈고, 이를 통해 유교적 사회로의 변화를 주장하였다.'라고 한 것을 통해 알 수 있다.

⑤ (나)의 네 번째 문단에서 세종은 조선 건국을 정당화하기 위해 조선 왕조의 우수성을 부각한 『용비어천가』의 편찬을 지시하였다고 하였다.

3. ④   핵심 개념 이해하기

① ㉠ '통물'은 '역사를 관통하는 자연의 이치에 따라 천문·지리·인사 등 천하의 모든 일을 포괄한다'는 것이므로, ㉠이 학문 분야의 개별적 특징을 이해한 것이라고 볼 수는 없다.

② ㉡ '통변'은 상황에 맞는 조치를 취하고 기존 규정을 고수하지 않는 것이지만 육가는 '예와 질서를 중시하며 교화의 정치를 강조하는 유교를 중심으로' 타 사상을 수용했으므로 ㉡이 도가나 법가 사상을 중심 이념으로 삼는다는 것은 적절하지 않다.

③ 육가가 수용한 도가의 무위는 '형벌을 가벼이 하고 군주의 수양을 강조하는 것으로 평온한 통치의 결과'이므로, ㉢ '인의'가 엄한 형벌의 집행을 전제로 한 평온한 정치의 결과를 의미한다는 것은 적절하지 않다.

❹ 육가는 ㉢ '인의'의 실현을 위해 유교 이념과 현실 정치의 결합을 시도하였으며, 유교의 범위를 벗어나지 않는 한에서 타 사상을 수용하였다. 즉 교화의 정치를 강조하는 유교를 중심으로 하여 도가의 무위와 법가의 권세를 끌어들였는데, 무위는 '형벌을 가벼이 하고 군주의 수양을 강조하는 것으로 평온한 통치의 결과'이고, 권세는 '현명한 신하의 임용을 통해 정치권력의 안정을 도모하는 방향성을 가진 것'이다. 이를 바탕으로 할 때 육가에게 ㉢은 군주의 부단한 수양과 안정된 권력을 바탕으로 교화의 정치를 함으로써 실현될 수 있는 것이라고 할 수 있다.

⑤ ㉠ '통물'과 ㉡ '통변'이 정치 세계에 드러나는 것이 ㉢ '인의'라고 파악한 육가는 힘에 의한 권력 창출을 긍정하면서도 권력의 유지와 확장을 위한 왕도 정치와 인의가 실현되는 정치를 제안했다. 첫 번째 문단에서 언급했듯 육가는 힘의 지배를 숭상하던 당시 지배 세력의 태도를 극복하려 한 사상가이므로, ㉠과 ㉡이 힘으로 권력을 창출하는 것을 의미한다는 것은 적절하지 않다.

4. ①   생략된 내용 추론하기

❶ ㄱ. (가)에서 한 초기 사상가들의 과제는 진의 멸망 원인을 분석하고 이에 기초한 안정적 통치 방안을 제시하는 것이었고, 육가는 이러한 과제에 부응한 대표적 사상가라고 했다. 즉 육가는 한 고조의 치국 계책 요구에 부응해 『신어』를 저술했는데, 이 책에서 진의 사상 통제가 낳은 폐해를 거론하며 한 고조에게 지식과 학문

이 중요함을 설득하고자 했다. (나)의 집현전 학자들은 중국 역사와 고려까지의 우리 역사를 정리한 『치평요람』을 편찬하면서 기존 역사서와 달리 전쟁, 외교 문제, 국가 말기의 혼란 등을 부각하였는데, 이러한 편찬 방식은 국가의 흥망성쇠를 거울삼아 국가를 잘 운영하겠다는 목적이 전제되어 있었다. 따라서 (가)의 육가와 (나)의 집현전 학자들 모두 '옛 국가의 역사를 거울삼아 새 국가를 안정적으로 통치하도록 한다'는 내용을 드러내려 했다고 볼 수 있다.

ㄴ. (가)에서 육가는 『신어』를 통해 진의 멸망 원인이 가혹한 형벌의 남용, 법률에만 의거한 통치, 군주의 교만과 사치, 현명하지 못한 인재 등용 등에 있으며, 군주의 정치 행위에 따라 천명이 결정됨을 지적하였다고 하였다. 또한 (나)의 집현전 학자들은 『치평요람』에서 '올바른 정치의 여부에 따라 국가의 운명이 다하고 천명이 옮겨 간다는 내용'을 드러내고자 했다. 이로 보아 (가)의 육가와 (나)의 집현전 학자들은 모두 국가의 멸망 원인이 정치 행위, 정치 운영과 관련된다고 봄을 알 수 있다.

ㄷ. (가)의 육가는 진나라가 분서갱유를 단행하고 사상을 통제한 것의 폐해를 거론하며 역사 지식의 중요성을 강조했고, 인의가 실현되는 정치를 위해 유교를 중심으로 한 통합 사상을 제시하였다. (나)의 집현전 학자들은 유교적 시각에서 고려 정치를 바라보며 불교 사상의 폐단을 비롯한 문제점들을 다각도로 드러냈고, 이를 통해 유교적 사회로의 변화를 주장했다. 즉 집현전 학자들은 고려의 불교 사상의 폐단과 문제점을 지적한 것이지, 사상적 공백을 채워야 한다고 본 것은 아니다.

왜 많이 틀렸을까?

이 문제는 '육가'와 '집현전 학자들'이 책을 통해 드러낸 관점에서 공통적으로 나타나는 생각을 묻고 있어. 세 개 중 옳은 것을 모두 고른 것을 선택하도록 해서 선택이 쉽지 않았는지, 정답인 ①번보다 ④번을 고른 학생들이 더 많았어. ④번을 고른 이유는 ㄷ이 옳다고 판단했기 때문일 텐데. ㄷ에 대한 판단이 좀 까다롭긴 했어. '불교 사상의 폐단을 비롯한 문제점'을 지적한 것이 '옛 국가에서 드러난 사상적 공백'을 지적한 것이 아니라는 점을 파악해야 했으니 말이야. 고난도 문제는 표현을 비틀어 의미가 다른 진술을 만들어 내기도 한다는 점을 기억하고, 서로 다른 표현이 대치될 수 있는 내용인지 점검하며 문제에 접근하도록 하자.

5. ②   다른 견해와 비교하여 이해하기

① ㄱ에서는 옛일의 진위를 분명히 한 후 성패를 논해야 한다고 말하고 있다. 이러한 관점에 따르면 『신어』에서 육가가 진의 멸망 원인에 대해 지적한 것은 관련 내용의 진위를 판별한 후에 이루어져야 한다고 볼 것이다.

❷ ㄱ에서는 옛일의 진위를 분명히 하여 역사 서술의 근원이 되는 자료를 바로잡아야 한다고 말하고 있다. 조선 초기에 『고려사』를 편찬하는 과정에서 고려의 용어를 고쳐 쓰자고 주장한 것은 유교적 사대주의에 따른 명분에 맞추려는 의도였다. 따라서 이 주장은 역사 서술의 근원인 자료를 바로잡고 깨끗이 하자는 것과 거리가 멀다.

③ ㄴ에서는 흥망이 사람의 재주나 덕행으로 말미암은 것이 아니라 객관적 형세인 시세의 흐름에 따른 것이라고 말하고 있다. 이러한 관점에 따르면 『치평요람』에 서술된 국가의 흥망의 원인은 인물이 아닌 시세의 흐름에 있다고 볼 것이다.

④ ㄷ에서는 역사가 선을 권면하고 악을 징계하는 것이라고 말하고 있다. 이러한 관점에 따르면 『신어』에서 진의 멸망 원인이 가혹한 형벌의 남용, 법률에만 의거한

통치, 군주의 교만과 사치, 현명하지 못한 인재 등용 등에 있다고 지적한 것이 악을 낮추고 징계하는 것이라고 볼 수 있다.

⑤ ㄷ에서는 도의 본체는 경서에 있지만 도의 큰 쓰임은 역사서에 있다고 말하고 있다. 세종은 경서가 학문의 근본이라면 역사서는 학문을 현실에서 구현하는 것으로 파악했다고 했으므로, ㄷ의 관점에 따르면 세종의 생각에서 학문의 근본(경서)은 도의 본체에, 현실에서의 학문의 구현(역사서)은 도의 큰 쓰임에 대응한다.

6. ③   어휘의 문맥적 의미 파악하기

① ⓐ '기도하다'는 '어떤 일을 이루도록 꾀하다.'라는 뜻이므로, '꾀했다'로 바꿔 쓸 수 있다.

② ⓑ '흡수하다'는 '외부에 있는 사람이나 사물 따위를 내부로 모아들이다.'라는 뜻이므로, '받아들여'로 바꿔 쓸 수 있다.

❸ ⓒ '숭상하다'는 '높여 소중히 여기다.'라는 뜻으로, 문맥상 '우러르다', '떠받들다'의 의미이다. 이를 '믿다'와 바꿔 쓰는 것은 적절하지 않다.

④ ⓓ '개입되다'는 '자신과 직접적인 관계가 없는 일에 끼어들게 되다.'라는 뜻이므로, '끼어들었다는'으로 바꿔 쓸 수 있다.

⑤ ⓔ '계속되다'는 '끊이지 않고 이어져 나가다.'라는 뜻이므로, '이어졌지만'으로 바꿔 쓸 수 있다.

【7~12】 (가) 오원석, '유가의 상도와 권도에 관한 연구'

지문해설

유학에서 도덕적 규범을 현실에 적용할 때의 방법으로 제시한 상도와 권도에 대해 설명한 글이다. 상도는 인, 의, 예와 같은 기본적이고 보편적인 도덕 규범으로 지속적으로 지켜야 하는 것이고, 권도는 상황 변화에 따라 알맞게 대응하는 개별적 규범이다. 맹자는 권도를 도덕적 딜레마 상황에서의 해법으로 제시하면서 현실 상황에 맞는 행위로서 강조하는 동시에, 상도를 그 기반으로 보고 중시했다. 즉 맹자는 상도와 권도는 상황에 대처하는 방법이 다를 뿐 모두 도이며, 상도의 토대 위에서 권도를 활용해야 한다고 보았다.

■ **비문학 지문 어떻게 이해할까?**

1문단
유학에서 상도와 권도의 의미

2문단
도와 상도의 개념과 권도의 필요성

3문단
권도에 대한 맹자의 관점과 권도의 합당성에 대한 평가

4문단	5문단
도를 구현하는 과정에서 방법의 차이인 상도와 권도	상도의 토대 위에서 권도를 활용해야 한다고 본 맹자

■ **주제** : 도덕적 규범을 적용하는 방법으로서 상도와 권도의 성격과 관계

어휘풀이

• **딜레마** 선택해야 할 길은 두 가지 중 하나로 정해져

006

Day 02 • 인문

[고3 국어 독서]

있는데, 그 어느 쪽을 선택해도 바람직하지 못한 결과가 나오게 되는 곤란한 상황.

(나) 허태구, '병자호란과 예, 그리고 중화'

지문해설

병자호란 당시 청의 강화 조건에 대한 조선의 척화론자와 주화론자의 주장을 대비하여 제시한 글이다. 청의 강화 조건은 조선이 고수해 왔던 대명의리를 부정하는 내용이었고, 이에 척화론자들은 대명의리라는 보편적 규범을 지키기 위해 청과의 화친은 불가하다고 하였다. 이에 주화론자들은 척화론자들의 나라의 존망을 헤아리지 않는 의리를 비판하며 조선의 백성과 사직을 보전하기 위해 청의 강화 조건을 받아들여야 한다고 주장했다.

■ **비문학 지문 어떻게 이해할까?**

1문단
대명의지를 지켜야 하므로 청의 강화 조건을 받아들일 수 없다고 본 척화론자들의 주장

2문단
나라를 보전하기 위해 청의 강화 조건을 받아들여야 한다고 본 주화론자들의 주장

■ **주제** : 청의 강화 조건에 대한 척화론자와 주화론자의 주장

어휘풀이

• **강화(講和)** 싸우던 두 편이 싸움을 그치고 평화로운 상태가 됨.
• **정론(正論)** 정당하고 이치에 합당한 의견이나 주장.
• **존망(存亡)** 존속과 멸망 또는 생존과 사망을 아울러 이르는 말.
• **설욕(雪辱)** 부끄러움을 씻음.

---

7. ④ 내용 전개 방식 파악하기

① (가)는 상도와 권도라는 개념을 설명하고 있으나 그 개념이 형성된 과정은 나타나 있지 않으며, (나) 또한 청의 강화 조건에 대한 대립된 의견을 제시하고 있을 뿐 대외 정책이 실현된 과정을 제시하고 있지는 않다.
② (가)에 상도와 권도의 역사적 한계는 제시되어 있지 않다. (나)에서는 척화론과 주화론의 주장과 그 근거를 각각 제시하면서 주화론의 입장에서 척화론을 비판한 내용을 언급하고 있다.
③ (가)는 상도와 권도라는 철학적 개념을 다루고 있을 뿐 그에 대해 반박하는 주장들은 제시하고 있지 않다. (나)에서는 주화론자인 최명길이 유학자 호안국의 주장을 인용하여 척화론자의 주장을 비판한 내용을 제시하고 있다.
❹ (가)는 권도라는 철학적 개념에 대한 맹자의 견해를 제시하고 있으며, (나)는 청에 대한 대외 정책인 주화론을 주장한 최명길의 견해를 제시하고 있다.
⑤ (가)에서는 구체적인 사례를 바탕으로 권도와 상도에 대해 설명하고 있으나 철학적 개념이 역사적 현실에 적용된 사례는 나타나 있지 않다. (나)에서는 청에 대한 대외 정책인 척화론과 주화론의 입장을 각각 다루고 있을 뿐 그것이 학문적 논의의 주제가 된 사례를 제시하고 있지는 않다.

---

8. ① 세부 내용 이해하기

❶ (가)의 네 번째 문단에서 맹자의 관점에서 '권도는 도를 굽힌 것이 아니라 도를 구현하는 과정에서의 방법의 차이일 뿐'이라고 하였으므로 적절하지 않다.
② (가)의 두 번째 문단에서 유학에서 말하는 '도'는 '인간 존재의 형이상학적 원리와 인간이 생활 속에서 따라야 하는 행위 규범을 동시에 담는 개념'이라고 하고 있다.
③ (가)의 두 번째 문단에서 상도가 '인(仁), 의(義), 예(禮)와 같은 기본적이고 보편적인 도덕규범'이라고 한 것을 통해 알 수 있다.
④ (가)의 다섯 번째 문단에서 맹자는 '상도를 따르면 옳고 그름이 분명해'진다고 보았음을 알 수 있다.
⑤ (가)의 네 번째 문단에서 '맹자의 관점에서 상도와 권도는 상황에 대처하는 방법은 달라도 모두 도'라고 한 것을 통해, 상도와 권도는 '도'라는 공통된 속성을 가지고 있음을 알 수 있다.

---

9. ③ 관점을 비교하여 이해하기

① (가)의 세 번째 문단에서 '권도의 합당성은 실행의 동기와 사건의 결과를 바탕으로 평가할 수 있는 것'이라고 한 것으로 보아, 맹자가 도덕규범을 통해 어떤 행위를 판단할 때 결과를 고려해선 안 된다고 보았다는 설명은 적절하지 않다.
② (가)의 두 번째, 세 번째 문단에서 유학에서는 상도를 근거로 상황 변화에 알맞게 대응할 때 도가 올바르게 구현될 수 있으며, 권도를 행할 때는 높은 경지의 상황 판단력이 필요하다고 보았음을 알 수 있다. 이와 달리 〈보기〉의 칸트는 도덕규범을 언제나 지켜져야 하는 보편적이고 객관적인 실천 기준으로 제시했다.
❸ 〈보기〉의 칸트는 '언제나 지켜져야 하는 보편적이고 객관적인 실천 기준으로서의 도덕규범'을 제시하고 선의의 거짓말과 같이 특수한 상황에서도 보편적인 규범을 어기는 것은 옳지 않다고 보았음을 알 수 있다. 이와 달리 (가)의 세 번째 문단에서 맹자는 특수한 상황에서는 보편적인 도덕규범인 상도가 아닌 개별적 규범인 권도를 쓸 수 있다고 보았다고 하였다.
④ (가)의 다섯 번째 문단에서 맹자는 현실 상황에 맞는 행위로서 권도를 강조했음을 알 수 있다. 이와 달리 〈보기〉의 칸트는 도덕규범을 언제나 지켜져야 하는 보편적이고 객관적인 실천 기준으로 제시했다.
⑤ (가)의 두 번째 문단에서 도는 인간이 생활 속에서 따라야 하는 행위 규범으로, 상도를 근거로 상황 변화에 알맞게 대응할 때 도가 올바르게 구현될 수 있음을 알 수 있다. 또한 〈보기〉의 칸트는 생활 속에서 보편적인 도덕규범을 어기는 것은 옳지 않다고 보았음을 알 수 있다.

---

10. ⑤ 문맥적 의미 추론하기

① 이민족이 세운 나라의 힘에 의존한 것은 후진의 고조로, 호안국은 이를 비판하고 있지 않다.
② 이민족의 나라에 신하를 자처한 것은 요나라의 힘을 빌린 고조로, 호안국은 이를 비판하고 있지 않다.
③ 호안국은 '천하 인심이 오랑캐에게 굽힌 것을 불평하고 있었으니 한번 후련히 설욕하고자 한 심정은 이해할 만하'다고 보았다.

④ 호안국은 경연광에 대하여 '정치적 대처 면'에서 나라를 망하게 한 점을 비판하고 있으며, 국력을 갖추지 못한 점을 비판하고 있다고 볼 수는 없다.
❺ (나)의 두 번째 문단에 따르면 '호안국의 주장'은 '정치적 대처 면에서 나라를 망하게 한 죄는 속죄할 수 없다'며 경연광을 비판한 것이다. 경연광은 중국 후진의 고조가 제위에 오르면서 이민족 거란이 세운 요나라의 도움을 받고 요의 신하를 자처한 것에 대하여 요의 신하라고 칭하는 것을 그만두자는 강경론을 주도하였고, 이로 인해 요가 침입하여 후진이 멸망하였다. 즉 호안국은 요나라가 이민족의 나라라고 해서 현실적인 고려 없이 강경론을 주도하여 적대함으로써 결과적으로 후진을 망하게 한 것을 비판한 것이다.

---

11. ③ 구체적 상황에 적용하기

① (나)의 첫 번째 문단에서 대명의리는 '누구도 부정할 수 없는 보편적 규범'으로 인식되었고, 척화론자들은 '불의로 보존된 나라는 없느니만 못하다'고 하면서 척화론을 고수했음을 알 수 있다. (가)의 첫 번째 문단에서 상도는 원칙론으로 보편적 규범이고, 권도는 상황론으로 개별적 규범이라고 하고 있다. 따라서 척화론자들이 보편적 규범으로서 대명의리를 주장한 것은 상황론보다 원칙론을 강조한 것이라고 할 수 있다.
② (나)의 첫 번째 문단에서 임진왜란 이후 조선에서 대명의리는 '누구도 부정할 수 없는 보편적 규범'으로 인식되었고, 척화론자들은 대명의리라는 보편적 규범을 포기할 수 없는 것으로 여겼음을 알 수 있다. 이는 (가)의 첫 번째 문단에 따르면 '일반 상황에서의 원칙론으로서 지속적으로 지켜야 하는 보편적 규범'으로서 대명의리가 받아들여진 것으로 볼 수 있다.
❸ (나)의 두 번째 문단에 따르면 최명길은 『춘추』의 내용을 언급하며 '신하는 먼저 자기 자신의 임금을 위해야 하므로, 조선의 신하가 명을 위하여 조선을 망하게 하면 안 되는 것이 마땅한 의리'라고 하였다. 최명길은 주화론자로서 대명의리가 정론임을 인정하면서도 나라의 보전을 위해 청과의 화친이 합당한 판단임을 주장하였다. 이는 권도를 행한 것이며, 『춘추』의 내용을 통해 신하가 지켜야 할 의리를 논한 것은 권도를 행한 것의 합당성을 주장한 것으로 볼 수 있다. 그런데 (가)의 세 번째 문단에서 '권도의 합당성은 실행의 동기와 사건의 결과를 바탕으로 평가할 수 있는 것'이라고 하였으므로, 최명길이 신하가 지켜야 할 의리를 논한 것이 실행 동기를 따지지 않고 도덕규범을 현실에 적용한 논의라는 이해는 적절하지 않다.
④ (나)의 두 번째 문단에서 최명길은 대명의리가 정론임을 인정하고 강조하면서도 여러 논거를 들어 청과의 화친이 합당한 논리임을 주장했음을 알 수 있다. (가)의 첫 번째, 두 번째 문단에서 상도는 일반 상황에서의 원칙론이고 권도는 특수한 상황에서의 상황론으로 상도를 근거로 상황 변화에 알맞게 대응할 때 도가 올바르게 구현될 수 있다고 하고 있다. 이에 따르면 최명길이 대명의리가 정론이라고 본 것은 대명의리를 상도로 인정한 것이고, 청과 화친하는 것을 합당하다고 본 것은 특수한 상황에서 권도를 행하는 것이 필요하다고 본 것으로 곧 상도의 토대 위에서 권도를 활용하고자 한 것이라고 할 수 있다.
⑤ (나)의 두 번째 문단에 따르면 최명길은 여러 논거를 들어 나라의 보전을 위해 청과의 화친을 받아들여야 한다고 주장했다. (가)의 세 번째 문단에서 권도의 합당성

은 상황의 위급한 정도 등을 고려하여 가능한 모든 방안 중 유일한 방법이라고 판단될 때 인정받을 수 있다고 한 것으로 보아, 최명길이 청과의 화친을 주장한 것은 나라의 보전을 위해 그 방법이 유일하다고 판단되는 위급한 상황에서 권도를 사용하고자 한 것이라 할 수 있다.

12. ④　　어휘의 사전적 의미 파악하기

❹ '문책(問責)'의 사전적 의미는 '잘못을 캐묻고 꾸짖음.'이다. '자신의 잘못에 대하여 스스로 깊이 뉘우치고 자신을 책망함.'은 '자책(自責)'의 사전적 의미이다.

【13~16】 김종원, '리드의 행위자 인과 이론'

지문해설

리드의 행위자 인과 이론에 대해 설명하고 있다. 리드는 중세 철학의 영향에도 불구하고, 행위자 인과 이론에서 진정한 원인은 자유 의지를 지닌 행위자라고 주장했다. 그는 원인을 '양면적 능력'을 지녔으며 그 변화에 대한 책임이 있는 존재로 보았다. 경험론자인 그에게 관찰의 범위 내에서 행위자는 오직 인간뿐이었다. 그는 결과가 발생하기 위해서는 행위자가 양면적 능력을 발휘해야 하며, 행위자의 의욕이 항상적으로 결합해야 한다고 보았다. 즉 행위자 인과 이론은 인간의 주체적 결단이 갖는 의미를 강조했다.

■ 비문학 지문 어떻게 이해할까?

1문단
인과 관계가 성립하기 위한 요건을 제시한 흄과 리드의 이론

2문단
진정한 원인은 자유 의지를 지닌 행위자라고 주장한 리드

3문단
행위자의 양면적 능력과 의욕

4문단
인간의 주체적 결단이 갖는 의미를 강조하여 '기회 원인'의 문제에 대응한 리드

■ **주제** : 리드의 행위자 인과 이론

13. ②　　세부 정보 파악하기

① 첫 번째 문단을 통해 리드는 '오직 자유 의지를 가진 행위자만이 원인이 될 수 있다고 보았'음을, 세 번째 문단을 통해 '관찰의 범위 내에서 행위자는 오직 인간뿐'이라고 보았음을 알 수 있다.
❷ 두 번째 문단을 보면 리드는 행위자를 '결과를 산출할 능력을 소유하여 그 능력을 발휘할 수 있고, 그 변화에 대해 책임을 질 수 있는 주체'라고 보았다. 따라서 변화를 산출하는 능력을 가진 모든 존재가 행위자라는 것은 리드의 견해가 아니다.
③ 세 번째 문단을 통해 리드는 의욕을 정신에서 일어나는 하나의 사건으로 보았음을 알 수 있다.
④ 첫 번째 문단에서 리드는 항상적 결합이 성립하는 경우에도 인과 관계가 성립하지 않는다고 말하며, 오직 자유 의지를 가진 행위자만이 원인이 될 수 있다고 보

았다. 따라서 리드는 항상적 결합이 존재하더라도 행위자가 존재하지 않는 경우에서는 원인을 발견할 수 없다고 주장할 것이다.
⑤ 첫 번째 문단을 통해 리드는 '흄이 말하는 세 가지 조건이 성립하는 경우에도 인과 관계가 성립하지 않는다고 보았'음을 알 수 있다.

14. ②　　주요 정보 이해하기

① 두 번째 문단에서 '양면적 능력은 변화를 산출하거나 산출하지 않을 수 있는 능동적인 능력'이라고 하였으므로, 리드는 빨간 공과 흰 공에는 양면적 능력이 없다고 볼 것이다.
❷ 첫 번째 문단에서 리드는 '흄이 말하는 세 가지 조건이 성립하는 경우에도 인과 관계가 성립하지 않는다고 보았'다고 하였다. 이를 통해 리드는 빨간 공과 흰 공의 움직임에는 시공간이 이어진다고 볼 것임을 알 수 있다.
③ 두 번째 문단에서 리드는 '행위자는 결과를 산출할 능력을 소유하여 그 능력을 발휘할 수 있고, 그 변화에 대해 책임을 질 수 있는 주체'인데, 빨간 공은 행위자일 수 없다고 밝히고 있다. 이를 볼 때 리드는 빨간 공이 흰 공에 부딪힌 사건은 다른 사건의 원인이 될 수 없다고 볼 것이다.
④ 첫 번째 문단에서 흄이 제시한 인과 관계가 성립하기 위한 세 가지 요건을 놓고 볼 때 ㉠은 이러한 요건을 충족한다. 따라서 흄은 빨간 공과 흰 공의 움직임에서 항상적 결합을 발견할 수 있다고 볼 것이다.
⑤ 빨간 공과 흰 공이 부딪친 사건이 흰 공이 움직인 사건의 원인이라면, 원인이 결과보다 시간적으로 앞서 있어야 하기 때문에 흄은 두 사건이 동시에 일어난 것일 수 없다고 볼 것이다.

15. ②　　주요 정보 이해하기

① 마지막 문단에서 '당시에는 중세 철학의 영향으로 어떤 철학자들은 인간의 행동을 비롯한 사건들의 진정한 원인은 오직 신뿐'이라고 생각했다고 하였다. 그러나 리드는 오직 인간, 즉 행위자만이 원인이 될 수 있다고 보았다.
❷ 마지막 문단에서 리드는 '신이 사건의 진정한 원인이 될 수 없다고 주장'했으며, '궁극적으로 결정을 내리는 것이 행위자에게 달려 있다고 주장함으로써 인간의 주체적 결단이 갖는 의미를 강조'했다고 하였다. 이를 통해 리드는 인간의 주체성을 부각했다고 볼 수 있다.
③ 리드는 진정한 원인은 행위자라고 주장했으므로, 행위자가 실제로는 진정한 원인이 아닌 기회 원인이 될 수 있음을 입증했다고 볼 수 없다.
④ 마지막 문단에서 ⓐ를 제기한 철학자들은 인간의 행동을 비롯한 사건들의 진정한 원인은 오직 신뿐이라고 생각했다.
⑤ 마지막 문단을 볼 때 ⓐ를 제기한 철학자들은 모든 것을 신의 개입으로 보기 때문에, 인간 행위의 원인을 일상에서 경험할 수 있는 사건으로 한정지어 생각했다고 보기 어렵다.

16. ③　　내용을 통해 추론하기

❸ 세 번째 문단을 보면, 리드는 '의욕과 같은 정신의 내재적 활동은 행위자의 양면적 능력의 발휘인 '의욕을 일

으킴'과 그것의 결과인 의욕 자체를 구별할 수 없는 것이라고 보았'다. 이는 의욕을 일으킴의 경우에는 행위자의 능력 발휘 자체가 의욕이므로 또 다른 의욕이 필요치 않음을 나타내는 것이다. 따라서 이러한 리드의 입장으로 '의욕의 무한 후퇴 문제'를 해소할 수 있다.

Day 03

본문 016쪽

1. ①	2. ③	3. ④	4. ③	5. ②
6. ③	7. ①	8. ①	9. ②	10. ②
11. ①	12. ⑤	13. ④	14. ⑤	15. ④

【1~6】 (가) 변증법을 바탕으로 한 헤겔의 미학

지문해설

변증법의 논리적 구조인 '정립-반정립-종합'을 설명하며 변증법에 따라 철학적 논증을 수행한 '헤겔'의 이념을 분석한 글이다. 헤겔은 '미학'을 변증법적으로 구성된 체계에서 다루고자 하였는데 그에게 '절대정신'이란 절대적 진리인 '이념'을 인식하는 인간 정신의 영역을 뜻한다. 예술, 종교, 철학은 절대적 진리를 동일한 내용으로 하되, 인식 형식의 차이에 따라 구분되는 것이라고 보았으며 절대정신의 세 형태인 예술, 종교, 철학에 대응하는 형식은 '직관, 표상, 사유'라고 보았다. 따라서 형식 간의 차이로 인해 인식 수준에는 중대한 차이가 발생하게 되고, 예술은 초보단계, 종교는 성장 단계, 철학은 완숙 단계의 절대정신에 속한다고 규정짓는다. 예술, 종교, 철학 중에서 최고는 '철학'이며 예술이 절대정신으로 기능할 수 있는 것은 인류의 보편적 지성이 미발달된 과거에 한정된다고 보고 있다.
■ **주제** : 변증법을 통해 분석한 헤겔의 미학

(나) 변증법을 바탕으로 한 헤겔의 미학에 대한 비판

지문해설

헤겔의 변증법에 대해 분석하며 비판을 하고 있는 글이다. 변증법의 매력은 '종합'에 있으며 종합이란 양자의 본질적 규정이 유기적 조화를 이루어 질적으로 고양된 최상의 범주이며 두 대립적 범주 중 하나의 일방적 승리로 끝나거나 중화 상태로 나타나서는 안되는 것이라고 강조하였다. 한편 헤겔은 변증법의 탁월성을 강조하였으나 그가 내놓은 '미학'에 대한 성과물은 흠결이 존재한다고 지적하고 있다. 헤겔은 지성의 형식을 '직관-표상-사유'로 구성하고, 이에 맞춰 절대정신을 '예술-종교-철학'순으로 편성하였으나, 진정한 변증법적 종합은 이루어지지 않았다고 하였다. 또한 직관의 외면성 및 예술의 객관성의 본질은 감각적 지각성임에도 불구하고 이러한 요소가 종합의 단계에서 완전히 소거된 것은 논리적이지 않다고 지적하고 있다. 더불어 헤겔이 변증법에 충실하려면 철학에서 성취된 주관성이 재객관화되는 단계의 절대정신을 추가하는 과정이 필요하다고 강조한다.
■ **주제** : 변증법의 바탕으로 한 헤겔의 미학의 문제점

1. ① 글의 구조와 전개 방식 이해하기

❶ (가)는 변증법의 '정립-반정립-종합'을 설명하고, 변증법에 따라 철학적 논증을 수행한 대표적 학자인 헤겔의 변증법에 따라 미학을 다루고 있다. 이에 따라 헤겔은 예술은 초보 단계의, 종교는 성장 단계의, 철학은

완숙 단계의 절대정신으로 다루고 있음을 알 수 있다. 또한 (나)는 변증법의 '종합'이란 '양자의 본질적 규정이 유기적 조화를 이루어 질적으로 고양된 최상의 범주가 생성됨으로써 성립하는 것'이라고 설명하며, 예술은 '철학 이후'의 자리를 차지할 수 있는 유력한 후보라고 언급한다. 이처럼 변증법을 바탕으로 한 헤겔의 미학의 이론적 문제점을 지적하며, 헤겔은 철학에서 성취된 완전한 주관성이 재객관화되는 단계의 절대정신을 추가하여야 했음을 지적하고 있다.

2. ③ 세부 내용 파악하기

① 두 번째 문단에서 헤겔은 미학의 대상인 예술은 종교, 철학과 마찬가지로 '절대정신'의 한 형태이며, 예술·종교·철학은 절대적 진리를 동일한 내용으로 하며, 다만 인식 형식의 차이에 따라 구분된다고 하였다. 따라서 예술·종교·철학 간에는 인식 내용의 동일성과 인식 형식의 상이성이 존재한다고 볼 수 있다.
② 첫 번째 문단에서 헤겔에게 변증법이란 논증의 방식임을 넘어, 논증 대상 자체의 존재 방식이기도 하다. 즉 세계의 근원적 질서인 '이념'과 이념이 시·공간적 현실로서 드러나는 방식도 변증법적이라고 하였으므로, 적절한 설명이다.
❸ 두 번째 문단에서 절대정신은 절대적 진리인 '이념'을 인식하는 인간 정신의 영역으로, 예술·종교·철학은 절대적 진리를 동일한 내용으로 하며, 다만 인식 형식의 차이에 따라 구분된다고 하였다. 즉, 절대정신의 세 가지 형태는 '직관, 표상, 사유'로 구분되나 이들은 '절대적 진리'를 동일한 내용으로 하고 있으므로, 절대정신의 세 가지 형태는 지성의 세 가지 형식이 인식하는 대상이라는 설명은 적절하지 않다.
④ 첫 번째 문단에서 헤겔에게 변증법이란 논증의 방식임을 넘어, 논증 대상 자체의 존재 방식에 해당한다고 하였다.
⑤ 세 번째 문단에서 헤겔에게 절대정신의 내용인 절대적 진리는 본질적으로 논리적이고 이성적인 것이라고 하였다.

3. ④ 구체적 사례에 적용하기

① 두 번째 문단에서 '직관'은 주어진 물질적 대상을 감각적으로 지각하는 지성이고, '표상'은 물질적 대상의 유무와 무관하게 내면에서 심상을 떠올리는 지성이라고 하였다. 따라서 '먼 타향에서 밤하늘의 별들을 바라보는 것'은 직관을 통해, '같은 곳에서 고향의 하늘을 상기하는 것'은 표상을 통해 이루어진다는 설명은 적절하다.
② 두 번째 문단에서 '표상'은 물질적 대상의 유무와 무관하게 내면에서 심상을 떠올리는 지성이라고 하였다. 따라서 '타임머신을 타고 미래로 가는 자신의 모습을 상상하는 것'과 그 후 '판타지 영화의 장면을 떠올려 보는 것'은 모두 표상을 통해 이루어졌다고 볼 수 있다.
③ 두 번째 문단에서 '직관'은 주어진 물질적 대상을 감각적으로 지각하는 지성이고, '사유'는 대상을 개념을 통해 파악하는 순수한 논리적 지성이라고 하였다. 따라서 '초현실적 세계가 묘사된 그림을 보는 것'은 직관을 통해, '그 작품을 상상력 개념에 의거한 이론에 따라 분석하는 것'은 사유를 통해 이루어진다고 볼 수 있다.
❹ 두 번째 문단에서 절대정신의 세 형태에 각각 대응하는 형식은 직관·표상·사유 라고 하였다. '직관'은 주

어진 물질적 대상을 감각적으로 지각하는 지성이고, '표상'은 물질적 대상의 유무와 무관하게 내면에서 심상을 떠올리는 지성이며, '사유'는 대상을 개념을 통해 파악하는 순수한 논리적 지성이다. 따라서 '예술의 새로운 개념을 설정하는 것'은 사유를 통한 것에 해당한다. 그러나 '직관'은 주어진 물질적 대상을 감각적으로 지각하는 지성이라고 하였으므로, '이를 바탕으로 새로운 감각을 일깨우는 작품의 창작을 기획하는 것'은 직관이 아닌 사유에 해당한다.
⑤ 두 번째 문단에서 '사유'는 대상을 개념을 통해 파악하는 순수한 논리적 지성이라고 하였다. 따라서 '도덕적 배려의 대상을 생물학적 상이성 개념에 따라 규정하는 것'과 '이에 맞서 감수성 소유 여부를 새로운 기준으로 제시하는 것'은 모두 사유를 통해 이루어질 것이다.

4. ③ 다른 견해와 비교하기

① ㉠은 '정립-반정립-종합'이므로, ㉠의 첫 번째와 두 번째의 범주는 각각 '정립'과 '반정립'을 가리킨다. (나)의 글쓴이는 첫 번째 문단에서 변증법의 매력은 '종합'에 있으며, 종합의 범주는 두 대립적 범주중 하나의 일방적 승리로 끝나도 안 되고, 두 범주의 고유한 본질적 규정이 소멸되는 중화 상태로 나타나도 안 된다고 하였다. 즉 (나)의 글쓴이는 '정립'과 '반정립'이 이미 '대립적 범주'를 이루고 있음을 언급하고 있다. 한편 ㉡은 '예술-종교-철학'이므로 첫 번째와 두 번째의 범주는 각각 '예술'과 '종교'이다. (나)의 두 번째 문단에서 헤겔이 지성의 형식을 직관-표상-사유 순으로 구성하고 이에 맞춰 절대정신을 예술-종교-철학 순으로 편성하였다고 한 것으로 보아, ㉡에서도 첫 번째와 두 번째 범주가 서로 대립되는 것을 전제로 하였음을 알 수 있다.
② ㉠은 '정립-반정립-종합'이므로 ㉠의 두 번째와 세 번째의 범주는 각각 '반정립'과 '종합'을 가리킨다. (나)의 글쓴이는 첫 번째 문단에서 종합은 양자의 본질적 규정이 유기적 조화를 이루어 질적으로 고양된 최상의 범주라고 언급하고 있으므로, ㉠에서 두 번째와 세 번째 범주 간에는 수준상의 차이가 존재하고 있음을 인정하고 있다. 한편 ㉡은 '예술-종교-철학'이므로 ㉡의 두 번째와 세 번째의 범주는 각각 '종교'와 '철학'을 가리킨다. (나)의 글쓴이는 두 번째 문단에서 직관으로부터 사유에 이르는 과정에서는 외면성이 점차 지워지고 내면성이 점증적으로 강화·완성되고 있다고 하였으므로, 표상에 해당하는 종교에서 사유에 해당하는 철학으로 이르는 과정에서 수준상의 차이가 존재하고 있다고 볼 수 있다.
❸ ㉠은 '정립-반정립-종합'이고, ㉡은 '예술-종교-철학'을 가리킨다. (나)의 글쓴이는 두 번째 문단에서 지성의 형식을 직관-표상-사유 순으로 구성하고 이에 맞춰 절대정신을 예술-종교-철학 순으로 편성한 전략에 대하여 직관으로부터 사유에 이르는 과정에서는 외면성이 점차 지워지고 내면성이 점증적으로 강화·완성되고 있다고 하였다. 따라서 ㉡에서 범주 간 이행이 나타날 때, 첫 번째 범주인 예술의 외면성이 점차 약화되고 있으므로 적절하지 않다.
④ ㉠은 '정립-반정립-종합'이고, ㉡은 '예술-종교-철학'에 해당한다. (나)의 글쓴이는 첫 번째 문단에서 변증법의 매력은 '종합'에 있으며, 양자의 본질적 규정이 유기적 조화를 이루어 질적으로 고양된 최상의 범주가 생성됨으로써 성립되는 것이라고 하였다. 따라서 ㉠에서는 세 번째 범주인 '종합'에서 첫 번째 범주인 '정립'과

두 번째 범주인 '반정립'의 조화로운 통일이 이루어진다고 볼 수 있다. 그러나 (나)의 두 번째 문단에서 글쓴이는 헤겔의 변증법은 예술로부터 철학에 이르는 과정에서는 객관성이 점차 지워지고 주관성이 점증적으로 강화·완성되고 있을 뿐, 진정한 변증법적 종합이 이루어지지 않음을 문제로 지적하고 있다. 따라서 ⓒ에서는 세 번째 범주인 '철학'에서 첫 번째 범주인 '예술'과 두 번째 범주인 '종교'의 조화로운 통일이 이루어지지 않는다고 볼 수 있다.

⑤ ㉠은 '정립-반정립-종합'이고, ㉡은 '예술-종교-철학'에 해당한다. (나)의 글쓴이는 첫 번째 문단에서 '종합'은 양자의 본질적 규정이 유기적 조화를 이루어 질적으로 고양된 최상의 범주라고 언급하였고, 이는 (가)의 첫 번째 문단에 언급된 '변증법은 대등한 위상을 지니는 세 범주의 병렬이 아니라, 대립적인 두 범주가 조화로운 통일을 이루어 가는 수렴적 상향성을 구조적 특징으로 한다'라는 내용과 상통한다. 따라서 ㉠에서는 범주 간 이행에서 수렴적 상향성이 드러난다고 볼 수 있다. 이에 비해 (나)의 글쓴이는 세 번째 문단에서 헤겔의 변증법적인 방법과 철학 체계는 불일치되는 문제점이 있다고 하였으므로, ㉡에서는 범주 간 이행에서 수렴적 상향성이 드러나지 않는다고 볼 수 있다.

5. ② 글에 대한 정서적 반응 이해하기

① (나)의 첫 번째 문단에서 변증법의 매력은 '종합'에 있으며, 종합의 범주는 두 대립적 범주중 하나의 일방적 승리로 끝나거나 두 범주의 고유한 본질적 규정이 소멸되는 중화 상태로 나타나도 안 된다고 하였다. 따라서 ㉮에 변증법의 '정립-반정립-종합'이라는 이론에서 세 번째 단계가 현실에서는 그 범주들을 중화한다는 설명은 적절하지 않다.

❷ (나)의 두 번째 문단에서 변증법에 따라 지성의 형식을 직관-표상-사유 순으로 구성하고, 이에 맞춰 절대정신을 예술-종교-철학 순으로 편성한 전략은 결국 직관으로부터 사유에 이르는 과정으로 갈수록 외면성이 점차 지워지고 내면성이 강화·완성된다고 하였다. 따라서 이론에서 외면성에 대응하는 것은 예술이라는 설명은 적절하다. 한편 〈보기〉에 제시된 헤겔은 괴테와 실러의 문학 작품에서 인생의 완숙기에 이르러 '지성적 통찰을 진정한 예술미'로 승화시켰다고 하였으므로, 이는 (나)의 세 번째 문단에 제시된 내용인 실제로 많은 예술 작품은 '사유'를 매개로 설명된다는 것과 일치한다. 따라서 이론에서는 예술이 외면성에 해당하나, 현실에서는 내면성을 바탕으로 하는 절대정신일 수 있다는 설명은 적절하다.

③ 변증법의 이론 '정립-반정립-종합'에 해당하는 헤겔의 미학은 '예술-종교-철학'으로, 이론에서 반정립 단계에 위치하는 것은 예술이 아니라 종교이다. 한편 (나)의 세 번째 문단에서 예술은 '철학 이후'의 자리를 차지할 수 있는 유력한 후보이며 실제로 많은 예술 작품은 '사유'를 매개로 해서만 설명된다고 하였다.

④ (나)의 두 번째 문단에서 글쓴이는 직관의 외면성 및 예술의 객관성의 본질은 무엇보다 감각적 지각성인데, 이러한 핵심 요소가 헤겔이 말하는 변증법의 종합의 단계에서는 완전히 소거되는 것을 문제로 지적하고 있다. 따라서 이론에서는 객관성을 본질로 하는 예술이 현실에서는 객관성이 사라진 주관성을 지닌다는 설명은 적절하지 않다.

⑤ (나)의 세 번째 문단에서 예술은 '철학 이

후'의 자리를 차지할 수 있는 유력한 후보이며 실제로 많은 예술 작품은 '사유'를 매개로 설명된다고 하였다. 따라서 이론에서는 절대정신으로 규정되는 예술이 현실에서는 진리의 인식을 수행할 수 없다는 설명은 적절하지 않다.

오H 말이 틀렸을까?

(가)와 (나)의 관계성을 제대로 파악해야 풀 수 있는 문항이었어. (가)는 변증법에 따라 미학을 분석한 헤겔의 논리에 대하여, (나)는 그러한 (가)에 대하여 논리적 문제점을 지적하는 글이라고 보면 되겠지. 즉, (나)의 입장에서 (가)의 어떤 점을 문제로 삼았으며 그 까닭은 무엇인지를 파악하는 것이 제일 중요한 요소였을 거야.

6. ③ 단어 사용의 적절성 파악하기

③ ⓒ는 '일이 다 이루어지다'라는 의미로 '어떤 결말이나 결과에 이르게 되다'라는 의미를 지닌 '귀결되어도'와 문맥상 바꾸어 쓸 수 있다.

[7~11] 성태제, '문항 반응 이론의 이해와 적용'

지문해설

대표적인 검사 이론으로 고전 검사 이론과 문항 반응 이론에 대해 설명하고 있다. 고전 검사 이론은 현재에도 사용되고 있는 이론으로서 문항 분석 절차가 간단하여 검사의 질을 분석하는 데 주로 사용되고 있다. 그러나 문항의 특성이 피험자 집단이나 피험자 능력 등에 따라 다르게 분석된다는 한계를 지닌다. 이와 달리 문항 반응 이론은 피험자의 능력은 고유하며 문항의 난이도나 변별도 등의 문항 특성이 변하지 않는다고 간주하고 각 문항의 문항 특성 곡선을 바탕으로 문항의 특성과 피험자의 능력을 확률적으로 추정한다. 아동들의 지능을 측정하기 위해 제작한 문항이 어느 연령의 아동들에게 적합한지 알아보기 위해 개발된 문항 반응 이론은 계산이 복잡하다는 단점이 있지만 문항 분석 결과의 정확도가 매우 높으며 일관성이 있다는 장점을 인정받고 있다.

■ 비문학 지문 어떻게 이해할까?

1문단
측정의 개념과 요소

2문단
고전 검사 이론의 특성

3문단
문항 반응 이론의 특성

4,5문단
문항 특성 곡선 ①, ②

6문단
문항 특성 곡선으로 도출된 정보의 특성

■ **주제** : 고전 검사 이론과 문항 반응 이론의 특성

7. ① 세부 정보 이해하기

❶ 두 번째 문단에서 고전 검사 이론의 '변별도는 해당 문항의 답을 맞혔는지의 여부와 총점의 관계를 의미하는 지수로 나타낸'다고 하였다. 따라서 문항의 변별도를 피험자의 수와 피험자의 총점의 관계로 나타낸다는 진술은 적절하지 않다.

오H 말이 틀렸을까?

이 글에서는 검사의 질을 분석하는 대표적인 검사 이론으로 고전 검사 이론과 문항 반응 이론을 소개하고 있어. 제시된 이론에서는 피험자의 능력이 검사의 특성에 따라 다르게 나타나는지 피험자의 능력은 고유하다고 간주하고 있는지 여부를 구분하는 것이 중요한 정보로 작용하고 있어.

8. ① 구체적 상황에 적용하여 이해하기

❶ 고전 검사 이론에서 피험자의 능력은 답을 맞힌 문항의 총점으로 결정하기 때문에 B와 D는 ㉠ '총점이 동일하기 때문에' 능력이 같다고 분석될 것이다. 또 1번 문항은 A, B, D 3명의 피험자가 맞혔고, 3번 문항은 A, D 2명의 피험자가 맞혔다. 고전 검사 이론에서 난이도는 응답자 중 그 문항의 답을 맞힌 응답자의 수가 많을수록 낮다고 나타난다고 하였으므로 1번 문항이 3번 문항보다 ㉡ '난이도가 낮다고' 할 수 있다.

9. ② 내용을 구체적 상황에 적용하기

① 다섯 번째 문단에서 위치 모수는 위치 모수는 $P(\theta)$가 0.5일 때 그에 대응하는 θ지점을 의미하며, 오른쪽에 있을수록 어려운 문항으로 추정된다고 하였다. 따라서 위치 모수가 가장 오른쪽에 있는 3번 문항이 가장 어려울 것이라는 진술은 적절하다.

❷ 다섯 번째 문단에서 문항의 변별도는 척도 모수로 나타내는데 이는 문항 특성 곡선의 기울기가 가파를수록 높다고 추정된다고 하였다. 〈보기〉의 능력이 0보다 높은 구간에서 1번 문항의 기울기에 비해 3번 문항의 기울기가 가파르다는 것을 확인할 수 있다. 따라서 능력이 0보다 높은 구간의 피험자들을 변별하는 데는 3번 문항이 1번 문항보다 적합하다고 할 수 있다.

③ 능력이 −2인 피험자는 θ가 −2일 때를 의미하므로 2번 문항의 $P(\theta)$가 3번 문항의 $P(\theta)$보다 높다. 따라서 능력이 −2인 피험자가 2번 문항을 맞힐 확률은 3번 문항을 맞힐 확률보다 낮다고 추정할 수 있다.

④ $P(\theta)$가 0.5일 때 1번 문항과 2번 문항의 θ 지점은 동일하다. 따라서 1번 문항과 2번 문항의 난이도는 동일하다고 추정할 수 있다.

⑤ $-1<\theta<0$ 구간에서 각 문항의 문항 특선 곡선의 기울기는 3번 문항보다 2번 문항이 크다. 따라서 피험자를 변별하는 정도는 2번 문항이 높다.

오H 말이 틀렸을까?

지문에서 문항 특성 곡선을 분석하는 방법과 각 위치가 의미하는 바를 설명하고 있는데 이러한 문제 유형에 중요 정보를 대입해서 문항 특성 곡선을 분석할 수 있어야 하겠지. 여기서 중요한 점 중의 하나는 문항의 변별도는 척도 모수로 나타내는데 이는 문항 특성 곡선의 기울기가 가파를수록 높다고 추정한다고 한 내용이야. 각 항의 문항 특성 곡선의 관계를 잘 살펴보도록 해.

10. ② 핵심 정보 파악하기

❷ 능력이 −1인 집단의 응답 경향을 나타내는 정규 분포는 −1.3보다 위쪽에 위치할 것이다. 따라서 γ보다 위에 있는 면적은 0.2보다 작은 것이 아니라 클 것이다.

11. ① 　소재의 핵심 원리 이해하기

❶ 문항 특성 곡선에서 구한 각각의 값이 피험자의 실제 응답과 차이가 있는 이유는, 문항 반응 이론에서는 문항 특성 곡선을 활용하여 피험자의 능력을 확률적으로 추정하기 때문이다.

【12~15】 '반자유의지 논증과 이에 대한 비판적 입장'

지문해설

유물론적 인간관은 물리적 몸 이외에 영혼이 존재하지 않는다고 본다. 이러한 유물론적 인간관을 가정할 때 '인간에게 자유의지가 있을까?'라는 질문에 대해 반자유의지 논증에서는 인간에게 자유의지가 없다는 결론을 내린다. 임의의 선택은 이전 사건들에 의해 선결정되거나 무작위로 일어난다는 각각의 전제하에서 인간에게 자유의지가 있다고 보기 어렵다는 것이다. 그러나 반자유의지 논증을 비판하는 입장에서는 선결정 가정을 고려할 때에는 인간에게 자유의지가 없다는 결론을 받아들여야 하지만 무작위 가정을 고려할 때에는 인간에게 자유의지가 없다는 결론을 받아들일 필요가 없다고 본다.

■ 비문학 지문 어떻게 이해할까?

1문단
유물론적 인간관에서의 자유의지에 대한 질문

2문단
선결정 가정과 무작위 가정을 고려한 반자유주의 논증의 결론

3문단
반자유주의 논증에 관한 비판

4문단	5문단
선결정 가정을 고려한 반자유주의 논증의 결론을 받아들여야 하는 이유	무작위 가정을 고려한 반자유주의 논증의 결론을 받아들일 필요가 없는 이유

■ **주제** : 자유의지의 존재에 대한 반자유의지 논증의 결론과, 반자유주의 논증에 대한 비판적 입장

어휘풀이

· 유물론(唯物論) 만물의 근원을 물질로 보고, 모든 정신 현상도 물질의 작용이나 그 산물이라고 주장하는 이론.
· 무작위(無作爲) 일부러 꾸미거나 뜻을 더하지 아니함.

12. ⑤ 　세부 내용 파악하기

❺ 두 번째 문단에서 반자유의지 논증은 임의의 선택은 이전 사건들에 의해 선결정되거나 무작위로 일어난다는 전제하에 선결정 가정과 무작위 가정을 모두 고려한다고 하였다. 이때 무작위로 일어난다는 것은 선결정되지 않는다는 것을 의미하므로, 반자유주의 논증은 임의의 선택이 선결정되지 않을 가능성도 고려한 것이다.

13. ④ 　정보의 인과 관계 파악하기

❹ ⓑ의 두 가지 조건은 첫째, 내가 그 선택의 주체여야 한다는 것이고, 둘째, 나의 선택은 그 이전 사건들에 의

해 선결정되지 않아야 한다는 것이다. 따라서 어떤 선택이 선결정되어 있다면 두 번째 조건을 충족하지 못하므로 그 선택을 한 사람에게 ⓑ가 있을 수 없다.

14. ⑤ 　이유 추론하기

① 비물리적 실체인 영혼은 존재하지 않는다는 것은 유물론적 인간관으로 이를 가정할 때 반자유의지 논증은 인간에게 자유의지가 없다고 결론 내린다.
② 반자유의지 논증을 비판하는 입장에서는 어떤 선택이 무작위로 일어난 것이라고 하더라도 그 선택의 주체가 나일 수 있다고 보고 반자유주의 논증의 결론을 비판한다.
③ 네 번째 문단에서 임의의 선택이 나의 자유의지의 산물이 되기 위해서 내가 그 선택의 주체여야 하고, 나의 선택이 그 이전 사건들에 의해 선결정되지 않아야 한다는 두 가지 조건을 충족해야 하는데, '욕구 충족적 자유의지'는 이 자유의지와 다르다고 하였다.
④ 세 번째 문단에서 반자유의지 논증의 선결정 가정을 고려할 때의 결론은 받아들여야 하지만 무작위 가정을 고려할 때의 결론은 받아들일 필요가 없다고 하였다.
❺ 반자유의지 논증에서는 선결정 가정과 무작위 가정을 모두 고려하여 인간에게 자유의지가 없다고 결론 내린다. 이에 대해 반자유의지 논증을 비판하는 한 입장은 반자유의지 논증의 선결정 가정을 고려할 때의 결론은 받아들여야 하지만, 무작위 가정을 고려할 때의 결론은 받아들일 필요가 없다고 본다. 반자유의지 논증을 비판하는 입장에 따르면 어떤 선택이 무작위로 일어난 것이라고 하더라도 그 선택의 주체가 나일 수 있으며, 선택이 선결정되지 않은 것으로 가정하면 역시 이때 선택의 주체는 나이다. 이는 임의의 선택이 자유의지의 산물이 되기 위한 두 가지 조건, 내가 선택의 주체여야 하고 나의 선택이 그 이전 사건들에 의해 선결정되지 않아야 한다는 점을 모두 충족한다. 따라서 이를 바탕으로 반자유의지 논증을 비판하는 입장에서는 무작위 가정을 고려할 때의 결론은 받아들일 필요가 없다고 본 것이다.

왜 많이 틀렸을까?

이 문제는 지문의 전체적인 흐름을 파악해야 해서 다소 어려웠어. 이 글은 유물론적 인간관을 가정할 때 인간에게 자유의지가 있느냐에 대한 반자유의지 논증의 결론을 먼저 제시한 뒤, 그에 대한 비판을 제시하고 있는데 ⓒ은 이 비판의 내용 중 두 번째에 해당해, 즉 반자유의지 논증에서 무작위 가정을 고려할 때도 인간에게 자유의지가 없다고 한 것에 대해 받아들일 필요가 없다고 한 것이지. 그렇다면 반자유의지 논증을 비판하는 입장의 전제과 관점을 찾으면 ⓒ의 이유가 되겠지? 한편 나머지 선지들을 지문과 비교해 보면 반자유의지 논증을 비판하는 입장의 관점과 관계없거나 일치하지 않는 내용이었어. 이 점을 파악해서 잘못된 선택지를 지워 나가는 해결 방법도 함께 활용해야 해.

15. ④ 　글에 드러난 관점 비판하기

①, ③ 〈보기〉에서 H의 가설은 인간의 선택이 선결정되어 있다는 반자유의지 논증의 관점을 담고 있으므로, 이것이 실험 결과에 의해 입증된다면 선결정 가정을 고려할 때의 결론을 받아들여야 할 것이다.
② 〈보기〉에서 H의 가설은 선결정 가정과 관련된 것이므로 이것이 입증된다고 해서 무작위 가정이 참일 수밖에 없다고 할 수는 없다.

④ 〈보기〉에서 H의 가설은 인간의 선택이 선결정되어 있다는 반자유의지 논증의 관점을 담고 있고, 실험은 이와 관련하여 결정을 내릴 때 발생하는 신경 사건이 그 이전에 발생하는 신경 사건과 관련이 있는지 알아보는 실험이다. 따라서 ㉠ '반자유의지 논증을 비판하는 입장'에 입각했을 때 H의 가설이 실험 결과에 의해 입증되지 않는다면 반자유의지 논증의 선결정 가정을 고려할 때의 결론을 부인할 수 있고, 무작위 가정을 고려할 때의 결론도 받아들일 필요가 없다고 할 수 있다.
⑤ ㉠에 따르면 반자유의지 논증의 결론 선결정 가정을 고려할 때의 결론은 받아들여야 하지만 무작위 가정을 고려할 때의 결론은 받아들일 필요가 없다고 하였으므로, H의 실험 결과와 관계 없이 반자유의지 논증의 결론을 받아들여야 하는 것은 아니다.

왜 많이 틀렸을까?

이 문제는 〈보기〉를 해석하는 것이 다소 까다로워서 어렵게 느껴졌을 수 있어. 하지만 일단 발문부터 차분히 살펴보면 어떤 시각에서 문제에 접근해야 하는지 알 수 있지. 〈보기〉의 탐구 활동이 ㉠, 즉 '반자유의지 논증을 비판하는 입장'에 입각한 것이라고 하였으므로 이에 따라 가설과 실험 내용은 반자유의지 논증에 대해 검증하는 것임을 파악하고 지문에서 '결정의 시점', '신경 사건'과 관련한 설명이 나타난 부분을 찾으면 가설이 무엇에 대한 것인지 정리할 수 있겠지? 이를 바탕으로 가설이 실험 결과에 의해 입증되는 경우와 입증되지 않는 경우의 의미를 파악하여 선택지를 논리적으로 분석해야 해.

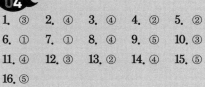

본문 021쪽

1. ③	2. ④	3. ④	4. ②	5. ②
6. ①	7. ①	8. ④	9. ⑤	10. ③
11. ④	12. ③	13. ②	14. ④	15. ⑤
16. ⑤				

【1~6】 (가) '새먼의 과정 이론'

지문해설

인과를 과학적 세계관에 입각하여 이해하려 한 새먼의 과정 이론을 구체적 사례를 통해 설명한 글이다. 새먼의 과정 이론에서는 과정은 대상의 시공간적 궤적이며, 두 과정의 교차에서 표지, 즉 대상의 변화된 물리적 속성이 도입되면 이후의 모든 지점에서 그 표지를 전달할 수 있는 과정이 인과적 과정이라고 설명한다. 이러한 과정 이론은 물리적 세계 바깥의 측면은 해명하기 어렵다는 한계를 지닌다.

■ 비문학 지문 어떻게 이해할까?

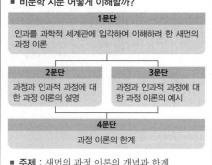

1문단
인과를 과학적 세계관에 입각하여 이해하려 한 새먼의 과정 이론

2문단
과정과 인과적 과정에 대한 과정 이론의 설명

3문단
과정과 인과적 과정에 대한 과정 이론의 예시

4문단
과정 이론의 한계

■ 주제 : 새먼의 과정 이론의 개념과 한계

어휘풀이
· **국한(局限)** 범위를 일정한 부분에 한정함.
· **입각(立脚)** 어떤 사실이나 주장 따위에 근거를 두어 그 입장에 섬.

(나) '동아시아의 재이론'

지문해설

자연 현상과 인간사를 인과 관계로 설명한 동아시아의 대표적 논의인 재이론을 설명한 글이다. 한대의 동중서는 천견설과 천인감응론을 결합하여 재이론을 체계화하였는데, 그에 따르면 재이는 군주권이 하늘로부터 비롯된 것임을 입증하는 것이자 군주의 실정에 대한 경고였다. 그러나 이후 인간사와 재이를 일대일로 대응시켜 설명하는 개별적 대응 방식은 억지가 심하다는 평가를 받았고, 예언화 경향으로 문제를 낳기도 했다. 그럼에도 재이론은 정치 현장에서 사라지지 않았는데, 송대의 주희는 군주를 경계하는 적절한 방법을 찾고자 재이론을 고수하며 재이에 대한 개별적 대응 대신 전반적 대응설을 제시하고, 재이를 군주의 심성 수양 문제로 귀결시켰다.

■ 비문학 지문 어떻게 이해할까?

1문단
자연 현상과 인간사를 인과 관계로 설명하려 한 재이론

2문단
재이론의 영향과 한계 및 부작용

3문단
재이에 대한 관점의 변화와 재이론의 변용 양상

■ 주제 : 동아시아의 재이론의 개념과 변용 양상

어휘풀이
· **견책(譴責)** 허물이나 잘못을 꾸짖고 나무람.
· **직언(直言)** 옳고 그른 것에 대하여 자신이 생각하는 바를 기탄없이 말함.
· **미혹(迷惑)** 무엇에 홀려 정신을 차리지 못함.
· **기제(機制)** 인간의 행동에 영향을 미치는 심리의 작용이나 원리.
· **귀결(歸結)** 어떤 결말이나 결과에 이름. 또는 그 결말이나 결과.

1. ③ 글의 전개 방식 파악하기

① (가)의 첫 번째 문단에서는 근대 이후 서양 철학자들이 이전과 달리 인과를 물리적 작용 사이의 관계로 국한하려는 경향을 보였고 인과가 과학적 개념인지에 대한 의심이 제기되었는데, 이에 인과를 과학적 세계관에 입각하여 이해하려는 시도인 '새먼의 과정 이론'이 등장했다고 밝히고 있다. 따라서 '인과'에 대한 '새먼의 과정 이론'이 등장하게 된 배경을 근대 서양 철학자들의 인식 변화와 관련지어 제시하였음을 알 수 있다.

② (나)의 첫 번째 문단에서는 자연 현상과 인간사를 인과 관계로 설명하는 '재이론'은 천견설과 천인감응론을 결합하여 체계화한 것으로, 이에 따르면 '재이'는 군주권이 하늘로부터 비롯된 것임을 입증하는 것이자 군주의 실정에 대한 경고임을 밝히고 있다. 따라서 '인과'와 연관된 '재이론'의 배경 사상과 그 중심 내용을 제시하였음을 알 수 있다.

❸ (가)에서는 '새먼의 과정 이론'이 '인과를 과학적 세계관에 입각하여 이해하려는 시도'라고 한 뒤 구체적인 사례를 통해 새먼의 과정 이론에서 설명하는 '인과적 과정'에 대해 밝히고 있다. 그리고 마지막 문단에서 과정 이론은 물리적 세계 바깥의 측면을 해명하기 어렵다는 한계를 지니고 있음을 지적하고 있다. 그러나 구체적인 사례와 관련지어 과정 이론의 전망을 제시하고 있지는 않다.

④ (나)는 첫 번째 문단에서 '한대의 동중서'에서 체계화한 재이론의 내용을 제시한 뒤, 두 번째 문단에서 '동중서 이후' 인간사와 재이를 일대일로 대응시켜 설명하는 개별적 대응 방식에 대한 비판이 제기되었으며 이 방식은 예언화 경향으로 이어지기도 했음을 언급하고, 세 번째 문단에서 '송대'에 주희가 재이에 대한 개별적 대응 대신 '전반적 대응설'을 제시하며 재이론의 역사적 수명을 연장했다고 밝히고 있다. 따라서 '인과'와 연관된 '재이론'이 변용되는 양상을 시대의 흐름에 따라 제시하였음을 알 수 있다.

⑤ (가)는 '인과'와 관련한 근대 이후 서양 철학 이론인 '새먼의 과정 이론'을 설명한 글이고, (나)는 '자연 현상과 인간사를 인과 관계로 설명하는 동아시아의 대표적 논의'인 '재이론'을 설명한 글이다. 따라서 특정 이론과 관련하여 (가), (나)를 통합적으로 이해하기 위해, '인과'와 관련한 서양 이론인 '새먼의 과정 이론'과 동양 이론인 '재이론'에 나타나는 관점을 비교해 보는 것은 적절하다.

2. ④ 세부 내용 파악하기

① (가)의 첫 번째 문단에서 근대 이후 과학적 세계관이 대두하면서 인과를 물리적 작용 사이의 관계로 국한하

려는 경향이 나타났으며 새먼의 과정 이론은 인과를 과학적 세계관에 입각하여 이해하려는 시도라고 하고 있다. 그리고 마지막 문단에서 과정 이론은 물리적 세계 바깥의 측면은 해명하기 어렵다는 한계를 지닌다고 하고 있다. 이로 보아 과정 이론은 물리적 세계의 테두리 안에서 인과를 해명하는 이론이라고 할 수 있다.

② (가)의 두 번째 문단에 따르면 과정 이론에서 '인과적 과정'이란 교차에서 표지가 도입되면 이후의 모든 지점에서 그 표지를 전달할 수 있는 과정인데, 마지막 문단에서 사회 규범을 어긴 것과 처벌의 당위성 사이에는 인과 관계가 있지만 과정 이론은 이를 잘 다루지 못한다고 하고 있다. 따라서 사회 규범 위반과 처벌 당위성 사이의 인과 관계는 과정 이론에서 말하는 표지의 전달로 설명되기 어렵다고 할 수 있다.

③ (가)의 첫 번째 문단에서 '근대 이후 서양의 철학자들은 과학적 세계관이 대두하면서 이전과는 달리 인과를 물리적 작용 사이의 관계로 국한하려는 경향을 보였'으며, '인과가 과학적 개념인지에 대한 의심이 철학자들 사이에 제기되었다'고 한 것을 통해 알 수 있다.

❹ (나)의 첫 번째 문단에 따르면 한대의 동중서에서 체계화한 재이론은 하늘이 덕을 잃은 군주에게 재이를 내려 견책한다는 천견설과 음양의 기를 통해 하늘과 인간이 서로 감응한다는 천인감응론을 결합한 것으로, 군주가 실정을 저지르면 변화된 음양의 기를 통해 감응한 하늘이 재이를 통해 경고를 내린다고 본다. 따라서 한대의 재이론에서 하늘은 음양의 변화에 반응하여 경고를 하는 존재라고 볼 수 있다.

⑤ (나)의 마지막 문단에서 송대에 이르러 '천문학의 발달로 예측 가능하게 된 일월식을 재이로 간주하지 않는 경향을 수용'하였고 '재이를 근본적으로 이치에 의해 설명되기 어려운 자연 현상으로 간주'했다고 한 것으로 보아, 송대에는 천문학의 발달로 예측 가능해진 일월식을 설명 가능한 자연 현상으로 보는 경향이 있었음을 알 수 있다.

3. ④ 세부 내용 이해하기

① 두 번째 문단에 따르면 과정 이론에서는 과정이 '대상의 시공간적 궤적'이라고 설명한다. [A]에서 바나나는 a 지점에서 b 지점까지 이동하고, 바나나의 그림자는 스크린상의 a′ 지점에서 b′ 지점으로 이동한다고 하였으므로 서로 다른 시공간적 궤적을 그림을 알 수 있다.

② 과정 1은 바나나가 a 지점에서 b 지점까지 이동하는 것이고, 과정 2는 a와 b의 중간 지점에서 바나나를 한 입 베어 내는 것이다. 과정 1과 과정 2가 교차한 뒤 표지, 즉 대상의 변화된 물리적 속성이 도입되어 바나나는 베어 낸 만큼이 없어진 채로 b까지 이동하였다. 따라서 과정 1과 과정 2가 교차하기 이전과 이후에 바나나가 지닌 물리적 속성은 다름을 알 수 있다.

③ 과정 1은 과정 2가 교차하며 바나나를 한 입 베어내는 표지가 도입된 후 이후의 모든 지점에서 그 표지를 전달할 수 있는 과정이므로 인과적 과정이다. 이와 달리 과정 3은 스크린 표면의 한 지점에 울퉁불퉁한 스티로폼이 부착되는 과정 4가 교차하면서 그림자가 그 지점과 겹칠 때는 일그러짐이라는 표지가 도입되지만 그 지점을 지나가면 그림자는 다시 원래대로 돌아오므로, 다른 과정과의 교차로 도입된 표지를 전달할 수 없으며 따라서 인과적 과정이 아니다.

❹ 과정 1은 바나나가 a 지점에서 b 지점까지 이동하는 것이고 과정 2는 a와 b의 중간 지점에서 바나나를 한

입 베어 내는 것이며 과정 3은 바나나의 그림자가 스크린상의 a′ 지점에서 b′ 지점으로 움직이는 것이다. 과정 3에서 바나나의 그림자 모양이 변한 것은 바나나의 일부를 베어 내는 과정 2가 과정 1과 교차함으로써 바나나의 모양이 변한 것에 따른 것이다. 또한 두 번째 문단에서 교차는 두 과정이 한 시공간적 지점에서 만나는 것이라고 하였으므로 과정 2와 과정 3이 한 시공간적 지점에서 만난다고 볼 수 없다.

⑤ 과정 3은 바나나의 그림자가 스크린상의 a′ 지점에서 b′ 지점으로 움직이는 것이고, 과정 4는 스크린 표면의 한 지점에 울퉁불퉁한 스티로폼이 부착되는 과정이다. 과정 3과 과정 4가 교차하면서 그림자가 지점과 겹쳐 일그러짐이라는 표지가 과정 3에 도입되지만, 그 지점을 지나가면 그림자는 다시 원래대로 돌아온다. 즉 과정 3은 과정 4와의 교차로 도입된 일그러짐이라는 표지를 전달하지 않는 것이다. 또한 과정 3이 과정 4와의 교차 지점을 지난 뒤 스티로폼은 그대로이므로 일그러짐이라는 표지가 스티로폼이 부착되는 과정인 과정 4에 전달되는 것도 아니다. 그러므로 결국 이 표지는 과정 3으로도 과정 4로도 전달되지 않는다고 할 수 있다.

왜 많이 틀렸을까?

이 문제는 오답 선지를 고른 비율이 골고루 높아 정답률이 매우 낮았는데, 특히 ⑤번을 고른 비율이 높았어. 하지만 ①, ②, ③번은 지문의 내용을 꼼꼼히 살피고 논리적으로 연결하면 해결할 수 있었어. 문제는 [A]에 대한 이해를 묻고 있지만, 당연히 정답의 근거는 지문 전체에서 찾아야 함을 잊지 말도록 하자. 특히 헷갈릴 듯한 ⑤번을 보면, 과정 3과 과정 4의 교차로 도입된 표지가 과정 3으로 전달되지 않는다는 점은 지문에 언급되어 있으므로 어렵지 않게 적절성을 판단할 수 있었어. 문제는 이 표지가 과정 4로 전달되지 않느냐인데, 과정 4는 스크린 표면의 한 지점에 스티로폼을 부착하는 것이고 표지는 그림자의 일그러짐이야. 그리고 [A]와 교차하는 지점에서 표지가 나타난 뒤 지점을 지나가면 스티로폼은 그대로라고 따로 언급한 것에 주목한다면 선지의 적절성을 판단할 수 있었을 거야. 표지와 과정에 대해 정확히 이해하지 못했다면 헷갈릴 수 있었을 텐데, 각각이 가리키는 바를 명확하게 파악하고, 추론에 앞서 지문에서 근거가 될 만한 부분을 체크해 두도록 하자.

4. ②   생략된 내용 추론하기

① (나)의 두 번째 문단에서 ⑦ '예언화 경향'은 '요망한 말로 백성을 미혹시켰다는 이유로 군주가 직언을 하는 신하를 탄압하는 빌미가 되기도 하였다'고 한 것으로 보아, ⑦이 신하의 직언을 활성화하는 방향으로 활용되었다고 볼 수 없다.

❷ (나)의 첫 번째 문단에서 한대의 동중서에서 체계화한 재이론에 따르면 군주가 실정을 저지르면 하늘이 재이를 통해 경고를 내린다고 하였으므로, 이는 인간사를 원인으로, 재이를 결과로 본 것이다. 그러나 두 번째 문단에서 동중서 이후 원인으로서의 인간사와 결과로서의 재이를 일대일로 대응시켜 설명하는 개별적 대응 방식은 ⑦ '예언화 경향'으로 이어져 재이를 인간사의 징조로, 인간사를 재이의 결과로 대응시키는 풍조를 낳기도 했다고 하였다. 즉 ⑦은 동중서에서와 달리 인간사와 재이의 인과 관계를 역전시켜 재이를 인간사를 알려주는 징조로 삼는 데 활용했다고 볼 수 있다.

③ (나)의 마지막 문단에서 주희는 재이를 근본적으로 이치에 의해 설명되기 어려운 자연 현상으로 간주하였으나 재이론이 폐기되는 것은 신하의 입장에서 유용한 정치적 기제를 잃는 것이기에 ⑥ '전반적 대응설'을 제시함으로써 재이를 군주의 심성 수양 문제로 귀결시키

며 재이론을 계속 정치와 연결시켰다고 하였다.

④ ⑥ '전반적 대응설'은 주희가 군주를 경계하는 방법으로서 재이론을 고수하며 제시한 것이므로, ⑥이 군주의 권력을 강화하는 데 활용되었다고 볼 수 없다.

⑤ ⑥ '전반적 대응설'은 군주에게 허물과 잘못이 쌓이면 이에 하늘이 감응하여 변칙적인 자연 현상이 일어난다는 것이므로, 군주의 지배력과 변칙적인 자연 현상이 무관하다는 인식을 강화했다고 볼 수 없다.

5. ②   다른 견해와 비교하여 이해하기

① (가)의 첫 번째 문단에서 흄은 '인과 관계 그 자체는 직접 관찰할 수 없다'고 지적했다고 하였고, 〈보기〉의 ㉮에서는 인과 관계가 직접 관찰될 수 없다면 물리적 속성의 변화와 전달과 같은 관찰 가능한 현상을 탐구하는 것이 인과 개념을 과학적으로 규명하는 올바른 경로라고 하였다. (가)의 두 번째 문단에 따르면 과정 이론은 교차에서 변화된 물리적 속성인 표지가 도입되면 그 표지를 전달할 수 있는 과정이 인과적 과정이라고 설명하였으므로, 곧 과정 이론은 인과 개념을 과학적으로 규명하려는 시도라고 볼 수 있다.

❷ 〈보기〉의 ㉯는 인과 관계를 '서로 다른 대상들이 물리적 성질들을 주고받는 관계', 즉 대상 간의 물리적 상호 작용으로 국한하는 입장을 보여 준다. (나)의 첫 번째 문단에서 재이론은 자연 현상과 인간사를 인과 관계로 설명하는 것으로, 군주가 실정을 저지르면 그로 말미암아 변화된 음양의 기를 통해 감응한 하늘이 재이를 통해 경고를 내린다는 입장임을 알 수 있다. 따라서 재이론은 인과 관계를 대상 간의 물리적 상호 작용으로 국한하는 입장과 부합한다고 볼 수 없다.

③ 〈보기〉의 ㉰는 치세에서는 재이를 찾아볼 수 없고, 난세에는 재이가 나타난다고 보는 입장이다. (나)의 첫 번째 문단에서 동중서의 재이론은 군주가 실정을 저지르면 하늘이 재이를 통해 경고를 내린다고 하였고, 마지막 문단에서 주희는 군주에게 허물과 잘못이 쌓이면 재이가 일어난다고 하였으므로, 동중서와 주희는 모두 재이론에 입각하여 ㉰를 수용 가능한 견해로 볼 것이다.

④ (가)의 마지막 문단에서 새먼의 과정 이론은 물리적 세계 바깥의 측면을 해명하기 어렵다고 하였다. 따라서 덕이 물리적 세계 바깥의 현상이라면, 덕과 세상의 변화에 인과 관계가 있다고 본 〈보기〉의 ㉱는 새먼의 과정 이론으로 설명되기 어려울 것이다.

⑤ 〈보기〉의 ㉲는 홍수의 발생 원인이 지방관의 실정이라고 할 수 없다고 하고 있다. (가)의 두 번째 문단에 따르면 새먼은 모든 과정이 인과적 과정은 아니며, 두 과정이 교차할 때 도입된 표지를 이후의 모든 지점에서 전달할 수 있는 과정이 인과적 과정이라고 하였다. 따라서 새먼은 ㉲에 대해 지방관의 실정에서 도입된 표지가 홍수로 이어지는 과정으로 전달될 수 없다면 실정이 홍수의 원인이 아니라고 볼 것이다.

6. ①   단어의 의미 파악하기

❶ '방법을 찾고자(ⓐ)'의 '찾다'는 '모르는 것을 알아내고 밝혀내려고 애쓰다. 또는 그것을 알아내고 밝혀내다.'라는 뜻으로 쓰인 것으로, '대책을 찾으려'의 '찾다' 또한 이 의미로 쓰인 예이다.

② '찾다'가 '모르는 것을 알아내기 위하여 책 따위를 뒤지거나 컴퓨터를 검색하다.'의 의미로 쓰인 예이다.

③ '찾다'가 '어떤 것을 구하다.'의 의미로 쓰인 예이다.

④ '찾다'가 '원상태를 회복하다.'의 의미로 쓰인 예이다.

⑤ '찾다'가 '잃거나 빼앗기거나 맡기거나 빌려주었던 것을 돌려받아 가지게 되다.'의 의미로 쓰인 예이다.

【7~12】 (가) '18세기 북학파의 북학론'

지문해설

18세기 북학파들은 청에 다녀온 경험을 바탕으로 청의 문물과 제도를 수용하자는 북학론을 주장하였다. 당시의 중화 관념이란 문명의 척도였으며 앞으로의 방향을 제시하는 나침반의 역할을 하였다. 박제가는 '북학의'에서 조선 나름의 독자성보다는 중화와 합치되는 방향으로 나아갈 것을 주장하였고, 이익 추구를 인간의 자연스러운 욕망으로 긍정하였다. 한편 이덕무는 '입연기'에서 이용후생을 내세우는 청의 현실을 긍정하며 청을 배우되, 조선 사람이 조선의 풍토에 맞게 살아가는 것도 모순되지 않는다고 주장하였다.

■ 비문학 지문, 어떻게 이해할까?

1문단
18세기 북학파들의 중화 관념

2문단	3문단
박제가의 '북학의'에 나타난 청의 현실과 조선과의 관계	이덕무의 '입연기'에 나타난 청의 현실과 조선과의 관계

■ **주제** : 북학파 학자 박제가와 이덕무의 이론 비교

(나) 18세기 후반 청의 경제와 사회상

지문해설

18세기 후반의 중국은 경제 발전의 정점에 달해 있었다. 그 배경에는 여러 단계의 시장들이 촘촘하게 연결되어 국내 교역이 활발하게 이루어진 것과, 장거리 교역의 상품이 일상적 물건까지 확대된 것 등이 있다. 특히 대외 무역의 발전과 은의 유입은 경제적 번영에 결정적 역할을 하였다. 그러나 19세기에 접어들면서 급격한 인구 증가로 전통적 유대 관계가 약화되고, 반란의 조직적 기반이 형성, 불법적인 행위의 심화 등 여러 가지 문제가 발생하였다.

■ 비문학 지문, 어떻게 이해할까?

1문단
18세기 후반에 정점에 달한 중국의 경제 발전 상황

2문단
19세기 위기의 징후를 보이며 하락하는 중국의 경제 상황과 원인

3문단
경제 위기의 징후에 대한 통치자들의 대응 방식

■ **주제** : 18세기 후반의 청의 경제적 상황과 사회적 요소

7. ①   내용 전개 방식 파악하기

❶ (가)는 18세기의 북학파를 내세우는 학자인 박제가와 이덕무의 중화 관념을 비교하여 분석하며 그 차이점을 설명하고 있다. 박제가는 중화 관념의 절대성을 인정하며 중화와 합치되는 방향으로, 청 문물제도의 수용이 가져다주는 이익을 논하며 북학론의 당위성을 설파

하는데 비해, 이덕무는 청과 조선의 현실적 차이뿐만 아니라 양쪽 모두의 가치를 인정하고 물질적 삶을 중시하는 이용후생에 관심을 보인다는 차이가 있다. 이는 동아시아에서 문명의 척도로 여겨진 중화 관념이 청의 현실에 대한 인식에 각각 다르게 반영된 것이라고 할 수 있다.

② (가)는 18세기 중국을 바라보는 사상적 관점인 북학론에 대한 박제가와 이덕무의 사상을 비교하고 있으나, 각 관점이 지닌 역사적 의의와 한계를 비교하고 있는 부분은 없다.

③ (나)에서 18세기 후반의 중국의 경제 발전이 정점에 달해 있다가 19세기에 들어서는 급속한 하락세를 겪게 되는 이유를 설명하였으나 18세기 중국의 사회상을 시대별 기준에 따라 분류하여 서술하지는 않았다.

④ (나)는 중국의 경제 상황이 18세기를 거쳐 19세기까지 어떠한 양상으로 변했으며 그 원인에 대한 분석을 하고 있을 뿐, 18세기 중국의 사상적 변화를 제시하면서 그러한 변화가 지니는 긍정적 측면과 부정적 측면을 분석한 부분은 없다.

⑤ (가)는 18세기 청에 다녀온 경험을 바탕으로 우리나라의 북학파 학자들이 펼치는 이론을 설명하고 있으므로, 18세기의 중국의 현실이 우리나라에 미친 영향을 추측할 수 있다. 그러나 (나)는 18세기와 19세기의 중국의 경제 상황에 대한 분석을 하고 있을 뿐, 그러한 현실이 다른 나라에 미친 영향을 예를 들어 설명하지 않았다.

8. ④ 견해의 차이 파악하기

① 두 번째 문단에서 박제가는 중화 관념의 절대성을 인정하였고, 당시 조선은 나름의 독자성을 유지하기보다 중화와 합치되는 방향으로 나아가야 한다고 생각하였으므로 그는 청의 문물을 도입하는 것이 중화를 이루는 방도라고 간주하였을 것이다.

② 두 번째 문단에서 박제가는 청의 현실은 단순한 현실이 아니라 조선이 지향할 가치 기준으로 보았으며 그가 쓴 '북학의'에 묘사된 청의 현실은 그에게 중화가 손상 없이 보존된 것이자 조선의 발전 방향이기도 하였다고 하였다.

③ 세 번째 문단에서 이덕무는 청 문물의 효용을 도외시하지 않고 물질적 삶을 중시하는 이용후생에 관심을 보였다고 하였으므로 적절한 설명이다.

❹ 세 번째 문단에서 이덕무는 중국인들의 외양이 만주족처럼 변화된 것을 보고 비통한 감정을 토로하며, 중화의 중심이라 여겼던 명에 대한 의리를 중시하는 태도를 보이고 있으므로, 청이 중화를 보존하고 있음을 인정하였다는 설명은 적절하지 않다.

⑤ 첫 번째 문단에서 18세기 북학파들은 청에 다녀온 경험을 연행록으로 기록하여 청의 문물제도를 수용하자는 북학론을 구체화하였으며, 이는 동아시아에서 문명의 척도로 여겨진 중화 관념이 청의 현실에 대한 인식에 각각 다르게 반영된 것이라고 하였다. 따라서 박제가와 이덕무는 모두 중화 관념 자체에 대해서는 긍정적인 태도를 견지하였음을 알 수 있다.

9. ⑤ 특정 정보 이해하기

① 세 번째 문단에서 이덕무는 청에 대한 찬반의 이분법에서 벗어나 청과 조선의 현실적 차이뿐만 아니라 양쪽 모두의 가치를 인정하였다고 하였다. 따라서 '평등견'이

조선의 풍토를 기준으로 삼아 청의 제도를 개선하자는 설명은 적절하지 않다.

② 이덕무는 청과 조선은 구분되지만 서로 배타적이지 않다고 보았으며, 청을 배우는 것과 조선 사람이 조선 풍토에 맞게 살아가는 것은 서로 모순되지 않는다고 하였다. 따라서 조선의 고유한 삶의 방식을 청의 방식에 따라 개혁해야 한다는 설명은 적절하지 않다.

③ 청과 조선의 가치를 평등하게 인정한다는 설명은 적절하지만, 이를 통해 청과 조선의 풍토로 인한 차이를 해소하려 한다는 설명은 적절하지 않다.

④ 이덕무는 청에 대한 찬반의 이분법에서 벗어나 청과 조선의 현실적 차이뿐만 아니라 양쪽 모두의 가치를 인정하였으나, 중국인들의 외양이 만주족처럼 변화된 것을 안타까워하며 중화의 중심이라 여겼던 명에 대한 의리를 중시하는 태도는 기존의 의견과 상반되는 것이다. 따라서 평등견을 중국인의 외양이 변화된 모습을 명에 대한 의리 문제와 관련지어 파악하려는 설명은 적절하지 않다.

❺ 이덕무는 청과 조선의 현실적 차이뿐만 아니라 양쪽 모두의 가치를 인정하며 청과 조선은 구분되지만 서로 배타적이지 않다고 보았다. 또한 조선이 청을 배우는 것과 조선 사람이 조선 풍토에 맞게 나름대로 살아가는 것은 서로 모순되지 않는다고 하였으므로, 청에 대한 배타적 태도를 지양하고 청과 구분되는 조선의 독자성을 유지하자는 설명은 적절하다.

10. ③ 핵심 정보 파악하기

① 새로운 작물의 재배는 민간의 노력을 의미한다.

② 18세기 후반의 중국은 명대 이래의 경제 발전이 정점에 달해 있었으며 국내 교역이 활발하게 이루어지고 있었다. 특히 상인 조직의 발전과 신용 기관의 확대는 교역의 질과 양이 급변하고 있었음을 보여 주는데 이는 대외 무역의 발전과 은의 유입으로 인한 것이었다. 그러나 18세기 후반부터 시작된 경제 위기는 19세기에 접어들 무렵부터는 심각한 내외의 위기에 직면하였으며, ㉠은 그에 대한 표현이다.

❸ 인구의 증가로 인해 이주 및 도시화가 진행되고 전통적인 사회적 유대가 약화되거나 단절된 사람들이 상호 부조 관계를 맺는 결사 조직이 성행하였다. 이런 결사 조직은 불법적인 활동으로 연결되고 때로는 위기 상황에서 반란의 조직적 기반이 되었다고 하였으므로 ㉠은 인구 증가로 인한 문제점들이 나타나는 상황을 가리킨다.

④ 급격한 인구 증가로 인한 여러 문제는 새로운 작물 재배, 개간, 이주, 농경 집약화 등 민간의 노력에도 불구하고 해결되지 않았다고 하였다. 따라서 ㉠은 이주나 농경 집약화 등이 실패한 것이 아니라, 인구 증가로 인한 문제점을 해결하는 것을 실패한 것에 해당한다.

⑤ 인맥에 기초한 관료 사회의 부정부패가 심화된 것은 인구 증가와 무관하지 않다고 하였다. 교육받은 지식인들이 증가하는 것에 비해 이들을 흡수할 수 있는 관료 조직의 규모는 정체되어 있었고, 이러한 경쟁의 심화가 종종 불법적인 행위로 연결되었기 때문이다. 그러나 사회적 유대의 약화로 인하여 관료 사회의 부정부패가 심화되었다고 보는 것은 적절하지 않다. 인구증가로 인한 사회적 유대의 약화는 인구 증가로 이주 및 도시화가 진행되는 가운데 전통적인 사회적 유대가 약화되거나 단절된 사람들이 상호 부조 관계를 맺는 결사 조직이 성행하는 결과를 가져왔다고 분석하는 것이 적절하다.

11. ④ 글의 관점을 바탕으로 내용 파악하기

① 〈보기〉에서 중국 사람은 가난하면 신분에 관계 없이 장사를 하는데, 정말 사람만 현명하면 원래 가진 풍류와 명망은 그대로라고 여긴다고 하였다. 예로 유생이 거리낌 없이 서점을 출입하고, 재상조차도 직접 용복사 앞 시장에 가서 골동품을 산다고 하였다. 이는 [A]에 제시된 청 문물제도의 수용과 그로 인한 이익 추구를 인간의 자연스러운 욕망으로 긍정한다는 입장과 부합한다.

② 〈보기〉에서 우리나라에서는 자기가 사는 지역에서 많이 나는 산물을 다른 데서 산출되는 필요한 물건과 교환하여 풍족하게 살려는 백성이 많지만, 힘이 미치지 못하는 것을 문제 삼고 있다. [A]에서는 북학론의 당위성을 주장하며, 이익 추구를 인간의 자연스러운 욕망으로 긍정하고 양반도 이익을 추구하자는 등의 실용적인 입장을 보이고 있음을 알 수 있다. 따라서 〈보기〉에 제시된 조선의 산물 유통에 대한 서술은 [A]에서 제시한 북학론의 당위성을 뒷받침하는 근거라 볼 수 있다.

③ 〈보기〉에서 중국 사람은 가난하면 장사를 하는 것이 보편적이라고 하였다. 이는 (나)에 제시된 18세기 후반의 중국은 주민들이 접근할 수 있는 향촌의 정기 시장부터 인구 100만의 대도시의 시장에 이르는 여러 단계의 시장들이 그물처럼 연결되어 국내 교역이 활발하게 이루어지고 있었다는 상황과 상충되지 않는다.

❹ 〈보기〉에서 은이란 천년이 지나도 없어지지 않는 물건이라고 평가하며, 우리나라가 중국을 상대로 물건을 팔아 중국의 은으로 바꿔 오지 않는 일에 대하여 안타까워하고 있다. (나)에서 대외 무역의 발전과 은의 유입으로 중국의 상품 경제의 발전을 자극하였다고 하였다. 은과 상품의 세계적 순환으로 중국 경제가 세계 경제와 긴밀하게 연결되어 있다고 설명하고 있으므로, 〈보기〉에 제시된 은에 대한 평가는, 당대의 은의 효용적 측면을 적절하게 평가한 것임을 알 수 있다.

⑤ 〈보기〉에서 중국의 유생은 거리낌없이 서점을 출입하고, 재상조차도 직접 용복사 앞 시장에 가서 골동품을 산다고 표현하였다. 한편 (나)에서는 인구의 증가로 인해 인맥에 기초한 관료 사회의 부정부패가 심화되고, 한정된 관료직을 차지하기 위한 경쟁의 심화가 종종 불법적인 행위로 연결되었다고 하였다. 따라서 〈보기〉에 제시된 중국의 관료에 대한 묘사는 (나)에 제시된 관료 사회의 모습을 참고할 때, 지배층의 전체 면모가 드러나지 않는 진술이라 볼 수 있으므로 적절하지 않다.

12. ③ 단어의 문맥상 의미 파악하기

① ⓐ의 '보존된'은 '잘 보호하고 간수하여 남김'이라는 뜻이지만, '드러난'은 '가려 있거나 보이지 않던 것이 보이게 되다' 혹은 '알려지지 않은 사실이 널리 밝혀지다'라는 뜻이므로 유사한 의미가 아니다.

② ⓑ의 '도외시하지는'은 '상관하지 아니하거나 무시하다'라는 의미이고, '생각하지는'은 '사물을 헤아리고 판단하다' 혹은 '어떤 사람이나 일 따위에 대하여 기억하다'는 의미이므로 유사하지 않다.

❸ ⓒ의 '한정되지'는 '수량이나 범위 따위가 제한되어 정해지다'라는 의미이고, '그치지'는 '계속되던 일이나 움직임이 멈추거나 끝나다. 또는 그렇게 하다'라는 의미이므로 이 둘을 바꿔쓰기 적절하다.

④ ⓓ의 '자극하였다'는 '외부에서 작용을 주어 감각이나 마음에 반응이 일어나게 하다'라는 의미이고, '따라갔다'는 '다른 사람이나 동물의 뒤에서, 그가 가는 대로 가

다' 혹은 '앞서 있는 것의 정도나 수준에 이를 만큼 가까이 가다'라는 의미이므로 이 둘은 다르다.
⑤ ⓔ의 '성행하다'는 '매우 성하게 유행하다'라는 의미이고, '일어나다'는 '어떤 일이 생기다'라는 의미이므로 이 둘은 다르다.

【13~16】 '에피쿠로스의 자연학과 윤리학'

지문해설

고대 그리스 시대에는 신에 의해 우주가 운행되고 각종 자연재해나 천체 현상 등도 신이 주관한다고 보았으므로 인간은 신으로부터 자유로울 수 없었다. 이에 대해 에피쿠로스는 신의 존재는 인정하나, 신은 인간사에 개입하지 않는다는 이신론적 관점을 주장하였고 이는 인간의 행복은 신이 아닌 인간 자신에 의해 완성된다는 것을 뜻한다. 에피쿠로스는 이러한 관점을 뒷받침하는 것으로 인간의 영혼은 미세한 입자로 이루어져 사후에도 신의 심판을 받지 않으므로 죽음을 두려워 할 필요가 없음을 강조하였고, 우주와 인간의 세계에 신의 관여는 없다고 하였다. 이러한 에피쿠로스의 윤리학은 인간이 자신의 삶을 자유롭게 규명하고 주체적으로 살 수 있다는 것을 보여준 것에 의의가 있다.

분석Plus

■ 비문학 지문 어떻게 이해할까?

1문단
고대의 결정론적 세계관 속에서의 에피쿠로스의 사상의 특징

2문단	3문단
에피쿠로스의 이신론적 관점	인간은 죽음과 사후의 심판을 두려워할 필요 없음.

4문단
우주는 우연의 산물이며 우주와 인간의 세계에 신의 관여는 존재하지 않음.

5문단
에피쿠로스의 쾌락주의적 윤리학

■ **주제** : 에피쿠로스의 사상적 특징과 윤리학적 의의

어휘풀이

• **야기(惹起)** 일이나 사건 따위를 끌어 일으킴.
• **불사(不死)** 죽지 아니함.
• **호의(好意)** 친절한 마음씨. 또는 좋게 생각하여 주는 마음.
• **섭리(攝理)** 자연계를 지배하고 있는 원리와 법칙.
• **쾌락주의(快樂主義)** 쾌락을 가장 가치 있는 인생의 목적이라 생각하고 모든 행위의 궁극적인 목적 내지 도덕의 원리로 생각하는 사상.

13. ② 　　글의 중심 내용과 구조 파악하기

① 에피쿠로스 사상의 성립 배경은 인간의 영혼이 미세한 입자로 구성되어 있으므로 인간은 사후 세계를 두려워할 필요가 없으며, 주체적으로 자신의 삶을 살아갈 수 있게 하는 자유의지의 단초로 삼는다 하였다. 하지

만 사상적 성립 배경은 윗글의 핵심 내용을 포괄할 수 없으므로 적절하지 않다.
❷ 에피쿠로스는 신에 의해 우주가 운행된다고 믿는 결정적인 세계관이 팽배해있던 시대에 인간의 자율성을 강조하고 자신의 삶을 주체적이고 자율적으로 살아갈 것을 강조하였다. 이는 인간과 우주의 세계에 신의 관여가 개입할 수 없다는 것을 의미한다. 이러한 에피쿠로스의 사상은 쾌락주의 윤리학을 이루는 근간이 되었으므로 윗글의 표제와 부제는 적절한 설명이다.
③ 에피쿠로스 사상에 대한 비판과 옹호는 윗글에 나타나 있지 않으므로 적절하지 않다.
④ 에피쿠로스의 사상을 둘러싼 논쟁이나 이견은 윗글에 나타나 있지 않으므로 적절하지 않다.
⑤ 에피쿠로스 사상은 쾌락주의적 윤리학을 바탕으로 인간의 자유로운 삶의 근본을 규명하고 인생의 궁극적인 목표인 행복을 강조한다는 데에 의의가 있으나, 사상의 현대적 수용과 효용성에 대해 언급된 부분은 없으므로 적절하지 않다.

14. ④ 　　핵심 개념 이해하기

① ㉠은 신은 우주들 사이의 중간 세계에 살며 인간사에 개입하지 않는다는 관점이므로, 인간의 세계는 신에 의해 결정되지 않으며 인간의 행복 역시 인간 자신에 의해 완성된다고 보고 있다. 이는 인간이 신이나 사후 세계에 대해 두려워할 필요가 없다는 것을 강조하는 것이므로 '인간이 두려움을 갖는 이유'라는 설명은 잘못되었다. ㉡은 우주와 인간의 세계에 대한 비결정론적 이해를 가능하게 하며 인간의 자유 의지를 강조하고, ㉢은 인생의 궁극적인 목표는 주체성을 바탕으로 인간을 행복으로 이르게 하는 방법을 제시한다.
② ㉠은 신은 우주들 사이의 중간 세계에 살며 인간사에 개입하지 않는다는 입장이므로, 우주가 신에 의해 운행된다고 믿는 근거를 제시한다는 설명은 잘못되었다. 또한 ㉡과 ㉢은 인간의 사후에도 신의 심판을 받지 않으므로 죽음이나 사후의 세계에 대해 두려움을 가질 필요가 없다는 것이므로 인간의 사후에 대해 탐구하는 방법을 제시한다는 설명은 잘못되었다.
③ ㉠과 ㉡을 통해 인간의 영혼과 육체는 미세한 입자로 구성되어 있으므로, 육체가 소멸하면 영혼도 소멸되므로 살아 있는 동안 사후 세계에 심판받는 것을 두려워할 필요가 없음을 알 수 있다. 따라서 인간이 영혼과 육체의 관계를 탐구하는 이유라는 설명은 잘못되었다. ㉢은 인간이 신의 개입이나 우주의 필연성, 사후 세계에 대한 두려움을 벗어날 수 있도록 돕는 것일 뿐, 모든 두려움에서 벗어나는 방법을 제시한 것은 아니다.
❹ ㉠과 ㉡은 신에 의해 우주가 운행된다는 것을 부정한다. 이는 우주와 인간의 세계에 신의 관여가 없으므로 인간이 자신의 삶을 주체적으로 살아갈 수 있게 한다는 것을 의미하므로 당대의 결정론적 세계관에서 벗어날 수 있는 근거를 제시한다. ㉢은 인간의 자율성을 통해 인생의 궁극적 목표인 행복으로 이르도록 하는 방법을 제시하므로 옳은 설명이다.
⑤ ㉠과 ㉡은 인간이 신이나 우주와는 별개의 존재이며 인간의 주체성을 설명할 뿐, 인간의 존재 이유와 존재 위치에 대한 탐색의 결과는 제시된 것이 없으며, ㉢은 인간이 자율적이고 주체적인 삶을 살 수 있는 방안을 제시한 것이므로 인간이 우주의 근원을 연구하는 방법을 제시한 것과는 관련이 없다.

15. ⑤ 　　글의 내용을 다양한 관점에서 비판하기

❺ ㄱ. 에피쿠로스는 인간의 삶을 자율적이고 주체적으로 사는 것을 강조하였으므로 '신의 섭리에 따라 인간의 삶을 이해하려고 하는가?'라는 비판은 잘못되었다.
ㄴ. 에피쿠로스는 원자들이 수직 낙하 운동이라는 법칙에서 벗어나기도 하며 비스듬히 떨어지거나 충돌해서 튕겨 나가는 우연적인 운동을 한다고 하며, 우주는 이러한 원자들에 의해 이루어졌으므로 우주 역시 우연의 산물이라고 하였다. 그러나 'ㄴ'처럼 인과 관계 없이 이루어진다는 것이 반드시 자유 의지를 갖고 행동했다고는 볼 수 없으므로 올바른 비판 내용이다.
ㄷ. 에피쿠로스는 인간의 영혼이 미세한 입자로 구성되어 있고 사후에는 육체와 함께 영혼도 소멸하여서 인간은 사후에 심판도 받지 않으므로 사후 세계에 대한 두려움을 가질 필요가 없다고 하였다. 그러나 'ㄷ'처럼 인간은 사후에 대한 두려움만 존재하는 것이 아니라 죽음에 이르는 고통을 두려워할 수도 있으므로 적절한 비판 내용이다.
ㄹ. 고대 그리스 시대의 사람들은 신에 의해 우주가 운행된다고 믿었으므로, 신이 야기한다고 믿는 자연재해나 천체 현상 등에 두려움을 떨치지 못하였다. 당대 사람들의 이러한 믿음에 대해 에피쿠로스는 신은 인간사에 개입하지 않으므로 두려움을 가질 필요가 없다고 하였으나, 'ㄹ'처럼 인간이 자연재해 그 자체에 두려움을 가질 수도 있으므로 적절한 비판 내용이다. 따라서 'ㄴ, ㄷ, ㄹ'이 적절한 비판 내용이다.

16. ⑤ 　　내용의 타당성 판단하기

① 〈보기〉는 신이 모든 것을 결정한다는 논리이며, 신을 '모든 것들의 원인'으로 보고 있다. 이에 반해 에피쿠로스는 신이 '인간사에 개입'하지 않는다는 이신론적 사상을 갖고 있으므로 적절한 설명이다.
② 〈보기〉는 신이 '지성'을 조력자로 삼아 하늘과 땅, 바다에 있는 일체의 모든 것들을 이끈다고 보는 것에 비해, 에피쿠로스는 원자들이 수직 낙하 운동에서 벗어나 우연적인 운동도 하는 것으로 보아 우주 역시 우연의 산물로 여기고 있으므로 적절한 설명이다.
③ 〈보기〉는 신이 모든 것들의 원인이며 목적인 동시에 '모든 것들'을 '바르고 행복한 상태'에 도달하게 한다고 한다. 에피쿠로스 역시 신은 우주들 사이의 중간 세계에 살며 인간사에 개입하지 않는 불사의 존재라고 칭한 것으로 보아 〈보기〉와 에피쿠로스의 공통점은 모두 신의 존재를 인정한다는 것이다.
④ 〈보기〉는 '모든 것들'을 '바르고 행복한 상태'에 이르게 하는 근원을 신이라고 보았으나, 에피쿠로스는 인간은 신이나 사후 세계의 영향을 받지 않는 자율적이고 주체적인 존재이므로 행복은 '인간 자신에 의해 완성'된다고 보았으므로 적절한 설명이다.
❺ 〈보기〉는 신은 모든 일의 목적인 존재이나 '인간의 세계'에 속해 있지 않다고 보고, 에피쿠로스는 신은 우주들 사이에 중간세계에 살며 인간사에 개입하지 않는다고 보았다. 따라서 에피쿠로스는 신은 인간에게 영향력을 끼칠 수 없다는 관점이므로 '신의 영향력이 인간 세계의 외부에서 온다고 보는 공통점이 있다'는 설명은 적절하지 않다.

어휘풀이

• **조력자(助力者)** 도와주는 사람.

Day 05

본문 027쪽

1. ①	2. ④	3. ②	4. ④	5. ⑤
6. ④	7. ②	8. ②	9. ④	10. ⑤
11. ②	12. ①	13. ②	14. ③	15. ④

【1~6】 (가) '과거제의 사회적 기능'
(나) '과거제의 부작용'

지문해설

(가) 과거제의 긍정적 측면을 바탕으로 과거제가 사회에 미친 긍정적인 영향을 다룬 글이다. 과거제는 능력주의적인 시험을 통해 관료를 선발하는 제도로 합리성, 공정성을 갖추고 있었다. 이러한 과거제는 개방성을 제고하여 사회적 유동성을 증대시킨 한편 교육의 확대와 지식의 보급, 지식인 집단의 형성을 가져왔고 사회적 안정과 관료제에 기초한 통치의 안정성에도 기여했다. 선교사를 통해 유럽에 전해진 과거제는 정치적 합리성을 중시한 계몽사상가들의 관심을 불러일으켰을 뿐 아니라 실질적인 사회 제도에까지 영향을 미쳤다.

(나) 과거제를 개혁하자는 학자들의 개혁론을 바탕으로 과거제의 부정적 측면을 설명한 글이다. 학자들이 제안한 과거제 보완 방향은 능력주의적, 결과주의적 인재 선발의 약점 극복과 함께 봉건적 요소의 재도입을 담고 있었다. 과거제 시험 방식은 치열한 경쟁으로 인한 형식적 학습과 재능 낭비라는 부정적 현상을 가져왔고, 나아가 과거제를 통해 임용된 관리들은 승진을 위해 성과만 빨리 내려고 하는 한편 공동체에 대한 소속감이 낮으며 출세 지향적이라는 문제점이 있었다. 과거제 개혁론에 봉건적 요소 도입이라는 주장이 등장한 것은 이러한 한계에 대한 제도 보완의 시도라고 볼 수 있다.

■ 비문학 지문 어떻게 이해할까?

(가)

1문단
능력주의적인 시험인 과거제의 합리성

2문단
공정성을 바탕으로 한 과거제의 사회적 유동성 증대 효과

3문단
과거제의 여러 가지 사회적 효과

4문단
과거제가 통치의 안정성에 미친 영향

5문단
유럽에 전파된 과거제의 영향력

(나)

1문단
과거제를 개혁하기 위한 여러 학자들의 제안

2문단
과거제 개혁론의 등장 배경 : 시험 방식의 부작용

3문단
과거제를 통해 임용된 관리들의 문제점

4문단
봉건적 요소를 도입하여 과거제를 보완하자는 주장의 이유

■ **주제** : (가) 합리성, 공정성을 바탕으로 사회에 긍정적 영향을 미친 과거제
(나) 과거제의 문제점과 그 보완을 제안한 개혁론

어휘풀이

· 제고하다(提高) 쳐들어 높이다.

1. ①　　내용 전개 방식 파악하기

❶ (가)는 과거제가 합리성과 공정성을 바탕으로 사회에 여러 가지 긍정적 효과를 가져왔으며 통치의 안정성에도 기여했음을 서술하고 있고, (나)는 과거제 개혁론을 제시한 뒤 그 원인인 과거제의 부작용을 제시하고 있으므로 둘 다 과거제가 사회에 미친 영향을 인과적으로 서술했다고 할 수 있다.

② (가)는 과거제의 긍정적 효과를 설명하고 있을 뿐 과거제에 대한 두 가지 이론은 제시되지 않았으며, (나) 또한 과거제 개혁론을 언급한 유형원, 고염무, 황종희의 견해를 제시했을 뿐 과거제를 분석하는 두 가지 이론을 구분하여 소개했다고 볼 수는 없다.

③ (나)는 첫 번째 문단에서 유형원, 고염무, 황종희 등 구체적 사상가들의 견해를 언급하여 과거제에 대한 관점을 드러내고 있으나, (가)에는 구체적 사상가들의 견해가 나타나 있지 않다.

④ (나)에서는 과거제의 문제점, 즉 비판의 근거를 제시하고 있을 뿐 선호와 비판의 근거를 비교하고 있지는 않다.

⑤ (가)는 과거제가 천 년이 넘게 시행되었음을 언급하면서 과거제가 사회에 미친 긍정적 영향을 서술하고 있을 뿐 과거제의 발전을 통시적으로 설명한 것은 아니다. 또한 (나)는 과거제를 개혁하자고 주장한 학자들의 입장을 제시하고 있을 뿐 상반된 입장을 공시적으로 언급한 것은 아니다.

어휘풀이

· 통시적(通時的) 어떤 시기를 종적으로 바라보는 것.
· 공시적(共時的) 어떤 시기를 횡적으로 바라보는 것.

2. ④　　세부 정보 확인하기

① (가)의 마지막 문단에서 과거제가 선교사들을 통해 유럽에 전해진 뒤 사상적 동향뿐만 아니라 사회 제도에까지 영향을 미쳐서, 유럽에서 관료 선발에 시험을 통한 경쟁이 도입되기도 했다는 것을 통해 알 수 있다.

② (가)의 세 번째 문단에서 과거제를 통해 통치에 참여할 능력을 갖춘 지식인 집단이 폭넓게 형성되었다고 했으며, 네 번째 문단에서 과거제가 관료제에 기초한 통치의 안정성에 기여했다고 하고 있다.

③ (가)의 세 번째 문단에서 과거 시험의 최종 단계까지 통과하지 못한 사람들에게도 국가가 여러 특권을 부여했다고 하고 있다.

❹ (가)의 세 번째 문단에서 국가가 과거제의 최종 단계까지 통과하지 못한 사람에게 여러 특권을 부여하고 그들이 지방 사회에 기여하도록 하여 경쟁적 선발 제도가 가져올 수 있는 부작용을 완화하고자 노력했다고 하고 있다. 즉 국가가 경쟁적인 과거제의 부작용을 완화하기 위해 과거에서 떨어진 사람들에게 지방 사회에 기여할 수 있는 기회를 주었다는 것으로, 과거제로 인해 많은 사람들이 지방의 관료에 의해 초빙될 기회를 얻었다는 것은 아니다.

⑤ (가)의 다섯 번째 문단에서 일군의 유럽 계몽사상가들은 학자의 지식이 세습적 지위보다 우위에 있는 체제를 정치적인 합리성을 갖춘 것으로 보았다고 하고 있다.

3. ②　　이유 추론하기

① (나)의 세 번째 문단에서 몇 년의 임기마다 다른 지역으로 이동하는 관리들은 지역 사회에 대한 소속감이 낮았다고 한 것을 통해 추론할 수 있다.

❷ 고염무는 관료제의 상층에는 능력주의적 제도를 유지하되, 지방관은 검증 기간을 거친 이후 그 지위를 평생 유지시켜 주고 세습의 길까지 열어 놓은 방안을 제안했다. (나)의 네 번째 문단에 따르면 이러한 주장은 사적이고 정서적인 관계에서 볼 수 있는 소속감과 충성심을 과거제로 확보하기 어렵다는 판단 아래, 합리적인 제도가 가져온 역설적 상황을 역사성적 경험과 사상적 자원을 활용하여 보완하고자 하는 시도였음을 알 수 있다. 즉 과거제의 문제점 때문에 과거제에 세습과 같은 봉건적 요소를 재도입하고자 한 것이지 과거제로 등용된 관리들이 봉건적 요소를 지향했다고 볼 수는 없으며, 세 번째 문단에 따르면 공공성과 상충된 것은 과거제로 등용된 관리들의 개인적 동기이다.

③ (나)의 세 번째 문단에서 과거제 출신의 관리들은 개인적 동기가 강하고 세습 엘리트에 비해 공동체에 대한 충성심이 약하다고 한 것을 통해 추론할 수 있다.

④ (나)의 세 번째 문단에서 과거제로 임용된 관리들은 출세 지향적이어서 빨리 성과를 낼 필요가 있었기에 장기적인 전망을 가지고 정책을 추진하기보다 가시적이고 단기적인 결과만을 중시했다고 한 것을 통해 추론할 수 있다.

⑤ (나)의 세 번째 문단에서 능력주의적 태도가 관리의 업무 평가에도 적용되었는데, 이로 인해 몇 년의 임기마다 다른 지역으로 이동하는 관리들은 승진을 위해서 빨리 성과를 낼 필요가 있었기에 가시적이고 단기적인 결과만을 중시했다고 한 것을 통해 추론할 수 있다.

4. ④　　구절의 의미 이해하기

① (가)의 두 번째 문단에서 과거의 응시 자격에 일부 제한이 있었다고 하였으므로 ㉠의 익명성 확보가 모든 사람에게 응시 기회를 보장했다고 볼 수는 없다. 또한 ㉡의 익명성에 대한 회의는 학습 능력 이외의 인성이나 실무 능력을 평가할 수 없는 데서 온 것이지 결과주의의 지나친 확산에서 비롯되었다고 볼 수 없다.

② ㉠의 익명성 확보를 통해 과거제의 공정성이 강화되었으나 (가)의 네 번째 문단에 따르면 왕조의 교체와 같은 변화에도 불구하고 사회적 안정에 기여한 것은 과거제의 합리성이다. 또한 ㉡의 익명성에 대한 회의는 과거제의 문제점에서 비롯된 것이지 대대로 관직을 물려받는 문제에서 비롯된 것이 아니다.

③ ㉠의 익명성 확보가 지역 공동체의 전체 이익을 증가시켰다고 볼 근거는 없다. 또한 ㉡의 익명성에 대한 회의는 과거제의 시험 방식이 가져온 문제점 중 하나일 뿐 지나친 경쟁이 유발한 국가 전체의 비효율성에서 비롯된 것은 아니다.

❹ (가)의 두 번째 문단에 따르면 시험 과정에서 익명성 확보를 위한 장치를 도입한 것은 공정성 강화를 위한 노력을 보여 주는데, 이러한 공정성을 바탕으로 과거제는 보다 많은 사람들에게 사회적 지위 획득의 기회를

주었다고 하였으므로 결국 ㉠은 사회적 지위 획득의 기회를 확대하는 데 기여했다고 할 수 있다. 또한 (나)의 두 번째 문단에 따르면 과거제의 시험 방식의 문제점 중 학습 능력 이외의 인성이나 실무 능력을 평가할 수 없다는 이유로 시험의 익명성에 대한 회의도 있었다고 하였으므로 ㉡은 관리 선발 시 됨됨이 검증의 곤란함에서 비롯되었다고 할 수 있다.

⑤ (가)의 세 번째 문단에서 과거제는 시험에 필요한 고전과 유교 경전을 학습하도록 하여 도덕적인 가치 기준에 대한 광범위한 공유를 이끌어 냈다고 하였다. 따라서 ㉠의 익명성의 공유가 관료들이 지닌 도덕적 가치 기준의 다양성을 확대했다고 볼 수는 없다. 한편 (나)의 네 번째 문단에 따르면 과거제를 통해 사적이고 정서적인 관계에서 볼 수 있는 소속감과 충성심을 확보하기 어려운 것은 맞지만 이 어려움 때문에 ㉡의 익명성에 대한 회의가 나타난 것은 아니다.

---

5. ⑤   구체적 사례에 적용하기

① 〈보기〉에서 '갑'은 변변치 못한 집안 출신이라 차별받는 사람들이 과거를 통해 관직을 얻으면서 불만이 많이 해소된 것을 긍정적으로 보고 있다. 이는 (가)의 두 번째 문단에서 알 수 있듯 과거제가 보다 많은 사람들에게 사회적 지위 획득의 기회를 줌으로써 사회적 유동성을 증대시킨 점을 긍정적으로 본 것으로, 세습적 권리와 무관한 능력주의적인 시험으로써 공정성과 개방성을 지닌 과거제의 성격에 주목한 것이라 할 수 있다.

② 〈보기〉에서 '을'은 많은 선비들이 오랜 시간 과거를 준비하느라 재능을 낭비하는 것을 안타깝게 여기고 있다. 이는 (나)의 두 번째 문단에서 언급한 과거제 시험 방식의 부작용 중 많은 인재들이 수험 생활에 장기간 매달리면서 재능을 낭비하는 현상을 낳았다는 점에 주목한 것으로 볼 수 있다.

③ 〈보기〉에서 '을'은 과거제를 통해 조선 사회에 유교적 가치가 광범위하게 자리를 잡은 것을 긍정적으로 평가하고 있다. 이는 (가)의 세 번째 문단에서 언급한 과거제의 사회적 효과 중 시험을 위해 고전과 유교 경전 학습이 이루어진 효과에 주목한 것으로 볼 수 있다.

④ 〈보기〉에서 '병'은 과거 시험 공부에 깊이가 없어진 점을 문제로 여기고 있다. 이는 (나)의 두 번째 문단에서 언급한 과거제 시험 방식의 부작용 중 학문에 대한 깊이 있는 학습이 아니라 합격만을 목적으로 하는 형식적 학습을 하는 현상에 주목한 것이라고 볼 수 있다.

❺ 〈보기〉에서 '병'은 과거제로 인해 더 많은 사람들이 공부를 하려는 생각을 가지게 된 것을 긍정적으로 평가하고 있다. 이는 (가)의 세 번째 문단에서 언급한 과거제의 사회적 효과 중 학습에 강력한 동기를 제공하여 교육의 확대와 지식의 보급에 기여한 점에 주목한 것이라 할 수 있다. 과거제는 고전과 유교 경전에 대한 학습을 평가했으며, (나)의 두 번째 문단에 따르면 학습 능력 이외의 인성이나 실무 능력을 평가할 수 없는 문제점이 있었으므로 과거제가 실무 능력을 중심으로 평가하는 시험 방식이라는 반응은 적절하지 않다.

---

6. ④   어휘의 문맥적 의미 파악하기

① ⓐ의 '두다'는 '행위의 준거점, 목표, 근거 따위를 설정하다.'의 의미로 쓰인 예이나, '열쇠를 방 안에 두고'의 '두다'는 '일정한 곳에 놓다.'의 의미로 쓰인 예이다.

---

② ⓑ의 '되살리다'는 '죽거나 없어졌던 것이 다시 살다.'를 뜻하는 '되살다'의 사동형이나, '기억을 되살렸다'의 '되살리다'는 '잊었던 감정이나 기억, 기분 따위가 다시 일다.'를 뜻하는 '되살다'의 사동형이다.

③ ⓒ의 '걸치다'는 '일정한 횟수나 시간, 공간을 거쳐 이어지다.'의 의미로 쓰인 예이다. '구름다리가 멋지게 걸쳐'의 '걸치다'는 '가로질러 걸리다.'의 의미로 쓰인 예이다.

❹ ⓓ의 '매달리다'는 '어떤 일에 관계하여 거기에만 몸과 마음이 쏠려 있다.'의 의미이다. '사소한 일에만 매달리면'의 '매달리다' 또한 이 의미로 쓰인 예이다.

⑤ ⓔ의 '어렵다'는 '가능성이 거의 없다.'의 의미로 쓰인 예이나, '형편이 어려울수록'의 '어렵다'는 '가난하여 살아가기가 고생스럽다.'의 의미로 쓰인 예이다.

【7~11】 '베이즈주의의 조건화 원리'

지문해설

전통적 인식론자와 다른 베이즈주의자들의 인식론에 대해 설명한 글이다. 베이즈주의자는 인식 주체가 어떤 명제가 참이라는 것에 대하여 가장 강한 믿음의 정도에서 가장 약한 믿음의 정도까지 가질 수 있다고 하였다. 만약 믿음의 정도가 어떤 방식으로 변해야 한다면 조건화 원리의 적용을 받아 변화한다고 주장한다. 그러나 어떤 명제가 참인지 거짓인지 새롭게 알게 되어도 그 명제와 관련 없는 명제에 대한 믿음의 정도는 변하지 않아야 한다. 베이즈주의자는 실용적 효용성을 갖는데 의의가 있으며 특별한 이유가 없는 한 기존의 믿음의 정도를 유지하는 것이 합리적이라고 본다.

분석 Plus

■ 비문학 지문 어떻게 이해할까?

1문단
전통적 인식론자와 베이즈주의자의 인식 차이

2문단
베이즈주의자의 조건화 원리

3문단
베이즈주의자와 믿음의 정도에 따른 기준

4문단
베이즈주의자와 실용적 효용성

■ **주제** : 베이즈주의자의 조건화 원리와 실용적 효용성의 의의

어휘풀이

• **임의(任意)** 일정한 기준이나 원칙 없이 하고 싶은 대로 함.

• **정교(精巧)하다** 솜씨나 기술 따위가 정밀하고 교묘하다. 내용이나 구성 따위가 정확하고 치밀하다.

---

7. ②   글의 핵심 정보 파악하기

① 네 번째 문단에서 베이즈주의자는 상식적으로 당연하게 여겨지는 생각을 정당화하기 위해 기존의 믿음의 정도를 유지함으로써 실용적 효율성을 얻을 수 있다고 하였다. 이 실용적 효율성을 바탕으로 상식적으로 당연하게 여겨지는 생각을 정당화할 수 있다는 입장이다.

---

❷ 네 번째 문단에 베이즈주의자는 특별한 이유 없이 기존의 믿음의 정도를 바꾸는 것은 에너지를 불필요하게 소모하는 일이라고 보았으므로, '특별한 이유 없이 믿음의 정도를 바꾸어야 하는 이유는 무엇일까?'에 대한 질문의 답을 찾을 수 없다.

③ 세 번째 문단에 조건화 원리에 따르면, 어떤 명제가 참인지 거짓인지 새롭게 알게 되더라도 그 명제와 관련 없는 명제에 대한 믿음의 정도는 변하지 않아야 한다고 하였으므로 특별한 이유가 없는 한 우리의 믿음의 정도는 유지되어야 한다.

④ 두 번째 문단에 베이즈주의는 그 명제가 참인지 거짓인지에 대해 새로운 믿음의 정도를 가지려면, 조건화 원리를 적용하여 인식 주체가 특정 시점에 임의의 명제 A가 참이라는 것만을, 또는 거짓이라는 것만을 새롭게 알게 됐을 때 다른 임의의 명제 B에 대한 인식 주체의 기존 믿음의 정도의 변화에 따라 이루어진다고 하였다.

⑤ 첫 번째 문단에 임의의 명제에 대해 전통적 인식론자는 명제를 참이라고 믿거나, 거짓이라고 믿거나, 참이라 믿지도 않고 거짓이라 믿지도 않는 입장을 취하고, 베이즈주의자는 명제에 대한 인식 주체의 믿음의 정도에 따라 가장 강한 믿음의 정도에서 가장 약한 믿음의 정도까지 가질 수 있다고 하였다.

---

8. ②   의미 관계 파악하기

① 첫 번째 문단에서 전통적 인식론자는 임의의 명제에 대해 명제가 참이라고 믿거나, 거짓이라고 믿거나, 참이라 믿지도 않고 거짓이라 믿지도 않을 수 있다고 하였다. 반면에 베이즈주의자는 믿음은 정도의 문제이므로 명제에 대해 가장 강하게 믿는 정도에서 약하게 믿는 정도까지 가질 수 있다고 하였으므로 만약 을이 ㉠이라면 을은 동시에 ㉡일 수 없다.

❷ '내일 눈이 온다'라는 명제에 대해 그 명제가 거짓임을 강한 정도로 믿는다는 것은 ㉠이 아니라 ㉡의 태도이다. 전통적 인식론자는 명제에 대해 믿음의 태도를 참이라고 믿거나, 거짓이라고 믿거나, 참도 거짓도 아니라고 믿는 것 중 하나를 택하기 때문이다.

③ ㉠은 임의의 명제에 대해 참이라고 믿거나, 거짓이라고 믿거나, 참이라 믿지도 않고 거짓이라 믿지도 않는 것 중에 하나를 선택하는 것에 비해 을이 '내일 눈이 온다'에 대해 참이라고 믿는다면 '참'의 반대 명제인 '거짓'은 동시에 성립할 수 없으므로 '내일 눈이 온다'가 거짓이라고 믿을 수는 없다고 주장할 것이다.

④ ㉡은 믿음은 정도의 문제이며 명제에 따라서 각 인식 주체가 느끼는 믿음은 가장 강한 믿음의 정도에서 가장 약한 믿음의 정도까지 가질 수 있다고 본다. 따라서 ㉡은 을이 '내일 눈이 온다'가 참이라고 믿는 정도와 '내일 눈이 온다'가 거짓이라고 믿는 정도가 같을 수 있다고 본다.

⑤ ㉡은 명제에 대한 믿음은 정도의 문제라고 보기 때문에, 을이 '내일 눈이 온다'와 '내일 비가 온다'가 모두 거짓이라고 믿더라도 후자를 전자보다 더 강하게 거짓이라고 믿을 수 있다고 주장하는 것이 가능하다.

---

9. ④   중심 화제 파악하기

① 네 번째 문단에서 조건화 원리는 믿음의 정도의 변화에 관한 원리이며 베이즈주의자는 특별한 이유 없이 기존의 믿음의 정도를 바꾸는 것은 에너지를 불필요하게 소모하는 것이라고 보기 때문에 비합리적이라고 설

명한다.

② 두 번째 문단에서 조건화 원리는 만약 인식 주체가 A가 참이라는 것만을 새롭게 알게 된다면, B가 참이라는 것에 대한 그 인식 주체의 믿음의 정도는 애초의 믿음의 정도에서 A가 참이라는 조건하에 B가 참이라는 것에 대한 믿음의 정도로 되어야 함을 의미한다. 그러나 이는 믿음의 정도에 관한 것이지 행위에 관한 것은 아니다.

③ 세 번째 문단에서 베이즈주의자는 어떤 명제가 참인지 거짓인지 새롭게 알게 되더라도 그 명제와 관련 없는 명제에 대한 믿음의 정도는 특별한 이유가 없는 한 변하지 않아야 한다고 하였다.

❹ 두 번째 문단에서 베이즈주의에 따르면 인식 주체가 특정 시점에 임의의 명제 A가 참이라는 것만을 또는 거짓이라는 것만을 새롭게 알게 됐을 때, 다른 임의의 명제 B에 대한 인식 주체의 기존 믿음의 정도의 변화는 조건화 원리의 적용을 받는다고 하였으므로, 어떤 명제가 참인 것을 새롭게 알게 되고 동시에 그와 다른 명제가 거짓인 것을 새롭게 알게 되었을 때에도 적용이 가능하다.

⑤ 첫 번째 문단에서 베이즈주의자는 어떤 명제에 대하여 가장 강한 믿음의 정도에서 가장 약한 믿음의 정도까지 가질 수 있다고 하였으므로, 임의의 명제를 새롭게 알기 전에 그와 다른 명제에 대해 가장 강하지도 않고 가장 약하지도 않은 믿음의 정도를 가지고 있는 인식 주체에게도 조건화 원리를 적용할 수 있다.

10. ⑤ 　구체적 상황에 적용하기

① 조건화 원리를 적용하면, 만약 인식 주체가 A가 참이라는 것만을 새롭게 알게 된다면, B가 참이라는 것에 대한 그 인식 주체의 믿음의 정도는 애초의 믿음의 정도에서 A가 참이라는 조건하에 B가 참이라는 것에 대한 믿음의 정도로 되어야 한다고 하였다. 따라서 병이 ㉮와 관련이 없는 다른 명제만을 새롭게 알게 된다면 병이 갖고 있는 믿음의 정도는 '㉮와 관련이 없는 다른 명제'의 수준일 것이다. 따라서 ㉮에 대한 병의 믿음의 정도는 변하지 않을 것이다.

② 두 번째 문단에서 조건화 원리에 따르면, 갑이 '내일 비가 온다'가 참이라는 것을 약하게 믿고 있고, '오늘 비가 온다'가 참이라는 조건하에서는 '내일 비가 온다'가 참이라는 것을 강하게 믿는다고 할 때 '내일 비가 온다'가 참이라는 것을 그 이전보다 더 강하게 믿는 것이 합리적이라고 하였다. 따라서 병이 ㉯만을 알게 된다면, 그 후에 ㉮가 참이라는 것에 대한 병의 믿음의 정도는 그 전보다 더 강해질 수 있다.

③ 병과 정은 공동 발표 내용을 기록한 흰색 수첩 하나를 잃어버렸고, 그 수첩에는 병의 이름만이 적혀 있다는 사실만 알고 있다. 병과 정이 '병의 수첩은 체육관에 있다'(㉮)라는 명제에 대해 믿는 정도가 아주 강하지 않은 상태에서, '체육관에 누군가의 이름이 적힌 흰색 수첩이 있다'(㉯)라는 명제를 새로 접한다면 체육관에 있는 흰색 수첩에는 병의 이름이 적혀 있을 것이라고 추측할 수 있다. 이 상태에서 '병의 이름이 적혀 있지만 어떤 색인지 확인이 안 된 수첩이 병의 집에 있다'(㉰)라는 명제를 접하면 병의 이름이 적힌 흰색 수첩은 체육관에 있을 수도 있고, 병의 집에 있을 수도 있다고 믿게 될 것이다. 따라서 ㉮가 참이라는 것에 대한 믿음은 ㉯를 추가로 알기 전보다 더 약해질 수 있다.

④ 두 번째 문단에 조건화 원리에 따르면, 만약 인식 주체가 A가 참이라는 것만을 새롭게 알게 된다면, B가 참이라는 것에 대한 그 인식 주체의 믿음의 정도는 애초의 믿음의 정도에서 A가 참이라는 조건하에 B가 참이라는 것에 대한 믿음의 정도로 되어야 함을 의미한다고 하였고 조건화 원리는 새롭게 알게 된 명제가 동시에 둘 이상인 경우에도 마찬가지로 적용된다. 병은 ㉮에 대해 갖고 있던 믿음의 정도가 아주 강하지는 않다고 하였다. 이 상태에서 병이 ㉯와 ㉰를 동시에 알게 된다면 ㉯와 ㉰가 참이라는 조건하에 ㉮가 참이라는 것에 대한 병의 믿음의 정도 역시 ㉮가 참이라는 것에 대한 믿음의 정도로 변할 수 있다.

⑤ 첫 번째 문단에서 베이즈주의자는 믿음은 정도의 문제이며 어떤 명제에 대하여 가장 강한 믿음의 정도에서 가장 약한 믿음의 정도까지 가질 수 있다고 하였고, 두 번째 문단에서 조건화 원리에 따르면, 어떤 명제가 참이라는 믿음을 갖고 있을 때 그와 관련된 다른 명제에 대해 그 이전보다 더 강하게 믿는 것이 합리적이라고 하였다. 병과 정이 ㉯를 알게 되기 전에 ㉮가 참이라는 것에 대한 믿음의 정도가 서로 달랐다 하더라도 ㉯만을 알게 된 후에는 ㉮가 참이라는 것에 대해 믿음의 정도가 같아질 수 있다. 참고로 조건화 원리에 따르면, 어떤 명제가 참인지 거짓인지 새롭게 알게 되더라도 그 명제와 관련 없는 명제에 대한 믿음의 정도는 변하지 않아야 한다고 하였다. 명제 ㉮와 ㉯는 서로 밀접한 관련이 있는 명제이므로 믿음의 정도는 변할 수 있다.

11. ② 　문맥적 의미 파악하기

① ⓐ는 '생각, 태도, 사상 따위를 마음에 품다'라는 뜻이고, '어제 친구들과 함께 만나는 자리를 가졌다'의 '가졌다'는 '모임을 치르다'라는 뜻이므로 의미가 다르다.

❷ ⓑ는 '어떤 경우, 사실이나 기준 따위에 의거하다'는 뜻으로, '법에 따라 모든 절차가 공정하게 진행됐다'의 '따라'의 의미와 유사하다.

③ ⓒ는 '대상을 평가하다'의 뜻이고, '우리는 지금 아이를 봐 줄 분을 찾고 있다'의 '봐'는 '맡아서 보살피거나 지키다'라는 뜻이므로 의미가 다르다.

④ ⓓ는 '권리나 결과 · 재산 따위를 차지하거나 획득하다'라는 뜻이고, '그는 젊었을 때 얻은 병을 아직 못 고쳤다'의 '얻은'은 '병을 앓게 되다'라는 뜻이므로 의미가 다르다.

⑤ ⓔ는 '원래의 내용이나 상태를 다르게 고치다'라는 뜻이고, '매장에서 헌 냉장고를 새 선풍기와 바꿨다'의 '바꿨다'는 '자기가 가진 물건을 다른 사람에게 주고 대신 그에 필적할 만한 다른 사람의 물건을 받다'라는 뜻이므로 의미가 다르다.

【12~15】 '가능세계의 개념과 성질'

지문해설

이 글은 가능세계의 개념과 성질에 대해 설명하고 있다. 가능세계는 일상 언어에서 흔히 쓰이는 필연성과 가능성에 관한 진술을 분석하는 데 중요한 역할을 하며, 가능세계 중 현실세계와의 유사성 정도와 관련하여 일상적 표현에 담긴 의미를 이해하는 데 도움을 준다. 가능세계는 일관성, 포괄성, 완결성, 독립성의 네 가지 성질을 가지고 있다. 가능세계의 개념은 철학에서 갖가지 흥미로운 질문과 통찰을 이끌어 내며, 그에 관한 연구 역시 활발히 진행되고 있다. 나아가 가능세계를 활용한 논의는 오

늘날 인지 과학, 언어학, 공학 등의 분야로 그 응용의 폭을 넓히고 있다.

분석Plus+

- **문단 구성**
  1문단: 모순 관계와 가능세계
  2문단: 가능세계의 개념
  3문단: 가능세계에 대한 담론
  4문단: 가능세계의 성질
  5문단: 가능세계에 대한 관심
- **주제** : 가능세계에 대한 개념과 성질

어휘풀이

- **담론(談論)** 이야기를 주고받으며 논의함.
- **배중률(排中律)** 형식 논리학에서 사유 법칙의 하나. 어떤 명제와 그것의 부정 가운데 하나는 반드시 참이라는 법칙을 이른다. 서로 모순되는 두 가지의 판단이 모두 참이 아닐 수는 없다는 원리이다.

12. ① 　세부 정보, 핵심 정보 파악하기

❶ 네 번째 문단에서 '어느 세계에서든 임의의 명제 P에 대해 'P이거나 ~P이다.'라는 배중률이 성립한다.'고 하였으므로, 배중률은 모든 가능세계에서 성립한다.

② 두 번째 문단에서 '다보탑은 경주에 있다.'와 같이 가능하지만 필연적이지 않은 명제는 우리의 현실 세계를 비롯하여 어떤 가능세계에서는 성립하고 또 어떤 가능세계에서는 성립하지 않는다고 하였으므로, 모든 가능한 명제는 현실세계에서 성립한다는 것은 적절하지 않다.

③ 두 번째 문단에서 '필연적인 명제들은 모두 가능세계에서 성립한다.'고 하였으므로, 필연적인 명제가 성립하지 않는 가능세계가 있다는 것은 적절하지 않다.

④ 첫 번째 문단에서 무모순율에 의하면 모순 관계인 P와 ~P가 모두 참인 것은 가능하지 않다고 하였다.

⑤ 세 번째 문단에서 '전통 논리학에서 '만약 A라면 B이다.'라는 형식의 명제는 A가 거짓인 경우에는 B의 참 거짓에 상관없이 참이라고 규정한다.'라고 하였으므로, '만약 A라면 B이다.'의 참 거짓은 A의 참 거짓과 상관없이 결정된다고 보는 것은 적절하지 않다.

13. ② 　내용들 간의 의미 관계 파악하기

① 첫 번째 문단에서 '다보탑이 개성에 있는 가능세계는 있다고 표현한다.'라고 하였으므로, ㉠이 성립하지 않는 가능세계가 존재한다고 볼 수 있다.

❷ 두 번째 문단에서 "다보탑은 경주에 있다.'와 같이 가능하지만 필연적이지는 않은 명제는 우리의 현실세계를 비롯한 어떤 가능세계에서는 성립하고 또 어떤 가능세계에서는 성립하지 않는다.'라고 하였으므로, 필연적이지 않은 명제 ㉠이 거짓인 가능세계가 없다는 것은 적절하지 않다.

③ 첫 번째 문단에서 '다보탑은 개성에 있을 수도 있었다.'와 '다보탑은 개성에 있지 않다.'는 서로 모순 관계가 아님을 알 수 있다.

④ 두 번째 문단에서 'P는 가능하다.'는 P가 적어도 하나의 가능세계에서 성립한다는 뜻'이라고 하였으므로, 만약 ㉡이 거짓이라면 어떤 가능세계에서도 다보탑이 개성에 있지 않다.

⑤ 첫 번째 문단에서 ㉠과 ㉡이 모순 관계가 아니라고 하였으므로, ㉠과 ㉡은 모두 참일 수 있다.

14. ③ 　인과 관계, 상관 관계 파악하기

①, ② ⓐ의 답을 구하기 위해서는 '내가 그 기차를 탄 가능세계들을 생각해 보면 그 이유를 알 수 있다'고 하였으므로, 내가 그 기차르르 타지 않은 가능세계들끼리 비교하는 것은 적절하지 않다.

❸ 내가 그 기차를 탄 가능세계들끼리 비교할 때, 내가 지각을 한 가능세계보다 지각을 하지 않은 가능세계가 더 많으므로, 지각을 하지 않는 것이 현실세계와 더 유사성을 가지기 때문이다.

④ 내가 그 기차를 탄 가능세계들끼리 비교할 때, 지각을 한 가능세계보다 지각을 하지 않은 가능세계가 현실세계와의 유사성이 더 높기 때문에 ⓐ에 대한 답이 될 수 있다. 그 가능세계들의 대다수에서 내가 지각을 하지 않았기 때문이라는 것은 현실세계와의 유사성을 언급하지 않았기 때문에 적절한 답이 될 수 없다.

⑤ ⓐ는 '만약 그 기차를 탔다면'의 가정의 상황을 묻고 있으므로, '내가 그 기차를 탄 것이 현실세계에서 거짓이기 때문'은 ⓐ에 대한 답으로 적절하지 않다.

15. ④ 　구체적 사례에 적용하기

① 가능세계의 완결성은 모순 관계에서 나타날 수 있는 것으로, 〈보기〉의 명제는 모순 관계가 아니라 반대 관계이므로 가능세계의 완결성을 말할 수 없다.

② 가능세계의 포괄성을 따른다면, '어떤 학생도 연필을 쓰지 않는다.'가 성립한다면 그 세계에 속한 학생은 누구도 연필을 쓰지 않는 가능세계가 되어야 한다.

③ '어떤 학생은 연필은 쓴다.', '어떤 학생은 연필을 쓰지 않는다.'는 둘 다 참일 수 있는 명제이므로 모순 관계가 성립하지 않는다. 따라서 배중률이 성립하지 않으므로 완결성을 말할 수 없다.

❹ 가능세계의 포괄성은 '어떤 것이 가능하다면 그것이 성립하는 가능세계는 존재한다'는 것으로, 가능세계의 포괄성에 따르면 '모든 학생은 연필을 쓴다.'가 참이거나 '어떤 학생도 연필을 쓰지 않는다.'가 참인 가능세계들이 있다고 생각할 수 있다.

⑤ 가능세계의 일관성이란 어떤 것이 가능하지 않다면 그것이 성립하는 가능세계는 없다는 것을 말하므로, 학생들 중 절반은 연필을 쓰고, 절반은 연필을 쓰지 않는 가능세계는 일관성과는 무관한 내용이다.

왜 답이 틀렸을까?

지문의 내용이 명제에 관한 것이라서, 읽는 것만으로도 머리가 아팠을 거야. 대부분 지문의 내용이 어려우면 문제를 어렵게 느끼고 또 많이 틀리기도 하지. 하지만 기억해야 할 것! 지문의 내용이 쉽든 어렵든 정답의 근거는 반드시 지문에 있으니 지문에서 정답의 근거를 반드시 찾아내야 한다는 것! 42번도 마찬가지야. 지문에서 가능세계의 포괄성에 대해 '어떤 것이 가능하다면 그것이 성립하는 가능세계는 존재한다'고 설명하고 있으므로, 가능세계의 포괄성에 따라 '모든 학생은 연필은 쓴다.'가 참이거나 '어떤 학생도 연필을 쓰지 않는다.'가 참인 가능세계가 존재한다.

사회

본문 036쪽

Day 06

1. ④　2. ⑤　3. ②　4. ⑤　5. ②
6. ④　7. ②　8. ④　9. ⑤　10. ②
11. ③　12. ③

【1~4】 '법령의 요건과 효과에서의 불확정 개념'

지문해설

법조문에 불확정 개념이 사용될 때 법원이 어떻게 그 요건과 효과를 재량으로 판단하는지 설명한 글이다. 민법에서 불확정 개념이 사용된 예로는 '손해 배상 예정액이 부당히 과다한 경우에는 법원은 적당히 감액할 수 있다.'라는 조문이 있다. 손해 배상 예정액과 위약벌은 모두 위약금인데, 위약금의 성격이 무엇인지 증명되지 못하면 손해 배상 예정액으로 다루어지며 계약 위반 시 손해 배상 예정액이 정해져 있으면 손해 액수를 증명하지 않아도 예정액만큼 배상금을 받을 수 있다. 반면 위약금이 위약벌임이 증명되면 채권자는 위약금을 받고, 손해 액수의 증명에 따라 손해 배상금도 받을 수 있다. 불확정 개념은 행정 법령에도 사용된다. 행정 법령이 규율하는 행정 작용 중 재량 행위는 행정청에서 재량을 행사하는 행정 작용으로, 행정청은 재량 행사의 기준인 재량 준칙을 명확히 정할 수 있다. 이 재량 준칙을 지키지 않는 것은 법령 위반이 아니지만, 재량 준칙대로 적법한 행정 작용이 반복되어 행정 관행이 생긴 후에는 같은 요건이 충족되면 동일한 내용의 행정 작용을 해야 한다.

■ 비문학 지문 어떻게 이해할까?

1문단
민법에서 불확정 개념이 사용된 사례

2문단
계약 위반 시 요건에 따른 손해 배상금의 발생

3문단
행정 법령에 불확정 개념이 사용되는 경우와 재량 행위

4문단
재량 준칙에 따른 행정 작용

■ **주제** : 법조문에 사용된 불확정 개념과 이에 대한 재량 판단

1. ④ 　세부 내용 파악하기

① 첫 번째 문단에서 법조문은 요건과 효과로 구성된 조건문으로 규정되는데, 불확정 개념이 사용될 수 있기 때문에 그 요건이나 효과가 항상 일의적인 것은 아니라고 하였다.

② 첫 번째 문단에서 불확정 개념이 사용된 법조문에 대해 법원은 그 요건과 효과를 재량으로 판단할 수 있다고 하였다.

---

③ 첫 번째 문단에서 법조문에는 구체적 상황을 고려해야 그 상황에 맞는 진정한 의미가 파악되는 불확정 개념이 사용될 수 있다고 하였다.

❹ 세 번째 문단에서 법령상 요건이 충족되면 그 효과로서 행정청이 반드시 해야 하는 특정 내용의 행정 작용은 기속 행위이며, 법령에서 불확정 개념이 사용되면 이에 근거한 행정 작용은 대개 재량 행위라고 하였다. 따라서 불확정 개념이 사용된 행정 법령에 근거한 행정 작용은 기속 행위가 아니라 재량 행위인 경우가 많을 것이다.

⑤ 첫 번째와 두 번째 문단에서는 개인 간 법률관계를 규율하는 민법에서 불확정 개념이 사용된 사례를, 세 번째와 네 번째 문단에서는 행정청이 행하는 법 집행 작용을 규율하는 법령인 행정 법령에서 불확정 개념이 사용되는 경우를 설명하고 있다. 따라서 불확정 개념은 민법과 행정 법령에 모두 사용됨을 알 수 있다.

2. ⑤ 　세부 내용 추론하기

① 행정 법령에서 불확정 개념이 사용되면 이에 근거한 행정 작용은 대개 재량 행위인데, 행정청이 재량으로 재량 행사의 기준을 명확히 정한 것이 재량 준칙이다. 즉 재량 준칙은 재량 행사의 기준을 명확히 정한 것이므로, 일의적이지 않은 개념으로 규정된다고 볼 수 없다.

② 재량 준칙은 재량 행위와 관련하여 세운 기준이므로, 재량 준칙으로 정해진 내용대로 재량을 행사하는 행정 작용은 기속 행위가 아니라 재량 행위이다.

③ 재량 준칙이 정해진 뒤 그 준칙대로 특정 요건하에 특정한 내용의 적법한 행정 작용이 반복되어 행정 관행이 생긴 후에는, 같은 요건이 충족되면 해당 준칙을 따라야 한다. 즉 재량 준칙으로 규정된 재량 행사 기준이 반복되어 온 적법한 행정 작용의 내용대로 정해지는 것이 아니라, 재량 준칙이 정해진 이후 그에 따른 행정 작용이 이루어지는 것이다.

④ 행정 작용의 구체적 내용을 고를 수 있는 재량이 행정청에 주어졌을 때, 그 재량을 행사하는 행정 작용이 재량 행위이다. 이때 행정청이 재량으로 재량 행사의 기준을 명확히 정한 것이 재량 준칙이므로, 재량 준칙이 정해져야 행정청이 재량을 행사할 수 있다는 것은 적절하지 않다.

❺ 네 번째 문단에서 '특정 요건하에 재량 준칙대로 특정한 내용의 적법한 행정 작용이 반복되어 행정 관행이 생긴 후에는, 같은 요건이 충족되면 행정청은 동일한 내용의 행정 작용을 해야 한다.'라고 하였다. 따라서 재량 준칙이 특정 요건에서 적용된 선례가 없으면 행정 관행이 생기지 않았을 것이므로, 이때 행정청은 같은 요건이 충족되더라도 행정 작용을 할 때 재량 준칙을 따르지 않을 수 있다.

왜 답이 틀렸을까?

이 문제는 오답 선지를 고른 비율이 골고루 높은 가운데 특히 ③번을 고른 비율이 높았어. 이는 재량 행위와 관련하여 재량 준칙이 정해진 경우, 재량 준칙과 그에 따른 행정 작용의 관계를 파악하는 데 어려움을 겪었기 때문으로 보여. 각 선지들이 재량 행위 및 재량 준칙에 대해 설명한 내용으로 이루어져 있으니 먼저 이 문제와 관련한 개념들을 정리한 뒤 그 관계를 연결하여 이해하는 것이 필요해. 그 다음에 선지와 비교하여 검토해야 할 내용을 파악한 뒤, 개념이나 선후 관계 등이 잘못 제시된 부분을 확인해 나가도록 하자.

3. ②　구체적 사례에 적용하기

① 두 번째 문단에 따르면 채무자의 잘못으로 계약 위반 시 손해를 입은 채권자가 손해 액수를 증명해야 그 액수만큼 손해 배상금을 받을 수 있다. (가)에서는 갑과 을 사이에 위약금 약정이 없었으므로, 을의 손해 액수가 증명되지 못한 경우 갑이 손해 배상금을 지급할 근거가 없다.

❷ 첫 번째 문단에서 위약금의 성격이 무엇인지 증명되지 못하면 손해 배상 예정액으로 다루어진다고 했으므로, (나)에서 위약금 100은 손해 배상 예정액에 해당한다. 두 번째 문단에서 손해 배상 예정액이 정해져 있었다면 채권자는 그 금액만큼 손해 배상금을 받을 수 있다고 했으므로, (나)에서 갑은 을에게 정해져 있는 손해 배상 예정액 100을 지급해야 한다. 또한 첫 번째 문단에서 손해 배상 예정액이 부당히 과다한 경우에는 법원이 적당히 감액할 수 있다고 하였으므로 적절하다.

③ 두 번째 문단에 따르면 손해 배상 예정액이 정해져 있었다면 채권자는 손해 액수를 증명하지 않아도 손해 배상 예정액만큼 손해 배상금을 받을 수 있다. (나)에서 위약금 100은 정해져 있는 손해 배상 예정액이므로 을의 손해가 증명되지 못한 경우라도 갑은 을에게 100을 지급해야 하는데, 이때 법원은 손해 배상 예정액을 재량에 따라 감액할 수 있다.

④ 두 번째 문단에 따르면 위약금이 위약벌임이 증명되면 채권자는 위약벌에 해당하는 위약금을 받을 수 있고, 이는 손해 배상 예정액과는 달리 법원이 감액할 수 없다. 그리고 이때 채권자가 손해 액수를 증명하면 손해 배상금도 받을 수 있다. (다)에서 위약금 100이 위약벌임이 증명되었다고 했는데 이때 을의 손해가 80인 것 또한 증명되었다면, 이 경우 갑은 을에게 위약벌에 해당하는 위약금 100과 손해 배상금 80을 합한 180을 지급해야 하고 법원은 이를 재량에 의해 감액할 수 없다.

⑤ (다)에서 을의 손해가 얼마인지 증명되지 못한 경우라면 갑은 을에게 위약벌에 해당하는 위약금 100을 지급해야 하고 법원은 이를 감액할 수 없다.

오H 많이 틀렸을까?

이 문제는 ③번과 ④번을 선택한 비율이 높아 오답률이 매우 높았어. 이 문제는 두 번째 문단의 내용을 바탕으로 〈보기〉와 선지에서 제시되고 있는 상황에 적용할 근거를 찾아 바르게 연결해야 해. 〈보기〉에는 위약금 약정이 없는 경우와 있는 경우, 위약금 약정이 있을 때 위약금의 성격이 증명되지 못한 경우와 위약벌인 경우가 나타나 있어. 그리고 선지는 〈보기〉의 각 상황에서 손해가 증명된 경우와 증명되지 못한 경우에 대해 판단하도록 하고 있지. ②, ③번은 (나), ④, ⑤번은 (다)의 상황에서 서로 다른 조건이 주어진 경우에 대해 판단하도록 하고 있으므로 이들을 묶어서 판단하면 보다 효율적이고 정확하게 정답을 찾을 수 있어. 일단 (나)는 위약금이 손해 배상 예정액인 경우이므로, 이때 손해 배상 예정액은 법원이 감액할 수 있어. 반면 (다)는 위약금이 위약벌인 경우이므로, 이때 위약금은 법원이 감액할 수 없지. 이렇게 정리해 보면 ③, ④번에서 감액에 대해 언급한 부분만 봐도 적절하지 않음을 판단할 수 있어.

4. ⑤　단어의 문맥적 의미 파악하기

① '그 상황에 맞는'의 '맞다'는 '상황 따위가 다른 것과 서로 어긋나지 아니하고 잘 어울리다.'의 의미로 사용되었지만, '자료가 맞는지'의 '맞다'는 '어떤 대상의 내용, 정체 따위의 무엇임이 틀림이 없다.'의 의미로 사용되었다.

② '조문을 들'의 '들다'는 '설명하거나 증명하기 위하여

사실을 가져다 대다.'의 의미로 사용되었지만, '적금을 들고'의 '들다'는 '적금이나 보험 따위의 거래를 시작하다.'의 의미로 사용되었다.

③ '위약금을 받을'의 '받다'는 '다른 사람이 바치거나 내는 돈이나 물건을 책임 아래 맡아 두다.'의 의미로 사용되었지만, '주목을 받았다'의 '받다'는 '다른 사람이나 대상이 가하는 행동, 심리적인 작용 따위를 당하거나 입다.'의 의미로 사용되었다.

④ '구체적 내용을 고를'의 '고르다'는 '여럿 중에서 가려내거나 뽑다.'의 의미로 사용되었지만, '땅을 평평하게 골랐다'의 '고르다'는 '울퉁불퉁한 것을 평평하게 하거나 들쭉날쭉한 것을 가지런하게 하다.'의 의미로 사용되었다.

❺ '원칙을 지켜야'와 '약속을 반드시 지킬'의 '지키다'는 모두 '규정, 약속, 법, 예의 따위를 어기지 아니하고 그대로 실행하다.'의 의미로 사용된 예이다.

【5~8】 '유류분권'

지문해설

무상 처분자의 사망 시 그의 상속인들이 유류분을 반환받을 수 있는 권리인 유류분권에 대해 설명한 글이다. 유류분은 피상속인의 무상 처분이 없었다고 가정할 때 상속인들이 상속받을 수 있었던 이익 중 법으로 보장된 부분이다. 상속인은 유류분에 해당하는 이익에서 이미 상속받은 이익을 뺀 값인 유류분 부족액을 무상 취득자로부터 반환받을 수 있다. 유류분 부족액의 가치는 금액으로 계산되지만, 무상 처분된 재산이 돈이 아니라면 처분된 재산 자체가 반환 대상이 되는 것이 원칙이다. 반환해야 할 유류분 부족액이 무상 처분된 물건보다 가치가 적을 때에는 지분으로 반환받을 수 있으며, 유류분 부족액을 계산할 때에는 상속 개시 당시의 시가를 기준으로 해야 한다.

■ 비문학 지문 어떻게 이해할까?

1문단
유류분권의 발생과 행사

2문단
유류분의 개념과 산정

3문단
유류분 부족액의 개념과 반환 방법

4문단	5문단
무상 처분된 재산이 물건일 때 유류분 반환 방법	유류분 부족액을 계산할 때 고려해야 할 요소

■ **주제** : 유류분권의 개념과 유류분 부족액 반환 방법

5. ②　세부 내용 파악하기

① 첫 번째 문단에서 유류분권은 무상 처분자가 사망하여 상속이 개시되었을 때, 그의 상속인들이 유류분을 반환받을 수 있는 권리라고 하였다. 따라서 상속인이 아닌 사람에게는 유류분권이 인정되지 않는다.

❷ 세 번째 문단에서 유류분 부족액은 유류분에 해당하는 이익에서 이미 상속받은 이익을 뺀 값이라고 하였다. 즉 유류분권이 보장되는 범위에 유류분 부족액 전체가 포함되므로, 유류분권의 보장 범위가 유류분 부족액의 일부에 한정된다는 것은 적절하지 않다.

③ 첫 번째 문단에서 유류분권은 무상 처분자가 사망하여 상속이 개시되었을 때, 그의 상속인들이 유류분을 반환받을 수 있는 권리라고 하였다. 즉 유류분권은 상속이 개시되었을 때 행사할 수 있는 권리이므로, 상속 개시 전에는 무상 취득자에게 유류분권을 행사할 수 없다.

④ 두 번째 문단에서 유류분은 피상속인의 무상 처분 행위가 없었다고 가정할 때 상속인들이 상속받을 수 있었을 이익 중 법으로 보장된 부분이라고 하였다. 즉 유류분권의 대상이 되는 재산은 무상 처분된 재산이므로, 피상속인이 다른 사람에게 판 재산은 유류분권의 대상이 될 수 없다.

⑤ 첫 번째 문단에서 기부와 같은 무상 처분 행위가 행해졌을 때는 그 당사자인 무상 처분자와 무상 취득자의 의사와 무관하게 그 결과가 번복될 수 있다고 하였다. 즉 무상으로 취득한 재산에 대한 권리는 무상 취득자 자신의 의사에 반하여 제한될 수 있는 것이다.

오H 많이 틀렸을까?

유류분권이라는 다소 생소하고 어려운 내용을 다룬 지문이어서 관련 문제의 정답률이 전체적으로 낮았어. 이 문제는 지문에 제시된 내용을 바탕으로 다른 측면 또는 반대 측면에서 진술한 내용의 적절성을 따져 봐야 했는데, 낯선 내용과 용어 탓에 헷갈린 경우가 많았던 듯해. 하지만 지문에 제시된 '유류분권'과 '유류분', '유류분 부족액'의 개념을 정확히 이해하고 선지에 제시된 조건에 따라 대입해 보면 어렵지 않게 해결할 수 있었어. 가령, '유류분권'은 피상속인이 생전에 무상 처분한 재산에 대해 상속인이 유류분을 요구하는 것이라고 했지. 그러니까 상속이 이루어지는 상황이 아닌 경우, 무상 처분한 재산이 아닌 경우는 유류분권의 행사 대상이 될 수 없겠지? ③번과 ④번 선지는 이러한 내용을 다른 표현으로 나타낸 거야. ⑤번 선지도 보자. 지문에서는 무상 처분 행위가 행해졌을 때 그 결과가 무상 처분자 및 무상 취득자의 의사와 무관하게 번복될 수 있다고 하면서 상속인이 유류분권을 행사하는 경우를 제시하고 있지. 이 상황을 무상 취득자의 입장에서 설명하면 ⑤번 선지와 같이 나타낼 수 있어.

6. ④　세부 내용 이해하기

① 네 번째 문단에서 무상 취득자가 반환해야 할 유류분 부족액이 무상 처분된 물건의 가치보다 적다면 유류분권자는 그 물건의 가치에 상당하는 금액에서 유류분 부족액이 차지하는 비율만큼 무상 취득자로부터 반환받을 수 있고, 이때 자신의 몫인 지분을 나눠 받게 됨을 알 수 있다. 따라서 무상 처분된 물건이 한 개일 때 유류분권자는 그 물건 전부를 반환받는 것이 아니라 자신의 몫인 지분을 반환받을 것이다.

② 네 번째 문단에서 무상 취득자가 반환해야 할 유류분 부족액이 무상 처분된 물건의 가치보다 적다면 유류분권자는 그 물건의 가치에 상당하는 금액에서 유류분 부족액이 차지하는 비율만큼 무상 취득자로부터 반환받을 수 있다고 하였다. 따라서 유류분 부족액이 커지면 그만큼 무상 취득자가 반환해야 할 몫도 커질 것이므로, 이때 무상 취득자의 지분은 작아질 것이다.

③ 세 번째 문단에서 무상 처분된 재산이 물건처럼 돈 이외의 재산이라면 처분된 재산 자체가 반환 대상이 되는 것이 원칙이지만, 그 재산 자체를 반환하는 것이 불가능한 때에는 돈으로 반환해야 한다고 하였다.

④ 세 번째 문단에서 무상 처분된 재산이 물건처럼 돈 이외의 재산이라면 처분된 재산 자체가 반환 대상이 되는 것이 원칙이지만, 그 재산 자체를 반환하는 것이 불가능한 때에는 돈으로 반환해야 하며, 재산 자체의 반환이 가능해도 유류분권자와 무상 취득자의 합의에 의

해 돈으로 반환할 수도 있다고 하였다. 즉 유류분권자가 물건 대신 돈으로 반환하라고 요구하더라도 합의를 하지 않았다면 무상 취득자는 원칙에 따라 무상 취득한 물건으로 반환할 수 있다.

⑤ 네 번째 문단에서 유류분 부족액이 무상 처분된 물건의 가치보다 적다면 유류분권자는 그 물건의 가치에 상당하는 금액에서 유류분 부족액이 차지하는 비율만큼 무상 취득자로부터 반환받을 수 있으며, 이로 인해 하나의 물건에 대한 소유권이 지분으로 여러 명에게 나눠진다고 하였다. 이때 유류분권자와 무상 취득자의 합의에 의해 돈으로 반환받을 수도 있지만, 물건의 일부가 반환되면 무상 취득자가 소유권을 가지고 유류분권자가 유류분 부족액만큼의 돈을 반환받는 것은 아니다.

7. ②　내용의 인과 관계 파악하기

① 유류분은 피상속인이 자유롭게 처분한 재산의 일부에 해당하지만, 이 점은 유류분의 취지나 유류분 부족액을 산정하는 기준과 관련이 없다.

❷ 두 번째 문단에 따르면 유류분은 피상속인의 무상 처분 행위가 없었다고 가정할 때 상속인들이 상속받을 수 있었을 이익 중 법으로 보장된 부분이다. 즉 유류분은 상속인들이 기대했던 이익을 보호하기 위한 것으로, 상속인들이 상속받을 수 있었을 이익은 상속 개시 당시에 피상속인이 가졌던 재산의 가치에 이미 무상 취득자에게 넘어간 재산의 가치를 더하여 산정한다. 따라서 유류분 부족액을 계산할 때 유류분의 취지에 비추어 상속 개시 당시의 시가를 기준으로 하는 이유는, 유류분은 상속인들이 기대했던 이익을 보호하기 위한 것으로서 피상속인의 무상 처분 행위가 없었다고 가정하여 산정하기 때문이라고 할 수 있다.

③ 유류분은 피상속인의 무상 처분 행위가 없었다고 가정할 때 상속인들이 상속받을 수 있었을 이익 중 법으로 보장된 부분이지, 재산의 가치를 증가시킨 무상 취득자의 노력에 대한 보상으로 인정되는 것이 아니다. 또한 무상 처분된 물건의 시가가 변동했을 때 그 시가 상승이 무상 취득자의 노력에서 비롯되었다면 이때는 시가의 기준을 상속 개시 당시가 아니라 무상 취득 당시를 기준으로 한다.

④ 피상속인의 재산에 대해 소유권을 나눠 가진 사람들 각자의 몫을 지분으로 반영하는 것은 무상 처분된 재산이 물건일 때 유류분을 반환하는 방법과 관련될 뿐, 유류분의 취지나 유류분 부족액을 산정하는 기준과는 관련이 없다.

⑤ 유류분은 피상속인의 무상 처분 행위가 없었다고 가정할 때 상속인들이 상속받을 수 있었을 이익을 바탕으로 한다. 따라서 유류분에 해당하는 이익의 가치가 상속 개시 전후에 걸쳐 변동되는 것을 반영해야 하는 것은 아니며, 유류분 부족액을 계산할 때 상속 개시 당시의 시가를 기준으로 하는 것이 이를 반영한다고 볼 수도 없다.

오H 많이 틀렸을까?

이 문제는 무상 처분한 물건의 시가가 변동한 경우 유류분 부족액을 계산할 때는 상속 개시 당시의 시가를 기준으로 해야 하는 이유를 묻고 있어. 오답 선지들은 지문과의 내용 일치 여부만 파악해도 적절하지 않음을 확인할 수 있었는데, 지문의 내용이 어려워서인지 다소 오답률이 높았어. 하지만 ③에서 그 이유는 유류분의 취지와 관련되어 있다고 했으므로 두 번째 문단에 제시된 유류분의 개념과 취지를 바탕으로 답을 찾으면 논리적으로 연결점이 있는 진술이 ②번밖에 없음을 어렵지 않게 파악할 수 있었을 거야. 물건

의 시가가 변동하는 경우에 대한 질문이므로 이익의 가치가 변동되는 경우를 언급한 ⑤번 선지가 다소 헷갈릴 수도 있는데, 이는 유류분의 개념에 비추어 적절하지 않은 내용임을 파악할 수 있어야 해.

8. ④　구체적 사례에 적용하기

① 유류분은 피상속인의 무상 처분 행위가 없었다고 가정할 때 상속인들이 상속받을 수 있었을 이익으로, 상속인이 피상속인의 자녀 한 명뿐이면 상속받을 수 있었을 이익의 1/2만 보장되며, 유류분 부족액은 유류분에 해당하는 이익에서 이미 상속받은 이익을 뺀 값이다. 그리고 무상 처분한 물건의 시가가 변동했을 때 시가 상승이 무상 취득자의 노력과 무관하면 유류분 부족액은 상속 개시 당시의 시가를 기준으로 계산한다. 따라서 〈보기〉에서 A 물건의 시가 상승이 을의 노력과 무관한 경우라면, 상속 개시 시점의 시가인 700을 기준으로 유류분 부족액을 계산해야 한다. 이때 유류분은 (A 물건의 시가 700+B 물건의 시가 100)/2=400이고, 유류분 부족액은 유류분에서 상속받은 이익 100을 뺀 300이다.

② 무상 취득자가 반환해야 할 유류분 부족액이 무상 처분된 물건의 가치보다 적다면 유류분권자는 그 물건의 가치에 상당하는 금액에서 유류분 부족액이 차지하는 비율만큼 무상 취득자로부터 반환받을 수 있다. 〈보기〉에서 A 물건의 시가 상승이 을의 노력과 무관한 경우 유류분 부족액은 300이다. 그리고 유류분 반환 대상이 되는 A 물건의 상속 개시 시점의 시가는 700이므로, 유류분 반환의 대상은 A 물건의 300/700=3/7이다.

③ 무상 처분한 물건의 시가가 변동했을 때 그 시가 상승이 무상 취득자의 노력에서 비롯되었으면 이때는 무상 취득 당시의 시가를 기준으로 유류분 부족액을 계산한다. 따라서 A 물건의 시가가 을의 노력으로 상승한 경우라면 무상 취득 시점의 시가인 300을 기준으로 유류분 부족액을 계산해야 한다. 이때 유류분은 (A 물건의 시가 300+B 물건의 시가 100)/2=200이므로, 유류분 부족액은 유류분에서 상속받은 이익 100을 뺀 100이다.

❹ A 물건의 시가가 을의 노력으로 상승한 경우라면 이때 유류분은 (A 물건의 시가 300+B 물건의 시가 100)/2=200이고, 유류분 부족액은 유류분에서 상속받은 이익 100을 뺀 100이다. 그리고 이렇게 정해진 유류분 부족액을 근거로 반환 대상인 지분을 계산할 때는 시가 상승의 원인이 무엇이든 상속 개시 당시의 시가를 기준으로 해야 한다. 유류분 반환 대상이 되는 A 물건의 상속 개시 시점의 시가는 700이므로, 유류분 반환의 대상은 A 물건의 100/700=1/7이다.

⑤ 〈보기〉에서 갑이 상속 개시 당시 소유했던 재산인 B 물건의 시가는 100이다. 이는 상속 개시 당시 병이 상속받아 취득하게 되는 이득이므로, A 물건의 시가가 을의 노력으로 상승한 경우와 그와 무관하게 상승한 경우 모두 동일하다.

오H 많이 틀렸을까?

이 문제는 지문에 제시된 유류분을 산정하는 방법을 〈보기〉의 구체적인 사례에 적용하여 계산할 것을 요구하고 있어. ①~④번 선지는 서로 연결된 내용이니까 'A 물건의 시가 상승이 을의 노력과 무관한 경우', 'A 물건의 시가가 을의 노력으로 상승한 경우'에 각각 유류분과 유류분 부족액이 얼마인지 계산 내용을 표로 정리해 놓고 한번에 해결하는 것이 좋을 것 같아.
오답 중에서 ⑤번 선지를 선택한 비율이 특히 높았는데, '갑이

이 상속 개시 당시 소유했던 재산'에 초점을 맞추면 오히려 쉽게 판단할 수 있었어. 유류분은 무상 처분 행위가 행해진 것을 대상으로 하고, 상속 개시 당시 피상속인이 소유하고 있던 재산은 상속인에게 상속되지. 따라서 유류분 부족액 산정이 어찌되건 '갑이 상속 개시 당시 소유했던 재산'='병이 상속 개시 당시 상속받은 재산'에서 병이 취득할 수 있는 이익은 동일하겠지?

【9~12】 김성준, '공공선택론'

지문해설

정치학의 영역인 공공 부문의 의사결정에 대해서 경제학적 원리와 방법론을 적용한 '공공선택론'에 대해 설명하고 있다. 공공선택론은 기존의 정치학과는 달리 '방법론적 개인주의', '경제 인간', '교환으로서의 정치'라는 세 가지 가정으로부터 출발하는데, 이 세 가지 가정을 바탕으로 공공 부문의 의사결정에서 발생하는 사회 문제의 원인을 '중위투표자 정리 모형'과 '합리적 무지 모형'으로 설명한다. 중위투표자 정리 모형이란 단일 사안에 대한 유권자의 정치적 선호가 단일 선호일 경우, 경쟁하는 두 정당의 정치인들이 내거는 공약은 중위투표자가 선호하는 정책에 접근하게 된다는 이론이다. 그리고 합리적 무지 모형은 유권자가 정보 습득 비용이 정보를 통해 얻을 편익보다 클 경우, 정보를 습득하지 않고 무지한 상태를 유지한다는 이론이다. 공공선택론자인 뷰캐넌은 이러한 문제들의 근본적 원인과 해결책을 헌법 제도에서 찾아야 한다는 헌법정치경제학을 제시하고 헌법 개혁의 필요성을 주장하였다.

■ 비문학 지문 어떻게 이해할까?

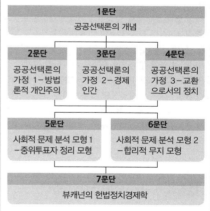

■ 주제 : 공공선택론의 가정과 문제 분석 모형, 뷰캐넌의 주장

9. ⑤　핵심 내용 파악하기

① 첫 번째 문단부터 네 번째 문단에 걸쳐 공공선택론이 기존의 정치학과 달리 방법론적 개인주의, 경제 인간, 교환으로서의 정치라는 세 가지 가정으로부터 출발한다고 밝히고 있다.

② 두 번째 문단에서 공공선택론에서 '모든 사회 현상의 분석 단위를 개인으로 삼는다'고 언급하였다.

③ 네 번째 문단에서 정치시장은 경제시장과 달리 '거래의 결과가 거래 당사자들뿐만 아니라 거래에 참여하지 않은 사람들에게도 영향을 미친다'는 차이를 밝히고 있다.

④ 다섯 번째 문단과 여섯 번째 문단에 걸쳐 공공선택

론에서 정치인과 유권자가 유발하는 사회적 문제를 분석하는 '중위투표자 정리 모형'과 '합리적 무지 모형'에 대해 설명하고 있다.
❺ 제시된 글에서 사회적 문제를 해결하기 위해 정치인의 공약을 강조한다는 내용은 확인할 수 없다.

왜 많이 틀렸을까?
이 지문에서는 공공선택론과 기존 정치학과의 차이점, 공공선택론의 전제 조건, 공공선택론의 관점에서 정치인과 유권자가 유발하는 사회적 문제의 원인을 분석하는 모형을 설명하고 있어. 또 이러한 문제를 해결하는 방법으로 헌법 개정을 주장한 뷰캐넌의 헌법정치경제학을 소개하고 있지. 각 문단별 중심 내용을 정리한 후 문제에 접근하면 정답을 고르는 것이 어렵지 않을 거야.

---

10. ② 세부 내용 이해하기

① 세 번째 문단의 '비용, 편익, 효용은 사람마다 다르다'는 내용을 통해 정치인들이 생각하는 효용도 정치인 각자의 주관적 판단에 따라 다르다는 것을 알 수 있다.
❷ 두 번째 문단을 보면 공공선택론의 첫 번째 가정인 방법론적 개인주의에서는 '집단을 의사 결정을 할 수 있는 유기체적 주체로 보지 않기 때문에 국가는 의사결정의 주체인 개인들의 집합체라고 본다'고 하였다. 따라서 의사결정의 주체가 국가라는 진술은 적절하지 않다.
③ 세 번째 문단에서 '사람들은 자신의 이해관계를 최우선시하므로 구체적 목적을 달성하는 과정에서 비용을 최소화하고 편익을 극대화하려고 한다'고 하였다. 따라서 의사결정의 주체들이 자신의 경제적 이해에 따라 효율적인 것을 선택하는 능력을 지니고 있음을 알 수 있다.
④ 여섯 번째 문단에서 '합리적 무지가 발생하면 공공재와 행정서비스는 특정 문제에 이해관계를 가지고 정치인과 결탁한 이익집단에만 집중'된다고 하였다. 따라서 정치인이 선거에 무관심한 유권자보다 특정 문제에 이해관계를 가지고 정치인에게 편익을 제공하는 이익집단에 유리한 정치적 의사결정을 한다는 것을 알 수 있다.
⑤ 여섯 번째 문단에서 '유권자는 정보를 습득하는 비용이 정보로부터 얻을 편익보다 클 경우 정보를 습득하지 않는다'고 하였다.

---

11. ③ 구체적 상황에 적용하기

① [A]에서 유권자는 자신의 선호 체계에 가장 가까운 공약을 제시하는 정치인에게 투표한다는 내용을 통해, 〈보기〉의 상황에서 L 성향의 유권자들은 자신의 선호 체계에 가장 가까운 정책을 제시한 갑에게 투표할 것임을 알 수 있다.
② [A]에서 민주주의의 의사결정이 다수가 아닌 소수인 중위투표자에 의해 이루어지게 된다는 내용을 통해, 〈보기〉의 상황에서 정치 성향이 중간인 M의 입장에서 정책을 제시한 갑이 당선될 가능성이 클 것임을 알 수 있다.
❸ 〈보기〉의 상황에서 정치 성향이 A인 유권자들은 자신의 선호 체계에 가장 가까운 정책을 제시한 갑에게 투표할 것이다.
④ 〈보기〉의 상황에서 B의 오른쪽에 있는 R 성향의 유권자들은 자신의 효용을 극대화하기 위해 자신의 선호 체계에 가장 가까운 정책을 제시한 을에게 투표할 것이다.

---

⑤ [A]에서 선거의 승리를 목적으로 하는 정치인의 정책은 중위투표자의 선호를 반영하는 방향으로 수렴하는 경향이 생긴다고 하였다. 따라서 을이 당선 가능성을 높이기 위해 공약을 수정하게 된다면 중간 성향의 정책을 제시한 갑과 유사한 정치 성향을 띤 공약을 내세우려 할 것이다.

---

12. ③ 세부 내용 추론하기

① 마지막 문단에 따르면 뷰캐넌은 '헌법적 정치는 일상적 정치에 제약을 부과'한다고 보았다.
② 마지막 문단에 따르면 뷰캐넌은 의사결정이 입법적 수준에서 결정되는 것이 일상적 정치라고 보았다.
❸ 마지막 문단에 따르면 뷰캐넌은 '집합적 의사결정이 공정하게 이루어지는 헌법 규칙을 만들고 헌법 안에서 자신의 이익 추구를 위해 일상적 정치를 하는 개인의 자유를 최대한 보장하는 것을 목표로 삼았다'고 하였다. 이는 헌법 자체에 대해 합의하는 헌법적 정치를 마련한다면 일상적 정치에 대한 규칙의 공정성이 확보되어 각 개인의 자유를 최대한 보장할 수 있도록 해 줄 수 있다는 것이다. 따라서 헌법 자체에 대해 합의하는 것이 모든 사람에게 편익을 준다고 보았음을 추론할 수 있다.
④ 마지막 문단에 따르면 뷰캐넌은 개인이 자신의 효용 극대화를 추구하는 것은 일상적 정치에서 이루어진다고 보았다.
⑤ 마지막 문단에 따르면 뷰캐넌은 특정 목적을 위한 정책에 대해 합의하는 것은 일상적 정치에서 이루어진다고 보았다.

본문 041쪽

Day 07

1. ① 2. ⑤ 3. ④ 4. ② 5. ③
6. ④ 7. ② 8. ② 9. ③ 10. ⑤
11. ③ 12. ⑤ 13. ① 14. ⑤

【1~4】 '이중차분법'

지문해설
경제학에서 사건의 효과를 평가하는 방법인 이중차분법을 설명한 글이다. 이중차분법은 시행집단에서 일어난 변화에서 비교집단에서 일어난 변화를 뺀 값을 사건의 효과라고 평가하는 방법으로, 사건이 없었더라도 비교집단에서 일어난 변화와 같은 크기의 변화가 시행집단에서도 일어났을 것이라고 가정하는 평행추세 가정에 근거해 사건의 효과를 평가한다. 평행추세 가정이 충족되지 않는 경우 이중차분법이 적용되면 사건의 효과를 잘못 평가하게 되므로, 평행추세 가정을 충족시키는 방법들을 통해 이중차분법을 적용한 평가의 신뢰도를 높일 수 있다.

■ 비문학 지문 어떻게 이해할까?

1문단
경제학에서 사건의 효과를 평가하는 방법에서 고려되는 점

2문단
이중차분법의 개념과 평행추세 가정의 역할

3문단
이중차분법의 시초와 경제학에서의 이용

4문단
평행추세 가정이 충족되지 않는 경우 이중차분법 적용에 나타나는 오류

5문단
이중차분법을 적용한 평가의 신뢰도를 높이는 방법

■ 주제 : 평행추세 가정을 바탕으로 하는 이중차분법의 사건 효과 평가 방법

---

1. ① 세부 내용 이해하기

❶ 첫 번째 문단에서 실험적 방법은 사건을 경험한 표본들로 구성된 시행집단의 결과와, 사건을 경험하지 않은 표본들로 구성된 비교집단의 결과를 비교하여 사건의 효과를 평가하는 방법임을 알 수 있다. 따라서 시행집단에서 일어난 평균 임금의 사건 전후 변화를 어떤 사건이 임금에 미친 효과라고 평가한다는 것은 적절하지 않다.
② 첫 번째 문단에서 두 집단에 표본이 임의로 배정되도록 사건을 설계하는 실험적 방법이 이상적이나, 사람을 표본으로 하거나 사회 문제를 다룰 때에는 이 방법을 적용할 수 없는 경우가 많다고 하였다. 이를 통해 사람을 표본으로 하거나 사회 문제를 다룰 때 실험적 방법을 적용하는 경우가 있기도 함을 알 수 있다.
③ 두 번째 문단에서 이중차분법은 사건이 없었더라도 비교집단에서 일어난 변화와 같은 크기의 변화가 시행집단에서도 일어났을 것이라는 평행추세 가정에 근거하여 사건의 효과를 평가한다고 하였다. 따라서 평행추세 가정에서는 특정 사건만 두 집단의 변화에 차이를 가져온다고 볼 것이다.

---

④ 세 번째 문단에서 이중차분법을 처음 사용한 스노는 수원이 바뀐 주민들과 바뀌지 않은 주민들의 수원 교체 전후 콜레라로 인한 사망률의 변화를 비교했다고 하였다. 두 번째 문단에 따르면 이중차분법에서는 사건 전의 상태가 평균적으로 같도록 시행집단과 비교집단을 구성하지 않아도 되므로, 이중차분법을 사용한 스노의 연구에서는 시행집단과 비교집단의 콜레라 사망률이 사건 전에도 차이가 있었을 수 있다.

⑤ 세 번째 문단에서 스노는 수원이 바뀐 주민들과 바뀌지 않은 주민들의 수원 교체 전후 콜레라로 인한 사망률의 변화를 비교한 결과, 콜레라가 공기가 아닌 물을 통해 전염된다는 결론을 내렸다고 하였다. 콜레라 전염에 공기는 관여하지 않는다고 결론내린 것은, 수원이 바뀐 주민들과 바뀌지 않은 주민들 사이에 공기의 차이는 없다고 보았기 때문으로 볼 수 있다.

오H 많이 틀렸을까?

이 문제는 이번 시험에서 가장 오답률이 높은 문제였는데, 오답 선택지를 골고루 선택하여 정답률 자체도 매우 낮았어. 선택지의 내용이 단순한 내용 일치 확인이나 지문의 내용을 조합하여 해결할 수 있는 수준이 아니라, 전체적으로 추론적 사고를 요구하는 것이라서 매우 헷갈렸을 것으로 보여. 정답의 경우 실험적 방법에서 사건의 효과를 어떻게 판단하는지를 정확히 파악하여 잘못된 비교를 하고 있다는 점을 이해할 수 있어. 오답 선택지는 지문의 내용을 역으로 적용하거나 생략된 내용을 추리하여 판단해야 했어. 가령 '이 방법을 적용할 수 없는 경우가 많다.'는 것은 이 방법을 적용할 수 있는 경우가 있다는 말이고, '사건 전의 상태가 평균적으로 같도록 시행집단과 비교집단을 구성하지 않아도' 된다는 것은 시행집단과 비교집단의 사건 전 상태에 차이가 있을 수 있다는 말이 되겠지. 이런 식으로 선택지에서 언급된 내용이 서술된 지문 해당 부분을 찾아 지문에서 선택지의 내용을 이끌어 낼 수 있는지 점검해 봐야 해.

2. ⑤   생략된 내용 추론하기

❺ 이중차분법은 시행집단에서 일어난 변화에서 비교집단에서 일어난 변화를 뺀 값을 사건의 효과라고 평가하는 방법으로, 사건이 없었더라도 비교집단에서 일어난 변화와 같은 크기의 변화가 시행집단에서도 일어났을 것이라는 평행추세 가정에 근거해 사건의 효과를 평가한다. 그런데 평행추세 가정이 충족되지 않는 경우에 이중차분법을 적용하면 사건의 효과를 잘못 평가하게 되는데, ㉠이 그 예에 해당한다.

㉠이 평행추세 가정이 충족되는 경우라면, 노동자 교육 프로그램(사건)이 없을 때 시행집단과 비교집단에서의 고용률 증가 정도는 동일할 것이다. 그러나 ㉠에서 시행집단은 일자리가 급격히 줄어드는 산업에 종사하는 노동자의 비중이 비교집단에 비해 크기 때문에 프로그램이 없는 상태에서 비교집단에 비해 고용률 증가가 작을 것이다. ㉠의 고용률 증가에는 이러한 상황이 영향을 미치므로 ㉠에 이중차분법을 적용하여 교육 프로그램의 고용 증가 효과를 평가할 때 그 효과는 평행추세 가정이 충족되는 비교집단을 이용하여 평가한 프로그램의 고용 증가 효과보다 작을 것이다.

오H 많이 틀렸을까?

이 세트는 지문의 내용이 까다롭고 관련 문제들도 높은 수준의 추론을 요구해서 정답률이 전체적으로 낮았는데, 1번에 이어 이 문제가 이 시험에서 두 번째로 오답률이 높은 문항이었어. 이 문제는 이중차분법과 그 바탕이 되는 평행추세 가정이라는 지문의 핵심 내용을 이해하여 상황에 추론적으로 적용해야 하므로, 일단 이중차분법과 평행추세 가정에 대해 정확히 파악할 필요가 있어. 그리고 ㉠에서 평

가하고자 하는 '사건의 효과'가 무엇인지, ㉠이 평행추세 가정이 충족되지 않는 요인이 무엇인지 파악하면 해결의 실마리를 찾을 수 있지.

3. ④   구체적 상황에 적용하기

① 〈보기〉의 마지막 부분에서 '임금 상승이 고용에 미친 효과'를 평가하려 한다고 했으므로 이를 사건의 효과로 볼 수 있고, 시행집단은 임금 상승이 일어난 P주 저임금 식당이며, 비교집단은 P주 고임금 식당과 Q주 식당이다. 표에서 시행집단인 P주 저임금 식당에서 일어난 변화는 1.3명임을 확인할 수 있다.

② 다섯 번째 문단에서 시행집단과 여러 특성에서 표본의 통계적 유사성이 높은 비교집단을 구성하면 평행추세 가정이 위협받을 가능성을 줄일 수 있다고 하였다. 따라서 시행집단과 비교집단의 식당들이 여러 특성에서 통계적 유사성이 높을수록 평가에 대한 신뢰도가 높아질 것이다.

③ 이중차분법에서는 시행집단에서 일어난 변화에서 비교집단에서 일어난 변화를 뺀 값을 사건의 효과라고 평가하므로, 비교집단을 Q주 식당들로 택하여 이중차분법을 적용하면 P주 저임금 식당에서 나타난 변화 1.3에서 Q주 식당에서 나타난 변화 −2.1을 뺀 값, 즉 1.3−(−2.1)=3.4명 증가를 임금 상승에 따른 고용 효과로 평가할 수 있다.

❹ 네 번째 문단에서 집단 간 표본의 통계적 유사성을 높이려고 사건 이전 시기의 시행집단을 비교집단으로 설정하는 것이 평행추세 가정의 충족을 보장하는 것은 아니며, 고용처럼 경기변동에 민감한 변화라면 집단 간 표본의 통계적 유사성보다 변화 발생의 동시성이 이 가정의 충족에서 더 중요할 수 있다고 하였다. 따라서 〈보기〉에서 임금 상승이 고용에 미친 효과를 분석할 때 비교집단의 변화를, 시행집단의 이전 시기인 1991년 1년간 변화로 파악할 경우에 더 신뢰할 만한 평가를 얻는다고 볼 수는 없다.

⑤ 다섯 번째 문단에서 여러 비교집단을 구성하여 각각에 이중차분법을 적용한 평가 결과가 같음을 확인하면 평행추세 가정이 충족된다는 신뢰를 줄 수 있다고 하였다. 〈보기〉에서 비교집단에 해당하는 Q주 식당이나 P주 고임금 식당은 모두 −2.1의 변화를 보이는 것을 확인할 수 있으므로, 이는 평행추세 가정의 충족에 대한 신뢰도를 높인다고 볼 수 있다.

4. ②   어휘의 문맥적 의미 파악하기

① ⓐ의 '나다'는 '어떤 작용에 따른 효과, 결과 따위의 현상이 이루어져 나타나다.'의 의미로 쓰였지만, '오늘 신문에 났다.'에서 '나다'는 '신문, 잡지 따위에 어떤 내용이 실리다.'의 의미로 쓰였다.

❷ ⓑ와 '생각을 바꿔'에서 '바꾸다'는 모두 '원래의 내용이나 상태를 다르게 고치다.'의 의미로 쓰였다.

③ ⓒ의 '내리다'는 '판단, 결정을 하거나 결말을 짓다.'의 의미로 쓰였지만, '건조 주의보를 내렸다.'에서 '내리다'는 '명령이나 지시 따위를 선포하거나 알려주다.'의 의미로 쓰였다.

④ ⓓ의 '높이다'는 '값이나 비율 따위를 더 높게 하다.'의 의미로 쓰였지만, '목소리를 높였다.'에서 '높이다'는 '어떤 의견을 다른 의견보다 더 강하게 내다.'의 의미로 쓰였다.

⑤ ⓔ의 '줄이다'는 '힘이나 세력 따위를 본디보다 약하

게 하다.'의 의미로 쓰였지만, '이만 줄입니다.'에서 '줄이다'는 '말이나 글의 끝에서, 할 말은 많으나 그만하고 마친다는 뜻으로 하는 말'이다.

【5~8】 송교직, '재무관리의 이해'

지문해설

기업의 경영활동을 수행하는 과정에서 발생하는 비용 중 영업비에 해당하는 영업고정비와 영업레버리지 효과에 대해 설명한 글이다. 영업고정비는 생산량의 변동과 관계없이 일정하게 발생하는 비용으로 비유동자산에 투자를 많이 할수록 증가하며 영업레버리지 효과를 일으킨다. 영업레버리지도는 기업의 매출액이 변동할 때 영업이익이 변동하는 정도로, 영업이익에 대한 공헌이익으로 나타낼 수 있으며 영업고정비가 클수록 영업레버리지도가 커져 영업레버리지 효과가 증가한다는 것을 보여 준다. 영업고정비가 증가할수록 영업이익의 변동 폭이 확대된다는 사실은 기업이 의사결정을 할 때 사업 전망과 관련지어 영업레버리지 효과를 평가해야 한다는 점과, 영업고정비를 증가시키는 의사결정에는 기업의 영업이익과 영업위험에 미치는 영향이 충분히 고려되어야 한다는 점을 시사한다.

■ 비문학 지문 어떻게 이해할까?

1문단
영업비를 구성하는 영업변동비와 영업고정비의 개념과 영업고정비의 특성

2문단
영업위험의 개념과 영업레버리지도의 계산 방법

3문단
영업고정비와 영업레버리지 효과의 관계

4문단
영업고정비가 증가할 때 영업레버리지 효과가 발생하는 원리

5문단
영업레버리지 효과가 기업의 의사결정에 시사하는 점

■ 주제 : 영업레버리지 효과의 원리와 시사점

5. ③   세부 내용 파악하기

① 첫 번째 문단에서 영업비는 영업변동비와 영업고정비로 구분되며, 영업고정비는 기계 설비의 구입이나 시설 확장 등과 같이 기업이 비유동자산에 투자를 많이 할수록 증가하게 된다고 하였다. 이를 통해 기업의 시설 투자가 영업비 중 영업고정비의 증가에 영향을 미친다는 점을 알 수 있다.

② 첫 번째 문단에서 '기업이 경영활동을 수행하는 과정에서 발생되는 비용'은 영업비와 재무비로 구성된다고 한 것을 통해 확인할 수 있다.

❸ 첫 번째 문단에서 '비유동자산'은 기업이 용이하게 현금화할 수 없는 자산이라고 언급하고 있으나 그 이유는 이 글에서 언급하고 있지 않다.

④ 두 번째 문단에서 기업의 '영업이익에 대한 공헌이익'은 영업레버리지도를 나타냄을 알 수 있고, 다섯 번째 문단에서 '사업 전망이 밝은 기업이 영업레버리지도가 높으면 이익의 확대를 기대할 수 있지만, 사업 전망이 흐린 기업이 영업레버리지도가 높으면 손실이 확대

될 수 있다.'라고 한 것을 통해 영업레버리지도가 사업 전망과 어떤 관계를 맺는지 확인할 수 있다.

⑤ 네 번째 문단에서 '생산 규모의 확대'로 인해 단위생산원가가 저렴하게 되면 '매출액이 증가할 때'에는 영업이익의 증가 폭이 더 커지고, '매출액이 감소할 때'에는 영업이익의 감소 폭이 더 커진다고 한 것을 통해 확인할 수 있다.

6.④   의미 추론하기

① 영업비는 기업의 영업활동으로 인하여 지출되는 비용이고 재무비는 기업이 타인의 자본을 사용할 경우 발생되는 비용으로, 영업고정비는 영업비에 속한다. 따라서 영업고정비가 증가하는 것이 지렛대의 역할을 한다는 것의 의미가 기업의 영업비와 재무비의 비중을 조절하는 역할을 한다는 것으로는 볼 수 없다.

② 영업레버리지도는 영업이익에 대한 공헌이익으로 나타내는데, 공헌이익이란 매출이 실제로 기업의 이익에 얼마만큼 공헌했는지를 나타내는 것이고 영업이익이란 공헌이익에서 영업고정비를 차감한 금액이다. 그리고 영업고정비가 클수록 영업레버리지도가 증가한다. 따라서 영업고정비가 증가하는 것이 지렛대의 역할을 한다는 것의 의미가 기업의 공헌이익을 일정하게 조절하는 역할을 한다는 것으로는 볼 수 없다.

③ 생산 규모의 확대로 인해 규모의 경제가 작용하면 단위생산원가는 훨씬 저렴하게 되어 매출액이 증가할 때 영업이익의 증가 폭이 더 커짐으로써 영업레버리지 효과가 발생한다. 즉 영업고정비가 증가하는 것이 지렛대의 역할을 한다는 것은 규모의 경제로부터 발생할 수 있는 효과를 축소시키는 것이 아니라 확대시키는 역할을 하는 것을 의미한다고 볼 수 있다.

❹ 첫 번째 문단에서 영업고정비가 증가하게 되면 '지렛대의 역할'을 하여 '영업레버리지 효과'를 일으킨다고 하였고, 네 번째 문단에서 매출액이 증가할 때에는 영업이익의 증가 폭이 더 커지고, 매출액이 감소할 때에는 영업이익의 감소 폭이 더 커지는 원리에 의해서 영업고정비가 증가하면 영업레버리지 효과가 발생하는 것이라고 하였다. 따라서 영업고정비의 증가가 '지렛대의 역할'을 한다는 것은 영업고정비의 증가가 매출액 변동에 따른 영업이익의 변동 폭을 확대시키는 역할을 한 것을 의미한다고 볼 수 있다.

⑤ 영업고정비가 증가하는 것이 지렛대의 역할을 한다는 것은 매출액이 감소할 때에는 영업이익의 감소 폭이 더 커지는 것 또한 의미하므로 기업의 이익을 언제나 증가시키는 역할을 한다는 것을 의미한다고 볼 수 없다.

7.②   핵심 내용 이해하기

① 첫 번째 문단에서 소모품비는 생산량에 따라 비례적으로 증가하는 영업변동비에 해당함을 알 수 있는데, 두 번째, 세 번째 문단에 따르면 영업레버리지도는 영업이익(매출액－영업변동비－영업고정비)에 대한 공헌이익(매출액－영업변동비)으로 영업고정비가 클수록 커진다. 따라서 기업이 소모품비를 많이 사용할수록 영업레버리지도가 점점 감소한다는 것은 적절하지 않다.

❷ 첫 번째 문단에서 영업고정비는 비유동자산에 투자를 많이 할수록 증가하게 된다고 한 것을 통해 비유동자산을 처분하면 영업고정비가 감소될 것임을 알 수 있고, 세 번째 문단에서 영업고정비가 클수록 영업레버리

지도가 커진다는 것을 통해 영업고정비가 감소하면 영업레버리지도도 감소할 것임을 알 수 있다. 두 번째 문단에서 기업의 비유동자산에 대한 투자는 때로 영업위험을 초래하기도 한다고 하였으므로 기업이 영업위험의 감소를 위해 비유동자산을 처분하면 영업고정비가 감소될 것이고 이에 따라 영업레버리지도도 감소할 것이다.

③ 첫 번째 문단에서 시설 확장과 같이 비유동자산에 투자를 하면 영업고정비가 증가한다고 하였고, 네 번째 문단에서 영업고정비가 증가할 경우 생산 규모의 확대로 인해 단위생산원가가 저렴하게 되면 영업레버리지도가 커짐을 알 수 있다.

④ 두 번째 문단에서 영업레버리지도는 '투자 정책이 영업이익과 영업위험에 미치는 영향을 측정할 도구'라고 하였으므로, 영업레버리지도가 단위생산원가를 측정하는 도구라는 것은 적절하지 않다.

⑤ 두 번째 문단에 따르면 영업레버리지도는 '영업이익에 대한 공헌이익'으로, 즉 '공헌이익／영업이익'으로 나타낼 수 있다. 따라서 영업이익과 공헌이익이 같으면 영업레버리지도가 1이므로 이때 영업레버리지 효과가 증가한다고 볼 수 없다.

오H 많이 틀렸을까?

이 문제는 지문의 정보를 꼼꼼히 확인한 뒤 추론적인 사고를 통해 선택지의 적절성을 판단해야 해서 좀 까다로웠어. 오답 중 ④번을 선택한 비율이 높았는데, 이는 '기업의 투자 정책을 판단하기 위해', '영업레버리지도를 활용한다'는 구절만 보고 판단했거나 중간 부분의 '단위생산원가를 측정하는 도구'라는 진술의 적절성을 잘못 판단했기 때문일 거야. 두 번째 문단에 영업레버리지도가 무엇이고 어떻게 구하는지 제시되어 있으므로 이를 바탕으로 이 진술의 적절성을 파악해야 했어. 이처럼 여러 개념이 제시되어 있는 지문과 관련된 문제에서는 개념 간의 관계를 이해하고, 개념에 대한 진술을 정확히 파악한 뒤 선택지를 검토해야 해.

8.②   구체적 상황에 적용하기

① 영업레버리지 효과는 영업레버리지도를 통해 확인할 수 있는데, 영업레버리지도는 영업이익(매출액－영업변동비－영업고정비)에 대한 공헌이익(매출액－영업변동비)로 영업고정비가 클수록 커진다. 〈보기〉에서 ○○ 기업이 A 생산 방식을 유지한다면 영업고정비가 없으므로 이때는 영업레버리지 효과를 기대할 수 없다.

❷ 두 번째 문단에서 영업이익은 매출액에서 영업변동비와 영업고정비를 차감한 금액임을 알 수 있다. 〈보기〉의 ○○ 기업의 판매량이 100만 개일 때 A 생산 방식과 B 생산 방식의 영업이익은 각각 '매출액 100억 원－영업변동비 90억 원', '매출액 100억 원－영업변동비 70억 원－영업고정비 20억 원'으로 둘 다 10억 원이다. 따라서 ○○ 기업이 B 생산 방식으로 생산 방식을 전환한다고 할 때 판매량이 그대로 유지된다면 영업이익은 변함이 없을 것이다.

③ ○○ 기업이 B 생산 방식으로 전환한다면 공헌이익(매출액 100억 원－영업변동비 70억 원)이 30억 원, 영업이익(매출액 100억 원－영업변동비 70억 원－영업고정비 20억 원)이 10억 원이 되어 영업레버리지도(공헌이익 30억 원／영업이익 10억 원)는 3이 된다. 세 번째 문단에 따르면 이는 10%의 매출액 증감이 있을 때 영업이익은 그 3배인 30%의 증감이 됨을 뜻한다. 〈보기〉에서 B 생산방식은 판매량이 10% 증가할 때 매출액도 10% 증가하므로 이때 영업이익은 30% 증가할 것이다.

④ 다섯 번째 문단에서 사업 전망이 흐린 기업이 영업레버리지도가 높으면 손실이 확대될 수 있다고 하였다. 따라서 〈보기〉의 ○○ 기업이 올해의 사업 전망을 부정적으로 예측한다면, B 생산 방식으로 전환했을 때 영업레버리지도가 높아져 손실이 확대될 수 있으므로 A 생산 방식을 유지하는 것이 유리할 것이다.

⑤ 첫 번째 문단에서 영업비는 생산량에 따라 비례적으로 증가하는 영업변동비와 생산량의 변동과 관계없이 일정하게 발생하는 비용인 영업고정비로 구분된다고 하였다. 〈보기〉의 ○○ 기업이 A 생산 방식을 유지한다면 영업고정비가 없으므로, 영업비가 생산량에 비례하여 증가하는 비용인 영업변동비만으로 구성된다고 할 수 있다.

오H 많이 틀렸을까?

이 문제는 지문의 정보를 〈보기〉의 사례에 적용하여 이해하는 유형으로, 〈보기〉의 표를 해석해야 해서 풀이에 시간이 좀 걸렸을 거야. 즉 선택지에서 다루고 있는 개념들인 '영업레버리지 효과', '영업이익', '사업 전망', '영업비' 등에 대한 설명을 〈보기〉에 적용하여 해석해야 했어. 오답 중 ③번을 선택한 비율이 높았는데, 영업이익의 증가 폭을 판단하는 데 어려움을 겪었던 듯해. 지문의 정보를 통해 영업이익과 영업레버리지도까지는 어렵지 않게 파악했으나, 그렇다면 세 번째 문단의 예시에서 영업레버리지도가 2일 때 영업이익의 증감 폭을 확인함으로써 선택지의 적절성을 파악해야 했어. 독서 지문에 제시된 도표나 사례 등은 이러한 적용 문제를 풀 때 비교 대상으로서 힌트가 된다는 점을 기억해 두자.

【9~14】 (가) 이종범 외, '딜레마와 제도의 설계'

지문해설

공공재와 공익에 대한 개념을 설명하면서 어떤 공익이 다른 공익과 서로 공존하기 어렵거나 대립되는 의견이 서로 대등할 경우 정책 딜레마에 빠질 수 있음을 제시하고 있다. 이러한 정책 딜레마 상황에서 벗어나기 위한 방법으로 합리 모형과 만족 모형이 있다. 합리 모형은 충분한 시간과 예산, 정보가 주어지면 모든 가능한 대안을 검토할 수 있으므로 정책 딜레마에서 벗어날 수 있다고 본다. 만족 모형은 합리 모형이 전제하는 상황은 오지 않기 때문에 만족할 만한 수준에서의 신속한 결정을 강조한다. 정책 딜레마의 지속은 사회적 비용을 급격히 가중시킨다. 만족 모형은 시간과 예산이 부족하여 어쩔 수 없이 내리는 결정이 아니라 딜레마 상황의 지속을 막으려는 의사 결정자들의 전략이 될 수 있다.

■ 비문학 지문 어떻게 이해할까?

1문단
공공재 정책과 공익

2문단
정책 딜레마의 개념과 문제점

3문단
정책 딜레마에서 벗어나기 위한 방법인 합리 모형과 만족 모형

4문단
만족 모형이 채택되는 이유

■ 주제 : 정책 딜레마에서 벗어나기 위한 합리 모형과 만족 모형

(나) 이준구 · 조명환, '재정학'

지문해설

중앙 정부의 재정 지원 지급 방식에는 정액 지원금과 정률 지원금이 있으며, 두 지원금은 공공재에 대한 지역 주민의 소비에 서로 다른 영향을 끼친다는 점을 설명하고 있다. 정액 지원금을 받은 후의 예산선은 원래의 예산선이 바깥쪽으로 평행 이동해 만들어진다. 이 때문에 각 지역의 기본적 재정 기반을 보완하는 역할을 수행할 수 있다. 정률 지원금은 공공재 공급에 대한 보조율에 따라 예산선의 기울기를 변하게 한다. 가격 보조의 의미를 갖는 정률 지원금은 지방 정부가 더 많은 공공재를 생산하도록 유도하는 데 효과적이다. 그런데 실증 연구에 따르면 이론적 논의와 달리 '끈끈이 효과'가 발생할 수도 있다. 따라서 어떤 정책이 공익 실현에 더 적절한 것인가에 대해 의사 결정자들은 숙고할 수밖에 없다.

■ 비문학 지문 어떻게 이해할까?

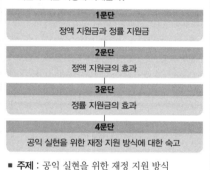

1문단
정액 지원금과 정률 지원금

2문단
정액 지원금의 효과

3문단
정률 지원금의 효과

4문단
공익 실현을 위한 재정 지원 방식에 대한 숙고

■ 주제 : 공익 실현을 위한 재정 지원 방식

---

9. ③ 내용 전개 방법 이해하기

① (가)는 정책 딜레마 상황을 벗어날 수 있는 방안을 설명하고 있을 뿐, 정부와 사회의 상호 작용을 바탕으로 공공재와 사용재의 적절한 조화가 중요하다는 점은 언급하고 있지 않다.

② (나)는 중앙 정부와 지방 정부의 차이점을 중심으로 의사 결정자들의 역할을 구분하고 있지 않다.

❸ (나)는 중앙 정부의 재정 지원 지급 방식을 소개하며, 정액 지원금은 해당 지역에서 공공재와 사용재 모두 소비가 늘어나도록 하고 정률 지원금은 해당 지역의 지방 정부가 더 많은 공공재를 생산하도록 유도하는 데 효과적이라고 설명하고 있다. 따라서 (나)는 정책에 따른 효과를 바탕으로 정책 결정이 지역 사회의 공공재 생산에 미치는 영향을 서술하고 있음을 확인할 수 있다.

④ (가)에서는 정책 결정 모형에 대해 설명하고 있지만, (나)에서는 정책 결정 모형의 장단점을 평가하고 있지 않다.

⑤ (가), (나) 모두 정책 효과의 극대화 여부를 판단하는 기준을 마련하고 있지 않다.

---

10. ⑤ 정보를 바탕으로 추론하기

① (가)의 첫 번째 문단에서 실체설은 사회에서 합의된 절대적 가치를 공익으로 보는 입장이라고 언급했다. 이를 통해 실체설에서는 정책의 추구 목적으로 사회적으로 합의된 절대적 가치를 중시하고 있음을 알 수 있다.

② (가)의 첫 번째 문단에서 과정설은 공익과 실체의 연

결을 부정하고 공익을 발견해 나가는 의사 결정 과정에서의 적절한 절차를 중시한다고 했다. 따라서 과정설은 어떤 특정 이익도 적절한 절차를 따랐을 경우 공익으로 간주될 수 있음을 알 수 있다.

③ (가)에서 다양한 이해관계가 존재하는 사회에서는 공공재 정책을 둘러싸고 공익이 무엇인가에 대한 다양한 의견이 존재하고 있음을 알 수 있다.

④ (가)의 첫 번째 문단에서 공공재가 공급 주체에 따라 규정되는 것이 아니라 재화나 서비스 자체의 성격에서 규정된다고 했다. 따라서 마을에서 운영하는 도서관이 모든 시민이 함께 이용하는 성격을 띤다면 공공재라고 할 수 있다.

⑤ (가)의 두 번째 문단에서 '적절한 절차를 거치더라도 대립되는 의견이 서로 대등할 경우 정책 딜레마에 빠지기 쉽다'고 언급하고 있다. 따라서 적절한 절차가 있다면 정책 딜레마 상황에 놓이지 않는다는 진술은 적절하지 않다.

---

11. ③ 글의 세부 정보 파악하기

① (가)의 세 번째 문단의 '합리 모형'은 정책 목표와 수단 사이에 존재하는 인과 관계의 적절성을 확보하여 딜레마 상황에서 최적의 대안을 선택할 수 있다는 입장이다. 이러한 견해로 (나)를 이해하면 딜레마 상황에서도 의사 결정자들은 정책 목표에 따라 지원금 지급 방식 중 최적의 대안을 찾아 결정할 수 있을 것이다.

② (가)의 세 번째 문단의 '합리 모형'에서는 충분한 시간, 예산, 정보 등이 의사 결정자들에게 주어지면 모든 대안을 검토한다고 했다. 이러한 견해로 (나)를 이해하면 중앙 정부가 지원금 지급 방식을 결정하기 위한 충분한 정보를 가지고 있지 않다면 딜레마 상황이 지속되더라도 시간과 예산을 추가로 투입하여 정보를 수집할 것으로 볼 것이다.

❸ (가)의 세 번째 문단의 '만족 모형'은 신속한 결정이 그 결정의 도덕적 속성이나 논리적 속성과는 무관하게 정책 결정의 불확실성을 제거하여 사회에 긍정적으로 작용한다고 보는 입장이다. 이러한 견해로 (나)를 이해하면 지원금 지급 방식에 따른 실증적 효과를 인과적으로 도출하는 것보다는, 의사 결정자들이 신속하게 결정하여 딜레마의 지속을 차단하는 것이 중요하다고 볼 것이다.

④ (가)의 세 번째 문단의 '만족 모형'은 어떤 정책 결정을 하든지 시장에서 능률적인 방향으로 자원을 배분할 것이라는 입장이다. 이러한 견해로 (나)를 이해하면 중앙 정부가 어떤 재정 지원을 하든 시장에서는 자원을 능률적으로 배분할 것이다.

⑤ (가)의 네 번째 문단의 '만족 모형'은 정책 결정을 위해 충분한 정보가 갖춰질수록 검토해야 할 시간이 무한대로 늘어나 비용이 증가한다는 입장이다. 이런 견해로 (나)를 이해하면 중앙 정부는 재정 지원 정책을 결정할 때 최적 수준의 결정보다는 만족할 만한 수준에서의 결정을 할 것이다.

---

12. ⑤ 핵심 정보를 구체적으로 이해하기

① 〈그림〉의 점 E가 이 지역에서 선택될 공공재와 사용재의 균형이다.

② 〈그림〉에서 정액 지원금을 받은 후의 균형점이 E_b로 나타나 있다. 이를 통해 정률 지원금이 지급될 때의 균형점에서보다 정액 지원금이 지급될 때의 균형점에서 이

지역 주민의 사용재 소비가 더 크다는 것을 알 수 있다.

③ 〈그림〉에서 정액 지원금이 지급되면 지급 이전보다 공공재 소비가 선분 ZZ_b만큼 늘어남을 알 수 있고, 정률 지원금이 지급되면 지급 이전보다 공공재 소비가 선분 ZZ_m만큼 늘어남을 알 수 있다.

④ (나)의 세 번째 문단에서 정률 지원금은 공공재 공급 보조율에 따라 예산선의 기울기를 변하게 하고 정부가 더 많은 공공재를 생산하도록 유도한다고 설명하고 있다. 이에 따라 〈그림〉에서 예산선이 선분 AB에서 선분 AG로 이동했으므로 적절하다.

❺ 점 E_b에서의 공공재 소비 수준은 점 E_m에서의 공공재 소비 수준보다 낮지만 사용재 소비 수준은 E_m에서보다 E_b에서 더 높기 때문에 Z_m에서 Z_b만큼 소득 금액이 감소하는 효과를 갖는 것은 아니다.

왜 많이 틀렸을까?

이 문제는 정답보다 오답을 고른 학생들이 더 많았다. ⑤번이 오답인 이유는 공공재 소비 수준으로만 보면 E_b가 E_m보다 낮지만 반대로 사용재 소비 수준은 더 높기 때문인데, 이 부분을 놓친 게 아닐까 싶어. 소득의 크기가 증가한다는 것은 공공재 소비든 사용재 소비든 어디든 사용될 수 있음을 의미한다는 것을 (나) 지문에서 파악했다면 함정에 빠지지 않을 수 있었을 거야.

---

13. ① 구체적 상황에 적용하여 이해하기

❶ (나)에서 정액 지원금이 지역 주민의 소득 증가와 동일한 효과를 가지며, 이는 정액 지원금이 공공재 소비든 사용재 소비든 어디든 사용될 수 있기 때문이라고 했다. 〈보기〉에서는 지역 주민 소득이 10억 늘어났을 때와 해당 지방 정부에 정액 지원금이 교부되었을 때 공공재 소비에 투입되는 양을 비교하고 있는데, 이를 통해 직접적인 소득 증가 때보다 정액 지원금이 교부되었을 때 공공재의 추가적 생산을 더 촉진할 수 있음을 보여 주고 있다.

② 〈보기〉는 정액 지원금이 교부되었을 때가 직접적으로 소득이 증가했을 때보다 공공재의 추가적 생산을 더 촉진시키는 '끈끈이 효과'가 나타난 사례이다.

③ 〈보기〉는 정액 지원금이 교부된 사례로, (나)에서 정액 지원금은 지역의 기본적 재정 기반을 보완할 수 있다고 하였다.

④ 〈보기〉는 정액 지원금이 교부된 사례로, (나)에서 정액 지원금은 지역 주민의 소득 증가와 동일한 효과를 갖는다고 하였다.

⑤ 〈보기〉는 정액 지원금에 대한 사례이다. 공공재의 단위당 비용에 대해 일정 비율로 중앙 정부와 지방 정부가 나누어 부담하는 지원금은 정률 지원금이므로 적절하지 않은 진술이다.

---

14. ⑤ 어휘의 문맥적 의미 이해하기

① ⓐ '(비용이) 증가하다'는 '양이나 수치가 늘다.'의 의미로 쓰였으므로 적절하다.

② ⓑ '(역할을) 기대하다'는 '어떤 일이 원하는 대로 이루어지기를 바라면서 기다린다.'의 의미로 쓰였으므로 적절하다.

③ ⓒ '(전략으로) 채택하다'는 '작품, 의견, 제도 따위를 골라서 다루거나 뽑아 쓰다.'의 의미로 쓰였으므로 적절하다.

④ ⓓ '보완하다'는 '모자라거나 부족한 것을 보충하여

완전하게 하다.'의 의미로 쓰였으므로 적절하다.
❺ ⓔ '숙고하다'는 '곰곰 잘 생각하다.'의 의미로 쓰였으므로 '그는 지난날의 잘못을 주변 사람들에게 숙고했다.'라는 문장에 활용하는 것은 적절하지 않다. 문맥을 고려할 때 '숙고하다' 대신에 '시인하다', '고백하다' 등을 쓸 수 있다.

Day 08

본문 046쪽

1. ②	2. ⑤	3. ⑤	4. ④	5. ②
6. ③	7. ③	8. ①	9. ③	10. ⑤
11. ②	12. ③	13. ⑤	14. ②	15. ⑤
16. ①				

【1~4】 브레턴우즈 체제와 트리핀 딜레마

지문해설

기축 통화란 국제 거래에 결제 수단으로 통용되며 환율 결정에 기준이 되는 통화로, 트리핀 교수는 기축 통화의 달러화에 대하여 구조적 모순이 있음을 지적한다. 만약 미국이 적자를 허용하지 않아, 유동성 공급이 중단된다면 세계 경제는 위축될 것이고, 반면 적자 상태가 지속되어 달러화가 과잉 공급되면 준비 자산으로서의 신뢰도가 저하되며 고정 환율 제도도 붕괴될 것이라는 딜레마를 지적하고 있다. 이러한 트리핀 딜레마는 국제 유동성의 확보와 달러화의 신뢰도 문제에 대한 시사점을 제시한다. 한편 1970년대 초의 미국은 경상 수지 적자가 누적됨에 따라 달러화가 과잉 공급되었고, 미국의 금 준비량이 급감하면서 달러화의 금 태환 의무를 감당할 수 없게 되었다. 그 결과 독일의 마르크화나 엔화에 대한 투기적 수요 증가하면서 결국 '1971년 닉슨 쇼크'가 단행되고 그 결과 브레턴우즈 체제는 붕괴되었다. 그러나 브레턴우즈 체제의 붕괴 후에도 달러화의 기축 통화 역할은 계속되었는데 그 이유는 하나의 기축 통화를 중심으로 외환 거래를 하면 비용을 절감하고 규모의 경제를 달성할 수 있기 때문이다.

■ **주제** : 트리핀 딜레마를 통해 본 달러의 가치와 브레턴우즈 체제의 변화 양상

1. ②   중심 내용 파악하기

❷ 첫 번째 문단에서 1960년 트리핀 교수는 브레턴우즈 체제에서의 기축 통화인 달러화의 구조적 모순을 지적하면서, '미국이 경상 수지 적자를 허용하지 않아 국제 유동성 공급이 중단되면 세계 경제는 크게 위축될 것'이라면서도 '반면 적자 상태가 지속돼 달러화가 과잉 공급되면 준비 자산으로서의 신뢰도가 저하되고 고정 환율 제도도 붕괴될 것'이라는 전망을 내놓았다고 하였다. 그러나 브레턴우즈 체제 붕괴 이후의 세계 경제 위축에 대한 트리핀의 전망은 제시된 바가 없다.

2. ⑤   세부 내용 추론하기

❺ 브레턴우즈 체제하에서 미국은 달러화의 금 태환 의무를 더 이상 감당할 수 없는 상황에 직면하였고, 당시 현실적으로 가능한 방안은 달러화에 대한 여타국 통화의 환율을 하락시켜 그 가치를 올리는 평가 절상이라고 하였다. 따라서 만약 마르크화가 달러화에 대해 평가 절상되면, 마르크화의 가치는 올라가게 되며 이때 같은 금액의 마르크화의 구입 가능한 금의 양은 증가할 것이다.

오H 많이 틀렸을까?
지문에 제시된 평가 절상과 평가 절하의 의미를 비교하면

서 읽는 것이 중요한 문항이었어. 평가라는 것은 상대적인 의미로, 대상 중 하나의 가치를 의도적으로 올리면 나머지 것들은 가치가 떨어진다는 것을 의미하잖아. 그 둘의 관계를 파악하면서 선택지에 적용하는 과정이 필요해.

3. ⑤   핵심 개념 이해하기

① 두 번째 문단에서 금 본위 체제에서는 금이 국제 유동성의 역할을 했으며, 각 국가의 통화 가치는 정해진 양의 금의 가치에 고정되었다고 하였다. 따라서 ㉠에서 자동적으로 결정되는 환율의 가짓수는 금에 자국 통화의 가치를 고정한 국가 수와 같을 것이다.

② 두 번째 문단에서 브레턴우즈 체제에서는 국제 유동성으로 달러화가 추가되어 '금 환 본위제'가 되었으며, 다른 국가들은 달러화에 대한 자국 통화의 가치를 고정했고, 달러화로만 금을 매입할 수 있었다. 이에 따라 기축 통화인 달러화를 제외한 다른 통화들 간 환율인 교차 환율은 자동적으로 결정되었다고 하였다. 따라서 ㉡이 붕괴된 이후에도 여전히 달러화가 기축 통화라면 ㉡과 교차 환율의 가짓수는 같을 것이다.

③ 네 번째 문단에서 세계의 모든 국가에서 어떠한 기축 통화도 없이 각각 다른 통화가 사용되는 경우에는 두 국가를 짝짓는 경우의 수만큼 환율의 가짓수가 생긴다고 하였다. 따라서 ㉢에서 국가 수가 하나씩 증가할 때마다 환율의 전체 가짓수는 하나씩 증가한다는 설명은 적절하지 않다.

④ 두 번째 문단에서 금 본위 체제에서는 금이 국제 유동성의 역할을 했으며, 각 국가의 통화 가치는 정해진 양의 금의 가치에 고정되었다고 하였다. 이에 비해 브레턴우즈 체제에서는 기축 통화인 달러화를 제외한 다른 통화들 간 환율인 교차 환율은 자동적으로 결정되었다고 하였다. 따라서 ㉠에서 ㉡으로 바뀌면 자동적으로 결정되는 환율의 가짓수는 적어질 것이다.

❺ 두 번째 문단에서 브레턴우즈 체제에서는 기축 통화인 달러화를 제외한 다른 통화들 간 환율인 교차 환율은 자동적으로 결정되었다고 하였고, 네 번째 문단에서 세계의 모든 국가에서 어떠한 기축 통화도 없이 각각 다른 통화가 사용되는 경우에는 두 국가를 짝짓는 경우의 수만큼 환율의 가짓수가 생긴다고 하였다. 따라서 ㉡에서 교차 환율의 가짓수는 ㉢에서 생기는 환율의 가짓수보다 적을 것이다.

4. ④   구체적 사례에 적용하기

① A국은 기축 통화국이었으나, 〈보기〉에서 석유 가격 급등을 겪으며 A국의 금리 인상과 통화 공급 감소를 겪었다고 하였다. 이는 윗글의 첫 번째 문단에서 트리핀 교수가 제시한 수입이 수출을 초과하는 적자 상황에 해당하며, 적자 상태가 지속돼 달러화가 과잉 공급되면 준비 자산으로서의 신뢰도가 저하될 것이라는 내용과 관련이 있다. 따라서 A국 통화의 신뢰도가 낮아진 것은 외국 자본이 대량으로 유입되었기 때문이라는 설명은 적절하지 않다.

② 〈보기〉에서 A국은 국제적 합의를 주도하여, 서로 교역하며 각각 다른 통화를 사용하는 세 국가 A, B, C는 외환 시장에 대한 개입을 합의한 결과 A국 통화에 대한 B국 통화와 C국 통화의 환율은 각각 50%, 30% 하락했다고 하였다. 윗글의 세 번째 문단에서 1970년대 초에 미국은 달러화의 금 태환 의무를 더 이상 감당할

수 없는 상황에 도달하였으며, 이를 해결하기 위해 달러화에 대한 여타국 통화의 환율을 하락시켜 그 가치를 올리는 평가 절상을 하고자 하였다. 따라서 국제적 합의로 인한 A국 통화에 대한 B국 통화의 환율을 하락시키면, A국 통화의 가치는 하락할 것이다.

③ <보기>에서 A국은 국제적 합의를 주도하여, 서로 교역을 하며 각각 다른 통화를 사용하는 세 국가 A, B, C는 외환 시장에 대한 개입을 합의하였으며, 그 결과 A국 통화에 대한 B국 통화는 50%하락한다고 하였다. 그러나, A국 통화에 대한 C국 통화의 환율은 30% 하락하였다고 하였으므로, B국 통화에 대한 C국 통화의 환율은 오히려 상승했을 것이다.

❹ <보기>에서 A국은 국제적 합의를 주도하여 A국 통화에 대한 B국 통화는 50%가 하락하고, A국 통화에 대한 C국 통화의 환율은 30%가 하락하였다고 하였다. 따라서 B국 통화에 대한 C국 통화의 환율은 상승함을 알 수 있다. 즉, C국에서 B국으로 수출하는 물건의 가격을 낮출 수 있을 것이며 이는 수출품의 양을 늘릴 수 있음을 뜻한다. 한편 첫 번째 문단에서 경상 수지란 한 국가의 재화와 서비스의 수출입 간 차이를 뜻하는 것으로, 수입이 수출을 초과하면 적자이고, 수출이 수입을 초과하면 흑자라고 하였다. 즉, 앞에서 설명한 것처럼 C국에서 B국으로 수출하는 물건의 가격을 낮추고 이로 인해 수출품의 양을 늘릴 수 있다면 결국 흑자를 이룰 수 있다. 따라서 B국에 대한 C국의 경상 수지는 개선되었을 것이라고 추론할 수 있다.

⑤ <보기>에서 A국 정부의 소득세 감면과 군비 증대는 A국의 금리를 인상시켰으며, 높은 금리로 인해 대량으로 외국 자본이 유입되었다고 하였다. 이로 인해 A국의 환율은 낮아지며 경상 수지가 악화될 수 있다. 그러나 이에 대한 방안으로 A국 통화에 대한 B국 통화의 환율을 상승시킨다면 A국의 경상 수지는 더욱 악화될 것이다.

왜 많이 틀렸을까?

복잡해 보이는 문항이지만, 흑자와 적자의 개념에서 출발하여 선택지를 분석하는 과정을 거치는 것이 유리했을 거야. 각국이 처한 상황은 다르지만, 모두 자국의 이익을 최우선으로 하는 것을 전제로 하고 있잖아. 즉 수출이 늘어날 때와 수입이 늘어날 때 얻을 수 있는 이익을 비교해봐야 해.

【5~10】 (가) '독점적 경쟁 시장에서 광고의 기능'

지문해설

독점적 경쟁 시장에서 상품 차별화를 통해 독점적 지위를 확보하려는 판매자가 어떻게 광고를 이용하는지 설명한 글이다. 광고는 다수의 판매자가 유사하지만 차별적인 상품을 판매하기 위해 경쟁하는 시장인 독점적 경쟁 시장에서 효과가 크다. 판매자는 자신이 판매하는 상품을 구매자가 차별적으로 인지하고 선호하게 하기 위해서 광고를 이용한다. 하지만 이윤을 보는 판매자를 모델로 약간 다른 상품을 공급하는 신규 판매자의 수가 장기적으로 증가하면 결과적으로 판매자가 지속적으로 독점적 지위를 누리기는 어렵다. 한편 판매자는 광고를 활용하여 구매자가 자신이 선호하는 상품이 차별화되었다고 느끼게 하여 특정 상품에 대한 충성도를 높이는데, 이를 통해 판매자의 독점적 지위가 강화되면 경쟁을 제한하는 효과를 얻을 수 있다.

■ 비문학 지문 어떻게 이해할까?

1문단
독점적 경쟁 시장에서 광고가 판매자에게 중요한 이유

2문단
판매자의 독점적 지위가 지속되지 않는 이유

3문단
독점적 지위를 강화하기 위한 판매자들의 광고 활용 방법

■ 주제 : 독점적 경쟁 시장에서 광고의 기능과 광고의 경쟁 제한 효과

(나) '광고가 사회에 끼치는 영향'

지문해설

광고가 경제 및 사회 전반에 끼치는 영향과 함께 환경에 미치는 부정적 영향을 다룬 글이다. 독점적 경쟁 시장에서 광고는 구매자가 가격에 민감해지게 하거나 판매자가 경쟁 상품의 가격을 고려하여 가격 경쟁에 참여하게 하며, 신규 판매자가 시장에 쉽게 진입할 수 있게 함으로써 판매자 간 경쟁을 촉진한다. 또한 광고는 상품에 대한 소비 촉진으로 생산 활동을 자극하여 고용과 투자를 증가시키며 이로 인해 경제 전반의 소득 수준 향상이 나타나 소비가 증가되는 선순환을 유도한다. 그러나 광고로 인한 소비와 생산 촉진은 환경 오염을 발생시킨다는 우려를 낳기도 한다.

■ 비문학 지문 어떻게 이해할까?

1문단
광고가 판매자 간 경쟁 촉진에 끼치는 영향

2문단
광고가 경제와 사회 전반에 끼치는 영향

3문단
광고의 소비 촉진 효과로 인한 환경 오염 우려

■ 주제 : 광고가 경제에 미치는 긍정적 영향과 환경에 미치는 부정적 영향

어휘풀이

• 환기(喚起) 주의나 여론, 생각 따위를 불러일으킴.
• 선순환(善循環) 순환이 잘됨. 또는 좋은 현상이 끊임없이 되풀이됨.

5. ② 내용 전개 방식 파악하기

① (가)의 첫 번째 문단에서 독점적 경쟁 시장에서 광고의 효과가 크다는 점을 언급하고 있지만 광고의 개념을 정의하는 부분은 찾을 수 없다.

❷ (가)는 첫 번째 문단에서 판매자가 광고를 통해 자신의 상품을 원하는 구매자에 대해 누리는 독점적 지위를 강화할 수 있다는 점을 언급한 뒤, 두 번째와 세 번째 문단에서 판매자는 광고를 통해 독점적 지위를 강화하여 가격면에서 우위를 얻거나 구매자의 충성도를 높여 경쟁을 제한하는 효과를 가져올 수 있다고 밝히고 있다.

③ (나)는 광고가 판매자 간의 경쟁과 경제 및 사회 전반에 끼치는 영향을 나열하고 있을 뿐 다양한 견해를 소개하고 그 견해의 한계점을 지적한 것은 아니다.

④ (나)는 두 번째 문단에서 광고가 개별 광고가 구매자의 내면에 잠재된 필요나 욕구를 환기하여 상품에 대한 소비를 촉진한다고 언급하고 있을 뿐, 광고의 수용 과

정이나 광고 수용 시의 유의점을 나열한 것은 아니다.

⑤ (가)와 (나) 모두 광고와 관련된 제도 마련의 필요성을 강조한 부분은 찾을 수 없다.

6. ③ 세부 내용 이해하기

① (가)의 두 번째 문단에서 독점적 경쟁 시장의 판매자가 이윤을 보면 그것에 끌려 약간 다른 상품을 공급하는 신규 판매자의 수가 장기적으로 증가한다고 한 것으로 보아, 독점적 지위가 독점적 경쟁 시장에 신규 판매자가 진입하는 것을 차단하지는 않음을 알 수 있다.

② (가)의 두 번째 문단에서 '독점적 지위를 누린다는 것은 상품의 가격을 경정할 수 있는 힘이 있다는 의미'라고 한 것을 통해 알 수 있다.

❸ (가)의 두 번째 문단에서 대체로 구매자는 상품의 물량이 많을 때보다 적을 때 높은 가격을 지불하고자 하기 때문에 판매자는 공급량을 감소시킴으로써 더 높은 가격을 책정할 수 있다고 하였다. 즉 판매자는 구매자가 지불하고자 하는 가격이 공급량에 따라 어느 정도인지 감안해야 하므로 적절하지 않다.

④ (가)의 두 번째 문단에서 '독점적 경쟁 시장의 판매자가 단기적으로 이윤을 보더라도, 그 이윤이 지속되리라 기대할 수는 없다.'라고 한 것을 통해 알 수 있다.

⑤ (가)의 첫 번째 문단에서 판매자에게 광고를 이용한 차별적 인지와 선호가 중요한 이유는 이를 통해 '판매자가 자신의 상품을 원하는 구매자에 대해 누리는 독점적 지위를 강화할 수 있기 때문'이라고 한 것을 통해 알 수 있다.

7. ② 세부 내용 파악하기

① (나)의 두 번째 문단에서 광고를 통해 '신상품이 인기를 누리는 유행 주기를 단축하여 소비를 단축시킬 수 있다.'라고 한 것을 통해 알 수 있다.

❷ (나)의 두 번째 문단에서 한계 소비 성향은 '경제 전반의 소득이 증가할 때 소비가 증가하는 정도로, 양(+)의 값이기 때문에 '경제 전반의 소득 수준이 향상되면 소비가 증가하게 된다.'라고 하였다. 따라서 광고로 인해 소비자의 구매 욕구가 강화되고 소비가 촉진되면 생산 활동이 자극되어 고용, 투자가 증가함으로써 다시 구매자의 소득과 소비가 증가하는 과정을 통해 경제 전반에 선순환이 일어날 때, 그 정도는 한계 소비 성향이 커질 때 마찬가지로 커질 것이다.

③ (나)의 두 번째 문단에서 광고가 소비를 촉진함으로써 생산 활동을 자극하면 생산 활동이 증가함에 따라 고용이나 투자가 증가하여 근로자이거나 투자자인 구매자의 소득을 증가시킬 수 있다고 하였다.

④ (나)의 두 번째 문단에서 광고로 촉진된 소비는 생산을 자극하여 증가시킨다고 하였는데, 이때 상품의 생산에는 근로자의 노동, 기계나 설비 같은 생산 요소가 들어간다고 하였으므로 이러한 생산 요소의 이용 또한 증가할 것임을 알 수 있다.

⑤ (나)의 세 번째 문단에서 광고의 소비 촉진 효과로 인해 소비뿐만 아니라 소비로 촉진된 생산 활동에서도 환경 오염이 발생한다고 한 것을 통해 알 수 있다.

8. ① 내용의 인과관계 파악하기

❶ (가)의 세 번째 문단에 따르면 ㉠의 광고가 '경쟁을

제한하는 효과는 광고를 통해 특정 상품의 차별성을 인지한 구매자가 상품에 높은 충성도를 드러내면 판매자의 독점적 지위가 강화되어 발생하는 것이다. 한편 (나)의 첫 번째 문단에 따르면 광고로 인한 ⓒ의 독점적 경쟁 시장의 판매자 간 '경쟁 촉진'은 광고를 통해 상품 정보에 노출된 구매자가 상품의 품질이나 가격에 예민해질 때 발생한다. (가)의 세 번째 문단에서 가격이 변화할 때 구매자의 상품 수요량이 변하는 정도를 수요의 가격 탄력성이라고 하였으므로, 가격에 예민해진다는 것은 수요의 가격 탄력성이 높아진다는 의미이며 따라서 ⓒ은 수요의 가격 탄력성이 높아질 때 일어난다고 할 수 있다.

② ㉠의 독점적 경쟁 시장에서는 판매자가 독점적 지위를 누리고 있기 때문에 상품의 가격 결정에 힘이 있으며, ⓒ의 결과로 더 많은 판매자가 시장에서 경쟁하게 되므로 독점적 지위는 약화되고 구매자는 다양한 상품을 높지 않은 가격에 구매할 수 있게 된다.

③ ㉠의 상황에서 신규 판매자도 광고를 이용하여 독점적 경쟁 시장에 진입하기 때문에 시장 전체의 판매자가 증가하지 않는다고 보기는 어렵다. 또한 ⓒ은 신규 판매자가 광고를 통해 신상품을 쉽게 홍보하고 시장에 진입할 수 있게 되면서 나타나는 것이다.

④ ㉠은 기존 판매자의 광고가 상품의 차별성을 부각하여 상품에 대한 구매자의 충성도를 높인 결과로 나타날 수 있는 것이다. 한편 ⓒ은 광고가 광고주의 의도와 상관없이 시장에 영향을 끼친 것으로서 제시되었다.

⑤ ㉠은 구매자의 충성도가 높아져 발생하는데, 구매자의 충성도가 높아진다는 것은 수요의 가격 탄력성이 감소하는 것과 관련이 있으므로 광고로 인해 가격에 대한 구매자의 민감도가 약화될 때 발생한다고 볼 수 있다. 하지만 ⓒ은 광고로 인해 판매자가 경쟁 상품의 가격을 더욱 고려하게 되어 가격 경쟁에 돌입하게 될 때 발생한다. 즉 경쟁 상품의 가격을 고려할 필요가 감소될 때 발생하는 것이 아니라 증가될 때 발생하는 것이다.

9. ③ 구체적 사례에 적용하기

❸ (가)의 두 번째 문단에서 '이윤을 보는 판매자가 있으면 그러한 이윤에 이끌려 약간 다른 상품을 공급하는 신규 판매자의 수가 장기적으로 증가'한다고 하였으며, (나)의 첫 번째 문단에서는 '신규 판매자가 광고를 통해 신상품을 쉽게 홍보하고 시장에 진입할 수 있게 됨으로써' 경쟁이 촉진된다고 하였다. 따라서 '갑' 기업이 광고를 통해 시장에 진입하면 여드름 억제 비누 시장의 경쟁을 촉진하고 '갑' 기업은 이윤을 보게 될 것이다. 또한 그러한 이윤에 이끌려 장기적으로 또 다른 신규 판매자의 수가 증가하면서 경쟁이 더욱 촉진될 것이다.

10. ⑤ 단어의 의미 파악하기

❺ ⓐ의 '들어가다'는 '어떤 일에 돈, 노력, 물자 따위가 쓰이다.'의 의미이다. 따라서 '사람이나 물자, 자본 따위가 필요한 곳에 넣어지다.'의 의미인 '투입(投入)되다'로 바꿔 쓸 수 있다.

[11~16] 폴 크루그먼 외, '국제경제학'

지문해설

국제 무역의 기본 원리는 우위의 재화는 수출하고

열위의 재화는 수입하여 쌍방 간 이득 얻는다는 것으로, 국제무역의 기본 모형인 리카르도 모형은 이러한 무역 원리를 잘 반영한다. 이때 상대적 생산비의 우위를 차지하는 방법으로 생산비[노동소요량*시간*임금]를 절감 시키거나 기술력을 높이는 방법이 있다. 여러 가지 제품 중에 상대적 생산비 우위를 갖는 제품을 분별하려면 '상대적 임금'과 '상대적 생산성 우위'를 비교하는 작업이 필요하다. 또한 상대적 임금과 국제무역의 연관성을 정확하게 파악하려면 노동량의 수요와 공급을 고려해야 한다.

■ **주제** : 상대적 생산비 우위를 지니는 개념과 이를 활용한 수익 구조

11. ② 세부 내용 파악하기

① 세 번째 문단에서 한 나라에서 특정 재화가 상대국에 대해 상대적 생산비 우위를 갖는지에 대한 여부는 '상대적 임금'과 '상대적 생산성 우위'의 비교를 통해 파악할 수 있다고 하였다. 그러나 선택적 생산이 상대적 임금을 낮춘다는 과정은 제시되지 않았다.

❷ 두 번째 문단에서 리카르도에 따르면 무역할 재화, 즉 교역재가 상대적 우위를 가지려면 생산비를 줄여야 하고, 생산비란 어떤 제품 1단위 생산에 필요한 노동시간, 즉 노동소요량을 시간당 임금과 곱한 값이므로 각국은 기술력을 높여 노동소요량을 줄이거나 값싼 노동력으로 임금을 줄임으로써 상대적 생산비 우위를 차지할 수 있다고 하였다. 따라서 노동자의 임금이 교역재 선정에 미치는 영향에 대해 설명하였다는 내용은 적절하다.

③ 생산비란 어떤 제품 1단위 생산에 필요한 노동시간, 즉 노동소요량을 시간당 임금과 곱한 값이라고 하였다. 교역재란 무역할 재화를 뜻하며 일곱 번째 문단에서 상대적 임금을 고려해 무역재를 선정해도 수송비가 얼마나에 따라 교역재는 자체적으로 생산하는 소비재인 비교역재가 될 수도 있다고 언급하였다. 그러나 이 글에서 교역재와 비교역재의 생산비 산출 방법의 차이에 대해 설명한 부분은 없다.

④ 첫 번째 문단에서 국가들은 상대적 우위를 갖는 재화는 수출하고 상대적 열위를 갖는 재화는 수입하여 쌍방 간 이득을 취한다고 하였다. 그러나 수출국이 수입국보다 더 많은 이익을 얻게 되는 이유에 대한 설명은 제시되지 않았다.

⑤ 두 번째 문단에서 상대적 생산비 우위를 차지하는 방법으로 생산비를 절감하고, 기술력을 높이는 원리를 제시하였으나, 재화 생산에 필요한 노동의 공급이 노동의 수요에 미치는 영향에 대한 내용은 제시되지 않았다.

12. ③ 세부 내용 파악하기

① 두 번째 문단에서 생산비란 어떤 제품 1단위 생산에 필요한 노동시간, 즉 노동소요량을 시간당 임금과 곱한 값이라고 하였다. 따라서 임금이 일정할 때, 재화를 생산하는 노동시간을 줄이면 생산비가 낮아질 것이다.

② 여섯 번째 문단에서 노동의 상대적 공급 곡선(RS)이 수직 형태를 띠는 이유로, 임금이 변해도 A국 내에서 가용 가능한 노동량이 바로 변하기는 어렵다는 점을 제시하고 있으므로 적절한 설명이다.

❸ 두 번째 문단에서 생산비란 어떤 제품 1단위 생산에 필요한 노동시간, 즉 노동소요량을 시간당 임금과 곱한

값이라고 하였다. 따라서 임금을 줄인다고 가정했을 때, 노동소요량을 줄여야만 상대적 생산비 우위를 차지하는 것은 아니다. 임금을 줄인다면 노동소요량을 반드시 줄이지 않아도 생산비 측면에서 우위를 차지할 수 있기 때문이다.

④ 다섯 번째 문단에서 제품의 종류와 무관하게 A국의 시간당 임금이 B국의 3배, 즉 A국의 상대적 임금이 3이라고 가정할 경우, 상대국보다 임금이 낮은 국가도 그보다 임금이 높은 상대국에서 재화를 수입하는 것이 유리할 수 있음을 확인할 수 있다.

⑤ 세 번째 문단에서 상대적 임금이란 자국의 임금을 상대국의 임금으로 나눈 값이고, 상대적 생산성 우위란 상대국의 노동소요량을 자국의 노동소요량으로 나눈 값이라고 하였다. 각국은 상대국에 대한 자국의 상대적 생산성 우위가 자국의 상대적 임금보다 높은 제품에 생산비 우위를 갖게 된다고 하였으므로, 한 국가의 상대국에 대한 상대적 임금이 특정 재화의 상대적 생산성 우위보다 낮으면 그 재화의 생산비도 상대국보다 낮다.

13. ⑤ 구체적 사례에 적용하기

① 생산비는 '노동소요량×시간×임금'이라고 하였다. X국의 노동자의 시간당 임금은 2만 원이고, 사과 1kg을 생산하는데 드는 노동 시간은 4시간이다. 따라서 X국에서 사과 1kg을 생산하려면 8만 원의 생산비가 든다. Y국의 노동자의 시간당 임금은 1만 원이고, 바나나 1kg을 생산하는데 드는 노동 시간은 9시간이라고 하였다. 따라서 Y국에서 바나나 1kg을 생산하려면 9만 원의 생산비가 든다.

② 상대적 생산성 우위는 상대국의 노동소요량을 자국의 노동 소요량으로 나눈 값이라고 하였다. 따라서 X국의 바나나 생산성은 9/6이므로 1.5이다. 이때 상대적 임금을 산출해야 하는데, 상대적 임금이란 자국의 임금을 상대국의 임금으로 나눈 값이라고 하였으므로, X국의 상대적 임금은 2이다. 따라서 X국은 바나나는 Y국에서 수입하는 것이 유리할 것이다. 이때 만약 X국이 기술력을 높여 바나나 1kg 생산에 필요한 노동시간을 4시간으로 줄인다면 X국의 바나나 생산성은 9/4이므로 2.25가 된다. 이때 X국의 상대적 임금인 2보다 높은 값이 되므로, 바나나 생산에 있어서의 생산비 우위는 X국이 차지하게 될 것이다.

③ X국의 상대적 임금은 2이고, Y국의 상대적 임금은 1/2이므로 0.5이다. Y국에서 사과 1kg을 생산하는 데 드는 노동시간이 12시간이므로, X국의 입장에서는 6시간에 해당한다.

④ X국은 사과에 있어서 Y국에 대해 갖는 상대적 생산성 우위는 12/4이므로 3이고, X국이 바나나에 있어서 Y국에 대해 갖는 상대적 생산성 우위는 9/6이므로 1.5이다. 따라서 사과의 생산에 있어서 X국이 Y국에 대해 갖는 상대적 생산성 우위가 바나나의 생산에 있어서 X국이 Y국에 대해 갖는 상대적 생산성 우위보다 높게 나타난다.

❺ X국은 사과에 있어서 Y국에 대해 갖는 상대적 생산성 우위는 12/4이므로 3이고, X국이 바나나에 있어서 Y국에 대해 갖는 상대적 생산성 우위는 9/6이므로 1.5이다. X국의 상대적 임금이 2라는 것을 감안하면, X국은 상대적 임금 2보다 큰 사과를 수출하는 것이 유리하다. 반면 Y국은 사과에 있어서 X국에 대해 갖는 상대적 생산성 우위는 4/12이므로 대략 0.3이고, 바나나에 있어서 X국에 대해 갖는 상대적 생산성 우위는 6/9이므

로 대략 0.6이다. Y국의 상대적 임금이 0.5라는 것을 감안하면 Y국은 상대적 임금 0.5보다 큰 바나나를 수출하는 것이 유리하다.

왜 많이 틀렸을까?
상대적 임금의 개념과, 상대적 생산성 우위의 개념을 구분하고 도표에 있는 수치를 활용해서 간단한 계산을 먼저 하고 시작해야겠지? 상대적 생산성 우위를 비교하여서 X국과 Y국이 사과와 바나나 중 어떤 품목을 수출하는 것이 유리할지를 따져봐야 해. 복잡해 보이지만 나눗셈을 활용하여 숫자를 기입하고 값을 비교하면서 본문의 내용을 적용시켜보자.

14. ② 　　구체적 사례에 적용하기

① 여섯 번째 문단에서 상대적 임금은 RS와 RD가 만나는 지점이라고 하였다. 따라서 그래프 상의 6이 상대적 임금에 해당한다. 따라서 그래프의 세로축에 해당하는 수치는 각 생산 품목의 상대적 생산성 우위에 해당한다. RS와 RD의 교점이 현재는 6인 것이 ⓐ와 ⓑ 사이로 이동한다면 쌀에 있어서의 생산비 우위는 여전히 갑국이 자리하고, 밀 생산에 있어서의 생산비 우위는 갑국에서 을국으로 넘어가게 된다.
❷ RS와 RD의 교점이 현재는 6인 상황에서는 갑국은 쌀, 밀을 생산하는 것에 우위를 보인다. 여섯 번째 문단에서, RS가 좌우로 이동하면서 교점이 경사 구간에 형성되면 A국과 B국 중 한 나라에서, 수평 구간에서 생기면 A국과 B국 모두에서 그 구간에 해당하는 재화를 생산하게 된다고 하였다. 따라서 만약 RS와 RD의 교점이 ⓑ와 ⓒ 사이로 이동할 경우에는 갑국과 을국 모두 밀을 생산하게 될 것이며, 밀 생산을 위한 노동 수요의 일부는 갑국에서 을국으로 이동할 것임을 알 수 있다.
③ RS와 RD의 교점이 ⓒ에 점점 가까워진다면 상대적 임금이 경사 구간 내에서 상승하게 된다. 여섯 번째 문단에서 노동에 대한 상대적 수요 곡선(RD)이 계단 형태를 띠는 것은 수출 제품의 품목은 그대로이나 상대적 임금의 증가로 인해 해당 제품에 대한 수요만 감소하는 경사 구간과, 상대적 임금의 증가가 결국 생산 제품의 변화로 이어지고 제품의 생산에 필요한 노동 수요가 상대국으로 점차 이동하는 수평 구간이 번갈아 나타나기 때문이라고 하였다. RS와 RD의 교점이 ⓒ에 가까워질수록 상대적 임금과, 갑국에서 생산 가능한 밀의 가격은 상승하게 되고, 갑국에서 생산하는 밀에 대한 을국의 수요량은 점차 줄어들게 될 것이다.
④ RS와 RD의 교점이 ⓓ에 점점 가까워진다면 갑국의 상대적 임금이 6보다 낮아진 것이므로, 갑국이 생산하는 밀의 가격은 현재 대비 상대적으로 낮아질 것이다.
⑤ RS와 RD의 교점이 현재 6일 경우에는 갑국은 쌀과 밀에 대해서 생산성 우위를, 을국은 수수와 귀리에 대해서 생산성 우위를 갖고 있었다. 여섯 번째 문단에서 제시하였듯이 RS가 좌우로 이동하면서 교점이 경사 구간에 형성되면 A국과 B국 중 한 나라에서, 수평 구간에서 생기면 A국과 B국 모두에서 그 구간에 해당하는 재화를 생산하게 되므로, 만약 ⓓ와 ⓔ 사이에서 형성될 경우, 상대적 임금은 변하게 되고 갑국과 을국 모두에서 수수를 생산하게 될 것이다.

왜 많이 틀렸을까?
RS와 RD의 교점이 상대적 임금에 해당한다는 것이 가장 핵심적인 내용이야. 따라서 그래프 상의 6이 상대적 임금에 해당하고 그래프의 세로축에 해당하는 수치는 각 생산 품목의 상대적 생산성 우위에 해당하는거야. 즉, 귀리는 1,

---

수수는 4, 밀은 8, 쌀은 12라는 상대적 생산성 우위값을 갖게 되는 거지.

15. ⑤ 　　세부 내용 추론하기

❺ 일곱 번째 문단에서 상대적 임금을 고려해 교역재를 정하더라도, 수송비에 따라 그 품목은 달라질 수도 있다고 제시하고 있다. A국이 〈표〉의 제품Ⅲ을 수입하는 데 드는 단위당 수송비가 제품Ⅲ의 단위당 생산비와 동일하다는 가정 하에, B국에 대한 A국의 상대적 임금이 3일 때, 생산비만 고려한다면 B국의 12시간 노동은 A국의 4시간 노동에 해당한다고 하였다. 그러나 여기에 수송비라는 요소를 더한다면, 결국 8시간 노동에 해당하는 것과 같아짐을 알 수 있다. 오히려 현재 A국에서 걸리는 시간이 6시간이라는 것을 감안하면 제품Ⅲ을 A국에서 생산하는 것이 더 유리하다는 결론이 도출된다. 따라서 상대적 임금을 고려해 무역재를 선정해도 수송비가 얼마냐에 따라 교역재는 자체적으로 생산하는 소비재인 비교역재가 될 수도 있다고 하였다. 이때 자국의 생산비와 수송비를 자국의 임금을 기준으로 한 노동시간으로 환산한 셈이므로, 선택적 생산을 통한 수출은 자국의 생산비와 수송비를 모두 고려했을 때의 동일 임금 대비 노동시간이 상대국보다 적은 경우에만 이익이 된다.

16. ① 　　어휘의 문맥적 의미 파악하기

❶ ㉠의 '따르면'은 '어떤 경우, 사실이나 기준 따위에 의거하다'라는 뜻이므로, '고인의 뜻에 따라 전 재산을 사회에 기부했다'의 '따라'와 유사한 의미이다.
② ㉡의 '높여'는 '품질, 수준, 능력, 가치 따위를 더 높은 수준으로 만들다'라는 뜻인데 비해, '그는 모두 함께 참여하자고 목소리를 높였다'의 '높였다'는 '어떤 의견을 다른 의견보다 더 강하게 내다'라는 의미이다.
③ ㉢의 '따져'는 '계산, 득실, 관계 따위를 낱낱이 헤아리다'라는 뜻인데 비하여, '나는 그에게 왜 책을 돌려주지 않느냐고 따졌다'의 '따졌다'는 '문제가 되는 일을 상대에게 캐묻고 분명한 답을 요구하다'라는 의미이다.
④ ㉣의 '나타내면'은 '어떤 일의 결과나 징후를 겉으로 드러내다'라는 뜻인 비하여, '그들은 슬픈 감정을 나타내지 않으려고 애썼다'의 '나타내지'는 '내면적인 심리 현상을 얼굴, 몸, 행동 따위로 드러내다'라는 의미이다.
⑤ ㉤의 '어렵기'는 '가능성이 거의 없다'라는 뜻인 비하여, '어려운 가정 형편에도 그는 다른 사람을 돕는다'의 '어려운'은 '가난하여 살아가기가 고생스럽다'라는 의미이다.

---

1. ③	2. ⑤	3. ④	4. ②	5. ③
6. ②	7. ②	8. ②	9. ⑤	10. ⑤
11. ①	12. ⑤	13. ⑤	14. ⑤	15. ⑤
16. ④				

【1~4】 '베카리아의 형벌론'

지문해설

『범죄와 형벌』을 쓴 체사레 베카리아의 형벌에 대한 주장을 소개한 글이다. 베카리아는 인간은 이성적, 타산적 존재라고 전제하고, 사회의 형성과 지속을 위한 조건인 법은 개인의 행복을 증진시킬 때 가장 잘 준수되며 형벌은 전체 복리를 위해 법 위반자에게 설정된 것이라고 보았다. 그리고 형벌의 목적은 범죄를 억제하고 예방하는 데 있으며 범죄로 인해 공익이 입게 되는 손실보다 형벌이 가하는 손해가 조금이라도 크면 그 목적이 달성된다고 보았다. 또한 과도한 처벌은 불필요하며 인간이 감각적인 존재라는 점을 고려하여 형벌의 강도보다는 지속이 억제 효과를 갖는다고 주장했다.

■ 비문학 지문 어떻게 이해할까?

1문단
체사레 베카리아의 『범죄와 형벌』에 나타난 인간과 법, 형벌에 대한 관점

2문단
형벌의 목적과 형벌이 갖춰야 할 조건

3문단
효과적인 형벌과 베카리아의 주장의 의의

■ 주제 : 형벌에 대한 베카리아의 주장
• **할애(割愛)** 소중한 시간, 돈, 공간 따위를 아깝게 여기지 아니하고 선뜻 내어 줌.
• **성문법(成文法)** 문자로 적어 표현하고, 문서의 형식을 갖춘 법. 제정법 따위이다.
• **방벽(防壁)** 밖으로부터 쳐들어오는 것을 막으려고 쌓은 벽.
• **운용(運用)** 무엇을 움직이게 하거나 부리어 씀.
• **응보주의(應報主義)** 형벌은 죄에 대한 정당한 보복을 가하는 데 목적이 있다고 보는 사상.

1. ③ 　　세부 내용 파악하기

① 첫 번째 문단에서 인간은 '자유의 일부를 떼어 주고 나머지 자유의 몫을 평화롭게 누리기로 합의'하여 공동체를 형성했고, 법은 '사회의 형성과 지속을 위한 조건'이라고 한 것을 통해 알 수 있다.
② 첫 번째 문단에서 베카리아는 '이성적인 인간을 상정하는 당시 계몽주의 사조'에 호응하여 이익을 저울질할 줄 알고 그에 따라 행동하는 존재, 즉 타산적 존재로서 인간을 전제했음을 알 수 있다. 또한 마지막 문단에서 '인간이 감각적인 존재라는 사실'에 맞추어 형벌 제도가 운용되어야 한다고 보았으므로, 즉 베카리아는 인간이 이성적, 타산적, 감각적 존재라고 보았음을 알 수 있다.
❸ 첫 번째 문단에서 사람들이 '자유의 일부를 떼어 주고 나머지 자유의 몫을 평온하게 누리기로 합의한 것'에 따라 '저마다 할애한 자유의 총합이 주권을 구성하고,

---

주권자가 이를 위탁받아 관리'하는데, '전체 복리를 위해 법 위반자에게 설정된 것이 형벌'이라고 하고 있다. 따라서 형벌을 시행하는 주체는 개개인의 국민이 아니라 개개인의 주권을 위탁받아 관리하는 주권자이다.

④ 마지막 문단에서 '가장 잔혹한 형벌도 계속 시행되다 보면 사회 일반은 그에 무디어져 마침내 그런 것을 봐도 옥살이에 대한 공포 이상을 느끼지 못한다.'라고 한 것에서, 잔혹함이 주는 공포의 효과는 시간이 흐르면서 감소함을 알 수 있다.

⑤ 첫 번째 문단에서 개개인이 '저마다 할애한 자유의 총합이 주권을 구성하고, 주권자가 이를 위탁받아 관리'하며, '전체 복리를 위해 법 위반자에게 설정된 것이 형벌'로 '형벌권의 행사는 양도의 범위를 벗어날 수 없다.'라고 한 것을 통해 알 수 있다.

어휘풀이
• 타산적(打算的) 자신에게 도움이 되는지를 따져 헤아리는 것.

2. ⑤   핵심 내용 파악하기

① 두 번째 문단에서 형벌의 목적은 '범죄자가 또다시 피해를 끼치지 못하도록 억제하는 것'이라고 한 것을 통해 알 수 있다.

② 두 번째 문단에서 '손익 관계를 누구나 알 수 있도록 처벌 체계는 명확히 성문법으로 규정되어야' 한다고 한 것을 통해 알 수 있다.

③ 두 번째 문단에서 '울타리의 높이는 살인인지 절도인지 등에 따라 달리해야' 하며, '공익을 훼손한 정도에 비례해야 하는 것'이라고 한 것을 통해 알 수 있다.

④ 첫 번째 문단에서 베카리아는 '이익을 저울질할 줄 알고 그에 따라 행동하는 존재로서 인간을 전제'하였다고 한 것과 두 번째 문단에서 형벌의 목적은 '범죄로 얻을 이득'보다 '형벌이 가하는 손해가 조금이라도 크기만 하면 달성된다'고 한 것을 통해 알 수 있다.

❺ ㉠은 범죄를 가로막는 방벽으로서의 형벌을 의미한다. 두 번째 문단에서 형벌의 목적은 '범죄로 얻을 이득, 곧 공익이 입게 되는 그만큼의 손실보다 형벌이 가하는 손해가 조금이라도 크기만 하면 달성'되며, '울타리의 높이'는 '공익을 훼손한 정도에 비례해야' 하고 '그것을 넘어서는 처벌은 폭압이고 불필요'하다고 하였다. 이를 바탕으로 할 때, 지키려는 공익보다 형벌을 높게 설정할수록 방어 효과가 증가한다고 볼 수는 없다.

3. ④   입장 추론하기

① 첫 번째 문단에서 베카리아는 '법은 저마다의 행복을 증진시킬 때 가장 잘 준수'되며, 형벌은 '전체 복리를 위해 법 위반자에게 설정된 것'이라고 보았음을 알 수 있다. 따라서 형벌이 사회적 행복 증진을 저해한다는 것은 베카리아의 입장이라고 보기 어렵다.

② 두 번째 문단에서 베카리아는 형벌의 목적이 범죄의 억제와 예방에 있다고 하였고, 마지막 문단에서 그의 주장이 형법학이 응보주의를 탈피하여 일반 예방주의로 나아가는 토대를 세웠음을 알 수 있다. 따라서 베카리아가 사형이 범죄 예방의 효과가 없기에 일반 예방주의의 입장에서 사형 폐지를 주장했다고 볼 수는 없다. 베카리아는 '더욱 중요한 것을 지키기 위해 희생한 자유에는 무엇보다 값진 생명이 포함될 수 없다'고 보았기에 사형에 부정적이었던 것이다.

③ 마지막 문단에서 베카리아는 '죽는 장면의 목격은 무시무시한 경험이지만 그 기억은 일시적'이라고 하였으므로, 사형이 사람의 기억에 영구히 각인되는 잔혹한 형벌이라고 본 것은 아니다.

❹ 첫 번째 문단에서 베카리아는 형벌권의 행사가 양도의 범위(개개인이 할애한 자유의 총합)를 벗어날 수 없다는 출발점을 세웠음을 알 수 있다. 또한 3문단에서는 베카리아가 '더욱 중요한 것을 지키기 위해 희생한 자유에는 무엇보다 값진 생명이 포함될 수 없다'고 보았다고 하였다. 따라서 베카리아가 자유로운 인간들 사이의 합의를 바탕으로 논의를 전개하여 사회 계약론자로 이해된다는 점을 바탕으로 할 때, 가장 큰 가치, 즉 생명을 내어주는 합의가 있을 수 없다는 점을 이유로 하여 사형을 비판했을 것이라고 볼 수 있다.

⑤ 두 번째 문단에서 '베카리아가 볼 때, 형벌은 범죄가 일으킨 결과를 되돌려 놓을 수 없다.'고 하였으므로, 피해 회복의 관점으로 형벌을 바라본다고 볼 수는 없다.

4. ②   단어의 의미 파악하기

① '향유하다'는 '누리어 가지다'라는 의미이므로, ⓐ는 '향유하기로'로 바꾸어 쓸 수 있다.

❷ '범죄를 가로막는 방벽'에서 ⓑ '가로막다'는 문맥상 범죄를 일으키지 못하도록 막는다는 의미인데, '단절하다'는 '유대나 연관 관계를 끊다.'라는 의미이므로 ⓑ와 바꾸어 쓰기에 적절하지 않다. ⓑ는 '막아서 못 하게 하다.'라는 의미인 '저지하다'로 바꾸어 쓰는 것이 적절하다.

③ '둔감해지다'는 '감정이나 감각이 무디어지다'라는 의미이므로, ⓒ는 '둔감해져'로 바꾸어 쓸 수 있다.

④ '지대하다'는 '더할 수 없이 크다.'라는 의미이므로, ⓓ '크나큰'은 문맥상 '지대한'으로 바꾸어 쓸 수 있다.

⑤ '수립하다'는 '국가나 정부, 제도, 계획 따위를 이룩하여 세우다.'라는 의미이므로, ⓔ는 문맥상 '수립하였다는'으로 바꾸어 쓸 수 있다.

[5~10] 배종대 외, '형사소송법'

지문해설

증거 재판주의를 중심으로 증거의 중요성을 설명하는 글이다. 범죄사실은 증거에 의해 인정되며, 법관의 자의적 사실 인정은 허용될 수 없는데 이때 증거 능력이란 어떤 증거가 증명의 자료로 사용될 수 있는 법률상의 자격을 뜻한다. 형사소송법은 증거능력을 배제해야 하는 조건을 위법수집증거배제법칙, 자백배제법칙, 전문법칙 등의 세 가지 원칙으로 정해두고 있다. 첫 번째 위법수집증거배제법칙은 적법한 절차에 따르지 않고 수집한 증거의 증거능력을 부정하는 원칙으로, 형사사법기관의 위법한 증거수집을 억제하는 데에 그 목적이 있다. 두 번째 자백배제법칙은 수사 기관이나 법원이 진술자의 자백을, 임의성을 제한하는 방식으로 얻어낸 경우에 그 증거능력을 부정하는 원칙이다. 세 번째 전문법칙은 전문증거는 증거능력이 없다는 원칙이다. 한편 자유심증주의 원칙은 증명력 평가는 법관의 자유 판단에 맡긴다는 것으로 이때 법관의 판단은 합당한 근거를 바탕으로 해야 한다.

■ 주제 : 증거 재판주의에서 증거능력을 배제해야 하는 조건

5. ③   세부 정보 파악하기

① 여덟 번째 문단에서 증명력을 판단하는 주체는 법관의 자유 판단에 맡겨져 있으며, 이러한 원칙을 자유심증주의라고 한다고 하였다. 증거능력이 있는 증거가 제출되면 증거가치에 대한 판단은 법관의 자유 판단에 따른다고 제시되어 있다.

② 첫 번째 문단에서 증거재판주의란 형사소송법은 범죄사실은 증거에 의해 인정되어야 하며, 그러한 범죄사실의 인정은 합리적인 의심이 없는 정도의 증명에 이르러야 한다고 규정한다고 하였다.

❸ 다섯 번째 문단에 자백배제법칙이란 수사 기관이나 법원이 진술자의 자백을, 임의성을 제한하는 방식으로 얻어낸 경우에 그 증거능력을 부정하는 원칙이라는 개념은 제시되어 있으나 자백배제법칙의 종류는 언급된 바가 없으므로 적절하지 않다.

④ 네 번째 문단에서 독수과실이론의 예로 영장 없이 위법하게 체포한 상태에서 얻은 진술이라면 그 진술의 증거능력은 물론, 그 진술의 도움으로 찾아낸 물증의 증거능력도 인정되지 않는다고 제시하고 있다.

⑤ 네 번째 문단에서 위법수집증거배제법칙은 적법한 절차에 따르지 않고 수집한 증거의 증거능력을 부정하는 원칙으로, 이 법칙의 목적은 형사사법기관의 위법한 증거수집을 억제하는 것이라고 하였다.

6. ③   핵심 내용 이해하기

① 다섯 번째 문단에서 자백배제법칙에 따르면 자백의 주체가 신체적, 정신적 압박 없이 임의로 한 자백만 증거능력을 인정한다고 하였으며, 자백을 강요하는 것을 금지한다고 하였으므로 '피고인을 강요하여 얻은 자백이 사건의 진실을 그대로 담고 있는 내용인 경우'는 증거능력과 증명력 모두 존재하지 않는다.

② 여섯 번째 문단에서 전문증거는 증거능력이 없으므로 증거능력을 배제해야 한다고 하였다. 전문증거란 피고인, 증인 등 사안을 체험한 자가 구두로 진술한 진술 증거 가운데 법정에서 직접 이루어지지 않고 다른 사람에 의해 간접적으로 전해진 것을 뜻하므로 '수사 기관에 의해 수집된 증거' 역시 이에 해당한다. 따라서 '수사 기관에 의해 수집된 증거가 법정에서 결국 유죄 판결의 핵심적인 근거로 이용된 경우'에는 증거능력과 증명력 모두 존재하지 않는다.

❸ 일곱 번째 문단에서 증명력이란 증거능력과는 달리 증거자료가 사실의 판단에 기여할 수 있는 정도, 즉 증거의 실질적인 가치로서의 신빙성을 뜻한다고 하였다. 증거능력 평가가 증거능력의 유무만을 가리는 것이라면 증명력 평가는 증거가치가 크고 작은 정도의 차이를 따지는 것에 해당한다고 하였다. 따라서 '적법한 절차에 따라 확보한 문서'는 증거 능력이 될 수 있으나, 증거자료가 사실의 판단에 기여할 수 있는가를 기준을 적용하였을 때, 그 내용이 사건과 관련이 없다고 법관이 판단한 경우라면 ㉠에 해당된다고 볼 수 있으므로 적절한 사례이다.

④ 네 번째 문단에서 적법한 절차에 따르지 않고 수집한 증거는 증거능력을 배제해야 한다고 하였으며 이를 '위법수집증거배제법칙'이라고 하였다. 따라서 '불법적인 수단으로 목격자의 진술을 억지로 얻어'낸 것은 증거능력을 획득할 수 없다. 한편 다만 위법하게 수집된 1차 증거와 2차 증거 사이에 인과관계가 희석 또는 단절되었다고 판단될 때는 2차 증거의 증거능력이 인정될 수

있다고 하였으므로, 불법적인 수단으로 억지로 얻어낸 목격자의 진술 내용이 허위 사실로 밝혀진 것에 대한 진위 여부가 밝혀져야 증거능력이 인정될 수 있을 것이다.
⑤ 여섯 번째 문단에서 '증거동의'란 전문증거임에도 피고인이 증거로 사용할 수 있다는 데에 동의하면 증거능력을 인정한다는 것이다. 그 외의 경우에는 전문증거는 증거능력이 없다고 명시하고 있으므로 증거동의를 받은 전문증거가 '법관에게 인정된 경우'는 증거능력이 존재하지 않는다.

7. ② 구체적 상황에 적용하기

① 네 번째 문단에서 위법수집증거배제법칙은 적법한 절차에 따르지 않고 수집한 증거의 증거능력을 부정하는 원칙으로 위법하게 수집한 증거를 통해 알게 된 사실을 바탕으로 수집한 파생증거, 곧 2차 증거의 증거능력도 위법수집증거배제법칙에 따라 배제된다고 하였다. 따라서 [증거 1]은 '유효한 압수수색영장 없이' 화약류를 압수하였으므로 위법수집증거배제법칙에 따라 증거능력을 배제해야 하며 [증거 1-1] 역시 '증거 1을 기초로 획득한' 압수물 사진이므로 증거능력을 배제해야 한다. 다만 위법하게 수집된 1차 증거와 2차 증거 사이에 인과관계가 희석 또는 단절되었다고 판단될 때는 2차 증거의 증거능력이 인정될 수 있다고 하였으므로 법원은 [증거 1]과 [증거 1-1] 사이에 인과관계가 희석 또는 단절되지 않았다고 판단한 것에 해당한다.
❷ 첫 번째 문단에서 형사소송법은 범죄사실은 증거에 의해 인정되어야 하며 범죄사실의 인정은 합리적인 의심이 없는 정도의 증명에 이르러야 한다고 규정하고 있다고 하였다. 또한 네 번째 문단에서 증거는 적법한 절차에 따라 수집되어야 하며 이를 위법수집증거배제법칙이라고 하였다. 따라서 [증거 1]과 [증거 1-1]은 위법수집증거배제법칙에 따라 증거능력을 배제하여야 한다.
③ 네 번째 문단에서 위법하게 수집한 증거를 통해 알게 된 사실을 바탕으로 수집한 파생증거, 곧 2차 증거의 증거능력도 위법수집증거배제법칙에 따라 배제된다고 하였으며 이를 '독수과실이론'이라고 하였다. 따라서 유효한 압수수색영장 없이 획득한 [증거 1]에서 파생된 [증거 1-1]은 유죄의 증거로 사용할 수 없을 것이다.
④ 다섯 번째 문단에서 자백배제법칙은 자백의 주체가 신체적, 정신적 압박 없이 임의로 한 자백만 증거능력을 인정하게 하여, 자백을 강요하는 것을 금지하는 것이라고 하였다. 따라서 [증거 2]는 법정에서 이루어진 피고인의 자백 진술이므로, 법원은 신체적, 정신적 압박이 없는 상태에서 임의로 이루어진 것이라고 인정할 것이다.
⑤ 여섯 번째 문단에서 전문증거란 피고인, 증인 등 사안을 체험한 자가 구두로 진술한 진술증거 가운데 법정에서 직접 이루어지지 않고 다른 사람에 의해 간접적으로 전해진 것이라고 하였다. 따라서 법정에서 이루어진 피고인의 자백 진술인 [증거 2]와 법정에서 이루어진 목격자 증인의 진술인 [증거 3]은 전문증거에 해당한다고 볼 수 없다.

8. ② 세부 내용 추론하기

① 여섯 번째 문단에서 전문진술이란 피고인, 증인 등 사안을 체험한 자가 구두로 진술한 진술증거 가운데 법정에서 직접 이루어지지 않고 다른 사람에 의해 간접적으로 전해진 것을 뜻한다. 이러한 전문진술은 증거능력

이 없는 것이 원칙이나, ㉮는 피고인이 법정에서 한 진술이 기재된 조서로, 진술 당시와 그 이후의 정황에 비추어 원래의 진술이 고스란히 법정에 전달되었을 것으로 믿을 수 있다고 판단되어서 전문증거의 증거능력을 인정하는 예이다. 따라서 ㉮가 정확한 정보를 확인할 수 있는 원래의 진술이 담긴 전문진술이기 때문에 전문법칙의 예외로 인정되는 것이라는 설명은 적절하지 않다.
❷ 여섯 번째 문단에서 전문증거가 증거능력이 없는 이유는 진술증거를 전하는 사람에 의한 편집, 조작의 우려가 있다는 점, 전문증거에 대해서는 피고인이 법정에서 증인에 대한 반대신문을 할 수 없다는 점, 전문증거에 대해서는 법관이 법정에서 진술자에게 직접 묻고 답을 듣지 못하기 때문에 정확한 언어적 정보를 획득할 수 없기 때문이라고 하였다. 이를 바탕으로 본다면 ㉮가 전문법칙의 예외로 인정되는 이유는 원래의 진술이 법정에 전달될 때 다른 사람에 의해 편집, 조작되지 않았을 것이라고 믿을 수 있기 때문이다.
③ 여섯 번째 문단에서 전문 증거는 피고인, 증인 등 사안을 체험한 자가 구두로 진술한 진술증거 가운데 법정에서 직접 이루어지지 않고 다른 사람에 의해 간접적으로 전해진 것으로, 증거능력이 없다고 하였다. ㉯는 진술을 필요로 하는 자가 법정에서 진술할 수 없는 경우에 그 진술을 담은 전문증거를 가리키는 경우이므로, 전문증거임에도 불가피하게 사용할 필요가 있을 때에 해당하여 전문법칙의 예외로 인정되는 것이다. 따라서 ㉯는 피고인이 법정에서 증인에 대한 반대신문을 할 수 있기 때문에 전문법칙의 예외로 인정된다는 설명은 적절하지 않다.
④ ㉯는 진술을 필요로 하는 자가 사망, 질병, 행방불명 등으로 법정에서 진술할 수 없는 경우에 그 진술을 담은 전문증거에 해당한다. 따라서 '법관이 진술자와의 문답을 통해 원래의 진술과 동일한 수준의 증거를 확보'하는 것은 불가능하다.
⑤ 여섯 번째 문단에서 전문증거는 증거능력이 없다는 원칙을 갖고 있으나 예외적으로 전문증거임에도 피고인이 증거로 사용할 수 있다는 데에 동의하면 증거능력을 인정한다고 하였다. ㉮는 진술 당시와 그 이후의 정황에 비추어 원래의 진술이 고스란히 법정에 전달되었을 것으로 믿을 수 있는 경우이고, ㉯는 원래의 진술 및 그와 동일한 수준의 증거를 확보할 수 없어서 불가피하게 전문증거라도 사용할 필요가 있는 경우이다. 따라서 ㉮와 ㉯가 '두 피고인의 동의가 있더라도 증거능력이 인정되지 않기 때문에' 전문법칙의 예외로 인정된다는 설명은 적절하지 않다.

9. ⑤ 세부 내용 이해하기

① 여덟 번째 문단에서 증명력 평가는 법관의 자유 판단에 맡겨져 있으며 이러한 원칙을 자유심증주의라고 한다고 하였다. 이때 증거능력이 있는 증거가 제출되면 증거가치에 대한 판단은 법관의 자유 판단에 따른다고 하였다.
② 자유심증주의에 따라 신빙성이 없는 증인의 증언이라 할지라도 법관은 일정 부분의 증언을 골라내어 믿을 수도 있다고 하였다.
③ 자유심증주의에 따라 법관은 자유롭게 증거를 취사선택할 수 있고, 모순되는 증거가 있는 경우에 어느 증거를 믿는가도 법관의 자유 판단에 맡겨진다.
④ 증거능력이 있는 증거가 제출되면 증거가치에 대한 판단은 법관의 자유 판단에 따른다. 이때 법관의 판단

은 합당한 근거를 배경으로 해야 하며, 단순한 자의적 판단은 정당화되지 않는다고 하였다.
❺ 자유심증주의에 따라 법관은 자유롭게 증거를 취사선택할 수 있고, 모순되는 증거가 있는 경우에 어느 증거를 믿는가도 법관의 자유 판단에 맡겨진다고 하였다. 따라서 법관에 의해 서로 모순된다고 판단된 증거들은 어느 쪽도 증거의 실질적인 가치로서의 신빙성을 인정받을 수 없다는 설명은 적절하지 않다.

10. ③ 문맥상 의미 파악하기

① ⓐ는 앞의 문장에서 제시된 '형사소송법은 증거능력을 배제해야 하는 조건을 위법수집증거배제법칙, 자백배제법칙, 전문법칙 등의 세 가지 원칙으로 명문화하고 있다'에 대한 언급이다. 따라서 ⓐ는 '증거능력을 배제해야 하는 조건에 대해 규정한 법칙들의'라고 이해할 수 있다.
② ⓑ는 두 번째 문단에 제시된 '어떤 증거가 증명의 자료로 사용될 수 있는 법률상의 자격'의 개념임을 알 수 있다. 따라서 ⓑ는 '증명 자료로서 필요한 법률상 자격'이라고 이해할 수 있다.
❸ ⓒ는 뒤에 이어지는 '인권 침해의 우려가 커지며'라는 내용과 관련이 깊다. '자백배제법칙'이 자백의 주체가 신체적, 정신적 압박 없이 임의로 한 자백만 증거능력을 인정하게 하여, 자백을 강요하는 것을 금지한다고 하였으므로 ⓒ는 자백을 얻는 것에만 집중할 때 생기는 인권 침해 등의 문제점을 우려하고 있는 것이다. 따라서 ⓒ를 '진술자의 임의성을 지키는 데에만 의존하게 되면'이라고 이해하는 것은 적절하지 않다.
④ ⓓ는 ⓓ의 앞 부분에 언급된 '전문증거는 진술증거를 전하는 사람에 의한 편집, 조작의 우려가 있다는 점, 전문증거에 대해서는 피고인이 법정에서 증인에 대한 반대신문을 할 수 없다는 점, 전문증거에 대해서는 법관이 법정에서 진술자에게 직접 묻고 답을 듣지 못하기 때문에 정확한 언어적 정보를 획득할 수 없다는 점 등'을 가리킨다. 따라서 이러한 이유로 ⓓ는 '전문증거의 증거능력을 부정하는 근거'로 이해할 수 있다.
⑤ ⓔ는 정당화되지 않는다고 하였으므로, 이는 ⓔ의 앞 부분에 제시된 '증거능력이 있는 증거가 제출되면 증거가치에 대한 판단은 법관의 자유 판단에 따른다. 이때 법관의 판단은 합당한 근거를 배경으로 해야 하며'라고 언급된 것으로 보아 ⓔ는 '단순히 자의적으로 증거가치를 판단하는 것은'이라고 이해할 수 있다.

【11~16】 송덕수, '법률 행위의 해석'

지문해설

법률 행위의 해석에 관해 설명하는 글이다. 민법에서 법률 행위는 의사 표시를 필수적 요소로 하여 법률 효과를 발생시키는 행위로 유언이나 계약 등이 이에 해당한다. 법률 행위의 해석은 법률 행위의 성립과 유효성 여부를 판단하는 데 있어 중요한 역할을 한다. 법률 행위의 해석은 일정한 기준에 따라 합리적으로 이루어져야 한다. 법률 행위의 해석 방법에는 자연적 해석, 규범적 해석, 보충적 해석 등이 있다. 자연적 해석이란 표의자의 진의를 밝히는 해석으로 계약서상의 문구와 같은 표시 행위에 얽매이지 않고 제반 사정을 종합하여 표의자의 진의를 밝히는 해석이다. 규범적 해석은 표시 행위의 객관적 의미를 탐구하는 해석이다. 보충적 해석은 자

연적 해석 또는 규범적 해석에 따라 법률 행위의 성립이 인정된 후에 고려되는 것으로 흠결이 있는 법률 행위의 보충을 의미한다.

■ 비문학 지문 어떻게 이해할까?

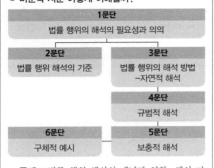

1문단
법률 행위의 해석의 필요성과 의의

2문단
법률 행위 해석의 기준

3문단
법률 행위의 해석 방법 –자연적 해석

4문단
규범적 해석

6문단
구체적 예시

5문단
보충적 해석

■ **주제** : 법률 행위 해석의 개념과 역할, 해석 기준, 그리고 해석 방법

---

11. ① 글의 전개 방법 파악하기

❶ 첫 번째 문단에서 법률 행위의 해석의 개념과 필요성, 의의를 설명하고 있고, 두 번째 문단에서 법률 행위의 해석 기준을 밝히고 있으며, 나머지 문단에서 법률 행위의 해석 방법과 사례에 대해 소개하고 있다.
② 제시된 부분에서 법률 행위의 해석 방법의 장단점을 평가하여 종합적 결론을 도출한 내용은 찾을 수 없다.
③ 제시된 부분에서 법률 행위와 관련된 특정한 사례에 적용한 해석 방법의 타당성을 검토한 내용은 없다.
④ 제시된 부분에서 법률 행위의 해석 방법이 사회에 미친 영향을 인과적으로 서술한 내용은 찾을 수 없다.
⑤ 제시된 부분에서 법률 행위의 해석 기준이 발전해 온 과정을 통시적으로 서술한 내용은 찾을 수 없다.

12. ⑤ 세부 정보 이해하기

① 첫 번째 문단의 '민법에서 법률 행위는 의사 표시를 필수적 요소로 하여 법률 효과를 발생시키는 행위'라는 내용에서 확인할 수 있다.
② 다섯 번째 문단의 '보충적 해석은 자연적 해석 또는 규범적 해석에 따라 법률 행위의 성립이 인정된 후에 고려'된다는 내용에서 확인할 수 있다.
③ 첫 번째 문단에 의사 표시는 '머리를 끄덕이거나 손을 드는 것과 같은 동작이나 침묵 등도 포함'된다는 내용에서 확인할 수 있다.
④ 첫 번째 문단에 법률 행위의 해석은 '법률 행위의 성립과 유효성 여부를 판단하는 데 있어 중요한 역할을 한다.'는 내용에서 확인할 수 있다.
❺ 세 번째 문단을 보면 자연적 해석이란 표의자의 진위를 밝히는 해석으로 '표시 행위에 얽매이지 않고 제반 사정을 종합하여 표의자의 진의를 밝히는 해석'이라고 제시하고 있다. 또 자연적 해석에 '오표시 무해의 원칙'이 적용된다고 했다. 따라서 오표시 무해의 원칙이 표의자의 진의보다 표시 행위를 중시한다는 것은 글의 내용과 맞지 않으므로 적절하지 않다.

13. ⑤ 핵심 정보 구체적으로 파악하기

① 당사자의 의사와 상관없이 강제적으로 적용되는 규범인 강행 규정을 위반하는 관습은 효력이 인정되지 않

는다고 제시하고 있다.
② 당사자가 법률 행위로 달성하려고 하는 목적은 우선적으로 고려되는 기준이라고 제시하고 있다.
③ 권리의 행사와 의무의 이행은 신의를 좇아 성실히 하여야 한다는 신의 성실의 원칙도 법률 행위의 해석 기준이 될 수 있다고 제시하고 있다.
④ 법률 행위와 관련된 관습이 없고, 당사자가 임의 규정과 다른 의사를 표시하지 않은 경우에는 임의 규정을 법률 행위의 해석 기준으로 삼을 수 있다고 제시하고 있다.
❺ 두 번째 문단에 '관습에 대한 당사자의 의사 표시가 없거나 명확하지 않은 경우에는 관습에 따'른다고 제시하고 있다. 따라서 당사자가 그 관습을 따르겠다는 의사 표시가 있어야 기준이 될 수 있다고 이해하는 것은 적절하지 않다.

14. ③ 글의 내용을 구체적 상황에 적용하기

① 세 번째 문단에서 '계약의 경우 표의자의 진의와 다른 의사 표시가 있었다 하더라도 표의자와 표시 수령자 간에 의사의 합치가 있다고 한다면, 표시 행위 본래의 목적이 달성된 것으로 보고 표의자의 진의대로 법률 행위의 내용을 확정하는 것이 자연적 해석에 해당한다.'고 하였다. 이에 따라 (가)의 A가 매매 대상을 자두나무라고 주장하고 B가 이를 받아들인다면 A의 진의대로 법률 행위가 성립할 것으로 볼 수 있다.
② 세 번째 문단에서 자연적 해석은 '계약서상의 문구와 같은 표시 행위에 얽매이지 않고 제반 사정을 종합하여 표의자의 진의를 밝히는 해석'이라고 했다. 따라서 (가)의 A가 앵두나무라고 잘못 표기한 내용이나 (나)의 C가 100돈을 판매하겠다고 잘못 말한 내용에 얽매이지 않고 제반 사정을 종합하여 표의자의 진의를 밝혀야 한다고 볼 수 있다.
❸ 네 번째 문단에서 규범적 해석의 결과로 도출된 법률 행위의 내용이 표의자의 진의와 다를 경우에는 표의자의 법익이 침해될 수 있다고 밝히고 있다. 이때 '표의자는 법률 행위의 중요한 의사 표시에 착오가 있었다는 것을 입증함으로써 해당 의사 표시를 취소할 수 있지만, 표의자의 중대한 과실로 인한 의사 표시는 취소할 수 없다.'라고 했으므로 적절하지 않다.
④ (나)의 C가 적정한 값이 아닌 가격에 100돈의 금을 판매하기로 한 말에 중대한 과실이 있다면 해당 의사 표시를 취소할 수 없다고 판단할 수 있다.
⑤ 네 번째 문단에서 '표시 수령자가 표의자의 진의를 알았거나, 또는 알지 못했다 하더라도 표시 수령자의 과실로 표의자의 진의를 알지 못했을 경우에는 표의자의 의사를 인정하는 해석이 이루어질 수도 있다.'라고 볼 수 있다.

15. ⑤ 글의 내용을 구체적 상황에 적용하기

①, ② ④ '갑과 을이 교환 계약 당시 상대방이 종전에 운영하던 병원으로 곧 돌아올 가능성을 염두에 두지 않아서 그에 대해 아무런 약정을 하지 않'았다고 했다. 갑과 을이 일정 기간 후에 서로 다시 종전의 병원으로 돌아가기로 합의했다는 내용은 없다.
③ 갑이 '을이 종전의 병원이나 그 부근에서 개원하는 것을 금지하는 내용'을 청구했다고 하였다.
❺ 다섯 번째 문단에서 '계약 당시 미처 생각하지 못했

던 상황이 법률 행위의 흠결'이 된다고 설명하고 있다. 이를 바탕으로 본다면 마지막 문단에서 '법원에서는, 갑과 을이 교환 계약 당시 상대방이 종전에 운영하던 병원으로 곧 돌아올 가능성을 염두에 두지 않아서 그에 대해 아무런 약정을 하지 않은 것이 분쟁의 원인이라고 판단했고,' '이는 전체 계약의 목적을 위협하는 것이라 보았다.'라고 했다.

16. ④ 단어의 문맥적 의미 파악하기

① (촛불을) 밝혀'는 '불빛 따위로 어두운 곳을 환하게 하다.'의 의미로 쓰였다.
② (어젯밤을 꼬박) 밝혀'는 '('밤'을 목적어로 하여) 자지 않고 지내다.'의 의미로 쓰였다.
③ (눈을) 밝혀'는 '눈, 신경, 두뇌 따위의 작용을 날카롭게 하다.'의 의미로 쓰였다.
❹ ⓐ (진의를) 밝히는'의 문맥적 의미는 '드러나지 않거나 알려지지 않은 사실, 내용, 생각 따위를 드러내 알리다.'로 쓰였다. 이와 가장 유사한 의미로 쓰인 것은 '(진모를) 밝혀'이다.
⑤ (음식을 너무) 밝혀'는 '드러나게 좋아하다.'의 의미로 쓰였다.

Day 10

본문 057쪽

1. ⑤	2. ③	3. ①	4. ④	5. ②
6. ⑤	7. ①	8. ⑤	9. ④	10. ③
11. ③	12. ④	13. ⑤	14. ①	15. ①

【1~5】 민법상의 계약과 예약

지문해설

채권이란 어떤 사람이 다른 사람에게 특정 행위를 요구할 수 있는 권리로 이 특정 행위를 급부라고 한다. 또한 특정 행위를 해 주어야 할 의무를 채무라고 한다. 민법상 권리는 보통 계약의 효력으로 발생하는데, 계약이란 권리 발생 등에 관한 당사자의 합의를 뜻한다. 한편 법적인 의미의 예약이란 당사자들이 합의한 내용대로 권리가 발생하는 계약의 일종으로, 재화나 서비스 제공을 급부 내용으로 하는 다른 계약인 '본계약'을 성립시킬 수 있는 권리 발생을 목적으로 한다. 이러한 예약은 채권을 발생시키는 예약과 예약 완결권을 발생시키는 예약으로 나눌 수 있다. 만약 예약에서 예약상의 급부나 본계약상의 급부가 이행되지 않는 문제가 생긴다면 채무자는 자신의 고의나 과실에서 비롯된 것이 아님을 증명하지 못하는 한 채무 불이행 책임을 지고 본래의 급부 내용이 무엇이든 채권자의 손해를 돈으로 물어야 하는 손해 배상 채무를 지게 된다. 만약 누구든 고의나 과실에 의해 타인에게 피해를 끼치고, 그 행위의 위법성이 인정되면 불법행위 책임이 성립하여, 가해자는 피해자에게 손해를 돈으로 배상할 채무를 지게 된다.

■ 비문학 지문, 어떻게 이해할까?

1문단
채권, 채무, 급부의 개념

2문단
계약과 예약의 의미 비교, 법적인 의미의 예약

3문단
예약상 권리자가 가지는 권리의 법적 성질에 따른 예약의 종류

4문단	5문단
급부가 이행되지 않아 채권자에게 손해가 발생한 경우의 문제 양상과 해결안	타인이 고의나 과실로 예약상 권리자가 가진 권리 실현을 방해했을 경우의 해결안

■ 주제 : 예약의 법적 특성과 급부에 관련된 손해 배상 책임

1. ⑤ 세부 내용 확인하기

① 두 번째 문단에서 계약이란 권리 발생 등에 관한 당사자의 합의로서, 계약이 성립하면 합의 내용대로 권리 발생 등의 효력이 인정되는 것이라고 하였다. 따라서 계약상의 채권은 계약이 성립하면 추가 합의 없이도 발생하는 것이 원칙이다.
② 첫 번째 문단에서 채권은 어떤 사람이 다른 사람에게 특정 행위를 요구할 수 있는 권리이며 이 특정 행위를 급부라고 하였다. 급부는 재화나 서비스 제공인 경우가 많지만 그 외의 내용일 수도 있다고 하였으므로,

재화나 서비스 제공을 대상으로 하는 권리 외에 다른 형태의 권리도 존재한다고 이해하는 것은 적절하다.
③ 세 번째 문단에서 예약은 예약상 권리자가 가지는 권리의 법적 성질에 따라 두 가지 유형으로 나뉘는데, 첫째 채권을 발생시키는 예약은 '예약상 권리자의 본계약 성립 요구에 대해 상대방이 승낙하는 것'이라고 하였다. 둘째는 예약 완결권을 발생시키는 예약으로 예약상 권리자가 본계약을 성립시키겠다는 의사를 표시하는 것만으로 본계약이 성립한다고 하였다. 따라서 예약상 권리자는 본계약상 권리의 발생 여부를 결정한다고 할 수 있다.
④ 첫 번째 문단에서 채권이란 어떤 사람이 다른 사람에게 특정 행위를 요구할 수 있는 권리이고, 이 특정 행위는 급부라고 하였다. 채무란 특정 행위를 해 주어야 할 의무를 뜻하는데, 채무자가 채권을 가진 이에게 급부를 이행하면 채권에 대응하는 채무는 소멸한다고 하였다. 따라서 급부가 이행되면 채무자의 채권자에 대한 채무가 소멸된다고 해석할 수 있다.
⑤ 다섯 번째 문단에서 만약 타인이 고의나 과실로 예약상 권리자가 가진 권리 실현을 방해했다면 예약상 권리자는 그에게도 책임을 물을 수 있다고 하였다. 법률에 의하면 누구든 고의나 과실에 의해 타인에게 피해를 끼치는 행위를 하고 그 행위의 위법성이 인정되면 불법행위 책임이 성립한다고 하였다. 따라서 불법행위 책임은 계약의 당사자 사이에 국한된다는 설명은 적절하지 않다.

2. ③ 구체적 상황에 적용하기

① 첫 번째 문단에서 채권은 어떤 사람이 다른 사람에게 특정 행위를 요구할 수 있는 권리이고, 이 특정 행위를 급부이며 특정 행위를 해 주어야 할 의무가 채무라고 하였다. 따라서 기차 탑승은 채권에 해당하지만, 이에 해당하는 급부는 돈을 지불하는 행위가 아닌 기차 제공이다.
② 첫 번째 문단에서 채권은 어떤 사람이 다른 사람에게 특정 행위를 요구할 수 있는 권리라고 하였다. 따라서 기차를 탑승하지 않는 것은 승차권 구입으로 발생한 채권에 대응하는 권리를 포기하는 것이다.
❸ 두 번째 문단에서 법적으로 예약은 당사자들이 합의한 내용대로 권리가 발생하는 계약의 일종으로, 재화나 서비스 제공을 급부 내용으로 하는 다른 계약인 '본계약'을 성립시킬 수 있는 권리 발생을 목적으로 한다고 하였다. 따라서 기차 승차권을 미리 구입하는 것은 계약을 성립시키면서 채권의 행사 시점을 미래로 정해 두는 것으로 볼 수 있다.
④ 두 번째 문단에서 일상에서 예약이라고 할 때와 법적인 관점에서의 예약은 구별되며, 승차권 구입은 계약에 해당하는 행위이다. 따라서 계약 없이 법률로 정해진 요건을 충족하여 서비스를 제공받을 권리를 발생시키는 행위라는 설명은 잘못 되었다.
⑤ 두 번째 문단에서 법적으로 예약은 당사자들이 합의한 내용대로 권리가 발생하는 계약의 일종이라고 하였다. 따라서 미리 돈을 지불하는 것은 승차권 구입이라는 계약을 성립시켜 채권의 행사 시점을 미래로 약속한 것이므로, 이를 두고 계약을 성립시킬 수 있는 권리를 확보한 것이라는 설명은 적절하지 않다.

3. ① 생략된 내용 추론하기

❶ 채권을 발생시키는 예약부터 살펴보면, 이 채권의 급부 내용은 예약상 권리자의 본계약 성립 요구에 대해 상대방이 승낙하는 것이라고 하였다. 따라서 회사의 급식 업체 공모에 따라 여러 업체가 신청한 경우에서 예약상 급부인 ㄱ은 '급식 계약 승낙'에 해당한다. 이러한 경우에 본계약은 회사의 급식 업체 공모에 참가한 업체 중 하나에 해당하는 업체와 회사 간의 계약일 것이다. 따라서 본계약상 급부는 '급식 대금 지급'에 해당한다. 다음으로 예약 완결권을 발생시키는 예약이란 예약상 권리자가 본계약을 성립시키겠다는 의사를 표시하는 것만으로 본계약이 성립하는 것이라 하였다. 따라서 예약상 급부인 ㄴ은 '없음'에 해당한다. 가족 행사를 위해 식당을 예약한 사람이 식당에 도착하여 예약 완결권을 행사하면 곧바로 본계약이 성립한다고 하였으므로, 이러한 경우의 본계약상 급부는 식사 제공이라고 이미 제시되어 있다.

4. ④ 윗글을 바탕으로 특정 상황 이해하기

① 다섯 번째 문단에서 만약 타인이 고의나 과실로 예약상 권리자가 가진 권리 실현을 방해했다면 예약상 권리자는 그에게도 책임을 물을 수 있다고 하였다. 법률에 의하면 가해자는 피해자에게 손해를 돈으로 배상할 채무를 진다고 하였으므로, 갑이 결과적으로 손해를 입은 상황에서 만약 을의 과실이 있다고 밝혀진다면 을은 갑에 대해 급부를 이행하지 못하였으므로 채무 불이행 책임이 있다. 또한 병은 갑에게 고의로 손해를 입혔으므로, 병은 갑에 대해 손해 배상 채무가 있다.
② 갑이 손해를 입는 과정에서 만약 을의 고의가 있는 경우에는, 을은 갑에게 급부를 이행하지 못하였으므로 채무 불이행 책임을 지는 것과 동시에 손해 배상 채무로 바뀌게 된다. 한편 병은 갑에게 고의로 끼어들어 위법성 있는 행위를 하였으므로 병 역시 갑에게 손해 배상 채무를 지게 된다. 다섯 번째 문단에서 급부 내용이 동일할 경우, 예약상 권리자에게 예약 상대방이나 방해자 중 누구라도 손해 배상을 하면 다른 한쪽의 배상 의무도 사라진다고 하였다. 따라서 만약 을이 배상을 하면 병은 갑에 대한 채무가 사라진다.
③ 네 번째 문단에서 일반적으로 급부가 이행되지 않아 채권자에게 손해가 발생한 경우 채무자는 자신의 고의나 과실에서 비롯된 것이 아님을 증명하지 못하는 한 채무 불이행 책임을 지게 되며 이때 채무의 내용이 바뀌는데 원래의 급부 내용이 무엇이든 채권자의 손해를 돈으로 물어야 하는 손해 배상 채무로 바뀐다고 하였다. 따라서 을이 갑에게 손해를 끼친 것이 고의나 과실이 있는지 없는지 증명되지 않으면, 을은 갑에게 급부를 이행하지 않았으므로 채무 불이행 책임을 지게 된다. 따라서 손해 배상 채무가 있으며, 병은 갑에게 고의로 피해를 입혔으므로 손해 배상 채무가 있다. 따라서 을과 병은 모두 갑에게 채무를 지고 그에 따른 급부의 내용은 동일하다.
❹ 을이 갑에게 손해를 끼친 것이 고의나 과실이 있는지 없는지 증명되지 않는다면 을은 채무 불이행 책임을 지고 손해 배상 채무까지 지게 된다. 한편 병은 갑에게 고의적으로 끼어들어 위법성 있는 행위를 하였으므로 병은 갑에게 손해 배상 채무를 지게 된다. 그러나 병에게 채무 불이행 책임은 없으므로 적절하지 않은 설명이다.
⑤ 을이 갑에게 손해를 끼친 과정이 고의나 과실이 없음이 증명된다면 을은 채무 불이행 책임을 지지 않으며 손해 배상 채무 역시 없다. 이와 달리 병은 갑에게 고의

적으로 위법적인 행동을 하여 손해를 끼쳤으므로 갑이 입은 손해에 대해 금전으로 배상할 책임이 있다.

5. ②   단어의 문맥상 의미 파악하기

① ⓐ의 '가진'은 '자기 것으로 하다'라는 의미로 쓰였으나, '자신의 일에 자부심을 가지는 것이 중요하다.'의 '가지는'은 '생각, 태도, 사상 따위를 마음에 품다.'라는 의미이다.

❷ ⓑ의 '받기'와 '올해 생일에는 고향 친구에게서 편지를 받았다.'의 '받았다'는 '다른 사람이 주거나 보내오는 물건 따위를 가지다.'라는 의미로 동일하다.

③ ⓒ의 '생길'은 '어떤 일이 일어나다.'라는 뜻이고, '기차역 주변에 새로 생긴 상가에 가 보았다.'의 '생긴'은 '없던 것이 새로 있게 되다.'라는 의미이다.

④ ⓓ의 '물을'은 '어떠한 일에 대한 책임을 따지다.'라는 의미이고, '나는 도서관에서 책 빌리는 방법을 물어 보았다.'의 '물어'는 '무엇을 밝히거나 알아내기 위하여 상대편의 대답이나 설명을 요구하는 내용으로 말하다.'라는 의미이다.

⑤ ⓔ의 '끼치는'은 '영향, 해, 은혜 따위를 당하거나 입게 하다.'의 의미이고, '바닷가의 찬바람을 쐬니 온몸에 소름이 끼쳤다'의 '끼치다'는 '소름이 한꺼번에 돋아나다'의 의미로 쓰였다.

【6~10】 '행정입법과 행정 규제'

지문해설

행정입법에 의한 행정 규제의 개념과 특징을 설명하고 있다. 행정입법의 유형에는 위임명령, 행정규칙, 조례 등이 있다. 위임명령은 국회가 법률을 제정할 때 특정 내용에 관한 입법을 행정부에 위임할 수 있는데, 이에 따라 제정된 행정입법이 위임명령이다. 행정규칙은 행정부의 직제나 사무 처리 절차에 관한 입법으로 고시, 예규 등이 여기에 속한다. 조례는 지방 의회가 제정하는 행정입법으로 지역의 특수성을 반영하여 제정되고 지역에서 발생하는 사안에 적용된다. 행정입법인 위임명령, 행정규칙, 조례에서 행정 규제 사항을 규정하기 위한 요건에는 차이가 있다.

■ 비문학 지문 어떻게 이해할까?

1문단
행정 규제의 개념

2문단
행정입법의 유형 - 위임명령

3문단
행정규칙

4문단
조례

■ **주제** : 행정입법에 의한 행정 규제 사항 규정과 요건

6. ⑤   세부 내용 확인하기

① 마지막 문단을 보면 '제정 주체가 지방 자치 단체의 기관인 지방 의회라는 점에서 행정부에서 제정하는 위임명령, 행정규칙과 구별된다.'라고 했으므로, 행정 입

법에 속하는 법령들의 제정 주체는 국가(행정부)나 지방자치단체로 제정 주체가 동일하다고 할 수 없다.

② 마지막 문단을 보면 '조례는 지방 의회가 제정하는 행정입법으로 지역의 특수성을 반영하여 제정되고 지역에서 발생하는 사안에 대해 적용된다.'라고 설명하고 있다. 하지만 위임명령과 행정규칙이 지역의 특수성을 반영하지는 않기 때문에 행정 입법에 속하는 법령들이 모두 개별적 상황과 지역의 특수성을 반영한다고 볼 수 없다.

③ 세 번째 문단을 보면 행정입법에 속하는 법령인 행정규칙은 '법률로부터 위임받지 않아도 유효하게 제정될 수 있다'고 하였다. 따라서 행정입법에 속하는 법령들 모두가 정당성을 확보하기 위하여 국회의 위임에 근거한다고 볼 수 없다.

④ 마지막 문단을 보면 조례의 경우 '법률로부터 포괄적 위임을 받을 수 있다'고 하였다. 따라서 행정 규제 사항에 적용되는 행정입법이 모두 포괄적 위임이 금지되어 있다고 볼 수 없다.

❺ 첫 번째 문단을 보면 '상황 변화에 즉각 대처해야 하거나, 개별적 사항을 반영하여 규제를 달리해야 하는 행정 규제 상황들이 늘어나고 있기 때문에 '행정 기관은 국회에 비해 이러한 사항들을 다루기에 적합하다'고 하였다. 이를 통해 행정부가 국회보다 신속히 대응할 수 있는 행정 규제 사항은 행정입법의 대상으로 적합하다는 내용을 확인할 수 있다.

7. ①   내용의 근거 추론하기

❶ ㉠의 앞 내용을 살펴보면, '위임명령이 법률로부터 위임받은 범위를 벗어나서 제정되거나, 위임 근거 법률이 사용한 어구의 의미를 확대하거나 축소하여 제정'된다면 위임명령이 제한을 위반하여 제정되면 효력이 없다고 설명하고 있다. 이는 위임명령이 위임 근거 법률의 내용으로부터 예측할 수 있어야 하는데, 위임명령이 이러한 제한을 위반하여 제정되면 효력이 없다고 판단할 수 있다.

② ㉠은 위임명령이 법률로서 위임받은 범위를 벗어나게 제정되었기 때문으로, 위임명령이 포괄적 위임을 받아 제정된 경우라고 볼 수 없다.

③ 첨단기술에 대한 내용의 정확한 반영 여부와는 관련이 없다.

④ 국민의 권리를 제한하는 권한을 행정기관에 위임한 것과 관련이 없다.

⑤ 구체적 상황의 특성을 반영한 융통성 있는 대응과 위임명령의 제정 효력과는 관련이 없다.

♀H 많이 틀렸을까?

앞의 내용과의 연관성을 따지거나 인과 관계를 추리해 볼 수 있어야 해결할 수 있었던 난도가 높았던 문제였다. 위임명령에 무소불위의 힘을 실어준 건 아니야. 특정한 행정 규제의 근거 법률이 위임명령으로 제정할 사항의 범위를 정하지 않은 채 위임하는 포괄적 위임은 헌법상 삼권 분립 원칙에 위배돼. 위임된 행정 규제 사항의 대강을 위임 근거 법률의 내용으로부터 예측할 수 있어야 한다고 했어. 따라서 ㉠의 이유는 위임명령이 법률에 근거하여 행정 규제 사항을 규정했지만 그 범위를 위반하여 제정되었기 때문에 위임명령이 이러한 제한을 위반하여 제정되면 효력이 없다고 판단할 수 있어.

8. ⑤   내용 이해하기

---

① 행정 규칙은 '행정부의 직제나 사무 처리 절차에 관한 행정입법으로서' '법률로부터 위임받지 않아도 유효하게 제정될 수 있다'고 하였다.

② 행정규칙은 '일반 국민에게는 직접 적용되지 않는다'고 하였다.

③ 행정규칙은 '위임명령과 달리, 입법예고, 공포 등을 거치지 않고 제정된다'고 하였다.

④ '위임 근거 법률이 행정입법의 제정 주체만 지정하고'를 통해 위임 근거 법률의 위임을 받은 행정 주체에 의해 제정됨을 확인할 수 있다.

❺ 위임명령의 경우 특정한 행정 규제의 근거 법률이 제정한 사항의 범위를 정하고 위임된 행정 규제 사항의 대강을 위임 근거 법률의 내용으로부터 예측할 수 있어야 한다. 이를 통해 행정 규제 사항을 규정하는 경우, 위임 근거 법률로부터 위임 받을 수 있는 사항의 범위가 위임명령보다 넓다고 추론할 수 있다. 행정규칙이 행정 규제 사항을 규정하는 경우, 위임 근거 법률로부터 위임 받을 수 있는 사항의 범위가 위임명령과 같다는 설명은 적절하지 않다.

9. ④   구체적 사례에 적용하기

① 두 번째 문단에서 행정 규제 사항의 대강을 위임 근거 법률의 내용으로부터 예측할 수 있다고 했다. 따라서 법률 ㉮ 3조에 관한 구체적 내용은 대통령령 ㉯의 5조에서 확인할 수 있다.

② 두 번째 문단에서 포괄적 위임은 특정한 행정 규제의 근거 법률이 위임명령으로 제정할 사항의 범위를 정하지 않은 채 위임한다고 했다. 따라서 위임명령 ㉯는 법률 ㉮의 제정할 사항의 범위가 정해져 위임을 받았다고 이해하는 것은 적절하지 않다.

③ 법률 ㉯와 조례 ㉰는 모두 입법 예고와 공포 절차 등의 절차를 거쳐 제정되므로 적절하지 않다.

❹ 마지막 문단에서 조례는 '법률로부터 포괄적 위임을 받을 수 있지만 위임 근거 법률이 사용한 어구의 의미를 다르게 사용할 수 없다.'고 하였으므로 위임명령인 ㉯에 나오는 '광고물'의 의미와 지방 의회에서 제정한 조례인 ㉰에 나오는 '광고물'의 의미는 일치해야 한다.

⑤ ㉰의 조례를 준수해야 하는 국민은 모든 국민에게 적용되는 위임명령인 ㉯를 준수해야 한다.

♀H 많이 틀렸을까?

행정입법의 유형에 속하는 위임명령, 행정규칙, 조례와 관련된 문제인데, 각각의 특성이 있어. 위임명령과 조례는 입법예고, 공포 등의 절차를 거쳐 제정되지만, 일반 국민에게는 직접 적용되지 않는 행정규칙은 입법예고, 공포 등을 거치지 않고 제정된다고 해. 이러한 특성을 잘 정리해서 구체적인 사례에서 놓친 점이 있다면 다시 적용해 보도록 해.

10. ③   어휘의 문맥적 의미 파악하기

① ⓐ는 '꿈, 기대 따위를 실제로 이루기'의 의미를 가지고 있다. 이에 반해 '나타내기'는 '보이지 아니하던 어떤 대상이 모습을 드러내기'의 의미를 가진다.

② ⓑ는 '다른 것에 영향을 받아 어떤 현상을 나타내어'의 의미를 가지고 있다. 이에 반해 '드러내는'는 '가려 있거나 보이지 않던 것을 보이게 하여.'의 의미를 가진다.

❸ ⓒ는 '미리 헤아려 짐작할'의 의미를 가지고 있으므로 문맥상 '헤아릴'로 바꿔 쓰기에 적절하다. '헤아릴'의 사전적 의미는 '짐작하여 가늠하거나 미루어 생각할.'이다.

④ ⓓ는 '어떤 일이나 사태에 맞추어 태도나 행동을 취하다.'의 의미를 가진다. 이에 반해 '마주하다'는 '마주 대하다'의 의미를 가진다.

⑤ ⓔ는 '성질이나 종류에 따라 차이가 나다.'의 의미를 가진다. 이에 반해 '달라진다'는 '변하여 전과는 다르게 된다.'의 의미를 가진다.

【11~15】 김상용, '민법총칙'

지문해설

'의사표시'란 의사표시자가 내심(內心)의 의사를 외부에 표시하는 법률 행위로서, 효과의사, 표시의사, 행위의사에 이어 표시행위까지의 과정을 거치며 일정한 법률 효과를 발생시키는 것을 뜻한다. 이러한 의사표시의 과정은 의사표시의 본질을 바라보는 관점에 의해 의사주의, 표시주의, 효력주의로 구분할 수 있다. 만약 의사와 표시가 불일치하는 경우에는 착오가 의사표시의 어느 단계에서 발생하느냐에 따라 동기의 착오, 내용의 착오, 표시상의 착오로 나눌 수 있는데 만약 착오를 이유로 법률 행위를 취소하려면 갖춰야 할 여러 요건이 있다. 우선 의사표시가 존재하고, 의사표시 과정에서 의사표시자의 착오가 있어야 한다. 두 번째는 법률 행위 내용의 중요 부분에 착오가 있어야 하고, 의사표시자에게 중대한 과실이 없어야 하고, 취소 배제 사유가 존재하지 않아야 한다. 이렇게 의사 표시과정과 그 안에서 일어날 수 있는 다양한 경우의 수를 제시하여 상세히 설명하여 이해를 돕고 있다.

■ 비문학 지문, 어떻게 이해할까?

1문단
의사표시 과정

2문단
의사표시의 본질을 바라보는 관점 : 의사주의, 표시주의, 효력주의

3문단
의사와 표시가 불일치하는 유형 – 착오에 의한 의사표시

4문단
착오를 이유로 법률 행위를 취소하기 위해 갖춰야 하는 요건

■ 주제 : 의사표시 과정의 본질과 법률상 성격

11. ③ 　세부 정보 파악하기

① 첫 번째 문단에서 '의사표시'는 의사표시자가 내심(內心)의 의사를 외부에 표시하는 법률 행위이며 이 중 '표시행위'란 A가 전원주택을 짓고 싶어서 B 소유의 토지를 사고자 하는 상황을 가정에서 토지 구입을 위한 계약서를 직접 작성하는 행위가 해당한다고 하였다.
② 첫 번째 문단에서 A가 전원주택을 짓고 싶어서 B 소유의 토지를 사고자 하는 상황을 가정하였을 때 전원주택을 짓고 싶다는 A의 '동기'로 인해 A가 B 소유의 토지를 사야겠다고 마음먹은 것이 '효과의사'라고 하였으므로 적절한 설명이다.
❸ 첫 번째 문단에서 A가 전원주택을 짓고 싶어서 B 소유의 토지를 사고자 하는 상황을 가정하였을 때 '표시의사'란 A가 B 소유의 토지를 사야겠다고 마음먹은 '효과의사'를 B에게 전달해야겠다는 A의 생각이라고 하였

다. 따라서 표시의사가 표시행위를 통해 효과의사를 밝히는 것이라는 설명은 적절하지 않다.
④ 첫 번째 문단에서 '의사표시'는 의사표시자가 내심(內心)의 의사를 외부에 표시하는 법률 행위로서, 효과의사, 표시의사, 행위의사에 이어 표시행위까지의 과정을 거쳐 일정한 법률 효과를 발생시킨다고 하였으므로 적절한 설명이다.
⑤ 첫 번째 문단에서 A가 전원주택을 짓고 싶어서 B 소유의 토지를 사고자 하는 상황을 가정하였을 때 토지를 매수하겠다는 의사를 전달하는 방법 중 하나인 계약서 작성이라는 행위를 의도하거나 인식하는 것이 '행위의사'라고 하였다. 따라서 행위에 대한 인식이 없을 때는 행위의사는 존재하지 않는다.

12. ④ 　구체적 사례에 적용하기

① (가)에서 '효과의사'란 갑이 을의 과수원을 사야겠다고 마음먹은 것에 해당한다. 이를 바탕으로 (가)의 착오 발생 단계는 갑이 을의 과수원을 소를 사육하는 목적으로 사야겠다고 마음먹은 것에서 발생했을 것이라고 추측할 수 있다. 이는 동시에 세 번째 문단에 의사와 표시가 불일치하는 유형 중 동기의 착오에 해당하는 것으로 의사표시자가 효과의사 결정단계에서 의미 있는 상황을 실제와 다르게 인식하는 경우에 해당한다. 그러나 (가)의 착오 유발의 주요인은 '을'이 아닌 '갑'에게 있으므로 적절하지 않은 설명이다.
② (가)의 상황에서 계약서 작성 후에 을에게 소송을 제기한 이유는 과수원이 소를 사육하기에 부적절한 곳이라는 사실을 뒤늦게 알았기 때문이며 착오 유발의 주요 인은 갑에게 있다. 한편 (가)에서 '표시행위'란 갑이 을이 소유한 과수원 구입을 위한 계약서를 직접 작성한 것에 해당한다. 따라서 (가)의 착오 발생 단계가 '표시행위의 이해'라는 설명은 적절하지 않다.
③ (나)의 착오 발생의 원인은 □□시의 도시 계획 결정에 따라 병은 자신이 소유한 임야 중 일부가 공원 부지로 지정된다는 것을 알고, 공원에 시설을 설치하기 위한 허가를 받는 과정에서 □□시 공무원이 법령을 오해한 것에서 발생하였으며, 그 결과 병 소유의 임야 전부를 □□시에 증여하게 된 것이다. (나)의 상황에서 표시행위에 해당하는 것은 병이 공무원의 말에 따라 자신의 임야 전부를 □□시에 증여하게 된 것이다. 한편 (나)의 착오 유발의 주요인은 '병'이 아닌 □□시 공무원이므로 적절하지 않은 설명이다.
❹ (나)의 착오 발생의 원인은 □□시 공무원이 법령을 오해한 것에 있다. 또한 (나)에서 효과의사란 병이 자신의 소유 임야 중 일부가 공원 부지로 지정되었으므로 공원에 시설을 설치하기 위해 허가를 받고자 한 것과, □□시 공무원이 법령을 오해하여 병에게 잘못된 정보를 제공한 것을 들 수 있다. 따라서 (나)의 착오 발생 원인은 세 번째 문단에 의사와 표시가 불일치하는 유형 중 동기의 착오에 해당되며 특히 상대방에 의해 유발되었다고 파악할 수 있다. 또한 착오 유발의 주요인은 □□시 공무원에게 있으므로 적절한 설명이다.
⑤ (나)의 상황에서 표시행위에 해당하는 것은 병이 공무원의 말에 따라 자신의 임야 전부를 □□시에 증여하게 된 것이다. (나)에서 문제의 발생은 병이 공무원의 지시를 따른 것이 아니라, 관련 법령을 오해하여 병에게 잘못된 정보를 제공한 □□시 공무원에 있으므로 (나)의 착오 발생 단계가 표시행위의 이해에 있다는 설명은 적절하지 않다.

13. ⑤ 　세부 정보 추론하기

① 두 번째 문단에서 의사주의란 의사표시의 본질을 의사표시자 내심의 효과의사, 의사표시자의 진의로 파악하는 것이라고 하였다. 이때 의사표시자의 의사는 보호되지만, 상대방의 신뢰는 보호받지 못한다고 하였다. 따라서 의사주의의 입장에서는 (가)에서 갑이 을이 소유한 과수원을 사려는 목적이 토지를 이용하여 소를 사육하는 데 있다는 점에 주목할 것이다.
② 두 번째 문단에서 표시주의란 의사표시자의 표시행위에 대한 상대방의 신뢰를 보호하기 위해 의사표시의 본질을 표시행위로 파악하는 것이라고 하였다. 따라서 표시주의의 입장에서는 (가)의 갑이 을의 과수원을 사겠다는 의사를 밝히며 작성한 계약서에 주목할 것이다.
③ 효력주의란 의사와 표시는 일체이므로 양자 모두를 의사표시의 요소로 파악한다고 하였다. 이 따르면 표시행위는 의사의 단순한 외부적인 표지가 아니라 의사를 완성하여 법적 효력을 발생하게 한다고 하였으므로 효력주의의 입장에서는 (가)의 갑이 을의 과수원을 사겠다는 계약서를 작성함으로써 갑이 가지고 있던 의사가 완성된다고 볼 것이다.
④ 의사주의는 의사표시의 본질을 의사표시자 내심의 효과의사, 의사표시자의 진의로 파악하고, 표시주의는 의사표시자의 표시행위에 대한 상대방의 신뢰를 보호하기 위해 의사표시의 본질을 표시행위로 파악한다고 하였다. 의사주의와 표시주의는 의사와 표시는 분리되어 있다고 보는 견해이므로, (가)의 갑이 소를 사육하기 위해 을의 토지를 사려는 갑의 의사와 계약서를 작성한 갑의 행위를 분리하여 볼 것이다.
❺ 표시주의는 의사표시의 본질을 표시행위로 파악하고, 효력주의는 의사와 표시를 이분법적으로 나누는 기존의 인식을 거부하며 의사와 표시는 일체라고 파악한다. 따라서 표시주의는 (가)의 갑이 을의 과수원을 사려는 의사를 밝히고 계약서를 작성하였으므로 이는 갑의 의사가 우선적으로 반영된 것으로 보며 여기에는 의사표시자의 표시행위에 대한 상대방의 신뢰를 보호하기 위한 목적이 있다. 효력주의에서는 (가)의 갑과 을이 모두 의사표시의 요소이므로 을의 행위가 갑의 의사에 우선한다고 보지 않을 것이다.

14. ① 　세부 정보 추론하기

❶ 네 번째 문단에서 착오를 이유로 법률 행위를 취소하려면 의사표시자가 착오가 없다면 그러한 의사표시를 못 했을 정도로 중요한 것에 해당한다고 하였다. 따라서 매도인이 매매 가격을 1,000만원으로 기재해야 하는 것을 착오가 생겨 100만 원으로 기재한 것은 중대한 착오이므로, 매도인은 착오를 이유로 법률 행위를 취소할 수 있다.
② 네 번째 문단에서 착오를 이유로 법률 행위를 취소하기 위해서 갖추어야 할 요건 중 하나는 취소 배제 사유가 존재하지 않아야 한다고 하였다. 이 중에서도 '착오가 없을 때보다 착오가 발생했을 때 의사표시자에게 유익한 경우에 취소권이 배제된다.'라고 하였다. 따라서 매도인이 실수로 일반 시세 가격인 100만 원이 아니라 1,000만 원으로 매매 가격을 계약서에 기재하여 계약이 체결된 경우는 의사표시자인 매도인에게 유리한 경우이므로, 법률 행위를 취소할 수 없다.
③ 네 번째 문단에서 착오를 이유로 법률 행위를 취소하기 위해서 갖추어야 할 요건 중 하나는 취소 배제 사

유가 존재하지 않아야 한다고 하였다. 이 중에서도 상대방이 착오를 일으킨 의사표시자의 진의에 동의한 경우나 상대방이 의사표시를 착오자가 의도한 대로 효력 있게 할 용의가 있음을 표시한 경우에도 취소권이 배제된다. 매도인이 실로 일반 시세 가격인 1,000만 원이 아니라 100만 원으로 매매 가격을 계약서에 기재하여 계약이 체결되었으나 이후 매수인이 1,000만 원에 매입할 의사를 밝힌 경우는, 매수인이 착오를 일으킨 의사표시자인 매도인이 의도한 대로 효력 있게 할 용의가 있음을 밝힌 경우이므로 매도인은 착오를 이유로 법률행위를 취소할 수 없다.

④ 네 번째 문단에서 착오를 이유로 법률 행위를 취소하기 위해서 갖추어야 할 요건 중 하나는 의사표시자에게 중대한 과실이 없어야 한다고 하였다. 매수인이 부동산 전문 변호사임에도 불구하고, 공장을 설립할 목적으로 토지 매매 계약을 체결하였으나 법률상 공장 신설 허가가 불가능하다는 사실을 알게 된 경우는 의사표시자에게 중대한 과실이 있는 것에 해당되므로, 법률행위를 취소할 수 없다.

⑤ 네 번째 문단에서 착오를 이유로 법률 행위를 취소하기 위해서 갖추어야 할 요건 중 하나는 취소 배제 사유가 존재하지 않아야 함이라고 하였다. 그 중 의사표시자가 그의 의사표시에 있어 위험을 의식적으로 인식했음에도 모험적인 행위를 한 경우에 취소권이 배제된다고 하였다. 따라서 매수인이 부동산 시세 차익을 노리고 투자를 목적으로 부동산 매매 계약을 체결한 후 해당 부동산이 신도시 개발 후보지에서 탈락하여 가격이 급락한 경우는 의사표시자가 위험을 인식하였음에도 불구하고 모험적인 행위를 한 경우이므로 취소권이 배제된다.

15. ①　어휘의 문맥적 의미 파악하기

❶ '학생들은 초등학교를 거쳐 중학교에 입학하게 된다'의 '거쳐'는 '어떤 과정이나 단계를 겪거나 밟다'라는 뜻으로 @와 유사한 의미이다.
② '의원들이 모두 의장을 따라 자리에서 일어섰다'의 '따라'는 '남이 하는 대로 같이 하다'이다. ⓑ는 '어떤 경우, 사실이나 기준 따위에 의거하다'라는 뜻으로 의미가 다르다.
③ '우리 선생님 같은 분은 세상에 또 없으실 거야'의 '같은'은 '그런 부류에 속한다는 뜻을 나타내는 말'이고 ⓒ의 '같은'은 '서로 다르지 않고 하나이다'라는 뜻으로 서로 다르다.
④ '상하이는 대한민국 임시 정부가 선 곳이다'의 '선'은 '나라나 기관 따위가 처음으로 이루어지다'라는 뜻이다. ⓓ의 '섰더라면'은 '사람이 어떤 위치나 처지에 있게 되거나 놓이다'라는 뜻으로 서로 다르다.
⑤ '밝은 달은 강물을 비추고 강물은 하늘을 비췄다'의 '비추고'는 '빛을 반사하는 물체에 어떤 물체의 모습이 나타나게 하다'라는 뜻이다. ⓔ의 '비추어'는 '어떤 것과 관련하여 견주어 보다'라는 뜻으로 서로 다르다.

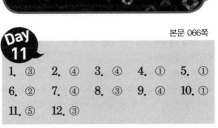

과학

본문 066쪽

Day 11

1. ③	2. ④	3. ④	4. ①	5. ①
6. ②	7. ④	8. ③	9. ④	10. ①
11. ⑤	12. ③			

【1~4】 '기초 대사량 측정 방법'

🔲 지문해설

생명체의 기초 대사량의 개념과 이를 측정하는 방법, 대사 체중의 의미에 대해 설명한 글이다. 기초 대사량은 생존에 필수적인 에너지로, 직접법을 통해 측정하거나 간접법을 통해 추정하여 구한다. 기초 대사량에 대한 19세기의 초기 연구에서는 체표 면적이 (체중)$^{0.67}$에 비례하므로 기초 대사량이 체중이 아닌 (체중)$^{0.67}$에 비례한다고 보았다. 1930년대에 클라이버는 L-그래프를 이용해 체중의 증가율과 기초 대사량의 증가율 간의 관계를 직선의 기울기로 나타냈다. 그리고 최소 제곱법에 근거해 기초 대사량이 대사 체중인 (체중)$^{0.75}$에 비례한다고 결론지었는데, 이를 클라이버의 법칙이라고 한다.

■ 비문학 지문 어떻게 이해할까?

> **1문단**
> 기초 대사량의 개념과 특징
>
> **2문단**
> 기초 대사량을 구하는 방법인 직접법과 간접법
>
> **3문단**
> 기초 대사량에 관한 19세기 초기 연구
>
> **4문단**
> 1930년대 클라이버의 기초 대사량 측정 결과 분석
>
> | **5문단** | **6문단** | **7문단** | **8문단** |
> |---|---|---|---|
> | L-그래프의 특징 | L-그래프에 나타나는 직선의 기울기 | L-그래프에 나타나는 상대 성장 | 최소 제곱법의 계산 방법과 활용 |
>
> **9문단**
> 클라이버의 법칙과 대사 체중의 이용

■ **주제** : 생명체의 기초 대사량 측정 방법과 그 의미

1. ③　세부 내용 파악하기

① 마지막 문단에서 클라이버는 기초 대사량이 대사 체중인 (체중)$^{0.75}$에 비례한다고 결론지었으며, 이를 '클라이버의 법칙'이라고 한다고 하였다.
② 첫 번째 문단에서 기초 대사량은 근육량이 많을수록 증가한다고 하였다. 따라서 체중이 늘 때 다른 변화 없이 근육량이 늘면 기초 대사량이 증가할 것이다.
❸ 다섯 번째 문단에 따르면 L-그래프의 X축과 Y축에는 각각 체중과 기초 대사량에 상용로그를 취한 값을 표시했다. 그리고 여섯 번째 문단에서 체중의 증가율에 비해 기초 대사량의 증가율이 작을수록 그래프에서 직

선의 기울기가 작아지고, 체중의 증가율과 기초 대사량의 증가율이 같으면 직선의 기울기가 1이 된다고 했으므로, L-그래프에서 직선의 기울기는 체중의 증가율에 대한 기초 대사량의 증가율을 나타낸다. 따라서 L-그래프에서 직선의 기울기는 가로축과 세로축 두 변수의 증가율의 차이와 동일하다고 볼 수 없다.
④ 여덟 번째 문단에서 그래프에서 가로축과 세로축 두 변수의 관계를 대변하는 최적의 직선의 기울기와 절편은 최소 제곱법으로 구할 수 있다고 하였다.
⑤ 일곱 번째 문단에서 생물의 어떤 형질이 체중 또는 몸 크기와 L-그래프에서 직선의 관계를 보이며 함께 증가하는 경우 그 형질은 '상대 성장'을 하는데, 동일 종에서의 심장, 두뇌와 같은 신체 기관의 크기도 상대 성장을 따른다고 하였다.

2. ④　내용 추론적으로 이해하기

① 첫 번째 문단에서 기초 대사량은 개체에 따라 대사량의 60~75 %를 차지한다고 하였다. 따라서 기초 대사량은 하루에 소모되는 총 열량인 대사량 중 가장 큰 비중을 차지한다고 볼 수 있다.
② 세 번째 문단에서 체표 면적은 (체중)$^{0.67}$에 비례한다고 했는데, 마지막 문단에 따르면 클라이버는 기초 대사량이 (체중)$^{0.75}$에 비례한다고 보았다. 따라서 클라이버의 결론에 따르면 기초 대사량은 동물의 체표 면적에 비례한다고 볼 수 없다.
③ 세 번째 문단에서 19세기의 초기 연구에서는 기초 대사량이 (체중)$^{0.67}$에 비례한다고 보았으며, 이에 따르면 체중이 2배 증가할 때 기초 대사량은 $2^{0.67}$인 약 1.6배가 된다. 따라서 19세기 초기 연구자들은 체중의 증가율보다 기초 대사량의 증가율이 작다고 생각했을 것이다.
❹ 마지막 문단에서 치료제 허용량의 결정에는 (체중)$^{0.75}$인 대사 체중이 이용된다고 했으므로, 코끼리에게 적용하는 치료제 허용량을 기준으로 대사 체중에 비례하여 생쥐에게 적용할 허용량을 정하면 적정량을 결정할 수 있다. 그런데 코끼리의 체중을 100, 생쥐의 체중을 1이라고 할 때 체중에 비례(100 : 1)하여 허용량을 정한다면 대사 체중에 비례($100^{0.75}$: 1)하여 허용량을 정할 때보다 적은 양을 생쥐에게 먹이게 될 것이다.
⑤ 세 번째 문단과 마지막 문단에 따르면 19세기의 초기 연구에서는 기초 대사량이 (체중)$^{0.67}$에 비례한다고 보았고, 클라이버는 기초 대사량이 (체중)$^{0.75}$에 비례한다고 보았다. 따라서 동물의 체중이 증가함에 따라 함께 늘어나는 에너지의 필요량은 이전 연구에서 생각했던 양보다 클라이버의 법칙을 따를 때 더 많다.

🔲 **왜 많이 틀렸을까?**

이 문제는 ②번과 ③번을 선택한 비율이 높아 정답률이 매우 낮았어. 둘 다 지문에서 제시한 비례 관계를 바탕으로 추론해야 하는 내용이었는데 이 부분의 이해가 쉽지 않았던 듯해. 이 문제는 전체적으로 세 번째 문단에 나타난 19세기 초기 연구의 내용과 마지막 문단에서 제시한 클라이버의 법칙에 대해 이해하는 것이 관건이니까, 이를 다음과 같이 정리해서 수치 간의 관계를 파악하도록 하자.

▶ **19세기의 초기 연구**
　- 기초 대사량은 (체중)$^{0.67}$에 비례
　- 체중이 2배 증가할 때 기초 대사량은 $2^{0.67}$=1.6배 증가
　　→ 체중의 증가율>기초 대사량의 증가율
▶ **클라이버의 법칙**
　- 기초 대사량은 (체중)$^{0.75}$에 비례 → (체중)$^{0.67}$에 비례하는 체표 면적에 비례하지 않음.

3. ④   세부 내용 파악하기

① ㉠은 온도가 일정하게 유지되고 공기의 출입량을 알고 있는 호흡실에서 동물이 발산하는 열량을 열량계를 이용해 측정하는 방법이다. 즉 ㉠에서는 온도가 일정하게 유지된 환경에서 열량을 측정하기 때문에 변온 동물이 체외로 발산하는 열량을 측정할 수 있을 것이다.

② ㉡은 호흡 측정 장치를 이용해 동물의 산소 소비량과 이산화 탄소 배출량을 측정하고, 이를 기준으로 체내에서 생성된 열량을 추정하는 방법이다. 따라서 ㉡에서 체내에서 생성된 열량을 추정하려면 동물이 호흡에 이용한 산소의 양을 알아야 한다.

③ 첫 번째 문단에서 기초 대사량은 생존에 필수적인 에너지로, 쾌적한 온도에서 편히 쉬는 동물이 공복 상태에서 생성하는 열량으로 정의된다고 하였다. 따라서 ㉠과 ㉡은 모두 격한 움직임이 제한된 편하게 쉬는 상태에서 기초 대사량을 구할 것이다.

④ ㉠은 온도가 일정하게 유지되고 공기의 출입량을 알고 있는 호흡실에서 동물이 발산하는 열량을 열량계를 이용해 측정하는 방법이므로, 일정한 체온에서 동물이 체외로 발산하는 열량을 구할 수 있다. 또한 ㉡은 체내에서 생성된 열량을 추정하는 방법인데, 첫 번째 문단에서 체내에서 생성된 열량은 일정한 체온에서 체외로 발산되는 열량과 같다고 했으므로 ㉡을 통해서도 일정한 체온에서 동물이 체외로 발산하는 열량을 구할 수 있다.

⑤ 첫 번째 문단에서 기초 대사량은 생존에 필수적인 에너지로, 쾌적한 온도에서 편히 쉬는 동물이 공복 상태에서 생성하는 열량으로 정의된다고 하였다. 따라서 ㉠과 ㉡에서 기초 대사량에 해당하는 에너지를 공급하면서 기초 대사량을 구해야 한다는 것은 적절하지 않다.

와! 많이 틀렸을까?

이 문제는 각 오답 선지를 고른 비율이 골고루 높았어. 첫 번째, 두 번째 문단의 내용을 바탕으로 내용 일치 여부나 선지의 추론의 적절성을 파악해야 했는데, 특히 ③번과 ⑤번은 '기초 대사량'에 대한 이해를 바탕으로 선지의 표현을 꼼꼼히 따져 보지 않으면 많이 헷갈렸을 거야. 첫 번째 문단에 따르면 기초 대사량은 생존에 필수적인 에너지이고, 쾌적한 온도에서 편히 쉬는 동물이 공복 상태에서 생성하는 열량으로 정의되고, 이때 체내에서 생성된 열량은 일정한 체온에서 체외로 발산되는 열량과 같아. 즉 기초 대사량을 구하려면 어떤 방법을 쓰든 편하게 쉬는 상태여야 하고, 공복 상태에서 생성하는 열량을 알아야 한다는 점을 파악할 수 있어. 이처럼 2~3개의 선지에 걸쳐 한 개념과 관련한 내용이 계속 나오는 경우에는 우선 그 내용을 정확히 이해하는 것이 필요해.

4. ①   구체적 사례에 적용하기

❶ 여섯 번째 문단에서 L-그래프에서 X축의 체중 증가율에 비해 Y축의 기초 대사량 증가율이 작다면 그래프의 직선의 기울기가 1보다 작다고 하였다. 〈보기〉에서는 가로축에 ⓐ '계딱지 폭', 세로축에 ⓑ '큰 집게발의 길이'에 해당하는 값을 놓았으므로, 최적의 직선의 기울기가 1보다 작다면 가로축인 ⓐ의 증가율이 세로축인 ⓑ의 증가율보다 클 것이다. 이때 ⓐ의 증가율에 ⓑ의 증가율이 비례한다고 할 수 있으나, ⓐ에 ⓑ가 비례한다고는 할 수 없다.

② 여덟 번째 문단에서 그래프에 두 변수의 순서쌍을 나타낸 점들 사이를 지나는 임의의 직선을 그렸을 때, 각 점에서 가로축에 수직 방향으로 직선까지의 거리를

통해 편차의 절댓값을 구하고 이들을 각각 제곱하여 모두 합해 '편차 제곱 합'을 구한다고 했다. 따라서 점들이 최적의 직선으로부터 가로축에 수직 방향으로 멀리 떨어질수록 편차는 커질 것이고, 이때 편차의 제곱 합도 더 커질 것이다.

③ 다섯 번째 문단에 따르면 '일반적인 그래프'에서 가로축과 세로축 두 변수의 증가율이 서로 다를 경우 그 순서쌍을 나타낸 점들은 직선이 아닌 어떤 곡선의 주변에 분포하지만, 순서쌍의 값에 상용로그를 취해 표현한 L-그래프의 경우 어떤 직선의 주변에 점들이 분포하는 것으로 나타난다. 〈보기〉에서는 L-그래프와 같은 방식으로 그래프를 나타냈다고 했으므로 점들의 분포는 직선의 주변에 분포할 것이다.

④ 여섯 번째 문단에서 L-그래프에서 X축의 체중 증가율에 비해 Y축의 기초 대사량 증가율이 작다면 그래프의 직선의 기울기가 1보다 작다고 했다. 〈보기〉에서는 가로축에 ⓐ '계딱지 폭', 세로축에 ⓑ '큰 집게발의 길이'에 해당하는 값을 놓았으므로, ⓐ의 증가율보다 ⓑ의 증가율이 작다면 점들 사이를 지나는 최적의 직선의 기울기는 1보다 작을 것이다.

⑤ 다섯 번째 문단에 따르면 '일반적인 그래프'에서 가로축과 세로축 두 변수의 증가율이 서로 다를 경우에는 증가율이 같을 때와 달리, 그 순서쌍을 나타낸 점들이 직선이 아닌 어떤 곡선의 주변에 분포한다. 따라서 둘의 증가율이 같을 경우에는 점들이 직선의 주변에 분포할 것이다.

와! 많이 틀렸을까?

이 문제는 이번 시험에서 오답률이 가장 높았던 문제로, ②, ③, ④번 모두 정답보다 선택 비율이 높았어. 지문의 내용 파악이 쉽지 않은데 이를 〈보기〉에 적용해야 해서 접근이 까다로웠던 듯해. 하지만 오답의 근거를 살펴보면, 〈보기〉를 크게 신경 쓰지 않아도 지문의 다섯 번째~여덟 번째 문단에서 '일반적인 그래프'와 'L-그래프'에 대해 설명한 내용과 선지의 내용을 비교해 봄으로써 해결할 수 있었어. ②번은 '편차'와 '편차 제곱 합'에 대한 설명을 찾아 확인해야 하는데, 편차 제곱 합은 편차를 각각 제곱하여 모두 합해 구한다고 했으니 편차 값이 커지면 그 값도 커진다는 것을 알 수 있어. ③번 또한 〈보기〉의 그래프가 L-그래프인데, 지문에서 L-그래프는 순서쌍을 나타낸 점들의 분포가 어떤 직선의 주변에 나타난다고 했으므로 적절하지 않음을 확인할 수 있어.

【5~8】 '비타민 K의 기능'

지문해설

혈액의 응고와 원활한 순환, 혈관 석회화 방지 등의 비타민 K의 기능에 대해 설명한 글이다. 우선 혈액 응고는 섬유소 단백질인 피브린이 모여 형성된 섬유소 그물이 혈소판 마개와 뭉쳐 혈병을 만드는 현상으로, 비타민 K는 프로트롬빈을 비롯한 혈액 응고 인자들이 간세포에서 합성될 때 이들의 활성화에 관여한다. 또한 비타민 K가 부족하면 MGP 단백질이 활성화되지 못해 혈관 석회화가 유발된다. 혈관 석회화는 혈관 근육 세포 등에서 생성되는 MGP 단백질에 의해 억제되는데, 이 단백질이 비타민 K-의존성 단백질이다.

■ 비문학 지문 어떻게 이해할까?

1문단
혈액의 응고 및 원활한 순환에 중요한 역할을 하는 비타민 K

2문단
혈액 응고를 돕는 비타민 K의 작용

3문단
비타민 K의 분류

4문단
혈관 석회화를 방지하는 비타민 K의 기능

5문단
비타민 K의 종류에 따른 역할

■ **주제** : 혈액의 응고와 혈관 석회화 방지에 관여하는 비타민 K

5. ①   세부 내용 파악하기

❶ 첫 번째 문단에 따르면 혈전은 혈액의 응고가 혈관 속에서 일어날 때 만들어지는 덩어리이다. 섬유소 그물이 뭉쳐 혈액의 손실을 막는 것은 혈관 벽이 손상되어 출혈이 생겼을 때 손상 부위의 혈액이 응고되면서 일어나는 작용이므로 혈관 속에서 만들어지는 덩어리인 혈전이 혈액의 손실을 막는다고 볼 수는 없다.

②, ③ 첫 번째 문단에서 혈액 응고는 섬유소 그물이 혈소판이 응집된 혈소판 마개와 뭉쳐 혈병이라는 덩어리를 만드는 현상이라고 했다. 따라서 혈액의 응고가 이루어지려면 먼저 혈소판 마개가 형성되어야 한다고 할 수 있으며, 혈병이 생기기 위해서는 혈소판이 응집되어야 한다.

④ 첫 번째 문단에서 이물질이 쌓여 동맥 내벽이 두꺼워지는 동맥 경화가 일어나면 그 부위에 혈전 침착, 혈류 감소 등이 일어나 혈관 질환이 발생한다고 했다. 따라서 혈관 경화를 방지하려면 이물질이 침착되지 않게 해야 함을 알 수 있다.

⑤ 네 번째 문단에서 혈관 석회화가 진행되면 동맥 경화가 발생하는 경우가 생긴다고 했는데, 첫 번째 문단에 따르면 이물질이 쌓여 동맥 내벽이 두꺼워지는 동맥 경화가 일어나면 그 부위에 혈전 침착, 혈류 감소 등이 일어난다. 따라서 혈관 석회화가 지속되면 동맥 내벽과 혈류에 변화가 생김을 알 수 있다.

6. ②   생략된 내용 추론하기

① 칼슘의 역설은 칼슘 보충제를 섭취하더라도 비타민 K가 부족할 때 나타나는 증상이다. 이 글에서 칼슘 보충제를 섭취하면 오히려 비타민 K₁의 효용이 감소한다는 내용은 확인할 수 없다.

❷ 칼슘의 역설은 골다공증을 방지하고자 칼슘 보충제를 섭취했을 때, 혈액 내 칼슘 농도는 높아지지만 골밀도는 높아지지 않고 혈관 석회화가 진행되는 경우를 말한다. 이는 칼슘 보충제를 섭취해도 뼈 조직에 칼슘이 전해지지 않아 뼈 조직에서는 칼슘이 여전히 필요한 상황이라고 할 수 있다.

③ 칼슘의 역설은 칼슘 보충제를 섭취했을 때 혈액 내 칼슘 농도는 높아지나 골밀도는 높아지지 않고 혈관 석회화가 진행되는 경우이다. 혈관 석회화는 혈관 벽에 칼슘염이 침착되는 증상으로, 동맥 경화 및 혈관 질환을 유발한다. 따라서 칼슘의 역설이 골다공증은 막지 못하나 혈관 건강은 개선하는 경우라고 할 수는 없다.

④ 칼슘 보충제를 섭취했을 때 칼슘염이 혈관에 침착되는 혈관 석회화가 진행될 수 있는데, 이때 혈액 내 단백

질이 칼슘과 결합하여 혈관 벽에 칼슘이 침착되는 것은 아니다.

⑤ 칼슘의 역설은 칼슘 보충제를 섭취해서 혈액 내 칼슘 농도는 높아지나 골밀도는 높아지지 않는 경우이다. 즉 혈액으로 칼슘이 흡수되지 않는 경우가 아니라, 혈액 내에 칼슘이 흡수되어 혈액 내 칼슘 농도가 높아지는 것과 관련 있다.

7. ④   세부 내용 파악하기

① 세 번째 문단에서 ㉠ '비타민 K_1'은 식물에서 합성되고, ㉡ '비타민 K_2'는 동물 세포에서 합성되거나 미생물 발효로 생성된다고 하였으므로 ㉠이 몸속의 간세포에서 합성된다는 설명은 적절하지 않다. 비타민 K-의존성 단백질의 활성화를 유도할 때 비타민 K_1이 간세포에서의 활성이 높을 뿐이다.

② 두 번째 문단에서 지방을 뺀 사료를 먹인 병아리의 경우 '지방에 녹는 어떤 물질'이 결핍되어 혈액 응고가 지연된다는 사실을 발견하고 그 물질을 비타민 K로 명명했다고 하였다. 이로 보아 비타민 K는 '지방에 녹는 어떤 물질'로, ㉠과 ㉡ 모두 지방과 함께 섭취해야 함을 알 수 있다.

③ 두 번째 문단에서 비타민 K는 단백질을 구성하는 아미노산 중 글루탐산을 감마-카르복시글루탐산으로 전환하는 카르복실화를 수행함을 알 수 있다. 따라서 ㉠과 ㉡ 모두 아미노산을 변형함을 알 수 있다.

❹ 두 번째 문단에 따르면 비타민 K는 단백질을 구성하는 아미노산 중 글루탐산이 감마-카르복시글루탐산으로 전환되는 카르복실화를 수행한다. 그리고 단백질의 활성화는 칼슘 이온과의 결합을 통해 이루어지는데, 칼슘 이온과 결합하려면 혈액 단백질이 카르복실화되어 있어야 한다. 따라서 카르복실화의 수행과 관련된 ㉠, ㉡은 모두 표적 단백질의 활성화 이전 단계에 작용함을 알 수 있다.

⑤ 비타민 K가 부족하면 혈액 응고에 차질이 생기거나 혈관 석회화가 유발되므로, ㉠과 ㉡ 모두 결핍이 발생하면 문제가 생길 것이다.

8. ③   구체적 상황에 적용하기

① 비타민 K는 혈전을 만드는 것 외에 혈관 석회화를 억제하는 데에도 관여한다. 따라서 비타민 K의 작용을 방해하는 (가)를 지나치게 투여하면 혈관 석회화가 유발될 수 있다.

② 혈전은 혈관 속에서 피브린이 모여 형성된 섬유소 그물이 혈소판 마개와 뭉친 덩어리이다. 따라서 피브린을 분해하는 (나)를 투여한다면 뭉쳐 있는 혈전을 풀어지도록 할 수 있을 것이다.

❸ (다)는 비타민 K-의존성 단백질에는 작용하지 않고 트롬빈의 작용을 억제한다고 하였다. 두 번째 문단에 따르면 혈액에 녹아 있는 피브리노겐을 불용성인 피브린으로 바꾸는 트롬빈은 여러 혈액 응고 인자들이 활성화된 이후 프로트롬빈이 활성화되어 전환된 것이며, 비타민 K는 프로트롬빈을 비롯한 혈액 응고 인자들이 간세포에서 합성될 때 이들의 활성화에 관여한다. 또한 혈액 응고 인자와 칼슘 이온과의 결합은 이 과정, 즉 프로트롬빈이 활성화되어 트롬빈으로 전환되는 과정에 관련된 것이다. 따라서 트롬빈의 작용을 억제하는 (다)를 투여할 때 혈액 응고 인자와 칼슘 이온의 결합이 억제되는 것은 아니다.

④ 혈액에 녹아 있는 피브리노겐이 불용성인 피브린으로 전환되는 데는 트롬빈이 작용하며, 트롬빈은 비타민 K의 작용에 따라 프로트롬빈이 활성화되어 전환된 것이다. (가)는 트롬빈에는 작용하지 않지만 비타민 K의 작용을 방해하고 (다)는 트롬빈의 작용을 억제하므로, (가)와 (다) 모두 피브리노겐이 피브린으로 전환되는 것을 억제할 것이다.

⑤ 섬유소 그물은 섬유소 단백질인 피브린이 모여 형성된다. (나)는 피브린을 분해하고 (다)는 피브리노겐을 피브린으로 바꾸는 트롬빈의 작용을 억제하므로, (나)와 (다)는 모두 피브린 섬유소 그물의 형성을 억제할 것이다.

왜 많이 틀렸을까?

이 문제는 매력적인 오답인 ④번을 고른 경우가 많아서 오답률이 높았어. (가)에서 와파린이 트롬빈에는 작용하지 않는다는 서술로 인해, (가)가 피브리노겐이 전환되는 것을 억제하지 않을 것이라고 오해하기 쉬웠거든. 이 문제를 실수하지 않고 풀기 위해서는 두 번째 문단에 나타난 혈액 응고 과정을 정확히 정리하는 것이 필요해. 혈액 응고 인자, 프로트롬빈, 트롬빈, 피브리노겐, 피브린, 활성화, 칼슘 이온 등이 어떤 관계를 지니고 있으며 어떤 결과와 연결되는지 간단한 도식으로 정리하고, 〈보기〉의 (가)~(다)가 각각 어디에 작용하는지 확인한다면 함정을 피해 갈 수 있을 거야.

【9~12】 바바라 런던 외, '사진'

지문해설

디지털 카메라에 활용되는 자동 초점 방식의 두 유형에 대해 설명한 글이다. 대비 검출 방식은 촬영 렌즈를 통해 들어온 빛을 이미지 센서로 바로 보내 이미지 센서에서 초점을 직접 검출하는 방식으로, 빛의 대비를 분석하는 원리를 이용한다. 이 방식은 촬영 렌즈가 반복적으로 움직여야 하므로 초점을 맞추는 속도가 상대적으로 느리지만, 초점의 정확도가 높으며 오류의 가능성이 낮다. 위상차 검출 방식은 이미지 센서가 아닌 AF 센서에서 초점을 검출하는 방식으로, AF 센서에 맺히는 빛의 위치 차이인 위상차를 분석하는 원리를 이용한다. 이 방식은 AF 센서에서 초점을 검출하여 촬영 렌즈를 한 번만 이동시키기 때문에 초점을 맞추는 속도가 상대적으로 빠르다.

■ 비문학 지문 어떻게 이해할까?

1문단
디지털 카메라의 자동 초점 방식의 기능과 유형

2문단	3문단
대비 검출 방식의 원리와 장단점	위상차 검출 방식의 원리와 초점을 맞추는 과정

4문단
위상차 검출 방식의 작동 방식과 장점

■ **주제** : 디지털 카메라에 활용되는 자동 초점 방식의 유형과 원리

9. ④   세부 내용 파악하기

① 두 번째 문단에서 대비 검출 방식은 '촬영 렌즈를 통해 들어온 빛을 피사체의 상이 맺히는 이미지 센서로 바로 보'낸다고 하였으므로 적절하다.

② 두 번째 문단에서 대비 검출 방식에서는 '빛의 대비가 최대치가 되는 지점을 파악하기 위해 촬영 렌즈를 앞뒤로 반복적으로 움직'인다고 하였으므로 적절하다.

③ 세 번째 문단에서 위상차 검출 방식에서 '주 반사 거울을 통과한 빛은 보조 반사 거울에서 반사'된다고 하였으므로 적절하다.

❹ 세 번째 문단에서 위상차 검출 방식은 '이미지 센서가 직접 초점을 검출하지 않고 AF 센서에서 초점을 검출한다.'라고 하였으므로 초점을 이미지 센서에서 검출한다는 것은 적절하지 않다.

⑤ 세 번째 문단에서 위상차 검출 방식에서 '주 반사 거울에서 반사된 빛은 뷰파인더로 보내져 촬영자가 피사체를 눈으로 확인할 수 있게 해 준다.'라고 하였으므로 적절하다.

10. ①   핵심 개념 이해하기

❶ 첫 번째 문단에서 디지털 카메라로 피사체를 선명하게 촬영하기 위해 초점을 자동으로 맞추는 '자동 초점' 방식에는 대비 검출 방식과 위상차 검출 방식이 있다고 하였으므로, ㉮에는 '자동 초점'이 들어가는 것이 적절하다. 그리고 두 번째 문단에서 대비 검출 방식은 초점을 맞추는 속도가 상대적으로 느려 빠르게 움직이는 피사체를 촬영할 때는 초점을 맞추기 힘들다고 하였고, 네 번째 문단에서 위상차 검출 방식은 초점을 맞추는 속도가 상대적으로 빠르다고 하였다. 따라서 빠르게 움직이는 자동차를 촬영하기 위해서는 상대적으로 초점을 맞추는 속도가 빠른 '위상차 검출' 방식을 활용하는 것이 유리하므로, ㉯에는 '대비 검출', ㉰에는 '위상차 검출', ㉱에는 '빠르기'가 들어가는 것이 적절하다.

11. ⑤   구체적 상황에 적용하기

① 네 번째 문단에서 위상차 검출 방식은 'AF 센서에서 초점을 검출하여 촬영 렌즈를 한 번만 이동시'킨다고 하였으므로, 초점이 맞지 않은 (가)에서 X_1을 위상차 기준값과 동일하게 만들기 위해서는 촬영 렌즈를 한 번만 움직이면 될 것이다.

② 네 번째 문단에서 빛들이 '각각 AF 센서의 b 영역과 c 영역에 퍼져서 도달한' 경우, '측정된 위상차 값은 정해진 위상차 기준값보다 작아'진다고 하였다. (가)에서는 마이크로 렌즈를 통과한 빛들이 각각의 AF 센서의 b 영역과 c 영역에 퍼져서 도달하였으므로, X_1이 정해진 위상차 기준값보다 작음을 알 수 있다.

③ 네 번째 문단에서 '빛들이 AF 센서에 도달하기 전에 수렴'하면 '초점을 맞추기 위해 촬영 렌즈를 뒤로 이동시킨다'고 하였다. (가)에서는 마이크로 렌즈를 통과한 빛들이 AF 센서에 도달하기 전에 수렴하였으므로, 이때 초점을 맞추기 위해서 촬영 렌즈를 뒤로 이동해야 할 것이다.

④ 네 번째 문단에서 빛들이 '각각 AF 센서의 a 영역과 d 영역에 퍼져서 도달한' 경우, '측정된 위상차 값은 정해진 위상차 기준값보다 커지기 때문에 초점을 맞추기 위해 촬영 렌즈를 앞으로 이동시킨다.'라고 하였다. (나)에서는 마이크로 렌즈를 통과한 빛들이 각각의 AF 센서의 a 영역과 d 영역에 퍼져서 도달하였으므로, 정해진 위상차 기준값보다 큰 X_2를 줄여야 초점을 맞출 수 있다.

❺ 네 번째 문단에서 위상차 검출 방식에서는 '한 쌍의

마이크로 렌즈를 지난 빛들이 각각의 AF 센서 표면의 한 점에서 수렴되면, 이 두 점 사이의 간격인 위상차 값 X가 광학적으로 이미 결정되어 있는 위상차 기준값과 일치하게 되어 AF 센서가 초점이 맞았다고 판단한다.'라고 하였다. 이로 보아 위상차 기준값은 변하는 것이 아니므로, (나)에서 촬영 렌즈를 이동해 위상차 기준값을 크게 만들어야겠다는 것은 적절하지 않다.

12. ③ 　어휘의 문맥적 의미 파악하기

① '통하다'가 '내적으로 관계가 있어 연계되다.'의 의미로 사용된 예이다.
② '통하다'가 '말이나 문장 따위의 논리가 이상하지 아니하고 의미의 흐름이 적절하게 이어져 나가다.'의 의미로 사용된 예이다.
❸ ⓐ의 '통하다'는 '어떤 길이나 공간 따위를 거쳐서 지나가다.'의 의미로 사용되었다. '비상구를 통해 건물을 빠져나갔다.'에서 '통하다' 또한 이 의미로 사용된 예이다.
④ '통하다'가 '어떤 행위가 받아들여지다.'의 의미로 사용된 예이다.
⑤ '통하다'가 '어떤 관계를 맺다.'의 의미로 사용된 예이다.

Day 12

본문 071쪽

1. ①	2. ②	3. ④	4. ②	5. ①
6. ②	7. ④	8. ④	9. ③	10. ①
11. ②	12. ③	13. ③		

【1~4】 '전통적 PCR과 실시간 PCR의 원리와 특징'

지문해설

중합 효소 연쇄 반응(PCR)의 요소와 원리를 설명한 글이다. PCR에는 주형 DNA, 프라이머, DNA 중합 효소, 4종의 뉴클레오타이드가 필요하다. PCR 과정은 열을 가해 이중 가닥의 DNA를 2개의 단일 가닥으로 분리하여 각각의 단일 가닥 DNA에 프라이머가 결합하면, DNA 중합 효소에 의해 복제되어 두 개의 이중 가닥 DNA가 생기는 DNA 복제 과정이 한 사이클을 이룬다. 전통적인 PCR은 PCR의 최종 산물에 형광 물질을 결합시켜 발색을 통해 표적 DNA의 증폭 여부를 확인한다. 실시간 PCR은 사이클마다 발색 반응이 일어나도록 하여 누적되는 발색을 통해 표적 DNA의 증폭을 실시간으로 확인할 수 있는 것으로, PCR 과정에 발색 물질이 추가로 필요하며 '이중 가닥 DNA 특이 염료'와 '형광 표식 탐침'이 발색 물질로 이용된다. PCR은 다양한 진단에 광범위하게 활용되며, 실시간 PCR을 이용하면 바이러스의 감염 여부를 초기에 정확하고 빠르게 진단할 수 있다.

■ 비문학 지문 어떻게 이해할까?

1문단
중합 효소 연쇄 반응(PCR) 개발의 의의와 요소

↓

2문단
PCR의 과정

↓

3문단	**4문단**
실시간 PCR의 원리와 이중 가닥 DNA 특이 염료의 특징과 단점	형광 표식 탐침의 원리와 장단점

↓

5문단
실시간 PCR의 발색도와 표적 DNA의 농도

↓

6문단
전통적 PCR과 실시간 PCR의 활용 범위

■ 주제 : 전통적 PCR과 실시간 PCR의 원리

1. ① 　세부 내용 파악하기

❶ 첫 번째 문단에 따르면 주형 DNA는 증폭의 바탕이 되는 이중 가닥 DNA로 주형 DNA에서 증폭하고자 하는 부위를 표적 DNA라 한다. 또한 프라이머는 표적 DNA의 일부분과 동일한 염기 서열로 이루어진 짧은 단일 가닥 DNA로 2종의 프라이머가 표적 DNA의 시작과 끝에 각각 결합한다. 즉 프라이머에는 표적 DNA의 일부분과 동일한 염기 서열이 있고, 주형 DNA에서 증폭하고자 하는 부위가 표적 DNA이므로 프라이머의 염기 서열과 정확히 일치하는 염기 서열을 주형 DNA에서 찾을 수 있을 것이다.

---

② 두 번째 문단에서 PCR에서는 일정 시간 동안 진행되는 DNA 복제 과정의 사이클마다 표적 DNA의 양이 2배씩 증가한다고 하였다. 따라서 PCR에서 표적 DNA의 양이 초기 양을 기준으로 처음에서 2배가 되는 것과, 4배에서 8배가 되는 것은 각각 한 사이클이므로 걸리는 시간은 동일할 것이다.
③ 두 번째 문단에서 전통적인 PCR 과정은 DNA의 양이 더 이상 증폭되지 않을 정도로 충분히 사이클을 수행한 후 종료하며, PCR의 최종 산물에 형광 물질을 결합시켜 발색을 통해 표적 DNA의 증폭 여부를 확인한다고 하였다. 따라서 전통적인 PCR에서는 표적 DNA의 농도를 그 과정 중에 알 수 없을 것이다.
④, ⑤ 두 번째 문단에서 'PCR 과정은 우선 열을 가해 이중 가닥의 DNA를 2개의 단일 가닥으로 분리하는 것으로 시작'하고, '이후 각각의 단일 가닥 DNA에 프라이머가 결합하면, DNA 중합 효소에 의해 복제되어 2개의 이중 가닥 DNA가 생긴다.'라고 하였다. 세 번째 문단에 따르면 '실시간 PCR은 전통적인 PCR과 동일하게 PCR을 실시'하므로, 실시간 PCR에서 표적 DNA의 양을 증폭이 일어나려면 가열 과정을 거쳐야 하고, DNA 중합 효소와 프라이머가 필요함을 알 수 있다.

2. ② 　세부 내용 파악하기

① 세 번째 문단에서 '이중 가닥 DNA 특이 염료는 모든 이중 가닥 DNA에 결합할 수 있기 때문에 2개의 프라이머끼리 결합하여 이중 가닥의 이합체(二合體)를 형성한 경우에는 이와 결합하여 의도치 않은 발색이 일어난다.'고 하였다. 즉 ⊙이 프라이머와 결합하여 이합체를 이루는 것이 아니라 2개의 프라이머끼리 결합하여 이합체를 형성하는 것이다.
❷ 세 번째 문단에서 ⊙은 '새로 생성된 이중 가닥 표적 DNA에 결합하여 발색'한다고 하였다. 그런데 네 번째 문단에서 ⓒ은 표적 DNA에 결합했다가 이후 DNA 중합 효소에 의해 이중 가닥 DNA가 형성되는 과정 중에 표적 DNA와의 결합이 끊어져서 분해되고, 이때 형광 물질과 소광 물질의 분리가 일어나면 형광 물질이 발색된다고 하였다. 이를 통해 ⊙은 표적 DNA에 붙은 채 발색 반응이 일어나지만, ⓒ은 표적 DNA와의 결합이 끊어지고 분해되면서 발색이 됨을 알 수 있다.
③ ⓒ은 '형광 물질과 이 형광 물질을 억제하는 소광 물질이 붙어 있는 단일 가닥 DNA 단편'으로, 형광 물질과 결합하여 이합체를 이루는 것은 아니다.
④ ⊙과 ⓒ은 둘 다 실시간 PCR에서 사이클마다 발색 반응이 일어나도록 하여 표적 DNA의 증폭을 실시간으로 확인할 수 있게 할 때 이용되는 발색 물질이다. 따라서 둘 다 한 사이클의 시작 시점에 발색 반응이 일어나는 것은 아니다.
⑤ ⊙은 이중 가닥 DNA에 결합하여 발색하는 형광 물질이지만, ⓒ은 표적 DNA에서 프라이머가 결합하지 않는 부위에 특이적으로 결합하도록 설계된 것으로, PCR 과정에서 이중 가닥 DNA가 단일 가닥으로 되면 표적 DNA에 결합한다.

오H 많이 틀렸을까?

PCR 검사법을 다룬 이 지문은 생소한 내용과 많은 정보량으로 인해 내용 파악이 쉽지 않았고, 관련 문제들의 정답률이 전반적으로 낮았어. 세부 내용 파악을 요구한 문제인 1번도 정답률이 50%가 되지 않았고 2, 3, 4번 모두 이번 시험 오답률이 높게 나온 문제였지. 하지만 2번 문제는 그렇게 어려운 문제는 아니었어. 화제의 특징을 비교하여 파악할 것을 요구한 만큼 선지의 설명이 각각의 특성으로

적절한지 '~와 달리', '~은 모두'라는 표지에 유의하여 살펴보는 방식으로 해결할 수 있는데, 정답의 근거를 지문에서 바로 확인할 수 있었거든. 가령 ①번 선지의 경우, '이합체'에 대해 서술한 부분을 찾아서 ⊙과 프라이머가 결합하여 이합체를 이룬다고 하였는지 살펴보면 적절하지 않은 진술임을 확인할 수 있어.

3.④ 반응에 대한 적절성 탐구하기

① 전통적인 PCR은 DNA를 증폭시키는 PCR 과정의 최종 산물에 형광 물질을 결합시켜 발색을 통해 표적 DNA의 증폭 여부를 확인하는 것이다. 또한 마지막 문단에서 PCR은 시료로부터 얻은 DNA를 가지고 감염성 질병 진단 등에 광범위하게 활용된다고 한 것으로 보아 감염 초기에 전통적인 PCR로 진단 검사를 해도 감염 여부를 진단할 수 있음을 알 수 있다. 단 실시간 PCR을 이용하면 바이러스의 감염 여부를 초기에 보다 정확하고 빠르게 진단할 수 있을 뿐이다.

② 전통적인 PCR은 PCR 과정의 최종 산물에 형광 물질을 결합시켜 발색을 통해 표적 DNA의 증폭 여부를 확인하므로, 발색 물질이 필요 없는 것은 아니다.

③ 전통적인 PCR에서는 일정한 시간 동안 진행되는 DNA 복제 과정이 한 사이클을 이루며, DNA의 양이 더 이상 증폭되지 않을 정도로 충분히 사이클을 수행하고 PCR을 종료한 뒤 최종 산물을 통해 표적 DNA의 증폭 여부를 확인한다. 이와 달리 실시간 PCR에서는 사이클마다 발색 반응이 일어나도록 하여 누적되는 발색을 통해 표적 DNA의 증폭을 실시간으로 확인할 수 있다. 따라서 전통적인 PCR은 실시간 증폭 여부를 확인할 수 없어서 실시간 PCR보다 진단에 더 오랜 시간이 걸릴 것이다.

❹ 첫 번째 문단에서 PCR은 '염기 서열을 아는 DNA가 한 분자라도 있으면 이를 다량으로 증폭하는 방법으로, PCR 과정에는 표적 DNA의 일부분과 동일한 염기 서열로 이루어진 단일 가닥 DNA인 프라이머가 필요하다고 하였다. 실시간 PCR 또한 전통적인 PCR과 동일하게 PCR을 실시하므로 표적 DNA의 염기 서열이 알려져 있지 않으면 진단 검사를 통해 감염 여부를 분석할 수 없을 것이다.

⑤ 실시간 PCR은 시료의 표적 DNA 양도 알 수 있는 것으로, 사이클마다 발색 반응이 일어나도록 하여 누적되는 발색을 통해 표적 DNA의 증폭을 실시간으로 확인할 수 있고 이에 따라 감염 여부도 실시간으로 알 수 있다.

왜 많이 틀렸을까?

이 문제는 이 글의 중심 내용인 전통적인 PCR과 실시간 PCR의 특징을 물으면서, 약간의 추론적 이해를 요구하고 있어. 제시된 오답들을 보면, PCR에 공통적으로 적용되는 내용인데 전통적인 PCR에는 해당하지 않는 것처럼 서술하거나, 원인과 결과를 잘못 연결한 것을 확인할 수 있어. 이 글에는 PCR 과정과 전통적인 PCR, 실시간 PCR의 특징이 제시된 만큼 지문을 읽으며 대상들에 공통적으로 해당하는 진술과 전통적인 PCR과 실시간 PCR이 차이 나는 지점을 정확히 파악해 둘 필요가 있어. 그래야 기본적으로 적용되는 전제에 대해 파악하느라 시간을 낭비하는 것을 줄일 수 있고, 선지의 적절성을 판별하는 기준을 정확하고 빠르게 찾을 수 있겠지?

4.② 구체적 사례에 적용하기

❷ 두 번째 문단에서 PCR의 과정에서 표적 DNA의 양은 한 사이클마다 2배씩 증가한다고 하였으므로 초기 표적 DNA의 양이 많으면 증가량도 많을 것이다. 〈보기

2)에서는 '@가 ⓑ보다 표적 DNA의 초기 농도가 높다면'이라고 전제하였으므로 이때 사이클이 진행됨에 따라 시간당 시료의 표적 DNA의 증가량은 @가 ⓑ보다 많을 것이다(㉮).

Ct값은 '표적 DNA를 검출했다고 판단하는 발색도에 도달하는 데 소요된 사이클'이다. 실시간 PCR에서 발색도는 증폭된 이중 가닥 표적 DNA의 양에 비례하며, 일정 수준의 발색도에 도달하는 데 필요한 사이클은 표적 DNA의 초기 양에 따라 달라지므로 사이클의 값은 다르게 나타날 것이다. 그러나 @와 ⓑ가 표적 DNA를 검출했다고 판단하는 발색도에 도달하는 것은 이중 가닥 표적 DNA가 동일한 양으로 증폭되었을 때이므로 Ct값에서의 발색도는 @가 ⓑ와 같을 것이다(㉯).

일정 수준의 발색도에 도달하는 데 필요한 사이클은 표적 DNA의 초기 양에 따라 달라지는데, 표적 DNA의 초기 농도가 높은 @는 사이클 진행에 따라 표적 DNA의 증가량이 많을 것이므로 ⓑ에 비해 빨리 일정 수준의 발색도에 도달할 것이다. 따라서 발색도에 도달하는 데 소요된 사이클인 Ct값은 @가 ⓑ보다 작을 것이다(㉰).

왜 많이 틀렸을까?

이 문제는 이번 시험에서 오답률이 가장 높았던 문제로, 정답을 고른 비율보다 오답을 고른 비율이 더 높았어. 일단 선지에서 ㉮에 들어갈 말이 'ⓑ보다 많겠군'과 'ⓑ와 같겠군' 둘로 나타나 있는데, 이 부분은 사이클이 진행됨에 따라 표적 DNA의 증가량은 어떠할지에 대한 근거를 찾아 판단해야 해. 실시간 PCR도 전통적인 PCR과 동일하게 PCR을 진행하므로, 두 번째 문단의 내용을 바탕으로 '한 사이클마다 표적 DNA 2배씩 증가 → 표적 DNA의 초기 양이 많을수록 증가량 ↑'임을 파악한다면 답을 ①, ②번 중의 하나로 좁힐 수 있어. 만약 이 단계에서 '⑥와 같겠군'을 선택했다면, 시료의 양이 같다는 점 때문에 착각한 것은 아닌지 점검해 보자. 그리고 ㉰에 들어갈 말이 다소 한정적이었는데, Ct값이 무엇인지, Ct값에서의 발색도가 나타내는 것이 무엇인지 파악하면 이 함정을 피할 수 있었지. 한편 ①, ②번 중에서 고른다면 ⑩에 들어갈 말이 무엇인지 판단하는 방식으로 답을 고를 수도 있어. Ct값은 발색도에 도달하는 데 소요된 사이클이라고 했으니, 표적 DNA의 초기 양이 많을수록 사이클이 진행됨에 따라 표적 DNA의 증가량이 많다면, Ct값은 이와 맞물려 작아지겠지. 다소 복잡하지만, 이렇게 항목들 간의 관계를 파악해 보면 선지들 간의 논리적 관계를 바탕으로 정답 또는 오답의 힌트를 발견할 수도 있어.

[5~9] '호흡 · 순환'

지문해설

산소는 심장을 거쳐 신체의 각 조직으로 전달되어 에너지 생성에 이용되며, 물질대사 결과 생긴 노폐물인 이산화 탄소는 혈액을 통해 심장을 거쳐 폐로 전달되어 몸 밖으로 배출된다. 산소는 물에 대한 용해도가 작아 혈장에 용해된 상태로 운반되는 양은 소수이고, 약 98.5%는 적혈구 내에 있는 헤모글로빈과 결합하여 산소 헤모글로빈 형태로 운반된다. 한편 물질대사 결과 생긴 노폐물인 이산화 탄소도 혈액으로 확산되어 운반되는데, 산소와 결합하지 않은 헤모글로빈은 이산화 탄소와 쉽게 결합하여 카르바미노헤모글로빈을 형성한다. 또한 약 70%의 이산화 탄소는 탄산수소 이온 형태로 체내 밖으로 운반된다.

■ 비문학 지문, 어떻게 이해할까?

1문단
동맥과 정맥의 개념

2문단
산소가 운반되는 형태와 과정

3문단
산소 해리 곡선과 산소 친화도

4문단
이산화 탄소가 운반되는 과정

5문단
탄산수소 이온 형태로 운반되는 이산화 탄소

■ **주제** : 호흡과 순환에 관여하는 동맥과 정맥의 체제

5.① 글의 세부 정보 이해하기

❶ 다섯 번째 문단에서 약 70%의 이산화 탄소는 탄산수소 이온 형태로 운반되며, 조직에서 확산된 이산화 탄소는 주로 적혈구 내에서 탄산 무수화 효소의 작용으로 물과 결합하여 탄산을 형성한다고 하였다. 이와 반대로, 폐포 주위의 모세 혈관에서는 탄산수소 이온은 적혈구로 이동하여 수소 이온과 재결합하여 탄산을 형성하고, 탄산은 탄산 무수화 효소의 작용으로 이산화 탄소와 물이 된다고 하였다.

② 첫 번째 문단에서 폐의 혈액으로 들어온 산소는 심장을 거쳐 신체의 각 조직으로 전달되고, 물질대사 결과 생긴 노폐물인 이산화 탄소는 혈액을 통해 심장을 거쳐 폐로 전달되어 몸 밖으로 배출된다고 하였다. 즉 산소와 이산화 탄소는 모두 심장을 필수적으로 거쳐야 함을 알 수 있다. 이때 혈액과 폐포, 혈액과 조직 사이에서의 기체 교환은 분압의 차이에 의해 확산되며, 심장에서 나와 각 조직으로 가는 혈액은 동맥을 통하여, 폐나 각 조직에서 심장으로 가는 혈액은 정맥을 통하여 간다고 하였다. 즉 산소와 이산화 탄소는 분압차에 의하여 동맥과 정맥을 통하여 운반되는 것이지, 각각 세 가지 방식으로 운반된다고 볼 수 없다.

③ 네 번째 문단에서 산소와 결합하지 않은 헤모글로빈은 산소와 결합한 헤모글로빈보다 쉽게 이산화 탄소와 결합하여 카르바미노헤모글로빈을 형성한다고 하였다.

④ 다섯 번째 문단에서 약 70%의 이산화 탄소는 탄산수소 이온 형태로 운반되며 조직에서 확산된 이산화 탄소는 주로 적혈구 내에서 탄산 무수화 효소의 작용으로 물과 결합하여 탄산을 형성한다고 하였다. 따라서 이산화 탄소와 물이 결합하여 탄산이 형성되는 반응은 주로 혈장에서 일어난다는 설명은 잘못 되었다.

⑤ 두 번째 문단에서 산소가 풍부해진 혈액은 심장을 거쳐 신체의 각 조직으로 흘러가며 이때 흐르는 동맥혈의 산소 분압은 100mmHg, 조직 내 산소 분압은 평균 40mmHg이라고 하였다. 따라서 평균적으로 조직 내의 산소 분압은 46mmHg, 이산화 탄소 분압은 40mmHg이라는 설명은 잘못 되었다.

6.② 핵심 내용 이해하기

① 세 번째 문단에서 산소 분압에 따른 헤모글로빈의 산소 포화도를 나타내는 곡선을 산소 해리 곡선이라 하며 산소 분압이 낮아질 때 산소 헤모글로빈으로부터 해리되는 산소의 양은 산소 분압이 40~100mmHg 구간보다 0~40mmHg 구간에서 더 많다고 하였다. 이는 〈보기〉의 그래프에서도 확인할 수 있다.

❷ 세 번째 문단에서 헤모글로빈의 산소 친화도는 헤모

글로빈이 산소와 결합하려는 경향을 나타내는데 산소 친화도에 영향을 미치는 요인에는 산소 분압 외, 혈액의 pH, 온도 등이 있다고 하였다. 어떤 조직의 물질대사가 활발해지면 이산화 탄소의 증가로 인해 주변 모세혈관 내 혈액의 pH가 낮아진다. 혈액의 pH가 낮아지면 헤모글로빈의 산소 친화도가 작아져서 산소의 해리가 촉진되어 주변 조직으로 산소가 방출된다고 하였다. 따라서 조직의 온도가 휴식 시보다 상승하면 조직의 주변을 흐르는 혈액의 산소의 해리는 촉진될 것이고 산소는 주변 조직으로 방출되며 산소 포화도는 감소할 것이다.

③ 세 번째 문단에서 어떤 조직 산소 분압에서 헤모글로빈이 산소와 결합한 정도인 산소 포화도와 헤모글로빈이 산소와 분리된 정도인 산소 해리도를 더한 값은 100%라고 하였다. 따라서 〈보기〉의 그래프에서 헤모글로빈의 산소 포화도와 산소 해리도를 더한 값은 A와 B에서 동일하다.

④ 두 번째 문단에서 산소가 풍부해진 혈액은 심장을 거쳐 신체의 각 조직으로 흘러가고, 각 조직의 모세 혈관을 흐르는 동맥혈의 산소 분압은 100mmHg, 조직 내 산소 분압은 평균 40mmHg이므로 동맥혈 내의 산소는 조직으로 확산된다고 하였다. 따라서 B와 A에서의 산소 포화도 차이만큼의 산소가 휴식 시 조직으로 전달된다.

⑤ 세 번째 문단에서 헤모글로빈이 산소와 결합한 정도인 산소 포화도와 헤모글로빈이 산소와 분리된 정도인 산소 해리도를 더한 값은 100%라고 하였다. 〈보기〉에서 A에서의 산소 포화도가 B의 산소 포화도보다 작다. 따라서 반대로 A에서의 산소 해리도는 B에서의 산소 해리도보다 더 클 것임을 알 수 있다.

왜 많이 틀렸을까?
본문에서 헤모글로빈이 산소와 결합한 정도를 뜻하는 '산소 포화도'와 헤모글로빈이 산소와 분리된 정도인 '산소 해리도'를 더한 값은 100%라고 했던 것에 단서가 있었어. 즉 그래프 상에서 산소 포화도가 높은 수치라면 해당 지점의 산소 해리도는 100에서 산소 포화도만큼을 뺀 수치라는 것을 알 수 있을 거야.

7. ④ 핵심 내용 이해하기

① 두 번째 문단에서 각 조직의 모세 혈관을 흐르는 동맥혈의 산소 분압은 100mmHg이고 조직 내 산소 분압은 평균 40mmHg이므로 동맥혈 내의 산소는 조직으로 확산된다고 하였다.

② 두 번째 문단에서 산소를 방출한 혈액은 심장을 거쳐 폐로 흘러가는데 산소는 물에 대한 용해도가 작아 혈장에 용해된 상태로 운반되는 양은, 폐에서 조직으로 운반되는 산소의 약 1.5%에 불과하고, 약 98.5%는 적혈구 내에 있는 헤모글로빈과 결합하여 산소 헤모글로빈 형태로 운반된다고 하였다.

③ 네 번째 문단에서 조직에서 폐로 운반되는 이산화 탄소는 혈장에 용해되거나, 카르바미노헤모글로빈 형태 혹은 탄산수소 이온 형태로 운반된다고 하였다. 생성된 이산화 탄소는 폐포 내로 확산되어 체외로 배출된다고 하였으므로 ㉯는 폐포를 지나면 이산화탄소 분압이 낮아진다고 볼 수 있다.

❹ 네 번째 문단에서 조직의 물질대사 결과 생긴 노폐물인 이산화 탄소도 혈액으로 확산되어 운반되는데, 조직에서 폐로 운반되는 이산화 탄소의 약 7%는 혈장에 용해된 상태로, 약 23%는 적혈구에 있는 헤모글로빈과 결합하여 카르바미노헤모글로빈 형태로 운반된다. 다섯 번째 문단에서 약 70%의 이산화 탄소는 탄산수소

이온 형태로 운반된다고 하였으므로, ㉯에서 이산화탄소는 대부분 카르바미노헤모글로빈의 형태로 운반된다는 설명은 적절하지 않다.

⑤ 첫 번째 문단에서 혈액을 운반하는 혈관 중에 폐나 각 조직에서 심장으로 가는 혈액이 흐르는 혈관을 정맥, 조직에서 기체 교환이 일어난 후 폐로 흐르는 혈액을 정맥혈이라고 하였다.

8. ④ 글의 내용을 구체적 상황에 적용하기

① 〈보기〉의 '가'에서 일산화 탄소는 헤모글로빈과 결합하려는 경향이 산소의 200배 이상이기 때문에 산소와 결합할 수 있는 헤모글로빈의 양을 감소시킨다고 하였다. 또한 두 번째 문단에서 산소는 물에 대한 용해도가 작아 혈장에 용해된 상태로 운반될 때는 산소의 약 98.5%가 적혈구 내에 있는 헤모글로빈과 결합하여 산소 헤모글로빈 형태로 운반된다고 하였다. 따라서 일산화 탄소를 지나치게 흡입하게 되면, 생성되는 산소헤모글로빈의 양이 평상시보다 줄어들 것이라고 예상할 수 있다.

② 〈보기〉의 '가'에서 일산화 탄소는 조직에서 산소 헤모글로빈으로부터 산소의 방출을 억제한다고 하였으므로 일산화 탄소는 산소 헤모글로빈에서 산소가 잘 해리되지 않게 할 것이다.

③ 〈보기〉의 '나'에서 과다 호흡 증후군은 동맥혈의 이산화 탄소 농도가 정상범위 아래로 떨어져 호흡 곤란, 어지럼증 등의 증상이 나타나는 현상이라고 하였다. 이와 함께 다섯 번째 문단에서 체내에서 생성된 이산화 탄소는 결국 폐포 내로 확산되어 체외로 배출된다고 하였으므로 과다 호흡 증후군은 폐를 통한 이산화 탄소 배출이 너무 많이 일어나는 경우에 발생하는 증상이라고 판단할 수 있다.

❹ 〈보기〉의 '나'에서 과다 호흡 증후군은 봉지에 입을 대고 호흡을 하게 하는 응급 처치를 하면 증상을 완화하는 데 도움이 된다고 하였다. 과다 호흡 증후군은 폐를 통한 이산화 탄소 배출이 너무 많이 일어나는 경우에 발생하는 증상이므로, 봉지에 입을 대고 호흡을 하면 배출했던 이산화 탄소를 다시 들이마시게 되므로, 평상시보다 더 많은 양의 이산화 탄소를 흡입하게 될 것이다.

⑤ 〈보기〉의 '다'에서 호흡성 산증은 폐에서 기체 교환의 감소로 동맥혈의 이산화 탄소 분압이 증가하여 호흡 곤란, 두통 등의 증상이 나타나는 현상이라고 하였다. 다섯 번째 문단에서 생성된 이산화 탄소는 폐포 내로 확산되어 체외로 배출된다고 하였으므로 호흡성 산증이 나타난 사람의 체내에는 이산화 탄소가 배출되지 못해 축적되어 있을 것임을 알 수 있다.

왜 많이 틀렸을까?
과다 호흡 증후군은 폐를 통한 이산화 탄소의 배출이 너무 많아졌을 때 생기는 증상이라고 하였으니, 만약 봉지에 입을 대고 호흡을 한다면 어떻게 될까? 잘 모르겠으면 주어진 상황과 반대의 상황을 비교해서 생각하면 도움이 될 거야. 봉지에 입을 대고 호흡을 하는 것과, 봉지가 없이 호흡을 하는 것을 비교해서 예상되는 상황을 메모해봤다면 어렵지 않게 풀었을 거야.

9. ③ 단어의 사전적 의미 파악하기

① '전달'은 '자극, 신호, 동력 따위가 다른 기관에 전하여짐'이라는 뜻으로 '널리 알림'과는 의미가 다르다.

② '불과'는 '그 수량에 지나지 아니한 상태임을 이르는

말'로 '목적한 바를 시도하였으나 이루지 못함'과는 의미가 다르다.

❸ '촉진'은 '다그쳐 빨리 나아가게 함'이라는 뜻이다.

④ '유용'은 '쓸모가 있음'이라는 뜻으로 '반드시 요구되는 바가 있음'과는 의미가 다르다.

⑤ '배출'은 '안에서 밖으로 밀어 내보냄'이라는 뜻으로 '나누어 줌'과는 의미가 다르다.

【10~13】 '병원체와 항미생물 화학제'

지문해설

병원체의 종류와 그 특징을 나누어 설명하고, 생활 환경에서 병원체의 수를 억제하고 전염병을 예방하기 위한 목적으로 사용하는 항미생물 화학제의 종류와 그 작용기제를 제시하고 있다. 특히 병원체가 갖는 구조적, 생리적 특성에 대응하여 작용하는 항미생물 화학제의 원리를 설명하고 있다. 항미생물 화학제에는 멸균제, 감염방지제, 소독제 등이 있다. 항미생물 화학제의 작용기제는 크게 병원체의 표면을 손상시키는 방식과 병원체 내부에서 대사 기능을 저해하는 방식으로 나눌 수 있지만, 많은 경우 두 기제가 함께 작용한다.

■ 비문학 지문 어떻게 이해할까?

1문단
병원체의 종류와 구조

2문단
항미생물 화학제의 개념

3문단
항미생물 화학제의 종류

4문단	5문단
항미생물 화학제의 작용 기제 1 : 병원체의 표면 손상	항미생물 화학제의 작용 기제 2 : 병원체 내부에서 대사 기능 저해

■ 주제 : 항미생물 화학제를 통한 병원체의 억제

10. ① 핵심 내용 파악하기

❶ 제시된 내용에서는 병원성 세균이 어떤 작용기제로 사람을 감염시키는지에 대해서 언급한 부분은 확인할 수 없다. 첫 번째 문단에서 병원성 세균의 구조적 특징을 설명하고 있을 뿐이다.

② 네 번째 문단에서 '알코올 화합물은 세포막의 기본 성분인 지질을 용해시키고 단백질을 변성시키며, 병원성 세균에서는 세포벽을 약화시킨다.'라고 하였다.

③ 첫 번째 문단에서 '세균과 진균은 일반적으로 세포막 바깥 부분에 세포벽이 있고, 바이러스의 표면은 세포막 대신 캡시드라고 부르는 단백질로 이루어져 있다.'라고 하였다.

④ 네 번째 문단에서 알코올 화합물과 산화제가 병원성 바이러스 감염 예방을 위한 방역에 사용되는 물질이라고 밝히고 있다.

⑤ 두 번째 문단에서 '항미생물 화학제는 다양한 병원체가 공통으로 갖는 구조를 구성하는 성분들에 화학 작용을 일으키므로 광범위한 살균 효과가 있다.'라고 하였다.

11. ② 세부 내용 이해하기

① 네 번째 문단에서 알코올 화합물은 '지질 피막이 있

는 병원성 바이러스에서 방역 효과가 크다.'라고 했음을 확인할 수 있다.

❷ 네 번째와 다섯 번째 문단에서 하이포염소산 소듐 등의 산화제는 바이러스의 표면 구조를 손상시키고 내부에 침투하여 단백질을 손상시켜 병원체를 사멸에 이르게 한다고 했으므로 적절하지 않다.

③ 첫 번째 문단에서 '진균과 일부 세균은 다른 병원체에 비해 건조, 열, 화학 물질에 저항성이 강한 포자를 만든다.'라고 했음을 확인할 수 있다.

④ 마지막 문단에서 '알킬화제가 알킬 작용기를 단백질에 결합시키면 ~ 변화시켜 유전자 복제와 발현을 교란한다'고 했음을 확인할 수 있다.

⑤ 네 번째 문단에서 '산화제는 바이러스의 공통적인 표면 구조를 이루는 캡시드를 손상'시킨다고 했음을 확인할 수 있다.

12. ③ 핵심 개념 이해하기

① 세 번째 문단을 보면, '멸균제'는 포자를 포함한 모든 병원체를 파괴하지만 '감염방지제'는 포자를 제외한 병원체를 사멸시킨다고 했으므로 적절하지 않다.

② 세 번째 문단을 보면, '멸균제'는 사람의 세포막을 죽일 수 있으므로 주의해야 하고 '소독제'는 독성이 약해 사람의 피부나 상처 소독에도 사용이 가능하다고 했으므로 적절하지 않다.

❸ 두 번째 문단을 보면, 병원체의 종류에 따라 '동일한 항미생물 화학제라도 그 살균 효과는 다를 수 있다.'라고 했다. 따라서 '감염제'와 '소독제'는 모두 바이러스의 종류에 따라 살균 효과가 달라질 수 있음을 알 수 있다.

④ 세 번째 문단을 보면, '멸균제'는 '포자를 포함한 모든 병원체를 파괴한다.'라고 했으므로 적절하지 못하다.

⑤ 세 번째 문단을 보면, 독성이 약한 '소독제라 하더라도 사람의 세포를 죽일 수 있으므로, 눈이나 호흡기 등의 점막에 접촉하지 않도록 주의해야 한다.'라고 했으므로 적절하지 않다.

13. ③ 구체적 사례에 적용하기

① 세 번째와 네 번째 문단을 참고하면, 항미생물 화학제는 지질 손상의 정도에 따라 지질 피막이 있는 바이러스 뿐만 아니라 세포막이 지질로 되어 있는 인간에게도 영향을 줄 수 있다. 〈보기〉의 B는 A에 비해 지질을 손상시키는 기능을 약화시켰으므로 지질 피막이 있는 바이러스에 대한 방역 효과는 작지만, 사람의 세포막에 미치는 영향도 약해서 인체에 대한 안전성은 높을 것이다.

② 네 번째 문단을 보면, 바이러스의 공통적인 표면 구조를 이루는 캡시드를 손상시키면 바이러스를 파괴하거나 감염력을 떨어뜨릴 수 있다고 하였다. 〈보기〉의 C는 A에 비해 지질 손상 정도의 변화는 없고 캡시드를 손상시키는 기능을 강화시켰으므로, 지질 피막이 없는 바이러스에 대한 방역 효과는 크고 인체에 대한 안정성은 비슷할 것이다.

❸ B는 지질을 손상시키는 기능을 약화시켰기 때문에 C는 B보다 지질의 손상 정도가 높다. 따라서 C는 B에 비해 지질 피막이 있는 바이러스에 방역 효과는 크지만, 더불어 인체에 대한 안정성은 낮으므로 적절하지 않다.

④ 지질 피막이 없는 바이러스는 표면 구조를 이루는 캡시드 손상의 영향만 받는다. 따라서 D는 A에 비해 캡시드 손상이 강화되었고 지질 손상의 정도는 낮아졌으므로, 지질 피막이 없는 바이러스에 대한 방역 효과는

크고 인체에 대한 안전성은 높을 것이다.

⑤ D는 B에 비해 지질 손상의 정도는 변화가 없고 캡시드를 손상시키는 기능이 강화되었으므로, 지질 피막이 없는 바이러스는 파괴될 것이고 인체에 대한 안전성 정도는 비슷할 것이다.

왜 말이 틀렸을까?

제시된 정보를 구체적 상황에 적용하여 이해할 수 있는가를 물은 유형인데 정답률이 낮았다. 우리는 질병을 유발하는 병원체를 억제하고 예방하기 위해 항미생물 화학제를 사용하고 있는데, 이러한 항미생물 화학제가 광범위한 살균 효과를 내며 병원체는 물론 인체에도 영향을 줄 수 있어. 지질 손상의 정도는 지질 피막이 있는 바이러스와 세포막이 지질로 되어 있는 인간에게도 영향을 주지. 또 지질 피막이 없는 바이러스는 캡시드를 손상시켜서 사멸시킬 수 있어. 이러한 내용을 〈보기〉에 잘 적용해 보고 서로 다른 특성을 지닌 항미생물 화학제의 작용기제를 잘 이해할 수 있도록 하렴.

Day 13

1. ④	2. ⑤	3. ④	4. ①	5. ②
6. ⑤	7. ①	8. ④	9. ①	10. ②
11. ⑤	12. ①	13. ③	14. ①	

【1~5】 먼슨 외, '유체역학'

지문해설

유체란 액체나 기체처럼 물자의 구성 입자가 쉽게 움직이거나 입자 간 상대적 위치를 쉽게 변화시키는 물질을 뜻한다. 유체의 특성 중 하나는 응력이 있다는 것이며, 응력이란 어떤 물질에 외부의 힘이 가해지면 물질 내부에서 이에 대항하여 외부의 힘과 반대 방향으로 작용하는 힘을 뜻하고 응력의 종류에는 전단응력이 있다. 또한 유체는 점성을 갖고 있는데, 점성이란 유체 구성 입자들의 상호 작용으로 인해 나타나는, 유체가 운동에 저항하는 성질을 뜻한다. 이러한 특성을 활용하여 뉴턴 유체의 개념과 전단 응력과의 관계를 설명한 글로, 관련 개념과 그래프를 활용하여 설명하고 있다.

■ 비문학 지문 어떻게 이해할까?

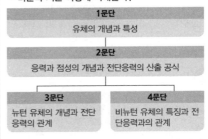

1문단
유체의 개념과 특성

2문단
응력과 점성의 개념과 전단응력의 산출 공식

3문단	**4문단**
뉴턴 유체의 개념과 전단 응력의 관계	비뉴턴 유체의 특징과 전단응력과의 관계

■ 주제 : 유체에 영향을 끼치는 특성과 전단 응력 유체

1. ④ 글의 세부 정보 파악하기

① 두 번째 문단에서 전단응력이란 물질의 표면과 평행하게 작용하는 응력이며 이러한 전단응력이 작용할 때 유체는 그 형태가 연속적으로 변형된다고 하였으므로 적절하다.

② 첫 번째 문단에 유체란 액체나 기체처럼 물질을 구성하고 있는 입자가 쉽게 움직이거나 입자 간의 상대적인 위치를 쉽게 변화시킬 수 있는 물질이며, 유체역학에서는 응력과 점성이라는 개념을 사용하여 유체의 특성을 설명할 수 있다고 제시되어 있다.

③ 두 번째 문단에서 점성이란 유체를 구성하는 입자들의 상호 작용으로 인해 나타나는 유체가 운동에 저항하는 성질이며, 유체가 변형되는 양상은 유체가 가지고 있는 점성에 의해 영향을 받는다고 하였으므로 적절하다.

❹ 두 번째 문단에서 응력이란 어떤 물질에 외부에서 힘이 가해졌을 때 물질의 내부에서 이에 대항하여 외부의 힘과 반대 방향으로 작용하는 힘이며, 물질의 표면과 평행하게 작용하는 응력을 전단응력이라고 하였다. 따라서 전단응력이 물질의 표면에 평행하게 외부에서 작용한다는 설명은 적절하지 않다.

⑤ 첫 번째 문단에서 액체나 기체는 물질을 구성하고 있는 입자가 쉽게 움직이거나 입자 간의 상대적인 위치를 쉽게 변화시킬 수 있으며 이러한 물질을 유체라고

부른다고 하였다.

2.⑤ 구체적 상황에 적용하기

① 네 번째 문단에서 뉴턴 유체는 '전단응력이 증가함에 따라 전단변형률도 일정하게 증가한다고 하였으므로 A에서 사용된 유체의 경우, 전단응력이 증가한다면 전단변형률은 증가할 것이므로 적절한 이해이다.

② 네 번째 문단에서 뉴턴 유체는 점성계수가 일정하다고 하였으므로, B에서 사용된 유체의 경우, 전단응력이 증가하더라도 점성계수는 변하지 않을 것이다.

③ 두 번째 문단에서 전단응력은 '점성계수×전단변형률'로 표현한다고 하였다. 따라서 전단응력이 일정하다면 점성계수에 따라 전단변형률은 달라지게 된다고 하였다. 〈보기〉의 A 유체의 전단변형률은 10, B 유체의 전단변형률은 20이므로 작용하는 전단응력이 같다면 점성계수는 A 유체가 더 클 것이다.

④ 전단응력은 '점성계수×전단변형률'로 표현한다고 하였으므로 〈보기〉의 A와 C의 유체의 전단변형률은 모두 10이다. 이때 A에서 사용된 유체의 점성계수가 C에서 사용된 유체의 점성계수보다 크다면 유체에 작용한 전단응력은 A에서 사용된 유체가 더 클 것이다.

❺ 전단응력은 '점성계수×전단변형률'이므로 〈보기〉에서 B 유체의 전단변형률은 20이고, C 유체의 전단변형률은 10이다. 만약 B와 C에서 사용된 각각의 유체의 점성계수가 같다면 B에서 사용된 유체에 작용한 전단응력이 더 클 것이다.

3.④ 글의 핵심 정보 이해하기

① 네 번째 문단에서 비뉴턴 유체의 전단변형률과 전단응력의 관계는 기울기가 변하는 곡선의 형태로 나타난다고 하였으므로 ⓐ는 점성계수가 변하는 유체에 해당한다.

② 네 번째 문단에서 비뉴턴 유체는 전단응력의 크기에 따라 점성계수가 변하는 특징을 가지고 있으며 기울기가 변하는 곡선의 형태로 나타난다고 하였다. 따라서 ⓐ는 전단응력에 따라 그래프의 기울기가 달라지는 유체에 해당한다.

③ 두 번째 문단에서 '전단응력=점성계수×전단변형률'로 표현할 수 있고, 유체의 점성계수는 온도의 변화에 따라 달라질 수 있다고 하였으므로 ⓑ는 온도가 변화하면 그래프의 기울기도 달라질 수 있을 것이다.

❹ 세 번째 문단에서 전단응력이나 전단변형률의 크기에 관계없이 점성계수가 항상 일정한 유체를 뉴턴 유체라고 하였고, 이를 전단변형률을 가로축으로 하고 전단응력을 세로축으로 하는 그래프로 나타내면 ⓑ와 같이 일정한 기울기를 가진 직선의 형태로 나타난다. 그러나 ⓑ가 전단응력에 따라 유체가 운동에 저항하는 성질이 달라진다는 내용의 근거를 찾을 수 없으므로 적절하지 않다.

⑤ 세 번째 문단에서 전단응력이나 전단변형률의 크기에 관계없이 점성계수가 항상 일정한 유체는 뉴턴 유체이며, 그래프로 나타냈을 때 일정한 기울기를 가진 직선의 형태라고 하였다. ⓑ는 전단응력 값이 증가함에 따라 전단변형률이 일정하게 증가하고 있으므로 적절한 설명이다.

4.① 구체적 상황에 적용하기

❶ 네 번째 문단에서, 비뉴턴 유체란 전단응력의 크기에 따라 점성계수가 변하는 것으로, 전단응력이 증가함에 따라 점성계수가 감소하는 전단희박 유체와, 전단응력이 증가함에 따라 점성계수가 증가하는 전단농후 유체, 전단응력이 일정한 크기에 도달하기 전까지는 변형이 없다가 항복응력이라고 지칭되는 일정한 전단응력을 초과하면 변형이 일어나는 빙햄 유체가 있다고 하였다. 〈보기〉의 마요네즈는 '단순히 용기를 기울이기만 해서는 흘러나오지 않고 '일정한 힘 이상으로 눌러야만 나오기 시작'한다고 하였다. 즉 전단응력이 증가하여 항복응력보다 커져야 변형이 일어나는 것으로 빙햄 유체에 해당한다.

5.② 문맥적 의미 파악하기

① ㉠의 '부른다'는 '무엇이라고 가리켜 말하거나 이름을 붙이다'라는 뜻이다. '그 가게에서는 값을 비싸게 불렀다'의 '부르다'는 '값이나 액수 따위를 얼마라고 말하다'라는 뜻으로 의미가 다르다.

❷ ㉡의 '다루는'은 '어떤 것을 소재나 대상으로 삼다'라는 뜻으로 '회의에서 물가 안정을 주제로 다루었다'의 '다루다'와 가장 가까운 의미로 사용되었다고 할 수 있다.

③ ㉢의 '이루다'는 '몇 가지 부분이나 요소들을 모아 일정한 성질이나 모양을 가진 존재가 되게 하다'라는 뜻이고, '우리는 모두 각자의 소원을 이루었다'의 '이루다'는 '뜻한 대로 되게 하다'라는 뜻이다. 따라서 이 둘은 의미가 일치하지 않는다.

④ ㉣의 '나타나다'는 '어떤 일의 결과나 징후가 겉으로 드러나다'라는 뜻이고, '사건의 목격자가 우리 앞에 나타났다'의 '나타나다'는 '보이지 아니하던 어떤 대상의 모습이 드러나다'라는 뜻이므로 이 둘은 의미가 일치하지 않는다.

⑤ ㉤의 '일어나다'는 '어떤 일이 생기다'라는 뜻이고, '경기가 시작되자 사람들이 자리에서 일어났다'의 '일어나다'는 '누웠다가 앉거나 앉았다가 서다'라는 뜻으로 이 둘의 의미는 일치하지 않는다.

【6~10】 정창영 외, '마취 통증 의학'

지문해설

통증이란 조직 손상이 일어나거나 일어나려고 할 때 의식적인 자각을 주는 방어적 작용으로 감각의 일종이다. 통증을 유발하는 자극에는 강한 물리적 충격에 의한 기계적 자극, 높은 온도에 의한 자극, 상처가 나거나 미생물에 감염되었을 때 세포에서 방출하는 화학 물질에 의한 화학적 자극 등이 있다. 이러한 통증은 통각 수용 신경 섬유를 통해 수용되는데 대표적으로 Aδ 섬유와 C 섬유가 있다. 머리 아래쪽에서 발생한 통증 신호의 전달은 통각 수용기가 받아들인 자극이 전기적 신호로 변환되는데 통증 신호의 전달을 위해서는 신경 전달 물질인 글루탐산이 필요하다. 또한 망상체에서 1차 신경 섬유의 말단으로 뻗어 있는 신경 섬유 말단에서는 엔도르핀, 엔케팔린, 다이노르핀 같은 진통 신경 전달 물질을 분비한다.

■ 비문학 지문 어떻게 이해할까?

1문단
통각 수용기가 자극을 수용하는 원리

2문단
통각 수용의 Aδ 섬유와 C 섬유의 비교

3문단
통증 신호를 전달하는 신경 전달 물질

4문단
신경 전달 물질 서브스턴스 P의 경로

5문단
통증 억제 시스템에 관여하는 진통 신경 전달 물질

■ **주제** : 통증을 전달하는 수용체의 원리와 신경 전달 물질들의 역할

6.⑤ 글의 세부 내용 파악하기

① 두 번째 문단에서 Aδ 섬유는 직경이 크고 전도 속도가 빠르므로 Aδ 섬유를 따라 전도된 통증 신호가 대뇌 피질로 전달된다고 하였으므로 적절한 설명이다.

② 첫 번째 문단에서 통각 수용기는 피부에 가장 많기 때문에 피부에서 발생한 통증은 위치를 확인하기 쉽지만, 통각 수용기가 많지 않은 내장 부위에서 발생한 통증은 위치를 정확히 확인하기 어렵다고 하였으므로 적절한 설명이다.

③ 다섯 번째 문단에서 망상체에는 1차 신경 섬유의 말단으로 뻗어 있는 신경 섬유가 존재하며 신경 섬유의 말단에서 엔도르핀, 엔케팔린, 다이노르핀 같은 진통 신경 전달 물질을 분비한다고 하였으므로 적절한 설명이다.

④ 두 번째 문단에서 Aδ 섬유에는 기계적 자극이나 높은 온도 자극에 반응하는 통각 수용기가 분포되어 있으며, C 섬유에는 기계적 자극이나 높은 온도 자극 뿐 아니라 화학적 자극에도 반응하는 통각 수용기가 분포되어 있다고 하였으므로 적절한 설명이다.

❺ 첫 번째 문단에서 후각이나 촉각 수용기에서는 지속적인 자극에 대해 수용기의 반응이 감소되는 감각 적응 현상이 일어나지만, 통각 수용기에는 지속적인 자극에 대해 감각 적응 현상이 거의 일어나지 않는다고 하였으므로 적절하지 않은 설명이다.

7.① 글의 핵심 정보를 구체적으로 이해하기

❶ 두 번째 문단에서 C 섬유를 따라 전도된 통증 신호가 대뇌 피질로 전달되면, 대뇌 피질에서는 욱신거리고 둔한 지연 통증을 느낀다고 하였으므로, 적절하지 않은 설명이다.

② 세 번째 문단에서 통증 신호는 전기적 신호로 변환되어 통각 수용기와 연결된 1차 신경 섬유를 따라 전도되고, 척수에서 나오는 2차 신경 섬유를 따라 전도되어 시상을 거쳐 중추인 대뇌로 전달된다고 하였다. 이때 1차 신경 섬유와 2차 신경 섬유는 척수에서 서로 시냅스를 이루고 있다고 하였으므로 적절한 설명이다.

③ 두 번째 문단에서 Aδ 섬유를 따라 전도된 통증 신호가 대뇌 피질로 전달되면 대뇌 피질에서는 날카롭고 쑤시는 듯한 짧은 초기 통증을 느끼고, C 섬유를 따라 전도된 통증 신호는 대뇌 피질로 전달되어 욱신거리고 둔한 지연 통증을 느낀다고 하였다.

④ 네 번째 문단에서 통증 신호가 대뇌변연계에 전달되면 통증을 느끼고, 자율 신경과 내분비계를 자극하여 통증으로 인한 행동이나 감정 반응을 일으킨다고 하였다.

⑤ 두 번째 문단에서 글루탐산은 1차 신경 섬유 말단에서 분비되어 2차 신경 섬유에 있는 AMPA 수용체 및 NMDA 수용체와 결합하여 수용체를 활성화시킨다고 하였다. 네 번째 문단에서 서브스턴스 P는 1차 신경 섬

유 말단에서 분비되어 2차 신경 섬유에 있는 NK 수용체를 활성화시킨다고 하였다.

8. ④ 핵심 정보를 비교하여 파악하기

① 글루탐산은 1차 신경 섬유 말단에서 분비되어 2차 신경 섬유에 있는 ㉠ 및 ㉡과 결합하여 수용체를 활성화시킨다.
② 1차 신경 섬유와 2차 신경 섬유는 척수에서 서로 시냅스를 이루고 있어서 통증 신호가 전달되기 위해서는 1차 신경 섬유에서 신경 전달 물질이 분비되어야 하는데, 신경 전달 물질인 글루탐산은 1차 신경 섬유 말단에서 분비되어 2차 신경 섬유에 있는 ㉠과 ㉡이 결합하여 수용체를 활성화시킨다.
③ ㉡은 마그네슘 이온에 의해 억제되어 있으므로 소량의 글루탐산에는 ㉠만 먼저 활성화된다.
❹ ㉡에 의해 나트륨 이온이 유입되면 ㉠도 활성화되어 나트륨 이온뿐만 아니라 칼슘 이온이 유입되는데 칼슘 이온으로 인해 대뇌 피질로 통증 신호의 전달은 일어나지 않지만, 통각 수용기의 민감도가 높아져 약한 자극에 대해서도 통각 수용기가 예민하게 반응하게 한다.
⑤ ㉠이 활성화되면 2차 신경 섬유로 나트륨 이온이 유입되어 전도된 통증 신호는 시상을 거쳐 대뇌 피질로 전달된다. ㉠에 의해 나트륨 이온이 유입되면 뒤이어 ㉡도 활성화되어 나트륨 이온뿐만 아니라 칼슘 이온도 유입된다.

9. ① 글의 내용을 구체적 상황에 적용하기

❶ 세포가 손상되면 프로스타글란딘이 생성되어 통각 수용기가 활성화되는 데 필요한 역치를 낮추어 통증을 잘 느끼게 된다. 아스피린은 프로스타글란딘의 생성을 억제한다고 하였으므로 통각 수용기의 활성화를 어렵게 하여 자극을 잘 받아들이지 못하게 할 것이다. 또한 모르핀은 엔도르핀의 분자 구조와 유사하여 아편 수용체와 잘 결합한다고 하였으므로 통증 신호의 전달을 억제하고 그 결과 통증을 완화시키므로 적절한 설명이라 할 수 있다.
② 아스피린은 프로스타글란딘의 생성을 억제한다고 하였다. 모르핀은 엔도르핀의 분자 구조와 유사하여 아편 수용체와 잘 결합하는 것이므로, 모르핀이 엔도르핀의 분비를 활성화시킨다는 설명은 적절하지 않다.
③ 아스피린이 통증 자극의 세기를 줄인다는 정보는 확인할 수 없다. 또한 모르핀은 엔도르핀의 분자 구조와 유사하여 아편 수용체와 결합하는 것이지 엔도르핀과 반응하여 통증 신호를 차단하는 것이 아니므로 적절하지 않다.
④ 아스피린이 통각 수용기를 둔감하게 하여 자극을 전기적 신호로 변환하지 못하게 한다는 정보는 확인할 수 없다. 모르핀과 서브스턴스 P의 관계에 관한 내용은 다섯 번째 문단에서 유추할 수 있는데, 엔도르핀, 엔케팔린, 다이노르핀 같은 진통 신경 전달 물질은 1차 신경 섬유의 말단에 있는 아편 수용체와 결합하여 1차 신경 섬유에서 서브스턴스 P가 분비되는 것을 억제한다고 하였다. 모르핀은 엔도르핀의 분자 구조와 유사하므로 서브스턴스 P와 반응하여 서브스턴스 P의 기능을 약화시킬 것이다.
⑤ 아스피린은 프로스타글란딘의 생성을 억제하여 통증을 완화시킬 뿐, 손상된 세포를 회복시키는 것은 아니다. 또한 모르핀은 서브스턴스 P와 반응하여 서브스턴스 P의 기능을 약화시키므로 모르핀이 서브스턴스 P

의 생성을 촉진한다는 설명은 적절하지 않다.

왜 많이 틀렸을까?
아스피린과 모르핀의 역할이 엔도르핀과 어떻게 유사한지를 묻는 문항이었어. 답을 제외한 선택지를 자세히 읽어보면 추측성 정보들로 이루어져 있어. 답을 찾을 때는 항상 지문에 근거를 바탕으로, 보편적인 도출 과정을 거쳐야 한다는 것을 잊지 마.

10. ② 단어의 문맥적 의미 이해하기

① '나는 평소보다 일찍 일어났다'의 '일어나다'는 '잠에서 깨어나다'라는 뜻이다.
❷ '감기로 오한과 두통이 일어났다'의 '일어나다'는 '어떤 일이 생기다'의 뜻으로 ⓐ의 문맥적 의미와 가장 유사하다.
③ '겨울 외투 속의 솜털이 일어났다'의 '일어나다'는 '위로 솟거나 부풀어 오르다'라는 뜻이다.
④ '망해 가던 회사가 일어나 안정을 찾았다'의 '일어나다'는 '약하거나 희미하던 것이 성하여지다'라는 뜻이다.
⑤ '그는 갑자기 자리에서 일어나 앞으로 나왔다'의 '일어나'는 '누웠다가 앉거나 앉았다가 서다'라는 뜻이다.

【11~14】 '장기 이식과 내인성 레트로바이러스'

지문해설

신체의 세포, 조직, 장기가 손상되어 제 기능을 하지 못할 때에는 이를 대체하기 위해 이식을 실시하는데, 이때 이식으로 옮겨 붙이는 세포, 조직, 장기를 이식편이라고 한다. 이식에는 다른 사람의 이식편으로 옮겨 붙이는 동종 이식, 사람과 유사한 다른 동물의 이식편을 인간에게 이식하는 이종 이식이 있다. 동종 이식에는 많은 비용이 들고 동종 이식편의 수가 매우 부족하다는 단점이 있고, 이종 이식은 동종 이식보다 훨씬 심한 거부 반응이 일어나는 것과 내인성 레트로바이러스가 발생한다는 문제점이 있다. 따라서 이를 토대로 이상적인 이식편을 개발하기 위한 연구가 진행 중이다.

분석 Plus

■ 비문학 지문 어떻게 이해할까?

1문단
동종 이식의 거부 반응과 면역 억제제

2문단
전자 기기 인공 장기의 장·단점

3문단	4문단
이종 이식의 장·단점	이종 이식의 문제점 – 내인성 레트로바이러스

5문단
레트로바이러스에 대항할 수 있는 내인성 레트로바이러스

6문단
이식편 대체 기술 연구 근황

■ 주제 : 동종 이식과 이종 이식의 기술과 보완점

11. ⑤ 세부 정보 파악하기

① 첫 번째 문단에서 개체마다 MHC의 차이가 있는데 서로 간의 유전적 거리가 멀수록 MHC의 차이가 커져 거부 반응이 강해진다고 하였고, 세 번째 문단에서 다른 동물의 이식편을 인간에게 이식하는 '이종 이식'은 동종 이식보다 거부 반응이 더욱 심하게 일어난다고 하는 것으로 보아 동종 간보다 이종 간이 MHC 분자의 차이가 더 크다.
② 첫 번째 문단에서 우리의 몸은 자신의 것이 아닌 물질이 체내로 유입될 경우 면역 반응을 일으키므로, 유전적으로 동일하지 않은 이식편에 대해 항상 거부 반응을 일으킨다고 하였다.
③ 세 번째 문단에 이종 이식은 동종 이식보다 거부 반응이 훨씬 심하게 일어나며 이종 이식편에 대해서 초급성 거부 반응 및 급성 혈관성 거부 반응이 일어난다고 하였으므로 적절한 설명이다.
④ 네 번째 문단에 내인성 레트로바이러스는 생명체의 DNA의 일부분으로, 레트로 바이러스로부터 유래된 것으로 여겨지는 부위들이라고 하였다. 이는 바이러스의 활성을 가지지 않으며 사람을 포함한 모든 포유류에 존재한다고 하였으므로 포유동물은 과거에 어느 조상이 레트로바이러스에 의해 감염된 적이 있다고 추측할 수 있다.
❺ 네 번째 문단에 레트로바이러스는 자신의 유전 정보를 RNA에 담고 있고 역전사 효소를 갖고 있는 바이러스로서, 특정한 종류의 세포를 감염시킨다고 하였다. 따라서 레트로바이러스는 숙주 세포의 역전사 효소를 이용하여 RNA를 DNA로 바꾼다는 설명은 잘못되었다.

12. ① 세부 내용 추론하기

❶ 두 번째 문단에서 '전자 기기 인공 장기'의 단점으로 장기의 기능을 일시적으로 대체할 뿐이고, 추가 전력 공급 및 정기적 부품 교체 등이 요구된다고 하는 것으로 보아, 이식편에 정기 교체를 해야 하는 것은 이상적인 이식편의 조건이 아님을 알 수 있다.
② 세 번째 문단에 이종 이식 중에서도 미니돼지는 장기의 크기가 사람의 것과 유사하다는 장점이 있다고 한 것으로 보아 이식편은 대체를 하려는 장기와 크기가 유사하면 유리한 것임을 알 수 있다.
③ 첫 번째 문단에 우리의 몸은 자신의 것이 아닌 물질을 체내에 받을 때 유전적으로 동일하지 않은 이식편에 대해 항상 거부 반응을 일으키고 특히 서로 간의 유전적 거리가 멀수록 MHC의 차이가 커져 거부 반응이 강해진다고 하였으므로 이식편과 수혜자 사이의 유전적 거리를 극복하면 이식에 유리할 것이다.
④ 세 번째 문단에 미니돼지는 번식력이 높아 단시간에 많은 개체를 생산할 수 있다는 장점이 있다고 하였으므로 이식편은 짧은 시간에 대량으로 생산이 가능하다면 이식에 유리할 것이다.
⑤ 첫 번째 문단에 우리의 몸은 자신의 것이 아닌 물질이 체내로 유입될 경우 면역 반응을 일으키므로, 이를 막기 위해 면역 억제제를 사용하는데, 이는 질병 감염의 위험성을 높인다고 하였으므로 이식편이 체내에서 거부 반응을 유발하지 않는 것이 이식에 유리할 것이다.

왜 많이 틀렸을까?
선택지를 분석할 때에는 항상 본문의 글의 어조를 살펴봐야 해. 기존에 갖고 있던 자신의 선입견이 아니라 그 지문에서 요구하는 것을 파악해야 해. 이때 필요한 것이 글의

어조를 파악하는 거야. 선택지 ①번을 읽어보면 '이식편의 비용을 낮추어서 정기 교체가 용이해야 한다'야. 이 문장만 읽었을 때는 '이식의 비용을 낮추는 것, 정기 교체가 용이한 것'이 합쳐져서 적절한 설명 같아. 그러나 첫 번째 문단에서 전자 기기의 인공 지능 추가 전력 공급 및 정기적 부품 교체 등이 요구되는 단점이 있다고 하였으므로 정기적 부품 교체는 어조가 다르다는 걸 알 수 있지.

13. ③ 　구체적 상황에 적용하기

① 전자 기기 인공 장기는 이식이 가능한 동종 이식편의 수가 매우 부족하다는 점을 보완해서 나온 장치이다. 이는 추가 전력 공급 및 정기적 부품 교체 등이 요구되는 단점이 있다고 하였고, 수혜자 자신의 줄기 세포만을 이용한 세포 기반 인공 이식편은 줄기 세포를 이용하여 인체의 모든 세포나 조직으로 분화할 수 있다고 하였으므로 원하는 만큼의 이식편을 만들 수 있으며 전기 공급이 필요하지 않다.

② 첫 번째 문단에 다른 사람의 이식편으로 '동종 이식'을 실시할 때 이식 후에 면역적 거부 반응이 일어나므로 이를 막기 위해 면역 억제제를 사용한다고 하였다. 반면에 수혜자 자신의 줄기 세포만을 이용하여 이식을 할 경우에는 면역 억제제를 사용할 필요가 없다.

❸ 내인성 레트로바이러스는 생명체의 DNA의 일부분으로, 레트로바이러스로부터 유래된 것으로 여겨지는 부위들이다. 이는 바이러스의 활성을 가지지 않으며 사람을 포함한 모든 포유류에 존재한다고 하였다. 이러한 내인성 레트로바이러스는 이종 이식을 할 때 일어나는 일이므로, 수혜자 자신만의 줄기 세포를 이용하여 이식을 하는 경우에는 해당되지 않는다.

④ 다섯 번째 문단에 내인성 레트로바이러스를 떼어 내어 다른 종의 세포 속에 주입하면 이는 레트로바이러스로 변환되어 그 세포를 감염시킬 수 있으므로 미니돼지의 DNA에 포함된 내인성 레트로바이러스를 효과적으로 제거하는 기술이 개발 중에 있다고 하였다. 즉 이종 이식편의 경우 유전자를 조작하는 과정이 필요하다는 것을 알 수 있다. 그러나 세포 기반 인공 이식편은 유전자를 조작하는 과정이 필요없을 것이다.

⑤ 세 번째 문단에서 이종 이식편을 할 때 초급성 거부 반응 및 급성 혈관성 거부 반응이 일어난다고 하였으므로, 세포 기반 인공 이식편은 자신의 줄기 세포만을 이용하므로 자연항체에 의한 초급성 거부 반응이 일어나지 않을 것이다.

14. ① 　의미 관계 파악하기

❶ 다섯 번째 문단에서 ㉠은 정자, 난자와 같은 생식 세포가 레트로바이러스에 감염되었음에도 살아남은 존재로, 여기서 유래된 자손의 세포가 갖게 된 것이 레트로바이러스라고 하였다. 이에 비해 네 번째 문단에서 ㉡ 레트로바이러스는 다른 생명체의 세포에 침입하여 그 세포를 감염 시키고 침투한 생명체를 숙주로 삼고, 그 숙주 세포를 이용하여 복제한다고 하였다. 따라서 ㉠은 ㉡과 달리 자신이 속해 있는 생명체의 모든 세포의 DNA에 존재한다고 볼 수 있다.

② 네 번째 문단에서 ㉡은 다른 생명체에 들어간 후 자신의 RNA를 DNA로 바꾼다고 언급하였다.

③ 네 번째 문단에서 ㉠은 자신이 속해 있는 세포 안에서는 바이러스로 활동하지 않는다고 하였다. 이에 비해 ㉡은 다른 생명체의 세포에 들어가 숙주 세포를 결국 파괴한다고 하였다.

④ 네 번째 문단에서 ㉠은 자신이 속해 있는 생명체의 유전 정보를 갖고 있다고 하였고 ㉡은 자신의 유전 정보를 RNA에 담아 DNA로 바꾼다고 하였다.

⑤ 네 번째, 다섯 번째 문단을 통해 ㉠은 다른 숙주에 들어가 ㉡으로 변환되어 세포를 감염시킴을 알 수 있다.

왜 많이 틀렸을까?
이번 시험에서 난도가 높은 문항 중에 하나였어. 내인성 레트로바이러스와 레트로바이러스의 차이를 명확하게 알아야만 풀 수 있는 문제였지. 하지만 의외로 문제를 풀 수 있는 키는 쉬운 곳에 있어. 자신이 유전 정보를 갖고 있느냐, 아니면 다른 숙주에 들어가서 그 생명체를 감염시키고 자신의 자리를 차지하느냐. 이것을 구분할 수 있다면 풀 수 있는 문항이었거든.

1. ③ 2. ④ 3. ⑤ 4. ② 5. ①
6. ④ 7. ② 8. ⑤ 9. ④ 10. ⑤
11. ② 12. ②

【1~6】 '개체성의 조건과 공생발생설에 따른 진핵생물의 발생'

지문해설
개체의 의미와 필수 조건에 대해 설명하고, 생명체를 구성하는 필수적이자 가장 작은 단위인 세포에 대해 상세하게 설명한 글이다. 세포를 기능에 따라 구분하고 그 중 핵심적인 역할을 하는 미토콘드리아의 탄생 이론을 공생발생설의 입장에서 설명한다. 이 글의 핵심인 공생발생설은 기존의 이론을 뒤엎으며 등장하였으며, 이에 따른 미토콘드리아와 진핵세포와의 관계를 심층적으로 다루고 있다. 또한 전문 용어와 개념을 주로 설명하였으며, 질문과 답변의 형식으로 정보를 전달하고 있다.

분석 Plus
■ 비문학 지문 어떻게 이해할까?

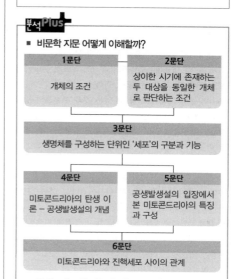

1문단	2문단
개체의 조건	상이한 시기에 존재하는 두 대상을 동일한 개체로 판단하는 조건

3문단
생명체를 구성하는 단위인 '세포'의 구분과 기능

4문단	5문단
미토콘드리아의 탄생 이론 – 공생발생설의 개념	공생발생설의 입장에서 본 미토콘드리아의 특징과 구성

6문단
미토콘드리아와 진핵세포 사이의 관계

■ 주제 : 세포의 기능과 미토콘드리아의 특징

어휘풀이
· 개체(個體) 독립하여 존재하는 낱낱의 개체.
· 유기적(有機的) 생물처럼 전체를 구성하고 있는 부분들끼리 서로 밀접한 관계를 맺고 있음.
· 상이(相異)한 서로 현저히 다른 상태.
· 인과성(因果性) 둘이나 그 이상의 존재 사이에 원인과 결과로서 맺어지는 관계.
· 철학(哲學) 인간과 세계에 대한 근본 원리와 삶의 본질 따위를 연구하는 학문. 흔히 인식, 존재, 가치의 세 기준에 따라 하위 분야를 나눌 수 있다.
· 진화(進化) 생물이 생명의 기원 이후부터 점진적으로 변해 가는 현상.

1. ③ 　내용 전개 방식 파악하기

① 개체성에 대해 설명하며 일란성 쌍둥이, 과거의 '나'와 현재의 '나'에 대한 예를 제시하여 이해를 도왔으나, 공생발생설에 대한 다양한 견해를 비교한 부분은 나타나지 않으므로 잘못된 설명이다.

② 개체에 대한 정의와 조건을 제시하고 세포의 개념을 '생명체를 구성하는 단위', 세포의 역할을 고유한 유전 정보의 복제, 증식, 전달하는 것이라고 규정하고, 세포의 종류를 진핵세포와 원핵세포로 구분하고 있으나 세포의 생물학적 개념이 확립되는 과정을 서술한 부분은 없으므로 잘못된 설명이다.

❸ 첫 번째 문단에서 개체성의 조건을 대상 간의 강한 유기적 상호작용이 일어나는 것이라고 제시하고, 생명체를 구성하는 기본 단위인 세포의 역할과 종류를 설명하였다. 이때 전통적 유전학에서는 주목받지 못했던 '공생발생설'을 중심으로 세포 소기관인 미토콘드리아의 개체성을 설명하고 있으므로 적절한 설명이다.

④ 개체의 개념을 정의하고 있을 뿐 개체의 유형을 분류한 부분은 나타나지 않으며 세포의 소기관이 분화되는 과정을 공생발생설을 중심으로 설명한 부분도 드러나지 않으므로 잘못된 설명이다.

⑤ 개체와 관련된 개념들을 설명하고 있으나, 세포가 하나의 개체로 변화화는 과정을 인과적으로 서술하지 않았다. 세포는 생명체를 구성하는 단위이며, 개체는 대상 간의 강한 유기적 상호작용이 조건으로 제시되는 것이므로 세포와 개체는 서로 다른 대상이다.

2.④　주어진 정보를 바탕으로 사실적 독해하기

① 대상간의 부분 간 유사성이 존재하는 모든 것이 개체가 될 수 없으며, 부분들의 유기적 상호작용이 강하게 이루어지는 것을 개체라고 한다.

② 바닷물을 개체라고 할 수 없는 것은 부분들의 강한 상호작용이 약하기 때문이다. 개체가 되려면 개체를 구성하는 부분들이 외부 존재가 개체에 영향을 주는 것과는 비교할 수 없이 강한 방식으로 서로 영향을 주고 받아야 한다.

③ 새로운 미토콘드리아는 이미 존재하는 미토콘드리아의 '이분분열'을 통해서만 만들어진다고 하였으므로 적절한 설명이다.

❹ 미토콘드리아에서 일어나는 대사 과정에 필요한 단백질은 세포핵의 DNA에서 합성된다고 설명하였고, 세포질에 막으로 둘러싼 핵이 있다고 하였으므로 미토콘드리아의 대사 과정에 필요한 단백질이 미토콘드리아의 막을 통과하여 세포질로 이동한다는 설명은 잘못되었다.

⑤ 고세균은 세포질에 핵이 생겨 진핵세포가 되고 원생 미토콘드리아는 세포 소기관인 미토콘드리아가 되어 진핵생물이 탄생했다고 보았으므로 적절한 설명이다.

왜 말이 틀렸을까?

세부 정보를 파악하는 글은 잠시만 흐름을 놓쳐도 틀리기 쉽지? 세부 내용에 대한 문항이 나올 때는 본문의 글을 그대로 이용하기보다 조금씩 변형해서 묻는데, 이 때 변형해서 묻는 대상이 같은 대상인지를 인지하지 못하는 경우가 많이 때문이다. 따라서 본문에서 제시되는 핵심 개념을 자신의 말로 옮겨서 이해하고, 거기에 살을 붙이는 방식으로 선택지를 분석하는 것을 스스로의 힘으로 해봐야 해.

3.⑤　글의 세부 내용 파악하기

① 전자 현미경의 등장으로 미토콘드리아의 내부까지 세밀하게 관찰할 수 있게 되었고, 이로 인해 내부의 모습과 기능에 대해 알 수 있게 되었다고 하였으므로 적절하지 않다.

② 전통적인 유전학에서는 두 원핵생물의 결합을 인정

하지 않았는데, 공생발생설은 두 원핵생물간의 공생 관계가 지속되면서 진핵세포를 가진 진핵생물이 탄생했다고 설명했기 때문에 당시 공생발생설이 인정받지 못한 것이지, 당시의 유전학 이론에 어긋난다는 근거가 부족했기 때문이 아니다.

③ '내부 공생'이란 어느 생명체의 세포 안에서 다른 생명체가 공생하는 것이라고 설명하였으므로 한 생명체가 다른 생명체의 세포 속에서 살 수 있다는 근거가 부족하다는 설명은 적절하지 않다.

④ 미토콘드리아는 세포 활동에 필요한 생체 에너지를 생산하는 기관이라고 밝히고 있으므로 잘못된 설명이다.

❺ 공생발생설은 생물학계로부터 인정받지 못했는데, 그 주된 이유는 미토콘드리아가 과거에 독립된 생명체였다는 것을 쉽게 믿을 수 없었기 때문이다. 본문에서 독립된 생명체를 구성하는 단위는 세포이며 세포는 생명체의 고유한 유전 정보가 담긴 DNA를 갖고 이를 복제, 증식, 번식하여 후세에 자신의 유전 정보를 전달한다고 하였다. 따라서 미토콘드리아가 자신의 고유한 유전 정보를 전달할 수 있다는 것을 알지 못했기 때문이라고 이해할 수 있다.

4.②　주어진 정보를 바탕으로 추론하기

❷ 〈보기〉에서 '각각의 세포 소기관이 박테리아로부터 비롯되었다고 판단할 수 있는' 것을 고르기 위해서는 서로 다른 각각의 개체였던 박테리아가 세포 소기관이 되었다는 것을 전제로 근거를 찾아야 한다. 따라서 '공생발생설'과 입장이 같은 것을 고르면 된다.

5.①　글의 내용을 독자의 삶에 적용하기

❶ 윗글을 바탕으로 〈보기〉를 이해하기 위해서는 우선 진핵세포와 미토콘드리아의 관계를 먼저 알아야 한다. 윗글의 마지막 문단에서 진핵세포와 미토콘드리아는 공생 관계가 아니라고 명확히 제시하고 있다. 그 근거로는 진핵세포와 미토콘드리아의 강력한 유기적 상호작용을 들고 있다. 즉 진핵세포와 미토콘드리아는 서로 각각의 개체성을 유지하지 못하고, 미토콘드리아는 개체성을 잃고 세포 소기관이 되었다고 보는데, 진핵세포가 미토콘드리아의 증식을 조절하고 자신을 복제하여 증식할 때 미토콘드리아도 함께 복제하여 증식시키기 때문이다. 이로 인해 미토콘드리아의 DNA의 길이가 현저히 짧아졌다고 하였다. 〈보기〉에 제시된 경우는 진핵세포와 미토콘드리아의 관계와는 다른 관계이다. '복어'와 '독소를 생산하는 미생물'사이의 관계는 공생 관계이다. 〈보기〉에서 '복어의 체내에 있는 미생물을 제거하면 복어는 독소를 가지지 못하나 생존에는 지장이 없었다'라는 점을 근거로 '복어'와 '독소를 생산하는 미생물'은 유기적 상호작용이 '진핵세포와 미토콘드리아의 관계'에 비해 약하다고 판단할 수 있기 때문이다. 또한 '아메바의 세포질에서 서식하는 박테리아'와 '아메바'사이의 관계 역시 '아메바에게는 무해하지만 박테리아에게는 치명적인 항생제를 아메바에게 투여하면 박테리아와 함께 아메바도 죽었다'라고 서술한 점을 보아 유기적 상호작용이 '진핵세포와 미토콘드리아의 관계'에 비해 약하다고 판단할 수 있다.

따라서 ②,③,④,⑤는 '공생 관계'의 입장에서 분석한 내용들이므로 적절한 설명이지만, ①은 '아메바의 세포질에서 서식하는 박테리아'는 세포 소기관으로 변한 것이라고 분석한 것으로 보아 '진핵세포와 미토콘드리아의

관계'의 입장이므로 적절하지 않은 설명이다.

6.④　문맥적 의미 파악하기

① ⓐ는 '몇 가지 부분이나 요소들을 모아서 일정한 전체를 짜는 것'이라는 뜻을 지닌 '구성(構成)'과 바꿔 쓸 수 있다.

② ⓑ는 '현실에 실제로 있음, 또는 그런 대상'이라는 뜻을 지닌 '존재(存在)'와 바꿔 쓸 수 있다.

③ ⓒ는 '가지고 있거나 간직하고 있음'이라는 뜻을 지닌 '보유(保有)'와 바꿔 쓸 수 있다.

❹ '조명(照明)'은 어떤 대상을 일정한 관점으로 바라본다는 뜻으로 ⓓ과는 의미가 다르므로 바꿔 쓸 수 없다.

⑤ ⓔ는 '사물이 생겨남, 또는 사물이 생겨 이루어지게 함'이라는 뜻을 지닌 '생성(生成)'과 바꿔 쓸 수 있다.

【7~12】 '서양과 동양의 천문 이론'

지문해설

이 글은 서양의 우주론과 중국의 우주론에 대해 설명하고 있다. 서양 우주론에서는 기존에 있던 지구 중심설이 코페르니쿠스가 내세운 태양 중심설로 바뀌며 이 와중에 브라헤, 케플러, 뉴턴의 다양한 연구와 입증이 있었다. 중국은 16세기부터 서양 과학이 유입됨에 따라 이를 중국의 지적 유산과 결합하여 우주의 원리를 파악하고자 하였는데, 이러한 연구 방식은 웅명우, 방이지, 왕석천, 매문정 등에 의해 다양한 방식으로 전개되어 19세기 중엽까지 주를 이루었다.

분석 Plus

■ 고난도 지문 어떻게 이해할까?

1문단
서양의 우주론과 중국의 우주론의 변화 개괄

2문단	5문단
코페르니쿠스의 지구 중심설과 학계 반응	중국에 유입된 서양 과학의 수용 방식

3문단	6문단
브라헤와 케플러의 우주론	웅명우와 방이지의 광학 이론

4문단	7문단
뉴턴의 만류인력	왕석천과 매문정의 우주론

	8문단
	중국 천문학의 흐름과 양상

■ **주제** : 서양 우주론의 발전과 이에 영향을 받은 중국의 우주론

7.②　세부 정보 파악하기

① 두 번째 문단에서 '우주의 중심에 고정되어 움직이지 않은 지구의 주위를 달, 태양, 다른 행성들이 천구들과 항성들이 붙어 있는 항성 천구가 회전한다는 지구 중심설'을 언급하고 있고, '태양을 우주의 중심으로 고정하고 그 주위를 지구를 비롯한 행성들이 공전하며 지구가 자전하는 우주 모형을' 만들었다며 태양 중심설을 소개

하고 있다.

❷ 다섯 번째 문단 '16세기 말부터 중국에 본격 유입된 ~ 그 위상이 구체화되었다.'와 '17세기 웅명우와 방이지 등이' 서양 천문학에 의문을 제시하여 '기와 빛을 결부시켜 제시한 광학 이론'을 제시한 것, 일곱 번째 문단에서 17세기 후반 왕석천과 매문정이 서양 과학의 영향을 받아 우주의 원리를 파악하고자 한 것 등 서양의 우주론의 영향으로 변화된 중국의 우주론이 소개되고 있다.
③ 두 번째 문단에서 태양을 중심으로 지구를 비롯한 행성들이 공전하고 있다고 코페르니쿠스가 언급하였다고 제시하고 있다.
④ 여섯 번째 문단에서 17세기 웅명우와 방이지 등이 중국과 서양의 우주론을 회통하려고 하였고, 일곱 번째 문단에서 17세기 후반 왕석천과 매문정이 중국과 서양의 우주론을 회통하려고 하였다.
⑤ 이 글에는 중국에 서양의 우주론을 전파한 서양의 인물은 나와 있지 않다.

8.⑤   세부 정보 파악하기

① 서양에서는 아리스토텔레스의 형이상학에 대한 재검토가 이루어진 것을 알 수 있고, 중국에서는 웅명우 등이 성리학과 같은 형이상학에 몰두하여 잘못된 우주론을 전개하고 있다고 비판하였으므로, 우주론을 정리하는 과정에서 형이상학적 사고에 대한 재검토가 이루어졌음을 알 수 있다.
② 일곱 번째 문단에서 '서양 과학의 우수한 면은 모두 중국 고전에 이미 갖추어져 있던 것'이라고 언급하여 서양 천문학의 전래가 중국에서 자국의 우주론 전통을 재인식하는 계기가 되었음을 알 수 있게 한다.
③ 다섯 번째 문단에서 청 왕조가 1644년 중국의 역법을 기반으로 서양 천문학 모델과 계산법을 수용한 시헌력을 공식 채택하였다고 언급하고 있으므로, 중국에 서양 천문학적 성과가 자리 잡게 된 데에는 국가의 역할이 작용하였음을 알 수 있다.
④ 마지막 문단에서 중국 천문학을 중심으로 서양 천문학을 회통하려는 매문정의 입장은 18세기 초를 기점으로 중국의 공식 입장으로 채택되었다고 하는 것에서 중국에서는 18세기에 자국의 고대 우주론을 긍정하는 입장이 주류를 이루었음을 알 수 있다.
❺ 일곱 번째 문단에서 왕석천과 매문정도 서양 과학의 경험적 추론과 수학적 계산을 통해 우주의 원리를 파악하고자 하였다고 하였으므로, 서양에서만 경험적 추론에 기초한 우주론이 제기되었다고 보는 것은 적절하지 않다.

오H 많이 틀렸을까?
8번은 사실적 사고 유형이야. 사실적 사고는 독해에 있어 가장 기본이 되는 문제 유형인데, 지문의 정보를 놓치게 되면 틀리기 쉬운 유형이기도 해. 이번 시험에서 정답률이 낮게 나왔다는 것도, 독해를 할 때 지문의 정보를 모두 확인하기 어려웠다는 증거가 되겠지. 첫 번째 문단에서 '천문학 분야의 개혁은 경험주의의 확산과 수리 과학의 발전을 통해 형이상학을 뒤바꾸는 변혁'이라고 한 부분에서 서양의 경험적 추론에 기초한 우주론을 알 수 있고, 일곱 번째 문단에서도 '서양 과학의 영향을 받아 경험적 추론과 수학적 계산을 통해 우주의 원리를 파악하고자 하였다.'에서 중국에서도 경험적 추론에 기초한 우주론이 나타났음을 알 수 있어. 사실적 사고 유형을 틀린 이유는 아마 지문의 난이도가 높아 주어진 정보인데도 제대로 확인하지 못했기 때문일 거야. 선지에 나온 내용을 지문에서 반드시 확인하는 것 수능 국어 독해의 가장 기본임을 잊지 말자!

9.④   생략된 정보 추론하기

① 두 번째 문단에서 아리스토텔레스는 '우주의 중심에 고정되어 움직이지 않은 지구의 주위를 달, 태양, 다른 행성들이 천구들과, 항성들이 붙어 있는 항성 천구가 회전한다는 지구 중심설'을 주장한 것을 알 수 있다. 따라서 항성 천구가 고정되어 있다고 본 것은 아리스토텔레스의 견해가 아니다.
② 행성이 태양에서 멀어질수록 공전 주기가 길어진다는 점에서 단순성을 충족시킨 것은 코페르니쿠스의 태양 중심설이다.
③ 지구와 행성이 태양 주위를 공전한다는 코페르니쿠스의 우주론은 아리스토텔레스의 이분법적 구도를 무너뜨리는 것으로, 두 학자의 이론은 결코 양립할 수 없다.
❹ 세 번째 문단에서 '브라헤는 코페르니쿠스 천문학의 장점은 인정하면서도 ~ 아리스토텔레스 형이상학과의 상충을 피하고자 ~ 지구 외의 행성들은 태양 주위를 공전하는 모형을 제안하였다.'라고 하였으므로 형이상학과의 상충을 피하고자 한 브라헤의 우주론은 곧 아리스토텔레스의 형이상학에서 자유롭지 못한 것임을 알 수 있다.
⑤ 신플라톤주의는 형이상학적 사고에 바탕을 둔 것으로, 케플러가 신플라톤주의에서 경험주의적 근거를 찾았다는 것은 적절하지 않다.

오H 많이 틀렸을까?
9번 문제 또한 지문의 독해를 기본으로 하고 있어. 다만 8번과 다른 점은 지문의 내용을 통해 지문에서 명시되어 있지 않아도 정보를 이끌어 낼 수 있는지를 확인하는 문제라는 것이지. 우리, 답지를 함께 보며 생각해 보자. 지문에서 거론된 '서양의 우주론'은 경험주의 확산과 수리 과학의 발달로 인해 점차 기존의 형이상학적인 개념으로부터 벗어나고 있고, 이에 만류 인력이나 행성의 운동 법칙 등이 발견되었지. 세 번째 문단에 보면, 브라헤는 코페르니쿠스의 천문학의 장점은 인정하면서도 아리스토텔레스 형이상학과의 충돌을 피하고자 지구가 우주 중심에 고정되어 있다고 하였으니, 이것은 브라헤가 아리스토텔레스 형이상학에서 자유롭지 못했음을 보여 주는 것이라 할 수 있어. 지문의 해당 정보를 찾고 그것을 바르게 판단해 내는 것이 이 문제를 푸는 핵심이라고 할 수 있어. 국어에서 제일 중요한 것은 지문에서 근거를 찾는 것! 반드시 몸에 익숙하도록 많이 연습하자!

10.⑤   세부 내용 추론하기

① 웅명우와 방이지 등은 성리학적 기론(氣論)에 입각하여 실증적인 서양 과학을 재해석한 것이나, 왕석천과 매문정이 중국 고전의 우주론을 서양 과학의 이론과 연결한 것은 모두 자국의 지적 유산에 서양 과학을 접목하려 한 것으로 볼 수 있다.
② 중국 천문학을 중심으로 서양 천문학을 회통하려는 매문정의 입장은 18세기 초를 기점으로 중국의 공식 입장으로 채택되어 『사고전서』에 그대로 반영되었다고 하였으므로, 서양 천문학과 관련된 내용이 중국의 역대 지식 성과를 집대성한 『사고전서』에 수록되었음을 알 수 있다.
③ 방이지는 독창적인 광학 이론을 제시했다는 점에서 서양 우주론의 영향을 받았지만 서양의 이론과 구별되는 새 이론의 수립을 시도하였다고 볼 수 있다.
④ 매문정은 서양 과학의 영향을 받아 수학적 계산을 통해 우주의 원리를 파악하고자 하였고, 고대 문헌에 언급된 증자의 말을 서양 이론에 연결하는 등 중국 고

대 문헌에 나타나는 천문학적 전통과 서양 과학의 수학적 방법론을 모두 활용하였다.
❺ 성리학적 기론을 긍정한 웅명우, 방이지와 같은 학자들은 중국 고대 문헌에 수록된 우주론에 대해서는 부정적 태도를 보였다고 하였으므로, 성리학적 기론을 긍정한 학자들이 중국 고대 문헌의 우주론을 근거로 서양 우주론을 받아들여 새 이론을 창안했다는 것은 적절하지 않다.

11.②   구체적 상황에 적용하기

① 밀도가 균질한 하나의 행성을 구성하는 동심의 구 껍질들이 같은 두께일 때, 반지름이 클수록 부피가 크기 때문에 질량도 크다. 따라서 하나의 구 껍질이 태양을 당기는 만유인력은 그 구 껍질의 반지름이 클수록 커진다.
❷ 지구와 태양의 질량은 서로 다르므로, 질량 m과 지구 사이의 만유인력은 질량 m과 태양 사이의 만유인력과 다르다. 따라서 태양의 중심에 있는 질량이 m인 질점이 지구 전체를 당기는 만유인력은, 지구의 중심에 있는 질량 m인 질점이 태양 전체를 당기는 만유인력과 크기가 다르다.
③ 질량이 M인 지구와 질량이 m인 달은 질량이 각각 M, m인 질점으로 볼 수 있으므로, 지구와 달은 질량이 M, m인 두 질점 사이의 만유인력과 동일한 크기의 힘으로 서로를 당긴다.
④ 지구는 무한히 작은 부피 요소들로 이루어져 있으므로, 태양을 구성하는 하나의 부피 요소와 지구 사이에 작용하는 만유인력은, 지구를 구성하는 모든 부피 요소들과 태양의 그 부피 요소 사이에 작용하는 만유인력들을 모두 더하면 구할 수 있다.
⑤ 질량이 M인 지구와 질량이 m인 구슬은 질량이 각각 M, m인 질점으로 볼 수 있으므로, 반지름 R, 질량이 M인 지구와 지구 표면에서 높이 h에 중심이 있는 질량이 m인 구슬 사이의 만유인력은 $R+h$의 거리만큼 떨어져 있으면서 질량이 M, m인 두 질점 사이의 만유인력과 크기가 같다.

오H 많이 틀렸을까?
기술 분야나 과학 분야의 문제는 지문에서 제시된 내용을 정확히 아는 것이 가장 중요해. 지문에서 기술 원리나 과학의 이론 등이 다루어지는데 선지에서 조금 다르게 바꾸어 서술하면 정답을 찾기가 어려워지거든. 그리고 그런 문제 유형은 대부분 어렵게 느껴지지. 11번 문제가 그렇지. 질점 하나와 천체 사이의 만유인력 크기와 천체들 간의 만유인력 크기에 대한 정확한 이해가 있었다면, 정답을 놓치지 않았을 문제겠지. 하지만 지문의 내용을 제대로 파악하지 않았다면 결코 수월하게 문제를 풀 수 없었을 거야. 그러니깐 이러한 유형을 틀렸다면 선지 하나하나를 지문의 내용과 대조해 가며 정답의 근거를 반드시 지문에서 찾도록 지문 열 개만 연습해 보자.

12.②   어휘의 문맥적 의미 파악하기

① '진작하다'는 '떨쳐 일어나다. 또는 떨쳐 일으키다.'의 의미이므로, ⓐ와 바꾸어 쓰기에는 '발생시킬', '야기할' 등의 말이 적절하다.
❷ '고안하다'는 '연구하여 새로운 안을 생각해 내다.'라는 의미이므로, '만들었다'와 바꾸어 쓰기에 적절하다.
③ '소지하다'는 '물건을 지니고 있다.'라는 의미이므로, '본래의 모양을 그대로 간직한'의 의미인 ⓒ와 바꾸어

쓰기에 적절하지 않다.
④ '설정하다'는 '새로 만들어 정해 두다.'의 의미이므로, '마음속으로 그러하다고 인정하거나 생각했다.'는 의미의 '여겼다'와 바꾸어 쓰기 적절하지 않다.
⑤ '시사되다'는 '어떤 것을 미리 간접적으로 표현해 주다.'의 의미이므로, '있어야 할 것을 가지거나 차리다.'는 의미인 '갖추어지다'와 바꾸어 쓰기에 적절하지 않다.

기술

본문 088쪽

Day 15

1. ④ 2. ④ 3. ① 4. ① 5. ②
6. ⑤ 7. ⑤ 8. ① 9. ③ 10. ②
11. ④ 12. ④

【1~4】 Behrouz A. Forouzan, '데이터 통신과 네트워킹'

지문해설

데이터 간의 거리는 추상적 거리의 개념으로, 데이터가 표현하려는 정보에 따라 측정 방법이 다르다. 해밍 거리는 부호의 관점에서 부호들 간의 거리를 표현하는 방법 중 하나로, 길이가 같은 두 부호를 비교하였을 때 두 부호의 같은 자리에 있는 서로 다른 문자의 개수로 나타낸다. 부호들 간의 최소 해밍 거리를 충분히 멀게 하면 통신, 저장 과정에서 발생하는 데이터의 오류를 검출하여 수정할 수 있다. 원시 부호에 확인 부호를 충분히 덧붙이면 전송 부호의 길이는 길어지지만 전송 부호들 간의 최소 해밍 거리도 함께 멀어져 오류가 발생했을 때 이를 검출하여 수정하는 것이 가능하다. 단 이때 보내야 하는 데이터의 양이 늘어나 전송 효율은 낮아진다.

■ **비문학 지문 어떻게 이해할까?**

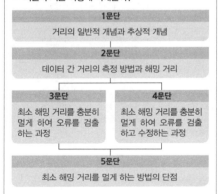

1문단
거리의 일반적 개념과 추상적 개념

2문단
데이터 간 거리의 측정 방법과 해밍 거리

3문단
최소 해밍 거리를 충분히 멀게 하여 오류를 검출하는 과정

4문단
최소 해밍 거리를 충분히 멀게 하여 오류를 검출하고 수정하는 과정

5문단
최소 해밍 거리를 멀게 하는 방법의 단점

■ **주제** : 데이터 간의 거리 개념과 해밍 거리에서 오류를 검출, 수정하는 방법

1. ④ 　세부 내용 파악하기

① 두 번째 문단에서 데이터가 2진수로 표현된 수치를 가리킨다면 데이터 간의 거리는 두 수치의 차라고 하였다.
② 첫 번째 문단에서 거리는 추상적인 성질이나 가치에 대한 차이를 나타내는 척도로도 사용될 수 있다고 하였다.
③ 첫 번째 문단에서 거리는 두 개의 지점이 공간적으로 떨어진 정도를 나타내는 물리적 개념이라고 하였다.
❹ 두 번째 문단에서 00, 11과 같은 2비트의 데이터가 2진수로 표현된 수치를 가리킨다면 00과 11의 거리는 두 수의 차인 3이 된다고 하였다. 한편 해밍 거리는 데이터를 부호로 보고 데이터 간의 거리를 두 부호가 구

별되는 정도로 보는 관점에서 부호들 간의 거리를 표현하는 방법으로, 00과 11의 해밍 거리는 2라고 하였다. 따라서 00과 11의 2진수 수치의 차이와 해밍 거리는 다르다.
⑤ 두 번째 문단에서 데이터 간의 거리는 추상적 거리의 개념으로, 데이터가 표현하려는 정보에 따라 측정 방법이 다르다고 하였다.

2. ④ 　구체적 상황에 적용하기

① [A]에서 전송 부호 간의 최소 해밍 거리가 3일 때 한 자리의 오류를 검출하여 수정할 수 있다고 하였다. 따라서 〈보기〉에서는 전송 부호 간의 해밍 거리가 3이 될 수 있도록 0은 000으로, 1은 111로 보내는 것임을 알 수 있다.
② [A]에서 p와 동일한 규칙의 확인 부호(q)를 한 번 더 덧붙여 xpq에 해당하는 3비트 단위를 만들어 송수신하고, 〈보기〉에서 확인 부호를 검사하여 p에 오류가 있으면 p자리를 1로, 오류가 없으면 0으로 표현한다고 하였다. 이로 보아 수신자가 010을 받았다면 p자리의 오류를 1로 표현하여 000으로 판단할 것이다.
③ [A]에서 수신자가 001, 010, 100, 011, 101, 110 중 하나를 받은 경우 오류 발생 자리를 검출하여 수정할 수 있는데, 가령 110의 경우 x인 1에 대해 p와 q는 각각 1이 되어야 1의 개수가 짝수가 되지만 q가 0이므로 1의 개수가 홀수이기 때문에 오류 발생 자리를 검출하여 110을 111로 수정할 수 있다고 하였다. 수신자가 110이나 101을 받은 경우도 이와 마찬가지로 1의 개수가 홀수이기 때문에 오류 발생 자리를 검출하여 110이나 101을 111로 판단할 것이다.
❹ [A]와 〈보기〉는 최소 해밍 거리가 3이고 한 자리의 오류만 있다고 가정했을 때 그 오류를 검출하여 수정하는 과정을 다루고 있다. 따라서 011을 받았을 때 p와 q 모두 오류가 있는 경우이지만 두 자리의 오류를 수정한다는 것은 적절하지 않다. 한 자리의 오류만 있다고 가정했으므로 p자리와 q자리에 각각 1이 표시된 것은 xpq 중 x가 틀렸기 때문이라고 추론할 수 있다.
⑤ [A]에서 xpq에 해당하는 3비트 단위를 만들어 전송 부호 000과 111 중 하나를 송수신한다고 가정한다고 했으므로, 수신자가 111을 받았다면 p자리와 q자리의 오류를 모두 0으로 표현하여 오류가 없는 것으로 판단할 것이다.

왜 말이 틀렸을까?

이 문제는 ③번과 ⑤번을 고른 학생이 많아 오답률이 높았어. 〈보기〉에서 오류가 있는 자리를 1로 표현한다고 했으므로 1이 표시되어 있으면 오류가 있다고 생각했거나 오류를 수정한다고 할 때 이를 반대로 바꾼다고 생각했기 때문일 거야. 하지만 이 문제는 [A]를 비롯해 지문에서 해밍 거리에서 오류를 검출하여 수정하는 과정에 대해 설명한 내용을 확인하고, 이를 선지와 비교해서 해결해야 해. 즉 [A]에 나타난 가정과 조건, 예시를 검토해 선지의 설명이 이와 부합하는지 확인하면 의외로 단순하게 답을 찾을 수 있어.

3. ① 　핵심 정보 이해하기

❶ 전송 부호는 고정된 원시 부호에 확인 부호가 덧붙어 만들어진다. 다섯 번째 문단에서 원시 부호에 확인 부호를 충분히 덧붙이면 전송 부호의 길이는 길어지지만 전송 부호들 간의 최소 해밍 거리도 함께 멀어지는데, 이에 따라 보내야 하는 데이터의 양도 늘어난다고

하였다. 이를 통해 전송 부호들 간의 최소 해밍 거리를 멀게 하면 전송하는 데이터의 양이 늘어날 것임을 알 수 있다.

② 세 번째 문단에서 부호 간의 최소 해밍 거리가 1인 경우 오류가 발생하더라도 오류가 있는지 알 수 없다고 하였다.

③ 두 번째 문단에서 해밍 거리는 길이가 같은 두 부호를 비교하였을 때 두 부호의 같은 자리에 있는 서로 다른 문자의 개수로 나타낸다고 했으므로, 두 전송 부호의 같은 자리에 같은 문자가 많을수록 해밍 거리가 멀어진다는 것은 적절하지 않다.

④ 다섯 번째 문단에서 확인 부호를 충분히 덧붙이면 전송 부호의 길이가 길어지고 이에 따라 전송 부호들 간의 최소 해밍 거리도 함께 멀어진다고 하였다.

⑤ 다섯 번째 문단에서 덧붙이는 확인 부호의 개수가 늘어나면 보내야 하는 데이터의 양이 늘어나 전송 효율이 낮아진다고 했으므로, 반대의 경우 보내야 하는 데이터의 양이 줄어들어 전송 효율은 높아질 것이다.

왜 많이 틀렸을까?

이 문제는 ⓐ에 대한 이해를 묻고 있지만 사실은 세부 내용을 파악하는 유형에 가까워. 즉 전송 부호는 고정된 원시 부호에 확인 부호를 덧붙인다는 것과 관련해서 지문에 흩어져 있는 정보를 확인해야 하는데, 선지와 관련된 지문의 내용을 검토해서 선지의 적절성을 바로 판단할 수 있었어. 그럼에도 ②, ③번 선지의 선택률이 높아 오답률이 높게 나타났는데 이 선지들을 선택했다면 지문에서 선지의 적절성을 판단하기 위해서 확인해야 할 부분을 찾지 못했던 것은 아닌지 검토해 보자.

4. ①　어휘의 문맥적 의미 파악하기

❶ '두 개의 지점이 공간적으로 떨어진 정도'에서 ⓐ '떨어지다'는 '일정한 거리를 두고 있다.'의 의미로 쓰인 예로, '본관과 조금 떨어져'의 '떨어지다' 또한 이 의미로 쓰였다.

② '해, 달이 서쪽으로 지다.'의 의미로 쓰인 예이다.

③ '다른 것보다 수준이 처지거나 못하다.'의 의미로 쓰인 예이다.

④ '달렸거나 붙었던 것이 갈라지거나 떼어지다.'의 의미로 쓰인 예이다.

⑤ '이익이 남다.'의 의미로 쓰인 예이다.

【5~8】 '인터넷 검색 엔진'

지문해설

인터넷 검색 엔진에서 웹 페이지가 화면에 나타나는 순서를 정하기 위해 고려하는 항목인 중요도와 적합도에 대해 설명한 글이다. 중요도는 웹 페이지의 중요성을 나타낸 것으로 링크 분석 기법으로 측정할 수 있다. 링크 분석 기법에서 웹 페이지 A의 값은 A를 링크한 다른 웹 페이지들로부터 받는 값의 합이고, 이렇게 받은 A의 값은 A가 링크한 다른 웹 페이지들에 균등하게 나눠진다. 이때 A가 링크한 웹 페이지들이 실제로 받는 값은 사용자들이 링크를 통해 다른 웹 페이지로 이동하지 않는 비율을 반영한 값인 댐핑 인자를 곱한 값이 된다. 적합도는 단어의 빈도, 단어가 포함된 웹 페이지의 수, 웹 페이지의 글자 수를 반영한 식을 통해 값이 정해진다. 검색 엔진은 중요도와 적합도, 기타 항목들을 적절한 비율로 합산하여 화면에 나열되는 웹 페이지의

순서를 결정한다.

■ 비문학 지문 어떻게 이해할까?

> **1문단**
> 검색 엔진에서 웹 페이지가 화면에 나타나는 순서를 정할 때 고려하는 항목 - 중요도와 적합도

> **2문단**
> 검색 엔진에서 인덱스의 개념과 역할

> **3문단**
> 링크 분석 기법을 통한 중요도 측정 방법

> **5문단**
> 적합도를 구하는 방법

> **4문단**
> 댐핑 인자를 반영한 중요도의 계산

■ **주제** : 인터넷 검색 엔진에서 웹 페이지가 화면에 나타나는 순서를 정하기 위한 항목인 중요도와 적합도를 구하는 방법

5. ②　세부 내용 파악하기

① 두 번째 문단에서 검색 엔진은 빠른 시간 내에 검색 결과를 보여 주기 위해 웹 페이지들의 데이터를 수집하여 인덱스를 미리 작성해 놓는다고 하였으므로, 사용자가 검색어를 입력한 직후에 인덱스가 작성된다는 것은 적절하지 않다.

❷ 세 번째 문단에서 댐핑 인자는 사용자들이 웹 페이지를 읽다가 링크를 통해 다른 웹 페이지로 이동하지 않는 비율을 반영한 값이라고 하였다. 그 비율이 20%일 때 댐핑 인자가 0.8이라고 하였으므로, 이동하지 않는 비율이 높을수록 댐핑 인자는 작아진다는 것을 알 수 있다. 이는 곧 다른 웹 페이지로 이동하는 비율이 높을수록 댐핑 인자가 커짐을 의미한다.

③ 세 번째 문단에서 링크 분석 기법은 적합도가 아니라 중요도를 측정하는 방법임을 알 수 있다.

④ 세 번째 문단에서 웹 페이지의 중요도를 측정하는 링크 분석 기법에서 웹 페이지 A의 값은 A를 링크한 각 웹 페이지들로부터 받는 값의 합이라고 하였다. 따라서 웹 페이지의 중요도가 다른 웹 페이지에서 받는 값과 다른 웹 페이지에 나눠 주는 값의 합이라는 것은 적절하지 않다.

⑤ 두 번째 문단에 따르면 인덱스는 단어를 알파벳순으로 정리한 목록이다. 마지막 문단에서 검색 엔진은 중요도와 적합도, 기타 항목들을 적절한 비율로 합산하여 화면에 나열되는 웹 페이지의 순서를 결정한다고 하였으므로, 검색 엔진에서 검색 결과를 정렬하는 순서가 인덱스에 정렬된 순서대로 나타난다고 볼 수 없다.

왜 많이 틀렸을까?

이 문제는 정답률이 매우 낮았는데 특히 ⑤번 선지의 선택 비율이 매우 높았고, ③, ④번을 고른 학생도 적지 않았어. 하지만 ③, ④번은 지문에서 해당 설명이 제시된 부분을 찾아 꼼꼼히 살펴보면 어렵지 않게 적절성을 파악할 수 있었고, ⑤번 또한 인덱스의 정렬 순서와 마지막 부분에 제시된 검색 엔진에서 검색 결과를 정렬하는 순서를 바탕으로 내용을 따져 보면 되는 해결되는 선지였어.
이에 비해 정답인 ②번에 대한 판단은 다소 어려울 수 있었어. 댐핑 인자는 사용자들이 링크를 통해 다른 웹 페이지로 이동하지 않는 비율과 관련된다는 것을 바탕으로, 반대로 사용자가 링크를 통해 다른 웹 페이지로 이동하는 비율과 댐핑 인자의 관계를 파악해야 해. 이때 예시로 제시된 수치를 활용하면 이해가 쉬운데, 사용자들이 링크를 통해 다른

웹 페이지로 이동하지 않는 비율이 20%라고 했으므로 그 반대의 경우는 80%임을 파악할 수 있지. 그리고 이때 댐핑 인자는 0.80이라고 했으므로, 사용자가 링크를 통해 다른 웹 페이지로 이동하는 비율과 댐핑 인자의 크기는 비례 관계임을 알 수 있어.

6. ⑤　인과 관계 파악하기

① 웹 페이지에 해당 검색어가 많이 나올 때는 ㉠ '중요도'가 아니라 ㉡ '적합도'가 높아지므로, 화제가 되고 있는 검색어들을 웹 페이지에 최대한 많이 나열하는 것은 ㉠이 아닌 ㉡을 높이는 방법이다.

② ㉠ '중요도'는 그 웹 페이지를 링크한 각 웹 페이지들로부터 받는 값의 합을 바탕으로 한다. 웹 페이지에서 유명 검색 사이트로 연결되는 링크와는 관련이 없다.

③ ㉡ '적합도'는 해당 검색어가 많이 나올수록, 그 검색어를 포함하는 다른 웹 페이지의 수가 적을수록, 현재 웹 페이지의 글자 수가 전체 웹 페이지의 평균 글자 수에 비해 적을수록 높아진다. 웹 페이지의 첫 부분에 알파벳순으로 앞 순서에 있는 단어들이 포함되어 있는 것은 ㉡과 관련이 없다.

④ 다른 많은 웹 페이지들이 링크하도록 하는 것은 ㉠ '중요도'를 높이는 방법으로, ㉡ '적합도'와는 관련이 없다. 또한 ㉡은 현재 웹 페이지의 글자 수가 전체 웹 페이지의 평균 글자 수에 비해 적을수록 높아지므로, 전체 글자 수를 많게 하면 ㉡은 낮아질 것이다.

❺ 네 번째 문단에 따르면 ㉡ '적합도'는 해당 검색어가 많이 나올수록, 그 검색어를 포함하는 다른 웹 페이지의 수가 적을수록, 현재 웹 페이지의 글자 수가 전체 웹 페이지의 평균 글자 수에 비해 적을수록 높아진다. 따라서 흔히 다루지 않는 주제를 간략하게 설명하면 그 주제를 포함하는 다른 웹 페이지의 수와 현재 웹 페이지의 글자 수가 적을 것이고, 주제와 관련된 단어를 자주 사용하면 웹 페이지에 해당 검색어가 많이 나오게 되므로 이때 ㉡은 높아질 것이다.

7. ⑤　구체적 사례에 적용하기

① a의 중요도는 a를 링크한 d와 b로부터 받은 값의 합이다. d로부터는 중요도 16에 댐핑 인자 0.5를 곱한 8을 받는다. b 또한 e로부터 16에 댐핑 인자 0.5를 곱한 8을 받고 이를 a와 c에 4씩 균등하게 나누어 주므로, b에서 a로는 4에 0.5를 곱한 2가 보내진다. 따라서 a의 중요도는 8과 2의 합인 10이다.

② a가 d로부터 받는 값은 8이고, b로부터 받는 값은 2이므로 두 값은 같지 않다.

③ b는 e로부터 16에 댐핑 인자 0.5를 곱한 8을 받고 이를 a와 c에 균등하게 나누어 주는데, b에서 a로의 링크가 끊어지면 c는 b로부터 8에 0.5를 곱한 4를 받는다. 따라서 이때 b와 c의 중요도는 다르다.

④ e에서 a로의 링크가 추가되면 e의 중요도 16은 a와 b에 균등하게 나눠진다. 따라서 이때 b의 중요도는 8에 댐핑 인자 0.5를 곱한 4가 된다.

❺ e에서 c로 링크가 추가되면 e의 중요도 16은 b와 c에 균등하게 나눠지며, 이때 각각이 받는 값은 8에 댐핑 인자 0.5를 곱한 값인 4이다. 그리고 b에서는 이렇게 받은 값을 a와 c에 균등하게 나누어 주므로 이때 각각이 받는 값은 2에 댐핑 인자 0.5를 곱한 값인 1이다. 따라서 c의 중요도는 e로부터 받은 4와 b로부터 받은 1을 합한 5이다.

용해 보면 입력된 이미지를 분석하여 출력하는 데이터는 모두 3×3×2(5+5)=180개가 된다.

왜 말이 틀렸을까?

이 문제는 지문에서 중요도를 구하는 방법에 대한 내용을 찾아 정리한 뒤 각 선지의 조건에 따라 중요도를 정확히 계산해야 하는 문제로, 계산을 복잡하게 만드는 링크를 조건으로 제시한 ③~⑤번 선지를 정확히 판단하는 것이 쉽지 않았던 듯해. 지문에서 확인해야 할 부분은 다음과 같아. 웹 페이지 A의 중요도는 A를 링크한 각 웹 페이지들로부터 받는 값의 합이고, 각 웹 페이지에서는 중요도에 댐핑 인자를 곱한 값이 보내진다고 했어. 그리고 각 웹 페이지에서 받은 값은 그 웹 페이지가 링크한 다른 웹 페이지들에 균등하게 나눠진다고 했지. 이를 바탕으로 각각의 조건에 따라 링크가 어떻게 달라지는지 그려 보고 이동하는 값을 표시해서 계산해야 해. 이때 값이 보내질 때는 댐핑 인자가 곱해진다는 것과, 연결한 링크가 둘일 때는 균등하게 나눠 낸다는 것을 놓치지 않으면 정확하게 계산할 수 있을 거야.

8. ①   어휘의 문맥적 의미 파악하기

❶ ⓐ '넘다'는 '일정한 시간, 시기, 범위 따위에서 벗어나 지나다.'라는 의미이다. '시간은 자정이 넘었다.'에서 '넘다'는 자정이라는 일정한 시간의 범위를 벗어난 것을 나타내므로, 문맥상 의미가 ⓐ와 가장 가깝다.

② '넘다'가 '높은 부분의 위를 지나가다.'의 의미로 쓰인 예이다.

③ '넘다'가 '경계를 건너 지나다.'의 의미로 쓰인 예이다.

④ '넘다'가 '어려움이나 고비 따위를 겪어 지나다.'의 의미로 쓰인 예이다.

⑤ '넘다'가 '일정한 곳에 가득 차고 나머지가 밖으로 나오다.'의 의미로 쓰인 예이다.

【9~12】벤자민 플렌치 외, '딥러닝 컴퓨터 비전'

지문해설

객체 탐지의 개념과 주요 모델의 원리와 장단점에 대해 설명하고 있다. 객체 탐지는 이미지에 있는 대상의 위치를 찾고 그 대상이 어떤 객체인지 판별하는 작업이다. 딥러닝 기반의 객체 탐지 모델은 '2단계 방식'과 '단일 단계 방식'으로 나눌 수 있다. 2단계 방식은 객체를 탐지하는 속도가 느려서 실시간 탐지에는 사용하기가 어렵다. 단일 단계 방식의 가장 대표적인 알고리즘 모델로는 'YOLO'가 있다. YOLO는 2단계 방식에 비해 탐지 속도가 매우 빨라서 많이 활용되고 있지만, 하나의 경계 상자당 하나의 객체만 탐지할 수 있고 영역별로 생성되는 경계 상자의 수가 제한적이라는 한계가 있다.

■ 비문학 지문 어떻게 이해할까?

1문단
객체 탐지의 개념

↓

2문단
딥러닝 기반의 객체 탐지 모델인 '2단계 방식'과 '단일 단계 방식'

↓

3문단
단일 단계 방식의 대표적 알고리즘 모델인 YOLO의 원리

↓

4문단
YOLO가 신뢰도 점수를 구하는 방법

↓

5문단
'비최댓값 억제(NMS)'의 과정

↓

6문단
YOLO의 장점과 한계점

■ **주제** : 객체 탐지 단일 단계 방식인 YOLO 모델의 원리와 장단점

9. ③   세부 내용 파악하기

① 첫 번째 문단에서 객체 탐지는 이미지에 있는 대상의 위치를 찾고 그 대상이 어떤 객체인지 판별하는 작업이라고 정의하고 있다.

② 두 번째 문단에서 2단계 방식의 객체 탐지 모델은 '처리하는 데이터가 많고 구조가 복잡하여 탐지 속도가 느리기 때문에 실시간으로 객체를 탐지하는 데는 어려움이 있다'고 밝히고 있다.

❸ 세 번째 문단에서 이미지에 표시되는 경계 상자의 중심점 좌표는 항상 기준이 되는 하나의 영역 안에 속해 있지만, '경계 상자의 크기는 영역의 크기와 상관없이 다양하게 표시된다'고 하였다. 따라서 이미지에 표시되는 경계 상자는 기준이 되는 영역의 크기에 따라 그 크기가 결정된다는 내용은 적절하지 않다.

④ 네 번째 문단에서 '경계 상자에 객체가 존재할 확률값과 그것이 특정 객체일 확률값을 곱하여 해당 경계 상자에 특정 객체가 존재할 확률값인 '신뢰도 점수'를 구한다'고 하였으며, '모든 경계 상자들은 미리 학습된 객체의 가짓수만큼 신뢰도 점수를 가'진다고 하였다.

⑤ 다섯 번째 문단에서 '서로 다른 경계 상자에서 같은 종류의 객체가 탐지될 수 있다. 이때는 각 경계 상자가 하나의 대상에 중복되어 표시된 것인지, 서로 다른 대상에 표시된 것인지를 판단하는'과정을 거친다고 하였다. 이를 통해 하나의 대상에 여러 개의 경계 상자가 그려질 수 있음을 확인할 수 있다.

10. ②   구체적 사례에 적용하기

① 세 번째 문단에서 'C는 미리 학습된 m가지 종류의 객체 데이터와 비교하여 각 객체일 확률을 표시한 값'이라고 하였다. 〈보기〉의 경계 상자 데이터에서 C_4의 값이 가장 큰 것을 볼 때, 탐지된 객체는 '고양이'일 가능성이 가장 높다.

❷ 네 번째 문단에 따르면 신뢰도 점수는 P_C와 C의 곱이고, 〈보기〉에서 입력된 이미지는 단일 객체이므로, 〈보기〉의 경계 상자 데이터에서 P_C와 C의 곱이 가장 큰 값을 갖는 '고양이'가 최종 탐지된 객체임을 알 수 있다. 그리고 P_C와 C를 곱한 값이 경계 상자 1보다 경계 상자 2가 더 크므로 경계 상자 2가 더 정확하게 객체를 탐지했음을 알 수 있다.

③ 세 번째 문단에서 '모든 영역마다 동일하게 N개의 경계 상자를 표시'한다고 하였다. 〈보기〉에서 〈출력된 데이터〉 그림을 보면 S가 3, 즉 총 영역이 3×3=9개임을 확인할 수 있고, 경계 상자의 수는 2라고 했으므로 입력된 이미지 전체 영역에 표시되는 경계 상자의 수는 9×2=18개임을 알 수 있다.

④ 세 번째 문단에서 '미리 학습된 객체의 가짓수에 따라 판별할 수 있는 객체의 가짓수가 결정'된다고 하였다. 〈보기〉에서 〈미리 학습된 객체 데이터〉는 5개이므로 입력된 이미지에서 탐지할 수 있는 객체의 종류는 모두 다섯 가지임을 알 수 있다.

⑤ 세 번째 문단에서 하나의 이미지가 입력되면 그 대상이 특정 객체일 확률값을 계산하여 총 'S×S×N(5+m)' 개의 데이터를 출력하게 된다고 하였다. 〈보기〉에서 YOLO의 설정값인 S는 3, N은 2, m은 5이다. 이를 적

왜 말이 틀렸을까?

제시문 내용을 파악하고 이를 〈보기〉에 적용해서 계산식의 값을 얻어내는 과정이 만만치 않은 문제였어. 선지 중 ③번에서 혼동을 겪은 학생들이 많았던 것 같아. 세 번째 문단에서 'YOLO는 이미지가 입력되면 먼저 이미지를 S×S의 영역으로 나누고, 하나의 영역을 기준으로 경계 상자 N개를 표시한다. 그리고 모든 영역마다 동일하게 N개의 경계 상자를 표시하면서 각각의 경계 상자에 특정 객체가 존재할 확률도 예측한다'고 하였는데, 여기서 각각의 내용이 의미하는 바를 잘 파악하지 못했기 때문일 거야. 구체적 사례에 적용하는 문제는 고난도로 자주 출제되기 때문에 꾸준히 연습해 두어야 해.

11. ④   구체적 사례에 적용하기

① 신뢰도 점수는 경계 상자의 위치와 객체 판별의 정확성을 나타낸다. ⓐ의 대상이 되는 경계 상자의 신뢰도 점수는 입력된 이미지에 있는 대상의 위치 등에 따라 다르다.

② ⓑ에서 계산된 IoU 값이 1에 가까울수록 두 경계 상자의 위치가 일치하게 되므로 두 상자의 중복되는 부분이 많아진다.

③ 서로 다른 경계 상자에서 같은 종류의 객체가 탐지될 때, 계산된 IoU 값이 임곗값보다 작을 경우에는 두 상자가 서로 다른 대상에 표시된 것으로 판단하여 두 경계 상자 모두 그대로 둔다. 따라서 ⓒ에서 경계 상자가 삭제되지 않았다면, 두 상자는 서로 다른 대상에 표시된 경계 상자로 판단된 것이다.

❹ 한 가지 종류의 객체를 기준으로 신뢰도 점수가 가장 큰 경계 상자와 나머지 경계 상자들과의 NMS를 실행하고 나면, 가장 큰 신뢰도 점수를 가진 경계 상자와 동일한 대상에 중복되어 표시되었다고 판단된 나머지 경계 상자들이 모두 지워진다. 이 과정은 하나의 특정 대상에 중복되어 표시된 여러 개의 경계 상자가 하나만 남을 때까지 반복되며, 지워지지 않고 남은 경계 상자는 같은 종류의 다른 대상에 표시된 경계 상자라고 판단한다. 결국 ⓓ의 과정이 끝나고 나면 하나의 특정 대상에 중복되어 표시된 여러 개의 경계 상자 중에서 하나만 남게 된다.

⑤ 한 가지 종류의 객체에 대해 NMS가 끝났을 때 삭제되지 않고 남아 있는 경계 상자는 서로 다른 대상에 표시된 경계 상자이다. 따라서 새로운 기준이 되는 경계 상자는 이전 객체의 기준이 되었던 경계 상자와는 다른 대상에 표시된 경계 상자이다.

12. ④   세부 내용 추론하기

① 제시된 글에서 대상의 크기에 따라 해당 경계 상자에 존재할 확률값이 달라진다는 내용은 찾을 수 없다.

② 객체에 대한 신뢰도 점수가 임곗값보다 작으면 경계 상자를 삭제하지 않고 그대로 둔다.

③ 만약 미리 학습된 데이터에 새가 없다면 새를 탐지하지 못하겠지만 이는 여러 물체가 한 영역 안에 모여 있는 경우와는 관련이 없다.

❹ YOLO는 하나의 경계 상자당 하나의 객체만 탐지할 수 있고, 영역별로 생성되는 경계 상자의 수가 제한적이기 때문에 새 떼와 같이 한 영역 안에 여러 물체가 모여 있는 경우에는 일부 객체만 탐지되는 한계를 가질

수 있다.
⑤ 처리하는 데이터가 많고 알고리즘의 구조가 복잡한 것은 2단계 모델의 한계점이다.

Day 16

본문 093쪽

1. ② 2. ③ 3. ① 4. ③ 5. ④
6. ② 7. ④ 8. ① 9. ⑤ 10. ③
11. ① 12. ①

【1~4】 나라심하 카루만치, '다양한 예제로 학습하는 데이터 구조와 알고리즘'

지문해설

자동 완성은 문자 입력 창에 한 글자만 쳐 넣어도 문장이 완성되는 기능이고, 검색은 저장되어 있는 문서에서 사용자가 원하는 검색어를 찾는 기능이다. 검색은 문서의 어느 위치에서도 검색어를 발견할 수 있어야 한다. 자동 완성과 검색은 사용자가 원하는 문자열을 어느 위치에서 찾느냐는 점에서는 다르지만, 문자열 비교 알고리즘을 기반으로 한다는 공통점이 있다. 검색 시간을 줄이기 위한 방법으로는 해시 함수와 해시값을 이용하는 방법이 있다. 해시 함수가 생성한 해시값이 문자열마다 고유하다면 해시값의 비교로 검색어를 빠르게 찾을 수 있다. 이때 대상 문자열이 고정되어 있다면 검색어가 길어질수록 비교 대상의 개수는 적어진다. 또 검색어가 고정되어 있다면 대상 문자열이 길어진다거나 많아질수록 비교 대상의 개수는 많아질 수 있다.

■ 비문학 지문 어떻게 이해할까?

1문단
자동 완성과 검색

2문단
문자열 비교 알고리즘

3문단
검색 시간을 줄이기 위한 방법   – 해시 함수의 해시값 생성

4문단
해시값 비교 방식의 효과

■ 주제 : 해시 함수를 이용하여 검색어를 빠르게 찾는 방법

1. ② 세부 정보 파악하기

① 첫 번째 문단에서 '검색은 저장되어 있는 문자열을 대상으로 검색어가 포함된 문자열을 찾는 것'으로, 대상 문자열의 어느 위치에서도 검색어를 찾을 수 있어야 한다고 하였다.
❷ 세 번째 문단에서 '해시 함수가 입력 가능한 문자열에 대해 모두 다른 해시값을 생성'한다고 하였다. 따라서 검색이 각기 다른 문자열에 동일한 해시값을 생성하는 해시 함수를 사용한다는 내용은 적절하지 않다.
③ 두 번째 문단에서 '검색이 가능하기 위해서는 검색어를 저장되어 있는 문자열의 부분 문자열과 비교하는 알고리즘이 필요하다'고 하였다.
④ 첫 번째 문단에서 자동 완성은 '사용했던 단어들 중에서 입력되는 문자와 첫 글자부터 일치하는 것을 찾고 그중 사용 빈도가 높은 단어들을 후보로 제시하는 것'이라고 하였다.
⑤ 첫 번째 문단에서 자동 완성은 '휴대 전화와 같이 문

자 입력이 불편한 경우 문자 입력을 편리하게 할 수 있'다고 하였다.

2. ③ 정보를 바탕으로 추론하기

① 검색어의 길이가 짧아지면 비교 대상의 개수가 늘어날 수 있다.
② 해시값은 해시 함수의 연산을 통해 생성되는 값이므로, 해시값이 작아져 해시 함수의 연산 시간이 단축될 수는 없다.
❸ 검색어보다 긴 대상 문자열의 개수가 늘어나는 것은 곧 비교 대상이 늘어남을 의미한다. 따라서 비교해야 하는 해시값들도 늘어나 비교 횟수가 증가할 수 있다.
④ 검색어의 길이가 짧아지면 비교 대상의 길이도 줄어든다. 하지만 비교 대상의 개수가 늘어나 해시값 비교 횟수가 증가할 수 있다.
⑤ 검색어의 길이가 길어지면 비교 대상의 개수가 줄어든다.

3. ① 구체적 상황에 적용하기

❶ '우리␣글'은 띄어쓰기를 포함하고 있으므로 [조건]에 따르면 띄어쓰기의 위치가 일치하는 부분 문자열만이 비교 대상이 될 수 있다. 따라서 '우리␣글'로 검색할 경우 띄어쓰기의 위치가 일치하는 부분 문자열 '에서␣창'과 '계원␣우'라는 2개의 비교 대상이 만들어진다. '한글:␣우'는 문장 부호 ':'가 있기 때문에 비교 대상에서 제외된다.
② 띄어쓰기가 포함된 '우리␣글'로 검색할 경우 [조건]에 따라 띄어쓰기의 위치가 일치하지 않는 부분 문자열은 제외해야 하므로, '우리글'로 검색할 경우의 비교 횟수가 더 많다.
③ '우리글'로 검색할 경우 '␣우리', '우리나', '리나라', '나라에', '라에서', '에서␣' 등 3글자의 비교 대상들이 만들어진다.
④ [조건]에서 검색어에 문장 부호가 포함되지 않는 경우 문장 부호가 있는 부분 문자열은 비교 대상에서 제외한다고 하였다. 이에 따라 검색어 '우리글'은 문장 부호를 포함하고 있지 않기 때문에 부분 문자열에 문장 부호가 포함된 '한글:', '글:␣', ':␣우'는 비교 대상에서 제외될 것이다.
⑤ '우리글'로 검색을 하면 비교 대상 문자열에서 일치하는 문자열을 찾을 수 있다. 하지만 '우리␣글'로 검색할 경우 일치하는 문자열을 찾을 수 없다.

에 제시된 조건을 간과하지 않는 것도 중요하지만, 지문 역시 놓치는 부분 없이 꼼꼼하게 파악해야 함을 잊지 말자.

4.③ 어휘의 사전적 의미 파악하기

❸ ⓒ '가정(假定)'은 '사실이 아니거나 또는 사실인지 아닌지 분명하지 않은 것을 임시로 인정함.'이라는 의미이다. '다른 사람의 말이나 행동, 형편 따위를 잘 알아서 긍정하고 이해함.'은 '납득'의 의미이므로 적절하지 않다.

【5~8】 운전자에게 차량 주위 영상을 제공하는 장치의 원리

지문해설

자동차를 운전할 때 운전자에게 제공되는 차량 주변 영상의 제작 원리를 설명한 글이다. 우선, 왜곡에 영향을 주는 카메라 자체의 내부 변수와 외부 변수를 활용하는 방법이 있다. 차량 주위 바닥에 바둑판 모양의 격자판을 펴 놓고 카메라로 촬영하는데 이때 렌즈에 의한 상의 왜곡이 발생하고 이러한 내부 변수로 인한 왜곡을 보정하기 위해 미리 왜곡 모델을 설정하여 왜곡을 보정한다. 반면에 차량에 장착된 카메라의 기울어짐 등으로 인해 발생하는 왜곡은 촬영된 영상과 실세계 격자판의 비교를 통해 영상에서 격자판이 회전한 각도와 격자찬의 위치 변화를 파악하여 왜곡을 보정한다. 이렇게 왜곡 보정이 끝나면 영상의 점들에 대응하는 3차원 실세계의 점들을 추정하여 원근 효과가 제거된 영상을 얻는 시점 변환이 이루어진다. 즉, 영상의 모든 점들과 격자판의 점들 간의 대응 관계를 가상의 좌표계를 이용하여 각 방향의 영상을 합성하여 차량 주위를 위에서 내려다본 것 같은 영상이 만들어진다.

■ **주제** : 운전자에게 제공되는 차량 주변의 영상 제작 원리

5.④ 세부 내용 파악하기

❹ 두 번째 문단에서 차량 주위 바닥에 바둑판 모양의 격자판을 펴 놓고 촬영하는 카메라는 광각 카메라는 빛이 렌즈를 지날때 렌즈 고유의 곡률로 인해 렌즈에 의한 상의 왜곡이 발생한다고 하였다. 이때 왜곡에 영향을 주는 카메라 자체의 특징을 내부 변수라고 하며 왜곡 계수로 나타내는데 이를 알 수 있다면 왜곡 모델을 설정하여 왜곡을 보정할 수 있으므로 적절한 설명이다.

6.② 중심 내용 파악하기

① 두 번째 문단에서 차량 주위 바닥에 바둑판 모양의 격자판을 펴 놓고 카메라로 촬영한다. 이 장치에서 사용하는 광각 카메라는 큰 시야각을 갖고 있다고 하였으나 이때 확보한 시야각이 ⓒ에서 작아지는지는 확인할 수 없다.

❷ 첫 번째 문단에서 ㉠은 광각 카메라를 이용하므로 렌즈에 의한 상의 왜곡이 발생한다고 하였다. 또한 세 번째 문단에서 ㉡에서는 영상의 점들을 격자의 모양과 격자 간의 상대적인 크기가 실세계에서와 동일하게 유지되도록 한 평면에 놓으면 2차원 영상으로 나타난다고

하였다. 즉, ㉠과 ㉡은 2차원에 해당하므로, 원근법에 따라 렌즈와 격자판 사이의 거리가 멀어질수록 격자판이 작아 보일 것이다.

③ 두 번째 문단에서 차량 주위 바닥에 바둑판 모양의 격자판을 펴 놓고 카메라로 촬영할 때, 광각 카메라는 빛이 렌즈를 지날 때 렌즈 고유의 곡률로 인해 영상이 중심부는 볼록하고 중심부에서 멀수록 더 휘어지는 현상이 발생한다고 하였다. 따라서 ㉠에서 렌즈와 격자판 사이의 거리에 따른 렌즈의 곡률 변화가 생긴다는 설명은 잘못되었다.

④ 두 번째 문단에서 차량에 장착된 카메라를 통해 촬영된 영상과 실세계 격자판을 비교하였을 때, 영상에서 격자판이 회전한 각도나 격자판의 위치 변화를 통해 카메라의 기울어진 각도 등을 알 수 있으므로 왜곡을 보정할 수 있다고 하였다. 따라서 ㉡과 실세계 격자판을 비교한다는 설명은 적절하지 않다.

⑤ 두 번째 문단에서 보듯이 '렌즈에 의한 상의 왜곡'은 ㉠에서 일어나는 현상이지, ㉡에해당하는 것이 아니다. ㉡은 왜곡이 보정된 영상을 가리키는 것이므로, ㉡에서 렌즈에 의한 상의 왜곡 때문에 격자판의 윗부분으로 갈수록 격자 크기가 더 작아 보이던 것이 ㉢에서 보정된다는 설명은 적절하지 않다.

오H 맞이 틀렸을까?

이렇게 원리를 제시하고 구체적인 자료를 주는 글을 읽을 때에는 머릿속으로 그 원리가 작동되는 모습을 그려가면서 읽는 것이 좋겠지. 어휘들이 생소하고 복잡해보여도 결국 문제가 우리에게 요구하는 것은 처음 보는 지문을 읽고도 글에 담긴 실질적인 정보나 원리를 정확히 이해하고 추론하며 비판적으로 분석할 수 있는지를 묻는 거라는걸 명심해.

7.④ 구체적 사례에 적용하기

① 원근 효과가 제거되기 전의 영상에서는 C는 윗변이 아랫변보다 짧게 보일 것이다.

② 시점 변환 전의 영상에서 D는 C보다 더 큰 크기로 영상의 더 아래쪽에 위치할 것이다

③ A와 B는 p와 q 간의 대응 관계를 이용한 것에 해당하지 않으므로, 이 대응 관계를 이용하여 바닥에 그려진 도형을 크기가 유지되도록 한 평면에 놓은 것이라는 설명은 적절하지 않다.

④ 시점을 변환하여서 원근 효과가 제거된다면 위에서 내려다보는 영상의 경우에도 거리에 따른 물체의 크기 변화는 나타나지 않는다. 따라서 물체의 상대적인 크기는 실세계와 동일하게 나타날 것이다. 〈보기〉의 그림은 운전자에게 제공된 것으로, 위에서 내려다보는 시점의 그림이다. 이때의 A는 B보다 차에 있는 카메라로부터 더 멀리 떨어져 있으며 크기는 더 작은 도형이다. 따라서 역으로 시점을 변환하기 전의 영상에서는 카메라로부터 더 멀리 있는 A가 〈보기〉의 그림보다 더 작게 나타났을 것이다. 이를 종합하면 B에 대한 A의 상대적 크기는 가상의 좌표계를 이용하여 시점을 변환하기 전의 영상에서보다 더 커진 것이라는 설명은 적절하다.

⑤ p에 대응하는 실세계의 점이 시점 변환을 통해 선으로 나타날 수 없다.

오H 맞이 틀렸을까?

이 문제를 정확히 풀기 위해서는 시점이 변환되기 전과 후를 비교해야 해. 우리가 실생활에서 보는 물건의 모습은 원근법의 적용을 받지만, 만약 맨 위에서 모두를 내려보는 시점에서 본다면 이야기가 달라지겠지.

8.① 단어의 의미 파악하기

❶ '그때 동생이 탄 버스는 교차로를 지나고 있었다'의 '지나고'는 '어디를 거쳐 가거나 오거나 하다'라는 의미로 ⓐ와 유사한 의미이다.

【9~12】 '메타버스(metaverse)'의 몰입도를 높이는 여러 가지 기술

지문해설

현실 세계와 가상 공간이 적극적으로 상호 작용하는 공간인 '메타버스'에서 사용자의 몰입도를 높이는 데 활용되는 여러 가지 기술을 설명한 글이다. 감각 전달 장치는 사용자를 대신하는 아바타가 보고 만지는 것으로 설정된 감각을 사용자에게 전달하는 장치이며, 시각을 전달하는 장치인 HMD는 사용자의 양쪽 눈에 시차가 있는 영상을 전달하여 이를 뇌에서 조합하는 과정에서 사용자가 입체감을 느끼게 하는 장치이다. 가상 현실 장갑은 물체를 접촉하는 것처럼 감각 반응을 사용자의 손에 직접 전달하는 한편 사용자의 손가락과 팔의 움직임에 따라 아바타를 움직이게 해 주고, 공간 이동 장치인 가상 현실 트레드밀은 사용자의 움직임을 아바타에게 전달해 준다. 그리고 모션 트래킹 시스템은 사용자의 동작에 따라 아바타도 동일하게 움직일 수 있도록 동기화하는 시스템으로 사용자의 움직임이나 트레드밀의 작동 변화에 따라 HMD에 표시되는 가상 공간 장면이 변경되어 사용자의 현실감을 더 높일 수 있다.

■ **비문학 지문 어떻게 이해할까?**

1문단
메타버스의 개념과 감각 전달 장치의 특징

2문단
시각을 전달하는 장치인 HMD와 가산 현실 장갑의 효과

3문단
공간 이동 장치인 가상 현실 트레드밀의 특징

4문단
모션 트래킹 시스템의 구성과 작동 방법

■ **주제** : 메타버스에서 사용자의 몰입도를 높이는 기술들의 특징

9.⑤ 세부 내용 파악하기

① 첫 번째 문단과 세 번째 문단에서 각각 감각 전달 장치와 공간 이동 장치를 통해 메타버스에 몰입할 수 있음을 설명하고 있다.

② 세 번째 문단에서 공간 이동 장치는 '사용자의 움직임을 아바타에게 전달'한다고 하였다.

③ 두 번째 문단에서 시각을 전달하는 장치인 HMD를 통해 '전달된 영상을 뇌에서 조합하는 과정에서 사용자는 공간과 물체의 입체감을 느낄 수 있다.'라고 하였다.

④ 첫 번째 문단에서 '감각 전달 장치는 메타버스 속에서 사용자를 대신하는 아바타가 보고 만지는 것으로 설정된 감각을 사용자에게 전달하는 장치'라고 하였다.

❺ 두 번째 문단에서 가상 현실 장갑은 '가상 공간에서 물체를 접촉하는 것처럼 사용자의 손에 감각 반응을 직접 전달하는 장치'로, '사용자의 손가락 및 팔의 움직임

에 따라 아바타를 움직이게 할 수 있다.'라고 하였다. 그러나 가상 현실 장갑을 통해 사용자의 감각 반응을 아바타에게 전달할 수 있는 것은 아니다.

---

10. ③ 세부 내용 이해하기

① 사용자의 이동 속도는 관성 측정 센서로 측정할 수 있으나, 뛰는 힘은 압력 센서를 통해 파악할 수 있다.
② 사용자의 움직임이나 트레드밀의 작동 변화에 따라 HMD에 표시되는 가상 공간의 장면이 변경되는 것이다.
❸ 세 번째 문단에서 가상 현실 트레드밀은 일정한 공간에 설치되어 360도 방향으로 사용자의 이동이 가능하도록 바닥의 움직임을 지원하는 장치임을 알 수 있다. 그리고 [A]에서는 아바타가 존재하는 가상 공간의 환경 변화에 따라 트레드밀 바닥의 진행 속도 및 방향, 기울기 등이 변경된다고 하였다. 따라서 가상 공간에서 아바타가 경사로를 만나면 가상 현실 트레드밀 바닥의 기울기가 변경될 것이다.
④, ⑤ 모션 트래킹 시스템은 사용자의 동작에 따라 아바타가 동일하게 움직일 수 있도록 동기화하는 시스템이다.

---

11. ① 구체적 사례에 적용하기

❶ 〈보기〉에서 키넥트 센서는 동작 추적 센서의 하나라고 하였는데, 네 번째 문단에 따르면 동작 추적 센서는 사용자의 동작을 파악하는 센서이다. 따라서 키넥트 센서가 가상 공간에 있는 물체들 간의 거리를 측정하여 입체감을 구현한다고 볼 수는 없다.
② 모션 트래킹 시스템은 사용자의 동작에 따라 아바타가 동일하게 움직일 수 있도록 동기화하는 시스템이다. 따라서 동작 추적 센서인 키넥트 센서로 사용자의 춤추는 동작 정보를 확보했다면 이를 통해 아바타의 춤추는 동작이 구현될 수 있을 것이다.
③ 사용자의 동작을 파악하는 키넥트 센서와 사용자의 이동 속도 변화율 및 회전 속도를 측정하는 관성 측정 센서를 이용하면 사용자의 걷는 자세 및 이동 속도 변화율을 파악할 수 있을 것이다.
④ 〈보기〉의 〈그림〉에 제시된 골격 이미지에서 신체 부위에 대응되는 연결점 중 얼굴에 위치한 것은 1개뿐이다. 따라서 이러한 골격 이미지로는 사용자의 얼굴 표정 변화를 아바타에 전달할 수 없을 것이다.
⑤ 〈보기〉에서 키넥트 센서는 적외선 카메라가 제공하는 피사체의 입체 정보를 포함하는 저해상도 단색 이미지와 RGB 카메라가 제공하는 고해상도 컬러 이미지를 바탕으로 3D 골격 이미지를 생성한다고 하였다.

오H 많이 틀렸을까?

이 문제는 키넥트 센서가 동작 추적 센서이며 사용자의 동작을 파악하는 센서라는 점만 정확하게 파악했다면 어렵지 않게 풀 수 있어. 그런데 헷갈려 한 학생이 많았던 것은 ①에서 키넥트 센서를 통해 입체감을 구현할 수 있다는 설명이 맞다고 보고, 그 앞의 '물체들 간의 거리를 측정하여'라는 진술이 잘못되었다는 것을 놓쳤기 때문일 거야. 선택지를 끊어 읽으며 각 부분의 연결 관계가 옳은지, 그 내용이 지문이나 〈보기〉의 내용과 일치하는지 잘 살펴야 해.

---

12. ① 어휘의 문맥적 의미 파악하기

❶ ⓐ의 '맞추다'는 '어떤 기준이나 정도에 어긋나지 아

니하게 하다.'의 의미이다. '피아노를 노래에 맞추다'의 '맞추다' 또한 이 의미로 사용된 것이다.
②, ③ '서로 어긋남이 없이 조화를 이루다.'의 의미이다.
④ '일정한 수량이 되게 하다.'의 의미이다.
⑤ '둘 이상의 일정한 대상들을 나란히 놓고 비교하여 살피다.'의 의미이다.

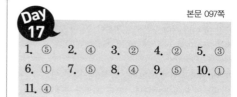

1. ⑤ 2. ④ 3. ② 4. ② 5. ③
6. ① 7. ⑤ 8. ④ 9. ⑤ 10. ①
11. ④

【1~6】 박승균, '선박의 진수와 드라이 독'

지문해설

선박의 진수 과정과 이에 사용되는 시설인 '드라이 독'에 대해 설명하고 있다. 선박의 진수란 새로 건조한 배를 물에 띄우는 것으로 이에 이용되는 드라이 독은 바다와 접한 육상에 선박이 출입할 수 있는 크기로 만든 시설이다. 드라이 독의 수문을 닫고 독 내부의 물을 빼, 독 내부가 육상과 같은 환경이 되면 선박 건조가 시작된다. 선박 건조가 완료되면 흘수보다 약간 깊은 정도로 물을 채우는데, 이를 1차 진수라고 한다. 이때 흘수는 선박의 물에 잠길 부분의 부피를 추정하여 알아내는데, 이 부피를 추정하기 위해서는 '심프슨 공식'이 활용된다. 1차 진수에서 이상이 없으면, 독 내부와 외부의 수위가 같아질 정도로 물을 채우고 배를 띄우게 되는데 이를 2차 진수라고 한다. 그리고 독의 수문을 제거하고 배를 끌어낸다. 드라이 독은 선박 건조뿐만 아니라 운용 중인 선박의 수리와 점검에도 이용된다.

■ 비문학 지문 어떻게 이해할까?

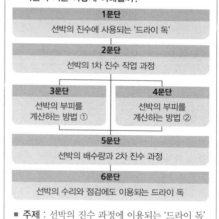

1문단
선박의 진수에 사용되는 '드라이 독'

2문단
선박의 1차 진수 작업 과정

3문단	4문단
선박의 부피를 계산하는 방법 ①	선박의 부피를 계산하는 방법 ②

5문단
선박의 배수량과 2차 진수 과정

6문단
선박의 수리와 점검에도 이용되는 드라이 독

■ 주제 : 선박의 진수 과정에 이용되는 '드라이 독'

---

1. ⑤ 글의 세부 정보 이해하기

❺ 마지막 문단에서 드라이 독에서 수리와 점검을 마친 선박은 다시 진수의 과정을 거치며, 처음 진수할 때와 비교해 배수량의 차이가 생긴다는 내용을 확인할 수 있다. 그러므로 드라이 독에서 수리를 마친 선박을 다시 운용할 때 진수 과정이 생략된다는 내용은 적절하지 않다.

---

2. ④ 구체적 상황에 적용하여 이해하기

① 세 번째 문단을 보면 선박은 대부분 유선형이고, 선수와 선미 부분은 곡선 형태이기 때문에 선박의 물에 잠길 부분의 부피를 구하는 것이 간단하지 않다고 하였다. 그래서 실제 도형 면적의 근삿값을 구하는 심프슨 공식을 이용하여 선박의 부피를 추정할 수 있다고 설명하고 있다.

---

② 세 번째 문단에서 심프슨 공식을 적용하여 면적을 구할 때 여러 개의 구간으로 세분한 후, 이 구간들의 면적을 합산하면 더욱 정밀하게 계산할 수 있다고 하였다.

③ 네 번째 문단에서 심프슨 공식을 이용해 단면적 곡선 내부의 면적을 구하면 선박의 부피를 추정할 수 있다고 하였다.

❹ 〈보기〉는 선박 일부의 물에 잠길 부분을 드러내는 수직 단면적 곡선이다. 구역 Ⅰ~Ⅲ은 단면적이 일정한 것으로 나타나 있는데, 이는 해당 구간에서 선박의 물에 잠길 부분의 단면적이 일정하다는 것을 나타낸 것이다. 이를 두고 해당 구역이 물에 잠길 부분의 형태가 직육면체라고 추정하는 것은 적절하지 않다.

⑤ 네 번째 문단에서 선수와 선미 부분에서는 수직 단면적의 변화 폭이 크다고 하였다. 따라서 구역 Ⅳ~Ⅶ은 급격한 단면적 변화가 나타나는 것으로 보아, 선박의 선수나 선미 부분에 해당한다는 것을 알 수 있다.

오H 맞이 틀렸을까?

선박의 형태상의 특징으로 인해 선박의 부피를 구할 때 적용하는 '심프슨 공식'을 잘 이해하고 있는지 수직 단면적 곡선을 통해 구체적으로 살펴보는 문제였다. 선박의 물에 잠길 부분의 부피를 구할 때는 단면적 곡선이 그려진 그래프를 이용하는데, 수평축은 일정한 길이의 구역으로 분할된 선박 측면에서의 위치로, 수직축은 선박의 수직 단면적으로 설정한다고 했다. 대부분 선박은 그 형태로 인해 수직 단면적이 변화하고, 특히 선수와 선미 부분에서는 변화 폭이 크다고 했다. 이를 통해 Ⅳ~Ⅶ은 급격한 단면적 변화가 나타나는 것으로 보아, 선박의 선수나 선미 부분에 해당한다고 볼 수 있겠지. 이런 특징을 잘 적용해서 풀도록 해!!

3. ② 핵심 정보를 이용하여 추론하기

① 두 번째 문단에서 선박의 부력의 크기와 배수량은 같다고 했다. 따라서 1차와 2차 진수에서 배수량이 동일하다면, 이 선박의 물에 잠긴 부분의 부피가 같으며, 흘수도 같다는 것을 알 수 있으므로 적절하다.

❷ 두 선박의 배수량이 같다면 두 선박의 부력의 크기는 같다. 따라서 두 선박의 배수량이 같다면 두 선박의 물에 잠긴 부분의 부피는 같기 때문에, 흘수가 다르다는 전제는 성립하지 않기 때문에 적절하지 않다.

③ 두 번째 문단에서 '부력의 크기는 물체가 물을 밀어낸 부피만큼의 물의 무게로 이는 배수량을 의미한다'고 했다. 따라서 두 선박의 배수량이 다르다면, 두 선박이 밀어낸 물의 양도 차이가 난다고 볼 수 있다.

④ 두 번째 문단에서 선박의 배수량은 선박 자체의 무게와 화물, 연료 등의 무게를 합한 것이라고 했다. 선박의 배수량은 부력의 크기와 같다는 점을 고려할 때, 건조가 완료된 선박에 화물과 연료를 실어 선박의 배수량이 증가하게 되면 선박이 받는 부력의 크기도 커질 것이다.

⑤ 다섯 번째 문단을 보면, 선박 진수에서 독 외부와 내부의 수위가 같아질 때까지 물을 채워 선박을 띄운다고 했다. 이를 통해 배수량이 작은 선박과 큰 선박 모두 처음 드라이 독 내부로 들어가 수문이 닫힐 때, 독 안에 차 있는 물의 높이는 같다고 볼 수 있다. 이때 선박의 배수량이 다른 경우 선박의 부력의 크기가 다르다는 점을 고려해야 한다. 같은 드라이 독 안에서 배수량이 큰 선박은 배수량이 작은 선박에 비해 선박의 물에 잠겨 있는 부분의 부피가 더 크고, 배수량이 작은 선박은 물속에 잠겨 있는 부분의 부피가 배수량이 큰 선박에 비해 작다는 것을 알 수 있다. 그러므로 선박의 수리를 위

해 독 내부의 물을 뺄 때 배수량이 작은 선박이 더 많은 양의 물을 빼야만 한다.

오H 맞이 틀렸을까?

이 문제는 정답률이 20% 초반으로 이번 시험에서 가장 정답률이 낮은 문제였어. 이번 문제는 결국 배수량과 부력의 크기의 상관관계를 정확히 파악하고 있는지 묻는 문제였어. 많은 학생이 혼선을 겪은 선택지 ⑤번을 보면 배수량은 부력의 크기와 같다는 점을 염두에 두면 배수량이 큰 선박은 배수량이 작은 선박에 비해 선박의 물에 잠겨 있는 부분의 부피가 더 크다는 점을 알 수 있겠지. 여기서는 배수량이 다른 두 선박을 같은 드라이 독에서 수리하려고 할 때 독 안에 선박을 가두게 되는데, 이때에는 해수면과 독의 채워진 물의 높이가 같다는 점도 고려해 두어야 해. 그러면 배수량이 작은 선박과 큰 선박 모두 처음 독 내부로 들어가 수문이 닫힐 때, 독 안에 차 있는 물의 높이는 같다는 점도 이해할 수 있을 거야. 배수량이 작은 선박은 물속에 잠겨 있는 부분의 부피가 배수량이 큰 선박에 비해 작기 때문에 선박의 수리를 위해 독 내부의 물을 뺄 때 더 많은 양의 물을 빼야만 한다는 사실을 그림을 그리면서 이해해보도록 해.

4. ② 정보를 바탕으로 이유 추론하기

①, ③, ④, ⑤는 제시된 내용과는 관련이 없다.

❷ 세 번째 문단을 보면, 선박의 수직 단면적과 유사한 도형의 면적을 계산하려면 두 개의 사다리꼴의 면적을 계산해 합산하면 된다고 하였다. 이때 두 개로 분할된 사다리꼴을 세 개로 분할하면, 도형의 곡면과 사다리꼴의 면적 차이가 줄어들어서 더 정밀한 근삿값을 얻을 수 있다고 했다. 따라서 선박의 폭을 여러 개의 구간으로 세분한 후 이 구간의 면적을 합산하는 이유는, 각 구간의 사다리꼴과 도형의 곡면이 이루는 면적 차이가 더 줄어들게 되어 수직 단면적의 근삿값을 더욱 정밀하게 계산할 수 있기 때문이다.

5. ③ 비슷한 대상과 비교하여 이해하기

❸ 드라이 독은 육상에 설치하기 때문에 위치를 이동시킬 수 없지만, 〈보기〉의 플로팅 독은 수상에서 운용하므로 선박 건조가 완료되면 플로팅 독을 수심이 깊은 해역으로 이동시킬 수 있다고 했다.

6. ① 어휘의 문맥적 의미 이해하기

❶ ⓐ의 '(과정을) 거치다'는 '어떤 과정이나 단계를 겪거나 밟다.'라는 의미로 사용되었다. 그러므로 '(선발 단계를) 거친'에서 사용된 '거치다'와 의미가 가장 가깝게 사용되었다.

【7~11】 김용석, '운영체제'

지문해설

컴퓨터에서 공유 자원을 이용해 프로세스를 처리하는 과정에서 '교착 상태'와 '기아 상태'라는 것이 발생하게 된다. 교착 상태를 해결하기 위해서는 예방, 회피, 발견 및 복구의 방법 등이 활용되나, 어떤 자원들은 근본적으로 동시에 공유가 불가하므로, 상호 배제 조건은 부정할 수 없다. 한편 교착 상태는 다음과 같은 네 가지 조건을 모두 충족했을 때 발생한다. 이때 자원에 대한 배타적인 통제권을 요구하는 것을 '상호 배제 조건', 프로세스가 할당된 자원

을 가진 상태에서 다른 자원을 기다리는 것을 '점유 대기 조건', 프로세스가 어떤 자원의 사용을 끝낼 때까지 그 자원을 사용할 수 없는 것을 '비선점 조건', 프로세스가 순환적으로 다음 프로세스가 요구하는 자원을 가지고 있는 것을 '순환 대기 조건'이라고 명명한다. 한편 교착 상태를 회피하는 방법으로는 '은행원 알고리즘'이라는 것을 활용하고, 시스템 내에 안전 순서열이 존재하는 상태에서는 '안전 상태'에서 자원을 분배하면 교착 상태의 회피가 가능하다. 또한 교착 상태를 발견하는 방법으로는 '자원 할당그래프'를 이용하며 교착 상태를 해결하기 위해 시스템을 교착 상태 이전으로 복구시키는 방법을 사용하나 단 교착 상태를 무시하는 경우도 있다고 언급되어 있다.

■ **주제** : 컴퓨터가 프로세스를 처리하는 과정에서 일어나는 '교착 상태'와 '기아 상태'를 해결하기 위한 방법

7. ⑤ 세부 정보 파악하기

① 두 번째 문단에서 교착 상태는 예방, 회피, 발견 및 복구의 방법으로 해결 가능한데 우선 교착 상태의 네 가지 필요조건 중 하나를 부정함으로써 교착 상태의 발생을 사전에 예방할 수 있다고 하였다. 이 중에 특정 프로세스의 실행 전에 필요한 모든 자원을 미리 할당하여 점유 대기 조건을 부정하는 방법이 있다고 하였으므로, 특정 프로세스에 필요한 모든 자원을 미리 할당할 경우 교착 상태를 예방할 수 있으므로 적절하지 않다.

② 세 번째 문단에서 시스템 내에 안전 순서열이 존재하는 상태를 '안전 상태'라고 하며 이러한 안전 상태에서만 프로세스에 자원을 분배함으로써 교착 상태를 회피할 수 있다고 하였으므로 적절하지 않다.

③ 다섯 번째 문단에서 교착 상태를 해결하기 위해 투입되는 자원이나 시간으로 인해 발생하는 시스템의 성능 저하가 교착 상태로 인해 발생하는 성능 저하보다 큰 경우 발견된 교착 상태를 무시하기도 한다고 하였다. 따라서 교착 상태를 무시할 경우에 교착 상태로 인해 발생하는 컴퓨터의 성능 저하를 막을 수 없으므로 적절하지 않다.

④ 다섯 번째 문단에서 교착 상태가 발견되면 교착 상태 해결을 위해 시스템을 교착 상태 이전으로 복구시키는 방법을 사용한다고 하였다. 이때 주로 교착 상태에 속한 프로세스들을 중지시키는 방법을 사용한다고 하였으므로, 교착 상태에 속한 프로세스를 중지시킬 경우 시스템을 교착 상태 이전으로 복구할 수 있으므로 적절하지 않다.

❺ 다섯 번째 문단에서 교착 상태가 해결되었음에도 불구하고 시스템 내 특정 프로세스에 기아 상태가 발생할 경우에는 새로운 프로세스의 시작을 보류하도록 조치하여 기아 상태를 해결한다고 하였다.

8. ④ 세부 내용 추론하기

❹ 첫 번째 문단에서 〈그림 1〉처럼 다섯 명의 철학자(P1~P5)가 앉아 있는 자리 왼쪽에 포크(f1~f5)가 각각 하나씩 놓여 있을 때, 스파게티를 덜어 오기 위해서 철학자는 양옆의 포크를 동시에 이용해야 하며, 다른 철학자가 사용 중인 포크는 사용할 수 없다고 하였다. 또 모든 철학자 Pn이 왼쪽의 포크 fn을 먼저 든 다음 오른

쪽 포크 fn+1을 들어서 스파게티를 가져오기로 약속했을 때, 스파게티를 가져오기 위해 모든 철학자가 동시에 왼쪽 포크를 들게 되면, 오른쪽에는 남는 포크가 없어 모두가 무한정 서로를 기다리는 교착 상태가 발생한다. 또한 교착 상태가 해결되더라도 여러 이유로 특정 철학자에게 포크를 들 기회가 주어지지 않을 경우 특정 철학자만 스파게티를 먹지 못하는 기아 상태가 발생하게 된다. 이를 해결하는 방법으로 두 번째 문단에서 데이크스트라는 ㉠을 제시하였는데, 모든 철학자 Pn이 동시에 포크 fn을 집더라도, P5만 f1을 집는다면 모두가 식사를 하지 못하는 상황이 해결되며 적어도 한 명은 식사를 할 수 있게 된다. 즉, 교착 상태를 해결하는 방법이 되기 때문에 적절하다.

9. ⑤ 세부 내용 추론하기

① 두 번째 문단에서 '점유 대기 조건'이란 프로세스가 할당된 자원을 가진 상태에서 다른 자원을 기다리는 것으로, 여러 프로세스가 공유 자원을 동시에 사용할 수 있도록 특정 프로세스의 실행 전에 필요한 모든 자원을 미리 할당하여 점유 대기 조건을 부정하는 방법을 사용할 수 있다고 하였다. 따라서 특정 철학자에게 포크 두 개를 미리 지정해 주는 방법은 점유 대기 조건을 부정하는 방법에 해당한다.

② 두 번째 문단에서 '상호 배제 조건'이란 자원에 대한 배타적인 통제권을 요구하는 것으로, 여러 프로세스가 공유 자원을 동시에 사용할 수 있게 하는 방법으로 상호 배제 조건을 부정할 수 있다. 따라서 만찬 중 두 철학자가 하나의 포크를 동시에 공유할 수 없는 것은 상호 배제 조건을 충족하고 있다고 볼 수 있다.

③ 두 번째 문단에서 '비선점 조건'이란 프로세스가 어떤 자원의 사용을 끝낼 때까지 그 자원을 사용할 수 없는 것으로, 철학자들이 다른 철학자가 사용 중인 포크를 사용할 수 없다는 것은 비선점 조건을 충족하는 것에 해당한다.

④ 두 번째 문단에서 교착 상태를 예방하는 과정에서 장치의 이용률과 속도가 저하되고 기아 상태가 발생하기도 한다고 하였다. 따라서 교착 상태를 발생시키는 조건을 부정하여 교착 상태를 예방하더라도 특정 철학자가 식사를 못 하는 기아 상태가 발생할 수 있다.

❺ 두 번째 문단에서 실제 교착 상태는 예방, 회피, 발견 및 복구의 방법으로 해결 가능한데, 우선 교착 상태의 네 가지 필요조건 중 하나를 부정함으로써 교착 상태의 발생을 사전에 예방할 수 있다고 하였다. 따라서 자원에 고유한 순서를 할당하여 순환 대기 조건을 부정한다면 교착 상태를 예방할 수 있을 것이다. 그러므로 철학자들이 집는 포크에 고유한 순서를 할당하여 순환 대기 조건을 부정한다면 교착 상태가 발생하지 않을 것이다.

10. ① 구체적 사례에 적용하기

❶ 세 번째 문단에 제시된 예시에 따르면 은행은 대출 가능한 10달러 전부를 B고객에게 빌려주고 그 고객이 돈을 갚을 때까지 기다렸다가 A고객이나 C고객에게 돈을 빌려줄 수 있다고 하였다. 이 사례를 〈보기〉에 적용하며 풀어본다면 〈보기〉에서 시스템에는 한 가지 종류의 자원만 존재하며, 자원의 총량은 18이라고 하였다. 따라서 〈보기〉의 P1, P2, P3, P4의 현재 할당량을 모두 더한 값은 12이고, 이들의 사용 가능량은 모두 6으로 계산할 수 있다. 그렇다면 〈보기〉의 추가 요구량은 최대 요구량에서 현재 할당량을 뺀 값에 해당한다. 따라서 ⓐ가 12일 때, P2의 추가 요구량(ⓑ)는 8이 되므로, 〈보기〉의 시스템에서 안전 순서열을 충족시키는 것은 사용 가능량이 6이하인 P4로 시작하는 안전 순서열만 성립된다. P4가 사용하고 반납한 자원인 8을 최대 요구량에 대입하였을 때, ⓐ를 12로 성립시키는 것은 P2에 해당하므로, ⓐ가 12일 경우 'P4－P2－P3－P1'와 'P4－P2 －P1－P3'를 충족시킬 수 있다. 따라서 ⓐ가 12일 경우, 〈보기〉의 시스템에는 안전 순서열 두 가지가 존재한다.

② 〈보기〉의 추가 요구량은 최대 요구량에서 현재 할당량을 뺀 값에 해당하므로, ⓑ가 8보다 크다는 것은 ⓐ가 12보다 크다는 것을 의미한다. 〈보기〉의 사용 가능한 양은 6이라고 고정되어 있으므로, 만약 P4에 6을 대입해보면 ⓒ는 6이므로, P4는 〈보기〉의 조건에 부합한다. 그러나 ⓑ가 8보다 크다면 P4가 사용하던 자원을 모두 반납하더라도, 안전 순서열이 P4 이후로 존재할 수 없는 값이기 때문에 〈보기〉의 시스템은 안전 상태가 아니다.

③ 〈보기〉의 추가 요구량은 최대 요구량에서 현재 할당량을 뺀 값에 해당한다. P4의 최대 요구량은 8, 현재 할당량은 2이므로, ⓒ는 6이다.

④ 〈보기〉의 사용 가능량은 6이므로, 만약 P1의 추가 요구량에 대입해본다면, 10에 미치지 못하므로 조건을 충족하지 못한다. P3의 경우 추가 요구량이 9이므로 역시 충족하지 못한다. 따라서 사용 가능량 6이 충족할 수 있는 경우는 P2와 P4에 해당한다. 이때 '〈보기〉의 시스템에 P4로 시작하는 안전 순서열만 존재한다는 가정을 하였으므로, ⓑ의 값은 6보다 커야한다. 따라서 ⓒ는 6이고, ⓑ는 ⓒ보다 클 것이다.

⑤ 〈보기〉의 시스템이 안전 상태라고 가정하였으므로 안전 순서열이 존재한다는 가정을 할 수 있다. 〈보기〉의 추가 요구량은 최대 요구량과 현재 할당량의 차이에 해당하므로, 사용 가능량 6을 만족시키는지를 확인해야 한다. P1과 P3은 이미 추가 요구량이 각각 10과 9로, 6을 초과하기 때문에 P1과 P3으로 시작하는 안전 순서열은 존재하지 않는다.

왜 많이 틀렸을까?

'안전 순서열'에 대한 개념을 이해하고 있는지가 중요한 문제였어. 추가 요구량과 최대 요구량의 차이를 구하고, 사용 가능량을 만족시키는지를 확인한 후에, 각 숫자를 P1~P4에 대입해본다면 기준에 부합하는 것이 무엇인지 알 수 있었을 거야.

11. ④ 구체적 사례에 적용하기

① (네 번째 문단에서 〈그림 2-1〉처럼 서로 공유하는 자원 R1, R2를 두고 점유선과 요구선이 순환하는 형태일 때 교착 상태라고 정의하고 있다. (가)는 할당되지 않은 자원 R4가 있다 하더라도 나머지 P1~P3의 프로세스들이 점유선과 요구선이 반복되면서 순환 구조를 이루고 있으므로 교착 상태가 발생한다.

② (가)의 R2는 P1와 P2라는 자원에 점유되어 있다. 따라서 동일한 단위 자원이 두 개 있어 P3이 요구한다 하더라도, 자원 할당은 불가능하다.

③ (나)의 도표를 살펴보면 P1이 요구하는 자원 R1은 P3이 점유하고 있음을 알 수 있다. 동시에 P2가 자원을 동시에 점유하고 있으므로, 만약 P2가 이 자원을 반납하면 P1은 그 자원을 사용할 수 있다. 즉 (나)에서 P1이 요구한 자원은 P3이 사용하던 자원을 반납하지 않더라도 사용할 수 있으므로 적절하지 않은 설명이다.

❹ (나)의 도표를 살펴보면 P2와 P4가 순환 구조에서 독립하여 각각 R1과 R2의 단위 자원을 점유하고 있는 것을 확인할 수 있다. (가)의 네 번째 문단에서 〈그림 2-2〉에서 P3처럼 순환 구조에서 독립적으로 단위 자원을 점유하고 있어 반납한 단위 자원을 P1에게 할당할 수 있을 경우 교착 상태로 보지 않는다고 하였다. 따라서 (나)는 P2와 P4가 순환 구조에서 독립하여 R1과 R2의 단위 자원을 점유하고 있으므로 교착 상태로 볼 수 없다.

⑤ (가)와 (나)의 모든 자원 R1과 R2는 순환 구조 내에서 모두 점유되어 있으므로 모든 공유 자원이 프로세스에 할당되어 있는 것에 해당한다.

왜 많이 틀렸을까?

교착 상태란 예방, 회피, 발견 및 복구의 방법으로 해결 가능하다고 하였으므로, 교착 상태의 네 가지 필요조건 중 하나를 부정함으로써 교착 상태의 발생을 사전에 예방할 수 있다고 한 것을 활용해야 해. 교착 상태는 자원에 대한 배타적인 통제권을 요구하는 '상호 배제 조건', 프로세스가 할당된 자원을 가진 상태에서 다른 자원을 기다리는 '점유 대기 조건', 프로세스가 어떤 자원의 사용을 끝낼 때까지 그 자원을 사용할 수 없는 '비선점 조건', 프로세스가 순환적으로 다음 프로세스가 요구하는 자원을 가지고 있는 '순환 대기 조건'을 모두 충족했을 때 발생한다고 한 것을 염두에 두고 문제를 풀어야지.

Day 18

본문 101쪽

1. ③	2. ⑤	3. ④	4. ④	5. ②
6. ④	7. ④	8. ⑤	9. ①	10. ②
11. ②	12. ②	13. ④	14. ④	

【1~5】 신종홍 외, '디지털 영상처리 입문'

지문해설

디지털 이미지란 사진이나 그림을 디지털 형태로 표현한 것으로, 이때의 단위는 최소 단위의 점이다. 디지털 이미지를 효율적으로 저장하고 전송하기 위해 데이터의 용량을 줄여 주는 디지털 이미지 압축 기술을 구현하는데, 이때의 방법은 무손실 압축과 손실 압축으로 나뉜다. JPEG 형식의 손실 압축 기술의 과정은 '전처리-DCT-양자화-부호화 과정'을 거친다. 첫 번째 전처리 과정에서는 색상 모델 변경과 '샘플링'이 이루어진다. 두 번째 DCT과정에서는 샘플링한 화소의 정보들이 주파수로 변환된다. 세 번째 양자화 과정에서는 DCT로 얻은 행렬값을 미리 설정된 특정 상수로 나눈 뒤 반올림하여 나타낸다. 네 번째 부호화 과정은 양자화를 거친 행렬값을 이진수의 부호로 표현하는데 이때 허프만 부호화를 활용하면 데이터를 손실시키지 않으면서도 디지털 이미지의 데이터의 용량을 줄일 수 있다.

■ **주제** : 디지털 이미지 압축 기술의 '전처리-DCT-양자화-부호화 과정'

---

1. ③ 글의 세부 정보 파악하기

① 두 번째 문단에서 무손실 압축은 압축 과정에서 데이터를 손실시키는 방법을 사용하지 않고 압축이 진행되기 때문에 압축 효율은 떨어진다고 하였다. 이에 비해 손실 압축은 중복되거나 필요치 않은 데이터를 제거하여 무손실 압축에 비해 수 배에서 수천 배 이상의 높은 압축 효율을 얻을 수 있다고 하였다. 따라서 ㉠보다 ㉡은 높은 압축 효율을 얻을 수 있는 기술이라는 설명은 적절하다.

② 세 번째 문단에서 JPEG는 손실 압축 기술이 적용된 대표적인 디지털 이미지 파일 형식이라고 하였으므로, 적절한 설명이다.

❸ 첫 번째 문단에서 디지털 이미지란 사진이나 그림을 디지털 형태로 표현한 것을 뜻하며, 디지털 이미지를 효율적으로 저장하고 전송하기 위해서는 데이터의 용량을 줄여 주는 디지털 이미지 압축 기술이 필요하다고 하였다. 따라서 ㉠으로 디지털 이미지를 압축할 경우 데이터를 손실시키는 방법을 사용하지 않고 압축이 진행되지만, 데이터의 용량은 줄어든다.

④ 두 번째 문단에서 무손실 압축은 압축 과정에서 데이터를 손실시키는 방법을 사용하지 않고 압축이 진행되기 때문에 원본과 동일한 이미지로 복원이 가능하다고 하였다.

⑤ 두 번째 문단에서 손실 압축은 중복되거나 필요하지 않은 데이터를 제거하여 원본과 동일한 이미지로 복원하기는 어렵다고 하였다.

---

2. ⑤ 세부 내용 파악하기

① 첫 번째 문단에서 디지털 이미지는 최소 단위의 점인 화소로 구성되며, 각 화소에는 밝기나 색상 등을 나타내는 값이 부여되어 있다고 하였다.

② JPEG 형식의 압축은 크게 전처리, DCT, 양자화, 부호화 과정을 거친다고 하였다. 첫 번째 전처리 과정에서 색상 모델 변경과 '샘플링'이 이루어지는데 이때 RGB 모델은 빛의 삼원색을 조합하여 화소의 색과 밝기를 함께 표현한다고 하였으므로 '화소는 빛의 삼원색을 조합하여 표현할 수 있'다고 볼 수 있다.

③ 첫 번째 문단에서 디지털 이미지는 최소 단위의 점인 화소로 구성되며, 각 화소에는 밝기나 색상 등을 나타내는 값이 부여되어 있다. 일반적으로 화소의 수가 많을수록 해상도는 높아진다고 하였으므로 화소 수의 증감에 따라 해상도가 달라진다고 볼 수 있다.

④ 네 번째 문단에서 디지털 이미지의 색상 모델을 RGB에서 YCbCr로 변경할 때, RGB 모델은 빛의 삼원색을 조합하여 화소의 색과 밝기를 함께 표현한다고 하였다. 이때 변경된 YCbCr 모델에서는 밝기 정보를 나타내는 Y와 색상 정보를 나타내는 Cb, Cr로 분리하여 화소의 정보를 표현한다고 하였으므로, 화소의 정보는 밝기 정보와 색상 정보로 분리될 수 있다고 볼 수 있다.

❺ 첫 번째 문단에서 화소의 수가 많을수록 해상도는 높아지나, 저장되는 데이터의 용량은 커지게 되고, 이러한 디지털 이미지를 효율적으로 저장하고 전송하기 위해서는 데이터의 용량을 줄여 주는 디지털 이미지 압축 기술이 필요하다고 하였다. 따라서 화소의 수가 늘어날수록 데이터 전송의 효율성은 떨어진다고 보는 것이 적절하다.

---

3. ④ 글의 내용 파악하기

① 네 번째 문단에서 전처리 과정에서는 색상 모델 변경과 '샘플링'이 이루어지는데, 먼저 색상 모델 변경이 진행된다고 하였다. 이때 디지털 이미지의 색상 모델이 RGB에서 YCbCr로 변경됨을 알 수 있다.

② 다섯 번째 문단에서 전처리 과정 후에는 DCT라고 불리는 변환 과정이 진행되는데, DCT란 샘플링한 화소의 정보들을 주파수로 변환하여 주파수 영역에 따라 규칙적으로 분리된 데이터로 나타내는 과정이라고 하였다.

③ 여섯 번째 문단에서 양자화 과정에서 DCT로 얻은 행렬값을 미리 설정된 특정 상수로 나눈 뒤 반올림한다고 하였다. 이때 저주파 성분의 행렬값은 작은 상수로 나눈 뒤 반올림하고, 고주파 성분의 행렬값은 0의 값으로 만들기 위해 큰 상수로 나눈 뒤 반올림하는 것을 알 수 있다.

❹ 여섯 번째 문단에서 양자화 과정을 통해 저주파 성분의 절댓값은 줄이고 고주파 성분은 제거하여 데이터의 용량을 줄일 수 있다고 하였으나, 일곱 번째 문단에서 부호화 과정에서는 대표적으로 허프만 부호화를 사용하여 데이터를 손실시키지 않으면서도 디지털 이미지의 데이터의 용량을 줄일 수 있다고 하였다. 따라서 ㉮에서는 데이터의 손실이 일어나지 않는다.

⑤ 일곱 번째 문단에서 허프만 부호화는 빈번하게 발생되는 데이터를 표현할 때는 적은 수의 비트를 할당하고, 드물게 발생되는 데이터를 표현할 때는 더 많은 수의 비트를 할당하는 방식으로 진행한다고 하였다.

---

4. ④ 핵심 개념 이해하기

① 네 번째 문단에서 만약 4 : 2 : 0의 비율로 색상 정보를 샘플링하면, 가로 화소의 수가 4개인 화소 블록 중 첫 번째 행에서는 색상 정보가 2개 추출되고, 두 번째 행에서는 색상 정보가 추출되지 않는다고 하였다. (가)는 가로 화수의 수가 4이고, 화소 블록 중 첫 번째 행에서 색상 정보가 추출된 것이 2, 두 번째 행에서 색상 정보가 추출된 것은 없음을 알 수 있다. 샘플링 비율은 4 : 2 : 0이다. 따라서 (가)에서는 두번째 행에서 색상 정보가 추출되지 않았음을 알 수 있다.

② (나)의 샘플링은 가로 화소의 수가 4이고 화소 블록 중 첫 번째 행에서 색상 정보가 추출된 것이 1, 두 번째 행에서 색상 정보가 추출된 것도 1이므로 J : a : b 비율로 나타내면 4 : 1 : 1로 표현할 수 있다.

③ (가)의 샘플링 비율은 4 : 2 : 0, (나)의 샘플링 비율은 4 : 1 : 1로 각각 샘플링 비율은 다르다. 그러나 추출된 색상 정보의 개수는 2개로 동일하다.

❹ 네 번째 문단에서 전처리 과정에서는 '샘플링'이 이루어지는데 이때 밝기 정보를 나타내는 Y는 모두 추출되고, 색상 정보를 나타내는 Cb와 Cr는 인간의 눈이 색상의 변화를 인식하지 못하는 범위 내에서 일부만 추출된다고 하였다. 따라서 (가)와 (나)에서는 추출된 Cb와 Cr의 각각의 개수만큼 Y가 추출된다는 설명은 적절하지 않다.

⑤ 네 번째 문단에서 화소들에서 일부 값을 추출하는 샘플링이 진행될 때, 인간의 눈은 밝기의 변화에는 민감하다고 하였다. 이때 색상의 변화에는 상대적으로 덜 민감하므로 밝기 정보를 나타내는 Y는 모두 추출되고, 색상 정보를 나타내는 Cb와 Cr은 인간의 눈이 색상의 변화를 인식하지 못하는 범위 내에서 일부만 추출된다고 하였다.

---

5. ② 세부 내용 추론하기

① 여섯 번째 문단에서 양자화 과정을 거칠 때에는 저주파 성분의 행렬값은 작은 상수로 나눈 뒤 반올림하고, 고주파 성분의 행렬값은 0의 값으로 만들기 위해 큰 상수로 나눈 뒤 반올림한다고 하였다. 따라서 양자화 과정을 거치면 0의 값이 되는 것은 ⓑ에 해당된다.

❷ 여섯 번째 문단에서 양자화 과정을 통해 DCT로 얻은 행렬값을 미리 설정된 특정 상수로 나눈 뒤 반올림한다고 하였다. 이때 저주파 성분의 행렬값은 작은 상수로 나눈 뒤 반올림하고, 고주파 성분의 행렬값은 0의 값으로 만들기 위해 큰 상수로 나눈 뒤 반올림한다고 하였다. 따라서 ⓐ와 ⓑ는 양자화 과정에서 서로 다른 상수를 사용할 것이다.

③ 여섯 번째 문단에서 양자화 과정에서는 DCT로 얻은 행렬값을 미리 설정된 특정 상수로 나눈 뒤 반올림하게 된다. 이때 저주파 성분의 행렬값은 작은 상수로 나눈 뒤 반올림하지만, 고주파 성분의 행렬값은 0의 값으로 만들기 위해 큰 상수로 나눈 뒤 반올림한다고 하였으므로 ⓐ의 절댓값보다 ⓒ의 절댓값이 크다고 할 수 없다.

④ 다섯 번째 문단에서 DCT라고 불리는 변환 과정이 일어날 때에는 인접한 화소들 간의 정보 차이가 작다는 것을 나타내는 저주파 성분은 행렬의 왼쪽 위로, 차이가 크다는 것을 나타내는 고주파 성분은 행렬의 오른쪽 아래로 모여 주파수 영역에 따라 분리된 행렬값으로 표현된다. 따라서 ⓑ와 ⓓ는 저주파 영역을 나타내지 않는다.

⑤ 여섯 번째 문단에서 저주파 성분의 행렬값은 작은 상수로 나눈 뒤 반올림하지만, 고주파 성분의 행렬값은 0의 값으로 만들기 위해 큰 상수로 나눈 뒤 반올림한다고 하였다. 따라서 ⓓ의 절댓값은 0이고, ⓒ의 절댓값은 0이 아니다.

【6~10】 유희정 외, '다중 접속 기술'

지문해설

혼선 없이 무선 통신을 사용하기 위한 다중 접속 기술에 대해 설명하고 있다. 다중 접속 기술 중 부호 분할 다중 접속(CDMA) 방식은 확산 코드를 이용하여 각 사용자의 신호를 구분하는 방식이다. 송신자는 송신하려는 정보에 확산 코드를 결합하여 송신하고, 수신자는 수신된 신호를 송신자와 동일한 확산 코드를 이용하여 원래의 정보로 복원한다. 한편 2400MHz 대역을 사용하는 블루투스 통신은 주파수 도약 확산(FHSS) 방식을 사용하는데, 이는 페어링된 블루투스 기기들이 확산 패턴에 따라 몇 개의 채널을 선택하여 1초당 1600번 이동해 가며 통신하는 방식이다. 주파수 도약 확산 방식(FHSS)을 사용하는 블루투스 기기들이 무선 통신을 하기 위해서는 통신하고자 하는 기기들이 서로 식별할 수 있는 정보를 확인하고 연결을 설정하는 '페어링'이 되어야 한다.

■ 비문학 지문 어떻게 이해할까?

1문단
확산 코드를 이용한 부호 분할 다중 접속(CDMA) 방식

2문단
XOR 연산 수행 과정

3문단
주파수 도약 확산(FHSS) 방식을 사용하는 블루투스 통신

4문단
채널을 선택하는 '확산 패턴'

5문단
천이 레지스터와 XOR 연산을 이용해 만드는 확산 패턴

■ **주제** : 다중 접속 기술의 개념과 주파수 도약 확산 방식(FHSS)을 사용하는 블루투스 통신

6. ④ 　　　글의 세부 내용 파악하기

① 첫 번째 문단에서 CDMA 방식은 '여러 송신자가 동일한 주파수 대역으로 동시에 정보를 송신하여도 수신자는 자신에게 보내온 정보만을 구별'해 낼 수 있다고 하였다.

② 첫 번째 문단에서 분배되어 있는 '주파수 대역 중 일부를 특정 이동 통신 사업자가 할당받아 휴대 전화 서비스를 공급'한다고 하였다.

③ 세 번째 문단에서 '2400MHz 대역은 산업, 과학, 의료용으로 분배되어 있다'고 하였다.

❹ 두 번째 문단에서 'CDMA 방식에서 수신자는 송신자와 동일한 확산 코드를 통해 수신된 신호를 원래의 정보로 복원'할 수 있다고 하였다. 따라서 송신자와 수신자가 서로 다른 확산 코드를 이용한다는 것은 이 글의 내용과 일치하지 않는다.

⑤ 세 번째 문단에서 블루투스 통신에서 '검색 신호를 송신하면 검색 신호는 주변에 있는 모든 블루투스 기기들로 송신된다'고 하였다.

7. ④ 　　　글의 세부 정보 이해하기

① [A]에서 송신하려는 정보가 m자리의 정보일 때 n자리의 확산 코드로 XOR 연산을 하면 m자리의 정보의

각 자릿수를 n자리의 확산 코드로 XOR 연산하게 된다고 했다. 따라서 m×n자리로 확산된 신호가 된다.

② [A]에서 XOR 연산을 수행하여 나온 신호는 확산 코드와 같은 자리의 블록으로 구분된다고 하였다. 따라서 4자리의 확산 코드를 사용하여 만들어진 신호를, 4자리의 확산 코드를 사용하여 복원하려 한다면 4자리의 블록으로 구분된다.

③ [A]에서 각 블록의 연산 결과 111 또는 000이면 1 또는 0으로 수렴된다고 하였다. 그런데 수신된 신호 011 100 100 011을 확산 코드 010으로 복원하려 한다면 연산 결과는 001 110 110 001로 나타나 수렴되지 않는다.

❹ 각 천이 레지스터의 초깃값이 0, 1, 1, 0일 때, 천이 레지스터와 XOR 연산에 의해 첫 번째 시행에서는 '0→1→1→0'이므로 천이 레지스터 Ⅳ의 초깃값인 0이 출력된다. 두 번째 시행에서는 '1→0→1→1'이므로 1이 출력된다. 세 번째 시행에서는 '0→1→0→1'이므로 1이 출력된다.

⑤ 천이 레지스터 Ⅲ과 Ⅳ의 초깃값이 각각 0이라면 첫 번째 시행 후 천이 레지스터 Ⅰ은 0과 0을 XOR 연산하여 0으로 채워진다.

왜 많이 틀렸을까?

기술 지문에 드러난 원리 방법을 충분히 이해해야 하는 문제였는데 선택지 3번과 4번에서 많은 혼동을 했던 모양이야. 선택지 3번에서는 수렴된다는 의미를 잘 이해하고 있어야 해결할 수 있는 문제였어. [A]에서 '수신자는 송신자와 동일한 확산 코드를 통해 수신된 신호를 원래의 정보로 복원할 수 있으며 '각 블록의 연산 결과는 111 또는 000이어서 1 또는 0으로 수렴되어 원래의 정보 1001을 복원할 수' 있다고 했지. 그런데 수신된 신호 011 100 100 011을 확산 코드 010으로 복원하려 한다는 조건에서 연산 결과가 001 110 110 001로 나타나 수렴되지 않는다는 사실을 놓치면 안 되겠지.

8. ⑤ 　　　글의 내용을 구체적 상황에 적용하기

❺ b. 네 번째 문단에서 '블루투스 통신에서는 2402MHz부터 2480MHz까지의 주파수를 1MHz 단위로 나누어 79개의 채널을 생성'하고, 이 중 몇 개의 채널을 선택하여 이동한다고 하였다. c. 마지막 문단에서 '블루투스 기기들이 동일한 확산 패턴으로 통신하더라도 페어링된 시간이 다를 수 있으므로 혼선이 일어날 확률이 매우 낮다'고 하였다. d. 기기 1과 기기 2는 확산 패턴이 서로 다르기 때문에 혼선없이 통신할 수 있다. a. 네 번째 문단을 참고하면 기기 1과 기기 2는 모두 1/1600초마다 채널을 이동하고 있다고 할 수 있다. 그러나 세 번째 문단에서 '블루투스 기기들은 항시 검색 신호를 탐지하고 있고 검색 신호에 응답'한다고 하였으므로 검색 신호를 탐지할 수 없다는 내용은 적절하지 않다.

9. ① 　　　주요 정보 파악하기

❶ CDMA 방식에서 수신자는 송신자와 동일한 확산 코드를 통해 수신된 신호를 원래의 정보로 복원할 수 있다고 했다.

② XOR 연산과 페어링은 관련이 없으며, 블루투스 통신을 위해서는 통신하고자 하는 기기들이 페어링되어야 한다.

③ ㉠과 ㉡ 모두 XOR 연산에 필요한 초깃값을 만들지 않는다. 초깃값은 주어져 있다.

④ ㉠과 ㉡ 모두 송신하려는 정보의 각 자릿수를 표시

하는 데 사용되지 않는다.

⑤ ㉡은 수신하려는 정보와 검색 신호를 구별해 내는 데 사용되지 않는다. ㉠과 ㉡은 블루투스 통신을 위해 검색 신호를 송신하고 검색 신호에 응답하는 기능을 담당한다.

왜 많이 틀렸을까?

여러 가지 정보가 있을 때 대상과 밀접하게 관련된 정보를 잘 파악하고 있어야 해. 5번 선택지에서 많은 학생들이 실수를 하고 있는데, 확산 패턴은 천이 레지스터와 XOR 연산을 이용해 만들어지는 것으로, 이것을 통해 통신의 혼선을 방지하는 것이지 수신하려는 정보와 검색 신호를 구별해 내는 데 사용되지는 않아. 지문을 다시 한번 꼼꼼하게 살펴보길 바라.

10. ② 　　　글의 핵심 정보 이해하기

① 네 번째 문단을 통해 블루투스 통신에서 2402MHz부터 2480MHz까지의 주파수를 1MHz 단위로 나누어 채널을 생성한다는 내용은 확인할 수 있다. 그러나 79개의 채널을 생성하기 위해서 확산 패턴에 따라 주파수를 1초당 1600번 이동하며 통신한다는 내용은 적절하지 않다.

❷ 세 번째 문단에서 2400MHz 대역은 누구나 자유롭게 사용할 수 있다고 했는데, 고정된 주파수를 사용하면 다른 기기들과 혼선이 있을 수 있다. 2400MHz 대역을 쓰는 블루투스 기기들은 자유롭게 통신하면서도 혼선을 피할 수 있어야 한다고 했다. 따라서 블루투스 기기들은 혼선이 일어나지 않게 하기 위해 여러 개의 주파수를 확산 패턴에 따라 1초당 1600번 이동해 가며 통신을 한다.

③ 확산 패턴은 천이 레지스터와 XOR 연산을 이용해 만들고 이동시키는 것이다.

④ 천이 레지스터와 XOR 연산을 이용해 확산 패턴을 만들기 위해서 주파수를 1초당 1600번 이동하며 통신하는 것은 아니다.

⑤ 블루투스 기기들이 무선 통신을 하기 위해 서로를 식별할 수 있는 정보를 확인하기 위해서 확산 패턴에 따라 주파수를 1초당 1600번 이동하며 통신하는 것은 아니다.

【11~14】 '3D 영상 구현 방식'

지문해설

3D 애니메이션의 합성 영상을 생성하고 출력하기 위해서는 모델링과 렌더링이라는 작업이 필요하다. 모델링이란 3차원 가상 공간에서 물체의 모양과 크기, 공간적인 위치, 표면 특성 등과 관련된 고유의 값을 설정하거나 수정하는 단계로, 물체 표면을 구성하는 각 삼각형 면에는 고유의 색과 질감 등을 나타내는 표면 특성이 하나씩 지정된다는 원리를 활용한다. 렌더링이란 물체를 어디에서 바라보는가를 나타내는 관찰 시점을 기준으로 2차원의 화면을 생성하는 것으로, 화면 안에서 동일 물체라도 멀리 있는 경우는 작게, 가까이 있는 경우는 크게 보이는 원리를 활용하여 화솟값을 지정함으로써 물체의 원근감을 구현한다. 이러한 모델링과 렌더링을 반복하면 동영상이 되는데, 정점의 개수가 많을수록, 해상도가 높아 출력 화소의 수가 많을수록 연산 양이 많아져 연산 시간이 길어진다. 이때 CPU의 그래픽 처리 능력을 보완하기 위해 개발된 것이 그래픽처

리장치(GPU)이다.

■ 비문학 지문, 어떻게 이해할까?

1문단
3D 애니메이션의 구현을 위한 모델링과 렌더링

2문단
모델링의 개념과 삼각형을 활용한 물체 표면의 고유한 특성 표현 원리

3문단
렌더링의 개념과 물체의 원근감 구현 방법

4문단
동영상 제작과 그래픽처리장치(GPU)의 작동 원리

■ **주제** : 3D 애니메이션의 구현을 위한 모델링과 렌더링의 원리와 그래픽처리장치(GPU)의 작동 원리

---

11. ② 세부 내용 이해하기

① 첫 번째 문단에서 실물을 촬영하여 얻은 자연 영상은 그대로 화면에 표시하지만, 3D 합성 영상을 생성하고 출력하기 위해서는 모델링과 렌더링 단계를 거쳐야 한다고 하였다.
❷ 세 번째 문단에서 표면 특성을 나타내는 값을 바탕으로, 다른 물체에 가려짐이나 조명에 의해 물체 표면에 생기는 명암이나 그림자 등을 고려하여 화솟값을 정해 준다고 하였다. 이를 바탕으로 물체의 입체감을 구현한다고 하였으므로, 물체 고유의 표면 특성이 화솟값에 의해 결정된다는 설명은 적절하지 않다.
③ 세 번째 문단에서 렌더링 단계에서 화면 안의 동일 물체라 하여도 멀리 있는 경우는 작게, 가까이 있는 경우는 크게 보이는 원리를 활용하여 화솟값을 지정하며 물체의 원근감을 구현한다고 하였다.
④ 네 번째 문단에서 생성된 프레임들은 순서대로 표시하면 동영상이 되는데, 이때 모델링과 관련된 계산을 완료한 후 그 결과를 이용하여 렌더링을 위한 계산을 한다. 이때 정점의 개수가 많을수록, 해상도가 높아 출력 화소의 수가 많을수록 연산 양이 많아져 연산 시간이 길어진다고 하였다.
⑤ 네 번째 문단에서 컴퓨터의 중앙처리장치(CPU)에 과도한 양의 데이터가 집중되면 연산되지 못한 데이터가 차례를 기다리는 병목 현상이 생겨 시간이 평소보다 오래 걸린다고 하였다.

---

12. ② 특정 정보 파악하기

① 두 번째 문단에서 모델링은 주로 3개의 정점으로 형성되는 삼각형을 활용하며, 삼각형의 꼭짓점들은 물체의 모양과 크기를 결정하는 정점이 되며 이 개수는 물체가 변형되어도 변하지 않으며, 물체 고유의 모양이 변하지 않는 한 달라지지 않는다고 하였다. 따라서 모델링을 할 때 다른 물체에 가려져 보이지 않는 부분에 있는 삼각형의 정점이라 할지라도 고려하여 계산하기 때문에 적절하지 않다.
❷ 두 번째 문단에서 모양과 크기를 설정할 때 주로 3개의 정점으로 형성되는 삼각형을 활용하는 방법으로 복잡한 굴곡이 있는 표면도 정밀하게 표현할 수 있다고 하였다.
③ 두 번째 문단에서 모델링을 할 때 3개의 정점으로 형성되는 삼각형을 활용하는데 삼각형의 꼭짓점들은 물

체의 모양과 크기를 결정한다고 하였다. 따라서 작은 삼각형에 다양한 색상의 표면 특성들을 함께 부여한다는 설명은 적절하지 않다.
④ 두 번째 문단에서 모델링은 3차원 가상 공간에서 물체의 모양과 크기, 공간적인 위치, 표면 특성 등과 관련된 고유의 값을 설정하거나 수정하는 단계라고 하였다.
⑤ 네 번째 문단에서 모델링과 렌더링을 반복하여 생성된 프레임들을 순서대로 표시하면 동영상이 된다고는 하였으나, 모델링이 다양하게 변할 수 있는 관찰 시점을 순차적으로 저장한다고는 볼 수 없다.

---

13. ④ 특정 정보 추론하기

① GPU는 동일한 연산을 여러 번 수행해야 하는 경우, 한 번의 연산에 쓰이는 데이터들을 순차적으로 각 코어에 전송한 후, 전체 코어에 하나의 연산 명령어를 전달하게 되므로, 각 코어는 모든 데이터를 동시에 연산하여 연산 시간이 짧아진다.
② GPU는 동일한 연산을 여러 번 수행해야 하는 경우, 한 번의 연산에 쓰이는 데이터들을 순차적으로 각 코어에 전송한 후, 전체 코어에 하나의 연산 명령어를 전달한다고 하였다. 따라서 10개의 연산을 10개의 코어에서 동시에 진행하려면, 1개의 연산 명령어가 필요할 것이다.
③ CPU는 데이터 연산을 하나씩 순서대로 수행하기 때문에 과도한 양의 데이터가 집중되면 미처 연산되지 못한 데이터가 차례를 기다리는 병목 현상이 생겨 프레임이 완성되는 데 오랜 시간이 걸린다. 이에 비해 ⊙ GPU는 한 번의 연산에 쓰이는 데이터들을 순차적으로 각 코어에 전송한 후, 전체 코어에 하나의 연산 명령어를 전달하면, 각 코어는 모든 데이터를 동시에 연산하여 연산 시간이 짧아진다고 하였다. 따라서 1개의 코어만 작동할 때, 정점의 위치를 구하기 위한 연산 시간은 1개의 코어를 가진 CPU의 연산 시간과 다르다.
❹ CPU의 그래픽 처리 능력을 보완하기 위해 개발된 그래픽처리장치(GPU)는 연산을 비롯한 데이터 처리를 독립적으로 수행할 수 있는 장치인 코어를 수백에서 수천 개씩 탑재하고 있다. GPU는 한 번의 연산에 쓰이는 데이터들을 순차적으로 각 코어에 전송한 후, 전체 코어에 하나의 연산 명령어를 전달하면, 각 코어는 모든 데이터를 동시에 연산한다고 하였으므로 다수의 코어가 작동하는 경우 총 연산 시간은 1개의 코어만 작동하는 경우의 총 연산 시간과 같을 것이다.
⑤ GPU는 '한 번의 연산에 쓰이는 데이터들을 순차적으로 각 코어에 전송'한다고 했다. 따라서 정점 위치를 구하기 위해 연산해야 할 10개의 데이터를 10개의 코어에서 처리할 경우, 10개의 데이터를 순차적으로 전송해야 하므로, 1개의 데이터를 1개의 코어로만 전송하는 시간보다는 길어질 것이다.

---

14. ④ 구체적 상황에 적용하기

① 세 번째 문단에서 렌더링 단계에서 화솟값은 전체 화면을 잘게 나눈 점인 화소별로 밝기나 색상 등을 나타낸 것이라고 하였다. 따라서 장면 1의 렌더링 단계에서 풍선에 가려 보이지 않는 입 부분의 삼각형들의 표면특성은 화솟값을 구하는 데 사용되지 않을 것이다.
② 두 번째 문단에서 모델링 단계에서 정점들의 개수는 물체가 변형되어도 유지된다고 하였다. 따라서 장면 2의 모델링 단계에서 풍선이 점점 커지더라도 풍선에 있는 정점의 개수는 유지될 것이다.

③ 두 번째 문단에서 모델링 단계에서 물체가 커지거나 작아지는 경우에는 정점 사이의 간격이 넓어지거나 좁아진다고 하였다. 따라서 장면 2의 모델링 단계에서 풍선이 계속 커진다면 풍선에 있는 정점 사이의 거리가 멀어질 것이다.
❹ 두 번째 문단에서 모델링 단계에서 물체가 커지거나 작아지는 경우에는 정점 사이의 간격이 넓어지거나 좁아진다고 하였다. 이에 따르면 장면 3에서 풍선과 네모는 하늘로 높이 올라갈수록 점점 작아지게 될 것이다. 따라서 장면 3의 모델링 단계에서 풍선에 있는 정점들이 이루는 삼각형들은 작아지지 않으며, 단지 정점 사이의 간격이 좁아질 것이다.
⑤ 세 번째 문단에서 렌더링 단계에서 화솟값은 정해진 개수의 화소로 화면을 표시하고 각 화소별로 밝기나 색상 등을 나타내는 것으로 그 값을 부여한다고 하였다. 따라서 장면 3의 렌더링 단계에서 전체 화면에서 화솟값이 부여되는 화소의 개수는 변하지 않을 것이다.

Day 19
본문 106쪽

1. ⑤ 2. ② 3. ③ 4. ① 5. ②
6. ① 7. ④ 8. ④ 9. ① 10. ①
11. ② 12. ② 13. ②

【1~4】 이석호, 'C로 쓴 자료 구조론'

지문해설

알고리즘이란 컴퓨터에서 문제 해결 방법을 논리적인 순서로 설명하거나 표현하는 절차를 뜻하는데 자료를 정렬하는 방식에 따라 삽입 정렬, 병합 정렬, 기수 정렬 등으로 나눌 수 있다. 삽입 정렬이란 정렬된 부분에 정렬할 원소의 위치를 찾아 삽입하는 방식으로 원소들을 비교하여 삽입하는 과정이 반복되는 것이고, 병합 정렬은 정렬하려는 집합을 두 개의 부분 집합으로 반복 분할한 뒤 다시 병합하면서 하나의 정렬된 집합으로 만드는 방식으로 삽입 정렬에 비해 시간 복잡도가 감소한다는 특징이 있다. 기수 정렬이란 원소들의 각 자릿수의 숫자를 확인하여 각 자릿수에 해당하는 큐에 넣는 방식으로 모듈로 연산의 횟수를 구하여 시간 복잡도를 나타낼 수 있다. 이처럼 정렬 알고리즘은 원소들의 초기 나열 상태에 따라 효율성이 다르게 작용하므로, 여러 정렬 알고리즘을 복합적으로 사용하게 된다.

■ **비문학 지문, 어떻게 이해할까?**

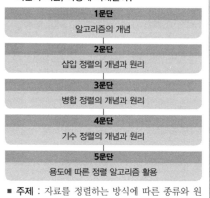

| 1문단 |
| 알고리즘의 개념 |

| 2문단 |
| 삽입 정렬의 개념과 원리 |

| 3문단 |
| 병합 정렬의 개념과 원리 |

| 4문단 |
| 기수 정렬의 개념과 원리 |

| 5문단 |
| 용도에 따른 정렬 알고리즘 활용 |

■ **주제** : 자료를 정렬하는 방식에 따른 종류와 원리의 비교

1. ⑤ 핵심 정보를 비교하여 파악하기

① 두 번째 문단에서 ㉠은 정렬된 부분에 정렬할 원소의 위치를 찾아 삽입하는 방식이라고 하였다. 이에 비해 ㉡은 정렬하려는 집합을 두 개의 부분 집합으로 반복 분할한 뒤 다시 병합하면서 하나의 정렬된 집합으로 만드는 방식이다.
② 두 번째 문단에서 ㉠은 원소들을 비교하여 삽입하는 과정이 반복되므로 비교 연산의 횟수를 구하여 시간 복잡도를 나타낼 수 있다고 하였다. 세 번째 문단에서 ㉡은 집합을 이루는 원소의 개수가 적을수록 정렬에 필요한 연산 횟수가 줄어든다고 언급하였다. 따라서 ㉠과 ㉡ 모두 원소의 개수가 늘어날수록 정렬된 집합을 만들기 위한 연산 횟수가 증가할 것이다.
③ ㉠은 정렬된 부분에 정렬할 원소의 위치를 찾아 삽입하는 방식이고, ㉢은 원소들의 각 자릿수의 숫자를 확인하여 각 자릿수에 해당하는 큐에 넣는 방식이다. 이에 비해 ㉡은 정렬하려는 집합을 두 개의 부분 집합

으로 반복 분할한 뒤 다시 병합하면서 하나의 정렬된 집합으로 만드는 방식에 해당한다.
④ ㉢은 원소들의 각 자릿수의 숫자를 확인하여 각 자릿수에 해당하는 큐에 넣는 방식으로, 원소들의 각 자릿수의 숫자를 확인하기 위해서는 나머지를 구하는 모듈로(modulo) 연산을 수행한다고 하였다. 이에 비하여 ㉡은 정렬하려는 집합을 두 개의 부분 집합으로 반복 분할한 뒤 다시 병합하면서 하나의 정렬된 집합으로 만드는 방식이다. 따라서 원소들의 자릿수에 따라 모듈로 연산의 반복이 일어나는 것은 ㉡이 아닌 ㉢이다.
❺ 두 번째 문단에서 ㉠은 원소들을 비교하여 삽입하는 과정이 반복되므로 비교 연산의 횟수를 구하여 시간 복잡도를 나타낼 수 있다고 하였다. 또한 세 번째 문단에서 ㉡은 원소들을 비교하여 정렬하는 과정이 반복되므로 비교 연산의 횟수를 구하여 시간 복잡도를 나타낼 수 있다고 하였다. 따라서 ㉠과 ㉡은 원소들 간의 비교 횟수를 통해 시간 복잡도를 구한다. 이에 비해 ㉢은 원소들의 각 자릿수의 숫자를 확인하기 위해서는 나머지를 구하는 모듈로(modulo) 연산을 수행하므로 적절하다.

2. ② 글의 내용을 구체적 상황에 적용하기

❷ 집합 {564, 527, 89, 72}의 원소를 오름차순으로 정렬하는 것을 삽입 정렬을 사용한다면, '564와 527의 비교(1번) → 564와 89의 비교, 527과 89의 비교(2번) → 564와 72의 비교, 527과 72의 비교, 89와 72의 비교(3번)'를 거치게 된다. 따라서 시간 복잡도는 6(1+2+3)번이 된다. 한편 집합 {564, 527, 89, 72}의 원소를 오름차순으로 정렬하는 것을 병합 정렬을 사용한다면 다음과 같다. 병합 정렬은 정렬하려는 집합을 두 개의 부분 집합으로 반복 분할한 뒤 다시 병합하면서 하나의 정렬된 집합으로 만드는 방식이므로, {564}, {527}, {89}, {72}로 분할한 후 {564}와 {527}의 비교(1번), {89}와 {72}의 비교(1번), {527, 564}와 {72, 89}의 비교(2번)'이 일어나 시간 복잡도는 4(1+1+2)번이다. 따라서 @는 삽입 정렬(시간 복잡도 6)보다 병합 정렬(시간 복잡도 4)을 사용할 때 시간 복잡도가 감소한다.
③ 집합 {0, 3, 6, 34, 72, 89, 527, 564}의 원소를 오름차순으로 정렬하는 것을 삽입 정렬을 사용한다면 '0과 3의 비교(1번) → 3과 6의 비교(2번) → 6과 34의 비교(3번) → 34와 72의 비교(4번) → 72와 89의 비교(5번) → 89와 527의 비교(6번) → 527과 564의 비교(7번)'를 거치게 되므로, 시간 복잡도는 7번이 된다. 이는 두 번째 문단에서 언급한 삽입 정렬을 활용할 경우 '정렬된 부분과 정렬할 원소를 비교하여, 삽입할 필요가 없다면 순서를 그대로 유지한다'는 원칙을 적용한 것이다. 반면, 집합 {0, 3, 6, 34, 72, 89, 527, 564}의 원소를 오름차순으로 정렬하면 세 번째 문단에 제시된 바와 같이 시간 복잡도는 12번((1+1+1+1)+(2+2)+4)이 된다. 따라서 ⓑ는 병합 정렬(시간 복잡도 12)보다 삽입 정렬(시간 복잡도 7)을 사용할 때 시간 복잡도가 감소한다.
⑤ 기수 정렬은 원소들 중 자릿수가 가장 큰 원소의 자릿수만큼 원소들의 자릿수의 숫자를 확인하는 과정이 반복되므로 모듈로 연산의 횟수를 구하여 시간 복잡도를 나타낼 수 있다고 하였다. ⓑ와 ⓒ의 원소들 중 자릿수가 가장 큰 원수의 자릿수는 백의 자릿수이므로, ⓑ와 ⓒ를 기수 정렬을 사용하면 시간 복잡도가 동일하게 나타날 것이다.

3. ③ 핵심 정보를 구체적으로 이해하기

① 1차 정렬에서 일의 자릿수의 숫자를 확인해야 하는데, 564와 34의 일의 자릿수는 모두 4이므로 큐4에 넣는다.
② 1차 정렬된 원소들을 다시 모듈로 연산으로 십의 자릿수의 숫자를 확인하여 차례대로 해당하는 큐에 넣어 2차 정렬하게 되며, 큐0부터 큐9까지 해당하는 숫자를 차례대로 나열하면 {0, 3, 6, 527, 34, 564, 72, 89}로 나타난다.
❸ 3차 정렬은 2차 정렬된 원소들을 다시 모듈로 연산으로 백의 자릿수의 숫자를 확인하여 차례대로 해당하는 큐에 넣게 된다. 만약 해당하는 자릿수가 없다면 자릿수의 숫자를 0으로 간주하여 정렬한다고 하였으므로 0, 3, 6은 모두 백의 자릿수가 0으로 간주되어 큐0에 저장된다.
④ 1차 정렬은 일의 자릿수를 확인하는데, 564의 일의 자릿수는 4이므로 큐4에 564를 가장 먼저 넣는다. 3차 정렬에서는 2차 정렬의 결과 {0, 3, 6, 527, 34, 564, 72, 89}를 바탕으로 백의 자릿수를 확인하여 정렬하므로 큐0에 0을 가장 먼저 넣게 된다.
⑤ 3차 정렬의 결과는 {0, 3, 6, 34, 72, 89, 527, 564}으로, 이는 자릿수가 가장 큰 원소가 백의 자릿수라는 것과 관련이 있으므로 적절한 반응이다.

왜 많이 틀렸을까?

복잡한 도표나 그림일수록 답은 광장히 단순한 곳에 있다는 것을 잊지 마. 이 문제의 핵심은 1차 정렬, 2차 정렬, 3차 정렬의 기준이 무엇인지를 정확히 아는 것이었어. 일의 자리와 십의 자리, 백의 자리만 대응시킬 수 있었다면 어렵지 않았을 거야.

4. ① 글의 핵심 내용을 이해하기

❶ 세 번째 문단에서 병합 정렬은 정렬하려는 집합을 두 개의 부분 집합으로 반복 분할한 뒤 다시 병합하면서 하나의 정렬된 집합으로 만드는 방식이라고 하였다. 집합을 이루는 원소의 개수가 적을수록 정렬에 필요한 연산 횟수가 줄어든다고 하였으므로 전체 집합을 〈그림〉의 ㉐와 같이 8개의 부분 집합이 될 때 까지 분할하는 것이 연산 횟수를 줄일 수 있을 것이다.
② 원소들의 각 자릿수의 숫자를 확인하여 각 자릿수에 해당하는 큐에 넣는 방식의 정렬은 기수 정렬이다.
③ 부분 집합 원소들의 초기 나열 상태에 따른 알고리즘에 대해 확인할 수 있는 근거가 없다.
④ 전체 집합을 반복적으로 분할할수록 비교 연산 횟수는 줄어들 것이다.
⑤ 전체 집합을 각각의 부분 집합으로 다시 분할하여 정렬하는 것이 병합 정렬의 방법이다.

【5~9】 한국무역보험공사, '디스플레이산업 기술·시장 동향'

지문해설

OLED의 개념과 구조를 제시하며 더불어 서브픽셀의 개념과 구조를 설명하고 이들의 조합에 따른 색상의 종류를 설명하고 있다. 개념에서 출발하여 발광층에서 빛이 나는 원리를 '바닥상태'와 '들뜬상태'라는 개념을 통하여 알기 쉽게 풀어 쓰고 있으며, 전자가 채워져 있는 영역 중 가장 높은 에너지 궤도(HOMO)와 전자가 채워질 수 있는 영역 중 가장 낮

은 에너지 궤도(LUMO)가 지니는 에너지 준위의 차인 '밴드 갭'에 의한 서브픽셀의 빛의 색상을 소개하고 있다. 또한 OLED에는 배면 발광과 전면 발광이 있음을 제시하며 개구율 저하의 문제가 발생할 경우에는 미소공진현상을 활용하여 해결할 수 있음을 제시하였다.

■ 비문학 지문, 어떻게 이해할까?

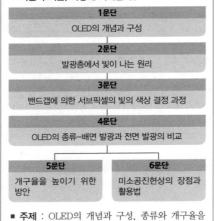

1문단
OLED의 개념과 구성

2문단
발광층에서 빛이 나는 원리

3문단
밴드갭에 의한 서브픽셀의 빛의 색상 결정 과정

4문단
OLED의 종류－배면 발광과 전면 발광의 비교

5문단
개구율을 높이기 위한 방안

6문단
미소공진현상의 장점과 활용법

■ **주제** : OLED의 개념과 구성, 종류와 개구율을 높이기 위한 기술의 특징

---

5. ② 내용 전개 방식 파악하기

① 첫 번째 문단에 OLED의 개념을 제시하고, RGB-OLED를 이루고 있는 서브픽셀은 전류를 차단하거나 통하게 하고 전류량을 조절하며, 서브픽셀의 전류량을 조절하면 다양한 색상의 빛을 표현할 수 있다고 제시되어 있다. 그러나 OLED로 색을 표현할 때 유의할 점은 언급된 바가 없다.

❷ 첫 번째 문단에 OLED란 LED의 발광층에 전기에너지를 받으면 특정한 색의 빛을 내는 유기물질을 넣은 것이라는 개념과 OLED 중에 가장 기본이 되는 RGB-OLED의 구조와 기능을 설명하였다. 두 번째 문단에서는 발광층에서 빛이 나는 원리를 '바닥상태'와 '들뜬상태'를 통해 제시하고 있으므로 적절한 설명이다.

③ '통시적'이란 어떤 일이나 사물의 관계를 상하(上下)로 연결되어 있는 것으로 보는 것을 뜻하는데, OLED의 발전 과정을 통시적으로 서술한 부분은 제시되지 않았다. 또한 OLED를 대체할 수 있는 물질에 대한 설명도 없다.

④ 첫 번째 문단에서 RGB-OLED는 서브픽셀 세 개가 모여 하나의 픽셀을 이루는데, 이 서브픽셀은 음극, 발광층, 양극 등이 다층 구조를 이루고 있다고 하였다. 서브픽셀마다 박막트랜지스터가 전류량을 조절하는 기능이 있다고 제시되고 있으나, OLED의 각 구성 요소들 간의 공통점과 차이점을 비교하면서 구성 요소들의 장단점을 분석한 부분은 나타나지 않는다.

⑤ 네 번째 문단에서 OLED는 발광층에서 만들어진 빛을 어디로 내보내느냐에 따라 배면 발광과 전면 발광으로 나뉜다고 하였으므로 OLED를 기준에 따라 분류하였다는 설명은 적절하다. 이어서 배면 발광의 음극은 일함수가 낮고 불투명한 은과 마그네슘의 혼합 금속을 사용하지만 양극은 인듐과 산화주석의 화합물(ITO)을 사용한다고 밝히고 있다. 더불어 빛이 양극에 위치한 TFT를 통과할 때 빛의 일부가 TFT에 막혀 개구율이 떨어진다는 문제점이 발생한다는 것을 밝히고 이를 해결하기 위한 방안을 다섯 번째 문단과 여섯 번째 문단을 통해 제시하고 있을 뿐, OLED의 종류에 따라 빛의

파장을 조절하는 방법은 제시된 바 없으므로 적절하지 않은 설명이다.

---

6. ① 세부 정보 파악하기

❶ 첫 번째 문단에서 RGB-OLED는 빛의 3원색인 적색, 녹색, 청색을 내는 서브픽셀 세 개가 모여 하나의 픽셀을 이룬다고 하였을 뿐, 흰색을 만들 때보다 청색을 만들 때 더 많은 전류량이 필요한지는 확인할 수 없다.

② 두 번째 문단에서 바닥상태에서 들뜬상태가 되도록 가해졌던 에너지만큼 에너지를 방출하는데, 발광층에서 전자는 정공과 결합하며 안정화되어 바닥상태가 된다고 하였으므로 적절한 설명이다.

③ 첫 번째 문단에서 서브픽셀을 모두 끄면 검은색, 모두 켜면 흰색을 만들 수 있고 서브픽셀의 전류량을 조절해 빛의 양을 적절히 배합하면 다양한 색상의 빛을 표현할 수 있다고 하였으므로 적절한 설명이다.

④ 첫 번째 문단에서 RGB-OLED는 빛의 3원색인 적색, 녹색, 청색을 내는 서브픽셀 세 개가 모여 하나의 픽셀을 이룬다고 하였으므로 적절한 설명이다.

⑤ 두 번째 문단에서 전자에 TFT가 전류를 흐르게 하면 들뜬상태가 된 전자가 양극을 향해, 정공은 음극을 향해 이동하다가 발광층에서 서로 만나게 된다고 하였으므로 적절한 설명이다.

---

7. ④ 구체적 사례에 적용하기

① 〈보기〉에서 밴드 갭의 크기가 '1.77(적색)〈2.27(녹색)〈2.84(청색)'와 같이 커질수록 파장이 '700(적색)〉546(녹색)〉436(청색)'와 같이 나타나므로 밴드 갭의 크기가 큰 유기물질일수록 파장이 짧은 빛이 방출되는 것을 알 수 있다.

② 세 번째 문단에서 밴드 갭이 크면 빛을 내기 위해 더 많은 에너지가 필요하기 때문에 밴드 갭이 큰 유기물질은 밴드 갭이 작은 유기물질에 비해 수명이 짧다고 하였다. 따라서 〈보기〉에서 녹색의 밴드 갭은 2.27이고, 청색의 밴드 갭은 2.84이므로 녹색보다 청색을 내는 유기물질의 수명이 짧아질 것이라고 추측할 수 있다.

③ 첫 번째 문단에서 RGB-OLED는 빛의 3원색인 적색, 녹색, 청색을 내는 서브픽셀 세 개가 모여 하나의 픽셀을 이루며 서브픽셀을 모두 켜야 흰색을 만들 수 있다고 하였다. 따라서 〈보기〉에서 밴드 갭이 2.5eV 이하인 유기물질인 녹색과 적색 이 두 가지만 존재하고 청색이 빠져 있으므로, 모든 서브픽셀에 넣는다고 해도 흰색을 만들 수 없다.

❹ 세 번째 문단에서 밴드 갭이란 전자가 채워져 있는 영역 중 가장 높은 에너지 궤도(HOMO)와 전자가 채워질 수 있는 영역 중 가장 낮은 에너지 궤도(LUMO)가 지니는 에너지 준위의 차라고 하였다. 〈보기〉의 LUMO의 에너지 준위가 2.84eV이고 HOMO의 에너지 준위가 1.77eV인 유기물질의 갭은 1.07eV로 이는 〈보기〉 그래프의 가로축에서 적색보다 오른쪽 축에 위치한다. 따라서 LUMO의 에너지 준위가 2.84eV이고 HOMO의 에너지 준위가 1.77eV인 유기물질은 적색에 해당하지 않는다.

⑤ 세 번째 문단에서 HOMO에 바닥상태로 존재하는 전자에 밴드 갭 이상의 에너지를 가하면 들뜬상태가 된 전자가 LUMO로 이동하고 다시 에너지를 방출하며 바닥상태로 돌아오면서 밴드 갭에 해당하는 파장의 빛을 방출한다고 하였다. 〈보기〉에서 2.27eV의 밴드 갭을 지니고 있는 유기물질은 그래프의 가로축에서 녹색을

가리키므로 적절한 설명이다.

왜 많이 틀렸을까?

이 문항은 〈보기〉의 그래프의 가장 높은 수치와 낮은 수치를 뺄셈으로 계산만 했다면 풀 수 있는 내용이었어. 독서 분야의 기술, 과학 분야에서 생소한 용어와 수치가 자주 등장하여 어렵게 느낄 수도 있지만 문제가 묻고자 하는 것은 관련 분야의 전문 지식이 아니라, 주어진 지문을 읽고, 묻는 문항에서 요구하는 답을 찾아낼 수 있는지 정도의 수준이거든.

---

8. ④ 세부 정보 파악하기

① ⓐ의 경우 음극은 전자의 주입 및 반사층 역할을 해야 하기 때문에, 일함수가 낮고 불투명한 은과 마그네슘의 혼합 금속을 사용한다고 하였으므로, 적절하지 않은 설명이다.

② 다섯 번째 문단에서 만약 음극이 일정 두께 이하로 얇아지면 면 저항이 증가하고, 저항이 높아지면 결국 화면의 균일도가 떨어지는 부작용이 발생한다고 하였으므로 적절하지 않은 설명이다.

③ 네 번째 문단에서 ⓐ의 경우 전자의 주입 및 반사층 역할을 해야 하므로 음극은 일함수가 낮고 불투명한 혼합 금속을 사용한다고 하였으므로, 일함수가 높은 물질을 두어야 한다는 설명은 잘못 되었다. 다섯 번째 문단에서 ⓑ의 양극에는 일함수가 높고 반사층 역할을 할 수 있는 금속을 사용하고 음극에는 투명도가 높은 물질을 사용해야 한다고 하였다.

❹ ⓐ의 경우 음극은 전자의 주입 및 반사층 역할을 해야 하기 때문에, 불투명한 은과 마그네슘의 혼합 금속을 사용한다. ⓑ역시 개구율을 높이기 위해 TFT가 없는 음극을 향해 빛을 내보내는 양극에는 반사층 역할을 할 수 있는 금이나 백금 같은 금속을 사용한다고 하였으므로 적절한 설명이다.

⑤ ⓐ는 빛이 양극을 향해 나가는 것이고, ⓑ는 빛이 음극을 향해 나가는 것이다. 빛이 양극에 위치한 TFT를 통과해 나갈 때 빛의 일부가 TFT에 막혀 빠져나가지 못해 개구율이 떨어진다. 이는 휘도의 저하로 이어지고, 이때 일정한 화질을 내기 위해 손실된 휘도만큼 더 밝게 발광시켜야 하므로 유기물질의 수명에는 좋지 않은 영향을 끼친다고 하였다. 따라서 휘도를 높이고 유기물질의 수명을 늘리기 위해 더 많은 전류량을 필요로 한다는 설명은 적절하지 않다.

---

9. ① 세부 정보 파악하기

❶ 여섯 번째 문단에서 발광층에서 생성된 빛의 일부는 반투명 음극을 통해 빠져나가고 일부는 음극에 반사되어 양극을 향한다고 하였다. 이때 빛들이 서로 간섭을 일으키는 것을 미소공진현상이라 하고, 이에 의해 빛은 위상이 일치하는 파동들이 만날 때 보강간섭이 일어난다고 하였다. 따라서 빛이 다른 파동과 상호 작용을 하지 않아도 빛은 음극을 통과할 수 있다.

② 미소공진현상에 의해 빛은 위상이 반대인 파동들이 만나면 상쇄간섭이 일어나 파동이 약해지거나 사라지게 된다. 반면에 위상이 일치하는 파동들이 만나면 보강간섭이 일어나 파동의 강도가 세진다고 하였다.

③ 미소공진현상에 의해 빛의 세기가 강해지면 휘도가 높아지게 되고 그 결과 OLED의 수명이 길어진다. 또한 조건에 일치하는 파장만 보강되고 조건이 맞지 않는 파장은 상쇄되므로 스펙트럼이 좁아져서 색의 순도가 높

아지는 효과를 얻는다고 하였으므로 적절한 설명이다.
④ 미소공진현상에 의해 빛의 세기가 강해지면 휘도가 높아지고, 결과적으로 휘도를 향상시키기 위해 높은 전류를 구동하지 않아도 되므로 OLED의 수명이 길어진다.
⑤ 발광층에서 생성된 빛의 일부는 반투명 음극을 통해 **빠져나가지만** 일부는 음극에 반사되어 양극을 향하고 양극에 다시 부딪혀 서로 간섭을 일으키며 미소공진현상을 일으킨다고 하였다. 따라서 파동 간 간섭이 일어나는 것은 양극과 음극에 반사를 일으키는 물질을 사용하였기 때문임을 알 수 있다.

【10~13】 '영상 안정화 기술'

지문해설

디지털 카메라 촬영 시 흔들림에 의한 영향을 최소화하는 기술인 영상 안정화 기술에 대해 소개한 글이다. 영상 안정화 기술에는 광학 영상 안정화(OIS) 기술과 디지털 영상 안정화(DIS) 기술이 있다. 광학 영상 안정화(OIS) 기술은 이미지 센서에 닿는 빛의 세기가 변할 때 자이로 센서가 카메라의 움직임을 감지하여 제어 장치에 전달하고, 제어 장치가 렌즈를 이동시켜 영상을 안정화하는 기술이다. 렌즈를 움직이는 방법 중 보이스코일 모터를 이용하는 방법은 렌즈 주위에 배치된 코일과 자석으로 전류가 흘러 렌즈를 이동시킴으로써 흔들림에 의한 영향을 상쇄시킨다. 디지털 영상 안정화(DIS) 기술은 촬영 후에 소프트웨어를 사용해 흔들림을 보정하는 기술이다. 이 기술은 동영상을 프레임 단위로 나눈 후 연속된 프레임들에서 특징점을 이용하여 움직임을 추정한다. 그리고 흔들림이 발생한 곳으로 추정되는 프레임에서 특징점의 위치 차이만큼 보정하여 흔들림의 영향을 줄인다.

■ 비문학 지문 어떻게 이해할까?

```
        [1문단]
    영상 안정화 기술의 개념

[2문단]              [4문단]
광학 영상 안정화(OIS)   디지털 영상 안정화(DIS)
기술의 카메라 모듈과    기술의 원리와 장점
원리

[3문단]              [5문단]
렌즈를 움직이는 방법     디지털 영상 안정화(DIS)
– 보이스코일 모터 이용   기술의 구현 과정
```

■ 주제 : 영상 안정화 기술인 광학 영상 안정화(OIS)와 디지털 영상 안정화(DIS) 기술의 특징

10. ① | 세부 내용 이해하기

❶ 네 번째 문단에서 디지털 영상 안정화 기술은 소프트웨어를 사용하여 흔들림을 보정하는 기술로, 프레임의 특징점을 이용함을 알 수 있다. 이미지 센서를 이동시켜 흔들림을 감쇄하는 방식은 광학 영상 안정화 기술 중 하나이다.
② 두 번째 문단에서 '일반적으로 카메라는 렌즈를 통해 들어온 빛이 이미지 센서에 닿아 피사체의 상이 맺히고'라고 설명한 것으로 보아 광학 영상 안정화 기술을 사용하지 않는 디지털 카메라도 이미지 센서가 필요함을 알 수 있다.
③ 다섯 번째 문단에서 '위치 차이만큼 보정하여 흔들림

의 영향을 줄이면 보정된 영상은 움직임이 부드러워진다.'고 한 것을 통해 위치 차이가 작을수록 동영상의 움직임이 부드러워짐을 알 수 있다.
④ 두 번째 문단에서 일반적으로 카메라는 '화소마다 빛의 세기에 비례하여 발생한 전기 신호가 저장 매체에 영상으로 저장된다.'라고 한 것을 통해 알 수 있다.
⑤ 첫 번째 문단에서 디지털 카메라 촬영 시 손의 미세한 떨림으로 인해 영상이 번져 흐려진다고 한 것과 두 번째 문단에서 '카메라가 흔들리면 이미지 센서 각각의 화소에 닿는 빛의 세기가 변한다.'라고 한 것을 통해 손 떨림이 있을 때 보정 기능이 작용하지 않으면 이미지 센서 각각의 화소에 닿는 빛의 세기가 변하고, 그에 따라 영상이 흐려진다는 내용이 제시되어 있다.

11. ② | 세부 정보 확인하기

① 세 번째 문단의 '보이스코일 모터를 포함한 카메라 모듈은 중앙에 위치한 렌즈 주위에 코일과 자석이 배치되어 있다.'에서 알 수 있다.
❷ 두 번째 문단의 '자이로 센서가 카메라의 움직임을 감지하여 방향과 속도를 제어 장치에 전달한다.'에서 자이로 센서는 이미지 센서에 맺히는 영상이 아니라 카메라의 움직임에서 감지한 방향과 속도를 제어 장치로 전달함을 알 수 있다.
③ 세 번째 문단에서 보이스코일 모터를 이용하는 방법에서는 카메라가 흔들리면 제어 장치에 의해 코일에 전류가 흐르고, 이때 발생한 힘이 렌즈를 이동시킴을 알 수 있다.
④ 네 번째 문단에서 OIS 기술은 '렌즈의 이동 범위에 한계가 있어 보정할 수 있는 움직임의 폭이 좁다.'라고 한 것을 통해 알 수 있다.
⑤ 세 번째 문단에서 보이스코일 모터를 이용하는 방법은 '렌즈를 이동시켜 흔들림에 의한 영향이 상쇄되고 피사체의 상이 유지된다.'라고 한 것과, '카메라가 흔들릴 때 이미지 센서를 움직여 흔들림을 감쇄하는 방식도 이용된다.'라고 한 것을 통해 알 수 있다.

12. ② | 세부 정보 추론하기

❷ 네 번째 문단에서 '특징점으로는 피사체의 모서리처럼 주위와 밝기가 뚜렷이 구별되며 영상이 이동하거나 회전해도 그 밝기 차이가 유지되는 부분이 선택된다.'고 한 것을 통해 특징점으로 선택되는 점들과 주위 점들의 밝기 차이가 클수록(A), 영상이 흔들리기 전의 밝기 차이와 후의 밝기 차이 변화가 작을수록(B) 특징점의 위치 추정이 유리함을 알 수 있다. 또한 다섯 번째 문단에서 '특징점의 수가 늘어날수록 연산이 더 오래 걸린다.'고 한 것을 통해 특징점이 많을수록 보정에 필요한 시간(C)이 더 늘어난다는 것을 알 수 있다. 특징점의 수와 보정에 필요한 프레임의 수는 관련이 없다.

13. ② | 구체적 사례에 적용하기

① 네 번째 문단에서 '특징점으로는 피사체의 모서리처럼 주위와 밝기가 뚜렷이 구별되는 부분이 선택된다고 하였으므로, ㉠에서는 프레임의 모서리 부분이 아니라 피사체의 모서리 부분을 선택해야 한다.
❷ 다섯 번째 문단에서 '영상을 보정하는 과정에서 영상을 회전하면 프레임에서 비어 있는 공간이 나타'나는데,

'비어 있는 부분이 없도록 잘라 내면 프레임들의 크기가 작아'진다고 하였으므로, ㉡을 DIS 기능으로 보정하고 나서 프레임의 크기가 변했다면 이는 비어 있는 부분을 잘라 냈기 때문이므로 이때 원래의 영상 일부가 손실되었을 것이라고 추측할 수 있다.
③ 네 번째 문단에서 특징점으로는 '피사체의 모서리처럼 주위와 밝기가 뚜렷이 구별되며 영상이 이동하거나 회전해도 그 밝기 차이가 유지되는 부분'이 선택된다고 하였으며, 다섯 번째 문단에서는 k번째 프레임과 k+1번째 프레임의 같은 특징점을 찾아 두 프레임 사이에 특징점이 얼마나 이동했는지 계산하여 위치 차이만큼 보정한다고 하였다. 따라서 ㉠에서 빌딩 모서리들 간의 차이가 아니라 빌딩 모서리를 특징점으로 선택한 뒤 ㉠의 프레임과 ㉡의 프레임 사이에 나타난 특징점의 위치 차이를 계산하여 보정할 것이다.
④ 〈보기〉에서 ㉠, ㉡은 OIS 기능을 켜고 촬영한 동영상의 연속된 프레임이라고 하였으므로, ㉠, ㉡ 모두 OIS 기능으로 손 떨림이 보정된 프레임이라고 볼 수 있다.
⑤ DIS 기술은 촬영 후에 소프트웨어를 사용해 흔들림을 보정하는 기술로, 〈보기〉에서는 기울어진 프레임을 이를 활용하여 보정하려 하고 있다. 즉 ㉡은 아직 DIS 기능으로 보정하기 전 프레임으로 이것이 DIS 기능으로 완전히 보정되지 않은 것을 보여 주는 것은 아니다.

왜 많이 틀렸을까?

이 문제는 오답인 ③번의 선택률이 높아 정답률이 낮았어. 하지만 지문의 내용과 선택지 내용을 잘 비교해 보면 어렵지 않게 피해 갈 수 있는 오답이었어. 사실 ①과 ③의 선택지 내용은 같은 지문 내용을 바탕으로 적절성을 판단할 수 있어. 즉 어떤 부분이 특징점으로 선택되는지에 대한 설명을 잘 살펴본다면 둘 다 잘못된 진술이 있음을 파악할 수 있지. 특징점은 프레임이나 빌딩 모서리들 간의 차이가 아니라, '피사체의 모서리' 같은 부분이 선택된다고 했거든. 이처럼 부분적으로 잘못된 진술이 있는 부분을 놓치지 말고 파악해야 함정을 피해 갈 수 있다는 점 잊지 말도록 해.

예술 및 복합

1. ③　2. ①　3. ⑤　4. ⑤　5. ③
6. ①　7. ⑤　8. ①　9. ②　10. ③
11. ⑤　12. ①

【1~6】 (가) '아도르노의 미학 이론'

지문해설

아도르노의 예술에 대한 관점을 설명한 글이다. 아도르노는 대중 예술이 상품으로 전락함으로써 예술의 본질을 상실하고 현대 사회의 모순과 부조리를 은폐하고 있다고 지적하고, 예술은 비동일성을 지녀야 하며 동일화되지 않으려는 비정형화된 모습으로 나타남으로써 현대 사회의 부조리를 체험하게 하는 매개여야 한다고 주장했다. 또한 예술은 그것에 드러난 비동일성을 체험하게 함으로써 동일화의 폭력에 저항해야 한다고 보면서, 비동일성을 속성으로 하는 전위 예술을 예술이 추구해야 할 바람직한 모습으로 제시했다.

■ 비문학 지문 어떻게 이해할까?

1문단
아도르노의 대중 예술에 대한 비판

2문단
예술이 환원을 거부하는 비동일성을 지녀야 한다고 본 아도르노

3문단
예술이 비동일성을 체험하게 해야 한다고 본 아도르노

4문단
예술의 지향점에 대한 아도르노의 관점

■ **주제** : 아도르노의 예술에 대한 관점

어휘풀이

• **양산(量産)** 많이 만들어 냄.
• **전락(轉落)** 나쁜 상태나 타락한 상태에 빠짐.
• **부조리(不條理)** 이치에 맞지 아니하거나 도리에 어긋남. 또는 그런 일.
• **환원(還元)** 본디의 상태로 다시 돌아감. 또는 그렇게 되게 함.
• **기제(機制)** 인간의 행동에 영향을 미치는 심리의 작용이나 원리.
• **전위 예술(前衛藝術)** 이전의 것을 배격하고 새로운 표현 수법을 시도하는 실험적이고 혁신적인 예술.
• **미학(美學)** 자연이나 인생 및 예술 따위에 담긴 미의 본질과 구조를 해명하는 학문.

(나) '아도르노의 미학 이론에 대한 비판'

지문해설

아도르노의 미학이 지닌 의의와 한계를 밝힌 글이다. 아도르노의 미학은 예술과 사회의 관계를 통해 예술의 자율성을 추구했다는 점에서 긍정적으로 평가된다. 그러나 아도르노의 미학은 미적 체험을 현

대 사회의 부조리에 국한시킴으로써 진정한 예술을 형태 그 자체의 비정형성에 대한 체험으로 한정하였고, 그에 따라 주관의 재현이라는 미메시스가 부정되고 있다. 또한 아도르노의 미학은 동일화의 폭력을 비판하면서도 전위 예술의 관점에서 예술의 동일화를 시도하였고, 이는 예술의 영역을 축소시킨다는 한계를 지니고 있다.

■ 비문학 지문 어떻게 이해할까?

1문단
아도르노의 미학이 지닌 의의

2문단
미메시스의 개념과 예

3문단
아도르노의 미학의 한계 ① 미메시스의 부정

4문단
아도르노의 미학의 한계 ② 예술 영역의 축소

■ **주제** : 아도르노의 미학에 대한 비판

---

1. ③ 　내용 전개 방식 파악하기

① (가)는 아도르노의 예술에 대한 관점을 설명하고 있고 (나)는 아도르노의 미학이 지닌 의의와 그 한계를 밝히고 있으므로, (가)와 (나) 모두 아도르노의 예술관이 글의 화제라고 할 수 있다.

② (가)는 세 번째 문단에서 전위 예술의 예로 쇤베르크의 음악을 제시하고 그와 같은 전위 예술의 의미에 대해 설명하고 있다. 또한 (나)는 첫 번째~두 번째 문단에서 사과를 표현한 세잔의 작품을 제시하고 그 작품은 예술가의 시선에 포착된 세계의 참모습을 재현한 것이라고 설명하고 있다.

❸ (가)는 두 번째 문단에서 '동일성'과 '비동일성'의 개념을 정의하고 있으나 개념이 변화하는 과정은 제시하고 있지 않다. (나) 또한 두 번째 문단에서 '미메시스'의 개념을 정의하고 있으나 개념의 변화 과정은 나타나 있지 않다.

④ (가)에서는 다른 이의 견해를 인용하고 있지 않다. 이와 달리 (나)는 네 번째 문단에서 아도르노의 미학이 지닌 한계를 밝히면서 논지를 강화하기 위해 '실수로 찍혀 작가의 어떠한 주관도 결여된 사진에서조차 새로운 예술 정신을 발견하는 것이 가능하다'는 베냐민의 견해를 인용하고 있다.

⑤ (가)는 아도르노의 예술에 대한 관점을 소개하고 있다. 그리고 (나)는 (가)에서 소개한 아도르노의 미학이 지닌 의의를 밝힌 뒤, 아도르노의 미학은 미메시스가 부정된다는 점과 전위 예술의 관점에서 예술의 동일화를 시도한다는 점에서 한계를 지니고 있음을 지적하고 있다.

2. ① 　세부 내용 파악하기

❶ (가)의 첫 번째 문단에 따르면 아도르노는 문화 산업에 의해 양산되는 대중 예술이 자본주의 사회에서 이윤 극대화를 위한 상품으로 전락했고, 개인의 정체성마저 상품으로 전락시키는 기제로 작용한다고 보았다. 즉 아도르노는 현대 자본주의 사회에서 대중 예술과 개인의 정체성이 모두 상품으로 전락했다고 보았으므로, 그의

관점에서 대중 예술과 문화 산업을 통해 상품화된 개인의 정체성이 대립적 관계를 형성한다는 것은 적절하지 않다.

② (가)의 첫 번째 문단에 따르면 아도르노는 대중 예술이 창작의 구성에서 표현까지 표준화되어 생산되는 상품이며, 이러한 대중 예술의 규격성으로 인해 개인의 감상 능력 역시 표준화된다고 하였으므로 적절하다.

③ (가)의 첫 번째 문단에 따르면 아도르노는 모든 것을 상품의 교환 가치로 환원하려는 자본주의 사회에서 대중 예술은 이윤 극대화를 위한 상품으로 전락함으로써 예술의 본질을 상실했다고 보았다. 즉 아도르노는 대중 예술이 자본주의의 교환 가치 체계에 종속된 것으로서, 예술의 본질을 상실한 상품이라고 본 것이다.

④ (가)의 첫 번째 문단에 따르면 아도르노는 자본주의 사회가 모든 것을 상품의 교환 가치로 환원하려 한다고 보았으며, 대중 예술은 이러한 현대 사회의 모순과 부조리를 은폐하고 있다고 지적했으므로 적절하다.

⑤ (가)의 첫 번째 문단에 따르면 아도르노는 문화 산업에 의해 양산되는 대중 예술이 이윤 극대화를 위한 상품으로 전락했으며, 그 규격성으로 인해 개인의 개성은 다른 개인의 그것과 다르지 않게 된다고 보았으므로 적절하다.

3. ⑤ 　숨겨진 전제 추론하기

① (나)의 세 번째 문단에서 아도르노의 미학에서는 미적 체험을 감각적 대상인 형태 그 자체의 비정형성에 대한 체험으로 한정한다고 하였으므로, 아도르노의 미학에서 정형적 형태가 재현된다는 것은 적절하지 않다.

② (나)의 두 번째 문단에 따르면 미메시스에서의 재현이란 예술가의 주관이 감각 가능한 것으로 구현되는 것이다. 또한 세 번째 문단에서 아도르노의 미학에서는 미적 체험을 감각적 대상인 형태 그 자체의 비정형성에 대한 체험으로 한정한다고 하였다. 즉 아도르노의 미학에서는 예술가의 주관적 재현이 부정되고 있으며, 따라서 재현의 주체가 예술가로부터 감상자로 전환된다는 것은 적절하지 않다.

③ (나)의 세 번째 문단에 따르면 아도르노는 미적 체험을 현대 사회의 부조리에 국한시켰다. 따라서 아도르노의 미학에서 미적 체험의 대상이 사회의 부조리에서 세계의 본질로 변화된다는 것은 적절하지 않다.

④ (나)의 세 번째 문단에 따르면 아도르노는 미적 체험을 감각적 대상인 형태 그 자체의 비정형성에 대한 체험으로 한정했다. 즉 아도르노의 미학에서는 미적 체험의 과정에서 예술가의 주관이 재현되지 않으므로, 이때 비정형적인 형태가 예술가의 주관으로 왜곡된다는 것은 적절하지 않다.

❺ (나)의 두 번째 문단에 따르면 미메시스란 '세계를 바라보는 주체의 관념을 재현하는 것, 즉 감각될 수 없는 것을 감각 가능한 것으로 구현하는 것'을 의미한다. 또한 세 번째 문단에서 아도르노는 '예술이 예술가에게 포착된 세계의 본질을 감상자로 하여금 체험하게 하는 것이어야 한다'고 보면서 이러한 미적 체험을 감각적 대상인 형태 그 자체의 비정형성에 대한 체험으로 한정했다. 즉 아도르노의 미학에서는 예술가가 포착한 세계의 본질을 감각 가능한 것으로 구현하는 것이 아니라, 감각적 대상인 형태의 비정형성에 대한 체험만을 미적 체험으로 보았기 때문에 주관의 재현이라는 미메시스가 부정된다고 말할 수 있다.

4.⑤ 관점에 따라 비판하기

① (가)에 따르면 아도르노는 예술이 동일화되지 않으려는 비정형성을 지녀야 한다고 보았으며, 동일화에 저항하면서 비동일성을 속성으로 하는 전위 예술을 예술이 추구해야 할 모습으로 제시하였다. 따라서 동일화와 예술이 무관하다고 볼 수 없으며, 예술의 동일화가 실현 불가능하다는 것도 적절하지 않다.

② (가)에 따르면 아도르노는 예술이 비동일성을 체험하게 함으로써 동일화의 폭력에 저항해야 한다고 보았으며, 비동일성 그 자체를 속성으로 하는 전위 예술을 예술이 추구해야 할 모습으로 제시하였다. 따라서 전위 예술의 속성과 관련하여 비동일성이 동일성으로 귀결된다는 것은 적절하지 않다.

③ (가)에 따르면 아도르노는 표준화되어 생산되는 상품에 불과한 대중 예술을 비판적으로 보았으며 예술은 동일화되지 않으려는, 일정한 형식이 없는 비정형화된 모습으로 나타나야 한다고 보았다. 즉 아도르노가 표준화를 통해 동일성으로 환원된 대중 예술에서 비동일성을 발견할 수 있다고 본 것은 아니다.

④ (가)에 따르면 아도르노는 전위 예술이 그 자체로 동일화에 저항하며 비동일성을 속성으로 한다고 보았다. 즉 전위 예술은 비동일성을 속성으로 하므로 동일성과 비동일성의 구분을 거부한다고 볼 수는 없으며, 그 자체로 동일화에 저항한다고 하였으므로 전위 예술로의 동일화가 새로운 차원의 비동일성으로 전환된다는 것도 적절하지 않다.

❺ (나)의 ⓛ에서는 아도르노의 미학에 대해 '동일화의 폭력'을 비판하지만, 자신이 추구하는 전위 예술만이 진정한 예술이라고 주장하며 전위 예술의 관점에서 예술의 동일화를 시도한 것이라고 비판하고 있다. 그런데 (가)에서 아도르노는 전위 예술이 그 자체로 동일화에 저항하며 비동일성을 속성으로 한다고 보았으므로, 이러한 관점을 바탕으로 한다면 전위 예술을 추구하는 것은 동일화를 시도하는 것이 아니라 동일화를 거부하는 비동일성을 지향하는 것이라고 반박할 수 있다.

5.③ 구체적 사례에 적용하기

① (가)의 두 번째 문단에서 아도르노는 예술은 대중이 원하는 아름다운 상품이 되기를 거부하고 그 자체로 추하고 불쾌한 것이 되어야 하며, 현대 사회의 부조리를 체험하게 하는 매개여야 한다고 보았음을 알 수 있다. 따라서 아도르노의 관점에서 본다면 첫 번째 작품은 추하고 불쾌한 것으로써 현대 사회의 부조리를 체험하게 한 것으로, 학생의 반응은 부조리한 사회에 대한 예술적 체험의 충격이라고 해석할 수 있다.

② (가)의 첫 번째 문단에서 아도르노는 문화 산업에 의해 양산되는 대중 예술이 현대 사회의 모순과 부조리를 은폐하고 있으며, 그 규격성으로 인해 개인의 감상 능력 또한 표준화되어 있다고 보았음을 알 수 있다. 따라서 아도르노의 관점에서 본다면 학생은 대중 매체라는 문화 산업의 상품을 통해 그 논리에 동일화되어 있으며, 이로 인해 대중 예술이 은폐하고 있는 현대 사회의 모순에 무감각한 것이라고 말할 수 있다.

❸ (가)의 세 번째 문단에서 아도르노는 전위 예술이 저항이나 계몽을 직접적으로 드러내지 않는다는 것을 높게 평가했는데, 이는 저항이나 계몽을 직접 표현하는 것에는 비동일성을 동일화하려는 폭력적 의도가 내재

되어 있다고 보기 때문이라고 하였다. 따라서 사회에 대한 저항을 직접적으로 드러낸 예술이어야 진정한 예술이라고 할 수 있다는 것은 아도르노의 관점과 거리가 멀다.

④ (나)의 네 번째 문단에서는 베냐민의 견해를 인용하여 실수로 찍혀 작가의 어떠한 주관도 결여된 사진에서조차 새로운 예술 정신을 발견하는 것이 가능하다고 하고 있다. 이러한 관점에 따른다면 첫 번째 작품에 제각각의 형태와 색채들이 이곳저곳 흩어져 있는 것이 예술가의 표현 의도를 담고 있지 않더라도 이것에서 예술 정신과 가치를 발견할 수 있다.

⑤ (나)의 네 번째 문단에서는 자본의 논리에 편승한 대중 예술이라 하더라도 사회에 대한 비판적 기능을 수행하는 경우도 있다고 하였다. 이러한 관점에 따른다면 두 번째 작품은 대량 복제되어 유통되고 있지만 연예인의 사회 비판적 이미지를 이용해 현대 사회의 문제점을 고발하는 것으로 볼 수 있다.

6.① 어휘의 문맥적 의미 파악하기

❶ ⓐ '전락시키는'은 '나쁜 상태나 타락한 상태에 빠지게 하는'이라는 의미이므로, '더 보태거나 빼지 아니하고 어떤 것을 주고 다른 것을 받는'이라는 의미의 '맞바꾸는'으로 바꾸는 것은 적절하지 않다.

② ⓑ '유리된'은 '따로 떨어지게 된'이라는 의미이므로, '거리가 멀리 떨어진', '둘 사이에 관련성이 거의 없는'이라는 의미의 '동떨어진'으로 바꾸어 쓸 수 있다.

③ ⓒ '응시하는'은 '눈길을 모아 한 곳을 똑바로 바라보는'이라는 의미이므로, '바라보는'으로 바꾸어 쓸 수 있다.

④ ⓓ '박탈한다'는 '남의 재물이나 권리, 자격 따위를 빼앗는다.'라는 의미이므로, '빼앗는다'로 바꾸어 쓸 수 있다.

⑤ ⓔ '발견하는'은 '미처 찾아내지 못하였거나 아직 알려지지 아니한 사물이나 현상, 사실 따위를 찾아내는'이라는 의미이므로, '찾아내는'으로 바꾸어 쓸 수 있다.

【7~12】(가) 제롬 스톨니츠, '미학과 비평철학'

지문해설

스톨니츠는 미적 태도란 '무관심적'이면서 '공감적'으로 '관조'하는 태도로, 우리가 미적 태도로 지각하는 모든 대상은 미적 대상이 된다. 이때 '무관심적'이란 이해관계 없이 보이고 느껴지는 대로 관심을 갖고 바라보는 것이고, '공감적'이란 상자가 대상에 반응할 때 대상 자체의 조건에 의해 대상을 받아들이는 방식을 취하는 것이다. 또한 '관조'는 감상자가 대상에 적극적으로 주목하는 것이다.

■ **주제** : 스톨니츠의 미적 대상에 대한 태도

(나) 조지 디키, '현대 미학'

지문해설

비어즐리는 미적 대상이란 예술 작품 속성 중 올바르게 감상되고 비평될 수 있는 것으로, 예술 작품 자체의 속성들에 근거하여 미적 대상을 규정할 수 있다는 객관주의적 입장을 취한다. 이때 활용되는 것이 구분의 원리, 지각 가능성의 원리 등이 있다. 우선 '구분의 원리'란 예술 작품의 속성이 미적 대상

이 되려면 예술 작품과 구분되어서는 안 된다는 것이고, '지각 가능성의 원리'란 예술 작품의 속성이 직접적으로 지각될 수 있어야만 미적 대상이 될 수 있다는 것이다. 더불어 비어즐리는 예술 작품 속성 중 오로지 예술 작품과 분리될 수 없는 '객관적인 속성'만을 고려해야 한다고 하였다.

■ **주제** : 비어즐리의 미적 대상에 대한 객관주의적 입장

7.⑤ 내용 전개 방식 파악하기

① (가)는 스톨니츠의 미적 태도에 대하여 설명한 글로, 스톨니츠는 미적 태도란 '무관심적'이면서 '공감적'으로 '관조'하는 태도라는 것을 다양한 예를 들어가며 읽는 이의 이해를 돕고 있다. 그러나 상반된 견해를 절충하여 대안을 제시하고 있는 부분은 드러나지 않는다.

② (가)는 스톨니츠가 말하는 미적 태도의 개념과 요건에 대하여 체계적으로 설명하고 있으나, 시대에 따라 달라지는 이론의 변천 과정을 서술하고 있는 부분은 없다.

③ (나)의 네 번째 문단은 비어즐리가 말하는 미적 대상과 미적 태도에 대하여 미적 대상으로서의 예술 작품의 의미를 해석할 때는 오로지 예술 작품과 분리될 수 없는 객관적인 속성만을 고려해야 한다는 주장을 요약하며 강조하고 있으므로 적절한 설명이다.

④ (가)의 두 번째 문단에서 스톨니츠의 '무관심적'이라는 개념을 설명하기 위해 사과를 보는 예시를 세 번째 문단에서 스톨니츠의 '공감적'이라는 개념을 설명하기 위해 특정 신을 찬미하기 위한 의도가 담긴 조각 작품에 대한 예시를, 네 번째 문단에서 스톨니츠의 '관조'라는 개념을 설명하기 위해 음악을 듣는 감상자가 장단을 맞추는 모습에 대한 예시를 활용하고 있다. 또한 (나)의 세 번째 문단에서 비어즐리의 지각 가능성의 원리를 설명하기 위해 어떤 그림을 감상하는 경우에 대한 예시를 활용하고 있다. 따라서 (가)와 (나)는 독자의 이해를 돕기 위해 예시를 활용하고 있다는 설명은 적절하다.

❺ (가)는 '미적 태도', '무관심적', '공감적', '관조'의 개념을 (나)는 '미적 대상', '구분의 원리', '지각 가능성의 원리' 등의 개념을 각 문단별로 설명하고 있다. 따라서 (가)와 (나)는 핵심 주제와 관련된 개념들의 의미를 설명하고 있다고 볼 수 있다.

8.① 세부적 내용 추론하기

❶ (나)의 두 번째 문단에서 비어즐리는 예술 작품의 속성이 미적 대상이 되려면 그 예술 작품과 구분되어서는 안 된다고 밝혔다. 즉 예술 작품과 구분되는 예술가의 의도는 예술 작품의 속성이 될 수 없으므로 미적 대상에서 배제시켜야 한다고 하였다. 따라서 '조각 작품에 담긴 특정 신을 찬미하려 한 예술가의 의도'는 '객관적'으로 지각될 수 없는 것이고, 예술 작품과 '구분되어야' 한다. 덧붙여 '예술가의 의도'는 미적 대상으로서 예술 작품의 의미를 올바르게 감상하기 위한 속성으로 볼 수 '없다'

9.② 중심 개념 이해하기

① 첫 번째 문단에서 스톨니츠는 우리가 미적 태도로 지각하는 모든 대상은 미적 대상이 된다고 하였으며,

미적 태도란 그것이 예술 작품이든 아니든, 감상자가 지각하는 대상 자체를 '무관심적'이면서 '공감적'으로 '관조'하는 태도라고 하였다. 따라서 스톨니츠의 관점으로 본다면 A는 예술 작품이 아니지만, 감상자가 A를 무관심적이면서 공감적으로 관조한다면 미적 대상이 될 수 있으므로 적절하다.

❷ (가)의 첫 번째 문단에서 스톨니츠는 우리가 미적 태도로 지각하는 모든 대상은 미적 대상이 된다고 하였다. 이때의 미적 태도는 어떤 대상을 유용성에 근거해서 바라보는 실제적 지각 태도와 다르다고 명시하였다. 따라서 스톨니츠가 B를 실제적 지각 태도로 감상해야 미적 대상이 될 수 있다는 것은 잘못된 설명이다.

③ (나)의 첫 번째 문단에서 비어즐리는 미적 대상이 감상자의 주관적 태도에 의해서 규정될 수 없다고 말하며, 오직 예술 작품 자체의 속성들에 근거하여 미적 대상을 규정할 수 있다는 객관주의적 입장이라고 하였다. 따라서 비어즐리는 감상자의 주관적 태도로는 B를 미적 대상으로 규정할 수 없다고 볼 것이다.

④ (나)의 세 번째 문단에서 비어즐리는 예술 작품을 경험하는 데전혀 지각될 수 없거나 직접적으로 지각될 수 없는 것들을 '물리적 측면'이라고 규정하고, 이를 미적 대상에서 배제해야 한다고 하였다. 따라서 비어즐리는 B가 1964년에 창작된 설치 미술 작품이라는 특성은 미적 대상이 되는 작품의 속성이 아니라고 볼 것이다.

⑤ (나)의 세 번째 문단에서 비어즐리는 예술 작품의 어떤 속성이 직접적으로 지각될 수 있어야만 미적 대상이 될 수 있다고 하였다. 그러나 A는 '실제로 제품을 담아 판매하기 위해 생산된 종이 상자로 예술 작품이 아니'라고 하였으므로 직접적으로 지각될 수 있는 요소가 없다고 볼 수 있다. 따라서 비어즐리는 A는 미적 대상이 될 수 없다고 볼 것이다. 또한 B는 '현대 미술가 앤디 워홀이 A의 모양을 그대로 복제하여 '브릴로 박스'라는 제목으로 1964년에 창작한 설치 미술 작품'이라는 물리적 측면만이 제시되어 있다. 따라서 비어즐리는 B의 물리적 측면 역시 미적 대상에서 배제할 것이다.

10. ③   중심 내용 이해하기

① (가)의 첫 번째 문단에서 스톨니츠는 우리가 미적 태도로 지각하는 모든 대상은 미적 대상이 된다고 주장하고 있음을 알 수 있다. 따라서 이를 두고 (가)는 예술가의 의도에 의해 규정되는 미적 대상을 비판한다고 볼 수 없다. 이에 비해 (나)의 두 번째 문단을 통해 비어즐리는 예술가의 의도를 예술 작품의 미적 대상으로 생각하는 입장에 반대한다고 있음을 알 수 있다.

② (가)의 두 번째 문단을 통해서 스톨니츠는 미적 태도에서의 '무관심적'이란 대상을 사용하거나 조작하여, 무엇을 취하려는 목적을 가지고 대상을 바라보지 않는 것이라고 하였다. 따라서 이를 두고, 예술 작품의 유용성을 평가하기 위한 목적이나 절차를 설명한다고 판단할 수 없다.

❸ (가)의 첫 번째 문단에서 스톨니츠는 우리가 미적 태도로 지각하는 모든 대상은 미적 대상이 된다고 하였다. 또한 (나)의 세 번째 문단에서 비어즐리는 예술 작품의 어떤 속성이 직접적으로 지각될 수 있어야만 미적 대상이 될 수 있다고 하였다. 따라서 두 글 모두, 지각할 수 있는 대상이어야 미적 대상으로 고려될 수 있다는 관점을 드러내고 있다.

④ (가)의 두 번째 문단에서 스톨니츠는 미적 태도에서의 '무관심적' 태도를 강조하였는데, 이는 대상에 대해

어떤 이해관계를 떠나, 보이고 느껴지는 대로 관심을 가지고 본다는 것이라고 하였다. 즉 대상에 대해 관심이 없는 '비관심적'과는 다른 것이라고 하였으므로 '감상자가 관심을 가지지 않고 감상해야 예술 작품은 미적 대상이 될 수 있다'는 설명은 적절하지 않다.

⑤ (가)의 첫 번째 문단에서 스톨니츠는 우리가 미적 태도로 지각하는 모든 대상은 미적 대상이 된다고 하였다. 또한 (나)의 첫 번째 문단에서 비어즐리는 미적 대상이란 예술 작품의 속성 중 올바르게 감상되고 비평될 수 있는 것이며, 예술 작품 자체의 속성들에 근거하여 감상자와 예술가의 상호 작용이 필요함을 강조하고 있지 않다.

11. ⑤   구체적 상황에 적용하기

① (가)의 네 번째 문단에서 '관조'란 감상자가 대상에 적극적으로 주목하는 것이며 대상의 독특한 가치를 맛보기 위해서는 식별력을 갖추어야 한다고 하였다. 이는 예술 작품을 반복해서 경험하거나, 작품에 드러나는 표현 기법이나 작품의 구성 요소와 같은 지식에 대해 공부하거나, 예술 형식에 대한 기술적 훈련을 함으로써 기를 수 있다고 하였다. 따라서 프랑스 상징시를 감상하기 위해 상징의 개념에 대해 학습하는 것은 적절한 활동에 해당한다.

② 네 번째 문단에서 대상의 독특한 가치를 맛보기 위해서는 복잡하고 섬세한 부분까지 주의 깊게 살펴야 하며 이를 위해 예술 작품을 반복해서 경험하는 것이 도움이 된다고 하였다. 따라서 표현주의 연극을 감상하기 위해 해당 연극을 반복해서 관람하는 것은 적절한 활동에 해당한다.

③ 네 번째 문단에서 식별력을 키우기 위해서, 작품에 드러나는 표현 기법이나 작품의 구성 요소와 같은 지식에 대해 공부하거나, 예술 형식에 대한 기술적 훈련을 함으로써 기를 수 있다고 하였다. 따라서 평시조를 감상하기 위해 평시조의 형식에 맞춰 창작하는 훈련하는 것은 적절한 활동에 해당한다.

④ 네 번째 문단에서 식별력을 키우기 위해서, 작품에 드러나는 표현 기법이나 작품의 구성 요소와 같은 지식에 대해 공부하는 것이 도움이 될 것이라고 하였다. 따라서 사실주의 영화를 감상하기 위해 영화의 역사에 대한 지식을 공부하는 것은 적절한 활동이다.

❺ 네 번째 문단에서 식별력이란 대상의 독특한 가치를 맛보기 위해서 복잡하고 섬세한 부분들을 민감하게 인지하는 것이라고 하였다. 따라서 교향곡을 감상하기 위해 곡의 섬세한 부분에 얽매이지 않고 상상력을 발휘하는 것은 적절한 활동이라고 보기 어렵다.

12. ①   어휘의 사전적 의미 파악하기

❶ (가)의 ⓐ는 '자기 것으로 만들어 가지다'라는 의미이므로, '그녀는 정당한 이득을 취했다'의 '취했다'와 유사한 의미로 쓰였다. (나)의 ⓑ는 '어떤 일에 대한 방책으로 어떤 행동을 하거나 일정한 태도를 가지다'라는 의미이므로, '그는 자신의 꿈에 대해 적극적인 태도를 취했다'의 '취했다'와 유사한 의미이다.

② ⓐ '그녀는 급하게 연락을 취했다'의 '취했다'는 '어떤 일에 대한 방책으로 어떤 행동을 하거나 일정한 태도를 가지다'라는 의미이다. 또한 ⓑ '나는 그가 준비한 선물들 중에서 가장 새것을 취했다'의 '취했다'는 '자기 것으

로 만들어 가지다'라는 의미이다.

③ ⓐ '군인들은 차려 자세를 취했다'의 '취했다'는 '어떤 특정한 자세를 하다'라는 의미이고, ⓑ '어머니는 숙면을 취하고 계셨다'의 '취하고'는 '자기 것으로 만들어 가지다'라는 의미로 쓰였다.

④ ⓐ '정부는 실리적인 대외 정책을 취했다'의 '취했다'는 '어떤 일에 대한 방책으로 어떤 행동을 하거나 일정한 태도를 가지다'라는 의미이고, ⓑ '그가 제시한 조건들 가운데서 마음에 드는 것만을 취했다'의 '취했다'는 '자기 것으로 만들어 가지다'라는 의미이다.

⑤ ⓐ '친구는 퇴원 후 조금씩 음식을 취하기 시작했다'의 '취하기'는 '자기 것으로 만들어 가지다'라는 의미로, ⓑ '그는 당장에라도 일어설 자세를 취했다'의 '취했다'는 '어떤 특정한 자세를 하다'라는 의미로 쓰였다.

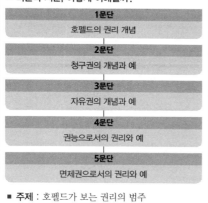

Day 21
본문 118쪽

1. ① 2. ② 3. ④ 4. ① 5. ①
6. ② 7. ④ 8. ① 9. ① 10. ②
11. ③ 12. ③

【1~6】 (가) 김도균, '호펠드의 권리 범주'

지문해설

호펠드의 권리 개념을 통해 권리자 X와 상대방 Y의 지위를 분석하는 글이다. 호펠드가 주장하는 권리의 범주는 청구권, 자유권, 권능으로서의 권리, 면제권으로 나누어 살펴볼 수 있다. 우선 청구권이란 Y가 X에게 A라는 행위를 할 법적 의무가 있다면, X는 상대방 Y에 대하여 A라는 행위를 할 것을 법적으로 청구할 수 있다는 의미로 청구는 논리적으로 의무와 대응 관계를 이룰 수 있다. 자유권이란 X가 상대방 Y에 대하여 A라는 행위를 하거나 하지 않아야 할 법적 의무가 없다면 X는 Y에 대하여 A를 행하지 않거나 행할 법적 자유가 있다는 뜻이다. 자유권은 상대방의 '청구권 없음'과 대응 관계에 있다. 한편 권능으로서의 권능 X가 상대방 Y에게 법적 효과 C를 야기하는 것이 인정된다면 X는 Y에게 C를 초래할 수 있는 법적 권능을 가진다는 의미로 권능을 행사하는 자의 상대방은 권능을 가진 자의 처분 아래 놓인 상태에 있다고 볼 수 있다. 마지막으로 면제권이란 X에게 C라는 효과를 야기할 법적 권능이 상대방 Y에게 없다면, X는 Y에 대하여 C라는 법적 효과에 대한 법적 면제를 가진다는 뜻으로 면제로서의 권리의 대응 관계는 '할 권능 없음'이다.

■ 비문학 지문, 어떻게 이해할까?

1문단
호펠드의 권리 개념

2문단
청구권의 개념과 예

3문단
자유권의 개념과 예

4문단
권능으로서의 권리와 예

5문단
면제권으로서의 권리와 예

■ 주제 : 호펠드가 보는 권리의 범주

(나) 김정오 외, '의사설과 이익설'

지문해설

법철학에서 보는 권리는 법적으로 존중되는 의사에 대한 선택의 관점인가, 법적으로 보호되는 이익의 관점인가에 따라 나눌 수 있다. 우선 의사설이란 어떤 사람이 무언가에 대해 권리를 갖는다는 것은, 법률 관계 속에서 그 무언가와 관련하여 그 사람의 의사에 의한 선택이 다른 사람의 의사보다 우월한 지위에 있음을 법적으로 인정하는 것으로 '하트'는 권리란 그것에 대응하는 의무가 존재한다고 주장한다. 그러나 의사설의 난점은 합리적 이성을 가진 자가 아니면 권리자가 되지 못한다는 것이다. 한편 이익설이란 권리란 이익이고, 법이 부과하는 타인의

의무로부터 이익을 얻는 자는 누구나 권리를 갖는다는 것이다. 대표적으로 '라즈'는 권리가 의무를 정당화하는 관계라고 주장하나, 이익설의 난점은 이익의 수혜자가 아닌 권리자가 있는 경우를 설명하기 어려우며, 권리가 실현하려는 이익과 그에 상충하는 이익을 비교해야 할 경우 어느 것이 더 우세한지를 측정하기 어렵다.

■ 비문학 지문, 어떻게 이해할까?

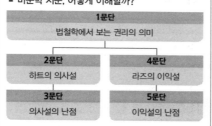

1문단
법철학에서 보는 권리의 의미

2문단	4문단
하트의 의사설	라즈의 이익설

3문단	5문단
의사설의 난점	이익설의 난점

■ 주제 : 의사설과 이익설로 살펴본 권리의 의미

1. ①　글의 전개 방식 파악하기

❶ (가)는 권리의 기본 범주를 청구권, 자유권, 권능으로서의 권리, 면제권으로 나누어 의미와 예시를 들며 분석하고 있다. 이에 비해 (나)는 법철학에서 보는 권리의 근본적 성격을 보는 관점에 따라 의사설과 이익설로 나누고, 이들의 개념과 난점 등의 항목으로 나누어 비교 분석하고 있는 글이므로 적절하다.

② (가)는 호펠트가 살펴보는 권리의 개념을 청구권, 자유권, 권능으로서의 권리, 면제권으로 나누어 설명하고 있다. 그러나 (나)는 권리의 개념을 의사설과 이익설로 나누어 비교하고 있을 뿐 특정 기준에 따라 권리의 종류를 분류하고 있지 않으므로 적절하지 않다.

③ (가)와 (나) 모두 정치적으로 올바른 권리 개념에 대하여 논하는 부분은 없다.

④ (가)는 호펠드가 주장하는 권리 개념을 항목별로 나누어 설명하고 있다. (나)는 근대 이후의 권리에 대하여 법철학이 권리의 근본적 성격을 법적으로 존중되는 의사에 의한 선택의 관점에서 볼 것인가, 아니면 법적으로 보호되는 이익의 관점에서 볼 것인가에 대하여 설명하며 각각의 입장과 장단점을 제시하고 있다. 따라서 권리론과 관련된 논쟁을 소개하며 각각의 장단점을 제시하고 있는 것은 (나)에 해당한다.

⑤ (가)에는 권리론이 발전되어 온 과정에 대한 설명은 제시되어 있지 않다. (나)는 권리의 개념에 대하여 의사설과 이익설의 입장을 설명할 뿐, 권리 간의 충돌을 해소할 수 있는 방법을 소개하고 있는 부분은 없다.

2. ②　핵심 내용 이해하기

① 하트는 의무의 이행 여부를 통제할 권능을 가진 권리자의 선택이 권리의 본질적 요소라고 보았으므로 X가 권능을 행사할 수 없다고 판단되면 X는 권리자의 지위를 가지고 있지 않다고 볼 것이므로 적절하다.

❷ 하트는 권리란 그것에 대응하는 의무가 존재한다고 보았으며 이는 의무의 이행 여부를 통제할 권능을 가진 권리자의 선택이 권리의 본질적 요소라는 것과 같다고 보았다. X가 Y에 대하여 의무 이행 요청을 포기한다 할지라도 X는 본래 Y에 대한 권능을 지니고 있던 것이므로, X가 Y에 대하여 의무 이행 요청을 포기한다면 X는 자신의 권능을 부정하는 것이라는 설명은 적절하지 않다.

③ 하트는 의무의 이행 여부를 통제할 권능을 가진 권리자의 선택이 권리의 본질적 요소라고 보았으므로 X가 권리자라면 X는 Y의 의무 이행을 면제할 수 있다고 보았다.

④ 라즈는 권리란 이익이며, 법이 부과하는 타인의 의무로부터 이익을 얻는 자는 누구나 권리를 갖는다는 보았다. 따라서 타인의 의무 이행에 따른 이익이 없다면 권리가 없다고 하였으므로 X의 이익이 곧 권리이므로 Y의 의무 이행에 따른 이익이 없다면 X에게 권리가 있다고 보기 어렵다고 볼 것이다.

⑤ 라즈는 누군가의 어떤 이익이 타인에게 의무를 부과할 만큼 중요성을 가지는 것일 때 비로소 그 이익은 권리로서 인정된다고 보았다. 따라서 X의 이익이 Y에게 의무를 부과할 만큼 중요한 것일 때 X의 권리가 인정될 수 있다고 볼 것이다.

3. ④　핵심 내용 이해하기

① (가)의 자유권의 핵심은 권리자의 상대방은 권리자의 권리 행사를 방해할 권리를 가질 수 있다는 것이다. 따라서 만일 내가 담 너머 이웃의 건물을 구경할 권리가 있다면, 그 이웃은 내가 구경하지 못하도록 담을 높게 세울 수 있다는 것이 자유로서의 권리이다.

② 만일 나와 친구가 길가의 낙엽을 보았을 때 내가 낙엽을 주울 권리가 있다면, 그 친구는 낙엽을 주울 수 없도록 할 수 있다는 것이 자유로서의 권리이다.

③ 만일 내가 내 자동차를 친구에게 빌려주지 않을 권리가 있다면, 그 친구는 내가 내 장동차를 친구에게 차를 빌려주지 않는 것을 방해할 수 있다.

❹ (가)의 자유권의 핵심은 권리자의 상대방은 권리자의 권리 행사를 방해할 권리를 가질 수 있다는 것이다. 만약 내가 이웃의 가게에 들어갈 권리가 있다면, 그 이웃은 내가 가게에 들어가지 못하도록 막을 수 있으며 이것이 자유로서의 권리이므로 적절한 이해이다.

⑤ 만일 내가 원하는 대로 옷 입을 권리가 있다면, 타인은 내가 원하는 대로 옷 입는 것을 막거나 방해하는 자유권을 갖는다.

4. ①　글의 세부 정보 파악하기

❶ 의사설은 타인의 의무 이행 여부와 관련된 권능, 곧 합리적 이성을 가진 자가 아니면 권리자가 되지 못하는 난점이 있다. 가령 사람이 동물 보호 의무를 갖는다고 하더라도 동물은 이성적 존재가 아니기 때문에 권리를 갖는다고 보기는 어렵다. 따라서 의무가 있는 곳에는 권리자가 필연적으로 존재한다고 볼 수 없다.

② 의사설은 의무의 이행 여부를 통제할 권능을 가진 권리자의 선택이 권리의 본질적 요소라고 보고 있으므로, 권리의 본질을 권리자의 의사에 의한 선택이라고 설명한다.

③ 의사설은 합리적 이성을 가진 자가 아니면 권리자가 되지 못하는 난점이 있다.

④ 이익설은 권리란 이익이며, 법이 부과하는 타인의 의무로부터 이익을 얻는 자는 누구나 권리를 갖는다는 입장이다.

⑤ 이익설은 이익의 수혜자가 아닌 권리자가 있는 경우를 설명하기 어렵다는 비판을 받는다고 하였다. 또한 이익설은 권리가 실현하려는 이익과 그에 상충하는 이익을 비교해야 할 경우 어느 것이 더 우세한지를 측정하기 쉽지 않다.

5.① 글의 내용을 구체적 상황에 적용하기

❶ (가)의 네 번째 문단에 호펠드의 면제로서의 권리는 상대방이 그러한 처분을 '할 권능 없음'과 대응 관계에 있다고 하였다. ㉮는 국가를 비롯하여 다른 누구의 권능에게도 지배받지 않는다고 하였으므로 호펠드라면 ㉮는 국가의 권능 아래에 있지 않아 ㉮를 면제권으로 설명이 가능하다. (나)의 두 번째 문단에서 의사설을 지지한 하트는 권리란 그것에 대응하는 의무가 존재한다고 보았다. 그는 의무의 이행 여부를 통제할 권능을 가진 권리자의 선택이 권리의 본질적 요소라고 보았기 때문에 법이 타인의 의무 이행 여부에 대한 권능을 부여하지 않은 경우에는 권리를 가졌다고 말할 수 없다고 주장하였다. ㉮는 언론 출판의 자유를 보장하도록 국가에 부과된 의무를 국민이 좌지우지할 권한이 없다고 하였으므로 하트라면 국민이 국가에 권능을 행사할 수 없어 ㉮를 권리로 설명하기 어렵다고 말할 것이다.

6.② 단어의 문맥적 의미 이해하기

① '살림이 어려운 때일수록 힘을 합쳐야 한다'의 '어려운'은 '가난하여 살아가기가 고생스럽다'라는 의미이다.
❷ '휴가를 얻지 못해 여행 가기가 어려울 것 같다'의 '어려울'은 '가능성이 거의 없다'의 의미로 쓰였으므로 ⓐ와 유사한 의미이다.
③ '이 책은 너무 어려워서 내가 읽기에는 참 힘들다'의 '어려워서는' '하기가 까다로워 힘에 겹다'라는 의미이다.
④ '사람은 어려운 형편 속에서도 씩씩하게 살았다'의 '어려운'은 '가난하여 살아가기가 고생스럽다'라는 의미이다.
⑤ '나는 선생님이 어려워서 그 앞에서는 말도 제대로 못 한다'의 '어려워서는' '상대가 되는 사람이 거리감이 있어 행동하기가 조심스럽고 거북하다'라는 의미이다.

【7~12】 (가) '예술의 정의에 대한 논의들'

지문해설

미학에서 다루는 예술의 정의에 대한 다양한 이론을 소개하고 있다. 아리스토텔레스의 말에서 비롯된 모방론은 대상과 대상의 재현이 닮은꼴이어야 한다고 전제하였지만, 18세기 말에 낭만주의가 등장하면서 낭만주의 작품을 예술로 인정할 수 있는 이론이 필요했고 콜링우드가 예술가의 마음을 중시하는 표현론을 제시하여 그 문제를 해결했다. 이 시기에 작품 자체의 고유 형식을 중시하는 형식론도 발전했다. 20세기 중반에 뒤샹의 「샘」이란 작품이 예술 작품으로 인정되면서 웨이츠의 예술 정의 불가론과 디키의 제도론이 등장했다. 전자는 예술의 정의에 대한 논의 자체가 불필요하다는 것이고, 후자는 예술계라는 사회 제도에 속하는 사람에 의해 감상의 후보 자격을 부여받은 인공물이 예술품이 될 수 있다고 보는 이론이다.

■ 비문학 지문 어떻게 이해할까?

1문단
예술의 정의에 대한 관점 – '모방론'

2문단
'표현론'과 '형식론'

3문단	4문단
'예술 정의 불가론'	'제도론'

■ 주제 : 예술의 정의에 대한 논의들

(나) '예술 작품에 대한 주요 비평 방법'

지문해설

예술 작품에 대한 주요 비평 방법인 맥락주의 비평, 형식주의 비평, 인상주의 비평을 소개하고 있다. 맥락주의 비평은 예술 작품이 창작된 배경, 작품이 사회에 미치는 효과, 작가의 심리적 상태 등 많은 자료를 바탕으로 작품을 해석한다. 그런데 자료를 중심으로 작품을 비평하면 작품 외적 요소에 치중하게 될 수 있다. 이를 극복하는 방법으로 형식주의 비평과 인상주의 비평이 있다. 전자는 외적 요인이 아니라 작품의 형식적 요소와 그 요소 간의 유기성을 중요시하는 것이며, 후자는 작가의 의도나 외적 요인을 고려할 필요 없이 비평가가 자유 의지와 상상력으로 작품을 해석하는 것이다.

■ 비문학 지문 어떻게 이해할까?

1문단
예술 작품 비평 방법

2문단	3문단	4문단
맥락주의 비평	형식주의 비평	인상주의 비평

■ 주제 : 예술 작품에 대한 주요 비평 방법

7.④ 내용 전개 방식 파악하기

① (가)와 (나)에는 예술과 관련된 서로 다른 관점들이 제시되고 있지만, 대립되는 관점들을 하나로 모아서 정리해 가는 과정을 밝힌 것으로 보기 어렵다.
② (가)와 (나)에는 화제에 대한 이론들을 평가하여 종합적 결론을 도출하는 부분은 없다.
③ (가)와 (나)에는 화제가 사회에 미치는 영향을 분석하고 있지는 않다.
❹ (가)에서는 모방을 필수 조건으로 삼지 않는 낭만주의의 작품을 예술로 인정할 수 있는 새로운 이론이 필요해서 콜링우드가 표현론을 제시하여 문제를 해결했다고 설명하였다. 또 (나)에서는 맥락주의 비평이 작품 외적인 요소에 치중하여 작품의 핵심적 본질을 훼손할 우려가 있다는 비판을 받기 때문에 이를 극복하는 방법으로 형식주의와 인상주의 비평이 있다고 설명하였다. 따라서 (가)와 (나) 모두 예술과 관련된 관점의 문제점을 제시하고 대안적 관점을 소개하고 있다고 할 수 있다.
⑤ (가)의 세 번째와 네 번째 문단에서 뒤샹의 「샘」이라는 작품을 사례로 들어, 이 작품은 예술이고 다른 변기는 예술이 될 수 없는 이유에 대한 두 가지 대응 이론을 제시하고 있다. 하지만 이를 두고 다양한 이론을 시대순으로 나열하고 있다고 보기는 어렵다.

8.① 세부 내용 이해하기

❶ 형식론은 비평가들이 직관적으로 의미 있는 형식을 통해 미적 정서를 유발할 수 있는 어떤 성질을 근거로 예술 작품의 여부를 판단한다고 하였다.
② 형식론은 모든 관람객이 아니라, 비평가들만이 직관적으로 식별할 수 있는 형식을 통해 예술 작품의 여부

를 판단한다고 설명하였으므로 적절하지 않다.
③, ④ 예술 작품을 물리적 소재를 통해 구성될 필요가 없는 정신적 대상으로 본 것은 콜링우드의 표현론이다. 반면에 형식론은 외부 세계나 작가의 내면보다 작품 자체의 고유 형식을 중시하는 이론이라고 했으므로 적절하지 않다. 형식론은 외부 세계나 작가의 내면보다 작품 자체의 고유 형식을 중시한다.
⑤ 예술계라는 어떤 사회 제도에 속하는 한 사람 또는 여러 사람에 의해 자격을 부여받은 작품을 예술 작품으로 규정하는 것은 제도론의 관점이다. 형식론은 예술 감각이 있는 비평가들만이 직관적으로 식별할 수 있는 의미 있는 형식을 통해 비평가들에게 미적 정서를 유발하는 작품을 예술이라고 보는 것이지 예술가가 작품에 자격을 부여하는 것은 아니다.

9.① 핵심 내용 이해하기

❶ '모방론'은 '대상과 그 대상의 재현이 닮은꼴이어야 한다'고 전제한다고 하였다. 그런데 뒤샹의 작품이 대상의 닮은꼴이었다면 모방론자가 그것을 예술 작품으로 볼 수 있겠지만, 뒤샹의 「샘」은 변기를 그대로 가져다 전시한 것이므로 대상을 재현했다거나 모방이 아니다. 따라서 모방론자는 뒤샹의 작품을 예술 작품으로 보지 않았을 것이다.
② 예술가의 독창적인 감정 표현을 중시하는 낭만주의 예술가는 모방을 필수 조건으로 삼지 않았으므로 대상을 재현하기만 하는 모방론자의 견해를 받아들이지 않을 것이다.
③ 진지한 관념이나 감정과 같은 예술가의 마음을 예술의 조건으로 규정하는 표현론자는 독창적인 감정 표현을 중시하는 낭만주의 예술가의 작품을 예술 작품으로 인정할 것이다.
④ 제도론은 예술계에 속하는 사람에 의해 감상의 후보 자격을 수여받으면 모두 예술 작품으로 규정하고 있으므로, 제도론자는 일정한 절차와 관례를 거치기만 하면 뒤샹의 샘 외에 다른 변기들도 예술 작품으로 인정할 것이다.
⑤ 예술 정의 불가론에서는 예술의 정의에 대한 기존의 이론들이 참과 거짓을 판명할 수 없는 사이비 명제이므로 예술의 정의에 대한 논의 자체가 불필요하다는 견해를 보인다. 따라서 예술 정의 불가론자는 예술가의 마음을 예술의 조건으로 규정하는 표현론자에게, 예술가의 관념을 예술 작품의 조건으로 규정할 때 사용하는 명제는 참과 거짓을 판정할 수 없기 때문에 그 견해를 받아들일 수 없다고 할 것이다.

10.② 구체적 상황에 적용하여 추론하기

① (가)의 두 번째 문단을 참고하면, 예술가의 마음을 예술의 조건으로 규정한 콜링우드의 표현론을 적용하고 있음을 알 수 있다.
❷ (가)의 마지막 문단을 참고하여 디키의 제도론 관점을 적용한다면, 예술계에 속하는 사람이 감상의 후보 자격을 수여받은 인공물을 예술 작품으로 규정하면 예술 작품이 된다. 그런데 신발의 원래 주인이 화가였다는 사실을 밝힌다고 이 그림을 예술 작품으로 평가한다는 진술은 적절하지 않다.
③ (나)의 두 번째 문단을 참고하면, 맥락주의 비평은 작가의 심리적 상태와 이념을 포함하여 가급적 많은 자료를 바탕으로 작품을 분석하고 해석한다고 했으므로

팸플릿 정보를 근거로 작품을 해석하는 것은 적절하다.
④ (나)의 세 번째 문단을 참고하면, 프리드는 선, 색, 형태 등의 조형 요소와 비례, 율동, 강조 등과 같은 조형 원리를 예술 작품의 우수성을 판단하는 기준으로 삼았다고 했으므로 형식주의 비평 관점을 적용하고 있음을 알 수 있다.
⑤ (나)의 마지막 문단을 참고하면, 비평가가 작품을 자신의 생각과 느낌에 대하여 자율성과 창의성을 가지고 비평하여야 한다고 보는 프랑스의 관점을 적용하고 있음을 알 수 있다.

11. ③ 구체적 대상에 적용하여 이해하기

① A에서 구체적 사건을 언급한 것은 역사적 정보를 바탕으로 작품을 해석하기 위한 것으로, 작품이 창작된 사회적 역사적 배경 등을 작품 비평의 중요한 근거로 삼는 ㉠의 관점에서 비평한 것임을 알 수 있다.
② A에서 비극적 참상을 전 세계에 고발한 작품이라고 평가한 것은, 작품이 사회에 미치는 효과를 예술 작품 비평의 중요한 근거로 삼는 ㉠의 관점에서 비평한 것임을 알 수 있다.
❸ 인상주의 비평은 작가의 의도를 고려하지 않고, 비평가의 자신의 생각과 느낌에 대하여 창의적으로 비평하는 것이며 자유 의지로 작품을 해석하는 것이다. B는 작품을 ㉡의 관점에서 비평한 것이므로, '슬퍼 보이고'와 '고통을 호소하고'라고 표현한 것은 작품을 보는 비평가의 생각과 느낌에 해당한다. 작가의 심리적 상태를 분석하는 것은 ㉠의 관점이므로 적절하지 않다.
④ B에서 비평가가 작품에서 받은 주관적 인상을 '우울한 색과 기괴한 형태'라고 표현한 것을 볼 때, 비평가가 자신의 생각과 느낌에 대하여 자율성과 창의성을 가지고 무한대의 상상력으로 작품을 해석하면 된다고 보는 ㉡의 관점에서 비평한 것임을 알 수 있다.
⑤ B에서 작품에 대해 '희망을 갈구하는'이라고 해석한 것은 비평가의 자유 의지로 무한의 상상력을 가지고 작품을 해석하면 된다고 보는 ㉡의 관점에서 비평한 것임을 알 수 있다.

12. ③ 동음이의어 파악하기

① 두 단어에 쓰인 '전제(前提)'는 '어떠한 사물이나 현상을 이루기 위하여 먼저 내세우는 것'이라는 의미이다.
② 두 단어에 쓰인 '시기(時期)'는 '어떤 일이나 현상이 진행되는 시점'이라는 의미이다.
❸ ⓒ '이론(理論)'은 '사물의 이치나 지식 따위를 해명하기 위하여 논리적으로 정연하게 일반화한 명제의 체계'를 의미하는데, 제시된 '이 문제에 대해서는 이론(異論)의 여지가 없다.'에서의 이론은 '다른 이론'이라는 의미이므로 서로 동음이의 관계에 있다.
④ 두 단어에 쓰인 '근거(根據)'는 '어떤 일이나 의견에 그 근본이 됨'이라는 의미이다.
⑤ 두 단어에 쓰인 '시각(視角)'은 '사물을 관찰하고 파악하는 기본적인 자세'라는 의미이다.

Day 22 본문 122쪽

1. ③ 2. ① 3. ② 4. ② 5. ②
6. ② 7. ④ 8. ③ 9. ① 10. ⑤
11. ② 12. ④

【1~6】 김병수 외, '연관성 분석'

지문해설

연관성 분석을 주요 측도 세 가지를 중심으로 설명한 글이다. 현대 사회의 방대한 자료에서 유용한 정보를 찾아 활용하기 위한 분석 기법 중 하나가 연관성 분석이다. 연관성 분석은 수집한 자료 안에 존재하는 품목 간의 연관 규칙을 발견하는 과정으로, 유용한 연관 규칙을 찾기 위해서는 대상 간의 연관성 여부를 측정해야 한다. 연관성 분석의 주요 측도 중 하나인 지지도는 전체 구매에 대해서 조건과 결과에 있는 품목들이 함께 구매되는 경향을 나타낸다. 한편 신뢰도는 조건의 구매가 발생했을 때 결과의 구매가 일어날 확률이며, 향상도는 어떤 연관 규칙에 대하여 조건 없이 결과가 일어날 확률보다 조건이 일어났을 때 결과가 일어날 확률이 얼마나 향상되었는지를 알려 주는 측도이다. 연관성 분석은 유용한 연관 규칙의 형태로 주어지므로 마케팅 전략에 적용하기 쉽지만 분석 품목 수가 늘어나면 문제가 발생할 수 있는데 이는 최소지지도 가지치기로 해결할 수 있다. 또한 연관성 분석은 사건들의 발생 순서를 고려하지 않는데 선후 사건들 사이의 연관성을 추론하는 시차 연관성 분석을 통해 시간의 흐름에 따른 사건들 간의 연관성이나 인과 관계를 추론하는 것이 가능하다.

분석 Plus

■ 비문학 지문 어떻게 이해할까

1문단
방대한 자료를 분석하기 위한 기법인 연관성 분석

2문단	3문단	4문단
연관성 분석의 주요 측도 ①: 지지도	연관성 분석의 주요 측도 ②: 신뢰도	연관성 분석의 주요 측도 ③: 향상도

5문단
연관성 분석의 장점과 문제 발생 시 해결 방법

6문단
시차 연관성 분석의 활용과 분석을 위한 조건

■ 주제 : 연관성 분석의 주요 측도와 연관성 분석의 활용 방식

어휘풀이

• 축적되다(蓄積——) 지식, 경험, 자금 따위가 모여서 쌓이다.
• 측도(測度) 도수(度數)를 잼. 또는 측정되는 정도.
• 기하급수적(幾何級數的) 증가하는 수나 양이 아주 많은. 또는 그런 것.
• 시계열(時系列) 확률적 현상을 관측하여 얻은 값을 시간의 차례대로 늘어놓은 계열. 기상 현상, 경제 동향 따위의 통계 이론에 쓰인다.
• 식별(識別) 분별하여 알아봄.

---

1. ③ 내용 전개 방식 파악하기

① 세 가지 측도들을 편의점에서 취급하는 품목을 예로 들어 설명하고 있다.
② 여섯 번째 문단에서 시차 연관성 분석의 특징을 제시한 뒤 분석에 필요한 요소들을 밝히고 있다.
❸ 첫 번째 문단에서 정보 통신 기술의 발달로 많은 양의 자료가 생성·축적되고 있는 상황을 언급한 뒤 연관성 분석이 널리 쓰이고 있음을 언급하였을 뿐, 시대에 따라 연관성 분석이 변천하게 된 과정을 설명한 것은 아니다.
④ 다섯 번째 문단에서 분석하려는 품목의 수가 늘어나면 문제가 발생할 수 있는데, 최소지지도 가지치기로 이를 해결할 수 있다고 설명하고 있다.
⑤ 첫 번째 문단에서 정보 통신 기술의 발달로 많은 양의 자료가 생성·축적되고 있어 많은 양의 자료에서 유용한 정보를 찾아 활용하기 위해 다양한 분석 기법이 쓰이는데, 그중 정책 수립, 기업 관리, 의학 분야 연구, 마케팅 등에 연관성 분석이 널리 쓰이고 있다고 하고 있다.

2. ① 세부 내용 파악하기

❶ 다섯 번째 문단에 따르면 연관성 분석에서 분석하려는 품목의 수가 늘어나면 연관 규칙이 기하급수적으로 늘어나는 문제가 발생하는데, 이를 해결하기 위해 하위 품목을 상위 품목으로 일반화하는 최소지지도 가지치기 방법을 사용할 수 있다. 즉 분석하려는 품목을 상위 품목으로 일반화하는 방법은 연관 규칙의 수를 줄이기 위한 방법이다.
② 다섯 번째 문단에서 최소지지도 가지치기에는 지지도가 낮은 품목을 분석 대상에서 삭제하거나 하위 품목을 상위 품목으로 일반화하는 방법이 있음을 알 수 있다.
③ 다섯 번째 문단에서 연관성 분석은 결과가 명확하여 이해하기 쉽고 유용한 연관 규칙의 형태로 주어지는 장점이 있다고 하고 있다.
④ 네 번째 문단에서 'X → Y'에서 향상도가 1이라는 것은 X와 Y의 구매가 서로 독립적이라는 의미라고 하고 있다.
⑤ 두 번째 문단에서 연관성 측도의 기본은 발생 빈도라고 밝히고 있다.

3. ② 핵심 정보 이해하기

① 지지도는 전체 거래에서 조건과 결과에 있는 품목들이 함께 구매되는 경향이다. '빵 → 생수'의 지지도는 2/5이고, '빵 → 휴지'의 지지도가 1/5인 것은 '빵 → 생수'가 '빵 → 휴지'보다 지지도가 높다는 것으로, 이는 '빵'과 '생수'를 함께 구매한 경우가 '빵'과 '휴지'를 함께 구매한 경우보다 많다는 의미이다.
❷ 신뢰도는 조건의 구매가 발생했을 때 결과의 구매가 일어날 확률로 '휴지 → 우유'의 신뢰도가 100%라는 것은 조건인 '휴지'를 구매한 모든 경우에 결과인 '우유'를 구매했음을 의미한다. '우유'를 구매한 경우에 '휴지'를 구매한 경우, 즉 '우유 → 휴지'(우유를 네 번 구매하는 동안 휴지는 두 번 구매)의 신뢰도는 2/4이다.
③ '생수 → 빵'과 '생수 → 우유'의 신뢰도는 모두 2/3이고, '생수 → 휴지'의 신뢰도는 1/3이므로, '생수 → 휴지'

의 신뢰도가 더 낮다.

④ 지지도는 조건과 결과에 있는 품목들이 함께 구매되는 것으로, 'X → Y'와 'Y → X'의 지지도는 같다. 따라서 '우유 → 생수'와 '생수 → 우유'의 지지도는 서로 같다.

⑤ '빵 → 세제'의 신뢰도는 2/4이고 '세제 → 빵'의 신뢰도는 2/2이므로 서로 다르다.

4. ② 구체적 사례 파악하기

❷ 시차 연관성 분석은 순차적으로 일어나는 사건들을 나열한 자료를 분석하여 선후 사건들 사이의 연관성을 추론하는 것이다. ㄱ은 특정 환자가 순차적으로 두 종류의 병을 앓았던 사례들을 분석하여, ○○ 질환을 앓았던 환자가 □□ 질환을 앓을 수 있다는 연관성을 밝혀냈으며, ㄷ은 TV를 산 고객이 이후에 재방문하여 고성능 스피커를 샀던 사례들을 분석하여 TV 구입 고객과 고성능 스피커 구입 고객의 연관성을 밝혀냈다. ㄹ 또한 회원들의 웹페이지 방문 순서를 분석하여 A, B, C 등의 웹 페이지를 순차적으로 방문한다는 것을 밝혀냈으므로 시차 연관성 분석을 활용한 사례에 해당한다.

ㄴ은 라면과 계란의 판매대를 붙여 놓은 경우와 떼어 놓은 경우의 각 판매량을 파악한 것으로 순차적으로 발생하는 사건의 순서를 분석 대상으로 삼은 것은 아니다.

5. ② 구체적 상황에 적용하기

① Y를 포함하는 거래의 수를 전체 거래의 수로 나눈 값은 기대 신뢰도로, ㉮의 연관 규칙에서 기대 신뢰도는 42.5%, ㉯의 기대 신뢰도는 45.0%이다. 따라서 ㉯의 기대 신뢰도가 더 크다.

❷ X를 구매했을 때 Y를 구매할 확률을 나타내는 것은 신뢰도로, ㉯의 연관 규칙에서 B를 구매했을 때 C를 구매할 확률인 신뢰도는 35.3%이고, 전체 거래에서 C를 구매할 확률인 기대 신뢰도는 40.0%이다. 따라서 신뢰도가 기대 신뢰도보다 작다.

③ ㉯의 연관 규칙에서 신뢰도는 35.3%이므로, 이를 음의 연관 규칙으로 계산하면 100%−35.3% = 64.7%가 된다.

④ [A]에 따르면 향상도는 결과를 예측하는 데 있어서 우연적 기회보다 우수하여 마케팅 전략을 세우는 데 유용하게 활용된다. ㉮의 향상도는 1.308이고 ㉯의 향상도는 0.883이기 때문에 ㉮의 연관 규칙이 더 유용할 것이다.

⑤ 'A → C'는 'C → A'의 음의 연관 규칙이 아니라 첫 번째 문단에서 설명한 '고객이 A를 사면 C를 산다.'는 연관 규칙을 나타낸 것이다.

왜 말이 틀렸을까?

이 문제는 ③번과 ④번을 선택한 비율이 각각 15%, 18%로 비교적 높게 나타났어. 표와 수치가 제시돼서 언뜻 복잡해 보이는 문제였지만, 신뢰도에 대한 정보만 [A]가 아닌 앞 문단에서 찾아야 했을 뿐 나머지 판단 근거는 모두 [A]에서 찾을 수 있었어. 그러니까 이 부분만 잘 살펴서 비교해야 할 수치가 무엇인지 확인했다면 크게 어렵지 않았을 거야. ③을 많이 선택한 이유는 아마 '음의 연관 규칙'에 대한 이해가 정확하지 않았기 때문일 거야. [A]의 후반부에 제시된 음의 연관 규칙 계산식을 적용해서 계산해 보았으면 어느 숫자가 큰지 쉽게 파악할 수 있었을 거라고 봐. 그리고 ④번은 [A]에서 설명한 향상도의 특징을 통해 확인할 수 있어.

6. ② 단어의 문맥적 의미 이해하기

① '어떤 역할을 맡아서 하다.'라는 의미인 '서다'의 사동사로 쓰인 예이다.

❷ '마케팅 전략을 세우는'의 '세우다'는 '계획, 결심, 자신감 따위가 마음속에 이루어지다.'라는 의미의 '서다'의 사동사이며, '방학 계획을 세웠다.'의 '세우다' 또한 이와 같은 의미로 쓰인 예에 해당한다.

③ '공로나 업적 따위를 이룩하다.'의 의미로 쓰인 예이다.

④ '무딘 것이 날카롭게 되다.'라는 의미인 '서다'의 사동사로 쓰인 예이다.

⑤ '질서나 체계, 규율 따위가 올바르게 있게 되거나 짜이다.'라는 의미인 '서다'의 사동사로 쓰인 예이다.

【7~12】 '역사와 영화의 관계'

지문해설

역사가는 반드시 사료를 통해서만 과거와 만날 수 있다. 따라서 사료는 필수불가결한 존재이자 특유의 불완전성을 지니며 끊임없는 연구의 대상이 되어 왔다. 이 글은 미시사 연구에서 주로 다루는 '서사적' 자료의 가치를 강조하며, '영화'가 역사와 어떻게 관계를 맺고 있는지를 알기 쉽게 서술한다. 영화는 허구의 이야기이지만, 그 안에 당대의 시대상이 반영되어 있으므로 새로운 사료의 원천이 될 수 있고, 대안적 역사 서술의 가능성을 지니고 있다는 데에 가치가 있다.

분석 Plus+

■ 비문학 지문 어떻게 이해할까?

1문단
사료의 불완전성과 역사가와 사료의 긴밀성

2문단
역사학 사료로서의 영화의 물질성

3문단
역사에 대한 영화적 독해와 영화에 대한 역사적 독해

4문단
문헌을 바탕으로 하는 역사 서술의 허구성과 이면의 의미

5문단
영화가 지닌 역사적 사료로서의 의의와 기능

■ **주제** : 역사적 사료로서의 영화의 의미와 가치

7. ④ 글의 전개 방식 파악하기

❹ 영화는 카메라 앞의 물리적 현실을 이미지화하는 물질성을 갖고, 영화를 통해 역사가는 역사의 외연을 확장할 수 있으며 공식 제도가 배제됐던 역사를 서술하는 기능을 지니고 있다고 설명하고 있으므로, 영화의 사료로서의 특성을 밝히면서 역사 서술로서 영화가 지닌 가능성을 제시하고 있다는 설명은 적절하다.

8. ③ 사실적 정보 파악하기

① 첫 번째 문단에 역사가들은 기존의 사료를 새로운 방향에서 파악하기도 하며, 이 때 평범한 사람들의 재판 기록, 일기, 편지, 탄원서, 설화집 등의 이른바 '서사적' 자료에 주목한다고 하였으므로, 개인적 기록이 사료로 활용된다는 것을 알 수 있다.

② 첫 번째 문단에 과거는 지나간 것이므로 역사가는 사료를 매개로 할 때 과거와 만날 수 있는데, 이때의 사료는 과거를 그대로 재현하는 것은 아니므로 불완전하며, 만약 매개를 거치지 않고 손실되지 않은 과거와 만날 수 있다면 역사학은 존재할 수 없을 것이라고 하였다. 따라서 역사가가 활용하는 공식적 문헌 사료는 매개를 거친 과거의 사실임을 알 수 있다.

❸ 첫 번째 문단에 역사학은 문헌 사료를 비롯하여 유물, 그림, 구전 등 과거가 남긴 흔적은 모두 사료로 활용될 수 있다고 하였다. 따라서 역사가들은 사료를 찾기 위해 기존의 사료를 새로운 방향에서 파악하기도 하고 평범한 사람들의 삶의 모습을 담은 재판 기록, 일기, 편지, 탄원서, 설화집 등을 활용하기도 하는데 이는 사료 발굴에 해당한다고 하였다. 따라서 기존의 사료를 새로운 방향에서 파악하는 것은 사료의 발굴이라고 할 수 있다.

④ 두 번째 문단에 문헌 사료의 언어는 대개 지시 대상과 물리적·논리적 연관이 없는 추상화된 상징적 기호라고 하였다. 반면 영화의 이미지는 영화의 피사체가 있었음을 지시하는 지표적 기호이기도 하였으므로, 문헌 사료의 언어는 다큐멘터리 영화의 이미지에 비해 지시 대상에 대한 지표성이 약하다.

⑤ 두 번째 문단에 영화는 카메라 앞에 놓인 물리적 현실을 이미지화하기 때문에 그 자체로 물질성을 띤다고 하였다. 이렇게 카메라를 매개로 얻어진 영화의 이미지는 닮은꼴로 사물을 지시하는 도상적 기호가 된다고 하였으므로, 카메라를 매개로 얻어진 영화의 이미지가 상징적 기호라는 설명은 잘못되었다.

9. ① 구체적 사례에 적용하기

❶ 'ㄱ'의 '조선 후기 판소리'는 당대 유행한 장르로 허구의 이야기에 속한다. 따라서 판소리를 자료로 하여 판소리 속에 등장하는 당시 음식 문화의 실상을 파악하는 것은 ㉮에 해당된다. 'ㄴ'의 '경전'은 허구의 이야기가 아닌 사실 자료로서의 사료에 가깝고 경전의 일부에 사용된 어휘를 분석하여 경전의 일부가 후대에 첨가되었을 가능성을 검토하는 것은 ㉮와 ㉯ 중 어디에도 해당되지 않는다. 'ㄷ'의 명나라 때 유행한 다양한 소설은 허구의 이야기이며, 이를 활용하여 중국 명나라 때의 상거래 관행을 연구하고자 소설 속에 나타나는 상업 활동과 관련된 내용을 모아 공통된 요소를 분석한 것은 ㉮에 해당한다. 'ㄹ'은 '17세기의 사건 기록에서 찾아낸 평범한 여성'에 대한 역사서를 쓰기 위해 사건 기록에는 미처 나타나지 않은 인물의 심리 묘사를 위해 동시대의 설화집, 즉 허구의 이야기를 활용하여 문장을 차용한 것이므로 ㉯에 해당한다. 따라서 ㉮는 ㄱ과 ㄷ이, ㉯는 ㄹ이 해당된다.

10. ⑤ 특정 관점에 근거하여 비판하기

❺ [A]에서 '평범한 사람들의 회고나 증언, 구전 등의 비공식적 사료를 토대로 영화를 만드는 작업은 빈번하게 이루어지고 있다'고 하였는데 회고나 증언, 구전 등은 음성 언어적인 특성을 지니고 있으므로 문자로 기록된 자료에 비해 변형되거나 누락될 가능성이 있고, 전

달자에 따라서 진술이 과장되거나 축소될 가능성이 있다. 따라서 ㉠에 나타난 역사가는 기억이나 구술 증언은 거짓이거나 변형될 가능성이 있다는 점을 들어 진위 여부를 검증 후에 사료로 사용이 가능하다고 비판할 수 있다.

11. ②   구체적 사례에 적용하기

① 세 번째 문단에 '영화에 대한 역사적 독해'는 제작 당시 대중의 욕망, 강박, 믿음, 좌절 등의 집단적 무의식, 이상, 지배적 이데올로기 등의 가려진 역사를 반영한다고 하였으므로「서머스비」에 반영된 미국 근대사를 긍정적으로 평가하려는 대중의 욕망은 영화가 제작된 당시 사회의 집단적 무의식에 해당한다고 볼 수 있다.

❷ 세 번째 문단에 역사 영화만이 역사를 재현하는 것이 아니라 모든 영화는 명시적이거나 우회적인 방법으로 역사를 증언한다고 하였으므로, 가공의 인물과 사건으로 재구성한「서머스비」에서도 역사적 독해를 시도할 수 있다.

③ 세 번째 문단에 영화인은 영화라는 매체로 자기 나름의 시선을 서사와 표현 기법으로 녹여내어 역사를 비평한다고 하였으므로「마르탱 게르의 귀향」속에도 역사에 대한 영화인 나름의 시선이 표현 기법으로 나타났을 것이다.

④ 영화「마르탱 게르의 귀향」의 고증을 맡은 한 역사가가 영화 제작 이후 재판 기록을 포함한 문서들을 근거로 동명의 역사서를 출간했다고 하였다. 세 번째 문단에 역사를 소재로 한 역사 영화는 역사적 고증에 충실한 개연적 역사 서술 방식을 취할 수 있다고 하였으므로 영화「마르탱 게르의 귀향」은 개연적 역사 서술 방식에 가깝다.

⑤ 첫 번째 문단을 참고하여 보면 역사서「마르탱 게르의 귀향」은 16세기 프랑스 농촌의 평범한 사람들의 삶의 모습을 서사적 자료에 근거하여 다루었다는 점에서 미시사 연구의 방식을 취했다고 볼 수 있다.

12. ④   바꿔 쓰기의 적절성 판단하기

① '대면(對面)'은 '서로 얼굴을 마주 보고 대함'이라는 뜻이므로 ⓐ와 바꿔 쓸 수 있다.

② '간주(看做)'는 '상태, 모양, 성질 따위가 그와 같다고 봄. 또는 그렇다고 여김'이라는 뜻이므로 ⓑ와 바꿔 쓸 수 있다.

③ '대두(擡頭)'는 '머리를 쳐든다는 뜻으로, 어떤 세력이나 현상이 새롭게 나타남을 이르는 말'이므로 ⓒ와 바꿔 쓸 수 있다.

❹ '결합(結合)'은 '둘 이상의 사물이나 사람이 서로 관계를 맺어 하나가 됨'이라는 뜻으로 '어떤 대상이 일정한 상태나 결과를 생기게 하거나 일으키거나 만들다'의 뜻인 ⓓ와 바꿔 쓸 수 없다. ⓓ은 '몇 가지 부분이나 요소들을 모아서 일정한 전체를 짜 이루다'의 의미를 지닌 '구성(構成)'과 바꿔 쓰는 것이 적절하다.

⑤ '전개(展開)'는 '열리어 나타남'이라는 뜻이므로 ⓔ와 바꿔 쓸 수 있다.

Day 23   본문 126쪽

1. ②   2. ①   3. ①   4. ②   5. ①
6. ③   7. ①   8. ②   9. ③   10. ③
11. ②

【1~5】 정인하, '질 들뢰즈의 '주름' 개념과 랜드스케이프 건축'

지문해설

들뢰즈의 주름 개념과 그에 영향을 받은 현대 랜드스케이프 건축의 특징을 설명하고 그 구체적인 사례로 동대문디자인플라자를 소개한 글이다. 들뢰즈는 대상이 다른 대상들과 관계 맺으며 펼쳐지는 차이를 인정하며 세계를 생성의 원리로 설명하고자 했는데, 이때 '차이'란 두 대상이 만나고 섞임으로써 생성되는 것이다. 들뢰즈는 이때 대상과 대상이 연결되어 서로를 변화시키는 생성의 과정을 '주름' 개념으로 설명하는데, 이는 차이를 지닌 대상과의 관계 속에서 끊임없이 생성되는 흔적으로 시간적 개념과 변형이 포함된다. 이러한 주름 개념에 영감을 받은 랜드스케이프 건축에서는 대지와 건물, 건물과 건물, 건물의 내부와 외부가 연속된 표면이며 반복적 과정에서 생성된 하나의 통합적 공간이라고 본다.

분석 Plus

■ 비문학 지문 어떻게 이해할까?

1문단
차이를 바탕으로 세계를 생성의 원리로 설명한 들뢰즈
2문단
들뢰즈의 '차이' 개념과 '생성'
3문단
들뢰즈의 '주름' 개념
4문단
들뢰즈의 주름 개념에 영감을 받은 현대 랜드스케이프 건축
5문단
랜드스케이프 건축에 나타나는 공간적 특징
6문단
랜드스케이프 건축의 특징을 보여 주는 동대문디자인플라자

■ **주제** : 들뢰즈의 '주름' 개념에 영향을 받은 랜드스케이프 건축의 특성

1. ②   세부 내용 파악하기

① 대상의 생성을 언급한 것은 들뢰즈의 관점이며 근대 철학에서는 대상이 고정된 진리나 고유한 본질을 지녔다고 보았을 뿐 생성을 언급하지는 않았다.

❷ ㉠ '근대 철학'은 대상이 지닌 고정된 진리나 고유한 본질에 해당하는 동일성을 찾으려고 노력했다고 한 것으로 보아 대상의 변하지 않는 속성에 주목했음을 알 수 있다. 한편 ㉡ '들뢰즈'는 '대상과 대상이 연결되어 서로를 변화시키는 생성의 과정을 주름 개념으로 설명'한다고 한 것으로 보아 대상의 변화하는 속성에 주목하

였음을 알 수 있다.

③ 대상과의 관계에 주목한 것은 들뢰즈이며 근대 철학에서 그러한 관계에 관심을 가졌다고 볼 수는 없다.

④ 들뢰즈는 근대 철학의 표상이 대상들이 지닌 차이를 동일성에 종속시키는 것이라 비판했다.

⑤ 대상이 갖는 고정된 본질을 파악하려고 한 것은 근대 철학의 입장이며, 들뢰즈는 대상의 변화와 생성의 원리에 주목했다.

2. ①   핵심 개념 파악하기

❶ 세 번째 문단에서 '주름은 대상 자체의 내재적 원인에 의해 혹은 차이를 지닌 대상과의 관계 속에서 끊임없이 생성되는 '흔적''이라고 하였으므로, 주름이 내재적 원인에 의해 완성된다고 볼 수는 없다.

② 세 번째 문단에서 들뢰즈는 대상과 대상이 연결되어 서로를 변화시키는 생성의 과정을 주름이라고 하였음을 알 수 있다.

③ 세 번째 문단에서 서로 관계를 맺는 대상들은 처음과는 차이가 나는 새로운 주름을 계속해서 생성해 나간다고 한 것을 통해 알 수 있다.

④ 두 번째 문단에서 새롭게 생성된 것이 새로운 의미를 지니게 되는 것을 생성이라고 함을 알 수 있는데, 세 번째 문단에서 생성은 다른 대상과의 관계를 통한 주름에서 비롯되는 것이라고 한 것을 통해 알 수 있다.

⑤ 세 번째 문단에서 서로 관계를 맺는 대상들은 처음과는 차이가 나는 새로운 주름을 계속해서 생성해 나간다고 하였으므로, 대상의 주름은 서로를 변화시키며 연속적으로 만들어진다고 할 수 있다.

3. ①   세부 내용 파악하기

❶ 동대문디자인플라자는 랜드스케이프 건축의 특징을 보여 주는 건물로, 네 번째 문단에 따르면 이전의 건축에서는 대지와 건물이 인간에 의해 그 역할이 일방적으로 규정되는 수동적 존재로 파악되었는데, 랜드스케이프 건축에서는 대자와 건물 자체가 새로운 의미를 생성하는 능동적인 존재로 작동한다. 따라서 동대문디자인플라자의 대지와 건물의 표면에 주름처럼 이어진 곡선은 대지의 의미가 건물에 의해 규정된 것이 아니라 대지와 건물이 흐름을 생성하면서 새로운 의미를 만들어 내도록 한 것이라 할 수 있다.

② 다섯 번째 문단에서 랜드스케이프 건축은 대지와 건물이 구분되지 않고 하나로 연결되어 통합되기도 하고, 건물 자체가 대지를 완전히 덮어서 대지와 건물이 통합되기도 한다고 하고 있다. 동대문디자인플라자는 하늘에서 내려다보면 건물 전체가 대지를 덮고 있는 형상이므로 건물과 대지를 통합하여 연속된 표면을 이룬 것에 해당한다고 볼 수 있다.

③ 다섯 번째 문단에서 랜드스케이프 건축은 건물의 안과 밖이 자연스럽게 연결되어 내부와 외부의 구분이 모호해지게 되고, 이를 통해 내부에서 외부를 바라보는 시선과 외부에서 내부를 바라보는 응시를 동시에 담아낼 수 있다고 하고 있다. 동대문디자인플라자 역시 외부의 공원과 건물 간의 경계가 없어 관람자가 공원에서 건물 내부로, 내부에서 잔디 언덕으로 자연스럽게 이동하게 할 수 있으므로 이를 통해 시선과 응시를 모두 경험할 수 있을 것이다.

④ 다섯 번째 문단에서 랜드스케이프 건축은 대지와 건물, 건물과 건물, 건물의 내부와 외부를 이분법적으로

보는 관점을 거부했음을 알 수 있는데, 동대문디자인플라자의 입구와 기존에 있던 지하철역을 이어지도록 한 것은 기존의 시설물과 건물을 이분법적으로 보지 않은 것이라 할 수 있다.

⑤ 다섯 번째 문단에서 랜드스케이프 건축은 공간의 성격을 고정하지 않았음을 알 수 있는데, 동대문디자인플라자의 공간들이 다양한 용도로 쓰이는 것은 공간의 성격을 고정하지 않았기 때문이라 할 수 있다.

4. ② 　　　　구체적 사례에 적용하기

① 소쇄원의 길은 기존의 지형과 물줄기의 흐름을 바꾸지 않고 그대로 살려 만든 것이므로, 기존의 자연 환경과 관계를 맺고 있다는 점에서 랜드스케이프 건축의 특성을 보여 준다.

❷ 소쇄원의 연못이 대지와 구분되는 비연속적인 표면을 이루고 있는 것은 랜드스케이프 건축의 특성과 거리가 멀다. 랜드스케이프 건축에서는 대지와 건물이 연속되어 있는 하나의 공간으로 나타난다.

③ 소쇄원의 마당은 통로이자 자연 완상의 장소, 놀이의 공간으로 상황에 따라 용도가 달라지는데 이는 공간의 성격을 고정하지 않았다는 점에서 랜드스케이프 건축의 특성을 보여 준다.

④ 광풍각의 들어열개문은 그것을 들어 올렸을 때 마루 너머의 자연과 연결되어 그것을 즐길 수 있게 하므로 외부와 내부를 연결하는 랜드스케이프 건축의 특성을 보여 준다.

⑤ 들어열개문의 문짝을 접어 올리면 방과 마루가 통합되어 그 경계가 모호해지는데 이는 공간의 구분이 모호한 랜드스케이프 건축의 특성을 보여 준다.

5. ① 　　　　어휘의 문맥적 의미 파악하기

❶ '도출(導出)되는'은 '판단이나 결론 따위가 이끌려 나오는'이라는 의미이므로 ⓐ '나오는'과 바꿔 쓸 수 있다.

② '구성(構成)된다'는 '몇 가지 부분이나 요소들이 모여 일정한 전체가 짜여 이루어진다.'는 의미이므로 ⓑ '생긴다'와 바꿔 쓰기에는 적절하지 않다.

③ '봉인(封印)하여'는 '밀봉(密封)한 자리에 도장을 찍어'라는 의미이므로 ⓒ '덮어서'와 바꿔 쓰기에는 적절하지 않다.

④ '제작(製作)해'는 '재료를 가지고 기능과 내용을 가진 새로운 물건이나 예술 작품을 만들어'라는 의미이므로 공간을 만들어 낸다는 의미의 ⓓ '만들어'와 바꿔 쓰기에는 적절하지 않다.

⑤ '주시(注視)하면'은 '어떤 목표물에 주의를 집중하여 보면'의 의미이므로 ⓔ '내려다보면'과 바꿔 쓰기에는 적절하지 않다.

【6~11】 한용호 외, '세종의 역법 제정과 『칠정산』'

지문해넣

조선의 독자적인 역법인 『칠정산 내편』을 소개하는 글이다. 전통적으로 동아시아에서 역법은 하늘의 뜻을 이해하는 것으로 천자에게만 허락된 것으로 이해되었다. 이로 인해 고려 시대에는 중국의 역법을 그대로 들여와 사용했으나 우리나라의 실정에 맞지 않아 오차가 많았다. 조선 시대에 이르러 세종은 중국의 역법을 수용하되 조선에 맞게 운용하는

방법을 택하여 중국과의 관계를 고려하면서도 시간 규범을 스스로 수립하고자 했다. 이러한 노력으로 『칠정산 내편』이 편찬되었고, 이어 『칠정산 내편 정묘년 교식 가령』과 『교식 추보법 가령』도 편찬되었다. 두 가령의 교식 추보법은 당시 유럽의 천문학과 비교해도 그 방법론이 매우 우수하며, 이후 일본의 독자적인 역법 개발에도 영향을 미치게 되었다.

본석 Plus

■ 비문학 지문 어떻게 이해할까?

1문단
역법의 정의와 고려 시대의 선명력과 수시력

2문단		3문단
세종이 편찬한 『칠정산 내편』		『칠정산 내편 정묘년 교식 가령』과 『교식 추보법 가령』

4문단
근일점, 영축차, 근지점, 지질차의 개념

5문단
『칠정산 내편 정묘년 교식 가령』과 『교식 추보법 가령』 계산의 공통점과 차이점

6문단
조선 역법의 확립과 영향

■ 주제 : 조선 시대 독자적 역법의 확립과 그 영향

6. ③ 　　　　전개 방식 파악하기

① 서경에서 언급한 관상수시의 개념을 소개하고 있으나, 고려와 조선이 그것을 어떻게 변용하여 역법 제작에 응용했는지는 알 수 없다.

② 조선의 역법 발달 과정을 언급하고는 있지만, 동서양 문명에서 공통적으로 나타난 천문과 역법의 의미를 다루지는 않았다.

❸ 동아시아에서 역법은 하늘의 뜻을 이해하는 것이며 나라를 통치하는 주요 수단임을 언급하여 역법에 대한 유교적 관점을 드러내고 조선이 역법 확립을 위해 노력한 바와 그것이 일본 역법의 확립에 미친 영향을 밝히고 있다.

④ 조선의 교식 추보가 중국 천문학 발전에 끼친 영향에 대해서는 언급되어 있지 않다.

⑤ 조선 역법이 당시의 유럽 천문학보다 우수했음을 언급하고는 있지만, 당대에 관측한 값들이 현대적 관점에서 얼마나 정확한 것인지 단계적으로 검증하고 있지는 않다.

7. ① 　　　　글의 세부 내용 파악하기

❶ 첫 번째 문단에서 동아시아의 역법은 나라를 다스리는 데 중요 수단이었고, 관상수시는 하늘의 명을 받은 천자에게만 허락된 일이라고 언급하였다. 두 번째 문단에서도 세종은 중국의 역법을 수용하되 조선에 맞게 운용하는 방법을 택하였다고 하였다. 이를 통해 볼 때, 조선이 역법을 통해 천자를 부정하고 독자적 정치 이념을 실현하였다고 보는 것은 적절하지 않다.

② 두 번째 문단에서 『칠정산 내편』의 '칠정'은 태양, 달, 다섯 행성의 운행을 가리키고, '산'은 계산이라는 의미라고 언급하였으므로, 이를 통해 조선은 교식 추보 이외의

여러 행성들의 운동도 역법에 담으려고 노력했다는 것을 알 수 있다.

③ 첫 번째 문단에서 '역법의 운용과 역서의 발행은 나라를 다스리는 중요한 통치 행위'임을 밝히고 있으므로, 이를 통해 동아시아에서는 국가의 주도와 통제 아래 역법 연구가 수행된 것을 알 수 있다.

④ 첫 번째 문단에서 동아시아에서 역법은 연월일시의 시간 규범을 제시하는 일 뿐만 아니라 태양, 달, 그리고 다섯 행성의 위치 변화를 통해 하늘의 뜻을 이해하는 것이라고 언급하고 있다. 이를 통해 하늘의 뜻을 알고자 역법을 마련했음을 알 수 있다.

⑤ 마지막 문단에서 『칠정산 내편』 등을 통한 역법의 확립으로 조선은 유교적 이념을 만족스럽게 실현할 수 있는 체계를 갖추었다는 자부심을 가질 수 있게 되었다.'라고 언급한 것에서 조선이 역법의 확립을 통해 유교적 이념의 실현을 위한 체계를 수립했다는 자부심을 가졌던 것을 알 수 있다.

8. ② 　　　　구체적 상황에 적용하기

① 〈보기〉의 (가) 내용의 '선명력을 썼기 때문에 오차가 꽤 많았으나'에서 세종 즉위 전까지 조선에서 선명력을 사용해 교식을 추보할 때 오차가 컸음을 알 수 있다.

❷ 〈보기〉의 (가) 내용은 지문의 두 번째 문단에서 '세종은 즉위 초부터 수시력에 대한 이해를 높이려고 ~ 그 해결책으로 조선만의 교식 추보 방법을 찾고자 했다.'에서 확인할 수 있다. (가)에서는 '이전에는 선명력'을 썼다가 '수시력법을 연구'한 뒤로 역서 만드는 일이 어느 정도 잡혔다고 자부했다가 '이번(세종 12) 일식의 시작과 끝 시각이 모두 차이가 있었'다고 하였고 그 해결책을 찾고자 노력한 결과 『칠정산 내편』을 편찬하였음을 알 수 있다. 『칠정산 내편 정묘년 교식 가령』은 『칠정산 내편』의 효용성을 살리기 위해 편찬되었다.

③ (나)에서 '구리를 녹여 부어 간의'를 만들었다고 하였는데, 이를 토대로 두 번째 문단과 관련지어 생각해 보면 교식 추보의 정확성을 높이기 위해 조선에서 천체 관측 기구가 제작되었음을 알 수 있다.

④ (다)에서 보면 '수시력과 통궤의 체계에 근거하여'라는 언급에서 『칠정산 내편』의 편찬에 기반이 되었던 중국의 역법으로 수시력이 있었음을 알 수 있다.

⑤ (다)에서 보면 '수시력이나 통궤법의 주야각은 각기 근거한 곳에서 추정한 것이므로 우리나라와는 다르다'라고 하였고, 두 번째 문단에서 세종은 입성 제작에 필요한 낮과 밤의 길이인 주야각을 추보하기 위해 한양의 위도 등을 알아내도록 명했다고 하였으므로 세종과 이순지 모두 중국의 주야각 입성이 우리나라의 주야각 입성과 다르다고 생각하였음을 알 수 있다.

9. ③ 　　　　글의 핵심 내용 이해하기

① 〈보기〉에서 달이 원지점에서 근지점으로 이동하고 있었다고 했으므로 달의 실제 위치는 평균 속도로 운행한 달의 위치보다 뒤처져 있었을 것이다.

② 다섯 번째 문단에서 보면 가감차 값에서 두 가령 모두 영축차에서 지질차를 뺀 값에는 차이가 거의 없고, 다만 『칠정산 내편 정묘년 교식 가령』은 달의 이동 속도를 속도항 값으로 사용했지만, 『교식 추보법 가령』은 달의 이동 속도에서 태양의 이동 속도를 뺀 값을 속도항으로 이용했다는 차이가 있다. 가감차는 영축차에서 지질

차를 뺀 값을 속도항 값으로 나누어 구하는 것으로 속도 항이 큰 『칠정산 내편 정묘년 교식 가령』이 『교식 추보법 가령』보다 가감차 값이 작았음을 알 수 있다.

❸ 네 번째 문단에서 하지를 지나 동지로 가는 시점이 축차이며 태양의 실제 위치보다 평균 속도로 운행한 태양의 위치가 더 앞서게 되므로 축차이며 음의 값임을 알 수 있다. 달 또한 지차이며 음의 값임을 알 수 있다. 〈보기〉의 정묘년 8월 경삭에서 영축차와 지질차 모두 음의 값이므로 가감차 값은 양이 된다. 따라서 가감차 값을 더하는 가차로 삼았을 것이다.

④ 8월은 하지를 지나 동지로 가는 시점이라고 〈보기〉에서 제시하고 있으므로, 두 가령 모두 가감차 계산에서 축차를 사용했을 것이다.

⑤ 다섯 번째 문단에서 지구가 태양과 달 사이에 놓여 달을 가릴 때를 망(望)이라고 제시하였으므로, 정삭 때 지구가 태양과 달 사이에 있다는 것은 적절하지 않다.

왜 많이 틀렸을까?

2019학년도 수능에서도 이와 같은 유형의 문제가 나왔어. 오답률이 최고였고, 국어 문제가 아니라 과학 문제라는 비판도 많았지. 하지만 좋은 문제였어. 지문을 정확히 독해한다면 과학을 전문적으로 배우지 않은 사람도 능히 정답을 고를 수 있는 문제였거든. 다만 진짜로 정확하고 꼼꼼히 독해를 해야 한다는 것! 그걸 안 해서 정답을 못 골랐으니 틀렸던 거지. 이번 문제도 마찬가지야. 네 번째 문단의 내용에서 언급하는 하지와 동지에서의 '태양의 위치와 평균 속도', '달의 위치와 평균 속도', '영축차', '지질차'의 개념을 확인했다면 다섯 번째 문단에서 언급한 가감차 값을 〈보기〉에서 제시한 수치를 통해 알 수 있고, 그렇게 되면 정답을 3번으로 고르는 것에는 무리가 없었을 거야. 국어 문제의 모든 정답의 근거는 정확한 독해라는 것 꼭 기억하자.

---

10. ③ 구절 이해하기

① 수시력을 통달했다고 자부했음에도 오차가 생기자 교식 추보의 정확성을 기하고자 한양을 기준으로 한 입성을 제작하려 하였다.

② 북반구에서 관측한 태양은 동지 즈음에 가장 빠르게 운행한다고 하였으므로, 낮의 길이와 공전 속도가 비례하는 것은 아니다.

❸ 지질차는 달의 실제 위치에서 평균 위치를 뺀 값으로, 달이 지구와 가장 가까이 위치할 때인 근지점에서 달의 위치와 평균 위치가 같아지므로 지질차의 값은 0이 된다.

④ 네 번째 문단을 통하여 '질차'는 양의 값을 가지고, '지차'는 음의 값임을 알 수 있다.

⑤ 달의 이동 속도는 태양의 이동 속도보다 크므로 『교식 추보법 가령』의 속도항 값이 음의 값을 가질 수 없다.

---

11. ② 단어의 사전적 의미 이해하기

① '운용'은 '무엇을 움직이게 하거나 부리어 씀'을 의미한다.

❷ '통달'은 '사물의 의미나 지식, 기술 따위를 훤히 알거나 아주 능란하게 함'을 의미한다. '예리한 관찰력으로 사물을 꿰뚫어 봄'은 '통찰'이다.

③ '정비'는 '흐트러진 체계를 정리하여 제대로 갖춤'을 의미한다.

④ '실현'은 '꿈, 기대 따위를 실제로 이룸'을 의미한다.

⑤ '확립'은 '체계나 견해, 조직 따위가 굳게 섬. 또는 그렇게 함'을 의미한다.

미니 Test

본문 130쪽

Day 24

1. ①	2. ④	3. ②	4. ③	5. ⑤
6. ⑤	7. ②	8. ③	9. ③	10. ①
11. ⑤	12. ③			

【1~5】 (가) 정철, '성산별곡'

작품해설

조선 선조 때의 문인 정철이 25세 이후에 당쟁으로 정계를 물러나 성산에서 살 때 김성원을 위하여 지은 가사이다. 당시 문인이었던 김성원이 세운 서하당과 식영정을 중심으로 계절에 따라 변하는 경치와 김성원의 풍류를 예찬하고 있다. 한문 투의 어휘가 지나치게 많고 한 개인의 칭송에 치우친 점 등은 아쉽지만, 전원생활의 흥취와 작가의 개성이 잘 드러난 작품으로 평가받고 있다.

■ 갈래 : 서정 가사, 양반 가사
■ 성격 : 자연 친화적, 전원적, 풍류적
■ 주제 : 성산의 사계절 장관과 김성원의 풍류 예찬
■ 특징
  – 시간의 흐름(계절의 변화)에 따라 시상이 전개됨.
  – 서사와 결사가 호응이 되어 작품의 유기성을 강화함.
  – 한자어와 고사가 많이 사용됨.

(나) 권구, '병산육곡'

작품해설

총 6수의 연시조로, 평생 벼슬에 뜻을 두지 않고 자연과 더불어 살며 학문을 닦았던 작가의 유유자적하는 삶의 태도가 잘 드러나 있다. 정치적으로 어지러운 현실에 대해 안타까운 마음을 드러냄과 동시에, 자연과 일체감을 느끼며 지내는 소박한 삶에 대한 만족감도 함께 제시되어 있다.

■ 갈래 : 연시조
■ 성격 : 자연 친화적, 전원적, 풍류적
■ 주제 : 자연 속에서 사는 삶에 대한 만족감

(다) 백문보, '율정설'

작품해설

서술자는 밤나무의 속성을 열거하며 바람직한 삶의 태도와 연관 지어 이야기하고 있다. 밤나무는 재배하기도 어렵고 기르는 데 시간도 오래 걸린다. 그러나 자라기만 하면 쉽게 튼튼해지며, 잎이 돋기만 하면 그늘을 쉽게 만들어 준다. 또 꽃이 매우 늦게 피지만 피기만 하면 곧 흐드러지며, 열매가 매우 늦게 맺히지만 맺히기만 하면 곧 수확할 수 있다. 이러한 밤나무의 속성은 마치 윤공의 공직 생활과 같다. 늘 자신의 행동을 경계하며 살았던 윤공의 삶의 태도를 제시하며 바람직한 삶의 자세에 대한 성찰을 권하고 있다.

■ 갈래 : 수필, 설(說)

■ 성격 : 교훈적, 상징적
■ 주제 : 목표를 바라보며 정진하는 성실한 삶의 태도

1. ① 표현상의 특징 파악하기

❶ (가)는 '석양', '달' 등을 통해, (나)는 '서산에 해 져 간다'라는 시간적 배경이 드러나는 표현을 통해 시적 분위기를 형성하고 있다.

② (가)와 (다)에는 반어적 표현이 사용되지 않았다.

③ (나)와 (다)는 근경에서 원경으로 시선이 이동하고 있지 않다.

④ (가)의 '녹초변'과 (나)의 '백구'는 색깔이 드러나므로 색채어라 할 수 있으나, (다)에는 색채어가 사용되지 않았다.

⑤ (가), (나), (다) 모두 공간의 이동을 통해 대상이 변화하는 모습을 드러내는 대목을 확인할 수 없다.

2. ④ 작품의 내용 파악하기

① [A]에서 화자는 '소 먹이는 아이들'의 피리 소리를 듣고, '물 아래 잠'겨 있다가 '잠을 깨어 일어날 듯'한 '용'과 '제 집을 버리고 반공에 솟아 뜰 듯'한 '학'을 떠올리면서 강변에서의 흥취를 노래하고 있다.

② [B]에서 화자는 '소선 적벽'에서는 '가을 칠월'이 좋다고 했으나 '팔월 보름달'을 모두가 칭찬한다고 말하면서, 달의 아름다움에 취해 달을 잡으려 물에 빠진 '적선'의 이야기를 떠올리며 달이 솔 위에 걸린 풍경에서 느끼는 감흥을 드러내고 있다.

③ [C]에서 화자는 마치 조물주인 '천공'이 '옥'으로 꽃을 만들어 '만수 천림'을 꾸며낸 것 같다고 표현하며 눈 내린 산의 아름다운 풍경을 예찬하고 있다.

❹ [D]에서 화자는 자신이 있는 공간을 '경요굴 은세계'라고 표현하며, 이 아름다운 곳을 찾을 사람이 있을까 걱정되니 이 상황을 '남에게 전하지' 말라고 하고 있다. 따라서 '은세계'를 찾는 사람들이 많아지기를 바라고 있다는 설명은 적절하지 않다.

⑤ [E]에서 책을 읽고 있던 화자가 책 속의 '성현'과 '호걸'에 대해 생각하면서 '시운'이 흥했다가 망했다가 하는 것에 대해 안타까움을 느끼고 있다.

3. ② 소재의 공통점과 차이점 파악하기

❷ ㉠은 화자가 누리고 있는 자연 속 생활의 만족감을 드러내고 있지만, ㉡은 화자가 거리를 두는 세속적 가치로 부정적인 의미를 담고 있다. 따라서 ㉠과 달리 ㉡은 화자가 추구하는 가치와 거리가 먼 대상이다.

4. ③ 작품의 내용 파악하기

① '불이 마른 것에 잘 붙고 물이 축축한 곳으로 흐르는 것'은, 성질이 같은 것끼리 서로 찾아가는 이치를 설명한 것이다. 이는 밤나무와 같은 성질을 가지고 있는 윤상군이 밤나무가 있는 곳을 선택하여 집을 구한 것과 연관된다.

② '밤나무는 늦게 나고, 기르는 데도 시간이 오래 걸리는 것'은, 윤상군이 늦게 벼슬에 나아간 것과 연관된다.

❸ '잎이 매우 늦게 돋지만, 돋기만 하면 곧 그늘을 쉽게

만들어 주는 것'은, 윤상군이 등용은 늦게 되었지만 큰 성취를 이루었다는 점과 연관된다. 이를 벼슬에 오르기까지 직무에 조심하면서 충실히 임한 것과 연관 짓는 것은 적절하지 않다.

④ '별로 손질을 하지 않았는데도 무성하게 뻗어 나가는 것'은 '그 기틀을 세우는 것이 처음에는 어려웠으나 그 성취하는 것이 뒤에는 쉬'운 밤나무의 성질로, 윤상군이 등용까지는 오래 걸렸지만 등용이 되고 나서는 하루 동안에 아홉 번이나 자리를 옮겨 대신의 지위에까지 이르게 되었던 것과 연관된다.

⑤ '밤나무의 생장함'은 윤상군이 출세하여 영화롭게 된 것과, '밤을 수확하여 간직하는 것'은 윤상군이 은퇴하는 것과 연관된다.

5. ⑤ 외적 준거에 따라 작품 감상하기

① (가)에서 기산에 숨어 살던 허유가 임금의 자리를 제안받았을 때 이를 거절하면서 그 말을 들은 자신의 귀를 씻었다는 고사를 인용하며 화자는 그의 기개 있는 품행이 가장 높다고 평가하고 있다. 이는 고사를 통해 바람직한 삶의 자세에 대한 화자의 인식을 드러낸 것이다.

② (가)에서 화자는 세상의 일이 '구름'처럼 험하다면서 '술'을 마시며 '마음에 맺힌 시름'을 잊고 싶어 한다. 이를 통해 화자는 속세를 부정적 대상으로 인식하고 있음을 알 수 있다.

③ (나)에서 화자가 '백구'에게 날지 말고 자신과 함께 속세의 일을 잊자고 말하며 '백구'와 자신을 동일시하는 것을 통해 자연물을 물아일체의 대상으로 인식하고 있음을 알 수 있다.

④ (나)에서 화자는 삶의 터전인 '어촌'을 이상향의 세계인 '무릉'에 비유하며 생활에 대한 만족감을 표현하고 있다. 이를 통해 화자가 일상의 공간을 긍정적으로 인식하고 있음을 알 수 있다.

❺ (다)에서 정자의 이름을 '율정'이라고 지은 것은 윤상군이 밤나무를 좋아하기 때문으로, 자신의 행동을 경계한 것과 관련이 없다. 또한 윤상군은 등용은 늦었지만 큰 성취를 이루었으므로, 윤상군을 통해 당시의 현실에 대한 비판적 인식을 드러내고 있다고 볼 수는 없다.

6. ⑤ 발화의 기능 파악하기

❺ '학생 2'가 장소의 획일화에 대한 부정적인 관점으로 비평문 쓸 것을 제안하자, '학생 3'은 이에 동조하며 장소의 획일화로 생길 수 있는 문제들을 더 생각해보자고 대답한다. 이를 두고 ⓜ이 상대의 의도를 정확히 파악했는지 확인하고 있다는 설명은 적절하지 않다.

7. ② 발화 계획의 적용 점검하기

❷ ㉮는 [활동 1]의 '학생 1'이 언급한 '지난번에 비평문에서 다룰 현안에 대해 각자 찾아보기로 했잖아. 의견 나눠 볼까?'에서, ㉯는 '얼마 전에 읽은 신문 기사 중에 장소의 획일화에 대한 내용이 인상적이었거든. 그건 어때?'에서, ㉰는 '학생 1'은 자료 수집, '학생 2'는 초고 작성을, '학생 3'은 자료 정리와 공유의 역할을 제안하고 있으므로 ㉮, ㉯, ㉰가 조건에 부합한다.

8. ③ 작문 계획의 적용 점검하기

① (가)에서 시사성이 있으면서도 우리 학교 학생들도 고민해 볼 만한 주제로 '장소의 획일화'에 관한 것을 다루기로 하였다. 이를 반영하여 (나)에서 '이곳저곳 같은 장소, 장소의 획일화 무엇이 문제인가'라는 제목을 구성하였으므로 적절한 설명이다.

② (가)에서 우리 학교 학생들도 고민해 볼 만한 현안을 다루기로 하였으므로 (나)의 첫 번째 문단에서 우리 학인근의 골목길이 사라지고 개성 없는 ○○ 거리가 자리 잡은 것을 사례로 들고 있다.

❸ (가)에는 주제와 관련된 전문가의 견해는 제시되지 않았으나 (나)의 두 번째 문단에 지리학자 에드워드 렐프의 견해를 제시하며 장소에 대한 정서적 유대를 강조하였다. 그러나 전문가의 견해를 인용하여 장소의 획일화에 대한 사회적 인식의 변화를 다루고 있지 않으므로 적절하지 않은 설명이다.

④ (가)에서 장소의 획일화로 인해 가 볼 만한 장소가 줄어든다는 문제점을 언급하였다. 이와 관련하여 (나)의 세 번째 문단에서 교내 학술제에서 소개된 '우리 동네 보고서'라는 자료를 통해, 장소가 획일화되어 차별성이 사라지게 되면 경험을 할 수 있는 장소 선택의 폭이 좁아진다는 내용을 추가로 제시하고 있으므로 적절한 설명이다.

⑤ (가)에는 다루어지지 않은 장소의 획일화에서 벗어나기 위한 노력에 관한 내용으로 (나)의 다섯 번째 문단에서 △△ 재래 시장이 전통적인 모습으로 장소의 고유성을 살려 상인과 방문객들에게 좋은 반응을 얻고 있다는 사례를 제시하고 있다.

9. ③ 초고 평가의 적절성 파악하기

① (나)의 첫 번째 문단에 장소의 획일화란 장소가 고유한 특성을 잃고 다른 장소와 동질화된 것이며, 이러한 현상은 바람직하지 않다고 분명하게 명시하고 있다.

② (나)의 첫 번째 문단에 장소의 획일화는 바람직하지 않다는 입장을 분명히 밝혔다. 또한 장소의 획일화로 오는 문제점을 나열하였는데 두 번째 문단에서 장소에서 느끼는 정서적 유대가 훼손되고 안정감을 주지 못한다는 것을, 세 번째 문단에서 장소를 통해 얻을 수 있는 경험의 다양성이 줄어든다는 것을 제시하며 장소의 획일화에 대해 부정적으로 생각하는 관점을 일관되게 유지하고 있다.

❸ ⓒ는 필자의 주장을 뒷받침할 근거를 제시하였는가에 대한 항목이다. 글쓴이는 장소의 획일화에 대해 부정적인 견해를 갖고 있으며, 장소의 획일화가 가져오는 문제점을 문단별로 제시하고 있는데, 획일화된 장소에 식상함을 느낀 사람들이 장소의 선택권을 요구했다는 점을 근거로 제시한 부분은 없다.

④ ⓒ에 대하여 (나)의 두 번째 문단에서 장소가 획일화되면 장소에서 느끼는 정서적 유대와 안정감이 훼손된다는 점을 근거로 들고 있다.

⑤ (나)의 필자는 장소의 획일화로 인한 문제점을 제시하며 장소의 획일화에 대해 부정적인 입장을 취하고 있는데 (나)의 네 번째 문단에 장소의 획일화가 불가피하다고 주장하는 이들의 의견을 제시하며 이에 대한 반박 의견을 내고 있다. 그 이유로 사람들은 비슷한 장소에 싫증을 느끼며 그곳을 더 이상 찾지 않기 때문에 그로 인해 경제적 효과도 지속되기 어렵다는 근거를 제시하였다.

10. ① 중세 국어의 높임 표현 이해하기

❶ ㉠의 '보습고져'에서는 객체 높임의 선어말 어미 '-습-'을 사용하여 객체인 '너희 스승님'을 높이고 있다. 객체 높임 선어말 어미를 쓰는 방법은 문법적 수단에 해당한다.

② ㉡의 '舍利弗의'에서는 객체 높임의 조사 '의'를 사용하여 객체인 '舍利弗(사리불)'을 높이고 있다. 객체 높임의 조사를 쓰는 방법은 문법적 수단에 해당한다.

③ ㉢의 '世尊의 숣노니'에서 객체 높임의 조사 '의'와 객체 높임의 동사 '숣다'는 둘 다 객체인 '世尊(세존)'을 높이기 위해 쓰인 것이다.

④ ㉣의 '이모님께'에서 조사 '께'는 '이모님'을 높이기 위해 쓰인 것이고, 동사 '모시고'는 '어머님'을 높이기 위해 쓰인 것이다.

⑤ ㉤에서 주체는 '선생님', 객체는 '그 아이'이므로, 객체 높임의 동사 '여쭤'를 사용하는 것은 적절하지 않다.

11. ⑤ 형태소 분류하기

① 대명사 '우리'와 부사 '드디어'는 둘 다 자립 형태소이면서 실질 형태소이므로 ㉠에 속한다.

② '비', '길'은 자립 형태소이면서 실질 형태소이므로 ㉠에 속하고, '를', '을'은 의존 형태소이면서 형식 형태소이므로 ㉢에 속한다.

③ '맞고'의 어간 '맞-'은 의존 형태소이면서 실질 형태소이므로 ㉡에 속하고, '맞서다가'의 접두사 '맞-'은 의존 형태소이면서 형식 형태소이므로 ㉢에 속한다.

④ '바람에'의 형태소는 '바람'과 '에'로, '바람'은 ㉠에 속하고 '에'는 ㉢에 속한다.

❺ '찾아냈다'의 형태소는 '찾-+-아+내-+-었-+-다'로 분석되는데, 이 중 '찾-'과 '내-'는 의존 형태소이면서 실질 형태소이므로 ㉡에 속하고, '-아', '-었-', '-다'는 의존 형태소이면서 형식 형태소이므로 ㉢에 속한다.

12. ③ 피동 표현 이해하기

① '점퍼를 입혔다.'에서 '입히다'는 동사 어근 '입-'에 사동 접사 '-히-'가 결합한 사동사이다.

② '형에게 건네받았다.'에서 '건네받다'는 동사 '건네다'와 '받다'가 결합한 합성어이다. 즉, '건네받다'의 '받-'은 ㉡에서 설명한 접사가 아니라 동사이다.

❸ '사건의 전모가 자세히 밝혀졌다.'에서 '밝혀지다'는 동사 '밝히다'의 어간 '밝히-'에 '-어지-'가 결합한 경우이므로 ㉢에 해당하는 예로 적절하다.

④ '그 사람은 많은 사람들에게 존경받는다.'는 자연적으로 발생하는 사태를 표현한 것으로 볼 수 없으며, '많은 사람들이 그 사람을 존경하다.'와 같이 피동문에 대응하는 능동문을 상정할 수 있으므로 ㉣과 관련이 없다. '존경받는다'는 '존경하다'의 접사 '-하-'를 '-받-'으로 교체한 것이므로 ㉡에 해당하는 예이다.

⑤ '소원이 드디어 이루어졌다.'에서 '이루어지다'는 타동사 '이루다'에 '-어지-'가 결합한 것이므로 ㉢에 해당하는 예로 볼 수 없다.